臺灣商務印書館發行

〔宋〕李　昉等奉敕撰

太平御覽

第三冊

第三九三卷至

第五八四卷

ISBN　957-05-0421-8（一套：精裝）
ISBN　957-05-0424-2（第三冊：精裝）

人事部三十四

坐　卧　睡

坐

釋名曰坐挫也骨節挫屈也
毛詩車鄰曰旣見君子並坐鼓瑟小人羣黨坐於王床王床者王者床
禮記曲禮上曰夫爲人子者坐不中席
又曰離坐離立無往參焉
又曰男女不離坐
又曰立毋跛坐無箕
又曰有憂者側席而坐有喪者專席而坐
又曰虛坐盡後食坐盡前
左傳襄五曰伍舉奔晉聲子遇之郊班荆相與食班布荆坐

又襄二十六年曰衛子鮮奔晉公使止之不可及河又使
止之止使者而盟于河託於木門木門青向不向衛國而坐怨之
深也
又定上曰申包胥如秦乞師勺飲不入口七日秦哀公爲
之賦無衣九頓首而坐秦師乃出
春秋演孔圖曰孔子長十尺大九圍坐如蹲龍立如牽牛
爾雅曰妥安坐也
漢書曰單父人呂公善沛令避仇從之客因家焉沛中豪
桀吏聞令有重客皆往賀蕭何爲主吏主進進者會禮之財也主賦斂
禮進爲之師也令諸大夫曰進不滿千錢坐之堂下高祖爲亭長
乃紿爲謁曰賀錢萬實不持一錢謁入呂公大驚起迎之
門呂公者好相人見高祖狀皃因重敬之引入坐上坐
又曰上幸上林皇后愼夫人從其在禁中常同坐及坐郎

署袁盎卻愼夫人坐愼夫人怒不肯坐上亦怒起盎曰陛
下旣已立后愼夫人乃妾妾主豈可以同坐哉
又曰茂陵徐生上疏言霍氏泰盛後霍氏誅滅而告霍氏
者皆封人爲徐生上書曰臣聞客有過主人者見其竈直
突傍有積薪客謂主人更爲曲突遠徙其薪不者且有火
患主人嘿然不應俄而家果失火隣里共救之幸而得息
於是殺牛致酒謝其隣人灼爛者在於上行餘各以功次
坐而不祿言曲突者
又曰高祖使陸賈賜趙他印爲南越王賈至尉他魋結基
倨見賈基倨謂伸其兩胅而坐也亦曰箕踞
又曰諺曰千金之子坐不垂堂
又曰陳遵字孟公時列侯有與陳遵同姓者每至門人曰陳
孟公坐中莫不震動旣至而非因號其人曰陳驚坐

東觀漢記曰上幸譙使王霸攻周建賊雨射城中中霸前
酒鐏霸安坐不動
又曰隗囂圍來歙上自將救之圍解置酒高會賜歙班絕
席坐在諸將之右
謝承後漢書曰汝南薛惇字子禮爲北海長家貧坐無完
席妻曰白居無俸祿給子孫復無完席耶惇以善席與自
坐敢者
又曰鄭敬字次都釣於大澤折芰而坐以荷薦肉瓠李瓢盛
酒琴書自娛
范曄後漢書曰袁術僭號人情離叛欲北至青州從袁譚
曹操使劉備邀之還壽春至江亭坐簀床而歎曰袁術乃
至於是乎歐血而死
又曰孔融性寬容少忌好士喜誘益後進及退閑職賓客

日盈其門常歎曰坐上賓恒滿罇中酒不空吾無憂矣龔
蔡邕素善邕卒後有虎賁士貌類於邕融每酒酣引與同
坐
又曰鄭公業諫董卓曰張孟卓東平長者坐不闚堂言不妄視也
吳書曰孫權遣于禁還羣臣送禁虞翻謂禁曰卿勿謂吳
無人吾謀適不用耳禁雖爲翻所惡然猶盛歎翻魏文帝
爲翻設虛坐
蜀志曰費禕爲諸葛亮司馬值軍師魏延與長史楊儀相
憎每並坐論延或舉刃擬儀儀泣涕橫集禕常入坐其間
諫喻分別終亮之世各盡延儀之用也
又曰王平字子均西宕渠人生長戎旅手不能書所識不
過十字而口授作書皆有意理使人讀史漢書記傳聽之備
知其義從朝至夕端坐儼然也
吳志曰步騭字子山與廣陵衛旌俱以種瓜自給會稽焦
征羌郡之豪族騭等脩刺奉瓜征羌見之隱几坐帳中設
席於地坐騭旌旌忿恥騭神色自若
鄧粲晉記曰裴遐性恬和同類有試遐者推墮床下遐拂
衣還坐言無異色
漢晉春秋曰王裒父儀爲文帝所殺未甞西向坐示不臣
也
晉中興書曰陶淡字處靜年十五便服食絶穀家累千金
僮客百數淡終日端拱絶不婚娶居臨湘縣山中立小草
屋裁足容身時還家設小床獨坐不與人共
何晏別傳曰晏小時武帝雅奇之欲以爲子每挾將遊觀
命與諸子長幼相次晏微覺於是坐則專席止則獨立或
問其故荅曰禮異族不相貫坐位

孟嘉別傳曰庾亮領江州嘉爲從事褚裒爲豫章出朝亮
正旦大會時彥悉集嘉坐次第甚遠裒問亮曰聞有孟嘉
其人何在亮曰在坐卿但自覓裒觀衆人指嘉謂亮曰將
無是乎亮欣然笑嘉爲裒所得乃益重嘉焉
皇甫謐高士傳曰管寧常坐一木榻五十餘年榻上當膝
皆穿
六韜曰文王出田見呂尚坐茅而漁乃再拜與歸
又曰紂之時婦女坐之綺席
晏子曰景公獵休坐地食晏子後至滅葭而席公不悅曰
子席何也對曰臣聞介胄坐陣不席獄訟不席尸坐堂上不席
三者皆憂也臣不敢以憂侍坐
孟子曰晉平公之於亥唐也入云則入坐云則坐食云則
食雖蔬食菜羹未甞不飽
莊子曰原憲處魯居環堵之室匡坐而弦歌
風俗通曰延嘉中常侍單超左悺音貫徐璜具瑗唐衡在
帝左右縱其姦慝時人謂之語曰左迴天徐轉日具獨坐
言其信用甚於圓轉
又曰汝南陳伯敬行必舉步坐必儼然
郭子曰何次道充字次道往王丞相許丞相以麈尾磪床呼何
共坐云來來此是君位
世說曰魏明帝使后弟毛曾與夏侯太初共坐時人謂之
蒹葭倚玉樹
語林曰馬融等渾天不合召鄭玄令等一等便決及玄業成
辭歸融心忌焉玄亦疑有追者乃坐橋下在水上據屐融
果轉式欲勅追之告左右曰玄在土下水上據木此必死
矣遂罷追

俗說曰王僧敬神明俊徹爲一時之標桓玄時集聚賓客莫有出其右者王在坐都不復覺有餘人坐無王便覺殷仲文謝益壽爲佳王僧敬兄弟列坐齋中見之若神小人從户前過皆肅然毛竪嵇康絶交書曰危坐一時痺不得搖

臥

說文曰眠翕目也寢病臥也臥休也

釋名曰臥化也其精神變化不與覺時同也寐謐也謐靜無聲也寢侵也損事功也瞑泯也無知泯泯也

禮記玉藻曰君子寢恒東首鄭玄注曰首生氣也

又樂記曰魏文侯問於子夏曰吾端冕而聽古樂則唯恐臥聽鄭衛之音則不知倦

論語公冶長曰宰予晝寢子曰朽木不可雕也糞土之墻不可汚也於予與何誅誅責

又鄉黨曰寢不尸布展手足似尸象

史記曰吳起爲將與士卒最下者同衣食臥不設席行不乘騎

又曰上自將擊黥布羣臣居守皆送至灞上留侯病自強起至曲郵因說上令太子爲將軍監關中軍上曰子房雖疾強臥而傳太子

漢書曰黥布反上疾欲使太子擊之呂后承間爲上泣曰上雖疾強載輜車臥而護之諸將不敢不盡力

又曰上欲廢太子呂后使建成侯呂澤劫張良曰君常爲上謀臣今上日欲易太子君安得高枕而臥

又曰汲黯拜淮陽太守黯伏謝不受上曰君薄淮陽耶顧淮陽吏民不相得吾徒得君重臥而治之

又曰初武帝遣昭帝以討莽何羅功封金日磾爲秺侯日磾以帝少不受封輔政歲餘病困大將軍光白封日磾臥授印綬一月薨

又曰吳楚反乏粮飢欲退數挑戰周亞夫終不出夜軍中驚内相攻擊擾亂至於帳下亞夫終臥不起須臾亦定

又曰董賢常與上臥起嘗晝寢偏藉上衣袖上欲起恐動賢乃斷袖而起

又曰王莽軍師外破大臣内叛憂懣不能食但飲酒啗鰒魚鰒步角切讀軍書倦因憑几寢不復就床

後漢書曰彭寵自立爲燕王其妻數惡夢又多見變怪五年春寵齋獨在便室倉頭子密等三人因寵臥寢共縛寵著床告外吏去大王齋禁皆使吏休

東觀漢記曰吳漢擊富平獲索二賊於平原明年春賊率五萬餘人夜攻漢營軍中驚亂堅臥不動

又曰上在邯鄲宮晝臥温明殿耿弇入造床下請問因說曰今更始失政天下可馳檄而定

又曰楊政常過楊虚侯馬武稱疾臥欲令政拜床下政入户徑上床坐武恨語言不擇政因曰蕃臣不思求賢報國而驕天下英俊今日搖動者刀入脅左右大驚

蜀志曰先主既定益州廣漢太守夏侯纂請秦宓爲師友祭酒領五官掾稱曰仲父宓稱疾臥在茅舍纂將功曹古祐主簿王並即宓第宴談宓臥如故

沈約宋書曰羊欣字敬元從父不疑爲烏程令年十二時王獻之爲吳興太守甚知愛之獻之常夏月入縣欣着新絹裙晝寢獻之書數幅而去欣書本工因此彌善

鍾離意別傳曰嚴遵者與光武皇帝俱爲諸生遊涉他縣

同門精學暮夜宿二人寒不得寢卧更相謂曰後若富貴憶此之難冝勿相忘

羅含别傳曰羅含字君章少嘗晝卧夢一鳥文色異常徑飛入口

杜祭酒别傳曰君新作被腰眠覺晏起乃歎腰便眠使人不起異事因令看陌上有寒人舉被乞之常眠布被中

會稽典録曰陳脩字奉遷少爲郡幹受韓詩穀梁春秋家貧爲吏常出擔上下恒食乾糒(音備)每至正臈偃卧不起同僚請不肯往其志操如此

吴越春秋曰楚平王遣使者封函印綬追召子胥子胥以夜半時卧覺忽而仰天悲歎言曰父兄俱死當誰歸乎泣下交流恐爲楚所得乃貫弓執矢歩出東郭

韓子曰堂谿空見昭侯曰今有白玉巵無當有瓦器有當

君渴將何以曰以瓦器空曰爲人主漏泄羣臣之語猶玉巵無當也昭侯於是每與空話事歸輙獨卧唯恐夢言泄於妻妾

桓譚新論曰成帝幸甘泉詔楊子雲作賦倦卧夢其五藏出在地以手收内入覺大少氣一年卒

郭子曰王長史病篤(王仲祖也)寢卧燈下轉麈尾視之歎曰如此人曾不得四十及亡劉尹臨殯以犀柄麈尾著棺中因慟絶

世説曰袁紹年少時曾遣人夜以劒擲魏武小不着魏武撥之其後來必高因怙卧床上劒至果高

又曰郝隆七月七日出日中仰卧人問何以荅曰我曬書也

語林曰王子敬在齋中卧偷入齋取物㡤裝一室之内略無不盡子敬卧而不動偷遂復登床欲有所覔子敬因呼曰偷兒青氊是我家舊物可特置不於是羣賊始知其不眠悉置物驚走

睡

左傳宣上曰趙宣子諫靈公患之使鉏麑賊之(鉏麑晉力士也)晨往將朝尚早坐而假寐(不解衣冠而睡)麑退而歎曰不忘恭敬民之主也賊民之主不忠弃君之命不信有一於此不如死也觸槐而死

漢書禮樂志曰魏文侯最爲好音而謂子夏曰聽古樂則欲寐及聞鄭衛之音子不知倦焉

又曰陳咸字子康父萬年嘗病召咸教戒於床下語至夜半咸睡頭觸屏風萬年大怒欲杖之咸叩頭謝曰具曉所言大人教咸諂也萬年乃不復言

晏子曰景公田於梧丘夜猶早公坐睡而夢有五丈夫北面稱無罪公覺召晏子晏子對曰昔君靈公田五大夫驚獸故斷其頭而葬之命之曰五大夫之丘命人掘而葬之

世説曰魏武云我眠中不可妄近近便斫人亦不覺左右宜深慎此後佯睡所幸人竊以被覆之因便斫殺自後安眠人莫敢近者

郭子曰許侍中顧司空入王丞相帳中眠(事具帳部)

益部耆舊傳曰何祗爲成都令嘗眠睡其覺悟便得姦詐咸畏祗之發摘或以爲有術得知之無敢復欺者

太平御覽卷第三百九十三

太平御覽卷第三百九十四

人事部三十五

行　步　趨

走　跳　蹲

行

易困卦曰臀無膚其行趑趄

毛詩谷風曰行道遲遲中心有違（遲遲舒行貌）

又黍離曰彼黍離離彼稷之苗行邁靡靡中心搖搖

又載驅曰汶水湯湯行人彭彭

又我行其野曰我行其野蔽芾其樗昏姻之故言就爾居

又蟋蟀杕杜曰獨行蝺蝺

禮記仲尼燕居曰行則有隨行而無隨則亂於塗也

又王藻曰君與尸行接武（尊者尚徐蹈半迹）大夫繼武（迹相及也）士中武（迹間容迹）端行頤霤如矢弁行剡剡起屨凡行容惕惕（直疾貌也）（凡行謂道路也）

左傳襄五曰衛獻公使與甯喜言甯喜告蘧伯玉伯玉曰瑗不得聞君之出敢聞其入遂行從近關出

論語述而曰子曰三人行必有我師焉

史記曰伍子胥曰爲我謝申包胥吾日暮途遠吾故倒行而逆施之（譬如人行前塗尚遠日勢已暮故在顛倒疾行何得責吾順行禮）

漢書曰袁盎使吳見守從史適在守盎校爲司馬司馬曰君第去臣亦且亡辟吾親君何患遁以刀決帳盎解節旄屨步行七十里（着屨步行而逃亡）

吳書曰孫策討山越斬其渠帥悉令左右分行逐賊獨騎與虞翻相得山中翻曰危事也令策下馬此草深卒有驚急馬不及人翻善用矛請在前行得平地勸策乘馬策曰

卿無馬奈何荅曰翻能步行日可三百里明府試鞭馬翻能疏步屬之

東方朔別傳曰武帝問朔曰公孫丞相倪大夫等先生自視何與此哉朔曰臣觀其臿齒牙樹頰胲䁖吐脣吻擢項頤結股肱連脽（音誰）尻逶虵其迹行步偊旅臣朔雖不肖尚兼此數子

神仙傳曰黃盧子者姓葛名越年二百八十歲行及走馬王眞者上黨人也年十七八乃學道服食胎息之術行及走馬力兼數人河上公者莫知其姓名也又能行及走馬頭上常有五色氣高丈餘孔安者魯人也行氣服鈆丹有陳和者樂安人也重之求事安遂受其方合藥服之二百餘年頭色轉黑氣力百倍行及走馬也

列仙傳曰沈建者丹陽人也世爲長史建獨好導引服食之術一日行五百里能舉千斤

葛仙公別傳曰孫堅欲害仙公馳馬往逐見仙公徐行逐之不及

步

釋名曰徐行曰步步捕也如有所司捕務安詳也

爾雅曰堂下謂之步

禮記王制曰古者以周尺八尺爲步今以周尺六尺四寸爲步

又祭義曰故君子跬步而弗敢忘孝也

漢書曰息夫躬曰匈奴飲馬於渭水邊境雷動四野風起京師雖有武蠭（音鋒）精兵未有能窺左足而先應者也（窺音跬半）（步曰跬步也誤一舉足也）

又曰蔡義河内溫人也以明經爲給事大將軍幕府家貧常

步行禮不逮衆門下好事者相合爲義買犢車令乘之
又曰盖寬饒爲人剛直高節家貧俸祿數千半以給吏人
爲耳目爲司隷常步行
續漢書曰李固少有偶才雅志好學爲三公子常躬步行
驅驢負書從師
范曄後漢書曰楊震轉涿郡太守子孫常蔬食步行
魏志曰崔林字德儒清河東武城人也除鄢陵長家貧無
單車疋馬步行之官
莊子曰壽陵餘子學步於邯鄲未得其能失其故步匍匐
而歸以此勃彼兩失之
白虎通曰人踐三尺法天地人也再舉足爲步備陰陽也
郭子曰王丞相拜司空廷尉作兩角髻葛裙柱杖臨路邊
窺之歎曰人言阿龍超導小名赫虆阿龍故自超不覺步至臺

門方言曰半步爲跬
世說曰阮宣子常步行以百錢桂杖頭至酒店上便獨酌
酣暢

趨

說文曰趨伭頭疾行也赴直行也
釋名曰疾行曰趨趨赴也赴所斯也
毛詩魚藻曰綿蠻黃鳥止于丘隅豈敢憚行畏不能趨
禮記曲禮曰遭先生於道趨而進正立拱手不與之言則
趨而退
又曰帷薄之外不趨堂上不趨執玉不趨
論語鄉黨曰没階趨進翼如也
爾雅曰門外謂之趨
漢書曰上欲自擊陳豨周昌泣曰始皇攻破天下未曾自

行令上行是無人可使者乎上以爲愛我賜入殿門不趨
又曰萬石君諸子入里門趨至家

走

釋名曰疾趨曰走走奏也促有所奏至
禮記玉藻曰凡君召以三節二節以走一節以趨節所以明信也使使召目
急則持三緩則持一周礼曰鎮圭以徵守其餘未聞也如今漢使者持之節
左傳僖下曰衛叔武將沐聞君至而喜捉髮走出前驅射
而殺之
又昭七年曰荀躒以晉侯之命唁公且曰寡君使躒以君命
討於意如意如不敢逃死君其入也公曰君惠顧先君之
好施及亡人將使歸糞除宗祧以事君則不能見夫人已
能見夫人有如河夫人謂季孫也荀躒掩耳而走
公羊傳定公曰陽虎竊寶玉而走

又哀公曰齊景公謂陳乞曰吾欲立舍何如陳乞曰君欲
立且請立之陳乞欲言不可恐景公殺陽生陽生曰吾聞子將不立我也
陳乞曰吾不立子者所以生子也與之玉節而走之節信也拆
王與陽生爲後當迎之
爾雅曰中庭謂之走
史記曰周昌常入奏事高帝方擁戚姬昌還走帝逐得騎
昌項問曰我如何主也昌仰曰桀紂主也
東觀漢記曰上降潁陽雖得入意不安門下有擊馬著鼓
者馬驚硠音郎磕音榼鄧晨起走出視之乃馬也
魏略曰曹真字子丹沛郡人本姓秦養曹氏或云其伯父
南宿與太祖善共平袁術部黨與太祖相攻刼太祖出爲
寇所追走入秦氏伯南開門受之寇問所在荅云我是寇
遂害之由此太祖思其功遂變其姓

江表傳曰陸遜破劉備於夷陵備捨舡步走燒皮鎧以斷道使挽車走入白帝

晉書曰陳安字虎侯驍壯果毅武幹過人多力善射持七尺刀貫甲奔及馳馬

又曰唐彬字儒宗魯國鄒人也少便弓馬好遊獵身長八尺走及奔鹿強力絕人

後魏書曰伊馛（扶拂切）代人也少而勇健走及奔馬善射多力曳牛却行

趙書曰劉靈陽平人也年二十餘常厮役於縣走及馳馬

前秦錄曰符堅大敗爲流矢所中單騎走甚飢民有進壺飧豚髀者堅食之大悅

隋書曰麥鐵杖始興人也驍勇有膂力日行五百里走及奔馬每以漁獵爲事不治產業

吳越春秋曰慶忌僚子也勇爲人所聞走及奔馬

吳氏春秋曰今與驥俱走則人不勝驥矣居其車上則驥不勝人

又曰有莘氏女子採桑得嬰兒於空桑之中獻之其君令養之察其所以然曰其母居伊水之上孕夢神告曰臼出水而東走千里邑盡爲水身化爲空桑故命之曰伊尹

戰國策曰昔曾參處費魯人有與曾參同姓名者殺人人告其母曰曾參殺人曾參母投杼踰牆而走

楚漢春秋曰淮陰武王反上自擊之張良居守上體不安臥輜車中行三四里留侯走東追上簪墮被髮及輼車排户曰陛下即弃天下欲以王葬乎以布衣葬乎上罵曰若翁天子也何故以王及布衣葬乎良曰淮南反於東淮陰害於西恐陛下倚溝壑而終也

莊子曰藏舟於壑藏山於澤謂之固矣然則夜半有力者負之走而昧者不知

荀卿子曰伯禽將歸國周公謂之曰君子力如牛不與牛爭力走如馬不與馬爭走智如士不與士爭智

淮南子曰漁者走淵木者走山

又曰躄者見虎不走非勇也

又曰飛不以尾挫尾則飛不能遠走不以手縛手則走不能疾

抱朴子曰柠木實之赤者餌之一年老者少昔道士梁須年七十服之年百三十歲能夜讀書走及馬（柠丁呂切又音楮）

世說曰鍾會撰四本論始畢甚欲使嵇公見一置懷中既詣定畏其有難不敢相示因出户遥擲面便走

俗說曰桓公豹奴善騎乘亦有極使馬時有一諸葛郎自

太能走與馬等桓車騎以百疋布置埒頭令豹奴乘與諸葛競走先至者得布便俱走諸葛常與馬齊欲至埒頭去布三丈許諸葛一跳坐布上遂得之

魯女生別傳曰魯女生長樂人也少好學道初服餌胡麻乃求絕穀八十餘年日更少壯面如桃花日行三百里走及麞鹿

跳

釋名曰跳條也如草木枝條務上行也

左傳僖下曰魏犨束胷見使者曰以君之靈不有寧也距躍三百曲踊三百（距躍超越也曲踊跳踊也）

崔鴻十六國春秋前趙錄曰劉聰驍幹過人能一手舉殿柱跳過平陽門出

神仙傳曰壺公者不知何許人也從遠方來賣藥得錢與

飢凍者常懸一壺於坐上日入後跳入壺市掾費長房於樓上見之知非常人身為掃除并進餅餌公令房共跳入壺中但見樓觀重門侍者數十人

蹲

王隱晉書曰王長文字德叡州辟別駕不就追求之乃於成都賣熟市見長文蹲地齧胡餅州知不屈乃送還家

山海經曰大荒之外有大人之堂有一大人踆其上張其兩臂踆古蹲字

郭璞遊仙詩曰安見山林士擁膝對巖蹲

王褒僮約曰奴入市不得夷蹲旁臥惡言醜罵

太平御覽卷第三百九十四

人事部三十六

沐 浴 盥 游

沐

說文曰沐濯髮也

毛詩淇澳伯兮曰自伯之東首如飛蓬豈無膏沐誰適爲容

禮記曲記上曰居喪之禮頭有瘡則沐

大戴禮夏小正曰五月蓄蘭爲沐浴

又檀弓下曰石駘仲卒(駘仲衛大夫也)無適子有庶子六人卜所以爲後者曰沐浴佩玉則兆五人皆沐浴佩玉石祁子曰孰有執親之喪而沐浴佩玉者乎不沐浴佩玉石祁子兆衛人以龜爲有知

又內則曰五日則燂湯請浴三日具沐

左傳僖中曰初晉侯之奔豎頭須守藏者竊藏以逃(文公出時)盡用以求納之(求納文公)反入求見公辭以沐謂僕人曰沐則心覆心覆則圖反宜吾不得見也居者爲社稷之守行者爲羈紲之僕國君而讎匹夫懼者甚衆矣僕人以告公遽見之

又僖下曰衛叔武將沐聞君至而喜捉髮走出前驅射而殺之公知其無罪枕股而哭之

又哀下曰齊子我夕(夕視事)陳逆殺人逢之(陳逆子行陳氏宗也子我逢之)遂執以入(執逆至朝)陳氏方睦使疾而遺之潘沐備酒肉焉(潘米汁可以沐頭)

論語憲問恥曰陳成子弒簡公孔子沐浴而朝請討之

家語曰凡喪小功已上虞祔練祥之祭皆沐浴且祭日沐浴爲齋絜也

史記曰周公戒伯禽曰我文王之子武王之弟成王之叔於天下亦不賤矣然我一沐三握髮一飯三起以待士猶恐失天下之賢人

漢書曰竇皇后弟廣國字少君四五歲時家貧爲人所略上書自陳左右見問之曰姊去我西時與我訣傳舍中丐沐沐我飯我乃去后持之而泣也

又曰鄧通愿謹不好外交雖賜沐浴不欲出於是文帝賜通巨萬

又曰吳王遺諸侯書曰楚元王子淮南三王或不沐洗十餘年怨入骨髓(言心不在洗沐也)欲壹有所出之久矣(壹謂發也)

又曰張安世字子孺少以父任爲郎用善書給事尚書精力於職沐浴未嘗出

又曰董賢每賜沐浴不肯出常留中視醫藥上以賢難歸詔令賢妻得通引籍殿中止賢廬

又曰張蒼德安國侯王陵及貴父事陵陵死後蒼爲丞相洗沐常先朝陵夫人上食然後敢歸家

又曰孔光典樞機十餘年守法度修故事沐日歸休兄弟妻子燕語終不及朝省政事

鄧粲晉記曰舂陵長易雄起兵討王敦欲活之使還邑舍洗沐衆人皆賀雄曰吾夢乘車挂肉其傍肉必有筋筋者斤吾其死也敦果刑雄

晏子春秋曰景公之嬖妾嬰子死公守之三日不食不去左右晏子入曰有術客與醫俱言曰能生死者聞嬰子疾請治之公喜起曰病猶可爲乎哉晏子曰客之通也使君絜沐浴飲食彼亦將有鬼神之事焉公曰諾屏而沐浴晏

子令棺人斂之而復曰醫不能治病也斂矣不敢不以聞
公作色不悅曰吾爲君紿而已矣
莊子曰孔子見老聃聃新沐被髮似非人孔子曰先生體
若槁木似遺物乎老子曰吾遊物之初孔子出告顏淵曰
丘之道其猶醯雞（司馬彪注曰醯雞酒上飛蚋）
韓子曰古諺曰爲政若沐也雖有弃髮之勞而有長髮之利也
又曰僖侯將沐湯中有礫問之曰當有人欲代湯者
呂氏春秋曰昔者禹一沐而三捉髮一食而三起以禮有
道之士
淮南子曰湯沐具而蟣虱相吊大廈成而鷰雀相賀
六韜曰文王聞殺崇侯虎歸至酆令具湯沐
論衡曰子日沐令人愛卯日沐令人白頭案人之愛憎頭
之白黑在乎自然但使嫫毋子日沐能令人愛耶使十五

童子卯日沐能令髮白耶
丗本曰秦穆公作沐
異苑曰北海任詡字彥期從軍十年乃歸臨還握粟出卜
師云非屋莫宿非食時莫沐詡結伴數十暮遇雷相庇於
巖下竊憶非屋莫宿之戒遂負檐櫛沐巖崩壓停者悉死
至家妻先與外人通情謀共殺之請以濕髮爲識婦宵則
勸詡令沐復憶非食時莫沐之忌收髮而止婦慙愧自作
乃自沐爲散髮同寢通者夜來不知婦也斬首而去
楚辭曰浴蘭湯兮沐芳華采衣兮若英
又漁父曰吾聞新沐者必彈冠新浴者必振衣安能以身
之察察受物之汶汶乎

浴

說文曰浴洒身也
禮記內則曰五日則燂湯請浴外內不共湢（音逼）浴（湢浴室也）
禮記儒行曰儒有澡身而浴德（常自清潔於身沐浴於德也）
左傳僖中曰晉公子重耳及曹曹共公聞其駢脅欲觀其
裸浴薄而觀之
又文下曰齊懿公之爲太子也與邴歜之父爭田不勝及
即位乃掘而刖之而使歜僕（僕御）納閻職之妻而使職驂乘
五月公游于申池二人浴于池歜以朴抶職（朴箠抶擊）職怒歜
曰人奪汝妻而不怒一抶汝庸何傷職曰與刖其父而弗
能病者何如乃謀殺懿公
國語曰莊公將殺管仲齊使者請之而來以與使者比至
三釁三浴之（釁香薰也）
論語先進曰子路曾晳冉有公西華侍坐子曰點爾何如
鼓瑟希鏗爾捨瑟而作對曰暮春者春服既成冠者五六
人童子六七人浴乎沂風乎舞雩詠而歸夫子喟然歎曰
吾與點也

續漢書曰耿恭在疏勒得出至玉門唯餘十三人衣屨穿
決形容枯槁郎將鄭衆爲恭以下沐浴易衣冠
又曰靈帝時江夏黃氏之母浴化爲黿入于深淵其後時
時出見初浴簪一銀釵見猶在其首
山海經曰大荒之中有淵正方四隅皆通（言淵四海皆旁通）北屬
黑水南屬大荒北旁名曰少和之淵南旁名曰縱淵（音烏懸反）
舜之所浴也（言常在中澡洗）
莊子曰仲尼問於太史弢曰衛靈公爲靈何也太史弢曰
是固靈也靈公妻有三人同浴（男女同浴此無禮也）
又曰鵠不日浴而白
韓子曰燕人李季好遠遊其妻私通他人季忽歸私通者

在内其妻令被髮直出門季曰何人耶妻曰無人季曰吾
見鬼耶妻曰宜五牲屎浴季曰諾乃浴以狗屎
說苑曰秦繆公見百里奚牛肥公曰牛何以肥對曰自飲
食之以時使之不暴有險先後之以身是以牛肥公知其
君子令有司具沐浴為衣冠坐與語公大悅
外國圖曰方江之上暑濕生男子三年而死有黃水婦人
入浴出則乳矣去九嶷二萬四千里
丘淵之征齊道理記曰朱靈城東有管寧舊宅宅前有水
是寧常所澡浴處
石虎鄴中記曰石虎金華殿後有虎皇后浴室三間徘徊
反宇櫨檘隱起彤采刻鏤彫文粲麗四月八日九龍銜水
浴太子之像又太武殿前溝水注浴時溝中先安銅籠疏
其次用葛其次用紗相去六七步斷水又安玉盤受十斛

又安銅龜飲穢水出後脚入諸公主第溝亦出建春門東
又顯陽殿後有皇后浴池上作石室引外溝水注之室中
臨池上有石牀
世說曰桓車騎不好着新衣浴訖婦固送新衣桓冲也車騎
大怒催使將去婦使持還傳語云衣不經新何由而故桓
大笑而着之
幽明錄曰桓溫內懷無君之心時比丘尼從遠來夏五月
尼在別室浴溫竊窺之見尼裸身先以刀自破腹出五藏
次斷兩足及斬頭手有頃浴竟溫問向竊見尼何得自殘
毀如此尼云公作天子亦當如是溫惆悵不悅

盥

說文曰盥洒面也澡洒手也先洒足也
尚書顧命曰盥以異同秉璋以酢太保以盥手洗異同實酒

禮記內則曰子事父母雞初鳴咸盥漱又曰進盥少者奉
槃長者奉水請沃盥盥卒授巾槃盛盥水者
左傳僖中曰懷嬴奉匜沃盥既而揮之懷嬴怒曰秦晉疋
也何以卑我
後漢書曰劉寬簡略嗜酒不好盥浴澡手曰盥京師以為諺
唐書曰虞世南受學於吳郡顧野王經十餘年精思不倦
或累旬不盥櫛
莊子曰陽子居遇老子老子中道仰天歎曰始以汝為可教
也今不可也陽子居不荅至舍進盥漱巾櫛脫履戶外膝
行而前曰向者弟子欲請問夫子夫子行不閒今閒矣請
問其過
管子曰冬日不盥非愛水也夏日不煬非愛火也為不適
於身

風俗通曰案里語厚哉鮑管探腸按腹不清然尚不盥何
共財而生喜怒也

游

毛詩鄘柏舟谷風曰就其深矣泳之游之
左傳莊公曰楚武王遷權於那處使閻敖尹之及文王即
位巴人叛楚而伐那處取之遂門于楚閻敖游涌而逸敖既
不能守城又游涌水而走
莊子曰顏淵問於仲尼曰吾嘗游乎觴深之淵津人操舟
若神吾問焉曰操舟可學耶曰吾善游者數若乃夫沒人
則未嘗見舟而便操之者也吾問焉而不吾告敢問何謂
也仲尼曰善游者之數能忘水也若乃夫沒人之未嘗見
舟而便操之也彼視淵若陵視舟之覆猶其車却也
又曰孔子觀於呂梁懸水三十仞流沫三十里黿鼉魚鼈

之所不能游也有一丈夫游之以爲有苦而欲死者也使弟子並流而拯之數百步而出被髮行歌而游於塘下孔子從而問焉曰蹈水有道乎曰吾無道吾始乎故長乎性成乎命與齊俱入與汨偕出從水之道而不爲私焉此吾所以蹈水也

吕氏春秋曰有道江上者見人方引嬰兒而投之江中嬰兒啼人問其故曰此其父善游使其父雖善游其子豈遽能游之哉

淮南子曰食水者善游而耐寒魚屬也

萬震南州異物志曰合浦之人習水善游俛視增潭如猿仰株入如沉黿出如輕鳧蹲泥剖蚌潛竊明珠

太平御覽卷第三百九十五

人事部三十七

溺　相似　偶像

溺

大戴禮曰武王踐祚曰盥盤之銘與其溺於水寧溺於人溺於水猶可游溺於人不可救

禮記檀弓上曰死而不弔者三(謂輕身忘孝)畏(人或時以非罪攻己不有以說之死之者孔子畏於匡是也)壓(行止危險之下)溺(不乘橋舡)

又緇衣曰子曰小人溺於水君子溺於口大人溺於人皆在其所褻也夫水近於人而溺人德易狎而難親也易以溺人

左傳哀下曰越圍吳晉趙孟使楚隆問吳王王曰勾踐將生憂寡人寡人死之不得矣王曰溺人必笑吾將有問也史黯何以得爲君子對曰黯也進不見惡退無謗言王曰宜哉

東觀漢記曰鄧訓字平叔永平中治滹沱石臼河從都盧至羊腸倉欲令通漕太原吏民苦轉運所經三百八十九隘前後沒溺死者不可勝筭建初三年拜訓謁者使監領其事更用驢輦歲省億萬計活徒士數千人

後漢書曰廉范西迎父喪至葭萌載船觸石破沒范抱持棺柩遂俱沉溺衆傷其義鉤求得之僅免於死

魏志曰管輅族兄孝國居在斥丘輅往從之與二客會客去後輅謂國曰此二人天庭及口耳之間同有凶氣異變俱起雙宅流魄于海骨歸于家少許時並當死也復數十日二人飲酒醉夜共載牛渴下道入漳河中皆即溺死也

又曰帝幸許昌杜畿居守受詔作御樓舡於陶河試舡遇風沒帝爲之流涕詔曰昔冥勤其官而水死稷勤百穀而山死故尚書僕射杜畿於孟津試船遂至覆沒忠之至也朕甚愍焉追贈太僕謚曰戴侯

吳録曰孫策討黃祖表曰臣討黃祖斬首二萬餘級其赴水溺死二萬餘口船六十餘艘財物山積

唐書曰封德彝隋開皇末江南作亂内史令楊素往征之署爲行軍記室泊船海曲素夜召之德彝墜於水中人救免溺乃易衣以見竟寢不言素後知問其故荅曰私事也所以不白素甚嗟異之

莊子曰至德者火弗能熱水弗能溺寒暑弗能害禽獸弗能賊

孟子曰淳于髡曰嫂溺則援之以手乎孟子曰嫂溺不援是豺狼也

呂氏春秋曰洧水大有富人溺死有人得富者尸請贖而求金甚多富人黨以告鄧析曰但安之必無買此者得尸者患其不贖又告鄧析鄧析曰但安之必無人更賣

又曰子路拯溺者其人拜之以牛子路受之孔子曰魯人必拯溺矣

又曰荆人欲襲宋使人先表澭水澭水暴溢荆人不知循表而夜涉溺死者千有餘人

淮南子曰與溺者金玉不如與之一尋常之纆

又曰父溺則攬父髮而整之非敢憍侮以救死也

説苑曰梁相死惠子欲之梁渡河而遽墮水中船人救之曰居船檝之間而溺無我則子死矣子何能相梁乎惠子曰居廣艘長檝之間則不如子至安國家全社稷子之比我蒙蒙如未視之駒

曹毗神女杜蘭香傳曰神女姓杜字蘭香自云家昔在青草湖風溺大小盡沒香時年三歲西王母接而養之於崑崙之山於今千歲矣

異苑曰蜀郡張貞行舡覆溺死貞婦黄因投江就之積十四日執夫手俱浮出

又曰河内荀儒字君林乗氷省舅氏陷河而死兄倫求尸積日不得設祭氷側牋與河伯投牋一宿岸側冰開尸首執牋浮出倫又牋謝

又曰潁川荀茂遠景平中至南康夜夢一人頭有一角爲遠筮云君若至都必得官問是何職荅曰官生于林於是而寤未解所况因復寐又夢部伍至楊州水門墮水而死作棺既成遠入中自試恨小即見殯瘞葬渚次悵然驚覺以告毋兄舩至水門過果落江而殞喪儀一如其夢

幽明録曰綦廓作豫章郡未發大兒始迎婦在渚次兒欲渡婦舡衣挂舡頭遂墮水即沒徐羨之作楊州登勑兩岸厚賞漁人及昆崙共尋不覓至二更不得婦哀泣之間髣髴如夢聞聲告之曰吾今在御舡下以告婢婢白之令水工没頁果見坐在舡下初出水顔色如平生

三輔决録曰文帝竇后名猗清河觀津人也父遭秦之亂隱身漁釣墜淵而卒景帝即位后登尊號遣使者更塡父所墜淵而築起大墳觀津城南青山是也

益部耆舊傳曰孝女叔光雄者犍爲人也父泥和永建初爲縣功曹乗舡墮水物故尸喪不歸號泣晝夜心不圖存所生男女二人並數歲雄乃各爲囊盛珠環以繫兒數爲訣别之辭家人每防閑之後稍懈因乗小舡於父墮處慟哭遂自投水死弟賢其夕夢雄告之却後六日當共父同出至期伺之果與父相持江上郡縣表上爲雄立碑圖像其形焉

博物志曰澹臺子羽渡水子溺死將葬之滅明曰此命也吾豈與螻蟻爲親厥魚鼈爲仇讎遂以葬之

又曰南郡宜城王子山到太山從鮑子真學筭到魯賦靈光殿歸渡湘水溺死時年二十許其弟子王親見之。樂府解曰公無渡河朝鮮津卒霍里子高妻麗玉所作子高晨起刺舡有一白首狂夫被髮提壺亂流而渡其妻呼而止之乃遂溺死於是援箜篌而歌曰公無渡河

相似

春秋曆命序洛書曰人皇出於提地之日九男九兄弟相似别長九國

家語曰孔子適鄭與弟子相失獨立東郭門或謂子貢曰

東門有一人焉其形長九尺有六寸河目而隆顙其頭似堯其項似皐陶其肩似子產而腰巳下不及禹三寸

孔叢子曰萇弘語周文公曰吾觀仲尼有聖人之表其狀河目而隆顙是黄帝之形也脩肱而龜背其長九尺有六寸是成湯之容體也然言稱先王躬履謙讓洽聞强記博物不窮抑亦聖人之興者也

史記曰孔子既没弟子思慕有若狀似孔子相與共立爲師如夫子時。又曰楚相孫叔敖臨死屬其子貧困往見優孟乃爲叔敖衣冠抵掌談語歲餘像叔敖王與左右不能别欲以爲相優孟曰孫叔敖盡忠爲楚令尹死其子負薪楚相不足爲也王乃封敖子

漢書曰夏陽人姓成名方遂居湖以卜筮爲事有故太子舍人嘗從方遂卜謂曰子狀貌甚似衛太子方遂心利其

言幾得以富貴郎詐自稱詣闕廷尉建召鄉里識知者張
宗祿等　遂坐誣罔不道要斬東市
又曰馮立字聖卿遷西河上郡守立居職公廉治行略與
兄野王相似而多知有恩貸好爲條教吏民嘉美野王與
立相代爲太守歌之曰大馮君小馮君兄弟繼踵相因循
聰明賢智惠吏民政如魯衛德化鈞周公康叔猶二君
漢獻帝春秋曰孝靈皇帝王美人生皇子協協生十餘日
何皇后妬殺美人靈帝毋求樂董太后攝養協號曰董侯
董侯八歲能讀詩書
魏志曰初高勾麗王生能開目視國人惡之及長果凶虐
數寇鈔曾孫位生亦能開目視國人惡之勾麗呼相似爲
位以似其曾祖故名曰位
晉書曰桓玄聞義軍起憂懼曰何無忌劉牢之外生酷似

其舅共舉大事何慮不成
又曰蜀人王富作亂郡縣討平之初諸葛孔明有盛德子
蜀土子瞻又身死王事蜀人思之爲瞻不死故將謂王富
曰君狀貌甚似諸葛亮君因此思尅復以覇巴蜀
晉中興書曰王允之字淵猷年在總角從伯敦知之謂爲
似已入則共寢
檀道鸞晉陽秋曰初議以吳隱之爲黃門郎而隱之皃似
太宗上不忍見故攻爲
齊書曰謝弘微性嚴正舉止必脩禮度時有蔡湛之者及
見謝安兄弟謂人曰弘微皃類中郎而性似文靖
梁書曰王筠字元禮琅琊人年十六爲芍藥賦沈約曰王
郎非唯額似袁公見人輙矜王郎見人必恨笑唯此條不能
酷似耳袁粲即筠外祖也

唐書曰王孝傑雍州新豐人高宗未西討吐蕃戰於大非
川爲賊所獲吐蕃贊普見孝傑垂泣曰貌類吾父厚加敬
禮
孟子曰昔者孔子歿子夏子游子張以有若似聖人欲以
所事孔子事之強曾子曾子曰不可江漢以濯之秋陽以
暴之皜皜乎不可尚已
劉昭幼童傳曰漢孝昭帝諱弗陵武帝少子也年五六歲
壯大武帝云類我甚奇之
江表傳曰孫皓夫人死皓哀愍葬於苑中皓治喪於內半
年不出國人見葬太奢麗皆謂皓已死所葬者是也皓舅
子何都顏狀似皓云都代立也
孔融別傳曰融爲太中大夫虎賁士皃似蔡邕每酒酣輙
引與同坐曰雖無老成人尚有典刑

續搜神記曰吳興施續爲吳尋陽督能言論有門生亦有
意理常秉無鬼論門生後渡江忽有一單衣白㡌客來因
共言語遂及鬼神客辭屈乃語曰僕便是鬼何以云無受
使來取君門生請乞酸苦鬼問有似君者不云施續下都
督與僕相似鬼許之便與俱歸與都督對坐鬼手中出一
鐵鑿可長尺餘正自打之放鑿便去顧語門生慎勿道俄
而都督去頭痛還所住至食時便亡
說苑曰孔子之匡簡子將殺陽虎孔子似之甲士以圍孔
子之舍子路怒奮戟將下鬬孔子止之曰夫歌子和汝子
路歌孔子和之三終而甲罷
風俗通曰陳國張伯喈弟仲喈婦妝於竈下至井上謂喈
曰我今日粧好不伯喈曰我伯喈也婦大慙愧其夕時伯
喈到更衣婦復遂牽其背曰今旦大誤謂伯喈爲卿荅曰

我故伯喈也蓋親密無過夫婦然尚如此況於初未相見而責先識之乎

世說曰桓豹奴是王混外生形似舅桓甚諱之宣武云不恒似時似耳恒似則形時似是神桓愈不悅

又曰魏黃初末吳人發長沙王吳芮冢容皃如故吳卒發者見淮南吳綱曰君何類長沙王綱曰先祖也去綱近五百年

語林曰張衡死蔡邕母始懷孕此二子才皃甚相類時人云邕是衡之後身

又曰桓溫自以雄姿風氣是司馬宣王劉越石一輩器有以叱王大將軍者意大不平征苻健還於北方得一巧作老婢乃是劉越石妓女一見溫入潸然而泣溫問其故荅曰官家甚似劉司空溫大悅即出外脩整衣冠又入呼問

我何處似司空婢荅曰眼甚似恨小面甚似恨薄鬚甚似恨赤形甚似恨短聲甚似恨雌宣武於是褫冠解帶不覺惛然而睡不怡者數日

偶像

說文曰偶人也

尚書說命曰高宗夢得說使百工營求諸野得諸傅巖庸作書以誥曰以台正于四方台恐德弗類茲故弗言恭默思道夢帝賚予良弼其代予言乃審厥像俾以形旁求于天下孔安國注曰審所夢之人刻其形像以旁求之於民間說築傅巖之野惟肖傅氏之巖在虞虢之界肖似所夢之形也

史記曰孟嘗君將入秦賓客諫不聽蘇代謂曰今旦代從外來見木偶人與土偶人相與語木偶人曰天雨子將敗矣土偶人曰我生於土敗即歸土今天雨流子而行未知所止息也今秦虎狼國也而君欲往如有不得還無乃為土偶人所笑乎孟甞君乃止

國語曰越滅吳范蠡遂乘輕舟而浮於五湖莫知其終極越王命工以良金寫范蠡之狀朝禮之環會稽三百里以為范蠡地

春秋後語曰秦欲攻安邑恐齊救之則以宋委於齊曰宋王無道為木人以像寡人射其面寡人地絕兵遠不能攻也王苟能破宋有之寡人如自得之

戰國策曰孟甞君將入秦蘇秦謂曰今旦經緇上有土偶人與桃梗人相與語桃梗謂土偶人曰子西岸土也八月雨降淄水至則子殘矣曰吾殘則復西岸子東園梗也刻削為人淄水至而去漂然將何所之矣孟甞乃止

漢書曰匈奴畏郅都之威刻木像都之狀交弓射之莫能

中

魏志曰鮑信與太祖擊黃巾信乃鬬死太祖購求信喪不得乃刻木如信形祭而哭之

魏略曰時苗字德胄鉅鹿人少清白為人疾惡出為壽春令行風靡楊州治在其縣時蔣濟為治中苗以初至往欲謁濟濟素好酒適會其醉不能見苗苗恚恨還刻木為人署曰酒徒蔣濟立之於壇且夕射之

江表傳曰孫權使朱嶲往喻關羽令降羽乃作像人於城上而潸遁

又曰孫皓以張布女為美人棒殺之後思其顏色使工巧刻作美人形恒置坐側

隋書曰柳䛒字顧言本河東人也拜祕書監封漢南縣公帝退朝之後命入閤言宴諷讀終日而罷恩若朋友帝猶

恨不能夜召於是命匠刻木偶人施機關能坐起拜伏似於普帝每在月下對酒輒令宮人運之於坐與相酬酢而爲歡笑

唐書曰丘行恭從太宗討王世充會戰於邙山之上太宗與諸騎相失唯行恭獨從尋有　騎數人追及太宗矢中御馬行恭乃迴騎射之賊不敢復前然後下馬拔箭以其所乘馬進太宗貞觀中有詔刻石爲人馬以像行恭拔箭之狀立於昭陵闕前

又曰侯君集滅高昌國拜麴智盛爲左武衛將軍及太宗崩刊石像智盛之形列於昭陵玄闕之下

又曰天寶中天下州郡皆鑄銅爲玄宗真容擬佛像之制

又曰天寶五年於太清宮刻石爲李林甫陳希烈像侍於聖容之側

孝子傳曰丁蘭早孤不識其母乃刻木作母而事之

車頻秦書曰姚萇爲符堅神像戰求有利軍中士衆出入並驚恐皆云畏符主像萇嚴鼓斬之以首送符登

抱朴子曰張華作博物志曰黃帝仙去其臣左徹者削木爲黃帝像帥諸侯奉之亦見汲冢書

太平御覽卷第三百九十六

人事部三十八

敘夢　吉夢上

敘夢

毛詩雞鳴曰蟲飛薨薨甘與子同夢箋云蟲飛薨薨東方且明之時我猶樂與君子臥而同夢言親愛之也

又節正月曰召彼故老訊之占夢箋云君臣在朝侮元老召之不問政事但問占夢而已不尚道德而信徵祥也

尚書泰誓曰朕夢叶朕卜襲于休祥戎商必克

周禮春官下曰太卜掌三夢之法一曰致夢二曰觭夢三曰咸陟夢者人之精神所寤可占者也致夢言夢之所至也夏后氏作焉咸皆也陟之言得也周人作焉觭讀如諸戎掎之掎亦德也亦言夢所得殷人作焉

又春官占夢曰掌其歲時觀天地之會辯陰陽之氣以日月星辰占六夢之吉凶一曰正夢無所感動平安自夢二曰噩夢謂驚愕而夢也三曰思夢覺時所思念之而夢四曰寤夢覺時道之而夢五曰喜夢喜悅而夢六曰懼夢恐懼而夢季冬聘王夢獻吉夢于王王拜受之聘問也夢者事之祥吉凶之占在日月星辰季冬日窮于次月窮于紀星迴于天數將幾終於是發幣而問焉若休慶之云尓因獻羣臣之吉夢於王歸美焉

左傳昭元曰鄭子產如晉晉侯有疾韓宣子曰寡君寢疾於今三月矣並走羣望晉望祀山川走往祈禱有加而無瘳今夢黃熊入於寢門其何厲鬼也對曰以君之明子爲大政其何厲之有昔堯殛鯀于羽山其神化爲黃熊入于羽淵實爲夏郊三代祀之晉爲盟主其或者未之祀也韓子祀夏郊晉侯有間間差也

又昭二曰楚子成章華之臺願與諸侯落之祭之爲落臺今在華容城內太宰薳啓彊來召公公將往夢襄公祖祖祭道神梓慎曰君不果行襄公之適楚也夢周公祖而行今襄公實祖君其不行子服惠伯曰行也先君未嘗適楚故周公祖以道之襄公適楚矣而祖以道君不行何之三月公如楚

論語曰孔子曰甚矣吾衰也久矣吾不復夢見周公

謝承後漢書曰范式字巨卿山陽金鄉人仕郡爲功曹與汝南張邵字元伯爲友後元伯寢疾篤同郡郅君章殷子徵省視之元伯臨終歎曰恨不見吾死友尋乃卒式忽夢見元伯玄冕垂纓屣履而呼曰吾以某日死某時葬永歸黃泉穌我忘豈能相及式覺而驚悲歎赴之

魏志曰周宣字孔和爲太史嘗有問宣者曰吾夜夢見芻狗其占何也宣荅曰君欲得美食耳有頃出行果遇豐膳後又問昨夜復夢見芻狗何也宣曰欲墮車折脚宜戒慎之頃之果如宣言後又問曰昨夜夢見芻狗何也宣對曰

君家欲失火當護之俄遂火起已而語宣曰前後三時皆不夢也聊試君耳何以皆驗耶宣對曰此神靈動君使言故與真夢無異也又問三夢芻狗而其占不同何也宣曰芻狗者祭神之物故君始夢當得飲食也祭祀訖則芻狗爲車所轢故中夢當墮車脚也芻狗既車轢之後必載以爲樵故後夢憂失火也宣之叙夢凡此類也

後魏書曰莊帝永安中北海王顥入洛莊帝北巡城陽王徽投前洛陽令寇祖仁祖仁聞尒朱兆捕徽乃斬首送之兆夢徽曰我有金二百斤馬一百疋在祖仁家卿可取之兆於是懸祖仁首於樹以石墜足鞭之求金馬祖仁死時人以爲立報

崔鴻十六國春秋前涼錄曰索紞字叔徹善數術占夢孝廉令狐策夢立冰上與冰下人語紞曰冰上爲陽冰下爲

陰陽事也士如歸妻迨氷未泮婚姻事也君在上與氷下人語爲陰陽介事君當爲人媒氷泮而婚成策曰老夫耄矣不爲媒也會太守田邈因策爲子求張公徵女仲春而婚郡主簿張宅夢走馬上山還舍三周但見松栢不知門處紞曰馬爲離離爲火禍也人上山爲凶字但見松栢墓門像也不知門處爲無門也三周三朞也後三年必有大禍宅果與賈摹等謀反伏誅焉與平問紞曰我昨夜夢舍馬舞數十人向馬拍手何也紞曰馬者火也舞爲火起向馬拍手救火人也平未歸而火起郡功曹張邈嘗奉使詣州夜夢狼噉一脚紞曰脚肉被噉爲却字會東虜反遂不行張斌當舉孝廉夢豎竿中夫紞曰此未字也斌果停凡所占夢莫不中驗

皇甫謐帝王世紀曰黃帝夢大風吹天下之塵垢皆去又夢人執千鈞之弩驅羊數萬羣帝寤而歎曰風爲號令執政者也垢去土解清治者天下豈有姓風名后者也哉夫千鈞之弩異力能遠者也驅羊數萬羣是能善牧者也天下豈有姓力名牧者也於是依二夢之占而求之得風后于海隅登以爲相得力牧于大澤進以爲將

又曰湯思賢夢見有人負鼎抗俎對已而笑寤而占曰鼎爲和味俎者割截天下豈有人爲吾宰者哉初力牧之後曰伊摯耕於有莘之野湯聞以幣聘有莘之君留而不進湯乃求婚於有莘之君有莘之君遂嫁女於湯以摯爲媵臣至亳乃負鼎抱俎見湯也

列子曰覺有八徵夢有六候奚謂六候一曰正夢二曰噩夢三曰思夢四曰寤夢五曰喜夢六曰懼夢此六者神所交也一體之盈虛消息皆通於天地應於物類故陰氣壯則夢涉大水而恐懼陽氣壯則夢涉大火而燔焫陰陽俱壯則夢生殺以浮虛爲疾者則夢揚以沉實爲疾者則夢溺藉帶而寢則夢蛇飛鳥銜髮則夢飛將陰夢火將疾夢食飲酒者憂歌舞者哭故神遇爲夢形接爲事古之眞人其覺自忘其寢不夢

又曰西極之南隅有國名古莽陰陽之氣所不交寒暑亡辯日月之光所不照晝夜亡辯其民不食不衣而多眠五旬一覺以夢中所爲者實覺之所見者妄

又曰周之尹氏大治產其下趣役者侵晨昏而弗息有老役夫筋力竭矣夜則昏憊而熟寐而昔昔夢爲國君遊醼宮觀恣意所欲其樂無比覺則復役人有慰喻其勤者役夫曰人生百年晝夜各分吾晝爲僕夫苦則苦矣夜爲人君其樂無比何所怨哉尹氏盧鍾家業心形俱疲昏憊而寐昔昔夢爲人僕趨走作役無不爲也數罵杖撻無不至也尹氏病之以訪其友其友曰若夜夢爲僕夫苦逸之復數之常也若欲覺夢兼之豈可得耶

又曰黃帝十有五年晝夢遊於華胥氏之國其國在弇州西台州北不知距齊國幾千萬里也非舟車足力之所及彼中無師長無嗜欲不知樂生不知惡死無夭殤不知親已不知踈物帝寤怡然而召輔相而告之曰朕思有以養身治物之道弗獲疲而睡若此知至道不可以情求朕得之矣

莊子曰夢者陰陽之精也心所喜怒則精氣從之

又曰夢飲酒者旦而哭泣夢哭泣者旦而田獵（此寤寐之事變也）方其夢也不知其夢夢之中又占其夢焉覺而後知其夢

又曰昔者莊周夢爲胡蝶栩栩然胡蝶也自喻適志與不

知周也俄然覺則蘧蘧然周也不知周之夢爲胡蝶與胡蝶之夢爲周與

傅子曰夢攀日月覺而不上天庭夢入九泉寤而不及地下高宗得說偶中耳

淮南子曰若人萬化而未始有極也弊而復新其爲樂可勝計耶譬若夢爲鳥而飛於天夢爲魚而沒於淵方其夢也不知其夢也覺而後知其夢也今將有所大覺乃後知今此之爲大夢也

傳物志曰太公爲灌壇令於時文王夢見一婦人哭於道因問其故荅曰吾是太嶽之女嫁爲西海之婦吾行往來必以暴風疾雨今灌壇令當吾道吾不敢以暴風疾雨過也夢覺遂召太公三日果有暴風疾雨過其灌壇也

始興記曰林水源裏有石室室前盤石上行羅十甇中悉

是餅銀採伐過之不得取之取必迷悶晉孝武太元初封驅之家奴竊三餅歸發看有蛇蟄之而死其夜驅之夢神語之曰君奴不謹盜銀三餅即日顯戮覺奴已死銀由在復還之矣

論衡曰趙簡子夢見天帝也以夢占之知樓臺山陵官位之象也人夢上樓外山陵輒得官位實樓臺山陵非官位也則知簡子夢見帝非天帝也

世說曰衛玠總角時嘗問樂廣夢樂云是想衛曰神形所不接而夢豈是想樂曰因也衛思因不得遂成病樂聞故命駕爲剖析之衛病即小差樂歎曰此賢胷中當必無膏肓

夢書曰夢者像也精氣動也魂魄離身神來往也陰陽感成吉凶驗也夢者語其人預見過失如其賢者知之自改革也夢者告也告其形也目無所見耳無所聞鼻不喘嗅口不言也魂出遊身獨在心所思念忘身也受天神戒還告人也受戒不精忘神　言也名之爲寤告符臻也古有夢官世相傳也

又曰昔聖帝明王之時神氣焰然先見故堯夢乘龍上太山舜夢擊天鼓禹夢其手長湯夢布令天下後皆有天下桀夢疾風壞其宮紂夢大雷擊其手齊桓夢爲大禽所中秦二世夢虎齧其馬王者夢之皆失天下

黃帝鍼經曰岐伯曰正邪外襲內而未有定舍也反淫於藏榮衛俱行而與魂魄飛揚使人卧不得安而喜夢氣淫於府則有餘於外不足於內氣淫於藏則有餘於內不足於外陰氣盛則夢涉大水而恐懼陽氣盛則夢涉大火而燔灼陰陽俱盛則夢相殺毀傷上盛則夢飛下盛則夢墮甚飽則夢與甚飢則夢取肝氣盛則夢怒肺氣盛則夢恐

懼心氣盛則夢喜笑脾氣盛則夢歌樂體重身不舉腎氣盛則夢脊兩解不屬其氣客於心則夢見丘山烟火客於肺則夢飛揚見金鐵之奇物客於肝則夢山林樹木客於脾則夢見丘陵大澤壞屋風雨客於腎則夢臨淵沒居水中客於膀胱則夢遊行客於胃則夢飲食客於大腸則夢田野客於小腸則夢聚邑街衢客於膽則夢鬬訟自刳客於陰則夢接內客於項則夢斬首客於足則夢行走而不能及居深窌內客於股肱則夢禮節拜跪

王子年拾遺録曰融高西有夢草莖似蓍柯採之爲占則知吉凶懷之以占夢立知禍福

吉夢上

尚書說命曰高宗夢得說（盤庚弟小乙子名武丁德高可尊故號高宗夢得賢相其名曰說）使百工營求諸野得諸傅巖（使百官以所夢之形像經營求之於外野得之於傅巖）

毛詩鴻鴈斯干曰吉夢維何維熊維羆維虺維蛇大人占之維熊維羆男子之祥維虺維蛇女子之祥

又鴻鴈無羊曰牧人乃夢衆維魚矣旐維旟矣大人占之衆維魚矣實維豐年旐維旟矣室家溱溱溱溱衆也

左傳僖下曰晉侯夢與楚子搏搏手搏也楚子伏己而盬其腦盬唼也子犯曰我得天楚伏其罪吾且柔之矣晉侯上向故得天楚子下向地故伏其罪腦所以柔物也

又宣上曰鄭文公有賤妾曰燕結夢天使與己蘭曰余爲伯儵余而祖也以是爲而子以蘭有國香人服媚之如是既而文公見之與之蘭而御之生穆公名之曰蘭

又昭元曰昔武王邑姜方震大叔邑姜武王后齊太公之女也懷胎爲震大叔成王之弟虞夢帝爲己曰餘命而子曰虞帝天也將與之唐屬諸參而蕃育其子孫

又哀下曰宋景公無子取公孫周之子得與啓畜諸公宮未有立焉公卒得夢啓北首而寢於盧門盧門宋東門也北首死象在門外失國之象也己爲鳥而集於上味加於南門尾加於桐門桐門北至曰余夢美必立乃立得

春秋元命苞曰堯爲天子夢白帝遺吾馬喙子其母爲扶始外立睹白帝上有雲虎感己生皐陶此盡夢所見告之辭也雲虎有雲狀如虎堯聘索狀如問之如堯言徵與語明於刑法

周書曰文王去商在程正月既生魄大姒夢見商之庭產棘小子發取周庭之梓樹乎闕間梓化爲松柏棫柞寤驚以告文王王及太子發並拜吉夢受商之大命于皇天上帝

史記曰秦文公夢黃蛇自天下屬地其口止於鄜衍李奇曰鄜昔平山阪曰衍問史敦敦曰此上帝之徵君其祠之

又曰王太后母曰臧兒嫁爲槐里王仲妻生兩女長女嫁爲金王孫婦臧兒卜女當貴乃奪金氏內之太子宮太子幸愛之生三女一男男方任身時王美人夢日入懷太子曰此貴徵也孝景帝即位王夫人爲皇后其男爲太子景帝崩太子襲號爲武皇帝

漢書曰高祖薄姬內後宮歲餘不得幸始姬與管夫人趙子兒相愛約曰先貴無相忘已而管夫人子兒先幸漢王漢王四年坐河南城皐靈臺此兩美人侍而薄姬不得見二人相與笑薄姬初時約漢王問其故兩人俱以實告漢王心悽然憐薄姬是日召欲幸之對曰昨夢龍據賀旨是貴徵也吾爲汝成之幸有身生文帝

太平御覽卷第三百九十七

太平御覽卷第三百九十八

人事部三十九

吉夢下

東觀漢記曰諸將皆勸光武即位乃召馮異上曰我昨夜夢乘赤龍上天覺悟心中動悸異因下席拜賀曰此天命發於精神也異遂與諸將定議上尊號

又曰永平三年春有司奏請立長秋宮以率八妾上未有所言皇太后曰馬貴人德冠後宮遂登至尊先是數日后夢有小虫飛無數隨着身入皮膚中復飛出

又曰和熹鄧皇后嘗夢捫天體蕩蕩正青滑如磄磃有若鍾乳若仰嗽之以訃占夢言堯夢攀夫而上湯反天砥之皆聖主之夢

范曄後漢書曰蔡茂夢坐太極殿上有三穗禾茂跳取之

得其中穗輒復失之以問郭賀賀離席慶曰大殿者官府之形象也極而有禾人臣之祿也取其中穗是中台之位也於字禾失為秩也旬月而茂徵焉辟賀為掾

謝承後漢書華松家本孤微其母夜夢兩伍伯夾門言司隸在此松年十五師事丁子然學春秋十九當冠出諸生曰此宰相之器也

魏書曰程昱少時常夢上太山兩手捧日昱私異之以訪荀彧及兗州平乃頼昱得完三城於是彧以昱夢白太祖曰御當終為吾腹心昱本名立太祖乃加其上曰更名昱

張勃吳録曰武烈皇帝母有身夢腸出繞吳昌門孫堅妻吳氏夢月在其懷而生長沙桓王又夢月在懷而生大皇帝

又曰丁固字子賤會稽山陰人寶鼎中拜司徒初為尚書夢松樹生其腹上謂人曰松字十八公也後十八年為公乎遂如夢焉

蜀志曰蔣琬字公琰夜夢有一牛頭在門前流血滂沲問占夢趙直直曰天見血者事分明也牛角及鼻公字之象君位卒當至公

吳志曰孫休字子烈封瑯琊王居會稽夢乘龍上天顧不見尾覺而異之孫皓廢休立七年薨孫皓悉誅其子

又曰吳主孫權潘夫人會稽句章人得幸有身夢有似龍頭授已者已以蔽膝授之遂生孫亮

王隱晉書曰陶侃字士衡鄱陽人少漁於雷澤夢背上生八翅飛入天門見門非常欲入不敢而下侃後都督八州諸軍事

又曰陶侃為廣州夢有司馬與侃鎧者長史陳協以為司

馬者國姓也鎧者扞禦之器節下當進位泰興二年侃加平南將軍

又曰鄧殺為淮南太守夢行水邊見一女子虎在後來盪斷鞶囊占者以為水邊有女汝字也斷鞶囊者新虎頭代故虎頭也不作汝陰當汝南也果迁汝陰

續晉陽春秋曰李太后在會稽王宮夢兩龍枕膝日月入懷其後果以相者之言見幸太宗凡生烈宗會稽王道子及鄱陽公主焉

王韶之晉安帝紀曰劉敬宣在齊夢丸土吞之而於夢中占者荅曰此服土吞也既覺喜曰丸者桓也桓既吞矣我當復本土旬日中間玄敗遂得歸

陸機晉書武紀曰王濬之在巴郡也夢懸四刀於其上甚惡之濬主簿李毅拜賀曰夫三刀為州而見四為益一也

明府其臨益州乎後果爲益州刺史
晉書曰羅含字君章襄陽人少時夢五色鳥入懷遂取吞之含覺胷中如吞物意謂不吉乃告叔母朱氏朱氏曰此鳥有文章汝當善文章矣果如其言衆人謂之荆楚之松竹荆州刺史桓溫以爲江左之清秀也
晉書載記曰劉聰之在孕也母張氏夢日入懷寤而以告元海元海曰此吉徵也慎勿言十五月而生聰焉
南燕録曰慕容德戭少子也戭每對諸夫人言婦人夢日入懷當生天子後孫夫人任身夢日入其臍中後晝寢生德
宋書曰晉安王子勛於尋陽城南設壇即位子勛語左右曰昨夜夢乗龍上天俛視不見其頭衆咸失色莫有對者著作郎孫毅進曰易稱見羣龍無首吉祥也衆乃大悦

又曰劉穆之嘗夢與宋武帝泛海遇大風驚俯視舡下見二白龍夾舡旣而至一山山峯聳秀意甚悦及武帝克京城從何無忌求府主簿無忌進穆之帝曰吾亦識之即召焉
又曰沈慶之嘗夢引鹵簿入厠中慶之甚惡入厠之鄙時有善占夢者爲解之曰君必當大富貴然未在旦夕問其故荅云鹵簿故是富貴容厠中所謂後帝也知君富貴不在今王
後魏書曰宣武帝名恪孝文帝長子也母曰高氏初夢爲日所逐避於牀下化爲龍遶已數匝寤而驚悸遂娠而生帝也
後周書曰柳霞幼而爽邁其世父慶遠特器異之謂霞曰吾昔逮事伯父太尉公嘗語吾云我作一夢夢汝登一樓甚峻麗吾以坐席與汝汝後名官必達恨吾不及見耳吾向聊復晝寢又夢將昔坐席還以賜汝汝之官位當復及吾特宜勉勵以應嘉祥也
又曰高琳字秀琳其先高麗人母嘗祓禊泗濵卧遇見一石光彩朗潤遂持歸是夜夢見一人衣冠若仙者謂曰夫人向所持來石是浮磬之精耳君受之必生令子母驚寤舉身流汗俄而有娠及生琳因以名字焉及長有大度智略從文帝累有戰功位至開府儀同三司
三國典略曰高歡嘗夢履衆星而行覺而内喜遂傾産以結客
又曰宇文永貴昌黎大棘人也母初孕貴夢有老人抱一兒授之曰賜爾是子俾壽且貴及生形類所夢故以永貴字之

又曰齊陽休之幼年將仕夢鄴城東南有大冢上有銅柱踊爲蓮花休之從西北而登以手捉柱柱右轉夢中呪曰三匝而止柱如其言榮貴之後所居之宅竟在其地
又曰祖珽知齊太上有大志深自結納嘗啓曰昨夢大王乗龍上天願深自愛太上大喜即位之後擢拜中書侍郎
又曰梁孝元字世誠梁武第七子也小字七符初梁武夢眇目僧執香鑪稱託生王宮旣而采女石氏侍始褰户幔有風迴裾梁武帝意感幸之采女夢月墮懷中遂孕孝元載誕之夕舉室光明室中有非常香氣及紫胞之異
梁書曰江淹少夢見人授之五色筆因而有文章後十餘年忽夢一丈夫自稱郭璞謂淹曰前借君筆可相還淹夢中探懷中筆自此後不復有文章時稱淹才盡
又曰鄭灼少事皇侃灼性精勤尤明三禮少時嘗夢皇侃

謂曰鄭郎開口伬因唾灼口中自後義理益進

又曰何點少時嘗患渴經歲不愈後在吳中石佛寺僧建講晝寢夢一道人形貌非常授丸一掬夢中服之而差

陳書曰高祖微時嘗遊義興館於許氏夢天開數丈有四人朱衣捧日而至納之帝口及覺腹內猶熱

南史曰徐陵字孝穆母藏氏嘗夢五色雲化爲鳳集左肩上巳而誕陵年數歲家人携以候沙門釋寶誌寶誌曰此天上石麒麟也

唐書曰李嶠趙州贊皇人隋內史侍郎元操從曾孫也代爲著姓父鎮惡襄城令嶠早孤事母以孝聞爲兒童時夢有神人遺之雙筆自是漸有學業弱冠舉進士

又曰尹知章絳州翼城人少勤學嘗夢神人以大鑿開其心以藥內之自是日益開朗盡通諸經義未幾而諸師友北面受業焉

又曰張薦字孝舉深州陸澤人祖鷟字文成聰警絕倫書無不覽爲兒童時夢紫色大鳥五彩成文降于家庭其祖謂之曰五色赤文鳳也紫文鸑鷟也爲鳳之佐吾兒當以文章瑞於朝廷因以爲名字

又曰天寶中安祿山自范陽入朝肅宗觀其兇悖有勃逆之狀言之於太上皇太上皇易之不納上恐危社稷遂精誠祈夢其夜夢故內侍胡普寂等三人持案覆以黃帊自天而下至上前有素版丹書文章甚多既寤所記者唯四句曰厥不去乎其惟其時上天所保福祿不虧十四年十一月甲子祿山果於范陽稱兵向闕

又曰劉沔初爲忠武小校從李光顏討淮西爲捉生將前後遇賊兵戰鋒刃所傷幾死者數四嘗傷重卧草中日黑

不知歸路昏然而睡夢人授之雙燭曰子方大貴此行無患可持此而還既行炯然有雙光在前

晏子春秋曰景公病水十數日夜夢與二日鬭不勝晏子朝公說之曰我其死乎對曰使人以迎占夢至晏子說公夢告之占夢者請反其書晏子曰無反書曰所病者陰也日者陽也一陰不勝二陽故病將愈也以是對占夢者入以晏子言對居三日公病大愈公且賜占夢占夢者曰此非臣之言晏子教臣

李蜀書曰武帝諱雄始祖第三子始祖后方娠夢雙虹自門外天一虹中斷及生后常言三子若成人必有先亡者有大貴者後果李蕩早卒李雄王蜀

林邑記曰林邑俗謂上金爲紫磨金夷俗謂上金爲楊邁金初范楊邁母懷身夢人鋪楊邁金席與其生兒落席上金色光起昭晰艷爍及其生也名曰楊邁後襲王位能得人情

皇甫謐帝王世紀曰文王自程從都豐季秋之月甲子赤雀銜丹書入豐止于文王之戶言天命歸周之意先是文王夢日月之光着身

會稽先賢傳曰吳侍中闞澤字德潤山陰人也在母胎八月而叱聲震外年十三夜夢名字炳然縣在月後遂鼎進也

異苑曰鄭康成師馬融三載無聞融鄙而遣還玄過樹陰假寐夢見一老父以刃開其心謂曰可以學矣於是遂返精洞典籍

又曰太原郭登之字仲靖義熙初諸葛長民欲取爲諮議登之不樂後爲南康太守盧循之反長民以其無先過也

將加大辟夢一神人以烏角如意與雞是寤寐中殊自指約既覺在其側可長尺餘形制甚陋郭遂得無他屢經顯官後徙入關齋以自隨挿着步差中忽失所在

幽明録曰謝安石當桓温之世恒懼不全夜忽夢乘桓轝行十六里見白雞而止不得復前莫有解此夢及温亡後果代居宰相歷十六年而得疾安方悟云十六里者十六年見雞住者今太歲在酉吾病殆將不起少日而卒

又曰吴興錢乘孫權時曾晝卧久不覺兩吻沫出者數斗其母怖而呼之曰適見一老公食以𤊉䈥恨未盡而呼之乘本厎瘠既爾之後遂以力聞官至無難監

太平御覽卷第三百九十八

人事部四十

應夢

禮記文王世子曰文王謂武王曰汝何夢矣武王對曰夢帝與我九齡帝天也文王曰汝以為何也武王曰西方有九國君王其終撫諸文王曰非也古者謂年為齡齒亦齡也我百爾九十吾與爾三焉九齡九十年之祥也文王以憂勤損壽武王以安樂延年與汝三者明傳業於汝汝愛而成之文王九十七而終武王九十三而終

左傳僖公下曰楚子玉自為瓊弁玉纓未之服也先戰夢河神謂已曰畀余余賜汝孟諸之麋

又成公上曰鞌之戰晉韓厥夢子與厥父謂已曰避左右故中御而從齊侯邴夏曰射其御者君子也公曰謂之君子而射之非禮也射其左越于車下射其右斃于車中

又昭二曰鄭子產聘于晉晉侯有疾韓宣子曰寡君寢疾於今三月矣並走羣望有加而無瘳今夢黃熊入於寢門其何厲鬼也對曰以君之明子為大政其何厲之有昔堯殛鯀于羽山其神化為黃熊以入于羽淵實為夏郊三代祀之晉為盟主其或者未之祀乎韓子祀夏郊晉侯有間間愈也

又昭二曰鑄刑書之歲二月或夢伯有介而行介甲也曰壬子余將殺帶也明年壬寅余又將殺段也及壬子駟帶卒國人益懼齊燕平之月壬寅公孫段卒國人愈懼

又昭四曰晉荀吳帥師滅陸渾韓宣子夢文公攜荀吳而授之陸渾宣子韓起文公晉文公荀吳仲行穆子也故使穆子帥師獻俘於文宮以歆應夢

又昭七曰十二月辛亥朔日有蝕之是夜也趙簡子夢童子羸而轉以歌轉婉轉也旦占諸史墨子曰吾夢如是今而日蝕何也對曰六年及此月也吳其入郢乎終亦弗克

漢書曰孝文帝嘗夢欲上天不能進有一黃頭郎推之上天顧見其衣後穿覺而之漸臺見郎鄧通衣後穿即夢中所見也因而寵之

又曰衛太子為江充所譖敗父之田千秋上急變訟太子寃曰子弄父兵罪當笞天子之子過誤殺人當何罪哉臣嘗夢見一白頭翁教臣言是時上頗知太子惶恐無他意乃大感寤召見千秋謂曰父子之間人所難言也公獨明其不然此高廟神靈使公教我公當遂為吾輔佐立拜千秋為大鴻臚

又曰韋玄成為丞相言孝文太后寢園宜如禮勿復修奏可後歲餘上寢疾夢祖宗譴罷郡國廟上少弟楚孝王亦

夢為上召問匡衡議欲復之衡深言不可

東觀漢記曰桓帝時張奐為武威太守其妻懷孕夢帶奐印綬登樓而歌占曰必生男復臨此郡命終此樓既而生子猛建安中為武威太守前郡守邯鄲商為猛所殺據郡反為韓遂所攻自知必死乃登樓自燒而終

魏志曰武帝問周宣曰我昨夜夢有青氣自地屬天宣曰天下當有貴女子死死時帝已遣賜甄后璽書文帝復問周宣曰吾夢摩錢文欲令滅而更明何曰此陛下家事而太后不聽故更明耳時治弟植罪逼於太后也

晉書曰明帝時張茂夢得一大象問人曰何祥對曰君為大郡然而不善或問其故曰象者大獸獸者守也故當為大郡然象以齒見焚必為人害後為吳國內史沈充所害

又曰明帝太寧元年王敦謀逆帝與王導温嶠等決討征

之靳屯於湖陰帝欲察其營壘乃乘駿馬微行至湖陰靳
方晝寢夢日環其城驚起曰此必黃鬚鮮卑奴來何以不
縛之
又曰簡文見讖云晉氏祚盡昌明及孝武之在孕也李太
后夢神人謂之曰汝生男以昌明爲字及生東方始明因
以名焉簡文后後悟爲之流涕
後魏書曰高祖遷洛謂任城王澄曰朕昨夜夢一老公頭
鬢皓白正理冠服拜立路左朕怪而問之自云晉侍中嵇
紹故此奉迎神爽卑懼似有求焉澄對曰晉世之亂紹以
身衛主殞命御側亦是晉之忠臣於是求其兆域遣使弔
祭焉
又曰莊帝在藩任城王順夢一段黑雲從西北直來觸東
南上日月俱破復翳諸星天地晝闇俄雲消霧解日出莊

帝復閶闔門入登太極殿呼萬歲者三百官咸加朝服既
覺占之曰黑雲氣之惡者北方之色必有北敵亂京師日
君象月后象星百官象以此言之京邑其當禍乎後如其
夢
又曰盧元明爲中書侍郎友人王由寓居穎川忽夢見由
携酒就之言別因賦詩贈乃覺元明憶其十字云自茲一
去後朝市不復遊元明歎曰必有他故經三日果聞爲亂
兵所殺尋其日乃是發夢之夜
又曰酈範字世則范陽涿人範嘗夜夢陰毛拂踝他日說
之時齊人有占夢者曰史進云豪盛於齊下矣使君臨撫
東秦道光海岱必當重牧全齊再祿營丘矣範笑而荅曰
吾將爲卿必驗此夢果如其言爲青州刺史
又曰裴安祖閑居養志不出城邑曾行值天熱舍於樹下

有鷙鳥逐雉雉急投之遂觸樹而死安祖愍之乃取置陰
地徐徐護視良久得蘇安祖喜而放之後夜夢一丈夫衣
冠甚偉着曲領向安祖再拜安祖怪而問之此人云感君
前日見放故來謝德聞者異焉
北齊書曰張亮字伯德西河隰城人也拜太中大夫薛琡
嘗夢於山上挂絲以告亮且占之曰山上絲幽字也君其
爲幽州乎數月出爲幽州刺史
又曰宋穎爲凉州刺史穎前妻鄧氏亡後十年夢見白穎
拜曰新婦今被處分爲高崇妻故來辭別穎見崇言之
崇數日而卒
梁書曰吉士瞻少時夢得一積鹿皮而數之有十一領及
覺喜曰鹿者祿也吾當居十一祿乎自其後仕進所莅者
九及除二郡心惡之遇疾不肯療普通七年卒於郡

梁後略曰初賀革之往江陵也意甚不悅過別御史中丞
江革以情告之荅曰吾嘗夢主上遍見諸子唯至湘東王
所乃脫帽以與之此人後必當辟卿其行乎革因領之遂
往荊州
三國典略曰江陵平梁御史中丞沈炯還長安太祖授儀
同三司甚禮待之炯恐太祖愛其文才桓閉門却掃無所
交遊時有文章隨即毀弃不令流布嘗獨行經漢武通天
臺爲表奏之陳已思歸之意奏訖其夜炯夢見有宮禁之
所兵衛甚嚴炯便以情事陳訴聞有人言甚不惜放卿幾
日可至若一月內見關出此恐不復由我窹而異之當時
以爲恍忽十餘日便有命放還遂與王克等並得東歸
又曰陰子春嘗爲東莞太守時青州刺史三神念毀壞臨
海神廟當座棟上有一大蛇役夫下擒入於海水爾夜子

春夢見一人詣其府去有人見苦被壞宅舍既無所託欲憩此境子春心密記之經二日方知神念毀廟因辦牲醑立宇祠之數日夢一朱衣人謝曰得君厚恵當以州相報經月餘魏軍欲襲朐山子春預知設伏摧破梁武以爲南青州刺史

陳書曰武帝初受禪之日其夜有會稽人傳史普直省夢人自天而下着朱衣武冠導從數十手持板板上有字傳視之其文曰陳氏五主三十四年遂凌空而上旦白黃門侍郎孔宗範歎曰吾事去矣其爲子孫憂乎自武帝已後并廢帝五主自永定初迄禎明末共三十四年

晏子春秋曰景公舉兵將伐宋過太山公夢見二丈夫意怒甚盛公問占夢曰師過太山不用事太山神怒也公問晏子晏子曰非太山之神也宋之先湯與伊尹也湯修以長鬚兊上而豐下倨身高聲伊黑短蓬頭而鬚豐上兊下僂身下聲公曰然

又曰景公田於梧宮夜猶早公坐睡夢有五丈夫北面稱無罪公覺召晏子告所夢公曰我其嘗殺無罪歟晏子對曰昔先君靈公田五丈夫駭獸故并斷其頭葬之命曰五丈夫之丘豈此耶命人掘其葬處求之則五頭同穴而存焉公嘉之命吏葬之

莊子曰宋元君夜半夢人披髮而窺阿門曰予自宰之淵爲清江使河北之所漁者豫且得予元君覺召占夢者占之占夢者曰此神龜也君乃刳龜以卜七十鑽而無遺策

又曰匠石之齊至于曲轅(曲轅之道)見櫟社樹其大蔽千牛曰是不材之木也故能若是之壽匠石歸櫟社見夢曰汝將比予於文木耶柤梨橘柚果蓏之屬耶實熟則剝(剝擊也)剝則辱大枝折小枝泄(泄亦折也)此以其能若生者也予求年所可用久矣乃今得之

呂氏春秋曰尹儒學御三年而無得焉夜夢受秋駕於其師時日往朝其師而謂之曰吾非愛道也恐子之未可教也今日將教子以秋駕(秋駕御法)尹儒反走北面再拜曰今昔臣夢受之先爲其師言所夢因授秋駕焉也

賈誼書曰文王晝卧夢人登城而呼巳曰我東北陬之腐骨也速以人君葬我文王曰諾覺召吏使視之信有焉文王曰速以人君葬之吏曰此無主請以大夫禮王曰吾夢中巳許之矣奈何背之也

桓譚新論曰楊子雲亦言成帝時上甘泉召使作賦子雲爲之卒暴倦卧夢其五藏出在地以手收内及覺大少氣病一歲卒

世說曰王東亭嘗夢人以大筆與之管如椽子大既覺語人云他日當有大手筆事少日烈宗晏駕哀策謚議王所作

辛氏三秦記曰昆明池漢武停舡立之習水戰也中有靈沼神池云堯時治水訖停舡池通白鹿原人釣魚於此綸絕而去夢於漢武求去其鈎明日帝戲於池見大魚啣索帝曰豈非昔時所夢也取而去其鈎放之

博物志曰靈帝時遼西太守黃翻上言海邊有流屍露冠絳衣感翻夢曰我伯夷弟孤竹君也求見掩藏吏民有嗤者皆死

虞翻別傳曰翻注易奏上曰臣郡吏陳挑夢臣與道士相遇放髮被鹿裘布易六爻撓其三以飲臣臣乞盡吞之道士曰易在天三爻足矣豈臣受命應當知經

皇甫謐高士傳曰桓帝好老子之書夜夢見老子乃詔於
陳爲老子立祠
三輔決錄曰子以去冬脩夜思而未之得也忽然而寢夢
此黃鬚之叟姓爲玄明字曰子眞與穊言言必有中（夢中指誥
褒賦之事）子授其人子眞評之析微通理善否之間無所依違
因命操筆者書之謂之決錄
襄陽耆舊記曰楚襄王與宋玉遊於雲夢之野將使宋玉
賦高唐之事望朝雲之館上有雲氣崪乎直上忽而改容
須臾之間變化無窮王問宋玉曰此何氣也對曰昔者先
王遊於高唐怠而晝寢夢一婦人暧乎若雲煥乎若星將
行未至如浮如停詳而視之西施之形王悅而問焉曰我
帝之季女也名曰瑶姬未行而亡封巫山之臺精魂依草
寔爲芝之媚而服焉則與夢期所謂巫山之女高唐之姬
聞君遊於高唐願薦枕席王因而幸之
漢武故事曰上自封禪後夢高祖坐明堂羣臣亦夢於是
祀高祖於明堂
列異傳曰吳選曹令史長沙劉卓得病夢一人以白越單
衫與之語曰汝着此衫汗即火燒便潔也覺果有衫在側
後汗便火燒之
搜神記曰有周擥（叻感）嘖（音責）者貧而好道夫婦夜耕息臥
夢天公過而哀之勑有以給與司命案錄籍此人相貧限
不過此唯有張車子應賜錢千萬車子未生請以借之天
公曰善曙覺言之於是所爲輙得貲至千萬先時有張嫗
者常往擥嘖家傭賃野合有身月滿當孕便遣出生車屋
下產得兒主人往視問言當名汝兒作何嫗曰今在車下夢
天告之名爲車子擥嘖乃悟自是居日衰減車子長大富

於周家
續搜神記曰承儉者東莞人葬後十年忽夜與其縣令夢
云没故民承儉今見劫明府急見救令便勑外內裝束往
冢上日巳向出天忽大霧對面不相見但聞冢中哅哅破
棺聲有二人墳上望但霧冥不見人往令既至收得冢內
三人墳上二人遂得逆走棺未壞令即使人脩復之即其
夜又夢儉云二人雖得走民悉誌之一人面上有青誌如
葉一人掾其前兩齒折明府但案此尋覔自得也令從
其言追捕皆擒獲
又曰宗淵字叔林南陽人晉太元中爲尋陽太守有數十
頭龜付廚勑旦且以二頭作臛便着潘汁甕中養之其暮
夢有十丈夫並着烏布褲褶自反縛向宗淵叩頭若求哀
明日廚人宰二龜其暮復夢八人求哀如初宗淵方悟令
勿殺明夜還夢見昨八人來跪謝恩於是驚覺明朝自入
廬山放之遂不復食龜
又曰荆州刺史殷仲堪布衣時在丹徒忽夢見一人自說
巳是會稽上虞人死亡浮喪飄江中明日當至君有濟物
之仁豈能見移着高燥處則恩及枯骨郡明日與諸人共
江上看果見一棺逐水流下飄飄至郡坐處令人牽取題
如夢所即移着崗上酹以酒飯其夕又夢此人來謝恩
又曰嘉興徐泰幼喪父母叔父隗養之甚於所生隗病侍
甚謹三更中夢二人乘舡持箱上泰床頭發箱出簿書示
曰汝叔應死泰即於夢中下地叩頭良久曰汝縣有同姓
名人不泰思得語鬼云有張隗不姓徐此人去亦可強逼
念汝能事叔父當爲汝受之遂不復見
異苑曰高平檀茂崇以義熙中喪亡其母沛郡劉氏晝眠

夢見崇手捉團扇去崇年命未盡横被災厲方永違離令
以此扇奉別毋涕鷩覺果於屏風門得扇上皆如踟蛛網
絡撫執悲慟
又曰海陵如睪縣東城村邊海岸崩見一古墓有方頭漆
棺以朱題云七百年墮水元熹二十年墜於縣巘和蓋從
潮漂沉輒泝流還依本處村人朱護等異而啓之見老姥
年可七十許皤頭着袿古攜切鬒髮皓白不殊生人鈫鬐衣
服粲然若新送終器物枕履悉存護乃齎酒酺施于柩側
爾夜護婦夢見姥云向獲名貺感至無巳但我墻屋毀廢
骸形飄露今以直一千託爲治護也置錢便去明覺果得
即用改殯移于高阜焉
述異記曰陳留周氏婢民與入山取樵忽夢見一女子曰
吾目中有刺煩爲拔之當有厚報此婢乃見朽棺髑髏草

生眼中便爲拔草即於其處得一雙金指環
靈鬼志曰濡須口有一大舶船覆在水中水小時便出見
嘗有漁人夜宿其傍以船繫之但聞箏笛絃管之音夢人
驅遣云勿近官妓此人鷩覺即移船去傳云是曹公載妓
舡覆于此于今存在
智瓊傳曰弦超字義超夢神女從之自稱天上玉女姓成
字智瓊早喪父毋天帝愍之遣令得下嫁如此三四旦覺
寤欽想顯然來遊乃駕輜輧車從八婢自言我天帝玉女
遂爲夫婦贈詩二百餘言又著易七卷超皆能通其旨

太平御覽卷第三百九十九

太平御覽卷第四百

人事部四十一

凶夢

禮記檀弓曰夫子蚤作負手曳杖逍遥於門歌曰泰山其頹乎梁木其壞乎哲人其萎乎既歌而入當戶而坐子貢聞之曰泰山其頹則吾將安仰梁木其壞哲人其萎則吾將安放夫子殆將病也遂趨而入夫子曰賜爾來何遲也夏后氏殯於東階之上則猶在阼也殷人殯於兩楹之間則與賓主夾之也周人殯於西階之上則猶賓之也而丘也殷人也予疇昔之夜夢坐奠於兩楹之間夫明王不興而天下其孰能宗予予殆將死也蓋寢疾七日而沒

左傳成公上曰晉侯夢大厲被髮及地搏膺而踊呼曰殺余孫不義(厲鬼趙氏之先祖也)餘得請於帝矣壞大門及寢門而入公懼入于室又壞戶公覺召桑田巫巫言如夢(巫言鬼怒如公所夢)公曰何如曰不食新矣六月丙午公欲麥使甸人獻麥將食張如廁陷而卒小臣有晨夢負公以登天及日中負晉侯出諸廁遂以為殉

又成公下曰晉楚將戰呂錡夢射月中之退入於泥占之曰姬姓日也異姓月也必楚王也射而中之退入於泥亦必死矣及戰射共王中目王召養由基與之兩矢使射呂錡中項伏弢以一矢復命(言一發而中之)

又成下曰初聲伯夢涉洹(洹水出汲郡林慮縣東北至魏郡長樂縣入清水也)或與已瓊瑰(瓊玉瑰珠也)食之泣而為瓊瑰盈其懷(淚下化為珠玉滿懷)從而歌曰濟洹之水贈我以瓊瑰歸乎歸乎瓊瑰盈吾懷乎懼不敢占也還自鄭至于貍脈而占之曰余恐死故不敢占也今衆繁而從余三年矣而無傷也言之至暮而卒(繁多也傳)

又襄下曰齊侯伐我北鄙中行獻子將伐齊夢與厲公訟弗勝(厲公獻子所殺者)公以戈擊之首墜於前跪而戴之奉之以走見梗陽之巫皋(梗陽晉邑也在太原皋巫名也夢并見之)他日見諸道與之言同(巫亦夢見獻子與厲公訟)巫曰今茲主必死若有事於東方則可以逞獻子許諾

又昭二曰初穆子去叔孫氏及庚宗(成十六年避僑如之難奔齊庚宗魯地)遇婦人使私為食而宿焉適齊夢天壓己弗勝(穆子夢也)顧而見人黑而上僂深目而豭喙號之曰牛助余乃勝之及反魯所宿庚宗之婦人獻以雉(獻穆子)問其姓(問有子不)對曰余子長矣能奉雉而從我矣召而見之則所夢也未問其名號之曰牛曰唯皆召其徒使視之遂使為豎(豎官傳言從夢未必吉)

又哀上曰初曹人或夢衆君子立於社宮而謀亡曹曹叔振鐸請待公孫彊許之(振鐸曹始祖也)旦而求之曹無之戒其子曰我死爾聞公孫彊為政必去之及曹伯陽即位好田弋曹鄙人公孫彊好弋獲白鴈獻之且言田弋之說因訪政事大悅之有寵使為司城以聽政夢者之子乃行彊言霸說於曹伯從之乃背晉而攻宋宋人伐曹晉人不救而曹亡

又哀下曰衛侯夢于北宮見人登昆吾之觀(衛有觀在古昆吾氏之虛)被髮北面而譟曰登此昆吾之虛綿綿生之瓜(綿綿瓜初生也)余為渾良夫叫天無辜公親筮之胥彌赦占之(胥彌赦衛筮史)曰不害與之邑寘之而逃奔宋(言衛侯無道卜人不敢以實對懼難而逃)

國語曰晉獻公伐虢虢公夢在廟有神人面白毛虎爪執鉞立於西河之下公懼而走神曰無走帝命使晉襲于爾門公拜稽首覺召使嚚占之對曰如君之言則蓐收也天

識數占夢

之形神也公使因之且使國人賀夢舟之僑告其族曰衆
謂號亡不久矣吾今乃知之外內無親其誰救之吾不忍
俟將其族適于晉六年號乃亡
史記曰始皇夢與海神闘如人狀乃令人入海賫捕鉅魚
具而自以連弩候大魚出射之遂並䒢音海西至平原津而
病
又曰秦二世夢白虎齧其左驂馬殺之問占夢人曰涇水
爲崇二世乃齋望夷宮閻樂殺之更立子嬰爲王
又曰初趙盾䟽夢見叔帶持要而哭甚悲已而笑拊手而
歌盾卜之兆絶而後好趙史援占曰此甚惡非君之身乃
君之子然亦君之咎至趙翔被殺下宮及趙武還故位
漢書曰昌邑王夢見青蠅之矢積殿東西階王乃問龔遂
對曰詩云營營青蠅止于蕃愷悌君子無信讒言陛下察

之王終不改
續漢書曰鄭玄夢孔子造曰起今年歲在辰來年歲在巳
旣悟以讖占之知命當終有頃寢疾而卒
又曰周盤字伯堅朝會集諸生講論終日因令其二子曰
吾日者夢見先師東里先生與我講於陰堂之奧旣而長
歎豈吾齒之盡乎其月望日無病忽終
東觀漢記曰公孫述夢有人語之曰公子系十二爲期覺
語其妻對曰朝聞道夕死尚可況十二乎
魏志曰鄧艾字士載初艾當伐蜀夢山上而有流水以問
殄虜護軍爰邵邵曰案易卦山上有水曰蹇蹇繇利西南
不利東北孔子曰蹇利西南往有功也不利東北其道窮
也往必克蜀殆不還乎艾憮然不樂
又曰文帝問周宣曰吾夢殿屋兩瓦墮地化爲鴛鴦此何

謂耶宣對曰後宮當有暴死者帝曰吾詐卿耳宣對曰夫
夢者意耳苟形言便占吉凶言未卒而黄門令奏宮人相
殺
蜀志曰魏延字文長義陽人延夢頭上生角以問占夢趙
直直詐延曰夫騏驎有角而不用此不戰而賊自破之象
也退而告人曰角之爲字刀下用也頭上用刀其凶甚矣
延後果誅
又曰關羽初出軍圍樊夢猪齧其足語子平曰今年衰矣
果尋被殺
晉書曰郭瑀燉煌人也符氏之末略陽王穆起兵酒泉以
應張預遣使招瑀瑀與同郡索蝦應之穆後信讒欲誅蝦瑀
諫不從旦夕祈死夜夢乘青龍上至屋而止寤而歎曰龍
飛在天今止于屋屋之爲字尸下至也龍飛至尸吾其死
也古之君子不卒內寢況吾正士乎遂還酒泉南山赤崖

閣飲氣而卒
又曰惠帝時陸機爲長沙王乂征河間王果夜夢黒幕三
重繞車機擘出不得明旦被殺其日大風拔木時人以爲
陸氏之冤
又曰張華方晝卧忽夢見屋壞覺而惡之是夜難作稱召
華遂與裴頠俱被收
又曰僞趙石虎晝寢[illegible]宮夢羣羊從東北負魚而來鄴東
北土高丈餘魚羊滿其上寤乃問佛圖澄曰不祥也國其
敗乎
又曰温嶠爲驃騎鎮武昌至牛渚磯水深不可測云其下
多怪嶠遂燬犀角而照之須臾見水族萬品其夜夢人謂
嶠曰與君幽明道隔何意相照嶠惡之忽中風至鎮旬日

而卒
又曰揚雄爲春陽令舉兵拒王郭城陷爲郭所擒初雄被
執之曰其夜夢乘車挂肉其傍占曰夫肉必有筋斤也車
傍於斤吾其戮乎尋爲王郭害之
續晉陽秋曰苻堅之遣慕容垂侍中權翼諫不聽於是翼
乃夜私遣壯士要路而擊之垂是夜夢行路路窮顧見孔
子墓傍墳有八覺而心惡之召占夢者占之曰行路窮道
盡也不可行孔子名丘八以配丘此兵字路必有伏兵深
宜慎之於是垂遂別路而進翼伏兵遂不擒之
前涼録曰張駿十二年五月駿有疾夢出遊不識其處見
一玄龜向之張口而言更九日當有嘉問遂經九日而卒
前趙録曰劉曜末年夢三人金面丹脣東向逡巡不言而
退曜拜履其跡太史令任義曰三者歷運之極東爲震王

者之始次也金爲兌物衰落也脣丹不言事之畢也逡巡
揖讓舍之道也爲之拜者屈伏於人履跡而行慎不出疆
兵必大起遠志三年曜爲石勒所擒
前燕録曰慕容儁夜夢石虎齧其臂覺遂痛惡之曰死胡
安敢夢生天子使掘之數其罪鞭其尸投之漳水俄寢疾
而死
沈約宋書曰少帝凶暴日甚沈慶之猶盡言諫爭遣慶
之從子攸之賷藥賜慶之死時年八十初慶之夢有人以兩
疋絹與之謂曰此絹足度慶之語人曰老子今年不免兩
疋八十尺也度無盈餘矣
後魏書曰元熙於任城王澄薨前夢有人告之曰任城當
死死後二百日外君亦不免若其不信試看任城家熙夢
中顧瞻任城第舍四面牆崩無遺堵焉熙惡之覺而告所

親及熙之死果如所夢
又曰崔浩構害李順基萌已成夜夢秉火爇順寢室火作而
順死浩與室家羣立而觀之俄而順弟息號哭而出曰此
輩吾賊也以戈擊之悉投於河悟而惡之以告館客馮景
仁景仁曰此真不善也非復虛事夫以火爇人暴之極也
且兆始惡者終殃積不善者無餘慶厲階成矣公其圖之
浩曰吾方思之而不能悛至後而族
三國典略曰齊李鉉字寶鼎渤海南皮人也春夏務農秋
冬入學經疏之多發自於鉉嬰疾在牀夜夢孔子登其廣
爲疏例繫而捶之既寤之後其疏例焚尋而病愈
齊書曰武帝初登位夢金翅鳥下殿食小龍子無數乃飛
上天及明帝即位誅高武子孫並盡明帝名鸞故也
又曰武帝時雍州刺史張敬兒未貴夢所居村社樹欻高

數十丈爲雍州又夢社樹直上至天俄及伏誅
梁書曰武帝初沈約啓末建議廢齊和帝後夢和帝以刀
斷其舌約大懼召巫言與夢同竟憂卒
唐書曰太宗時徐慶爲征遼判官有一典不得姓名慶在
軍忽夢已化爲羊爲典所殺覺懼流汗至曉典判案慶問
曰汝夜有夢否典云夢公爲羊某屠之由是慶不食羊則
天時慶至司農少卿雍州司馬時典已任大理獄丞後慶
被誣與大史令裴炎通謀應接英公徐敬業揚州反被執
送大理忽見丞押獄慶流涕謂曰征遼之夢今當應之及
被戮竟是丞引之
又曰杜牧知命年得病自爲墓志祭文又嘗夢告曰爾改
名畢踰月奴自家來告曰炊將熟而甑裂牧曰皆不祥也
俄又夢書片紙曰皎皎白駒在彼空谷寤而歎曰此過隙

也吾生於角昴畢於角為第八宫吾之甚厄也予自湖守
迁舍人未還於角足矣其年以疾終
又曰常温為宣歙觀察使明年瘍生於首謂愛壻張復魯
曰予任校書郎時夢二黄衣人賫符來追及滻將渡一人
續至曰彼墳至大功須萬日遂不涉而寤計今萬日矣與
公訣矣明日卒
又曰崔湜與尚書右丞盧藏用同配流俱行湜謂藏用曰
家弟承恩或冀寬宥因遅留不速進行至荊州夢於講堂
照鏡鏡者明象吾當為人主所明也以告占夢人張中中
退曰講堂者受法之所鏡者於文為立見金此其吉徵其
日追使至縊於驛中
唐新語曰毋煚(俱永切)直集賢無何以熱疾暴終初煚夢着
衣冠上北邙山親友相送及至山頂迴顧不見一人意甚惡

之及卒僚友送葬北邙山咸如所夢
呂氏春秋曰齊莊公之時有士曰賓卑聚夢有壯士從而
叱之唾其面惕然而寤然夜坐自不快明日召其友而告
之曰吾年六十而無所挫辱吾將索之得之則可不得將
死之每朝立乎衢三日不得退而自殺
桓譚新論曰博士弟子韓生連三夜有惡夢以問人人教
晨起厠中祝之三旦人告以為祝詛捕治數日死
玄晏春秋曰十二月乙丑夕夢至京師自廟出見車騎甚
衆以物呈廟云誅大將軍曹爽寤以告呂梁析析曰君欲曹
人之夢乎朝無公孫彊子曰爽無救振之請苟失天機則
(彊音)何待於彊
益部耆舊記曰何祗嘗夢井中生桑以問占夢趙直直曰
桑非井中之物然桑字四十下有八君壽恐不過此後果

如直言
管輅別傳曰輅見何尚書何曰頃連夢青蠅數十來在鼻
上驅之不肯去何也輅曰夫鼻者艮也天中之山而蠅集
之位峻者危輕豪者亡後遂被誅
搜神記曰吳時嘉興徐伯始病使道士呂石安神座石有
弟子戴本王思二人居在海鹽伯始迎之以助石晝卧夢
上天北斗門下見外鞍馬三疋云明日當以一迎石一迎
本一迎思石夢覺語本思如此死期至可急還與家别不
卒事而去伯始怪而留之曰懼不見家也間一日三人同
日死
續搜神記曰會稽謝奉與永嘉太守郭伯猷善謝忽夢郭
與人於浙江上争樗蒲錢為水神所責墮水死已營理郭
凶事既覺便往郭許共圍碁良久謝云卿知吾來意不因

説所夢郭聞之悵然云信與人争如卿所夢何期太的
也須臾如厠便倒氣絶謝斷理之如所夢
異苑曰苻堅將欲南師也夢葵生城内明以問婦婦曰若
征軍遠行出難為將也堅又夢地東南傾復以問云江左
不可平也君無南行必敗之應也堅不從卒敗
又曰陳郡殷靈均義熙中為桂陽太守夢人縛將去形神
乖散復有一人云且置在作衡陽當取之殷驚寤惆悵永
初三年除衡陽郡知其理難避辭不免尋寢疾而亡
述異記曰陶繼之為秣陵令殺劫其中一人是太樂伎不
為劫而陶逼殺之將死曰我實不作劫遂見枉殺若有鬼
必自訴理少時陶夢見此伎來云訴天得雪今來相取遂
跳入陶口中仍落腹而倒俄而陶遂病死
又曰姚萇既殺苻堅與苻登相拒於隴東萇夜夢堅將天

帝使者勒兵馳入萇營以刁刺萇正中其陰萇驚覺陰
腫痛明日遂死

又曰張駿有疾夢出遊觀不識其處甘泉涌出有一玄龜
向駿張口言曰更九日當有嘉問好消息忽然而覺自書
記之封在筒中人不知也因寢疾經九日而死

幽明録曰魏武帝猜忌晉宣帝子非曹氏純臣又嘗夢三
疋馬在一糟中共食意尤憎之因召文明二帝告以所見
並云防理自多無爲横慮帝然之後果害族移器悉如夢
焉

又曰王丞相茂弘夢人欲以百萬錢買大兒長豫丞相甚
惡之潛爲祈禱者備材作屋得一窖錢料之百萬億大懼
一皆藏閉俄而長豫亡

又曰隴西秦嘉字士會儁秀之士婦曰徐淑亦以才美流

譽桓帝時嘉爲曹掾赴洛淑歸寧于家晝卧流涕覆面
嫂怪問之云適見嘉自說往津鄉亭病亡二客俱留一客
守喪一客賫書還日中當至舉家大驚書至事事如夢

集異記曰陽平朿董善解夢有孫氏求官睡得夢雙鳳集
其兩拳以問董董曰鳳皇非梧桐不棲非竹實不食卿當
大凶非直杖即削杖也後孫氏果遭毋喪

又曰張天錫在凉州夢一緑色狗形甚長從城東南欲齧
張張牀上避匝乃墮地後符堅遣狗長性破張着緑地
錦袍從東南門入皆如夢焉

太平御覽卷第四百

人事部四十二

叙聖

左傳成公上曰聖人與衆同欲是以濟事

又成公下曰春秋之稱微而顯志而晦婉而成章盡而不汙懲惡勸善非聖人誰能修之

又曰諸侯將見子臧於王而立之子臧辭曰聖達節（聖人應天命不拘常禮）次守節爲君非吾節也雖不能聖敢失守乎

又曰唯聖人能外內無患自非聖人外寧必有內憂（驕亢則憂患生也）

又襄公二十二年曰臧武仲如晉雨過御叔在邑將飲酒（御叔魯御邑大夫）曰焉用聖人（武仲多智時人謂之聖）我將飲酒而已雨行何以聖爲

又昭公二曰季武子問於申豐曰雹可禦乎對曰聖人在上無雹雖有不爲災

又曰書曰聖作則（逸書則法也）

又曰臧孫紇有言曰聖人有明德者若不當世其後必有達人今其將在孔丘乎

又哀公下曰聖人不煩卜筮惠王其有焉（不疑故不卜也）

禮記曰樂記曰作者之謂聖述者之謂明明聖者述作之謂也

又坊記曰聖人之制富貴也使民富不足以驕貧不至於約貴不慊於上故亂益亡

又中庸曰夫婦之愚可以與知焉及其至也雖聖人亦有所不知焉夫婦之不肖可以能行焉及其至也雖聖人亦有所不能焉

又曰舜其大孝也與德爲聖人尊爲天子富有四海之內宗廟饗之子孫保之

又曰誠者天之道也誠之者人之道也誠者不勉而中不思而得從容中道聖人也

又曰大哉聖人之道洋洋乎發育萬物峻極于天

毛詩七月曰狼跋美周公也周公攝政遠則四國流言近則王不知周大夫美其不失其聖也（不失其聖者聞流言不惑王不知不怨終立其志成周之道致太平復成王之位）

又節南山巧言曰秩秩大猷聖人莫之

周易乾卦曰雲從龍風從虎聖人作而萬物覩

又曰其惟聖人乎知進退存亡而不失其正者其唯聖人乎

又蒙卦曰蒙以養正聖功也

又豫卦曰聖人以順動則刑罰清而民服

又觀卦曰聖人以神道設教而天下服矣

又咸卦曰天地感而萬物化生聖人感人心而天下和平

又恒卦曰聖人久於其道而天下化成

又鼎卦曰聖人亨以享上帝而大亨以養聖賢

又繫辭曰易有聖人之道四焉以言者尚其辭以動者尚其變以制器者尚其象以卜筮者尚其占夫易聖人之所以極深而研幾也唯深也故能通天下之志唯幾也故能成天下之務唯神也故不疾而速不行而至子曰易有聖人之道四焉者此之謂也

又曰備物致用立成器以爲天下利莫大乎聖人是故天生神物聖人則之天地變化聖人效之天垂象見吉凶聖人象之河出圖洛出書聖人則之易有四象所以示也

又曰天地之大德曰生聖人之大寶曰位
又曰上古穴居而野處後世聖人易之以宮室上棟下宇
以待風雨蓋取諸大壯上古結繩而治後世聖人易之以
書契百官以治萬民以察蓋取諸夬
又曰昔者聖人之作易也將以順性命之理是以立天之
道曰陰與陽立地之道曰柔與剛立人之道曰仁與義
尚書伊訓曰敢有侮聖言逆忠直時謂亂風狎侮聖人之言而不行拒逆忠直之規而不納
又說命曰股肱惟人良臣惟聖手足具乃成人有良臣乃成聖
又洪範曰睿作聖於事無不通謂之聖
又曰聖時風若君能通理則時風順之
又多方曰惟聖罔念作狂惟狂克念作聖惟聖人無念於善則爲狂人惟狂人能念於善則爲聖人

又君陳曰凡人未見聖若不克見既見聖亦不克由聖
論語雍也曰子貢曰如有博施於民而能濟衆何如可謂仁
乎子曰何事於仁必也聖乎堯舜其猶病諸
又述而曰子曰聖人吾不得而見之矣得見君子者斯可
矣
又曰子曰若聖與仁則吾豈敢孔子謙不敢自名仁聖
又子罕曰太宰問於子貢曰夫子聖者與何其多能也子
貢曰固天縱之將聖又多能也
又孔子曰君子有三畏畏天命畏大人畏聖人之言小人
不知天命而不畏也狎大人侮聖人之言又子貢曰有始
有卒者其唯聖人乎
孝經曰非聖人者無法
春秋潛潭巴曰里社鳴此里有聖人百姓歸之社里之居也鳴則興

令行不教令則唯聖人能行之也
大戴禮曰哀公問曰何謂聖人孔子對曰所謂聖人者智
通于大道應變而不窮配于天地參于日月
又曰聖人有國則日月不食星辰不孛
尚書考靈曜曰五百載聖紀符五百法天地之數也王命長故以爲五百載也符圖書也
又曰四千五百六十歲精癸數握命人起河出圖聖受思
鄭玄注曰聖謂堯也天握命人當起者河乃出圖堯受而
思之以受曆數也
尚書大傳曰聖人在位其君子不誦無用之言其工不作
無用之器其商不通無用之物
又曰聖人者民之父母也母能生之能食之父能教之能誨
之聖王曲備之者也能生之能食之能教之能誨之也爲之
城郭以居之爲之宮室以處之爲之庠序之學以教誨之爲
之列地制畝以飲食之故書曰作民父母以爲天下王此
之謂也
韓詩外傳曰舜生于諸馮遷于負夏卒于鳴條東夷之人
也文王生于岐周卒于畢郢西夷之人也地之相去千有
餘里然得志而行乎中國如合符節孔子曰先聖後聖其
揆一也
又曰成王之時有三苗貫桑而生同爲一秀比三年果有
越裳氏重九譯而至獻白雉於周公曰道路悠遠山川幽
深故重譯而來朝周公辭曰吾子何以見賜也譯曰吾受
命國之黃髮曰久矣天之不迅風疾雨也海之不波溢也
三年於茲矣意者中國殆有聖人盍往朝之
又曰辟土殖穀者后稷也決江疏河者禹也聽獄執中者

皐陶也然而有聖名者堯也
史記曰周西伯獵遇太公於渭之陽與語大說曰自吾先
君太公曰當有聖人適周周以興子眞是耶
又曰王子比干直言諫紂紂怒曰吾聞聖人之心有竅信
有諸乎
又曰秦繆公謂內史廖曰吾聞鄰國有聖人敵國之憂也
今由餘寡人之患將如奈何
又曰唐舉相蔡澤曰吾聞聖人不相殆先生乎
管子曰聖人若天然無私覆若地然無私載
老子曰絕聖弃智民利百倍
又曰聖人無常心以百姓心爲心
莊子曰聖人之生也天行其死也物化靜而與陰同德動
而與陽同波不爲福先不爲禍始

又曰以德分人謂之聖
又曰夫聖人鶉居而鷇(苦候切)食鳥行而無章天下有道
則與物皆昌天下無道則修德就閑
又曰至人無已神人無功聖人無名
又曰夫川竭而谷虛丘夷而淵實聖人已死則大盜不起
文子曰聖人同死生愚人亦同死生聖人之同死生明於
分理也愚人之同死生不知利害所在也
又曰聖人隨時而舉事因資而立功守清道拘雌節因循
而應變常後而不先
又曰聖人以仁義爲繩中繩之謂君子不中繩之謂小人
列子曰龍叔謂文摯曰吾有疾子能已乎文摯即命龍叔
背明而立文摯向明而望之旣而曰嘻吾見子之心矣方
寸之地虛矣幾聖人也子心六孔通流一孔不達今聖智

爲病者或由此乎
又曰商太宰見孔子曰丘聖者歟荅曰丘非聖者三王聖
者歟荅曰三王善任智勇者聖則丘弗知曰五帝聖者歟
荅曰五帝善任仁者聖則丘弗知曰三皇聖者歟荅曰三
皇善因時者聖則丘不知曰然則孰者爲聖孔子曰西方
聖者不治而不亂不言而自信化而自行蕩蕩乎民無能
名焉
又曰庖犧女媧神農夏后虵身人面牛首此非人之狀而
有大聖之德
尸子曰聖人之身猶日也夫日圜尺光盈天地聖人之身
小其所燭遠矣聖人正已而四方治故曰天地之大府
愼子曰天有明而不憂人之闇地有財而不憂人之貧聖
人有德而不憂人之危

范子曰聖人之變如水隨形形平則平形險則險。隨巢子
曰大聖之行兼愛萬物疏而不絕賢則欣之不肖則矜之
孫卿子曰神固之謂聖人聖人者道之管也天下之道管
此矣
又曰天下無二道聖人無二心神人無功聖人無名聖人
者天下利器也
商子曰聖人之制民也如高下制水如燥濕制火也
申子曰百世有聖人猶隨踵而生
韓子曰伊尹爲宰百里奚爲虜此二人者聖人也然猶不
能無役身而進
孟子曰子夏子張子游皆有聖人一體冉有伯牛閔子顏淵
具體而微自生民以來未有盛於孔子者也
又曰孔子曰登東山而小魯登太山而小天下故觀於海

者難爲水遊於聖人之門者難爲言

鶡冠子曰聖人者後天地而生而知天地之始先天地而亡而知天地之終

孔叢子曰懸子問子思曰吾聞同聲者相求同志者相好子之先君見子產則兄事而世謂子產仁愛稱夫子聖人是謂聖通事仁愛乎未喻其人之孰先也子思曰昔季孫問言游亦若子之言也子游答曰以子產之仁愛譬夫子其猶浸水之與膏雨康子曰子產死鄭大夫捨玦珮婦女捨珠瑱巷哭三月琴瑟不作夫子之死吾未之聞魯人之若是也子游曰夫浸水所及也則生所不及則死民皆知焉膏雨之所生也廣莫大焉民之受賜也普矣莫識其由來者也

淮南子曰聖人不貴尺璧而重寸陰時難得而易失故聖人守清道而抱雌節（清和靜也雌柔弱也）

又曰聖人之道猶中衢樽耶過者斟酌多少各得所宜

又曰唯聖人爲能知權言而必信期而必當天下之高行也

又曰聖人若鏡不將不迎

又曰文王知而好問故聖

又曰孔子無黔突墨子無暖席是故聖人蒙耻辱以千世主者非貪祿慕位欲事天下之利除萬民之害也神農憔悴堯瘦臞（其俱）舜黴黑禹胼胝由此觀之憂勞百姓亦甚矣

又曰古者聖人勞形盡慮爲民興利除害焦天下之憂而平海內之事聖人之憂民也如此其明矣

河圖曰黃帝曰凡人生一日天帝賜筭三萬六千又賜紀二千聖人得三萬六千七百二十九人得三萬六千一紀主一歲聖人加七百二十

呂氏春秋曰聖人之於事似緩而急（緩謂無爲急謂成功）似遲而速待時也

又曰聖人南面而立以愛利民爲心號令未出而天下皆延頸舉踵矣則精通乎民矣

家語曰所謂聖者德合天地　覩者不識其鄰

又曰　聖人能以天下爲一家以中國爲一人者非意之所爲也必知其利達於其患然後乃爲之

又曰孔子在衛冉求言於季孫曰國有聖人而不能用欲以求治是猶却步而欲求及前人也

神異經曰西南大荒中有人身長丈腹九尺踐龜蛇戴朱鳥左手憑青龍右手憑白虎知河海斗斛識山石多少知天下鳥獸言語識士

人所道知百穀可食識草木鹹苦名曰聖（俗曰聖人）一名哲（俗曰睿哲）一名先（俗曰知先）一名通（俗曰通達）一名無不達凡人見拜令人神智（此人天下神聖也）

六韜曰太公曰聖人守無窮之府用無窮之財而天下治

說苑曰聖人之於百姓也其猶赤子乎飢者食之寒者衣之育之長之唯恐其不至於大也

楊方五經鈎沉曰聖人之生必資於陰陽陰陽之理即聖人所盡但盡陰陽之理則玄照之本自見此謂不求自知而理盡自然者也

楊子法言曰或問孔子之時諸侯有知孔子聖者歟曰知之若知之則曷爲不用曰不能曰知聖而不能用可得聞乎曰用之則弃其所習逆其所從強其所劣損其所能非天下之至聖孰能用之

又曰震風陵雨然後知廈屋之爲帡幪也虐政虐世然後知聖人之爲郛郭也

又曰聖人之言似於水火測之而益深窮之而益遠火用之而弥明宿之而弥壯

又曰聖人之言遠如天賢者之言近如地

又曰或曰聖人之道若天天則常矣奚聖人之多變也曰聖人固多變子游子夏得其書矣未得所以書也宰我子貢得其言矣未得所以言也顔淵閔子得其行矣未得其所以行也聖人之書言行天也其以變乎

又曰聖人虎別其文炳也如虎之別百獸炳然殊異君子豹別其文蔚也有蔚文章炳虎辯人狸別其文萃也

又曰或問聖人表裏曰威儀文辭表也德行忠信裏也

論衡曰上天之心在聖人之胷其譴告在聖人之口世無

聖人安得知天變動

風俗通曰聖者聲也通也言其聞聲知情通於天地調暢萬物

荀悅申鑒曰聖不至聖何以盡性

傅子曰聖人之道如天地諸子之異如四時四時相反天地合而通之

袁准正書曰聖人之治也若平地焉聾盲跛蹇皆能履之法若丘陵也非有逸足不能超也

又曰唯聖知聖唯賢知賢信乎

蔣子萬機論曰聖不獨立智不獨治神武之主亦須佐輔

王行論曰聖人盡衆妙體至當故不示有所示而物自覩之

姚信士緯曰聖人高不可極深不可測窮神知化獨見先識仁若春陽信若影響此所稟於天也

又曰神州何以專生聖人聖人曾不産於絶域乎推此論之明神州者處乾坤之正鍾日月之精地形爽塏源流清暢其生民也長短應數儀狀端正音聲得節性理調良

圖墓書曰青烏乃默皆聖人也記人生死所由

琴操曰孔子使顔淵執轡到匡郭外顔淵擧策指匡穿垣曰往與陽虎正從此入匡人聞其言孔子貌似陽虎告匡君曰往者陽虎今復來矣乃令桓魋圍孔子數日不解弟子皆有飢色於是孔子仰天而歎曰君子固窮乎子路聞孔子之言悲感悖然大怒張目奮劒聲如鍾鼓孔子曰由來今汝欲鬭名爲戮我於天下爲汝悲歌而感之汝皆和我由等唯唯孔子乃引琴而歌音曲甚哀有暴風擊拒軍士僵仆於是匡人乃知孔子聖人瓦解而去

太平御覽卷第四百一

太平御覽卷第四百二

人事部四十三

叙賢

周禮地官曰以賢制爵則民慎德

禮大學曰君子賢其賢而親其親

詩黍離曰丘中有麻思賢也莊王不明賢人放逐國人思之而作是詩也丘中有麻彼留子嗟留大夫氏子嗟字也丘中麻麥子嗟所治箋云子嗟放逐於朝去治卑賤之職

又曰白駒大夫刺宣王也刺其不能留賢者也皎皎白駒食我場苗場中之苗繫絆之欲留也縶之維之以永今朝宣王之末不能用賢者有乘白駒而去箋云願去者乘其白駒來者食我

書大禹謨曰野無遺賢萬邦咸寧

又曰任賢勿貳去邪勿疑

又說命曰爵罔及惡德惟其賢

又曰惟后非賢不乂惟賢非后不食

又武成曰建官惟賢蒞事惟能

又旅獒曰所寶惟賢則邇人安

易曰坤地卦天地變化草木蕃天地閉賢人隱

又大畜曰不家食吉養賢也

又頤曰天地養萬物聖人養賢以及萬民

又繫辭曰可久則賢人之德可大則賢人之業

論語里仁曰君子見賢思齊焉見不賢者而內自省也齊等也省察也察已得無然也

又雍也曰賢哉回也一簞食一瓢飲在陋巷人不堪其憂回也不改其樂賢哉回也簞笥也貧者人之所憂而顏志道有所樂故深賢之

又述而曰冉有曰伯夷叔齊何人也子曰古之賢人也

又衛靈公曰臧文仲其竊位者歟知柳下惠之賢而不與立柳下惠魯士師展禽也其邑名柳下謚曰惠也

又子張曰叔孫武孫毀仲尼子貢曰仲尼不可毀也他人之賢者丘陵也猶可踰也仲尼日月也無得而踰焉

春秋繁露曰氣之清者爲神人之精者爲賢治身以練神爲寶治國以積賢爲道

大戴禮曰帝入西學上賢而貴德

樂動聲儀曰召公賢者也明不能與聖人分職常戰慄恐懼故舍於樹下而聽斷焉勞身苦體然後乃與聖人齊是周南無美而召南有之

韓詩外傳曰魏文侯問狐卷子曰父賢足恃乎對曰不足子賢足恃乎對曰不足兄賢足恃乎對曰不足弟賢足恃乎對曰不足臣賢足恃乎對曰不足文侯勃然作色而怒曰寡人問此五者於子子一以爲不足者何也對曰父賢不過堯而丹朱放子賢不過舜而瞽瞍拘兄賢不過周公而管叔誅臣賢不若湯武而桀紂伐君欲治從身始人何恃

國語曰智宣子將以瑤爲後宣子荀寅瑤宣子之子智伯也智果曰不如宵也智果荀氏之族也宵宣子庶子也宣子曰宵也很很戾不從人也對曰宵之很在面瑤之很在心心很敗國面很不害瑤之賢於人者有五其不逮者一美鬢長大則賢鬢鬚鬢也射御足力則賢伎藝必給則賢巧文辯惠則賢強毅果敢則賢若是而甚不仁以其五賢陵人而以不仁行之其誰能待之若果立瑤也智宗必滅弗聽智果別族于太史爲輔氏太史掌氏姓也及智氏之亡也唯輔果在

又曰臼季使舍於冀野臼季胥臣冀野晉地見冀缺耨其妻饁之耨耘田也野饋曰饁字音曄相敬如賓從而問之冀芮之子也與之歸旣

復命進之曰臣得督戎以告文公曰子何以知其賢對曰臣見其賢不忘敬也公使爲下軍大夫

史記曰燕昭王於破燕之後卽位卑身厚幣以招賢者謂郭隗曰齊因孤之國亂襲破燕孤極知燕小力少不足以報然得賢士與共國以雪先王之耻孤之願也先生視可者得身事之郭隗曰王必欲致士必從隗始況賢於隗者豈遠千里哉於是昭王爲隗改築宮而師事之

又曰伯禽就封於魯周公戒伯禽曰我文王之子武王之弟成王之叔父我於天下亦不賤矣然我一沐三握髮一飯三起以待士猶恐失天下之賢人子之魯愼無以國驕人

又曰楚昭王聘夫子夫子往焉路出陳蔡大夫謀曰夫子賢者所刺譏皆中諸侯之病若用於楚則陳蔡危矣遂使兵拒之孔子不得行

家語曰孔子謂宓子賤曰子治單父衆悅何施而得之對曰此地民有賢於不齊者不齊事之事而稟度焉皆教不齊以治道孔子歎曰昔堯舜聽天下務求賢以自輔夫賢人百福之宗神明之主也惜乎不齊之所治小也

又曰子夏問於孔子曰顏回之爲人奚若子曰回之信賢於丘曰子貢之爲人奚若子曰賜之敏賢於丘曰子路之爲人奚若子曰由之勇賢於丘曰子張之爲人奚若子曰師之莊賢於丘子夏避席而問曰然則四子者何爲事先生子曰居吾語汝夫回能信而不能反（反謂反信也君子言不必信唯義所在也）賜能敏而不能詘（詘人唯辯敏亦宜有折屈時也）由能勇而不能怯師能莊而不能同（言人雖矜莊亦當有和同時也）兼四子者之有以易吾吾弗與也此其所以事吾而不及也

又曰孔子讀史至楚復陳（陳夏徵舒殺其君楚莊王討之取陳而有之申叔時諫莊王莊王從之乃復陳國也）喟然曰賢哉楚莊王輕千乘之國而重一言之信非申叔時之忠弗能建其義非莊王之賢弗能受其訓

又曰所謂賢者德不踰閑（閑法）行中規繩

又曰哀公問於孔子曰當今之君孰者最賢孔子對曰丘未之見抑有衛靈公乎公曰吾聞其閨門之內無別而子次之賢何也孔子對曰臣論其朝廷行事不論其私家之際也公曰其事何也孔子曰靈公之弟曰公子渠牟其智足以治千乘其信足以守之靈公愛而任之又有士曰王林者見賢必進之而退與分其祿是以衛國無遊放之士靈公知而尊之又有士曰慶足者國有大事則必起而治之國無事則退容賢（言其所以退欲以容賢於朝）靈公悅而敬之又有大夫史鰌以道去衛靈公郊舍三日琴瑟不御必待史鰌之入而後敢入臣以此取之雖次之賢不亦可乎

孔叢子曰魯人有公儀潛者厲節行道恬於榮利不事諸侯子思之與友穆公因子思欲以爲相謂子思曰公儀子必輔寡人寡人三分魯之一子思對曰如君之言則公儀愈所不至也若飢渴待賢納用其言儀雖蔬食飲水亦願在下風今徒以高官厚祿釣餌君子無信人之意公儀子則終身不躡乎君之庭矣且臣不任爲君操竿不釣以傷守節之士也

又曰子思自齊反衛君館而問曰先生魯國之士不以衛褊小猶步玉趾而慰存之願有賜於寡人子思曰羈旅於此而辱君之威尊亟臨華門其榮多矣欲報君以財弊則君府藏已盈而伋又貧欲報君以善言恐未合君心而徒言不聽也願有報君者唯達賢耳君曰固寡人所

願也

任子曰夫賢人者至德以爲巳心行道以爲巳任處則不求私名仕則不求私寵不爲其身不阿其君積禮義於朝播仁風於民使天下之人翼翼焉向戴其君之尊欣欣焉歌舞其君之德

文子曰山有猛獸林木爲之不斬野有螿蟲葵藿爲之不採國有賢臣折衝千里

列子曰牛缺者上地之大儒也至邯鄲遇盜於耦沙之中盡取其衣裝車牛步而去視之欣然無憂苦之色盜追而問其故曰君子不以所養害其所養盜曰嘻賢矣既而相謂曰彼之賢往見趙君使以我爲事必困我乃相與追而殺之

孫卿子曰古之賢人賤爲布衣貧爲匹夫然而非禮不進非義不受

莊子曰以財分人謂之賢

尹文子曰尹文子見齊宣王王歎國寡賢尹文子曰使國悉賢孰處王下王曰國悉不肖可乎尹文子曰國悉不肖孰理王朝王曰賢與不肖皆無可乎尹文子曰不然有不肖故王尊於上臣卑於下進賢退不肖所以有上下也。王孫子曰趙簡子獵於晉山之陽撫轡而歎董安于曰敢問何歎子曰吾有食穀之馬數千多力之士數百欲以獵獸也吾恐隣國養賢以獵吾也

文子曰虎豹之駒未成而有食牛之氣鴻鵠之翼未合而有四海之心賢者之生亦然也

又曰國之所以不治者三不知用賢此其一也或求賢不能得此其二也雖得弗能盡此其三也

申子曰千里有賢者是比肩而立

韓子曰晉平公問叔向曰吾群臣孰賢對曰趙武賢武之立如不勝衣言如不出口然其所舉士者數十人皆令得其意而公家甚賴之況武子之生也不利其家死不託其孤臣敢以爲賢

孟子曰國君進賢如不得巳將使卑踰尊踈踰戚可不慎歟左右皆曰賢未可也諸大夫皆曰賢未可也國人皆曰賢然後察之見賢焉然後用之

呂氏春秋曰伊尹出空桑之中長而賢湯聞伊尹使人請之有侁氏有侁氏不可伊尹亦欲歸湯湯於是請取妻於有侁氏有侁氏喜使伊尹爲媵送女故賢主之求有道之士無不以也有道之士求賢主無不行也相得然後樂不謀而親不約而信相爲殫智竭力犯危行苦志懽樂之此功名所以大成也

又曰百里奚之未遇時亡虢而虜飯牛於秦鬻以五羊之皮公孫枝得而悅之獻諸繆公三日請屬事公曰買之五羊之皮而屬事無乃爲天下笑乎枝曰信賢而任之君之明也讓賢而下之臣之忠也君爲明君臣爲忠臣彼爲信賢境內將服敵國且畏夫誰暇笑哉遂用之謀無不當舉必有功號曰五羖大夫

又曰史台謂申向曰吾所患者不知賢申向曰人之患不在乎不言用賢而在乎不誠用賢夫言用賢者口也却賢者行也言行相反而欲賢者用不肖者廢不亦難乎人主誠用賢則境內賢者出矣天下賢者至矣

又曰得十良馬不如得一伯樂得十良劒不如得一歐冶得地千里不如得一賢人

又曰魏文侯過段干木之閭而軾其僕曰君胡爲軾曰此
非段干木之閭歟干木蓋賢者也吾安敢不軾
又曰趙簡子將襲衛使史墨行䁥之䁥視也音貴期以一月六
月而反復簡子曰何其久也對曰謀利而得害猶弗察也
蘧伯玉爲相史鰌佐焉孔子爲客子貢使令於君前甚聽君聽其謀易曰渙其羣元吉渙者賢也羣者衆也元者吉之始
也渙其羣元吉者其佐多賢簡子案兵而不動
周書陰符曰九治國有三常一曰君以舉賢爲常二曰官
以任賢爲常三曰士以敬賢爲常夫然雖百代可知也
京房易飛候曰何以知賢人隱師曰視四方有大雲五色
具而不雨下賢人隱也
易叅同契曰天道無適莫常傳與賢者
黃石公三略曰傷賢者殃及三世蔽賢者身當遭害達

平四ヨ二　七　壬戌一

賢者福流子孫嫉賢者其名不令
陸賈新語曰聖人居高處上則以仁義爲巢乘危履傾則
以聖賢爲杖
說苑曰周公卜居曲阜命龜曰作邑于山之陽賢則茂昌
不賢則速亡
又曰夫朝無賢人猶鴻鵠之無羽翼是故絕江海者託於
舡致遠道者託於乘欲霸王者託於賢
又曰明君在上愼於擇士務於求賢設四佐以自輔有英
俊以治官
又曰伯禽與康叔封朝成王見周公三見而三笞康叔駭
色謂伯禽曰有商子者賢人也與子往見之康叔與伯禽
見商子曰吾二子者朝乎成王見周公三見而三笞其說
何也商子曰二子蓋相與觀南山之陽有木焉名曰橋二

子者往觀乎南山之陽見橋竦然實高而仰反以告商子
商子曰仰者父道也商子曰二子蓋相與觀乎南山之陰
有木焉名曰梓二子者往觀乎南山之陰見梓勃焉實而
俯反以告商子商子曰俯者子道也二子者明日見乎周
公入門而趨登堂而跪周公拂其首勞而食之曰安見君
子二子對曰見商子周公曰君子哉商子也
又曰孔子之郯遭程子於塗傾蓋而語終日有間顧謂子
路曰取束帛以贈先生子路不對有間又顧謂曰取束帛
以贈先生子路屑然對曰由聞之也士不中間而見女無
媒而嫁君子不行也孔子曰詩不云乎野有蔓草零露團
兮有美一人清陽婉兮邂逅相遇適我願兮今程子天下
之賢士於是不贈終身弗見也中間謂紹介也
六韜曰文王舉賢若何太公曰案察實選才任能名實俱

平四ヨ二　八　成一

得也
物理論曰在金石曰堅在草木曰緊在人曰賢千里一賢
謂之比肩故語曰黃金累千不如一賢
杜氏幽求曰周封千里而已八州之地皆以祿賢
抱朴子曰桓文漢高鼓群賢以爲六翮託豪傑以爲舟檝
傅子曰或問近世大賢君子若荀令君之仁荀軍師之智
斯可謂近世大賢人士君子矣荀令君仁以立德明以舉
賢行無諂瀆謀能應機孟軻稱五百年而有王者其間必
有命世者其荀令君乎
桓譚新論曰以賢代賢謂之順以不肖代不肖謂之亂
論衡曰賢聖之君察知佞臣若視俎上之脯指掌中之文
風俗通曰賢堅也堅中廉外
白虎通曰王者即位先封賢者憂民之急也故列土爲疆

非爲諸侯張官設府非爲卿大夫皆爲民也
越絕書曰子胥正而信范蠡智而明皆賢人也
潛夫論曰南面之大務莫急於知賢
異苑曰汝南陳仲躬與諸息姪就潁川荀季和父子于時德星爲之聚太史奏曰五百里內有賢人集
列女傳曰衛靈公與夫人夜坐聞車聲轔轔至闕而止過闕復有聲公問曰知此爲誰夫人曰此必蘧伯玉也問何以知之曰妾聞禮下公門式路馬所以廣敬也夫忠臣不爲昭昭信節不爲冥冥墯行今伯玉衛國賢大夫也仁而有智敬於事上此其人必不以闇昧廢禮是以知之公使視之果伯玉也反戲之曰非也夫人進觴再拜賀之公曰子何以賀曰始妾謂獨有伯玉今衛復有與之齊者是君有二賢臣也國多賢臣則國之福也

西京雜記曰漢文帝爲太子立思賢苑以招賓客
周斐汝南先賢傳曰黃憲潔靜逈理齊聖廣淵不矜名以詭時不抗行以矯俗論者咸曰顏子復生乎漢之代矣
語林曰賢者國之紀人之望自古帝王皆以之安危故書曰惟后非賢不乂惟賢非后不食昔者周公體大聖之德而勤於吐握由是天下之士爭歸之向使周公驕而且恡士亦當高翔遠去所至寡矣
王褒聖主得賢臣頌曰夫賢者國家之器用也君人者勤於求賢而逸於得人故聖主必待賢臣而弘功業俊士亦俟明主以顯其德千載一會論說無疑翼乎如鴻毛之遇順風沛乎若巨魚之縱大壑其意如此則胡禁不止曷令不行
鍾子蒭蕘論曰賢者之處世猶金玉生於沙礫豫章產乎幽谷下不進之於上則無由而至矣

太平御覽卷第四百二

人事部四十四

道德　陰德

道德

禮記中庸曰天命之謂性率性之謂道修道之謂教道也者不可須臾離也可離非道也

又曰大哉聖人之道洋洋乎發育萬物峻極于天育生也峻高大也優優大哉禮儀三百威儀三千待其人然後行故曰苟不至德至道不凝焉

又曰天下之達道五所以行之者三曰君臣也父子也夫婦也昆弟也朋友之交也五者天下之達道也知仁勇三者天下之達德也

又曰君子之道四丘未能一焉所求乎子以事父未能也

所求乎臣以事君未能也所求乎弟以事兄未能也所求乎朋友先施之未能也庸德之行庸言之謹有所不足不敢不勉

又曰君子之道造端乎夫婦及其至也察乎天地子曰道不遠人人之為道而遠人不可以為道

又學記曰玉不琢不成器人不學不知道

又曰大道不器謂聖人之道不如器施於一物也

又樂記曰君子樂得其道小人樂得其欲以道制欲則樂而不亂以欲忘道則惑而不樂道謂仁義也欲謂邪淫也

尚書大禹謨曰罔違道以干百姓之譽失道求名古人賤之

又洪範曰無有作好遵王之道言無有亂為私好惡動必循先王之道

又旅獒曰志以道寧言以道接在心為志發氣為言皆以道為本故君子勤道

周易繫辭曰知周乎萬物而道濟天下

又曰一陰一陽之謂道

論語學而曰敏於事而慎於言就有道而正焉有道謂有道德者正謂問事是非也

又公冶長曰子謂子產有君子之道四焉其行己也恭其事上也敬其養民也惠其使民也義

又曰子曰天下有道則見無道則隱邦有道貧且賤焉恥也邦無道富且貴焉恥也

又衛靈公曰子曰人能弘道非道弘人

又曰君子謀道不謀食

又曰天下有道則禮樂征伐自天子出

又曰君子學以致其道

又曰子貢曰文武之道未墜於地在人賢者識其大者不賢者識其小者莫不有文武之道焉

又顏淵曰季康子問於孔子曰如殺無道以就有道何如孔子對曰子為政焉用殺子欲善而民善矣君子之德風小人之德草草上之風必偃欲使季康子先自正也偃仆也草加之以風無不仆者猶民之下化

大戴禮曰篤仁而好學多聞而順道天子疑則問應而不窮者謂之道道者導天下之道

老子曰道可道非常道王弼曰可道指事造形非其常道可道。莊子曰魚相造乎水人相造乎道

子思子曰天下有道則行有枝葉天下無道則言有枝葉

又曰祝牧謂其妻曰天下有道我黻子佩天下無道我負子戴

又曰原憲處魯居環堵之室上漏下濕匡坐而絃歌匡正也子貢乘大馬中紺而表素軒車不容巷往見原憲原憲正

冠縰履杖藜應門子貢曰嘻先生何病也原憲應之曰憲
聞無財之謂貧學道而不能行之謂病今憲貧也非病
也子貢逡巡而有愧色
文子曰夫道德者匡邪以為正治辭以為定上下之儀也
上有道德則下有仁義積道　者天與之地助之鬼輔之
鬻子曰發政施令為天下福謂之道
公孫尼子曰道為智者設賢為聖者用
淮南子曰聖人之道若中衢樽過者斟酌雖多少不同而
各得其宜也
楊子法言曰仲尼之道猶四瀆經營中國終入大海
又曰君子之道有四簡而易用也要而易守也炳而易見
也法而易言也
又曰聖人重其道而輕其祿衆人重其祿而輕其道

鹽鐵論曰以道德為城文王是也以道德為冑湯武是也
桓譚新論曰三皇以道治五帝以德化王道純粹其德如
彼霸道駁雜其功如此
王逸正部曰仲尼門人餔道醇飲道宗
昌言曰道德仁義天性也織之以成其物練之以致其情
瑩之以發其光
任子曰道德之懷民猶春陽之柔物也履深冰而不寒結
木條而不折
杜氏幽求子曰蓋道清淡以無為為家恬虛寂靜弘廣多
包豈非聖人所宅乎
又曰有道之國其鬼不神
崔元始正論曰國不信道工不信度亡可待也
傅子曰君子審其宗而後學明其道而後行

中論曰道之於人甚簡且易不如採金攻玉涉艱難也
符子曰為道者日損而月章為名者日章而月損
釋名曰德得也得事宜也
周禮地官下師氏曰一曰至德二曰敏德三曰孝德（至德中和之德敏德仁義順時孝德尊祖愛親）
禮記學記曰禮樂皆得謂之有德德者得也
又祭義曰天子有善讓德於天
又中庸曰雖有其位苟無其德不敢作禮樂焉雖有其
德苟無其位亦不敢作禮樂焉
又曰小德川流大德敦化此天地之所以為大也
又表記曰以德報德則民有所勸
又大學曰富潤屋德潤身
左傳桓公上曰臧哀伯諫曰君人者將昭德塞違以臨照百

官猶懼或失之故昭令德以示子孫
又僖公中曰庸勳親親暱近尊賢德之大者也
又曰德以柔中國刑以威四夷
又曰太上以德撫民
又文公上曰孝敬忠信為吉德盜賊藏姦為凶德
又宣公上曰楚子觀兵于周疆定王使王孫滿勞楚子楚
子問鼎之大小輕重焉對曰在德不在鼎
又成公上曰四王之王也（禹湯文武）樹德而濟同欲焉
又襄公四曰太上有立德其次有立功
又昭公三曰盛德必百世
毛詩蕩烝民曰德輶如毛民鮮克舉之
尚書舜典曰玄德外聞乃命以位（玄謂幽潛潛行道德外聞天朝遂見徵用）
又大禹謨曰皋陶邁種德德乃降黎民懷之（邁行種布也皋陶布行其）

德（下洽於民民歸服之）
又曰惟德動天無遠不屆
又伊訓曰德日新萬邦惟懷志自滿九族乃離
又曰爾惟德罔小萬邦惟慶爾惟不德罔大墜厥宗
又太甲曰德惟治否德亂（為政以德則治不以德則亂）
又咸有一德曰非天私我有商惟天佑于一德非商求于下民惟民歸于一德德惟一動罔不吉德二三動罔不凶
又泰誓曰同力度德同德度義（力鈞則有德者勝德鈞則秉義者強）
又曰受有億兆夷人離心離德予有亂臣十人同心同德
又曰樹德務滋除惡務本（立德務滋長去惡務除本）
又洪範五福四曰攸好德（所好者德福之道）
又旅獒曰玩人喪德玩物喪志（以人為戲弄則喪其德）
又蔡仲之命曰皇天無親惟德是輔

又周官曰作德心逸日休作偽心勞日拙（為德直道而行於心逸豫而名日美）
又君陳曰黍稷非馨明德惟馨
周易坤卦象曰地勢坤君子以厚德載物
又繫辭曰富有之謂大業日新之謂盛德
論語為政曰為政以德譬如北辰居其所而眾星拱之（德者無為猶北辰之不移而眾星拱之）
又里仁子曰德不孤必有鄰
又先進曰德行顏回閔子騫冉伯牛仲弓
又憲問曰有德者必有言有言者不必有德
又曰驥不稱其力稱其德也（驥古之善馬也德謂在五御之威儀）
又季氏曰遠人不服則修文德以來之
尚書大傳曰有德者尊其位而重其祿
史記曰一年種之以穀十年樹之以木百年來之以德

東觀漢記曰張湛字子孝右扶風人以篤行純淑鄉里歸德雖居幽室闇處自整頓三輔以為儀表
又曰淳于恭字孟孫北海淳于人以謙儉推讓為節人有刈恭禾見之念其愧因伏草中至去乃起恭家井在門外上有盆鄰里牧牛兒爭飲牛恭惡其爭多置器其上為預汲水滿之小兒復爭恭各語其家父母父母乃禁怒之里落皆化而不爭
三輔決錄曰馮豹字德文母為父所出後母遇之甚酷豹事之愈謹時人為之語曰道德彬彬馮德文
王隱晉書曰庾袞字叔褒潁川人少遭大疫二兄亡次兄毗又疫其癘氣方熾袞父母諸弟皆出避家袞獨不出諸父強之不可曰袞性不畏病納漿粥扶持不捨晝夜省柩哀臨十有餘旬病暨歇家乃反而袞亦無患害宗黨歎曰異哉此子能守人之所不能守能行人之所不能行

晉中興書曰衛玠字叔寶常以人有不及可以情恕非意相干可以理遣故終身不見其喜慍
齊書曰張緒字思曼為吏部尚書每朝見太祖目送之謂王儉曰緒以位尊我我以德貴緒
又曰王秀之字伯奮為南郡內史州西曹苟丕欲交秀之拒而不納報丕書曰僕以德為寶足下以位為寶各寶其寶於此敬宜也
老子曰上德不德是以有德下德不失德是以無德（上德之人惟道用其德故能有德下德而德之必有失焉）
文子曰山高者其木脩地廣者其德厚
又曰閉九竅藏志意棄聰明反無識合陽吐陰而與萬物同德也

莊子曰至德之世不尚賢不使能
韓子曰善爲吏者樹德不能爲吏者樹怨
孟子曰周于利者凶年不能殺周于德者邪世不能亂
鶡冠子曰德及萬人者謂之豪德過百人者謂之英
孔叢子曰晏子長不過六尺齊國莫不宗焉趙文子身如
不勝衣相晉國以寧諸侯敬服其德故也
楊子法言曰耕道而得道獵德而得德
傅子曰上德之人其濟萬物也猶天之有春秋時至自生
非德之力
太公金匱曰德行則福德廢則禍
易叅同契曰道成德就潛伏俟時
海内先賢行狀曰王烈字伯善時有盜牛者主得之盜者
曰我邂逅迷惑從今將改子既赦宥幸無使王烈聞之

又曰戴良字叔鸞高才磥硌英聲遠播少者懷之長者慕
之鄉里搢紳下至黎庶莫有忿爭之家
又曰徐孺子徵聘未嘗出門赴喪不遠萬里常事江夏黄
公甍往會其葬家貧無以自供賫磨鏡具自隨每至所在
賃磨取資然後得前既至設祭哭畢而返陳仲舉爲豫章
太守召之則到饋之則受但不服事以成其節
又曰仇覽字季智學通五經選爲亭長民有孫元少孤與
母居詣覽告元不孝覽謝遣之屬母歸勿言方爲教之後
覽賫禮詣元爲陳孝子供養之意元遂感激卒爲孝子時
令河内王渙政尚清嚴聞覽得元不治心獨望之乃問覽
在亭不治不孝得無失鷹鸇之志乎對曰竊以鷹鸇不如
鳳皇故不爲也渙感覽言用損威刑
會稽典録曰鄭弘字巨　爲郡督郵上計史時討掾勾章任
尚居素溫富乘鮮車駕肥馬弘恒在後尚輙駡弘無慍容
弘尚在京師遊學還郡俱見府君府君所問弘無不對而尚
不知出又問弘掾行道數相折辱何以不荅弘謝曰過奉
顯使無光國之美馬羸行遲面恐失期賀以相催促自是
其宜愚聞兩虎俱鬬大者必傷小者必死兩爲無益故不
敢荅府君歎曰此謂長者太守所不能也
汝南先賢傳曰黄憲字叔度不矜名以詭時不抗行以矯
俗闚其門者莫敢踐其庭覩其流者不能測其深時人論
曰顔淵復生乎
襄陽耆舊記曰龐德公子奐字世文晉太康中爲牂牁太
守去官歸鄉里居荆南白沙鄉里人宗敬之相語曰我家
池中龍種來里中化其德少壯皆代老者擔
陳寔別傳曰寔字仲躬潁川人自爲兒童不爲戲弄等類

所歸寔在鄉閭平心率物其有諍訟輙求判正曉譬曲直
返無怨者至乃歎曰寧爲刑罰所加不爲陳君所斷時歲
荒民儉有盜夜入其室止於梁上寔陰見之乃起自整拂
呼命子孫正色訓之曰夫人不可不自勉不善之人未必
本惡習與性成遂至於此如梁上君子矣盜大驚自投於
地稽首歸罪寔徐譬之曰視君狀皃不似惡人宜深尅已
反善然此當由困貧令遺絹二疋自是縣無復盜竊
荀氏家傳曰荀彧德行周備名重天下海内英俊咸嘉焉
又曰鍾繇以爲顔子既没能備九德百行不二其過者唯
荀彧乎或問繇曰君推荀君比之顔子自以不及其可得
聞乎繇曰夫明君師臣其次友之以太祖之聰明每大事
常先諮之荀彧是則古師友之義也吾等受命而行猶或
不盡去固遠耶

潘勗別傳曰勗寬賢容衆與天下人等休戚同有無不以
家財爲已有
任嘏別傳曰嘏字照先樂安人幼以至性見稱遇荒亂家
貧賣魚會官發魚魚貴數倍嘏取直如常會太祖創業召
海內至德嘏應其舉爲臨淄侯庶子

陰德

左傳宣公下曰魏顆敗秦師于輔氏獲杜回秦之力人也初
武子有嬖妾無子武子疾命顆曰必嫁是疾病則曰必爲殉
及卒顆嫁之曰病疾則亂吾從其治也及輔氏之役顆見
老人結草以亢杜回亢禦也杜回躓而顛故獲之夜夢之曰
余而所嫁婦人之父也爾用先人之治命余是以報
漢書曰于定國父于公爲縣獄吏郡決曹獄平羅文法者
于公所決皆不恨其閭門壞父老方共治之于公謂曰少
高大閭門令容駟馬高蓋車我治獄多陰德未曾有所冤
子孫必有興者至定國爲丞相
又曰邴吉字少卿魯國人爲丞相寬大好禮初吉有陰德
於孝宣帝微時帝即位衆莫知之吉亦不言吉從大將
軍長史遷至御史大夫帝聞將封之會吉病甚將使人加
紱而封之及其生也太子太傅夏侯勝曰此未死也臣聞
有陰德者必饗其樂以及子孫今未獲其樂而病非其死
病也後果愈乃封博陽侯終饗其祿
後漢書曰何敞六代祖比干學尚書於晁錯注云比干字
少卿經明行脩兼通法律爲汝陰縣獄吏決曹掾平活數
千人後爲丹陽都尉征和三年三月辛亥天大陰雨比干
在家日中夢貴客車騎滿門覺以語妻語未已而門有老
嫗年可八十餘頭白求寄避雨雨甚而衣履不霑雨漬止

送至門乃謂比干曰公有陰德今天賜公策以廣公之子
孫因出懷中符策狀如簡長九寸凡九百九十枚以授比
干曰子孫佩印綬者如此筭
又曰和熹鄧后叔父陔言常聞活千人者子孫有封兄訓
爲謁者使修石臼河歲活數千人天道可信家必蒙福初
太傅禹歎曰吾將百萬之衆未嘗妄殺一人其後代必有
興者
又曰永平中楚王英謀爲逆事下郡覆考明年三府舉袁
安能理劇拜楚郡太守是時英辭所連及繫者數千人顯
宗怒甚吏按之急迫痛自誣死者甚衆安到郡不入府先
往按獄理其無明驗者條上出之府丞掾吏皆叩頭爭以
爲阿附反虜法與同罪不可安曰如有不合太守自當坐
之不以相及也遂分別具奏帝感悟即報許得出者四百
餘人
又曰虞詡字升卿祖經爲縣獄吏決獄平嘗曰東海于公
高其里門而其子定國卒至丞相吾決獄六十年矣雖不
及于公其庶幾乎吾子孫何必不爲九卿耶故字詡曰升
卿
謝承後漢書曰陳重字景公豫章宜春人舉孝廉在郎署
有郎負息錢數十萬債主日至煎求無已重乃密以錢代
還郎後覺知而厚辭謝之重曰非我之爲將有同姓名者
終不言惠
吳志曰鍾離牧字子幹會稽山陰人少居永興自墾稻田
二十餘畝臨熟而縣民識之牧曰本以田荒故墾之耳遂
以稻與縣人
沈約宋書曰沈道虔吳興武康人少仁愛好老易郡州府

凡十二命皆不就有人竊其園菜者外還見之乃自逃隱
候竊者取足去後乃出
唐書曰載初中徐有功爲大理丞時酷吏來俊臣等搆陷
無辜公卿震恐有功獨存平恕詔下大理者有功皆議出
之前後濟活數十百家
呂氏春秋曰宋景公時熒惑在心問子韋子韋對曰禍在
君可移宰相公曰宰相所與治國家曰移於民公曰民死
誰與爲君曰移於歲公曰歲飢民必死子韋北面再拜曰
君有至德之言三天必賞君熒惑果三徙舍
賈誼書曰楚惠王食寒葅得水蛭王不欲以飲食傷人乃
呑之令尹避席再拜而賀曰臣聞天道無親唯德是輔是
夜惠王之後溷而蛭出其久病心腹之積皆愈
又曰孫叔敖之爲兒也出遊歸遂憂而不食其母問其故
泣而對曰今旦見兩頭蛇恐死其母曰今蛇安在曰敖聞見
兩頭蛇者必死吾恐人又見之殺而埋之母曰無憂汝不
死矣吾聞有陰德者天必報之以福果不死矣
高士傳曰初晉宣帝布衣時與胡昭有舊昭同郡周士等
謀欲害帝昭聞而涉險邀士於崤澠之間止士不肯昭泣
以示誠士感義乃止昭雖有陰德於帝口終不言
續齊諧記曰楊寶年九歲時至華陰山北見一黃雀爲鴟
梟所搏墜於樹下爲螻蟻所困寶取之以歸置巾箱中唯
食以黃花百餘日毛羽成乃飛去其夜有黃衣童子向寶
再拜曰我王母使者君仁愛救拯實感成濟以白環四枚
與寶曰令君子孫絜白位登三公事當如此數矣
會稽典録曰鄭弘爲靈文鄉嗇夫民有弟用兄錢者未還
之嫂詣弘訴之弘賣中單（即今之汗衫也）爲叔還錢兄聞之慙愧

太四百三　十一　田越祖

遣其婢索錢還弘弘不受
又曰夏香字曼卿永興人門側有大井傍設水瓮里中兒
童各競飲牛爭水共鬬香預爲汲水多置器瓮由是無爭
專以德化香至四節先慶酌二親退賫酒肴勞問里中父
老以此爲常
益都耆舊記曰王忳常詣京師於空舍中見一書生疾困
愍而視之書生謂忳曰我當到洛而得病命在須臾腰下
有金十斤願以相贈死後乞藏骸骨未及問姓名而絶忳
即鬻金一斤營其殯葬餘金悉置棺下人無知者後歸數
年縣署忳大度亭長初到之日有馬馳入亭中其日風飄
一繡被復墮忳前即言於縣馬遂奔走牽忳入他舍主人
見之喜曰今擒盜矣問忳得馬忳說其狀并繡被主人悵
然良久乃曰被隨飄風與馬俱亡卿何陰德而致此二物
忳自念有葬書生事因爲說之道書生形皃及埋金之處
主人驚曰是我子姓金名彥前往京師不知所在何意卿
乃葬之大恩久不報天以此彰卿德耳忳悉以被馬還之
彥父不取又厚遺忳忳辭讓而去時彥父爲州從事因告
新都令假忳休息與俱迎彥喪餘金且存由是顯名（後漢載）
廣州先賢傳曰羅威字德仁南海番禺人也有隣家牛數
食其田禾既不可止遂爲斷蒭多着牛家門中不令人知
數如此牛主驚怪不知爲誰陰察求之乃覺是威自後更
相約率收拾牛犢不敢復踐傷於威田
豫章耆舊志曰施陽字季儒遷舒令及（之官道經）
江夏遇寇賊與起刼奪陽物賊去後車上席下尚有五千
錢追以與賊
荀氏家傳曰荀遂字仲陽夫人有至行時歲荒飢有餘米

平四百三　十二　田越祖

耀之夫人恒掾斛來者傾量輒過本時人號曰掾斛夫人

太平御覽卷第四百三

太平御覽卷第四百四

人事部四十五

師

韓詩外傳曰智如源泉行可以爲表儀者人師也
又曰哀公問於子夏曰五帝有師乎子夏曰臣聞黃帝學乎太顛顓頊學乎祿圖帝嚳學乎赤松子堯學乎務成子附舜學乎尹壽禹學乎西王國湯學乎貸子相文王學乎錫疇子斯武王學乎太公周公學乎郭叔仲尼學乎老耼此十一聖人未遭此師則功業不能著乎天下名號不能傳乎後世

尚書曰德無常師主善爲師

周禮地官下曰師氏掌以媺詔王告王以善道也文王世子曰師也者教之以事而喻諸德者也以三德教國子居虎門之左則司王朝掌國中得失之事以教國子弟凡國之貴遊子弟學焉

大戴禮曰帝入太學承師問道

禮記檀弓上曰事師無犯而無隱左右就養無方服勤至死心喪三年心喪戚容如父而無服也

又學記曰君子知至學之難易而知其美惡然後能博喻能博喻然後能爲師能爲師然後能爲長能爲長然後能爲君故師也者所以學爲君也是故擇師不可不慎也

記曰三王四代唯其師其此之謂乎凡學之嚴道師爲難師嚴然後道尊道尊然後民知敬學是故君之所不臣於其臣者二當其爲尸則弗臣也當其爲師則弗臣也尸主也爲祭主太學之禮雖詔於天子無北面所以尊師也善學者師逸而功倍又從而庸之不善學者師勤而功半又從而怨之

又曰記問之學不足以爲人師師無當於五服五服不得不親

又文王世子曰師也者教之以事而喻諸德者也

左傳襄六曰鄭人游于鄉校鄉人之學校以論執政論政得失然明謂子產毀鄉校如何患人於中謗議國政子產曰其所善者吾則行之其所惡者吾則改之是吾師也若何毀之

穀梁傳昭公曰子既生不免乎水火母之罪也成童不就師傅父之罪也就師學問無方心老不通師之罪也

論語爲政曰溫故而知新可以爲師矣

又述而曰三人行必有我師焉

孔叢子曰子思居魯穆公師而尊之

春秋後語曰甘羅請張唐相燕呂不韋叱曰我自請不行汝安能行之甘羅曰夫項橐七歲爲孔子師今臣十二歲矣曰君其試臣何遽叱乎

史記曰孔子既沒弟子思慕有若狀似孔子弟子相與立爲師師之如夫子時

又曰曹參爲齊相乃避正堂舍蓋公而師之齊果大治

又曰鄒子如燕昭王擁篲先驅請列弟子之座而受業築碣石宮身往親師之

又曰文王爲西伯鬻熊者爲文王師有功於文王及武王成王學勤事之後封其曾孫熊繹爲楚子滅夥耒之封也

漢書曰初梁相褚大通五經爲博士時倪寬爲弟子及御史大夫缺徵褚大夫自以爲得御史大夫至雒陽聞倪寬爲之褚大笑乃至與寬議封禪於上前大不能及退而服曰上誠知人也

又曰龔勝既歸鄉里二千石長吏初到官皆至其家如師弟子之禮

又曰嚴彭祖字公子東海下邳人與顔安樂俱事眭孟弟子百餘人唯彭祖安樂爲明質問疑誼各持所見孟曰春秋之意在二子矣孟死彭祖安樂各顓門教授

又曰竇皇后兄弟長君少君絳侯灌將軍等曰吾屬命乃懸兩人此兩人所出微不可不爲擇師傅於是乃選長者之有行者與居長君少君由此爲退讓君子不敢以富貴驕人

又曰張良稱曰今以三寸舌爲帝者師封萬户位列侯此亦布衣之極於良足矣

又曰張禹成就弟子尤著者淮陽彭宣至大司空沛郡戴崇至少府九卿宣爲人恭儉有法度而崇愷悌多智二人有異行禹心親愛敬宣而踈之崇每候禹常責師置酒設樂與弟子相娱禹將崇入後堂飯食婦女相對作優人管

絃鏗鏘極樂昏夜乃罷而宣之來也禹見之於便坐講論經義日晏賜食不過一肉卮酒相對宣未嘗得至後堂及兩人皆聞知自得（服虔曰各爲得宜也）

又曰晁錯潁川人也學申商刑名於軹張恢生所（軹縣之儒生姓張名恢）與洛陽宋孟劉帶同師以文學爲太常掌固

又曰孔霸亦治尚書事太傅夏侯勝昭帝末年爲博士宣帝時爲太中大夫以選授皇太子經遷詹事高密相元帝即位徵霸以師爵關内侯號褒成君（常爲師教帝今成就故曰褒成君）

又曰張禹初爲師以上難數對已問經爲論語章句獻之

後漢書曰廉范初師事薛漢後辟公府會薛漢坐楚王事誅故人門生莫敢收視范獨往收斂之吏聞顯宗大怒召入詰責范叩頭曰臣無狀愚戇以爲漢等皆已伏誅不勝師資之情罪當萬死因貰之

謝承後漢書曰董春字紀陽會稽餘姚人少好學師事侍中祭酒王君仲受古文尚書後詣京房授易究極聖旨條列科義後還爲師立精舍遠方門徒學者常數百人

東觀漢記曰顯宗即位尊桓榮以師禮常幸太常府令榮坐東面設几杖會百官驃騎將軍東平王蒼以下榮門生數百人天子親自執業每言太師在是既罷悉以太官供具賜太常家其恩禮如此永平二年壁雍初成拜榮爲五更每大射養老禮畢上輒引榮及弟子外堂執經自爲下說

又曰顯宗以張酺爲皇太子業甚得輔導之體章帝即位出拜東郡元和二年東巡狩幸東郡引酺及門生并郡掾吏並會庭中帝先備弟子之儀使酺講尚書一篇然後修君臣之禮賞賜殊特

續漢書曰李膺性簡亢無所交接唯以同郡荀淑陳寔爲師友

又曰楊政從代郡范升學升嘗爲出婦所告坐繫獄政乃肉袒以箭貫耳抱升子潛伏道傍候車駕過泣涕辭請有感帝心詔曰乞楊生師即爲放出升

范曄後漢書曰歐陽歙字正思樂安千乘人爲大司徒坐汝南贓罪千餘萬發覺下獄平原孔震年十七聞獄當斷馳之京師行到河内獲嘉縣自繫上書求代歙死曰伏見臣師大司徒歐陽歙爲儒宗八世博士乞殺臣以代歙命書奏而歙已死獄中

又曰鄭玄字康成北海高密人也事扶風馬融融門徒四百餘人升堂進者五十餘生融素驕貴玄在門下三年不得見乃使高業弟子傳授於玄日夜尋誦未嘗怠倦會融

集諸生考論圖讖聞玄善筭乃召見於樓上玄因從質諸
疑義問畢辭歸融喟然謂諸門人曰鄭生今去吾道東矣
又曰鍾皓字季明潁川長社人以篤行稱爲士大夫所慕
李膺常歎曰鍾君至德可師
魏志曰夏侯惇字元讓年十四就師學人有辱其師者惇
殺之
又曰荀攸字公達文帝在東宮太祖謂曰荀公達人之師
表汝當盡禮敬之攸曾病世子問病獨拜床下其見尊異
如此
晉書曰魏高貴鄉公之入學也將崇先典乃命王祥爲三
老侍中鄭小同爲五更祥南面几杖以師道自居帝北面
乞言
又曰王承爲東海王越記室越與世子毗書曰習禮度不
如式瞻儀形諷味遺言不如親承音旨王參軍人倫師表

亦其師之
徐爰宋書曰武帝登祚加顔延之金章紫綬領湘東王師
後魏書曰陽平王之子欽託高僧壽爲子求師師至未幾
逃去欽以讓僧壽僧壽性滑稽乃謂欽曰凡人絶粒七日
乃死始經五朝便爾逃遁去欽乃大慙於是待客稍厚之
裴景仁前秦記曰符堅幸太學問博士經典博士盧壺對
曰周官禮注未有其師韋逞母宋傳其父業得周官音義
自非此母無可授後堅於是就宋立講室書堂生徒百二
十人隔絳紗幔而授業焉拜宋爵號宣文君賜侍婢十人
崔鴻後秦録曰初姚泓之爲太子受經於太學博士淳于岐
岐病在家泓以師者人之表範傳先聖之訓加在三之義
不可以不重親詣省疾拜於牀下

又前燕録曰劉讚字彦真平原人也經學博通爲世純儒
貞清非禮不動慕容廆重其德學使太子晃師事之
又後趙録曰張躍清河武城人也學敏才達雅善清談
勤偉其儀辯拜世子衛軍長吏勅世子曰張長史人之表範
汝其師之（案世說或曰王趙鄧王參軍人倫師表汝其師之謂王安期鄧伯道趙禮之也）
唐書曰賀德仁越州山陰人少與從兄德基俱事國子祭
酒周弘正咸以詞學見稱時人語曰學行可師賀德基文
質彬彬賀德仁德仁仕陳至吴興王友入隋授豫章王府
記室參軍王以師資禮之恩遇甚厚
又曰貞半千本名餘慶與彦先同師事學士王義方甚嘉
重之嘗謂曰五百年生一賢足下當之矣因改名半千及
義方卒半千與彦先皆制師服喪畢而去
六韜曰文王卜田史扁布卜曰田于渭之陽將得焉非熊

非羆非虎非狼天遺汝師以之佐昌文王乃齋戒三日田
于渭陽卒見呂尚坐茅以漁文王再拜乃與之歸
老子曰善人者不善人之師
孫卿子曰干將莫耶鉅闕辟閭此皆古之良劒也然而不
加砥礪則不能利不得人力則不能斷驊騮騏驥纎離
緑耳此皆古之良馬也然而必前有銜轡之制後有鞭
策之威加之造父之御然後一日而致千里夫人雖有性質
美而心辯智必將求賢師而事之擇良友而友之
又曰國將興必尊師重傅尊師重傅則法度存師術有四
傳習不與焉尊嚴而憚可以爲師耆艾而信可以爲師誦
說不懈可以爲師知微而論可以爲師
又曰夫達師之教也弟子安焉樂焉休焉遊焉肅焉嚴
焉此六者得於學則邪僻之道塞焉此六者不得於學則君

不能令於臣父不能令於子師不能令於徒
鶡冠子曰伊尹酒保太公屠牛管子作革百里官奴海內
荒亂立為世師
莊子曰堯之師曰許由許由之師曰齧缺齧缺之師曰王
倪王倪之師曰被衣
又曰善卷堯聞其得道之士乃北面而師事之蒲衣八歲
而舜之師
又曰申屠嘉兀者也與鄭子產同師伯昏無人
列子曰列子既師壺丘子林友伯昏瞀人乃居南郭從之
處者百數
呂氏春秋魏文侯師子夏
又曰神農師悉諸黃帝師大撓帝顓頊師伯夷父帝嚳師
昭帝堯師子州支父帝舜師許由禹師大成摯湯師小臣

文王武王師呂望周公旦齊桓公師管夷吾晉文公師咎
犯隨會秦穆公師伯里奚公孫枝楚莊王師孫叔敖沈申
吳王師伍子胥文之儀越王勾踐師范蠡此十聖六賢未
見不尊師者也
淮南子曰段干木晉之大駔為文侯師
海內先賢傳曰仇覽字季智郭太賓刺從之曰暮求留宿
明旦太下床朝之曰君非太友乃太師也
荀氏家傳曰爽字慈明幼而歧嶷大學儒林咸歎服之年
十二太尉杜喬師焉
江微陳留志曰樓望字次子雍丘人也少受春秋於少府
丁子然以節操稱建武二十八年趙孝王聞其名遣大夫
賫玉帛聘望為師不受
邴原別傳曰原舊能飲酒自行後八九年間酒不向口單
行負笈苦身持力至陳留則師韓子助潁川宗陳仲弓涿
郡則盧子幹臨歸師友以原不飲酒會米肉送原原曰本能
飲酒但以荒思廢業故斷之耳今當遠別因見貺餞可以
一飲讌於是每坐飲終日不醉
太史公素王妙論曰計然者蔡丘濮上人其先晉國公子
也姓辛氏字文當南游越范蠡師事之
楊子法言曰務學不如務求師師者人之模範也
又曰一鬨之市必立之平一卷之書必立之師
又曰李仲元一世之師也見其貌者肅如也觀其行者穆
如也○桓譚新論曰該言三歲學不如三歲擇師
又曰昔殷之伊尹周之太公秦之百里奚雖咸有天才然
皆年七十餘乃升為王霸師
論衡曰通書千篇以上萬卷已下敷暢雅閒審定文議而

以教授為人師者通人也
潛夫論曰天地之所貴者聖人聖人之所尚者德義德義之
所成者智也智之所求者學問也雖有至聖不生而知雖
有至智不生而能故志曰黃帝師風后顓頊師老彭帝嚳
師融堯師務成舜師紀后禹師黑始湯師伊尹文武師姜
尚周公師庶秀孔子師老聃若此言之而信則人不可以
不就師矣夫此十一君者皆上聖也猶待學問其智乃博
其德乃碩而況於凡人乎
符子曰玄冥子謂由有子曰子有師乎由有子曰吾將以
萬物為師矣
韋昭辯名曰古者稱師曰先生
應璩百一詩曰子弟可不慎慎在選師友師友必良德中
才可進誘

四百四卷終

太平御覽卷第四百五

人事部四十六

賓客

尚書大傳曰舜爲賓客禹爲主人于時卿雲聚俊乂集百工相和而歌卿雲

尚書洪範曰三八政七曰賓（禮賓客無不敬）

周禮天官上曰太宰之職以八統詔王八曰禮賓小宰以官府之六聯合邦治二曰賓客之聯事凡朝覲會同賓客以牢禮之法掌其牢禮委積

又曰膳夫凡王祭祀賓客食則徹王之胙俎

又春官大宗伯職曰以饗燕之禮親四方之賓客（賓客朝聘者也）

禮記曲禮上曰凡與客入者每門讓於客客至於寢門則主人請入爲席然後出迎客客固辭主人肅客而入（肅進也進）（謂導也）主人入門而右客入門而左

禮記王制曰天子諸侯無事則歲三田一爲乾豆二爲賓客

左傳曰襄四曰季武子無適子公彌長而愛悼子欲立之訪於臧紇曰飲我酒吾爲子立之季氏飲大夫酒臧紇爲客（爲上賓）旣獻臧孫命北面重席新樽絜之召悼子降逆之

又昭元曰趙孟叔孫豹曹大夫入于鄭鄭伯兼享之及享具五獻籩豆於幕下趙孟辭私於子產曰武請於冢宰矣乃用一獻趙孟爲客禮終乃宴

又昭六曰會于黃父謀王室也（王室有子朝亂謀定之）趙簡子令輸王粟具戍人明年將納王（納王於王城也）宋樂大心曰我不輸粟我於周爲客（二王後爲賓客）若之何使客

史記曰孟嘗君名文姓田氏父曰靖郭君田嬰使主家待賓客賓客日進名聲聞於諸侯嬰卒文代立是爲孟嘗君孟嘗君在薛招致賓客以故傾天下之士食客數千人無貴賤一與文等孟嘗君待客坐語而屏風後嘗有侍史主記君所與客語問親戚居處客去孟嘗君已使使存問獻遺其親戚孟嘗君曾待客夜食有一人蔽火光客怒以飯不等輟食辭去孟嘗君起自持其飯比之客慙自刎士以此多歸孟嘗君客無所擇皆善遇之人人各自以爲孟嘗君親已○又曰平原君趙勝者趙之諸公子也諸子中勝最賢喜賓客賓客蓋至者數千人

又曰魏公子毋忌者魏昭王少子安釐王異母弟也公子爲人仁而下士士無賢不肖皆謙而禮交之士以此方數千里爭往歸之致食客三千人當是時諸侯以公子賢多客不敢加兵謀魏十餘年

又曰春申君者楚人也名歇姓黃氏考烈王元年以黃歇爲相是時齊有孟嘗趙有平原魏有信陵方爭下士招致賓客以相傾奪輔國權是時楚復彊趙平原君使人於春申君春申君舍之於上舍趙使欲夸楚爲瑇瑁簪刀劍室以珠玉飾之請命春申君客春申君客三千餘人其上客皆躡珠履以見趙使趙使大慙

又曰呂不韋陽翟大賈人也秦太子政立爲王尊不韋爲相國是時魏有信陵君楚有春申君趙有平原君齊有孟嘗君皆下士喜賓客以相傾不韋以秦之彊羞不如亦招致士厚遇之至食客三千人是時諸侯多辯士如荀卿之徒著書布天下不韋乃使其客人人著其聞集論曰呂氏春秋

又曰單父人呂公善沛令避仇從之客因家沛焉沛中豪

傑吏聞令有客皆往賀蕭何爲主吏孟康曰主吏功曹也主進文穎曰主歛禮進諸大夫曰不滿千錢坐之堂下高祖爲亭長素易諸吏乃紿爲謁曰賀錢萬實不持一錢

又曰司馬相如字長卿素與臨邛令王吉善吉曰長卿久客旅遊不遂可來過我舍於是相如後往臨邛中富人卓王孫程鄭相謂曰令有貴客爲具召之

戰國策曰汗明見春申君候間三月而後得見談卒春申君大説之汗明欲復談春申君曰僕已知先生悉矣汗明慨然曰臣請爲説之君之賢實不如堯臣之能不及舜夫以賢舜事聖堯三年而後乃相知也今君一旦而知臣是君聖於堯而臣賢於舜也春申君曰善乃召門吏爲先生著客籍五日一見

漢書曰蒯通見曹相國曰婦人有夫死三日而嫁者有幽

居守寡不嫁者足下即欲求婦何取曰取不嫁者通曰然則求臣亦猶是也彼東郭先生梁石君齊之俊士也隱居不嫁未甞卑節下意以求仕也願足下使人禮之曹相國曰敬受命以爲上客

又曰公孫弘徒步數年至宰相封侯於是起客館開東閣以延賢人與參謀議弘身食一肉脱粟之飯故人賓客仰衣食奉祿皆以給之家無所餘其後李蔡與石慶爲丞相府客館丘墟而已

又曰蘇建甞責大將軍至尊重天下之賢士大夫無稱焉願將軍觀古名將所招選者勉之哉青謝曰自魏其武安之厚賓客天子常切齒彼親待士大夫招黜賢不肖者人主之柄也人臣奉法遵職而已何與招士

又曰大將軍旣益尊姊爲皇后然汲黯與抗禮或説黯自天子欲群臣下大將軍大將軍尊貴誠重君不可以不拜黯曰夫以大將軍有揖客反不重也大將軍聞愈賢黯大將軍衛青也

又曰樓護字君卿爲人短小精辯論聽之者皆竦然與谷永俱爲五侯上客

又曰成都侯王商子邑爲大司馬貴重商故人皆敬事邑唯樓護自安如舊節邑亦父事之不敢有闕時請召賓客邑居樽下稱賤子上壽坐者百數皆離席伏唯護獨東向正坐

又曰鄭當時爲太子舍人每五日洗沐常置驛馬諸郊請謝賓客以夜繼日常恐不徧年少官薄然其知交皆天下名士

又曰鄭當時始與汲黯列爲九卿中廢賓客益少當時死

家亡餘財先是下邳翟公爲廷尉賓客亦填門及廢門外可設雀羅後復爲廷尉賓客欲往翟公大署其門曰一死一生乃知交情一貧一富乃知交態一貴一賤交情迺見

又曰陳遵嗜酒每大飲賓客滿堂輒關門取客車轄投井中雖有急終不得去

又曰張竦免官以列侯居長安貧無賓客時時好事者從之質疑問事論道經書而已

又曰張楷治嚴氏春秋古文尚書門徒常數百人賓客慕之自父黨宿儒皆造門

謝承後漢書曰傳賢遷廷尉賢素廉正自掌法官無私賓客

袁山松後漢書曰陳蕃遷豫章在郡下接賓客獨坐一室唯徐孺子來爲置對榻去則懸之及徵爲尚書令送之者

亦不出郭門
東觀漢記曰崔瑗愛士好賓客盛修殽膳殫極滋味不問
餘產
張璠漢記曰孔融拜太中大夫雖居家失勢賓客日滿其
門愛才樂士常若不足每歎曰坐上客常滿樽中酒不空
吾無憂矣
英雄記曰袁紹居雒陽西北陬不妄通賓客非海内知名
不得相見
魏略曰劉備屯於樊城諸葛亮見備備以諸生意待之坐
集既畢衆賓皆去而亮獨留備亦不問其所言備性好髦
時適有旄牛尾與備者備因手自結之亮乃進曰明將軍
當復有遠志但結髦而已備知亮非常人乃投髦而荅由
此知亮乃以上客禮之

魏志曰蔡邕貴重朝廷常車騎填巷賓客盈里坐聞王粲
在門外倒屣迎之
蜀志曰簡雍字憲和涿郡人少與先主有舊隨從先主至
荆州雍與麋竺孫乾共爲從事中郎常爲談客
吴志曰孫權以魯肅諸葛瑾等爲賓客
又曰諸葛融每會賓合罇促席問衆客所能或有博弈
或有樗蒲投壺於是甘菓繼進清酒徐行融周流觀之終
日不倦
王隱晉書曰嵇喜爲太僕廐長馮陵知其英俊待以賓友
之禮以狀表上
宋書曰袁粲字景倩陳郡人閑默寡言善吟諷獨酌園
庭以此自適居負南郭時策杖獨遊素寡往來門無雜客
文士過見不過一兩人

南史曰謝瞻兄晦時宋臺右衛權遇已重　於彭城還都
迎家賓客輻湊時瞻在家驚駭謂晦曰吾家以遠退爲業
汝遂勢傾朝野此豈門户福耶
蕭子顯齊書曰謝超宗坐公事免詣東府門自通其日風
寒慘厲太祖謂四座曰此客至使人不衣自暖矣超宗既坐
飲酒數甌辭氣橫出太祖對之甚欣抜爲驃騎諮議及即位
轉黄門郎
後魏書曰崔道固爲劉義隆諸子參軍事使向青州募人
長史已下皆詣道固道固諸兄逼道固所生母自致酒炙
於客前道固驚起接取謂客曰人家無力老親自執劬勞
諸客皆知其兄等所作咸起拜謝其母母謂道固曰我不
足以報貴賓汝宜荅拜諸客皆歎美
三國典略曰周獲梁俘王褒王克劉瑴宗懔殷不害等至

長安太祖喜曰晉氏平吴之利二陸而已今定楚之功羣賢
畢至可謂過之矣乃謂褒及克曰吾即王氏甥也卿等並
吾之舅氏當以親戚爲情勿以去鄉分意皆厚禮待引爲
賓客
尹文子曰康衢長者字僮曰善搏字犬曰善噬賓客不過
其門者三年長者恠而問之人以實對於是改之賓客復
往
淮南子曰客有見人於孚子者客出孚子曰子之客獨有
過望我而笑之是慢也談論而不稱師是叛也交淺而言
深是亂也客曰望君而笑是公也談論不稱師是通也交
淺而言深是忠也故客一體也或以爲君子或以爲小人
從視之異
説苑曰魏文侯與大夫飲酒使公乘不仁爲觴政曰飲不

醻(子曜切)者浮以大白文侯飲而醻公乘不仁舉白浮君君視而不應侍者曰不仁退君已醉矣公乘不仁曰前車覆後車誡蓋言其危爲人臣者不易爲君亦不易今君已設令令可不行乎君曰善白而飲之以公乘不仁爲上客

又曰燕昭王問於郭隗曰寡人地狹民寡齊人削取八城匈奴驅馳樓煩之下以孤之不肖得承宗廟恐亡社稷存之有道乎隗曰帝者之臣其名臣也其實友也覇者之臣其名臣也其實僕也危國之臣其名臣也其實虜也今王將東面目指氣使以求臣則厮役之臣至矣南面聽朝不失揖讓之禮求臣則人臣之臣至矣北面等禮相亢下之以色不乘勢以求臣則朋友之臣至矣西面拘指逡巡而退以求臣則師傅之才至矣王誠欲興道隗請爲天下之士開路於是燕王常置郭隗爲上客

三輔決錄曰頻陽游殷字季齊初爲郡功曹有童子張既者時未知名爲郡書佐殷察異之勑既過家具設賓饌及既至妻笑曰君甚教乎張德容童昏小兒何異客哉殷曰卿勿怪乃方伯之器也殷遂與論覇王之事饗訖以子楚託之

列女傳曰孟嘗君食客三千人厨有三列上客食肉中客食魚下客食菜齊市中有乞食人馮煖經冬無袴面有飢色願得上厨

又曰漢中楊子拒妻字大英子仲珎有高名常請客每盛爲供具從惣中窺客罷讓之曰吾視汝所交皆不及巳此自損之道也後歲餘復請賓客皆耆德秀士毋觀之喜曰吾無憂矣

華陽國志曰任熙字伯遠開門待賓客朝無少長必有供膳

陸績別傳曰孫策在吳張紘爲上客共論四海未安當用武治而平之績年少末坐遥大聲言曰昔管仲相齊桓公九合諸侯一匡天下不用兵車孔子曰遠人不服修文德以來之今論者不務道德之術而唯當用武績雖童蒙竊所未安

世說曰孫長樂兄弟就謝公宿言至駿雜劉大夫在壁後聽之具聞其論謝公明還問劉昨客何以劉荅曰亡兄未有如此賓客謝深有愧色

郭子曰桓大司馬病篤(桓温字元子也)謝公省病(謝安字安石也)從東門入桓遥矚而歎曰吾門中不乆復見如此客

蘇州志曰通賢橋東有吳丞相顧雍宅自雍至孟名著四代常居此宅門無雜賓投刺攝齊者不過一時英俊

俗說曰謝僕射陶太常詣吳領軍坐乆吳留客作食日巳申使婢賣狗供客比得一頓食殆無復氣可語

太平御覽卷第四百五

人事部四十七

叙交友　交友一

叙交友

釋名曰友有也相保有也

説文曰友愛也同志爲友

周易曰君子上交不諂下交不瀆

又曰朋從爾思

又曰君子以朋友講習

又曰西南得朋東北喪朋

又曰二人同心其利斷金同心之言其臭如蘭

又曰上下交而其志同由此觀之交乃人倫之本務王道之大義非特士友之私志也

又曰出門同人

又曰君子定其交而後求

又曰嗟爾朋友

又曰朋來無咎

毛詩曰伐木讌朋友故舊也自天子至于庶人未有不須友以成者也親親以睦友賢不弃則民德歸厚矣伐木丁丁鳥鳴嚶嚶嚶其鳴矣求其友聲

又曰雖有兄弟不如友生

又曰朋友攸攝攝以威儀（攝助也）

又曰既見君子我心則喜

又曰豈無他人唯子之好

又曰言念君子温其如玉

又曰未見君子憂心忡忡

禮記曰君子不盡人之歡不竭人之忠以全交

又曰君子之交淡如水小人之交甘如醴君子淡以成小人甘以壞

又曰儒有合志同方營道同術相下不厭久不相見聞流言不信義同而進不同而退其交友有如此者（同方同術志行也門）

（流言不信不信其友所行被毀而謗之）

又曰隨武子利其君子忘其身忘其身不遺其友

又曰父母在不許友以死

又曰寡婦之子不有見焉弗與爲友

又曰見父之執友不謂之進不敢進

又曰子夏曰吾離群而索居亦已久矣

又曰僚友稱其弟也執友稱其仁也交遊稱其信也

周禮曰司諫糾萬民之德而勸之朋友

又曰孝友任恤（注任信於友道恤憂患也）

論語曰益者三友損者三友友直友諒友多聞益矣友便辟友便佞友善柔損矣（便辟巧譬喻也善柔誇毗也便佞辯以爲佞也）

又曰晏平仲善與人交久而敬之

又曰衛靈公曰居是邦也事其大夫之賢者友其士之仁者

又曰子貢問友子曰忠告而善道之不可則止無自辱焉（忠言以告之不從則止之）　又曰君子以文會友以友輔仁

又曰故舊無大故則不弃

又曰子夏之門人問交於子張子張曰子夏云何曰可者與之其不可者拒之子張曰君子尊賢而容衆嘉善而矜不能我之大賢與於人何所不容我之不賢與人將拒我如之何其拒人也

又曰與朋友交言而有信雖曰未學吾必謂之學矣
又曰有朋自遠方來不亦樂乎
又曰老者安之朋友信之
又曰子路曰願車馬衣輕裘與朋友共弊之而無憾
又曰事君數斯辱矣朋友數斯疏矣
又曰無友不如己者
又曰朋友切切偲偲
又曰匿怨而友其人
禮記曰獨學而無友則孤陋而寡聞
孝經曰士有爭友則身不離於令名
大戴禮曰上親賢則下擇友
又曰與君子遊如入蘭芷之室久而不聞其芳則與之化矣與小人遊如入鮑魚之肆久而不聞其臭則與之化矣

是故君子愼其去就
家語曰孔子曰吾死之後商也日益謂與賢已者交賜也日損好悦不若已者交故君子愼所交
又曰孔子曰自季氏賜我千鍾而友益親
又曰孔子曰夫子產於民爲惠主於學爲博物晏子於君爲忠臣於行爲恭敏故吾皆以兄事之而加愛敬焉
又曰夫內行不脩身之罪也行脩而名不章友之罪也故君子入則篤行出則友賢
漢書曰下邳翟公爲廷尉賓客亦填門廢外可設雀羅復爲廷尉賓客又來翟公大署其門曰一死一生乃知交情一貧一富乃知交態一貴一賤交情乃見
魏志曰胡質云古人之交也取多知其不貪奔北知其不怯聞流言而不信故可終也

莊子曰凡交近則必相靡以信遠則必忠之以言
孟子曰萬章曰敢問友孟子曰不挾長不挾貴不挾兄弟而友者友其德也不可以有挾也○又曰舜尚見帝帝館甥于貳室迭爲賓主是天子而友於匹夫也
譙子齊交曰譬之於物猶素之白也染之以藍則青游居交友亦人之所染也韓起與田蘇處而成好仁之名甘茂事史舉用顯於秦之功曹參師蓋公致清靜之治竇長君兄弟出於賤隸謹恭師友皆爲退讓君子語曰蓬生麻中不扶自直此言雖小可以喻大必得其人千里同好固於膠漆堅於金石窮達不阻其分毀譽不疑其實
鄒子曰昔邢高呂安歡於市仰天泣二子非有喪之哀傷相知之晚耳君子所以勤於接賢汲汲於結善欲以立名者也

呂氏春秋曰荊有善相人者言無遺策聞於楚國莊王見而問焉曰臣非得相人能觀人之友也布衣其友皆孝悌純謹如此者家必日益此謂吉人也居官事君其友皆誠信有行好善如此者事君日益此謂吉臣也人主也朝臣多賢左右多忠主有失皆敢交爭此謂吉主也臣非能相人能觀人之友王曰善於是取士不解乃大霸
晉陽春秋曰知幾其神乎古人以爲難交疏而吐誠今人以爲難
風土記曰越俗性率朴意親好合即脫頭上手巾解要間五尺刀以與之爲交拜親跪妻定交有禮俗皆當於山間大樹下封土爲壇祭以白犬一丹雞一雞子三名曰木下雞犬五其壇地人畏不敢犯也祝曰卿雖乘車我戴笠後日相逢下車揖我雖步行卿乘馬後日相逢卿當下

白虎通曰朋友之道有四焉近則正之遠則稱之樂則思之患則死之

仲長子昌言曰幽閑則攻已之短會同則述人之長有負我者我加厚焉未有與人交若此而見憎者也

要覽曰諸葛亮曰勢利之交難以經遠士之相知温不增華寒不改葉能貫四時而不衰歷夷險而益固

劉歆新議曰夫交接者人道之始紀綱之大要名由之成事由之立

又曰交之於人也猶脣齒之相濟

又曰才非交不用名非交不發身非交不立

楊子法言曰朋而不心面朋也友而不心面友也

周昭新撰曰交之爲道起自羲皇造化之初君臣始立而有人倫上下之叙象天地交泰以左右於民也唐虞三代莫不因之故交全情親則國安治強交敗情乖則國危治弱立交者欲其親也是故百姓不親禹作司徒疎者能睦廉頗相如忍忿以崇厚陳平周勃感陸生而相親所以安趙於強敵定漢於幾殆此交接之大義帝王之極務聞之於易曰交乃人倫之本務王道之大義也

魏文帝集論曰夫陰陽交萬物成君臣交邦國治士庶交德行光同憂樂共富貴而交道備矣

阮子政論曰夫交游者儔黨結於家威權傾其國或以利厚而比或以名高相求同則譽廣異則毀深朝有兩端之議家有不協之論至令父子不同好兄弟異交友破和穆之道長諍訟之源

鍾會芻蕘論曰凡人之結交誠宜盛不忘衰達不棄窮不疑惑於讒構不信受於流言經長歷遠久而逾固而人多

初隆而後薄始密而終疎斯何故也皆由交靜不發於神氣道數乖而不同權以一時之術取倉卒之利有貪其財而交有慕其勢而交有愛其色而交三者既衰疎薄由生

東方朔與公孫弘書曰蓋聞爵禄不相責以禮同類之遊不以遠近爲是故東門先生居蓬戶空穴之中而魏公子一朝以百騎日造之呂望未嘗與文王同席而坐一朝讓以天下半夫丈夫相知何必以撫塵而遊垂髮齊年偃伏以日數哉

離騷曰交不忠信兮怨長

晉潘岳陽肇誄曰余以頑蔽覆露重陰仰追先達執友之心也

古歌辭曰結交在相知骨肉何必親甘言無忠實世薄多蘇秦

又曰採葵莫傷根結交莫羞貧傷根葵不生羞貧交不成

交友一

左傳曰吳公子劄聘于齊説晏平仲躬於鄭見子産如舊相識

又曰鄭子皮卒子産哭且曰吾已無爲爲善矣唯夫子知我（注云無人知已之善故曰吾已）

又曰伍員與申包胥友（包胥楚大夫）其亡也謂申包胥曰我必復楚國（復執也）申包胥曰勉之能復之我必能興之及昭王在隨申包胥如秦乞師

尚書大傳曰散宜生閎夭南宫括三子者學乎太公太公見三子知爲賢人遂酌酒切脯除爲師學之禮約爲朋友

家語曰孔子遇程子傾蓋而語終日甚相悅顧謂子路曰程子天下之賢士取束帛以贈之

史記曰趙有處士毛公藏於博徒薛公藏於賣漿家魏公子無忌從此二人結交遊也

又曰蘇秦之先達張儀候之數日乃見坐於堂下食以僕妾之餐告舍人曰儀才吾不及恐以小利忘求進故辱之儀怒入秦蘇君使舍人齎金帛車馬陰結助之卒相秦也

又曰藺相如望見廉頗引車避匿廉頗聞之肉袒負荊至藺相如門謝罪曰鄙賤之人不知將軍寬之至此也卒相與歡為刎頸之交

漢書曰漢王與韓信為金石之交

又曰衛青姊子夫得入宮幸上皇后大長公主女也無子妬之大長公主捕青囚欲殺之其友公孫武與壯士往奪之故得不死上聞乃召青為建章監侍中賞賜數日間累千金

又曰盧綰豐人與高祖同里綰親與太上皇相愛高祖綰同日生里中持羊酒賀兩家親相愛生子同日壯又相愛

又曰兩龔皆楚人勝字君賓舍字君倩二人相友著名節故時號之楚兩龔

又曰王吉字子陽京兆人也少與貢禹為友及陽仕至益州刺史貢聞之拂冠以待之陽遂薦稱焉世稱王陽在位貢公彈冠言其取舍同也

又曰張耳大梁人陳餘亦大梁人也好儒術餘年少父事耳相與為刎頸之交

又曰鄭崇弟立與高武侯傅喜同門學相友善喜為大司馬薦崇哀帝擢為尚書僕射

又曰陳遵少孤與張竦俱為京兆史竦學通達以廉儉自守而遵放縱不拘操行雖異然而相友善之

□卷緣

太平御覽卷第四百七

人事部四十八

交友二

范曄後漢書曰孔融宙之子也十歲從父詣京師時河南尹李膺簡重勑外云自京非當世才藝英賢通家子孫輒不得進融故造其門云我與公積代通家子孫膺乃召見問父祖嘗與僕有恩舊曰然吾先君孔子與君先人李老君同德比義而相師友融與君豈非積代通家也衆奇之

又曰第五倫始以營長詣郡尹鮮于褒見而異之署爲吏後褒坐事左轉高唐令臨去握臂訣曰恨相知晚

又曰肅宗始脩古禮巡狩方岳崔駰上四巡頌帝歎之謂侍中竇憲曰知崔駰乎對曰班固數爲臣說之然未見帝曰公愛班固而忽崔駰葉公之好龍也可試見駰候憲憲倒屣迎笑謂駰曰吾受詔交公何得薄我哉遂揖入也

又曰鍾皓字季明潁川長社人皓少以篤行稱同郡陳寔年不及皓皓引與爲友

又曰張叔外字彥真陳留尉氏人也有大志歎曰人生於世白駒過隙耳安能曲道媚世俗哉守外黃令遇黨錮去官道逢友人班荆而語曰今闕下閹宦專權因相向而泣有老父過之曰嗟乎二大夫何泣之悲龍不隱鱗鳳不藏翼一世網羅泣將何及二人欲與之言不顧而退外竟以黨錮下獄死

又曰任末字叔本遊京師教授友人董奉德於洛陽病亡末躬推車載奉德致於墓所由是知名也

又曰梁鴻友人高恢字伯達少好老子隱華陰山及鴻東遊思恢作詩遂不復相見恢亦高抗終身不仕

又曰陳蕃李膺之敗何顒與蕃膺善遂爲官者所陷乃改名姓亡匿汝南間所至皆親其豪傑有聲荆豫之域袁紹慕之私與往來結爲奔走之交

又曰孔奮字君魚扶風茂陵人也守姑臧長治貴仁平太守梁統深相敬待不以官屬禮之常迎於大門引入見母

又曰李爕字德公所交皆捨短取長好成人之美潁川荀爽賈彪雖俱知名而不相能爕並交二子情無適莫世稱其正

又曰王允字子師同郡郭林宗一見奇之曰王生一日千里王佐才也遂定交

謝承後漢書曰范式爲荆州刺史友人南陽孔嵩貧有親老乃變名姓傭於新野縣縣吏遣嵩爲式導騶式見而識之呼嵩把臂謂曰子非孔仲山耶對之歎息式勑縣代嵩嵩以傭未竟不肯去

又曰陳蕃既被害友人陳留朱震時爲銍令聞而弃官哭而收葬

又曰許敬字鴻卿汝南人與同郡周伯靈爲交友伯靈早亡卿育養其子

又曰馬寔字伯騫勤結英雄所欲友接負笈荷擔不遠萬里山陽王暢未仕時寔慕暢名往見之屆暢門投刺欲不肯見使從者拒之云行歷未旋寔留連日日往伺之謂從者曰夫孝子事親行不踰日而至今不歸非孝子也欲待與相見如凶於路往而不友哭之以爲死交暢聞其言歎息壯志因執其手揖引與入美談畢請入見母飲宴定好而別寔臨退執暢手訣曰太上立德其次立功幸俱生盛

明之世免塼瓦之姿託爲丈夫當建名後載不可爲空生
徒死之物穢天壤之間
又曰雷義字仲公豫章人舉茂才讓友人陳重字景公刺
史不聽義遂陽狂被髮走不應命鄉里爲之語曰膠漆自
謂堅不如雷與陳
又曰范式字巨卿山陽金鄉人少遊太學與汝南張劭爲
友劭字元伯二人並告歸鄉里式謂元伯曰後二年當還
將過拜尊親見孺子焉乃共尅期至巨卿果到外堂拜母
飲盡懽而別後元伯寢疾篤同郡郅君章商子徵晨夜省
視元伯臨盡曰恨不見死友尋卒式夢元伯玄冕垂纓而
呼曰吾死當以某日葬子豈能相及式覺而悲赴之便服
朋友之服投其葬日未届而喪已發引至壙將窆而柩不
肯進其母撫之曰元伯豈有望也停柩移時見有素車白
馬哭而來母曰必巨卿也既至叩喪言曰行矣元伯死生
異路永從此辭會葬者千人皆揮涕式執紼引柩乃前進
式留止塚次修墳樹而退
又曰范式嘗至京師受業太學時諸生長沙陳平子同在
學與式未相見而平子被病曰山陽范式烈士也可託死
吾歿但以尸埋巨卿戶前乃裂素爲書遺巨卿既終妻從
其言式行適還有書見瘞愴然感之向墳揖哭爲死友乃
營護妻兒身自送喪於臨湘未至四五里乃委素書於柩
上哭別而去
袁山松後漢書曰吳祐放豬長垣澤中誦經而行北海公
沙穆遊太學貧乏變服爲傭與祐賃舂遂爲交於杵臼之間
華嶠後漢書曰洛陽慶鴻慷慨好義廉范與爲刎頸之友
時人稱曰前有管鮑後有慶廉

平四百七　三

司馬彪續漢書曰李膺性簡亢無所交接唯以同郡荀淑
陳寔爲時友
東觀漢記曰楊政嘗過馬武稱疾見政對几據牀欲令政
拜牀下入戶前排武徑上牀坐武恨言語不擇政因把武
臂責之曰卿蒙恩稱蕃臣不思求賢報國而驕天下英
俊會信陽侯至責數武令爲朋友也
又曰尹敏字幼季與班彪相厚每相與談常對案不食晝
至暝夜即徹旦
又曰朱暉同縣張堪有名德每與相見常接以友道暉以
堪宿望盛名未敢安之堪至把暉臂曰欲以妻子託朱生
暉舉手不敢荅堪後仕爲漁陽太守暉自爲臨淮太守絕
相聞見時南陽饑堪妻子貧窮暉乃自往候視其困分所
有以賑給之
又曰郅惲友人董子張者父先爲鄉人所害及子張病將
終惲往候之子張病涕視惲不能言惲曰吾知子不悲天
命而痛讎不復也子張但目擊而已惲即起將客遮仇人
取其頭以示子張見而氣絕
又曰趙喜爲赤眉兵所圍迫急乃亡走與友人韓仲伯等
數十人携小弱越山出武關仲伯以婦色美慮有強暴者
而已受其害欲棄之於道喜怒不聽以泥塗仲婦面載以
鹿車身推之每逢賊欲逼奪喜輒言病以此得免
又曰閔仲叔恬靜養神弗役於物與周黨相友黨每過仲
叔共含菽飲水
又曰應順字仲華汝南人少與同郡許敬善敬家貧親老
無子爲敬去妻更娶
魏志曰荀攸或從弟也太祖令曰孤與荀公達周旋二十

平四百七　四　王福

餘年初無毫毛可非者

又曰公達賢人也所謂温良恭儉讓以得之孔子稱晏平仲善與人交久而敬之公達即其人也

又曰曹真字子丹太祖族子也真少與宗人曹遵鄉人朱讚並事太祖遵讚早亡真愍之乞分所食邑封遵讚子詔曰大司馬有叔向撫孤之仁篤晏嬰久要之分君子成人之美聽分真邑賜遵讚子爵關內侯各五百户

又曰崔琰字季珪清河東武成人也少樸訥好擊劍尚武事琰友人公孫方早卒琰撫其孤息若已子

又曰陳矯字季弼為郡功曹過太山太山守薛悌異之結為親友戲矯曰以郡吏交二千石不亦可乎悌後為魏郡及尚書令皆代矯

魏略曰趙歧字臺卿藏匿避難賣餅市中孫嵩見歧非常人呼而問之遂與俱歸嵩先入白母曰出行乃得死友迎上堂享之極欣藏歧複壁中

又曰華歆字子魚平原人靈帝時與北海邴原管寧俱遊學三人相善故時人號三人為龍謂原為龍腹寧為龍尾歆為龍頭

魏氏春秋曰嵇康寓居河內與之遊者未嘗見其喜慍之色與陳留阮籍河內山濤向秀籍兄子瑯琊王戎沛人劉伶相與友善遊於竹林號曰七賢

吳志曰孫策創業命張昭為長史撫軍中郎將升堂拜母如比肩之舊文武之事一以委昭

又曰吳範字文則與親故接有終始素與魏滕同邑相善為交滕嘗有罪吳王權責怒甚敢有諫者處死範謂滕曰與汝偕死滕曰死而無益何死範曰安能慮此坐觀汝耶乃髡頭自縛詣門下使鈴下以聞鈴下不敢曰必死不可範曰汝有子耶曰有曰使汝為吳範死子以屬我鈴下諾乃排閤入言未卒權大怒欲投以戟逡巡出走範因突入叩頭流血言與涕并良久權意釋免滕

又曰周瑜長壯有姿貌孫堅議興兵討董卓徙家於舒堅子策與同年獨相友善瑜推道南宅以舍策升堂拜母有無共通

又曰魯肅字子敬臨淮東城人周瑜知其奇也遂相親結定僑札之分

又曰魯肅代周瑜之當陸口過呂蒙屯下肅意尚輕蒙或說肅曰呂將軍功日顯不可以故意待也君宜順之肅遂往詣蒙酒酣蒙問肅曰君受重任與關羽為隣將何計略以備不虞因為畫五策肅於是越席就之拊其背曰呂子明吾不知卿才略所及乃至於此遂拜蒙母結友而別恕

吳録曰張温字惠恕英才瓌偉遂以禮躬延見召對詞雅淹潤帝改容前席拜中郎聘蜀與諸葛全結金蘭之好焉

蜀志曰馬謖（音縮）字幼常才氣過人好論軍計謖臨終與諸葛亮書曰明公視謖猶子謖視明公猶父願深惟殛鯀興禹之義使平生之交不虧於此謖雖死無恨於黃泉也于時十萬之衆為之流涕亮自臨祭待其孤遺若平生

又曰張裔字君嗣蜀郡成都人也少與犍為楊恭友善恭早死孤遺未數歲裔裒分居事恭母如恭息長大為之娶妻買宅産業使立門户

又曰楊戲字文然為人篤於舊故與巴西韓儼黎韜童幼相親後儼痼疾癈頓韜無行見損戲經紀振䘏恩好如初

晉書曰王龔字孝伯清操過人才地自負恒有宰相之望

與王沉齊名友善

又曰桓温字元子宣城太守彝之子也與庾翼友善恒相期以寧濟之事翼薦温於明帝曰桓温少有雄略願勿以常人遇之

又曰陸機吳人也文章冠代至太康末與弟雲造太常張華華素重其名如舊相識曰伐吳之役利獲二俊

又曰周馥字祖宣馥少與友人成公簡齊名俱起家爲諸王友學

又曰紀瞻慎行好施老而彌篤少與陸機兄弟相親善及機被誅瞻䘏其家及嫁女資送同於所生

又曰鄭袤字叔林滎陽開封人也少孤隨叔父渾避難江東時華歆爲豫章太守渾往依之歆素與袤父泰友善撫養袤如己子

晉中興書曰郗超所交皆一時秀美雖寒門後進亦拔而友之死之日貴賤操筆爲誄者四十餘人其爲物所宗貴如此

又曰胡毋輔之字彦國少髙名有王尼者出寒微輔之庾顗王澄等共爲美談尼以門役送護軍府輔之等乃齎羊酒詣門吏以聞護軍曰諸名士以羊酒來當有以既入先過尼尼已給府養馬輔之等坐廐下與尼炙羊飲酒而去竟不見護軍大驚乃與尼長假

又曰東甌沃壤名士多樂居之太傅謝安未仕時亦居東土共王羲之孫綽李充許詢道林皆文義冠世共相友昵

又曰魯公賈謐參管朝政京洛人士無不傾心渤海石崇之徒年皆長謐並以文才降節事謐共相朋昵號曰二十四友

又曰羊曼字祖延頹縱宏狂飲酒誕節與温嶠庾亮阮放桓彝同志友善並中興名臣時州里稱陳留阮放爲宏伯高平郗鑒爲方伯太山胡毋輔之爲達伯濟陰卞壼爲裁伯陳留蔡謨爲朗伯陳留阮孚爲誕伯高平劉綏爲秀伯而曼爲黯伯凡八伯蓋擬古之八儁

又曰薛兼與同郡紀瞻廣陵閔鴻吳郡顧榮會稽賀循同志友善初入洛司空張華見而歎息曰南金也

又曰華譚所友人袁甫者字公冑歷陽人少能言議與譚齊名友善太安中入洛譚與甫書曰誠以枯澤非應龍之淵棘林非鸞鳳之窟昔食其自匿監門非高祖不長揖孔明躬稼南陽非劉氏不馳驅望雲霄而還翮見鴻漸之軽羽瞻長塗而高鳴知騏驥之迅足

又曰王濛少而不羈不爲鄉閭所齒晩節克修遂有風流美譽與沛國劉惔齊名友善時人以濛比袁耀卿惔比荀奉倩

何法盛晉中興書曰庾翼字稚恭時京兆杜乂陳郡商浩並才名冠世而翼弗之重每語人曰此輩宜束之高閣俟天下平然後議其所任耳唯與桓友善在揔角之中便相期終始

又曰肅祖之在東宮與温嶠庾亮並布衣之好

晉陽秋曰陸抗羊祜魏邊將推喬劉之好抗嘗遺祜酒祜亦饋抗藥各推心服之

太平御覽卷第四百七

人事部四十九

交友三

宋書曰晉安帝義熙初高祖命瑯琊王弘爲徐州治中從事吏不就隱于會稽與魯國孔淳之爲莫逆交

又曰何點字子晳盧江灊人也宋徵爲庶子不就與陳郡謝瀹吳國張融會稽孔稚珪爲莫逆之交

王智深宋紀曰孔淳之隱居剡山嘗遇桑門法崇於三山披衿領契自以爲得意之交

齊春秋曰檀超字悅祖高平金鄉人也少而負氣始爲南徐州西曹書佐與別駕蕭惠開抗禮惠開自以地位居前稍相淩駕而嘯傲不以地勢推之謂惠開曰我與卿並有何等宮閥俱是國家微時外戚耳何以一爵高人惠開欣然更爲刎頸之交

齊書曰劉悛字士操彭城安上里人也從駕登蔣山上數歎曰貧賤之交不可忘顧悛曰此況卿也今日與卿盡布衣之交遊悛起拜謝

又曰柳世隆字彥緒河東解縣人宋太尉元景弟也當時名士張緒王延之沈淡之徒雅相欽慕以爲君子之交

又曰劉善明素與崔恩祖友善聞死慟哭仍得病卒

又曰孔稚珪字德璋會稽人也早立名譽當時名士陸惠曉謝瀹張融何點沈淵相與爲君子之交

梁書曰何遜字仲言東郡郯人也弱冠舉秀才南鄉范雲見其荅策大相稱賞因結忘年交好自是一文一詠雲輒嗟賞

又曰張緬弟纘遷尚書吏部河東裴子野曰張吏部有喉舌之任子野性曠遠自云年出三十不復詣人初未與纘遇便相推重因爲忘年交

又曰蕭介性高簡少交遊唯與族兄琛從兄昕(音軒)素子洽從弟俶等文酒賞會時人以比謝氏烏衣之遊

又曰高祖性不好聲色頗慕高名與裴子野劉顯蕭子雲張纘及當時才秀爲布衣交

何玄之梁典曰劉許字彥度與陳留阮籍李緒申金蘭之契築室鍾阜之傍共聽內義鑽尋奧典

魏書曰夏侯尚字伯仁有籌畫智略文帝器之爲布衣之交

後魏書曰眭夸一名昶趙郡高邑人也少與崔浩爲莫逆之交

北齊書曰崔瞻與趙郡李槩爲莫逆之交槩將東還瞻與之書曰仗氣使酒我之恒弊詆訶指切在卿尤甚足下告歸吾於何聞過也

又曰袁聿修歷任清華郎署之日值趙彥深爲水部郎中同在一院因成交友彥深後被沙汰停私門生藜藋聿修猶以故情存問往來

又曰裴讞(魚列切)之字士平不妄交遊唯與隴西辛術趙郡李繪頓丘李構清河崔瞻爲忘年之友

後周書曰柳弘字光道河東解縣人少聰穎工草隸博涉群書詞彩豐贍與弘農楊素爲莫逆之交

又曰張軌濟陰臨邑人也少好學志識開朗初在洛陽家貧與樂安孫仁爲莫逆之交每易衣而出以此見稱

又曰黎景希字季明河間鄚(音莫)人也好占玄象頗知術數而落魄(音託)不事生業與范陽盧道源爲莫逆之交

又曰韋敻（休政切）字弘遠志尚夷簡澹於榮利周弘正乃造
敻談讌盡日恨相遇之晚也後請敻至賓館敻未赴弘正
乃贈詩曰德星猶未動真車詎肯來當時所欽如此
南史曰謝弘微性寬博無喜慍末年嘗與友人棊友人西
南棊有死勢復一客曰西風急或有覆舟者友人悟乃救
之弘微大怒投局於地識者知其暮年之事果以此歲終
北史曰盧懷仁有行撿善與人交與瑯琊王衍隴西李壽
之情好相得嘗語衍云昔太丘道廣許劭知而不顧嵇生峭
立鍾會遇而絶言語處季孟之間去其太甚衍曰然
三十國春秋曰燉煌太守李暠（古老切）表於段業暠稱盡忠
不貳橫爲李嗣所讒請業殺嗣暠自歸司敗業乃殺嗣遣
使謝暠初嗣與暠結刎頸之交嗣常以宗族託暠曰我身
猶子身勿爲疑也及是暠反爲嗣所構暠乃恨之

又曰姚萇單騎度淮見豫州刺史謝尚于壽陽幅巾以待
之一面如舊相識
又曰王鎮惡隨宋高祖入關中初鎮惡流寓崤澠崤澠人
李方厚待之鎮惡曰待吾値英雄王取萬户侯乃厚相報
方笑曰本縣足矣鎮惡力不絶人不閑弓馬略通諸子兵
書縱橫有智計以此成名及是李方尚在鎮惡昇堂拜母
表方澠池令
陳書曰江揔聰敏篤學有文范陽張纘瑯琊王筠南陽劉
之遴並高才碩學揔時少有名纘等雅相推重爲忘年友
又曰陸景文字叔辯少有膽略武勇與陳武帝有布衣之
舊
隋書曰李密與楊玄感爲刎頸之交尤好兵書常皆在口
唐書曰武德中元敬爲秘書郎太宗召爲天策府參軍兼
直記室薛收與元敬俱爲文學館學士時房杜等處心腹
之寄深相友託元敬畏於權勢竟不之狎如晦常云小記
室不可得而親不可得而踈
又曰于休烈河南人也貞觀中任左僕射爲十八學士心
性貞慤機鑒敏悟自幼好學善屬文與會稽賀朝萬齊融
延陵包融爲文詞之友齊名一時
又曰王琚懷州河內人也少孤而聰敏有才略好玄象合
鍊之學神龍初嘗謁駙馬王同皎甚器之及謀刺武三思
事琚義許之與周璟張仲之爲忘年之友
又曰蕭昕河南人也開元中首舉博學宏詞授陽武簿後
遷左拾遺昕嘗與布衣張鎬友善表薦之曰如鎬者用之
則爲王者師不用之則幽谷一叟爾玄宗擢鎬拾遺後爲
將相

又曰權皐德輿之父大曆中卒于家元和中謚曰貞孝初
皐卒韓洄王定爲服朋友之喪李華爲其墓表以爲分天
下善惡一人而已
又曰杜伏威齊州章丘人也少爲盜與鄉人輔公祏爲刎頸
之交公祏姑家家殺羊爲業公祏數攘羊以餽之
又曰楊憑字虛受爲左散騎少負氣節與母弟凝凌相愛
皆有名重交遊與穆質許孟容李鄘王仲舒爲友故時人
稱穆許李之交
又曰朱敬則亳州永城人也長壽中爲右補闕家代孝義
敬則倜儻早以詞學知名與左史江融尚書左僕射魏元
忠相友善
又曰劉黑闥貝州漳南人也與竇建德少相友善家貧無
以自給建德每資之黑闥所費至盡而不以爲疑建德亦弗

之間也

又曰劉孝孫荆州人也祖貞周石臺太守孝孫弱冠知名爲當時詞人虞世南蔡君和孔德紹庾自直劉斌等登臨山水結爲交會

又曰陸象先弟監察御史景倩吏部侍郎景融大理正景獻河南令景裏皆有美譽僧一行少時與象先昆弟友善常謂人曰陸氏兄弟皆有才行古之荀陳無以加也

又曰楊纂華州華陰縣人也父文偉隋温州刺史纂略涉經史尤明時務少與瑯琊顏師古燉煌令狐德棻（音芬）友善大業中進士舉終爲考功郎中

又曰張道源嘗與友人客遊友人病中霄而卒道源恐驚擾主人遂共屍卧達曙方哭親步營送至其本鄉後仕隋爲監察御史

又曰孔紹安越州山陰人也陳吏部尚書奐子也少以文詞知名年十三入隋徙居京兆鄠縣閉門讀誦集數十萬言時有詞人孫萬壽與紹安篤忘年之好紹安大業末爲監察御史

又曰李密長安人也父寬隋上柱國蒲山公密開皇中襲父爵年始弱冠尚書令楊素見而奇之謂其子玄感曰李密智計不窮爾所不及可與爲友玄感遂傾心禮遇定爲刎頸之交

又曰劉裏之徐州彭城人也少有學業與隋信都丞孫萬壽宗正卿李百藥爲忘年之交

又曰柳宗元（移柳州時劉禹錫得播州宗元謂所親曰禹錫有母今爲郡蠻）方絕域萬里如何與毋偕行吾於禹錫爲執友胡忍見其若是即草奏請以柳州授禹錫自往播州禹錫易連山

又曰張九齡素與中書侍郎嚴挺之尚書左丞袁仁敬右庶子梁昇卿御史中丞盧怡結交友善挺之等皆有才幹而交道終始不渝甚爲當時之所稱也

太平御覽卷第四百八

人事部五十

交友四

莊子曰子祀子輿子犁子來四人相與語曰孰能知死生存亡之體吾與之友矣四人相視而笑莫逆於心遂相與爲友

又曰孔子與柳下季爲友

又曰桑扈孟子琴張三人相與爲友

孟子曰舜上見帝帝館于貳宮迭爲賓主是天子交匹夫也

史記曰管夷吾鮑叔牙二人相友管仲曰吾始困時嘗與鮑叔賈分財利多自與鮑叔不以我爲貪知我貧也吾嘗爲鮑叔謀事而更窮困鮑叔不以我爲愚知時有利不利也吾嘗三仕三見逐於君鮑叔不以我爲不肖知我不遭時也吾嘗爲君三戰三北鮑叔不以我爲怯知我有老母也生我者父母知我者鮑叔也

傅子曰杜鑠至許見侍中耿紀共語終夜尚書令荀彧家與紀屋相比夜聞鑠言異之至旦遣謂紀曰有國士何以居位既見鑠如舊相識遂進鑠於朝

郭子曰冀州刺史楊准二子喬字國彥髦字士彥清平有識俱總角爲成器准與裴頠樂廣友善遣見之頠謂准曰喬自及卿髦小減也廣謂准曰喬自及卿髦尤精出准笑曰我二兒之優劣乃裴樂之優劣論者許之

魯連子曰舜耕於歷山而交益陶於河濱而交禹

孔叢子曰子高遊趙平原君客之有鄒文節與子高相友善及將還魯諸故人訣既畢文節送行三宿臨別文節流涕交頤子高徒抗手而已分背就路其徒問之曰先生與彼之子善彼有戀戀之心悽愴流涕而先生厲聲高揖無乃非親親之謂乎子高曰始吾謂之大丈夫乃今知其婦人也人生則有四方之志豈鹿豕也哉而常群聚乎

又曰秦莊子死孟武伯問孔子曰古者同寮有服乎荅曰聞諸老聃昔鑄叔閭天大顛散宜生南宮括五者同寮比德以贊文武及虢叔死四人爲服古之達禮者行之

韓詩外傳曰宋王因其友事襄王王待王亦無異

江表傳曰吳有程普者頗以年長數凌侮周瑜瑜折節下容終不之與交普後自敬服而親重之乃告人曰與周公瑾交若飲醇醪不覺自醉

袁宏山濤別傳曰陳留阮籍譙國嵇康並高才遠識少有陪其契者濤初不識一與相遇便爲神交

列士傳曰六國時羊角哀與左伯桃爲友聞楚王賢俱往仕至梁山逢雪糧盡度不兩全遂併糧與角哀哀至楚楚用爲上卿後來收葬伯桃伯桃墓逼近荆將軍陵而伯桃告云我日夜被荆將軍伐之哀乃加兵未知勝否云我向地下看之遂自刎死

道學傳曰杜京產建武初徵之產曰莊周持鈞豈爲白璧所回避不就會稽孔道微亦守志產與友善

又曰薛彪之聞陶隱居委紱架石室與蔣負芻隣居接宇彪歎曰彼二人者可爲道友何爲久滯東川於是命棹來歸便相就共住日夕講習

又曰潘洪字文盛山陰人幼辭家入山修稟上法陶貞白見而悅之遂與投分共遊諸處尋求真書

又曰許邁字遠遊少與高陽許詢並治高節同志齊名詢能清言兼有詞藻邁博學亦善屬文

廣州先賢傳曰董正字伯和番禺人也隱士南陽車遂字德陽聞正令名不遠萬里徑來投正正道同志合恩如伯仲數年中遂得病正爲傾家救恤疾篤命絕停屍於堂殯斂之禮如同生身自送喪於南陽

殷氏世傳曰殷褒字元祚渤海府君之子河南鄭廉始出寒賤又未知名見而友之廉父常居肆乃就拜其父於市衆皆驚廉由是顯名位至司徒

荀氏家傳曰荀羨與沛國劉真長太原王仲祖陳郡商共源並著情契太宗時居阿衡之任虛中詩納賓友賢哲與羨等數人爲布衣之好

又曰荀粲簡貴不能與常人交接所交者皆一時儁傑粲卒至葬夕赴者十餘人皆同年名士也哭之感慟路人

嵆康高士傳曰逢萌條房李雲王尊同時相友丗號之四子

海內先賢傳曰潁川鍾皓字季明爲郡功曹時陳寔爲西門亭長皓深禮之與同分義皓辭公府太守問誰可代君皓曰明府必得其人西門亭長可也

張隱文士傳曰禰衡與孔融作爾汝之交時衡未滿二十融已五十重衡才秀忘年也

向秀別傳曰秀字子期少爲同郡山濤所知又與譙國嵆康東平呂安友善其趍舍進止無不必同造事營生業亦不異常與康偶鍛於洛邑與呂安灌園於山陽收其餘利以供酒食之費或率爾相攜觀原野極遊浪之勢亦不計遠近或經日乃歸復脩常業

郭林宗別傳曰郭泰字林宗入潁川則友李元禮至陳留則結符偉明之外黃則親韓子助過蒲亭則師仇季智也

英雄記曰袁紹不妄通賓客好遊俠與張孟卓何伯求吳子卿許子遠伍徳瑜等皆奔走之友不應辟命

荊州記曰陸凱與范曄爲友江南寄梅花一枝來詣長安與曄并贈詩曰折花奉驛使寄與隴頭人江南無所得聊贈一枝春

虞預會稽典錄曰盛憲字孝章初爲臺郎常出遊逢一童子容貌非常憲怪而問之是魯國孔融年十餘歲憲下車執融手載以歸舍與融談宴結爲兄弟升堂拜母曰可賀憲母昔有憲憲今有弟

又曰卓恕字公行上虞人也與人期約雖遭暴風疾雨無不至者嘗從建鄴辭太傅諸葛恪恪問何當復來恕荅曰某日當復親覲至是日恪停食俟恕至時賓客會者皆以爲稽建業相去千餘里道隔江湖豈得如期須臾恕至一坐盡驚

又曰賀劭字興伯山陰人也爲人美姿容動靜有常與人交久而敬之

又曰虞倫字孝緒餘姚人也與駱援爲彈冠之友

吳錄曰步騭與衛於同年相善俱以種瓜自給晝勤四體夜誦經傳

三輔決錄曰游殷爲胡軫所害同郡吉伯房郭公休與殷同歲相善爲緦麻三月

趙岐三輔決錄曰蔣詡字元卿舍中三徑唯羊仲裘仲從之遊二仲皆雅廉逃名之士

華陽國志曰洛陽慶鴻慷慨好義廉范與爲刎頸之交時人稱曰前有管鮑後有慶廉

陳留志曰韋庚字宣明襄邑人也常居園中故丗謂之園公與河內軹人角里先生綺里季夏黃公爲友皆修道絜

已非義不踐當秦末避代入商洛山隱居自娛
竹林七賢論曰嵆康字叔夜與東平呂安少相知友每一
相思輒千里命駕
又曰山濤與阮籍嵆康皆一面契若金蘭濤妻韓氏嘗問
濤曰吾當年可爲交者唯二人而已
崔豹古今注曰鄭弘行宜京洛未至夜宿一壖如過而緣二切河邊
蚍於是逢舊友四人四顧荒郊村落絕遠酤酒無處情抱
不申仍各以錢投水中依評共飲盡夕酣暢皆得大醉因
名沉釀川
劉向說苑曰伯牙子鼓琴其友鍾子期聽之方鼓琴而志
在於太山鍾子期聽之曰善哉鼓琴巍巍乎若太山少選之間
而志在流水鍾子期聽之曰善哉鼓琴湯湯乎若流水鍾
子期死伯牙子屏琴絕絃終身不鼓以爲時無足爲鼓琴
者

說苑曰魏文侯歎田子方曰自友子方也君臣益親百姓
益附吾是以知友士之功焉
世說曰山公與嵆阮契若金蘭山公妻韓氏覺二人異於
常欲窺之他日二人來妻竊窺之公曰二人何如妻曰君
殊不如正當以識度相及耳公曰伊輩亦當以我爲勝
又曰華歆與管寧邴原相友曾共鋤園得金寧以鋤揮之
與瓦礫無異歆掇而擲之
又曰荀巨伯遠看友人疾値胡賊攻郡巨伯不忍去賊旣至
謂巨伯曰大軍至一郡並空汝何男子輕大軍而敢獨止
巨伯曰有友人疾不忍委之寧以我身代友人之命賊知
其賢自相謂言我輩無義之人而入有義之國疾促軍
而還一郡並全

又曰陸機赴假還洛輜重甚盛戴淵與少年掠之淵在岸
上據胡牀指揮左右皆得其宜淵旣有風標鋒穎雖處鄙
事神氣獨異於衆機於舩屋上遥謂之曰卿才如此亦復
作劫淵便流涕投劍歸機辭屬非常機彌重之便與定交
咋筆薦焉
又曰夏侯稱字義權年十六與文帝爲布衣之交每讌氣
陵一座辯士不能答代之高者多從之遊
又曰支道林喪法虔之後精神殞喪風味轉墜常謂人曰
昔匠石廢斤於野人牙生輟絃於鍾子推已外求良不虛
也冥契旣逝發言莫賞中心蘊結余其亡矣却後一年支
遂亦隕
又曰王爽與司馬太傅飲酒太傅醉呼王爲小子王曰亡
祖長史與簡文帝爲布衣之交亡姉伉儷二宮何小子之
有

楊松玠談藪曰太原孫伯翳放情物外棲志丘壑與王令
君高苑蔣軍雲爲莫逆之交
琴操曰三士窮者其思革子之所作也其思革子戶文子
叔衍子三人相與爲友聞楚成王賢好士三人俱往見之
於豪嶽巖之間卒逢飄風暴雨俱伏於空柳之下衣寒糧
乏度不俱活三人相視歎曰與其飢寒俱死豈若并衣糧
於一哉二子以革子爲賢推衣與之革子曰生則同樂死
則共之固辭二子曰吾相與猶左右手也左傷則右救右
傷則左勞子不我受俱死無名可痛乎於是革子受之二
子遂凍餓而死其思革子揭衣糧而去往見楚王王知其
賢用百酒嘉都設鍾鼓樂之革子有憂悲之色楚王乃推
樽罷樂外琴而進之其思革子援琴而鼓作相與別散之

志
孫楚牽招碑曰初君與劉備少長河朔英雄同契爲刎頸
之交有横波截流柎翼横飛之志俄而委質於太祖備遂
鼎足於蜀漢所交非常爲時所忌每自酌損乎季孟之間
蔡邕貞定貞父碑曰其接友也審辯真僞明于知人度終
始而後交情不疎而貌親
夏侯湛鮑叔像賛曰鮑子愔愔式昭德音綢繆陳仲二人
同心厥芳猶蘭其堅如金遥遥景迹君子攸欽
周祗執友箴曰人亦可言貴則易交利重太山道輕鴻毛
义而益敬見之晏平霜雪既至勁栢冬青

太平御覽卷第四百九

太平御覽卷四百一十

人事部五十一

交友五　請交不許　世交

父子交　絶交

交友五

傅幹與張叔威書曰吾與足下義結紈素恩比同生○東方朔與公孫弘書曰爵祿不相責以禮同類之遊不以遠近爲故東門先生居蓬戶空穴之中魏公子一朝以百騎造之呂望未嘗與文王同席而坐一朝讓以天下半大丈夫相知何必接塵而遊垂髮齊年哉

張奐與延叔堅書曰吾與叔堅剖心相知豈以流言相猜耶

曹植離友詩曰王旅旋兮背故鄉彼君子兮篤人綱騰駕行兮歸朔方馳原隰兮尋舊疆

郭璞贈溫嶠詩曰人亦有言松竹有林及爾臭味異本同岑言以忘得交以淡成

謝眺贈友人詩曰芳洲有杜若可以贈佳期清風動簾夜孤月照窻時安得同攜手酌酒賦新詩

陸倕贈京邑僚友詩曰時逢世道泰鶱足步高衢江間寒事早夜露傷秋草蜀姑蘇臺目送邯鄲道李郭或同舟潘夏時方駕歡娛終美景數文永清夜捉膝豈異人戚戚皆明娫

蕭鈞晚景遊泛懷友詩曰龍門低御溝鳳轄轉芳州雲峯初辯夏爽氣早迎秋山翠餘煙積川平晚照收浪隨文鷁轉波逐彩鴛浮風花輕未落巖泉咽不流一辭金谷苑空想竹林遊

潘岳詩曰投分寄石友白首同所歸

古善哉行曰月沒參橫北斗闌干親友在門忘寢與食

請交不許

後漢書曰侯霸欲友王丹霸子見丹下車拜丹荅拜霸子曰大人方願交歡奈何拜小子丹曰君房有是言丹未之許也

又曰張霸遷侍中時皇后兄虎賁中郎將鄧騭當朝貴戚聞霸名行欲與爲交逡巡不荅衆笑其不識世務

魏志曰將軍張遼與其護軍武周有隙遼就刺史溫恢求交胡質質辭以疾遼出遇質曰僕安意於君何以相孤如此質曰古人之交也多取知其不貪奔北知其不怯聞流言而不信故可終也武伯南身爲雅士往者將軍稱之不輟於口今以睚眦之恨反成嫌隙況質才薄豈能終好是以不願也遼感其言復與周平

蜀志曰劉巴字子初零陵先賢傳曰張飛嘗就巴宿巴不與語飛遂忿恚諸葛亮謂巴曰飛雖實武人愛慕足下足下雖天爵素高宜少降意巴曰丈夫處世當交四海英雄如何與兵子共語

晉書曰解系字少連濟南人也系及二弟結育並清身潔巳甚有聲譽時荀勗門宗弘盛勗諸子謂系等曰我與鄉爲友應向我公拜勗曰我與君尊先使君親厚系曰不奉先君遺教公君與先君厚往日哀頓當垂書問親厚之誨非所敢承勗父子大慚

梁書曰庾詵字彥寶新野人也性純夷簡罕所遊狎河東柳惲欲與之交拒而不許

齊春秋曰王僧祐字喬宗亭然獨立不交當代名士王思

遠之徒託意請交並不降意自天子及侯伯未甞與一人遊焉

嵇康高士傳曰井丹字大春扶風人也博學故京師爲之語曰五經紛綸井大春未甞書刺候謁人梁松請友丹不肯見後遂隱遁

皇甫士安高士傳曰嚴遵字君平蜀人也楊雄少從之遊數稱其德李温爲益州牧喜曰吾得君平爲從事矣雄曰可備禮與相見其人不可屈也王鳳請交不許歎曰益我財者損我神生我名者殺我身故不仕時人服之

世說曰何晏鄧颺夏侯太初並求傅嘏交而嘏終不許諸人乃因荀粲說合之傅曰夏侯太初志大心勞能合虛譽誠所謂利口覆國之人鄧颺何晏有爲而躁博而寡要外好名利而內無關籥此三賢者皆敗德之人耳遠之猶恐罹禍況可親之哉後皆如其言

又曰南陽宗世林與魏武同時而薄其爲人不與之交及魏武作司空揔朝政從容問宗曰可以交未荅曰松柏之志甚存

世交

後漢書曰孔僖字仲和魯人也祖父建少遊長安與崔篆仕王莽爲建新大尹僖與篆孫駰復相友善焉

晉書曰咸寧初有司奏何劭及兄遵等受故鬲令袁毅貨雖經赦宥宜皆禁止事下廷尉詔曰太保與毅有累世之交遵等所取蓋薄一皆置之

父子交

左傳襄五年曰初伍參與蔡太師子朝友其子伍舉與聲子相善聲子子朝之子也伍舉出奔鄭將遂奔晉聲子將如晉遇之於鄭郊班荆相與食班布也布荆坐地朋友世親也

魏書曰陳群字長文通達有識度其所交皆父黨也魯國孔融與群父紀友又與群交

王隱晉書曰王戎隨父渾在郎舍時阮籍亦爲郎每詣渾輒云與卿語不如阿戎談戎時年十五籍乃交焉

北齊書曰陸昂字雲駒洛陽人也父子璋魏中書監昂爲河間邢劭所賞邢又與子璋交遊嘗謂子璋云吾以卿老蚌復出明珠

高士傳曰班嗣在京師家有賜書內足於財父黨楊子雲已下莫不造門

唐書曰郄士美字和夫少好學善記覽父友顏真卿蕭穎士輩嘗與之討論經傳應對如流既而相謂曰吾曹異日當交二郄之間矣

汝南先賢傳曰薛勤字恭祖仕郡爲功曹陳仲舉時年十五爲父齎書詣勤勤顧而察之明日造焉仲舉父出迓勤勤曰足下有不凡子吾來候之不從卿也言義盡日

道學論曰許邁字叔玄清虛接真遯棲世表志在往而不返故自改名遠遊與王右軍父子爲世外之交王亦辭榮好養生之事每造遠遊未甞不彌日忘返

東哲吊蕭孟恩文曰東海蕭惠字孟恩者父昔爲御史與哲先君同僚孟恩及哲旦夕同遊分義早著孟恩夫婦皆亡門無立嗣哲時有伯父從兄之憂未獲自往致文一篇以吊其魂

絕交

毛詩谷風曰谷風刺幽王也天下俗薄朋友道絕焉

又曰伐木廢則朋友缺矣

史記曰相國曹參始微時與蕭何善及爲將相有隙
又曰越石父賢在於縲紲之中晏子出遭塗解左驂贖之載歸弗謝入門久之石父請絶晏子懼然攝衣冠謝曰晏雖不仁免子於厄何求絶之速也石父曰不然吾聞君子屈於不知己而伸於知己者方吾在縲紲之中彼不知我也夫子既已感而贖我者是知己知己而無禮固不如縲紲之中
漢書曰張耳陳餘始居約時相然信死豈顧問哉及據國爭權卒相滅亡勢利之交古人羞之蓋謂是矣
又曰蕭育少與陳咸朱博爲友著聞當世往者有王貢故長安人語曰蕭朱結綬王貢彈冠言其相薦達也始育與公卿子顯名咸最先進年二十餘爲御史中丞時朱博尚爲杜陵亭長爲咸育所舉援後遂並歷刺史郡守相及爲

九卿而博先至將軍上卿歷位多於咸育遂至丞相育與博後有隙不能終故世以友爲難也
范曄後漢書曰許劭少峻名節好人倫多所賞識劭邑人李逵杜直有高氣劭初善之而後有隙
東觀漢記曰梁鴻初與京邑蕭友善約不爲陪臣及友爲郡吏鴻以書責之而去
又曰王良字仲子東海人少清高爲司徒司直以病歸一歲後徵至滎陽疾篤不任進道乃過其友人友人不肯見曰不有忠言奇謀而取大位何其往來屑屑不憚煩也遂拒之良慙自後連徵輒稱疾
魏志鍾繇傳曰王弼爲人淺而不識物情初與王黎荀融友善黎奪其黃門郎於是恨黎與融亦不終
又曰管寧與華歆同學歆聞車馬聲出門寧割席曰子非吾友也
徐廣晉記曰相國掾魏諷有盛名同郡任覽與諷友善鄭袤謂覽曰諷姦雄必以禍終子宜絶之後諷果敗
齊書曰初劉遜與祖班以文義相得結陳雷之契及爲弟俊聘班之女將免魏彥深等也以告遜乃付密啓令其奏聞彥深等頗知之先自申理班由是疑遜告其所爲及班被出遜遂遣弟離婚其輕交易絶如此
唐書曰韋澳貫之之子也大和六年擢進士弟兄温與御史中丞高元裕友善温請用澳爲御史謂澳曰高二十九持憲綱欲與汝相面汝必得御史澳不荅温曰高君端士汝不可輕澳曰然恐無呈身御史終不詣元裕之門
袁叔真隱士傳曰鶡冠者或曰楚人也隱居山林衣弊履穿以鶡爲冠莫測其名因服成號著書言道家事馮煖嘗

師事焉煖後顯於趙鶡冠子懼其薦己也乃與煖絶焉
新序曰吳有士張胥鄙譚夫吾前交而後絶張胥鄙有罪拘將死譚夫吾合徒取之出於道而後知其夫吾輟行而辭曰吾義不同子故前交而後絶吾聞之君子不以安肆志不爲危易行吾今從子是安則肆志危則易行也吾因子而生子若反拘而死闔廬聞之命吏釋之胥鄙辭曰吾義不同於譚夫吾故不受其任矣今利以是出誠以譚夫吾故免也遂觸廧而死譚夫吾聞之曰致任而不受佞也不知而出之愚也佞不可以接上愚不可以事君吾行虛矣人惡以吾力生吾亦恥以此立於世乃絶頸而死
後漢朱公叔絶交論曰世之務交遊也甚矣不惇于業不忌于君犯禮以追之背公以從之事替義退公輕私重
劉孝標廣絶交論曰騶黃馬之劇談縱碧雞之雄辯於是

有弱冠王孫綺紈公子道不挂於通人聲未遒於雲閣是
曰談交魚以泉涸而煦沫鳥因將死而鳴哀斷金由於湫
隘刎頸起於苦蓋是曰窮交馳騖之俗澆薄之倫無不操
權衡秉纖纊衡所以量其輕重纊所以屬其鼻息若衡不
能舉纊不能飛雖顏冉龍翰鳳雛曾史蘭薰雪白視若遊
塵遇如土梗近世有樂安任昉見一善則盱衡扼捥遇一
才則揚眉抵掌雌黄出於脣吻朱紫由其月旦於是衬蓋
輕湊衣裳雲合輜軿擊轊坐客恒滿及瞑目東越歸骸洛
浦繐帳猶懸門罕漬酒之彥墳未宿草野絶動輪之賓藐
是諸孤朝不謀夕自昔把臂之英金蘭之友曾無羊舌下
泣之仁寧慕郈成分宅之德太行孟門豈云嶄絶是以耿
介之士疾其若斯獨立高山之頂驩與麋鹿同群
袁嶠與褚左軍解交書曰皇太后踐登正祚臨御皇朝將

軍之於國外姓之太上皇也與將軍遊處少長雖世譽先
後而臭味同歸平昔之交禮與數而降箕踞之欣隨位事
而替雖欲虛詠濠肆脫落儀制其能得乎○嵇康與山濤絶
交書曰足下見直木必不爲輪曲者不以爲桷蓋不欲枉
其天材令得其所不可自好章甫強越人以文冕也今但
願守陋巷教子孫時時與親舊叙闊陳說平生濁酒一杯
彈琴一曲志願畢矣

太平御覽卷第四百一十

人事部五十二

孝感

孝經左契曰元氣混沌孝在其中天子孝天龍負圖地龜
出書大孽消滅雲景出游

孝經援神契曰庶人孝則木澤茂浮珍舒恪草秀水出神
魚（此庶人謂有德不仕若曾子之孝千里感母能使其域致珍也）

東觀漢記曰明帝光武第四子陰后所生即祚長思遠慕
至踰年迺率諸王侯公主外戚郡國計吏上陵如會殿前
禮正月上謁原陵夢先帝太后如平生親率百官上陵其
日降甘露積於樹百官取以薦會畢上伏御牀視太后鏡
奩中物感慟悲涕令易脂澤妝具左右皆泣莫能仰視

又曰姜詩字士遊廣漢雒人遭值年荒與婦傭作養母賦

經其里東兵安步去不可驚孝子母好飲江水兒常取水
溺死夫婦痛恐母知詐云行學歲作衣投于江中俄而涌
泉出於舍側味如江水井旦出鯉魚一雙

謝承後漢書曰方儲字聖明丹陽歙人幼喪父事母母終
自負土成墳種奇樹千株白兎遊其下

魏略曰程堅字謀甫南陽人居貧以磨鏡給養母喪哀號
擗下有馬每聞堅哭輒淚出暫輟芻草

晉書曰王祥性至孝繼母朱氏不慈猶令除掃牛下祥愈
恭謹父母有疾衣冠不解母令守㮈實每風雨至抱樹而立
母又思黃雀炙忽有十數黃雀飛入幕以共母食又母冬
月欲食生魚祥脫衣剖冰求之雙鯉躍出鄉里以爲孝感
所致

又曰吳隱之字處默年十歲丁父憂每號哭行人爲流涕
家貧無人鳴鼓每至號哭之時有雙鶴警叫及祥練之夕
復有群鴈俱集時人咸以孝感所致

晉中興書曰何琦字萬倫遭母憂停柩在殯爲鄰火所逼
煙焰已交家乏僮役計無從出乃匍匐棺所號哭而已俄
而風止火息堂屋一間乃免

又曰烏程吳達性經飢饉父母兄嫂及群從小幼之親十
有三人達病篤鄰里咸葬褁衣而埋之親屬皆盡存者唯
達夫妻而已家徒四壁晝則傭賃夜還燒塼伐木夜在山
中屢遇虎虎下道避之夫妻勤苦朞年中成七墓十二棺
鄰里嘉其志義葬日悉出助之太守張崇之義其志行
加羔鴈之禮命補功曹史達以門寒固辭不就

蕭子顯齊書曰永興王氏女年五歲得毒病兩目皆盲性
至孝年三十父死臨尸一叫眼皆血出小妹娥舐其血左

目即開時人稱爲孝感

崔鴻十六國春秋前趙錄曰劉殷七歲喪父哀毀過禮曾
祖母王氏盛冬思堇殷年九歲乃於澤中慟哭收淚視地見有
堇生焉得斛餘而歸食而不減至堇生乃盡其夜夢人謂
殷曰西籬下有粟寤而掘之得粟十五鍾焉銘曰七年粟
百石以賜孝子劉殷自是食之七年乃盡

又曰王延（字延元）西河人也九歲喪母後母卜氏遇之無道延
供事彌謹卜恒取蒲穰及敗麻頭與延貯衣其姑聞而問
之延知不言卜盛冬勑延去思生魚延求魚不獲卜杖之
流血延尋汾叩凌而哭得生魚一隻長五尺卜食之積日不
盡爾乃心寤撫延如親子

秦記曰符健皇始元年晉梁州刺史司馬勳入秦州獲尚
書趙琨煞而棄其尸琨子煥求父尸不得乃悲號不已俄

有群鳥悲鳴從山而來來而復反尋鳥向山而得父尸
南史曰潘綜吳興烏程人也孫恩之亂妖黨攻破村邑綜與
父驃共走避賊驃年老行遲賊轉逼驃語我不能去汝走
可脫幸勿俱死驃因之坐地綜迎賊叩頭曰父年老乞賜
生命賊至驃亦請賊曰兒年少自能走今爲孝子不去老
子不惜死乞活此兒賊因斫驃綜抱父於腹下賊斫綜頭
面凡四創綜當時悶絶又一賊從傍來相謂曰卿欲舉大
事此兒以死救父亦何可煞煞孝子不祥賊乃止父子乃
得免
齊書曰臣昕字令先廬陵人有至性隱金華山服食不與
俗人交母病亡已經七月昕奔還號叫母即蘇皆謂孝感
所致
齊春秋曰宗元卿字希符早孤爲祖母所養祖病元卿在

遠輙心痛大病則大痛小病則小痛如此常也
又曰焦華父遺曾病甚冬中思瓜華忽夢人謂之曰聞爾
父思瓜故送助養呼從者進之華跪受寤而瓜在手香非
常也父食之而病愈
又曰劉靈哲字文明母病祈禱至多忽夢一人以藥與之
曰煑服之即差驚寤於枕間得所夢之藥似竹根服之立
差餘根於齋前種葉似蒐莨莫有識者
又曰蕭叡明字景懠(在計切)母病風積年晝夜祈禱時寒叡
明下淚爲氷筋額上叩血亦氷不流忽有一人以小石函
授之曰此能治丈夫百病叡明受之忽不見人以函奉母
唯有三寸絹丹書爲日月字母即平愈
又曰解叔謙字楚梁母有疾於夜庭中祈祠聞空中云此
疾無他得丁公藤爲酒便差即詣醫及本草皆無識者乃
求訪至宜都遥覩山中一老翁伐木問其所用荅曰此丁
公藤治風尤驗叔謙伏地流涕具款求意此公與之四段并
示漬酒法叔謙拜領受之復視翁不見依法爲酒母疾頓
愈
梁書曰陸襄字師伯常卒心痛醫方須三斗粟漿時屬凝
冬日又暮矣求乞無所忽有老人詣門貨漿量如方斛始
欲酬直無何失之時以襄孝感致焉
又曰臧盾有孝性隨父宿直廷尉母劉氏在宅暴亡盾左
手中指痛不得寢及曉宅信果報凶問其感通如此
又曰甄恬字彥約數歲喪父哀戚有若成人年八歲問其
母恨不識父悲泣累日忽云有見形狀即其父也及母亡
廬于墓有鳥玄黃色集于廬樹恬哭即鳴止則無聲
陳書曰吳明徹幼孤性至孝年十四感墳塋未修家貧無

以取給乃勤力耕種時天下亢旱苗稼燋枯明徹哀憤每
之田中號哭仰天自訴居數日有田還者云苗已更生明
徹疑其欺已及往如言秋而大獲足充葬用
三國典略曰柳遐母嘗乳間發疽醫云須人吮膿遐應聲
即吮旬日遂瘳咸以爲孝感所致
後魏書曰王崇字乾邕陽夏雍丘人也母亡扶而後起鬢
髮墮落未及遷葬權殯宅西崇廬於殯所晝夜哭泣鳩鴿
群生有一小鳥素質黑眸形大於雀栖於崇廬朝夕不去母
喪始闋復丁父憂哀毀過禮是年陽夏風雹所經之處禽獸
暴死草木摧折至崇田畔風雹便止禾麦十頃無所損落
及過崇地風雹如初咸稱至行所感
又曰吳遠逵河東聞憙人父母爲人所煞四時號慕悲感
鄉鄰及長報仇避地永安後欲改葬歲月淹久亡失墳墓

連年於閭裏舊鄉推尋弗獲號哭之聲晝夜不止周遊巡
歷叫訴神祇忽於遠逹足下地陷得父銘記因遷葬曾祖已
下三世九喪
後周書云張元字孝始芮城人年十六祖喪明三年元居常
憂泣遂請七僧燃七燈七日七夜轉藥師經行道言曰元
爲孫不孝使祖喪明今日燃燈光普施法界願祖目見明
元求代闇如此七日其夜夢見一老翁以金鎞療其祖目
謂元曰勿憂悲也三日之後祖目必差如期果明
唐書曰豫州人許坦年十歲餘父入山採藥父爲猛獸所
噬即號叫以杖擊之獸遂奔走父以得全太宗聞而謂侍
臣曰坦雖幼童遂能致命救親至孝自衷深可嘉尚授文
林郎賜物五十段
又曰博州梁文貞號州閿鄉人少從征役比迴父母皆卒

文貞恨不獲終養乃穿壙爲門磴道出入晨夕灑掃其中
結廬墓側未嘗暫息自是不言三十年家人有所問但晝
字以對其後山水衝斷驛路更於原上開道經文貞墓前
由是行旅之遠近莫不欽歎有甘露降塋前樹白兔馴擾
開元初縣令崔季友刋石以紀之十四年刺史許先奏文
貞孝行特絕泣血廬墓三十餘年請宣付史官
又曰安金藏神龍初喪母葬於都南闕口之北廬於墓側躬
造石墳石塔晝夜不息原上舊無水忽有湧泉自出又有李
樹盛冬花開犬鹿相狎
蕭廣濟孝子傳曰杜孝巴郡人也少失父與母居至孝充
役在成都母喜食生魚孝於蜀截大竹筒盛魚二頭塞之
以草祝曰我母必得此因投中流婦出渚乃見筒橫來
觸岸異而取視有二魚含笑曰必我壻所寄熟而進之聞

者歎駭
又曰邢渠失母與父仲居性至孝貧無子傭以給父父老
齒落不能食渠常自哺之專專然代其喘息仲遂康休齒
落更生百餘歲乃卒也
又曰隗通字君相母好飲江水常乘舟檝置之深浚艱辛
忽有橫石特起直趍江脊後取水無復勞劇
又曰辛繕字幼文母喪精廬旁有大鳥頭高五尺鷄首鷰
頷魚尾虵頸備五色而青棲于門樹
又曰文讓養母至孝及喪不用僮僕之力兄弟二人營築
其墳蹔歸取糧群鳥數千銜壤俄而成墳
小說曰宋宜都王鑿三歲喪母及有識問母所在左右告
以早亡便思慕蔬食祈請幽冥求一夢見至六歲夢見一
婦人謂之曰我是汝之母鑿悲泣旦說之容貌衣服事事

如平生也
世說曰鄭子産善事母奉命聘晉道中心痛遣人還家起
居問母母曰吾忽心體不調憶想汝耳更無他也
祖台志怪曰吳中書郎盛仲至孝母王氏失明仲暫行勑
婢食母婢乃取蠐螬蒸食之母甚以爲美不知是何物兒
還母曰汝行後婢進吾食甚甘然非魚肉汝試問之旣而
問婢婢服曰實是蠐螬仲抱母慟哭母目霍然立開
宋躬孝子傳曰丘傑字偉跱吳興烏程人也遭母喪以熟
菜有味不嘗於口病歲餘忽夢見母曰死止是分別耳何
事乃爾荼苦汝噉生菜遇蝦蟆毒靈牀前有甌甌中三丸
藥可取服之傑驚起果得甌甌中有藥服之下科斗子數
外丘氏世寶此甌宋大明七年災火焚失之
又曰陳遺吳郡人少爲郡吏母好鐺底燋飯遺在役常帶

一囊每煮食輙録其燋以貽母後孫恩亂聚得數升常帶
自隨及逃竄多有餓死遺食此得活母晝夜泣涕目爲失
明耳無所聞遺還入戶再拜號咽母豁然有聞見
又曰韓靈珍東海郯人喪母三年貧無所葬與弟靈敏共
種苽半畝欲以營殯及瓜熟採賣每朝取暮復生大小如
初遂得充葬
又曰夏侯訢字長況梁國寧陵人也母疾屢經危困訢衣
不釋帶二年母不忍見其辛苦使出便寢息訢出便臥忽
夢見其父來曰汝母病源深痼天帝矜汝至孝賜藥在屋
後桑樹上訢乃驚起如言得藥而取水和進之便得痊差
又曰宋承字世林父貧喪葬舊塋負土作墳不役僮僕一
夕間土壤自高五尺松竹生焉
又曰韋俊字文高京兆杜陵人嘗與其父共有所之夜宿逆

旅時多虎將曉虎遶屋號吼俊乃出戶當之虎弭耳屈膝
伏而不動俊跪曰汝飢可食我不宜驚吾親老虎逡巡而
退屋人皆安全
又曰伍龔字世長武陵人父沒羌中乃學羌語言衣服與賓
客入構羌諸令相攻龔乘其仇我讎羌負喪而歸葬畢因居墓
所每哭輙有鹿踞墳而鳴漢法死事之孤皆拜郎中而龔
不忍受吏迫之乃掘室逃其中吏不知處
又曰繆斐東海蘭陵人父忽患醫藥不給斐夜叩頭不寢
不食氣息將盡至三更中忽有二神引鑣而至求斐曰尊
府君昔經見侵故有怨報君至孝所感耶爲天曹攝録斐驚
起視父已差父云吾昔過伍子胥廟引二神像置地當是
此耳
又曰紀邁廬江人本姓舒以五月五日生母棄之村人紀

淳妻趙氏養之年六歲本父母時來看語曰汝是我生邁
泣涕告趙趙乃具言始末及年十歲傭力所得輙分二母
各半淳亡無子邁乃斬衰三年本父母繼亡又並齊衰心
喪三年趙欲爲娶齎酒米往婚家道値醉人打趙體悶忽有
一狗直至衛邁衣若此者三邁心動走赴婚家逢醉人適共舉
酌於草中邁乃以櫓煞二醉人趙歸得平乃詣縣首令宥
之乃誓不娶後邁嘗寢忽有一女言姓衛耶忽累死天神
矜愍君無妻故使相報邁具說其狀母子至衛門外果如
言送喪上車牛不肯動趙乃與主人具敘說之主人開柩
女有氣息至曉便復蘇語具說始末如趙所言遂爲夫婦趙卒
邁絕復蘇者日數四邁年五十嘗病幾死夢神曰君行至孝
延曆將得百歲果九十七而卒
又曰王靈之年十三喪父二十年鹽醋不入口被病著牀

忽有一人來問疾謂之曰飡橘當差俄而不見之庭中橘
樹隆冬乃有三實食之病尋愈咸以至孝所感
會稽典録曰虞國少有孝行後爲日南太守常有雙鴈宿
廳事每出行縣飛逐其車旣卒於官逐喪還至餘姚於墓
前歷三年乃去
又曰沈震字彥威烏程人十歲遭飢荒忽夜中有人告震
曰西籬下地中有米五十石可供養旦夕即掘之果獲焉
風俗通曰楊範字文端齊人齊宋之亂母在縣賊中採椹藏
於地夜取之進母如是非一忽於地中得米十斛上有字
云米十斛賜孝子楊範以資給母
劉向孝子圖曰郭巨河内溫人甚富父沒分財二千萬爲
兩分與兩弟已獨取母供養寄住鄰有凶宅無人居者共
推與之居無禍患妻産男慮養之則妨供養乃令妻抱兒

欲掘地理之於土中得金一釜上有鐵券云賜孝子郭巨巨還宅主宅主不敢受遂以聞官官依券題還巨遂得兼養兒

又曰前漢董永千乘人少失母獨養父父亡無以葬乃從人貸錢一萬永謂錢主曰後若無錢還君當以身作奴主甚愍之永得錢葬父畢將往爲奴於路忽逢一婦人求爲永妻永曰今貧若是身復爲奴何敢屈夫人之爲妻婦人曰願爲君婦不恥貧賤永遂將婦人至錢主錢主曰本言一人今何有二永曰言一得二理何乖乎主問永妻曰何能妻曰能織耳主曰爲我織千疋絹即放爾夫妻於是索絲十日之內千疋絹足主驚遂放夫婦二人而去行至本相逢處乃謂永曰我是天之織女感君至孝天使我償之今君事了不得久停語訖雲霧四垂忽飛而去

覽四百十一　九　任宏

廣州先賢傳曰丁密字靖公遭父憂寢於塚側致飛鳥一雙游密廬旁小池後遭母喪密至所居一宿故時雙鳥復來時人服其孝

朝野僉載曰崔渾爲侍御史清白溫恭能盡色養父母母小不康輒祈幽請以身代母嘗有疾渾跪請病受已有頃覺疾從十指入俄而遍身母所苦遂愈丁父艱勺飲不入口毀脊骨立無何不勝哀而卒朝野傷心

御史臺記曰崔希喬清河人也以孝悌稱解褐臨清尉丁母憂哀毀殆至滅性服闋補鄭縣尉清介公方聞乎京邑轉鄭縣丞所居堂芝草生焉一瞋而葩盖盈尺矣州以狀申歲餘遷監察出授并州兵曹轉馮翊令人吏畏愛風化大行分貧弱之輩荷其仁恕時有雲如盖當其廳事斯須五色雜綵周於縣郭道俗御望久之以狀聞勑編諸國史尋遷司勳員外其并州廳前有叢葦小鳥來巢如鵪鶉矣孚卵纔數日鷇毀而見巳諭於母矣枝且不勝墜于地月餘五色成文如鵠我馴擾閑暇無復驚懼洎能飛翔時歸舊所人到于今稱爲兵曹鳥初居喪管城每一哭群鳥畢集至于萬數鬱乎皆遍至有樹條折者周於原野村鄰嗟稱之每所居其巢燕數乳必返哺踰旬後分飛矣此孝義感通也

史系曰趙儁字子奇平陽岳陽人也父聃爲縣西曹書佐嗜酒夜歸里墅橫卧逵中儁年十八見父歸遲即尋迎之父醉負而不勝脫巳衣覆之是時冬中沍寒方甚儁單衣而巳岳陽山多鷙獸夜有豹視之爲之歧道而去將旦與父同歸縣吏異之時人以儁孝感所致父卒不呼相者自營丘封有白鵲常遊於其家棗樹儁每朝夕臨鵲爲之悲鳴終喪而去會潞帥劉稹反家近潞封軍士齊討民散走時

覽四百十一　十　任宏

儁母年八十餘唯一子乃平其父墓別以物識之葬其母入文城西山妻蹇步㨗之至山數宿妻方至兆難者多粃糧踴貴儁拾橡實飴之以木蜜供膳者終歲逮賊滅後葬其母東歸岳陽丘隴悉爲軍盜所發唯儁家墓得完復起塚焉母卒哀毀過制縣令京兆韋伯倫知之給米粟蠲其家徭將葬母貧鬻其子質劑巳定其夜夢一人謂曰爾舍東有錢百萬乃自發之及旦儁自舍東手掘之果得錢符夢數焉

太平御覽卷第四百一十一

太平御覽卷第四百一十二

人事部五十三

孝上

爾雅曰善父母爲孝

毛詩鄁栢舟曰凱風美孝子也凱風南風衛之淫風流行雖有七子之母猶不安其室故美七子能盡其孝道以慰其母心

又曰陟岵孝子行役思念父母也國小而迫數侵削役于大國父子兄弟離散而作是詩也陟彼岵兮山有草木曰岵瞻望父兮

又谷風蓼莪刺幽王也民人勞苦孝子不得終養爾蓼蓼者莪匪莪伊蒿蓼蓼長大貌莪已蓼蓼長大我視之以爲非莪反謂之蒿喻巳憂思雖在役中心不精識其事哀哀父母生我劬勞

尚書曰有鰥在下曰虞舜帝曰俞予聞如何岳曰瞽子父頑母嚚象傲克諧以孝烝烝乂不格姦

大戴禮曰上敬老則下益孝

禮記曲禮曰凡爲人子者冬溫而夏凊昏定而晨省故州閭鄉黨稱其孝也孝子不服闇不登危懼辱親也服事也不於闇冥之中從事謂卒有非常失禮也

又祭義曰曾子曰孝有三大孝尊親其次不辱其下能養公明儀問於曾子曰夫子可以爲孝乎曾子曰是何言與是何言與君子之所謂孝者先意承志諭父母於道參直養者安能爲孝乎曾子曰身也者父母之遺體也行父母之遺體敢不敬乎居處不莊非孝也事君不忠非孝也莅官不敬非孝也朋友不信非孝也戰陣無勇非孝也五者不遂災及於親敢不敬乎亨孰羶薌嘗而薦之非孝也養也夫孝置之而塞乎天地溥之而横乎四海斷一樹殺一獸不以其時非孝也孝有三小孝用力中孝用勞大孝不匱慈愛忘勞可謂用力矣尊仁安義可謂用勞矣博施備物可謂不匱矣父母愛之喜而弗忘父母惡之懼而無怨父母有過諫而不逆父母既没必求仁者之粟以祀之此之謂終禮

又曰先王之孝也色不忘乎目目常思父母之顔色声不絶乎耳心志嗜欲不忘乎心君子生則敬養死則敬享思終身弗辱也

又曰子曰舜其大孝也與德爲聖人尊爲天子富有四海之内宗廟享之子孫保之故大德也必得其位必得其禄必得其名必得其壽

又曰閔子騫既除喪而見與之琴和之而不和彈之而不成声夫樂之和猶人心雖喪以除而哀未巳作而曰哀未忘也先王制禮不敢過也

又曰文王之爲世子朝於王季日三鷄初鳴而衣服至於寢門外問内竪之御者曰今日安否何如内竪曰安文王乃喜及日中又至亦如之及暮亦如之其有不安節則内竪以告文王文王色憂行不能正履王季復膳然後亦復初

左傳曰鄭莊公即位姜氏愛其叔段請京使居之叔段襲鄭莊公伐京遂寘姜氏于城潁而誓之曰不及黄泉無相見也既而悔之潁考叔曰君何患焉若闕地及泉遂而相見闕穿也遂埏也其誰曰不然公從之君子曰潁考叔純孝也

孝經曰愛敬盡於事親而德教加於百姓刑於四海蓋天子之孝也高而不危所以長守貴也滿而不溢所以長守富也蓋諸侯之孝也言滿天下無口過行滿天下無怨惡蓋卿大夫之孝也以孝事君則忠以敬事長則順蓋士之

孝也謹身節用以養父母此庶人之孝也
孝經援神契曰天子行孝四夷和平
又曰孝悌之至通於神明病則致其憂顛額消形求醫翼
全宋均注曰翼羽翼親者也
孝經說曰孝畜也養也
論語學而曰父在觀其志父没觀其行三年無改於父之
道可謂孝矣(孝子父在無所自專庶幾於其善道而已)
又爲政曰子路問孝子曰色難(言和顏色悅爲難也)
家語曰子路見孔子曰負重涉遠不擇地而遊家貧親老
不擇祿而仕昔者由也事二親之時常食藜藿之實而
爲親負米百里之外親没之後南遊於楚從車百乘積粟
萬鍾累茵而坐(茵蓐)列鼎而食願欲食藜藿爲親負米不可
復得也枯魚銜索幾何不蠹二親之壽忽如過隙孔子曰

由也事親可謂生事盡力死事盡思者也
又曰曾參者武城人字子輿志於孝道故孔子因之作孝
經齊欲以爲卿而不就曰吾父母老食人祿則憂人事吾
不忍遠親而爲人役也後母遇之無恩而供養不衰及其
妻爲藜蒸不熟因出之人曰非七出也答曰藜蒸小物
耳吾欲使熟而不用吾命况大事乎遂遣之終身不娶
其子請焉告子曰高宗以後妻殺孝己尹吉甫以後妻
放伯奇吾上不及高宗下不比吉甫庸知其得免於非
乎
漢書曰梁孝王每聞太后病口不能食
又曰金日磾母教誨兩子甚有法度上聞而嘉之母死詔
圖畫於甘泉宮署曰休屠王閼氏日磾每見畫常拜向之
涕泣

東觀漢記曰汝郁字叔異陳國人年五歲母病不能飲食
郁亦不肯飲食母憐之强爲飡飯欺言已愈郁察母親色
不平輒復不食宗親共奇異之因字曰異
又曰蕭彪字伯文京兆杜陵人累官巴郡太守父老乞供養
父有賓客輒立屛風後應受使命父嗜麪(音餅)每自買進之
又曰張霸字伯饒蜀郡成都人年數歲有所噉必先讓父
母鄉里號曰張曾子九歲通春秋復欲進業父母語汝小
何能多曰(霸饒爲之故字伯饒後作會稽太守兒童歌曰城上烏哺父母府中諸吏皆孝子)
又曰趙咨字文楚東郡燕人大司農陳奇舉咨至孝躬率
子孫耕農爲養盗嘗夜往劫之咨恐母驚懼乃先至門迎
盗因設爲食謝曰老母八十疾病須養居貧無儲乞少置
衣糧妻子餘物一無所請盗皆慙　奔走
又曰黄香字文彊父兄舉孝廉貧無奴僕香躬勤苦盡心

供養冬、無被袴而親極滋味暑即扇枕寒即以身温席
又曰鮑永字君長上黨人少有志操事母至孝妻常於母
前叱狗永即去之
又曰樊儵字長魚事母至孝母常病癰儵晝夜匍伏不離
左右至爲吮癰
又曰張表字公儀奉之子也遭父喪疾病曠年目無所見
耳無所聞服闋醫藥救療歷歲乃瘳每彈琴惻愴不能
成聲見酒肉未嘗不泣宗人親厚節會飲食宴爲其不復
設樂
又曰廉范字叔度京兆人也父客死蜀漢范與客步負喪
歸至葭萌船觸石破没範持棺柩遂俱沈溺衆傷其義鈎
求得之僅免於死
又曰李充兄弟六人出入更衣家貧親老充妻勸異居充

使釀酒會親戚充啓其毋曰此婦勸異居不可奉祭祀請
去之遂叱出其婦
吴志曰顧悌以孝悌廉直聞於鄉黨每得父書洒掃整衣
服設几筵舒書其上拜跪讀書應諾畢復再拜父終水漿
不入於口五日孫權爲作布衣一襲強令悌釋服悌雖以
公義自割猶以不見父喪常畫壁作棺柩設象神坐於下
對之哭泣服未闋卒
臧榮緒晋書曰長孫略字文度以富春車道少動經江水父
難於風波每行乘籃車略常步從遠者百里每渡浦則親
入水扶持籃車
又曰嵇紹事毋至孝和色柔聲常居不足謹身節儉朝夕
孜孜親執刀俎非無使役以他人不如己之至誠也
又曰晋齊獻王司馬攸字文猷晋文少子太后崩執喪過

哀動必盡禮左右或以稻米千飯丸理中丸以進王對之
涕泣不食經三年杖然後能起人有犯諱者常悲不自勝
又曰王延九歲喪父母卜氏遇之無道延事之夏則扇枕
席冬則以身溫之盛寒體無全衣而親極滋味
王隱晋書曰李胤字宣伯遼東人祖父敏漢末河內太守
爲賊所迫逐不知所終其子追索歷年無所見比居與父
同年者亡制服行喪燕國徐邈與之州里勸令娉婦承生
胤遂絶房內常　禮重之不堪其憂數年而卒胤毋更
適牽招胤不識父毋又改行有識之後降父哀感亦如遭
喪之禮以祖不知存亡設木主以事之由是發名
又曰郄詵對策上第拜朝議郎毋憂去職毋苦病亡不欲
車載家貧無以市買乃於所住堂北壁假葬朝夕拜告養
雞種蒜竭其力術過三年得馬八疋轝棺至冢負土成墳

晋中興書曰吴隱之字處默濮陽人遭毋憂哀毀過禮時
與太常（韓康伯鄰居隱之每哭康伯毋輟餐食流涕悲不自勝語康伯）曰吾若居銓衡之職
當用此輩人及康伯爲吏部尚書因進用之遂歷清顯
又曰范宣八歲後園挑菜誤傷指大啼問痛邪荅曰非爲
痛身體髮膚不敢毀傷是以啼也
又曰後蜀李雄太子班雄寢疾班晝夜省侍衣不解帶雄
自少攻戰大被傷痍至是多膿潰班爲吮膿殊無難色班
即雄兄之子也
宋書曰孫法宗一名宗之吴興人也父隨孫恩入海澨被
害屍骸不收毋兄並餓死法宗年小流迸至十六方得還
單身勤苦霜行草宿營辦棺槨造立冢墓葬送毋兄儉而
有禮以父屍不測入海尋求聞世間論是至親以血瀝骨當
悉凝沒乃操刀沿海見枯骸則刻肉灌血如此十餘年臂

脛無完皮血脉枯竭終不能逢纕經終身常居墓所山禽野
獸皆悉馴附每逢鹿觸網必解放之
又孝義傳曰崔懷順清河東武城人也父耶利魯郡太守
宋元嘉中爲魏所獲懷順與妻房氏篤愛聞父見虜即日
遣妻布衣蔬食如喪禮歲時北向流涕耶利後仕魏書戒
懷順不許如此懷順得書更號泣懷順從叔摸爲滎陽
太守亦入魏摸子雖居處改節不廢婚宦宋大明中懷順
宗人冀州刺史元孫北使魏魏人問之曰崔邪利摸並力
屈來歸二家子姪出處不同義將安在元孫曰王尊叱馭
王陽迴車欲令忠孝並弘目子兩遂耳始初准北入魏懷
順因此歸北至代都而邪利已卒懷順絶而後蘇載喪還
青州徒跣冰雪土氣寒酷而手足不凍時人以爲之孝感
又曰華寶晋陵無錫人也父豪晋義熙末戍長安年八歲

臨别謂寶曰須我還當爲汝上頭長安陷寶年七十不婚
冠或問之者輙號慟彌日不忍荅也
又曰散騎常侍袁瑜薦會稽郭道事繼母至孝家貧産子
憂不能字謂其妻曰傷慈以終孝吾無恨也遂瘞之
又曰師覺授字覺授南陽温陽人也與外兄宗少文並有
素業以琴書自娛於路忽見一人持書一函題曰至孝師
君苫前俄而不見捨車奔歸聞家哭聲一叫而絶良久乃
蘇
又曰謝贍字宣鏡幼有殊行年數歲所生母郭氏久嬰痼
疾贍晨昏温凊嘗藥捧膳不闕一時勤容戚顏未嘗暫改
恐僕役營疾懈倦躬自執勞母爲病畏驚而微賤過甚一
家尊卑感贍至性皆納屨而行屏氣而語如此十年餘
又曰蔡曇智鄉里號蔡曾子廬江何伯璵兄弟里號爲何

展禽並爲高士沈顗所稱常云聞蔡曇智之風怯夫勇鄙
夫有立志聞何伯璵之風僞夫正薄夫厚伯璵與弟幼璵
俱厲節操養兄孫子及長爲婚推家業盡與之安貧枯槁
誨人不倦郡守下車莫不修請
又曰余齊人晉陵人也少有孝行爲邑書吏大明二年父
實在家病亡信未至齊人謂人曰比者肉痛心煩有如割
截居常皇駭必有異故信尋至以父病報之四百餘里一
日而至至門方知父死號痛慟絶良久乃蘇問父所遺言
母曰汝父臨終恨不見汝齊人即曰相見何難於是號叫
殯所須臾便絶州縣上言有司奏改其里爲孝義里蠲租
布賜其穀百斛
又曰彭城劉悛司空勔(音免)之長子年十三身長七尺三寸以
孝悌稱勔見害於朱雀街悛兄弟平生不行此路喪骨立

杖而後起悛爲黄門郎稍遷右衛勑明帝山陵不獲巳從
朱雀街過感慟而卒
齊書曰王文殊字令章吳興故鄣人父入魏文殊思慕泣
血終身蔬食不衣帛服麻緼而巳不婚不交人物吳興太
守謝瀹聘爲功曹不就立小屋於縣西端揖拱其中歲時
伏臘月十五未嘗不北望長悲如此三十餘年太守孔琇
之表其行欝林詔牓門改所居爲孝行里(琇音秀又音酉)
蕭子顯齊書曰劉瓛(胡官切)有至性祖母病疽經年瓛手持
膏藥漬指爛母孔氏甚嚴明謂親戚曰阿稱便是今世曽
子稱瓛小名也
又曰宗頤字文德南陽人也世居南陽父在家病亡頤忽
思戀涕泣因假還中路果得父凶問頤便徒跣號叫出陶
後渚遇商人附載西上水漿不入口數日常遇病與母隔

壁忍病不言齧齒被至碎恐母哀巳吏部庾杲之嘗往候之
設食枯魚菜葅庾去我不能食此母聞之自出常膳魚羹
數種杲之曰卿過於茅季偉我非郭林宗
又曰傅琰字季珪北地靈州人也美姿儀除尚書左侍郎
遷尚書左丞遂遭母喪居南岸鄰家失火延燒琰屋抱柩
不動鄰人競求赴救乃得俱全琰肱髀之間巳被煙焰服
閲除江夏王録事
梁書曰沈崇傃字思整吳國武康人也父懷明宋兖州刺
史崇傃六歲丁父憂哭踊過禮及長事所生母至孝家貧
常傭書以養天監二年太守柳惲辟爲主簿崇傃之從惲
到郡還迎其母未至而母卒崇傃以不及侍疾將欲致死
水漿不入口晝夜號哭旬日殆將絶氣兄弟謂曰殯葬未
申遽自毀滅非全孝道也崇傃心悟乃稍進食母權瘞去

家數里哀至輙之瘞所不避雨雪就墳哀慟飛鳥翔集夜
常有猛獸來望之有聲狀如歎息者家貧無以遷厝乃行乞
經年始獲葬焉既而廬于墓側自以初行喪禮不備復以
葬後更行服三年久進麦屑不噉鹽酢坐卧於單薦因虛
腫不能起郡縣舉至孝梁武帝聞即遣中書舍人慰勉之
乃詔令釋服推補太子洗馬旌其門閭崇儀奉詔釋服而
涕泣如居喪固辭不受官乃除永寧令自以祿不及養哀
思不自堪未至縣卒
又曰荀匠字文師頴陰人晉太保朂九世孫也祖瓊年十
五復父仇於成都市以孝聞宋元嘉末渡淮赴武陵王義
爲元凶追殺贈貟外散騎侍郎父法超仕齊爲安復令卒
官匠號慟氣絶身體皆冷至夜乃蘇既而奔喪梁天監元
年其兄斐爲鬱林太守征俚賊爲流矢所中死於陣喪還

匠迎于豫章望舟投水傍人赴救僅而得全及至家貧不
時葬居父憂并兄服歷四年不出廬户櫛括髮不復櫛沐
鬢皆禿落哭無時聲盡則係之以泣目眥皆爛形體枯悴
皮骨裁連雖家人不復識郡縣以言武帝詔遣中書舍人
爲其除服推爲豫章王國左常侍匠雖即官而毀悴逾甚
外祖孫謙誡之曰主上以孝臨天下汝過古人故推汝爲
此職非爲君父之命難拒故亦揚名後世所顯豈獨汝身
匠乃拜竟以毀卒

太平御覽卷第四百一十二

人事部五十四
孝中
陳書曰徐孝克陵第三第事所生母盡孝每侍宴無所食
噉至席散當其前膳羞又損减高祖密記以問中書舍人
管斌嘗不能對自是斌以意伺之見孝克取珍果内紳帶
斌常莫能識其意後更尋訪方知還以奉母斌以啓高祖
高祖歎嗟久之乃勑所司自今享孝克前饌賜以餉其母
後屬兵荒母病思粳米粥不能得而孝克終身不食粳米
崔鴻十六國春秋前趙録曰太宰王詳字季海性至孝言
及二親未嘗不嗚咽擁慟每忌日輒三日不食
燕書曰周存字道名上谷俱陽人王彭祖叛母遇寇離
失所在分崩州郡隔異存謂難尋求自河以北無不周

遍存亡無問後傳在昌黎而存巳屬段氏昌黎土地燕之
所統存徑投高祖客之爲置酒於坐問存君失母來幾年
相見當識否高祖言音未止存涕泗覆面尋聲而對辭甚
悲酸舉坐莫不忼慨高祖亦爲之動容由是意遇倍加存
停朞不得母問將辭歸高祖意欲留之而未顯也存覺微
旨陳謝曰聶政荆軻剌客之流意氣之顧甘死秦韓今明
公無求於傲用而見接以國士應終身奉給以荅厚恩然
老母未審存亡弟小無所依倚寢食未敢廢心昔徐庶指
方寸以未辭今存披肝以表情願明公恕之高祖矜而聽
去
後魏書曰趙琰字叔起天水人爲淮南王他府長史時禁
制甚嚴不聽越關葬於藉兆琰積四十餘年不得葬二親
及蒸嘗拜未嘗不嬰慕卒事每於時節不受子孫慶賀年
餘耳順而孝思彌篤歲月推移坐遷窆無冀乃絶鹽粟斷
諸肴味二十年閒食麥而已年八十卒遷都洛陽子應等
乃還鄉葬焉
又曰長孫盧代人也母因飲酒其父眞呵叱之誤以杖擊
便即致死眞爲縣囚執處以重坐盧列辭尚書乞盧身代
父老命使嬰稚衆孤得蒙存立書奏云盧於父爲孝子於弟
爲仁兄尋情究狀特可矜感高祖詔特恕其父死罪以從
遠流
又曰辛少雍字季冲隴西狄道人也少聰穎有孝行尤爲
祖父紹先所愛紹先性嗜羊肝嘗呼少雍共食及紹先卒
少雍終身不食羊肝
又曰張彝字慶賓清河東武城人太和中爲給事黃門侍
郎後從駕南征母憂解任彝居喪過禮送葬自平城達家

千里徒步不乘車馬顔皃毀瘠當世稱之
又曰寇治字祖禮上谷人也世宗時爲荆州刺史治兄弟
並孝友敦睦白首同居父亡雖久而猶於平生所處堂宇
備設幃帳几杖以時節開堂列拜垂涕陳薦若宗廟然吉
凶之事必先啓告遠出行返亦如之
又曰孝文帝以文明太后再周忌日哭於陵左絶膳二日
哭不輟聲
又曰元順字子和任城文宣王之子遭父憂哭泣歐血身
自負土時年二十五便有白鬚免喪抽去不復更生除吏部
尚書兼右僕射上省登階見榻甚故問都令史徐仵仵對
曰此榻曾經先王所坐順即哽塞涕泣交流久不能言遂
令換之
又曰楊弘三歲喪父爲母所養母年九十三終弘年七十

五哀毁過禮三年服終恨不識父追服斬衰誓終身命經
十三年哀慕不改爲郡縣鄉閭三百餘人上狀稱美有司
奏宜旌賞復其一門旌其純孝
後周書曰樂運少好學涉獵經史而不持章句年十五而
江陵滅運隨例遷長安其親屬等多被籍没運積年爲人
傭保皆贖免之又事母及寡嫂甚謹由是以孝義聞梁故
都官郎中琅邪王澄美之爲次其行事爲孝義傳
又曰荆可河東猗氏人也性質朴容止有異於人能苦身
勤力供養其母隨時甘旨終無匱乏及母喪水漿不入口
三日悲號擗踊絶而後蘇者數四葬母之後遂於墓側晝
夜哭負土成墳蓬鬢不櫛沐菜食飲水而已然可家舊塋
城極大榛蕪至家十餘里而可獨宿其中與禽獸雜處遠
近邑里稱之大統中可鄉人以可孝行之至足以勸勵風

俗乃言焉太祖令州縣表異之及服終之後猶若居喪大
冢宰晉公護聞可孝特引見與言論時有會於護護亦至
孝其母閻氏没於敵境不測存亡每見可自傷久乖膝下
而重可至性及卒之後護猶思其純孝收可妻子於京城
常給其衣食
北齊書曰李元忠母老多病患乃專心醫藥研習積年遂
善方伎性仁恕見有疾者不問貴賤皆爲救療矣
又曰李密平棘人元忠族弟性方直有行撿因母病積年
得名醫治療不愈乃精究經方洞曉針藥母病乃除
唐書曰高祖嘗宴侍臣果有蒲桃侍中陳叔達執而不食
問其故對曰臣母患口乾求之不得高祖曰卿有母遺乎
遂嗚咽流涕因賜帛百疋以市甘珍
又曰歐陽通爲中書舍人調露中起服每入朝必徒跣至

城門然後着靴直宿則席地藉藁非公事不言未嘗啓齒歸
必哀號無時國朝奪情唯通得禮
又曰聊城人王少玄者父隋末於郡西爲亂兵所害少玄
遺腹生年十餘歲問父所在其母告之因哀泣便欲求屍
以葬時白骨蔽野無由可辨或曰以子血沾父骨即滲焉
少玄乃刺其體以試之凡經旬日竟獲父體以葬盡體病
創歷年方瘉(音庾)貞觀中本州聞薦拜徐王府參軍
又曰陳集原瀧州開陽人也代爲嶺表酋長父龍樹欽州
刺史集原幼有孝行父纔有疾即終日不食求微中喪父
嘔血數外枕服苫廬悲感行路資財田宅及僮僕三千餘
人並以讓兄弟則天時官至左豹韜衛將軍
又曰元讓雍州武功人也弱冠明經擢第以母疾遂不求
仕躬親藥膳蒸蒸致養不出閭里者數十年及母終廬於

墓側蓬鬢不櫛沐菜食飲水而已咸亨中孝敬監國下令
表其門閭永淳元年巡察使奏讓孝悌殊異擢拜太子左
内率府長史後以歳滿還鄉里鄉人有所爭訟不詣州縣
皆就讓决焉聖曆中中宗居春宫詔拜太子司議郎及謁
見則天謂曰卿既能孝於家必能忠於國今授此職須知
朕意宜以孝道輔弼我兒尋卒
又曰張志寛河東人隋末喪父哀毁骨立爲州里所稱冦
賊聞其名不犯其閭後爲里尹在縣忽辭母疾取給縣令
問其故志寛對曰母嘗有所苦志寛亦有所苦向患心痛
是以知母有疾令初怒曰妖妄之詞繫於獄外遣馳驗之
果如斯言令異之以聞高祖旌表門閭就拜門外散騎侍郎
又曰裴敬彛絳州聞喜人也曾祖子通隋開皇中太中大
夫母終廬於墓側哭泣無節目遂喪明俄有白烏巢於墳

樹子通兄弟八人皆友悌著名詔旌表其門鄉人至今稱爲義門裴氏敬彝少聰敏七歲解屬文性又端謹宗族咸重之號爲甘露頂年十四侍御史唐臨爲河北巡察使敬彝父智周時爲內黃令爲部人所訟敬彝詣臨論其寃臨大奇之因命作詞賦智周事竟釋特表薦敬彝補陳王府典籤智周在官忽暴卒敬彝時在長安忽泣涕不食謂所親曰大人每有痛處吾即輙然不安今日心痛手足皆廢事在不惻得無感乎遂請急倍道言歸果聞父喪羸毁逾禮事母復以孝聞乹封初累轉監察御史時母病有醫人許仁則足疾不能乘馬敬彝每自肩負母卒高祖特詔贈以縑帛仍官造靈轝服闋拜著作郎兼修國史儀鳳中自中書舍人歷吏部侍郎左庶子則天臨朝爲酷吏所陷配流嶺南尋卒

又曰給事中李日知事母至孝時母年老常疾病日知輙急數日而鬢髮變白尋加朝散大夫其母未受命婦邑而卒將葬發引吏人賚告身而至日知於路上即時慟絶乆之乃酥左右皆哀慟莫能仰視巡察使衛州司馬路敬潛聞其孝悌之跡使求其狀日知辭讓不報服闋累遷黃門侍郎

莊子曰夫事其親者不擇地而安之孝之至也

尸子曰孝子一夕五起看其親衣之厚薄枕之高卑

淮南子曰公西華之養親也若與朋友處曾參之養親也若事烈君嚴主

又曰孔子立孝不過勝母之閭

説苑曰曾子芸而誤斷其根曾晳怒援大杖擊之曾子仆有頃乃蘇蹷然而起進曰曩者參得罪大人用力杖參得無疾乎退屏鼓琴而歌欲令晳知其平也孔子聞之告門人曰參來勿内也曾子自以無罪使謝孔子孔子曰汝不聞瞽瞍有子名舜舜事瞽瞍求之未嘗不在側索而殺之未嘗可得小箠則待大箠則走今子委身以待暴怒殺身以陷父不義不孝孰是之大乎

説苑曰韓伯逾有過其母笞之泣曰他日未嘗泣今日何泣也對曰逾他日得笞常痛今母力衰不能使痛是以泣也

家語曰子路問於孔子曰有人於此夙興夜寐耕芸樹藝手足胼胝以養其親然而名不稱孝何也子曰意者身不敬與辭不愼與色不悅與有一於此破其孝名古之人有言曰人與不女欺言人與事實相通不欺也今盡養親之道而無三者之闕何爲無孝之名乎孔子謂子路曰舉其身非力之少勢不可也

夫內行不修身之罪也修身而身不彰友之罪也故君子入則篤行出則交賢何爲無孝名也

呂氏春秋曰樂正子春下堂傷足瘳而數月不出猶有憂色門人問之荅曰吾聞曾子曰父母全而生之子當全而歸之吾忘孝道是以憂也

又曰凡理國家者必先務本務本莫過於孝夫孝三皇五帝之本務而萬事之紀也執一術而百善至

盧盤估孝子傳曰華光字榮祖彭城人父亡六日年四歲問父所在母辛送光至父冢光再拜伏哭欲留冢下母抱歸悲咽三日不食至年七歲欲見父像雇畫師畫其父像朝夕拜謁如父

師覺授孝子傳曰老萊子者楚人行年七十父母俱存至孝蒸蒸常着班蘭之衣爲親取飲上堂脚跌恐傷父母之

因僵仆爲嬰兒啼孔子曰父母老常言不稱老爲其傷老
也若老萊子可謂不失孺子之心矣
又曰閔損字子騫魯人孔子弟子也以德行稱早失母後
母遇之甚酷損事之彌謹損衣皆藁枲爲絮其子則綿纊
重厚父使損御冬寒失轡後母子御則不然父怒詰之損
默然而已後視二子衣乃知其故將欲遣妻諫曰大人有
一寒子猶尚垂心若遣母有二寒子也父感其言乃止
又曰程曾字孝孫桂陽人年七歲喪母哀號哭泣不異常
人祖母憐之嚼肉食之覺有味便吐去
蕭廣濟孝子傳曰申屠勳字君游河內汲人少失父與母
孫貧傭作供養夏天多蚊子臥母床下以身遮之
又曰宿倉舒陳留尉氏人也年七歲遭荒父母飢苦倉舒
求自賣與頴川王氏得大麦九斛後王氏免之累官除上

黨太守後尋覓父母經太原南郭忽見母遂還舊居母卒
悲號而死
又曰王鷩廬陵石陽人父喪未葬假瘞宅後野火熛燎驚
力不能救投火而死
又曰媯皓字元起吳郡餘杭人父昆南郡太守被劾入重罪
皓年十六髡頭詣闕通章不省皓不飲食懷石署中但詣公
御及行路時輒出石置地叩頭流血覆面莫不傷懷遂奏
理昆罪
又曰伏恭字叔齊琅邪東武人也伯父大司徒湛孝謹敦睦
世號伏不關恭事後母著孝建武初累遷太僕上臨辟雍
於萬人中拜司空衆以恭孝行故光之
又曰朱百年會稽山陰人家貧母以冬月亡無絮自此不
依緜帛與同縣孔凱善時寒月就孔宿飲酒醉眠孔以卧
具覆之百年覺引去謂孔子曰緜定意温因流涕悲慟
又曰郭世道會稽永興人年十四喪父事後母勤身供養
婦生男夫婦共議養此兒所廢者大乃瘞之母亡服竟追
思未嘗釋衣
又曰桑虞字子綱魏郡黎陽人晉黃郎沖之子喪父虞年
十四毀瘠過禮日食百粒以糝藜藿
又曰何子平廬江灊人事母至孝爲楊州從事月俸得白
米輒貨市粟麦人或問之答曰尊老不辦常得生米何容
得食白粲有贈鮭圭音者不可寄家則不肯受母喪年將六
十有孺子之慕宋大明末飢荒八年不得營葬晝夜號叫
居屋不蔽雨日兄子伯與爲葺治子平曰我情事未申天
地一罪人屋何宜覆
孟宗別傳曰宗事母至孝母亦能訓之以禮宗初爲雷池

監奉魚於母母還其所寄遂絕不復食魚後宗典知糧穀乃
表陳曰臣昔爲雷池監母三年不食魚臣若典糧穀臣母
不可以三年不食米臣是以死守之
世說曰晉王祥事繼母朱氏甚謹家有柰樹結子殊好常
使守之時大風雨至祥猶抱樹而住母常夜持刀往祥所
牖斫之値祥私起刃及被而已祥知母怪意不已因跪前
請死朱氏於是感悟愛之如己子
搜神記曰吳猛蜀人小兒時在父母傍時卧夏月多蚊而
終不搖扇懼蚊虻之去我及父母也

太平御覽卷第四百一十三

太平御覽卷第四百一十四

人事部五十五

孝下　　　祿養

孝下

汝南先賢傳曰薛苞字孟甞西平人好學篤行喪母以至孝聞父娶後妻而憎苞分之出宅苞日夜泣不能去被毆杖不得已廬於外旦入洒掃父怒又逐之乃廬於里門晨昏不廢積歲餘父母慙而還之後行六年喪喪過乎哀既而弟子求分異居苞不能止乃中分其財奴婢引其老者曰與我共事久居不能使也田廬取其荒者曰吾少時所治意所戀也器物取朽敗者曰我素所服食身口所安弟子數破其產續復賑給

又曰李篤字君淵汝南上蔡人家貧夜賃寫書爲母買肉

一斤粱米一外妻子茹菜有室無蓄

又曰周盤字堅伯安成人江夏都尉遺腹子也居貧約而養母儉薄誦詩至汝墳末章慨然而歎

又曰李鴻字太孫上蔡人閨門孝友弟仲爲從父非報讎繫獄鴻便割髮詣縣通記乞代弟即自殺仲得減死子先亦以孝稱父喪嘗於牀閒得父亂髮投而狂走號叫擗踴先後坐事當刑詔以鴻先義孝一切減死

又曰邠燀黯字子徽上蔡人生而有謹愿之性其有襁負母育之不勞少歲出得瓜果可食之物輙進與其母未嘗先食

郭林宗別傳曰茅容字季偉陳留人年四十餘耕於野時與等輩避雨樹下衆皆夷踞容獨危坐惟林宗見而奇異與共言因請寓宿旦日容殺雞爲饌林宗爲已設既而以供其母自以菜蔬與客同飯林宗起拜之曰卿賢乎哉因勸令學卒以成德

師覺授孝子傳曰趙狗幼有孝性年五六歲時得甘美之物未嘗敢獨食必先以哺父出輙待還而後食過時不還則倚門啼以候父至數年父沒狗思慕羸悴不異成人哭泣哀號居於冢側鄉族嗟稱名聞流著漢安帝時官至侍中

周斐汝南先賢傳曰蔡順字君仲有至孝之心少喪父奉養母甘口之物不敢先嘗母至婚家因飲酒變吐順恐中毒乃嘗其吐母生瘡出膿以口嗽之

海內先賢傳曰陳寔之子故大鴻臚紀字元方紀至德絕俗才達過人烝烝色養不離左右豫州刺史嘉其至行表上尚書畫像百城以厲風俗焉

孫盛逸人傳曰丁蘭者河內人也少喪考妣不及供養乃

刻木爲人髣髴親形事之若生朝夕定省後鄰人張叔妻從蘭妻借看蘭妻跪投木人木人不悅不以借之叔醉疾來酣罵木人杖敲其頭蘭還見木人色不懌乃問其妻具以告之即奮劍殺張叔吏捕蘭蘭辭木人去木人見蘭爲之垂淚郡縣嘉其至孝通於神明圖其形像於雲臺也

孝子傳曰蔡邕性純孝母常帶病三年邕自非寒暑變節未嘗解襟帶不寢寐者七旬

又曰鮑得小子曰昴至孝過人初得疾經涉數年常俯伏左右衣不解帶

又蕭廣濟孝子傳曰施延字君子少盡色養之道赤眉之際將母到吳郡海鹽賃爲半路亭亭每取卒月直以供養督郵馮敷知其賢與飲食論道餉錢並不受

王烈之安成記曰縣有孝子符表以孝聞天下年十六其

母姜氏有疾侍省晝夜數十日母一食表亦一食母不食
表亦不食見母將絶至性感咽而至於殯俄頃母父亦沒
一日二喪在殯葬於四望岡太守王府君樹雙土闕以表
其墓
唐新語曰劉審禮儀鳳中爲工部尚書時吐蕃入寇命審
禮率兵十八萬與吐蕃將論欽陵戰于青海王師敗績審
禮沒焉諸子詣闕自拘請入蕃以贖其父詔許之次子歧
州司兵易從徃蕃中省侍比至而審禮已卒易從晝夜泣
血吐蕃哀其志性還其父屍易從跣足萬里護櫬帰葬於
彭城故塋朝廷嘉之贈兵部尚書謚曰僖審禮刑部尚書
德威之子也少喪母爲祖母所養祖母元氏有疾審禮親
甞藥膳及事繼母亦以孝聞與再從兄弟同居家無異爨
闔門二百餘口人無間言易從後爲彭州長史爲周興所

平四ヲ十四　三　呈貳

陷將刑百姓荷其仁恩竟解衣投于地曰爲長史祈福有
司平準直千餘萬易從一門仁孝而横遇寃酷海内痛之
子昪年十餘歲配流嶺表後六道使誅流人昪以言行忠
信爲首領所保持僅而獲免
又曰長孫從直趙公無忌之玄孫年二十餘父元適爲延
州膚施令從直隨之官膚施近邊多蕃部落徃徃刼掠城
邑前後不能制元適初至果遇蕃騎數十刼掠縣下元適所
從人吏二百人追之及於近郊賊皆歇鞍解甲元適攻之
而所將人吏無甲　反爲所敗從者皆走還元適猶與戰
遂爲所執縛之於樹將加害戮從直聞之遂跣至父所不
懼鋒刃以身蔽父群賊集矢射之身如蝟毛又中數十刃
體無完處從直死之而州兵大至父乃免○國史補曰杜
羔有至性其父爲河北一尉而卒母非嫡經亂不知所之

羔常抱終身之戚會兄爲澤潞判官常鞫獄於私第有
老婦辨對見羔時出入竊謂人曰此少年狀類吾夫語問
之乃羔母也自此迎侍而帰又徃求先人之墓邑中故
老已盡不知所詢館於佛寺日夜悲泣忽視屋柱煙煤之
下見字數行拂而視之乃其父遺迹言我子孫若求吾墓
當於某村某家問之羔號泣而徃果有老父八十餘指其
丘壠因得帰葬羔官至工部尚書致仕○朝野僉載曰蘇頲
爲中書舍人父右僕射瓌卒頲哀毀過禮有勑起復頲表
固辭不起上使黄門侍郎李日知就宅諭旨終坐無言乃
奏曰臣見頲病羸瘦殆不勝哀臣不忍言恐其殞絶上惻
然不之逼也故時人語曰蘇瓌有子李嶠無兒
語録曰韋温文宗朝欲以爲翰林學士韋以先父遺命懇
辭上後謂次對官曰韋温朕每欲用之皆辭許又安用

平四ヲ十四　四　呈貳

韋温聲色俱厲户部侍郎崔蠡進曰韋温禀其父遺命耳
上曰温父不令其子在翰林是亂命也豈謂之理乎崔曰
凡人子能遵理命已是至孝況能禀亂命而不改者此則
尤可嘉之陛下不可怪也上曰然乃止
又曰路隋年在齠齓喪其父至十許歲其母問曰識爾父
否隋嗚咽無言不識也母曰只爾一面隋後殞絶以至成
人終身不攬鏡加以至行純古士大夫推之朱崖慕其德
以愛女適隋之子李太尉家有路郎隋之子也官至當州
守生資唯有琴十張
史係曰盧昭美字子明范陽人五歲念孝經論語與童輩
爲師事之禮至於父母字坐則起而言母劉因徃兄之家
飲酒帰夜連吐昭美憂形于色取其吐甞之或詰其故昭美
對曰母自外食寧不知其毒邪行超撫而歎曰盧氏之家

有曾子矣時同里大稱河東裴安特異之以昭美於蔡順
過之母卒父蚤亡家貧無以葬殯訖乃傭爲無極酒家保
得月資學女弟令備奠祭酒家怪其衣服藍縷得直不以
時價古字譖責之昭美且以情對言發涕泗從橫酒嫗爲之
咄嗟輟食謂其四子曰我爲乃家婦生不負矣又幸不以
若父鎡錤上音茲下音其鋤也方成衣食而日日意錢顧乃家財充
若費乎我卒若必不如此月傭推辱爲母也四子俯伏毋
盡以緣身衣被斂葬與昭美令葬其母赦其傭免之昭美
歸悉以營奉母祔焉又計其祥禫所費市之餘金復傭還
酒嫗其妻欲止之奚不留爲給家財盡復爲傭兒乎昭美
怒欲出其妻其兄深勸止之然雖同室終不面焉妻亦悔
過發憤而卒
又曰孟元方字弘規東平鉅野人八歲聰悟過人父友南

陽鄧恪來省會其父出遊鄰縣母命元方接對恪見群犬
互噪戲元方曰郎子姓孟近犬必猛爲余叱之元方曰尊客
之前不叱狗恪曰小兒解書語元方曰鄧老樹村中來真
田舍則不知書恪大慙後至父來謂之曰爲孺子所辱賴
無人見元方應曰子見父知豈無人乎年十八明經擢第
父母相次而卒元方五十日未嘗有笑容唯以讀書爲業
頌詩至蓼莪篇必哀咽號咷情慕不已則必徑往冢所抱
樹而哭或日暮則止栖栢庭亦無恐懼之色會邑未有盜
發其塚而元方在河內夜夢告之往到鉅野修奉畢捕其
盜手殺以祭而鄉里以爲元方殺人鉅野令收捕之搒諳
又捕掠無一辭盜塚家愈稱冤移獄及郡將按致其罪會
賊家鬻物於市爲他塚家所識又擒其弟焉太守然後知
元方無罪赦之而責其令或問元方曰何不自明元方曰

手殺之何故自明後終于家
又曰毛標字表玄宣城漂水人少八歲穎悟異於衆子曰
誦五百言母鍾氏連年病疾標日夜祗奉諸兄悉寢唯標
在母床側隨呻吟之聲至于枕前衣不解帶蓬頭垢面纖
風盈身曾不搔視親戚大嗟異迎名醫嚴顒與母診脉才
言不濟標號哭頓地顒佯言可救郎中善祇奉顒退而告
曰嗟乎此子孝德若是而親疾不可救天道奚處嗟歎良
久翌日母終標伏母手號哭不食三日家人倉卒之際遺
燭致焚舉家出避火唯標抱其柩涕泣火爲之飛去鄰舍
柩得免莫不異之將葬標羸瘠杖不能起扶持方行猶蹈
雪跣步四十里太守命縣宰就視致粟帛給遺及標病革
誡其子貞曰吾以家門修飾遂及於此吾生無益於人死
固不害於人唯宜薄葬止於周身貞奉其教行之鄉里稱

焉
又曰夏侯珮字儀王譙郡人三歲而孤養於世母崔氏九
歲孝謹過人同祖兄弟皆虧失於崔崔撫珮歎息而泣曰
若三歲喪母而我養汝若孝於我過於我生諸曹百歲後
若善爲我殯焉珮涕泣不勝方知幼失父母因日夜涕泣
問母封樹崔引至其城珮慟哭而絕崔遽救之抱而歸再
慟猶謂在塚畔年十九歲崔亡若喪其母崔氏之數子皆
不終喪制飲酒食肉而珮最孤幼群兄咸惡之或夜相聚
攜持珮醻以酒啗以肉珮入而復吐數四群兄笑以爲樂
珮涕泣不自勝皆曰僧兒強而復吐猶爲悲珮曰誠感鞠
育之恩得遂庶幾終天之報所以不覺沾襟因大哭群兄
忍人也皆爲之流涕每禘嘗之禮於世母神座別致敬焉
年二十五卒于家里人謂其封爲夏侯孝子之墓

又曰盧操字安節河東人幼勤學九歲通孝經論語隨義
解釋釁贊搢中父老謂之聰明兒事繼母張氏以孝聞張有
三子而操同產二人張氏厚於三子命操常執勤主炊爲
三子設席操弟多以疾辭卧舍不出而操服勤不以勞倦
張誨其子讀書咸以驕志三人每出張命操隨驢以摧之
操執鞭引繩如僮僕三子復謂曰隨驢何如我讀書操曰
不讀書所以逐驢後三子嗜酒佚蕩不敢抵忤於人或至
及門詬詈詞及母氏而操爲涕泣拜而解之惡少年咸曰
不謂三賊有令弟某無故及長者門羅拜操而去繼母終
其二子已亡而操訓養踰於未亡日哀毀過禮廬於墓側
每夕有狐貍羅列散於廬左右欲宜而去者三年時人以
操在野獸爲之衛侍非孝感通於神明其孰能逮於此服
闋明經擢第歸上冢盡以報揚名之義里巷榮之調爲臨

渙縣尉毗佐以寬仁吏民至今稱焉操以官舍都屋尊老
所處不敢寧居唯西廡而已都屋設几筵神座祀之出必
告反必面過其庭鞠躬如也入門恭謹其家居常若奉尊
者無大噱咄責之音同寮服之操每旦具冠帶搢紳讀孝經
一篇然後視事忌日則增其數讀至喪親章號咽不勝哀
追感之心如新丁故操子昭有文名於世次子雲恭謹有
父風高尚好學
又曰劉師貞字文通彭城人也蚤失其母及長不記容狀
哀慕之心不拘月制至忌辰終日涕泣未嘗寢食忽夢見
其狀謂之曰我乃母也若孝通神明故我得建乃寤師貞
夢中大哭多覺哀號逾甚乃作偶人象以事之朝夕起居
反告如常每薦親新然後食時人語曰孝於何通幽明漢
有丁蘭唐有師貞父福年老患目師貞朝夕膳食非手則福

不能食居處號爲嚴潔或問其故師貞曰居處不莊非孝
也師貞偶疾卧其父福暮食不安師貞欻然起號曰是夜
食之不精着果餅生生所致因師貞驚起而愈兄有疾經
旬不差師貞衣不解結日一食爲讀道釋經夢神人曰若
兄苦風取胡王使者酒漬服愈師貞自求之藥肆皆不曉
因夢其母曰胡王使者羌活也覺而求之兄遂疾愈後考
妣繼喪六年有雙白雀栖飛户間除几筵之日與師貞啁
頫翅狀若號咷躑躅久乃去。續定命録曰賈直言父道德
宗朝徧洩禁中事帝怒賜鴆酒直言白中使請自執器以
飲父因自飲之立死酒自左足洞出復生使具奏流其父
并直言於南海遇赦還以勁直聞爲鄆帥縻以郡職劉悟
叛東平之強直言之謀也朝廷以功就徵拜諫議大夫悟
上表乞留委以戎事大和初授絳郡太守每話所經之事

自云始飲鴆志在必死岑然覺毒沿五内至支節其痛愈
於鑽灼摩頂旋踵不可名狀天陰則又甚焉肵其脛及足
脛色皆如墨有傍攻出六膿液紫黶臭敗逆捻人鼻達數
十步外唯食啖無減始知何遜之好不誣矣自降除壽春
竟終天年七十有六

禄養

韓詩外傳曰曾子曰吾嘗仕爲吏禄不過鍾釜猶欣欣而
喜者非爲多也樂其養親也親没之後吾嘗南遊於楚得
尊官焉堂高九仞榱題三尺數轂百乘然猶北向而泣涕
者非爲賤也悲不見吾親
家語曰子路見孔子曰負重致遠不擇地而休家貧親老
不擇禄而仕
後漢書曰廬江毛義有孝行南陽張奉慕其名往候之坐

定而府檄至義捧檄而入喜動顏色奉心賤之及義母死去官行服數徵不至奉歎曰賢者固不可測往者之喜乃為親屈也斯盖所謂家貧親老不擇祿而仕也

謝承後漢書曰周盤自堅伯居貧養母儉薄不充誦詩至汝墳之卒章慨然而歎乃解韋帶就孝廉之舉○黃恭廣記曰南吳甫舉茂才累年不遷甫有老母年九十有餘乃上書自乞減品為四百石長庶得其俸以養母詔聽除補南陽新蔡長遂以甫為准率減交趾茂才皆為四品也

晉書羅企生字宗伯多才藝初拜左著作郎以家貧親老補臨汝令

世説曰李弘度嘗歎不被遇殷楊州知其家貧問君能屈志為百里不李荅曰北門之歎久已嘗聞窮猨豈暇擇木遂作剡縣

太平御覽卷第四百一十四

人事部五十六

孝女

史記曰淳于緹縈者齊人也父淳于意爲太倉令生女五人縈最小父犯罪當刑乃罵其女曰生女不生男緩急非有益也縈自傷泣隨父至長安詣北闕上書曰父爲吏齊中皆稱廉平今坐法當刑妾傷死者不可復生刑者不可復續雖欲改過自新其道無由妾願沒爲官奴以贖父之刑使得自新漢文帝憐悲其意原其父罪

漢書曰東海有孝婦少寡無子養姑甚謹姑欲嫁之終不肯姑告鄰人曰孝婦養我勤苦我老久累丁壯奈何其後姑自縊死姑女告吏曰婦殺我母吏捕孝婦自經服罪于公以爲此婦養姑孝聞必不煞也太守不聽于公爭之不

能得乃抱其獄哭於府上因辭疾去遂煞孝婦郡中枯旱三年後太守至于公曰孝婦不當死前太守強斷之當在是乎於是太守煞牛自祭婦冢天立大雨。後漢書和熹鄧皇后諱綏太傅禹之孫也父訓護羌校尉母陰氏光烈皇后從弟女也后年五歲太傅夫人愛之自爲翦髮夫人年高目眊誤傷后額忍痛不言左右見者怪而問之后曰非不痛也太夫人哀憐爲斷髮難傷老人意故忍之耳

晉書曰衛瓘及禍太保主簿劉瑤等冒難收瓘而葬之楚王瑋之伏誅也瓘女與國臣書曰先君名謚未列無異凡人每怪王國蔑然無言春秋之失其咎安在悲憤感慨故以是意瑤等執黃幡撾登聞鼓上言

又曰會稽寒人陳氏有三女無男祖父母年八九十老無所知又篤癃病母不安其室遇寒飢女相率於西湖採菱

更日至市貨賣未嘗虧怠鄉里稱爲義門多欲取爲婦長女自傷煢獨誓不肯行祖母尋相繼卒三女自營殯葬爲菴舍屋墓側

又曰永興概中里王氏女年五歲得毒病兩目皆盲性至孝年二十父死臨屍一叫眼皆血出小妹娥舐其血左目即開時人稱爲孝感

唐書曰劉寂妻夏侯氏滑州胙城人字碎金父長雲爲鹽城縣丞因疾喪明碎金遂求離其夫以終侍養經于五年兼事後母以至孝聞及父卒毀瘠殆不勝喪被髮徒跣負土成墳廬於墓側每日一食如此者積年貞觀中有制表其門閭賜以粟帛

又曰于敏直妻張氏營州都督暁城公儉之女也數歲時父母微有疾即觀察顏色不離左右晝夜省侍宛若成人

及稍成長恭順弥甚適延壽公于欽明子敏直初聞儉有疾便即號勇自傷期於必死儉卒後凶問至號哭一慟而絕高宗下詔賜物百段仍令史官編錄之

又曰楊紹宗妻王氏華州華陰人也初年三歲所生母亡爲繼母鞠養至年十五父又征遼而沒繼母尋亦卒王乃收所生母及繼母屍柩并立父形像招魂還葬訖又廬於墓側陪其祖母及父墳永徽中詔曰故楊紹宗妻王氏因心爲孝率性成道年迫桑榆筋力衰謝以往在隋朝父沒遼左招魂還葬負土成墳又葬其祖父母等竭此老年親加板築痛結晨昏哀感行路永言志行嘉尚良深宜標其門閭用旌敏德賜物三十段粟五十碩

又曰孝女賈氏濮州鄄城人也始年十五其父爲宗人玄基所害其弟強仁年幼賈氏撫育之誓以不嫁及強仁成

童思共報復乃候玄基煞之取其心肝以祭父墓遣強仁
自列於縣有司斷以極刑賈詣闕自陳已爲請代強仁死
高宗哀之特制賈氏及強仁免罪移其家於洛陽
又曰汴州李氏孝女年八歲父卒柩殯在堂十餘載每日
哭泣無限及年長母欲嫁之遂截髮自誓請在家終養及
喪母號毀殆至滅性家無丈夫自營棺槨州里欽其至孝
送葬者千餘人葬畢廬於墓側蓬頭跣足負土成墳手植
松栢數百株李昶列上其狀制特表其閭賜以粟帛
顏氏家訓曰張建女三歲喪母靈牀上屛風平生舊物屋
漏沾濕出曝曬之女子一見伏牀流涕家人怪其不起乃
往抱持薦席淚漬精神傷沮不能飲食將以問醫胗脉去
女腸斷矣因耳便吐血數日而亡中外憐之莫不悲歎
宣州圖經曰宛陵管氏女名瑤年十七與母同寢母爲虎

所負去瑤哀叫隨之因斵虎耳墮方捨其母瑤即負母歸
家氣絶武帝表其門以旌孝行
王韶之孝子傳曰周青東郡人母疾積年青扶持左右四
體羸瘦村里乃歛錢營助湯藥母痊許嫁同郡周少君少
君疾病未獲成禮乃求青母見青囑託其父母青許之俄
而命終青供爲務十餘年中公姑感之勸令更嫁青誓以
匪石後公姑並自殺女姑告青害殺縣收拷捶遂以誣欵
七月刑青於市青謂監殺曰乞樹長竿繫白幡青若殺公
姑血入泉不殺者血上天血乃緣幡竿上天
宋躬孝子傳曰賈恩會稽諸曁人也母亡在殯爲災火所
燒恩及妻伯號哭赴火火不及去鄰近救助棺器得免恩
伯二人髮膚燋烈須臾俱死元嘉四年牓門曰孝蠲役三
世

師覺授孝子傳曰北宮氏女嬰兒子者齊人也無兄弟而
父母老遂撤其環瑱誓不適人以奉養父母國人聞之莫
不相率以孝請女爲趙王后齊使候問使者曰北宮氏女
嬰兒子無恙耶撤其環瑱至老不嫁以養父母此助王率
民出於孝者也齊王聞之表其門以顯異焉○異苑曰順陽
南鄉縣楊豐與息女香於田穫粟豐爲虎所噬香年甫十
四手無寸刃乃搤虎頸豐因獲免香以誠孝致感猛獸爲
之逡巡太守平昌孟肇之賜資穀旌其門閭焉
列女傳曰陳寡孝婦者陳之寡婦人也年十六而嫁未有
子其夫當從戍屬孝婦曰我有老母吾不還汝肯善視吾
母乎婦曰諾夫果死婦養姑不衰父母將嫁之孝婦曰受
人之託豈可棄哉因欲自殺父母懼不敢嫁之養姑二十
八年姑年八十四壽乃盡賣其田宅以葬之

列女後傳曰珠崖二義者珠崖令之後妻及前妻女也
女名初生十三珠崖多珠繼母連大珠以爲係臂及令死
當送喪還法內珠於盦入關者死繼母棄之其子男九歲
取之置其母鏡奩中皆不知也及關候搜索得珠奩中吏
曰誰當坐者初謂是其繼母取之乃白曰君不幸夫解係
臂棄之初心惜之取置夫鏡奩中夫人不知也母亦爲然
憐之乃曰此珠妾之係臂也君不幸妾解之心不忍棄而
置鏡奩中妾當坐因此哭哀動傍人關吏執筆書不能就
一字關候垂涕終日不能乃曰母子有義如此吾寧可坐
之不忍加文後訪許乃九歲男兒內焉
又曰酒泉龐孝婦者趙君安之女也名娥親君安爲同縣
李壽所殺而娥親兄弟三人一時病亡壽乃喜而自賀以
爲莫已報也娥親闇之陰思欲以報壽備兵以伺壽十數

年於縣門前斫殺壽詭詣縣自首守長義之解印綬去欲縱娥親娥親曰雖怨塞身妾之分治獄制罪君之常理何敢苟生以枉公法後遇赦得免太常張奐聞嘉之禮以束帛

又曰頴川公孫何者公孫氏之女年十三怨家報其父父走得免何與母俱亡母先得見仇人甚恍爭欲取心何便馳出叩頭涕泣曰老母常有篤疾垂沒之人安足殘戮以塞忿哉我是其兒父母所憐不如殺我遂殺之而捨其母

會稽典録曰孝女曹娥者上虞人父盱能弦歌爲巫五月五日於縣泝江濤迎婆娑神溺死不得屍骸娥年十四歲乃縁江號哭晝夜不絶聲旬有七日遂投江而死縣長改葬娥於道傍爲立碑焉

益部耆舊傳曰孝女雄者犍爲人父江和爲縣功曹縣長遣江和拜檄謁郡太守乘船墮湍水物故屍喪不歸雄

號泣晝夜心不圖存所生男二人並數歲乃各爲作囊盛珠環以係兒臂數爲訣別之辭家人每防閑之經百許日後稍懈雄因乘小船於父墮處慟哭遂自投水死弟賢其夕夢雄告之却後六日當共父出至期伺之果與父相持浮於江上郡縣長表言爲雄立碑圖像其形焉

續述征記曰梁鄒城西有龍水發源長城山直北流於梁鄒西注濟或云齊之孝婦誠感神明湧泉發室内（事具水部）

晏子春秋曰景公所愛槐令吏守之犯槐者刑傷之者死有不聞令遇而犯之者吏收而拘之將加罪焉其子女往晏子之家説曰賤妾圭頭有道於相國妾聞明君不爲禽獸傷人令君（以樹木之故殺妾父妾恐害明君之義晏子明日早朝而復於）君公令吏罷守槐之役出犯槐之囚

紀聞曰吳宣城郡青陽縣有梅根治孝女李娥庿居曾阜之巔林木秀茂周迴十里土人不敢樵採敬而事之日薦蘋藻娥父吳大帝時爲鐵官冶以鑄軍器一夕煉金竭鑪而金不出時吳方草創法令至嚴諸耗折官物十萬即坐斬倍又沒入其家而娥父所損折數過千萬娥年十五痛傷之因火烈遂自投于鑪中赫然屬天於是金液沸湧溢於鑪口娥所躡三屨浮出於鑪身則化矣其金汁塞鑪而下遂成溝渠泉注二十里入于江水其所收金凡億萬斤溝渠中鐵至今仍存故吳俗每冶銅鐵必先爲娥立祠享而祈福〻

歙州圖經曰章頊歙縣合陽鄉人也妻程氏與二女入山採業程爲暴虎銜齧去二女宛叫挽其衣裙與虎爭力虎乃捨之程由是獲全時刺史劉贊嘉之給湯藥蠲户税改鄉爲孝女

宣室志曰鄭邯耕民也天寶中毋病人教令啖杏實可愈

其妻楊氏曰此非時之物須勞苦以求之冀上天哀憫而賜子其傭耕侍疾吾欲徧於邑里訪之庶比於解叔謙丁公藤之感也乃至鄰郡易君子之衣而行忽於道傍莽穢中見一杏實悲喜再拜取之潔滌而歸奉其姑曰他郡有人憫其事遺此一實姑喜食之疾漸瘳明年夏忽一日雷風甚動其屋廬毀裂斷若在簷宇里人驚愕遁去者不可勝計楊氏泣告其姑曰去冬以莽穢中杏實奉姑給爲郡人所遺今天將謫妾以死從此別矣乃伸臂立於庭具訴其事詞未畢忽有聲若發其庭者雲物陰晦默不可辨既而楊氏覺其臂若捧千金重莫能舉久方開霽乃視之有二金龍長數尺蟠遶其左右臂龍頂上有字曰賜楊氏自是其家日豐至爲富室

太平御覽卷第四百一十五

太平御覽卷第四百一十六

人事部五十七

友悌

周禮大司徒曰六行孝友睦姻任恤

禮記曲禮曰親戚稱其慈也寮友稱其悌也

又禮運曰兄良弟悌夫義婦聽家之肥也

又檀弓上曰子路有姊之喪可以除之矣而弗除也孔子曰何弗除也曰吾寡兄弟而弗忍也孔子曰行道之人皆弗忍也子路聞之遂除之

春秋左傳曰君義臣行父慈子孝兄友弟敬所謂六順

毛詩葛屨陟岵曰陟彼岡兮瞻望兄兮兄曰嗟予弟行役夙夜必偕（偕俱也）

又鹿鳴棠棣曰棠棣燕兄弟也閔管蔡之失道故作棠棣焉（周公弔二叔之不咸而使兄弟恩疏召公爲作此詩而歌以親之也）棠棣之華萼不韡韡（箋云承華曰萼不當作拊拊萼足得華之光明其貌韡韡然盛也興者喻弟以敬事兄兄以榮覆弟恩義之敬亦韡韡然也）凡今之人莫如兄弟

又邶柏舟二子乘舟曰二子乘舟思伋壽也衛宣公之二子爭相爲死國人傷而思之而作是詩也二子乘舟汎汎其景（二子伋壽也宣公爲伋娶於齊女而美公奪之而生壽及朔朔與其母訴伋於公公令伋之齊使賊先待於隘而殺之壽竊其節而先往賊殺之伋至曰君命殺我彼何罪焉又殺之國人傷其涉危遂往如乘舟而無所薄也）

又曰惟此王季因心則友則友其兄則篤其慶

尚書君陳曰惟孝友于兄弟克施有政

論語曰孝悌也者其爲仁之本與

又曰孝乎惟孝友于兄弟

又曰兄弟怡怡如也

爾雅曰善兄弟爲友

漢書曰卜式河南人也以田畜爲事有少弟式脫身出獨取羊百餘口田宅財物盡與弟式入山牧十餘年羊致千餘頭買田宅而弟盡破其産式輒復分與之

又曰王商字子威涿郡蠡吾人也商爲太子中庶子以肅敬敦厚稱父薨商嗣爲侯推財以分異母諸弟身無所受

東觀漢記曰魯恭字仲康扶風人恭憐弟丕小欲先就其名託疾不仕郡數以禮請謝不肯應母強遣之恭不得已而西因留新豐教授丕舉方正恭乃始爲郡吏

又曰汝南王琳字巨尉弟季出遇赤眉將爲所捕琳請自縛先季死賊憐而放遣之

又曰趙孝字長平建武穀食尚少孝得穀炊將熟令弟禮夫妻出比還孝夫妻共蔬食禮夫妻歸告言已食輒獨飲之積久禮心怪之疑後掩伺見之不肯食出遂共蔬食兄弟怡怡鄉里歸德

又曰孔奮篤於骨肉弟奇在雒陽爲諸生分祿奉以供給其糧用四時送衣下至脂燭每有所食甘美輒分減以遺奇

謝承後漢書曰許荆兄子常報讎殺人怨家會衆操兵至荆家欲殺之會荆始從府休歸與相遇因出門解劍長跪曰前無狀相犯咎皆在荆不能相教兄既早沒一子爲嗣如令死者傷其滅絕令願殺身代之塞咎雖死已往猶謂更生怨家扶起荆曰許掾郡中稱爲賢吾何敢相侵因遂委去

又曰李鴻字奉遜禮性仁孝友于兄弟弟育爲人所侵辱育後陰結客報怨爲執法吏所得當伏罪時未有立嗣鴻爲太尉掾在京師傷育以養剛耻門戶斷絕因分代育遂刻

印還歸欲過家恐見妻子斷絕其意到縣北亭預作記乞
代育通記便飲酖而之縣令省記怛然驚感矣
司馬彪續漢書曰山陽張儉以忠正為中常侍侯覽所忿
疾覽為刑章下州郡召捕儉儉與孔融兄褒有舊亡投遇
褒出時融年十五六少之不下告也融知儉長者有窘迫
色謂曰吾獨不能為君主乎因留舍藏之後以人客發洩
竟知國相已下密就掩儉得脫走登時收融及褒送獄融
曰保納藏舍者融也融當坐之褒曰彼來投我罪我之由
非弟之過我當坐之兄弟爭死郡縣疑不能決乃上讞詔
書令褒坐焉融由是著名
范曄後漢書曰姜肱字伯淮彭城廣戚人也家世名族肱
與二弟仲海季江俱以孝行著聞其友愛天性常共臥起
及各娶妻兄弟相戀不能別寢以繼嗣當立乃遞往就室

又曰鍾皓字季明潁川長社人少以篤行稱公府連辟為
二兄未仕避隱密山
王隱晉書曰徐苗字叔胄高密淳于人弟亡臨殯口中有
癰潰膿血苗含去之
晉中興書曰顏含字弘都瑯琊人含次嫂樊氏老而失明
含奉養必束帶躬親嘗省嫂病困須得蚺蛇膽為藥而求
不能得乎晝獨坐有一童子持一青囊授含含開視蛇膽
也童子逡巡出户化成青鳥飛去得膽藥成嫂病即愈
又曰鄧攸字伯道為石勒參軍勒過泗水攸與鄉人河東
陳璣平陽馬恬共謀叛勒破車以牛馬負妻子入草中又
遇賊掠牛馬去攸語妻曰吾弟早亡唯有一息今當步走
擔兩兒恐盡死不如棄我兒抱弟子遺民婦乃從之
崔鴻十六國春秋前趙錄曰上郡王儁字玄英有幹藝之

稱儁年七八歲隨兄密子元直西如涼州路中糧匱密留
元直於途乞丐民間比還儁為賊所掠元直逃免密乃將
元直追賊叩頭求哀曰人情自當皆愛其子但此弟未生
家君見背孤遺相長以至于今請以元直易儁賊相謂曰
以子易弟義之大也於是以儁密受元直而去密後亡儁
勺飲不入口者五日雖服喪朞年而心喪六載
又前燕錄曰有司奏中山蒲陰民劉洛縣差充征弟輿私
代背軍逃歸州以李名捕斬輿詣郡列稱逃是輿身請求
代洛死洛又曰固陳已實正名宜從憲辟兄弟爭命詳刑
有疑暐曰洛應征輒留輿冒名逃役俱應極法但兄弟競
死義情可嘉宜特原之
南燕錄曰有司奏沙門僧知夜入臨淄人冷平舍淫其寡
嫂李氏平與弟安國殺之郡縣按平兄弟以殺人論而平

安國各引手殺讓生競死義形急難
後秦錄曰姚襄與苻雄戰馬中流矢死弟萇下馬以授襄曰
汝可以免萇曰兄濟此豎子安敢害萇會救至俱免
後魏書曰房景先沉敏方正事兄恭謹出告反面晨昏參
省側立移時兄亦危坐相敬如賓客兄曾寢疾景先侍湯
藥衣冠不解形容毀瘁親友者莫不哀之
後周書曰裴寬字長寬弱冠為州里所稱與二弟漢尼並
知名親沒撫諸弟以篤孝聞滎陽鄭穆嘗謂其從弟文直
曰裴長寬兄弟天倫篤睦人之師表吾愛之重之汝可與
之遊處
梁書曰張弘榮兄弟友愛不忍暫離雖各有室常同臥起
世比之姜肱兄弟
唐書曰張嘉貞為并州長史開元初因奏事至京師上聞

其善政數賞慰嘉貞因奏曰臣少孤兄弟相依以至今日臣弟嘉祐今授鄯州別駕與臣各在一方同心離居魂絕萬里乞移就臣側近臣兄弟盡力報國死無所恨上嘉其友愛特改嘉祐爲忻州刺史

又曰東都未平梁宋間群盜連聚或至二千餘衆攻陷城邑李瀾守蘄縣力屈爲盜所執將害之瀾弟澥詣盜請代兄死瀾又請殺身留弟兄弟爭死俱爲盜所害

又曰杜佑子式方性孝友弟兄尤睦季弟從郁少多疾病式方躬自煎調藥膳水飲非經式方之手不入於口及從郁夭喪終年號泣殆不勝情士友多之

又曰白居易弟行簡字知退文筆有兄風詞賦尤稱精密文士皆師法之居易友愛過人兄弟相待如賓客行簡子龜兒多自教習以至成名當時友悌無以比焉

蕭廣濟孝子傳曰陳玄字子元陳侯太子七歲喪母父更娶周氏有子曰昭周氏讒玄侯將殺玄昭欲先死玄不聽引白羊誓曰孝者羊血逆上一丈三尺一如誓後又讒之侯怒令玄自殺玄投遼水有大魚負之玄曰我罪人也魚乃去昭從後來問漁者云投水死矣昭氣絕良久曰吾兄也又投水而死

周景式孝子傳曰古有兄弟忽欲分異出門見三荊同株接葉連陰歎曰木猶欲聚況我兄弟而欲殊哉遂還相爲雍和矣

宋躬孝子傳曰孫棘彭城人事母至孝母臨亡以小兒薩屬棘特深友愛宋大明五年上募軍仵薩求代棘及後軍期應死棘薩爭死妻許氏又遥屬棘曰君當門戶豈可委罪小郎且大家臨終以小郎屬君竟未有妻息君已二兒死復何恨太守張岱表聞詔牓門宋世祖感其悌友乃普增諸弟封秩。

列女傳曰會稽石師安妻者同郡呂氏之女也名軍其兄遂犯法軍匿之知不能免乃請智者爲辭乞代兄遂之命因自經縣門縣官嘉有義乃捨遂罪

又曰齊義繼母者齊二子之母也當宣王時有人鬬死道者吏訊之二子立其傍吏問之兄曰我殺之弟曰非兄乃我殺之朞年不決言於相相不能決言於王王曰若皆赦之是縱有罪若皆殺之是誅無辜其母必知子之情善惡聽其所殺活相召而問之其母泣而對殺少子相曰小子人所愛今所殺之何也對曰少者妾之子長者前妻之子相言之於王王美其義皆赦其子

又曰郃陽友娣者郃陽邑任延壽之妻也字季兒有三子季兒兄季宗與延壽爭事延壽與其友田建陰殺季宗建獨坐死延壽會赦乃以告季兒季兒曰嘻殺夫不義事兄之讎亦不義何面目以生季兒乃告大女曰汝父殺吾兄義不可以留又終不嫁矣吾去而死善視汝弟遂自經死

海內先賢傳曰范舟字史雲清高亮直讓財千萬與三弟

會稽先賢傳曰陳業字文理業兄渡海傾命同時依止者五六十人骨肉消爛而不可記別業仰皇天誓后土曰聞親戚者必有異焉因割臂流血以灑骨應時飲血餘皆流去

汝南先賢傳曰繆彤字豫公郃陽人兄弟四人各求分異至有爭訟之言彤默閉戶自撻大自罵曰繆彤汝修身謹行將齊正風俗如何近一家之中不能使之和協耶鞭兩髀皆瘡於是諸姊及弟叩頭自責不復分矣

張瑩漢南記曰陰慶爲鮦陽侯其弟員及丹皆爲郎慶以

明尚書修儒術推居弟園田奴婢錢悉分與貞丹慶但佩
印綬而已當代稱之
陳壽益部耆舊傳曰李孟元修易論語大義略舉貞性恭
順與叔子就同居就有痼疾孟元推所有田園悉以讓就
夫婦紡績以自供給
江微陳留志曰李銓平丘人也少聰慧有至行銓兄前母
子後母甚不愛也而衣食皆使下銓銓始年五歲覺已衣
服勝兄即脫不着須兄得已同然後服之其母遂不得有
偏及長銓內臣順母外奉其兄故閨門雍睦爲群族所稱
杜預汝南記曰李充兄弟六人貧無擔石之儲易衣而出
并日而食而妻竊謂充曰今貧如是我有私財可分異獨
居人多費極無爲空自窮也充請呼諸隣里室家相對前
跪觴告其母便顧其妻叱而遣之婦行泣出門去
顔延之庭誥曰將責弟悌務念爲友

太平御覽卷第四百一十六

太平御覽卷第四百一十七

人事部五十八

忠勇

左傳莊公曰齊侯田于貝丘墜于車傷足喪屨反誅屨於徒人費（誅責也）弗得鞭之見血走出遇賊于門劫而束之費曰我奚御哉袒而示之背信之費請先入（詐欲助賊）伏公而出鬬死于門中

又文公上曰戰於殽也晉梁弘御戎萊駒爲右戰之明日晉襄公縛秦囚使萊駒以戈斬之囚呼萊駒失戈狼瞫取戈以斬囚禽之從公乘遂以爲右箕之役先軫黜之而立續簡伯狼瞫怒其友曰盍死之瞫曰吾未獲死所其友曰吾與汝爲難瞫曰周志有之勇則害上不登於明堂死而不義非勇也共用之謂勇吾以勇求右無勇而黜亦其所也謂上不我知黜而宜乃知我矣子姑待之及彭衙既陳以其屬馳秦師死焉晉師從之大敗秦師

又宣公下曰楚圍宋宋人告急于晉使解楊如宋使無降楚且晉師悉起將至矣鄭人囚而獻諸楚楚子厚賂之使反其言（反言晉不救）不許三而許之登諸樓車使呼宋人而告之遂致其君命楚子將殺之使與之言曰爾既許不穀而反之何故非我無信女則棄之速即爾刑對曰臣聞之君能制命爲義臣能承命爲信信載義而行之爲利謀不失利以衛社稷民之主也義無二信信無二命君之賂臣不知命也受命以出有死無霣又可賂乎臣之許君以成命也死而成命臣之祿也寡君有信臣下臣獲考（考成也）死又何求楚子舍人以歸

又成公上曰鞌之戰齊逢丑父使公下如華泉取飲鄭周父御佐車宛茷爲右載齊侯以免韓厥獻丑父郤獻子將戮之呼曰自今無有代其君任患者有一於此將爲戮乎郤子曰人不難以死免其君我戮之不祥赦之以勸事君者乃免之

又昭公五年曰初齊豹見宗魯於公孟爲驂乘焉將作亂而謂宗魯曰公孟之不善子所知也勿與乘吾將殺之對曰吾由子事公孟子假吾名焉故不吾遠也雖其不善吾亦知之抑以利故不能去是吾過也今聞難而逃是僭子也（使子言不信也）子行事吾將死之以周事子（周終也）齊氏周戈擊公孟宗魯以背蔽之斷肱以中宗魯之肩皆殺之

國語曰晉文公誅觀（駢脅之）狀以伐鄭（鄭復勅曹觀公駢脅之狀故見伐也）鄭人以名寶行成公不許曰與我詹而師還（詹鄭大夫叔詹伯也）詹請往鄭伯不許詹固請曰一臣可以赦百姓君何愛鄭人以詹與

晉人晉人將烹之詹曰臣欲盡辭而死公聽其辭詹曰天降鄭禍使遥觀狀臣曰不可夫晉公子賢明若使復國而得志於諸侯禍不赦矣今禍及矣尊明勝患智也殺身贖國忠也乃就烹據鼎而疾號曰自今以往忠以事君者與詹同乃不殺厚爲之禮而歸之

史記曰漢之三年項王圍漢王於滎陽漢將紀信說漢王曰事已急矣請爲王誑楚王可間出於是漢王夜出女子滎陽東門被甲二千人楚兵四面擊之紀信乘黃屋車傅左纛（李斐曰纛毛羽幢在乘輿車衡）曰城中食盡漢王降楚軍皆呼萬歲漢王與數十騎從城西門出走城皋項王燒殺紀信

漢書曰莽何羅（本姓馬明帝馬后恐其先人有反者易曰莽也）與江充相善及充敗衛太子後上知太子冤乃夷滅充宗族黨與何羅懼及金日磾視其志意非常心疑之陰獨察其動靜與俱上下

何羅亦覺日磾意以故久不得發是時上行幸林光宮（服虔曰甘泉一名林光臣瓚案林光本秦離宮在甘泉）日磾小疾卧廬何羅矯制發兵明旦上卧未起何羅從外入日磾心動立入卧內户下須臾何羅裒白刃從東廂上見日磾色變走趍卧內欲入行逆觸寶瑟僵日磾得抱何羅因傳曰莽何羅反上驚起左右拔刃欲格之上恐并中日磾止勿格日磾投何羅殿下得擒縛之窮治皆伏辜

東觀漢記曰王郎遣將攻信都信都大姓馬寵等開城內之收太守宗廣及李忠母妻子皆繫獄而令親屬招呼忠時寵弟從忠爲校尉忠即時召見責數以背恩反城因格殺之諸將皆驚曰家屬在人手中殺其弟何猛也忠曰若縱賊不誅則二心也上聞而美之謂忠曰今吾兵已成也將軍可歸救老母妻子忠曰蒙明公大恩思得効命誠不敢內顧宗親

又曰信都反爲王郎所置信都王捕繫邳彤父弟妻子使爲手書呼彤曰降者封爵不降族滅彤涕泣報曰事君者不得顧家

又曰張步攻耿弇時上在魯聞弇爲步所攻自往救之未至陳俊謂弇曰虜兵盛可且閉營休士以須上來弇曰乘輿且到臣子當擊牛釃酒以待百官反欲以賊虜遺君父耶乃出大戰自旦及昏復大破之後數日車駕至臨淄自勞軍也

范曄後漢書曰温序字次房太原人爲護羌校尉行部至襄武爲隗囂別將苟宇等所刼宇謂序曰子若與我并威同力天下可圖也序曰受國重任分當效死義不貪生苟宇等復曉譬之序素有氣力大怒叱宇等曰虜何敢迫脅漢將因以節檛殺數人賊衆爭欲殺之宇止之曰此義士有死節可賜以劍序受劍銜鬚于口顧左右曰既爲賊所殺無令鬚汙土遂伏劍而死

英雄記曰王允誅董卓卓部曲將李傕郭汜不自安遂合謀攻圍長安城陷呂布奔走布駐馬青瑣門外招允曰公可以去乎允曰若國家社稷之靈上安國家吾之願也如其不獲則奉身以死之

漢雜事曰景帝時吴楚七國反齊孝王狐疑膠西濟北二國圍齊齊使路中大夫於天下還報曰堅守此至二國圍齊數重無從入二國與路中大夫盟曰若反言漢已破大夫許之至城下望見齊王曰漢已發兵百萬使太尉周亞夫擊破吴楚方引兵救齊齊必堅守二國誅之

魏志曰許褚從征袁紹於官渡徐他等謀爲逆以褚常侍左右憚之不敢發伺褚休下日他等懷刀入褚至下舍心動即還侍他等不知入帳見褚大驚褚覺之即擊殺他等太祖益親信之

又曰諸葛恪圍合肥新城城中遣士劉整出圍傳消息爲賊所得栲問所傳語賊謂整曰諸葛公欲活汝汝可具服整罵曰我當必死爲魏國鬼不苟求活逐汝去也終無他辭又遣使鄭像出城傳消息恪遣騎尋跡得像歸面縛繞城令像大呼言大將軍已還洛不如早降像更呼城中大軍近在圍外壯士努力賊以刀築口不使得語遂大呼令城中聞詔追賜整像爵關中侯

又曰王脩字叔治北海人魏國既建爲大農郎中令從爲奉常其後嚴才反與其徒屬數十攻掖門脩聞變召車馬未至便將官屬步至宮門太祖在銅爵臺望見之曰彼來

者必王叔治也相國鍾繇謂修曰舊京城有變九卿各居
其府修曰食其祿焉避其難居府雖舊非赴難之義也
又曰諸葛誕爲鎮東將軍殺楊州刺史樂綝據壽春反遣
司馬昭征之斬誕誕麾下三百人不降昭令曰不降皆斬
衆咸曰願從諸葛公死不恨矣每斬一人諸人顏色不變
時人謂之後代田横
蜀志曰鄧艾伐蜀遣書誘諸葛瞻若降者必表爲瑯琊王
瞻怒斬艾使遂戰大敗臨陣死時年三十七衆皆散瞻長
子尚與瞻俱歿
又曰先主奔荆州曹公追之先主棄妻子走使張飛將二
十騎距後飛據水斷橋瞋目横矛曰我張益得也可來共
決無敢近者
又曰嚴顏巴郡人益州牧劉璋使顏守巴郡劉備入蜀圍

成都璋出降備諸郡皆伏唯顏守而不屈使將張飛攻巴
郡生擒顏呵曰汝見將軍至何得不降今逆戰乎顏曰卿
等無狀奪我州我但有斷頭將軍無降將軍飛怒令左右
斬之顏曰斫頭便斫何怒耶飛壯其忠節釋之
王隱晉書曰嵇紹以天子蒙塵奔詣行在所值王旅不振
敗績於湯陰百官左右皆奔散唯紹儼然端冕以身扞衛
兵交御輦飛箭雨集遂以見害
晉中興書曰譙王承爲湘州刺史王敦遣參軍桓羆說承
以劉隗專寵令討之請承爲軍司馬承歎曰吾其死矣地荒
民飢勢孤援絶赴君難忠也死王事義也得忠與義亦復
何求便唱義衆府長史長沙人虞悝慷慨有志節共盟誓
囚桓羆馳檄湘川於是一州之内並皆同赴
又曰蘇峻反桓彝爲宣城内史往赴朝廷長史裨惠等咸

以宜且按甲以謀須衆力齊集彝厲色曰夫見無禮於其
君者誅之如鷹鸇之逐鳥雀今社稷之難而欲逡巡將何
以去衆力雖寡義無寧處長驅往進尋王師敗績彝慷慨
流涕皆勸僞同以紓交至之禍如其不然重兵必至彝曰
吾受國厚恩不能死節焉能忍辱與之通問如其不濟此
郎命也遣俞縱進軍左右以力不敵勸縱退軍縱曰吾承
桓侯厚遇吾之不可負桓侯猶桓侯不可負國也遂力戰
而死峻遣韓晃因進軍討彝力屈被害
又曰易雄長沙瀏陽人爲春陵令聞王敦作逆譙王承檄
至雄馳檄遠近列敦罪惡俄而王師敗績敦得肆暴收雄
姑熟以檄示焉雄曰有之惜雄位微力弱不能救國難安
以生爲今日即戮得爲忠鬼乃其願也○沈約宋書曰劉胡
叛淮南定陵人賈龍襲宗本縣已爲胡所得率三十人救沈

攸之沈攸之言於建安王休仁休仁拔爲司徒參軍督護
使還鄉里招集爲胡所擒以火炙之問臺軍消息一無所
言瞋目謂胡曰君稱兵内侮窺覦神器未聞奇謀遠略而
爲炮烙之刑僕本以身奉義死亦何有胡乃斬之
後魏書曰河間公元齊列帝之玄孫也少雄傑魁岸世祖
愛其勇壯引侍左右從征赫連昌世祖馬蹶賊衆逼帝齊
以身蔽捍決死擊賊乃退世祖得上馬示曰微齊以身蔽
捍幾至危殆乃賜爵浮陽侯
又曰叔孫俊字醜肆少聰敏年十五内侍左右朱提王悅
懷刃入禁欲爲大逆俊覺悅舉動有異便引掣之乃於悅
懷中得兩匕首遂執悅殺之
范亭燕書曰孟高字弘義長壯有雄姿慕容暐即位左遷
衛將軍出避難將向龍都禁衛四散唯高及殿中將女朗

等十餘騎從行遶福祿逢賊高獨力戰賊射殺之
唐書曰劉感岐州鳳泉人武德初以驃騎將軍鎮涇州薛仁果率衆圍之感嬰城拒守城中糧盡遂殺所乘馬以分將士感一無所噉唯煮馬骨取汁和木屑食之城垂陷者數矣長平王叔良援兵至仁果解圍而去感與叔良出戰爲賊所擒仁果復圍涇州令感語城中云援軍已敗徒守孤城何益也宜早出降以全家室感許之及至城下大呼曰逆賊饑餓亡在朝夕秦王率數十萬衆四面俱集城中勿憂各宜自勉以全忠節仁果大怒執感於城邊埋脚至膝馳騎射殺之
又曰張巡守睢陽在圍中每戰皆登城大呼以助軍勢皆血流面牙齒皆齩碎城將陷巡西向拜曰臣不能全孤城今爲賊凌逼誓願爲鬼與賊爲厲以答聖明及城陷尹子奇入城見巡問曰聞公每叔戰皆裂嚼碎牙齒因以大刀劓其口見其存者不過三數將存之巡大罵之賊黨皆曰此人必不爲我用又得衆死心不可留故害之
五代史曰後唐應順末少帝失位自洛涉河與數百騎欲奔鄴時晉高祖改鎮常山亦自郡詣闕夜與帝遇於獲嘉東遂俱入衛郡郵舍中是夜少帝伏甲欲與徒臣謀害晉高祖詐屏人對語方坐於亭廡帝密遣衛士石敢袖鎚立其後伏甲者俄起左右驚擾敢素有勇力擁晉高祖入一室以巨木塞門敢力當其鋒尋死焉
呂氏春秋曰荊莊襄王獵於雲夢射隨兕中之申公子培刼而奪之王曰何其暴而不敬也命吏誅之左右大夫皆進諫曰子培賢者也又爲王百倍之臣此必有故願王察之也不出三月子培疾而死荊興師戰於兩棠大勝晉歸

而賞有功者申公子培之弟進請賞於吏曰人之有功也於軍旅臣之兄有功也於車下王曰何謂也對曰臣之兄犯暴不敬之名觸死亡之罪於王之側愚以忠於君王之身而特千歲之壽也臣之兄嘗讀故記曰殺隨兕者不出三月是以臣之兄驚懼而爭之故伏其罪而死王令人發平府而視之於故記果有乃厚賞之申公子培其忠也可謂穆行矣（穆美也）穆行之意人知之不爲勸人不知之不爲沮行無高乎此者
又曰人殺衛懿公熒澤盡食其肉獨舍其肝弘演使還哭畢呼天而號盡哀而止曰臣請爲襮（二博卜）因自出其肝內懿公之肝（襮表也）
新序曰崔杼殺莊公申蒯漁於海將入死之其御止之曰君無道聞於天下不可死也申蒯曰安得食亂君之祿而死治君之事乎申蒯至門曰請入吊門者以告崔杼杼令勿內申蒯曰汝疑我乎吾與汝臂乃斷左臂以與門者以示崔杼杼陳八列令其入申蒯拔劍呼天闘殺七列未及崔子一列而死
又曰楚有士申鳴者在家而養其父孝聞於楚國王欲授之相申鳴辭不受其父曰王欲相汝汝何不受乎申鳴對曰捨父之孝子而爲王之忠臣何也其父曰使有祿於國立義於庭汝樂吾無憂矣吾欲汝之相也申鳴曰喏遂入朝楚王因授之相居三年白公爲亂殺司馬子期申鳴將往死之父止之曰棄父而死其可乎申鳴曰聞夫仕者身歸於君而祿歸於親今去子事君得無死其難乎遂辭而往因以兵圍之白公謂石乞曰申鳴者天下之孝子也往刼其父以事兵申鳴聞之必來來與之語白公曰善則往

取其父持之以兵告申鳴曰子與吾吾與子分楚國子不與吾子父則死矣申鳴流涕而應之曰始吾父之孝子也今吾君之忠臣也吾聞之也食其食者死其事受其祿者畢其能今吾已不得爲孝子矣乃君之忠臣也吾何得以全身援桴鼓之遂殺白公其父亦死王賞之百斤金申鳴曰食君之食避君之難非忠臣也定君之國殺臣之父非孝也名不可兩立行不可兩全也如是而生何面目立於天下遂自殺

襄陽耆舊傳曰魏伐蜀羅獻爲巴東太守得劉禪委質定問乃帥所部臨于都亭三日吳聞蜀已敗遂起兵西上外託援救內欲襲獻城以固其國遣盛憲等水陸到說獻以合同之計獻乃會議曰今本朝傾覆吳爲同盟不恤我難而邀其利可主降於北臣求福於東乎今守孤城百姓未

定宜一決戰以定衆心遂銜枚夜擊破憲旋軍保城告誓將士厲以節義莫不用命

襄陽記曰劉備以習珍爲零陵北部都尉孫權遣潘濬討珍珍帥數百人登山自將濬乃單將左右自到山下交語珍謂曰我必爲漢鬼不爲吳臣矣濬攻珍圍守月餘糧箭並竭珍謂群下曰珍受漢中王厚恩不得不報之以死諸君何爲者耶乃伏劍自裁

又曰晉伐吳張悌渡江戰吳軍大敗諸葛靚過迎悌悌不肯去垂泣曰仲思今是我死日且我作兒童便爲卿家丞相所扶常恐不得其死負名賢知故今身殉社稷復何所道

華陽國志曰曹公察關羽不安使張遼以情問之曰極知曹公待我厚然吾受劉將軍恩不可背之要當立効報公公聞而美之是歲袁紹遣顏良攻東郡太守劉延於白馬公使遼羽爲先鋒羽望見良麾蓋策馬刺良於萬衆之中斬其首還遂解延圍公即表封羽壽亭侯重加賞賜羽盡封其物拜書告辭而歸先主。周處別傳曰氐賊齊萬年爲亂乃以處爲建威將軍進軍大戰奮劒慷慨仰天歎曰古者將受脤鑿凶門以出蓋有進無退我爲大臣以身殉國不亦可乎遂戰死

太平御覽卷第四百一十七

太平御覽卷第四百一十八

人事部五十九

忠貞

管子曰忠者臣下之高行

孟子曰教人以善謂之忠

淮南子曰交淺而言深是忠也

抱朴子曰竭身命以徇國經夷險而一節者忠臣也

說苑曰逆命利君謂之忠又曰卑身賤體夙興夜寐進賢不懈數稱往古之行事以厲主意庶幾有益以安國家如此者忠臣也

禮記文王世子曰為人臣者殺其身有益于君則為之

又檀弓曰公叔文子卒其子戍請謚於君君曰昔者衛國有難夫子以其死衛寡人不亦貞乎

左傳隱公曰衛州吁弒桓公石厚從州吁如陳石碏使告于陳曰此二人者實弒寡君敢即圖之陳人執之而請涖于衛君子曰石碏純臣也惡州吁而厚與焉大義滅親其是之謂乎

又僖公上曰晉獻公使荀息傅奚齊公疾召之曰以是藐諸孤（言其幼賤與諸子縣藐）辱在大夫其若之何對曰臣竭其股肱之力加之以忠貞公曰何謂忠貞對曰公家之利知無不為忠也送往事居耦俱無猜貞也

又曰僖公中曰晉惠公卒懷公立命從亡人（亡人重耳）期朞而不至無赦狐突之子毛及偃從重耳在秦不召懷公執狐突曰子來則免對曰子之能仕父教之忠古之制也策名委質貳乃辟也（貳二心辟罪也）今臣之子名在重耳有年數矣若又召之教之貳也父教子貳何以事君

又宣公上曰楚子滅若敖氏令尹子文其孫箴尹克黃（箴尹官名）使於齊還及宋聞亂其人曰不可以入矣（其人克黃從臣）箴尹曰棄君之命獨誰受之遂歸復命而自拘於司敗

又襄公二年曰楚子囊將死遺言謂子庚必城郢（楚徙都郢未有城郭）君子謂子囊忠君薨不忘增其名（謂前年謚君為恭也）將死不忘衛社稷可不謂忠乎忠民之望也

又曰晉人執季文子舍之於苕丘范文子謂欒武子曰季孫於魯相三君矣妾不衣帛馬不食粟可不謂忠乎

韓詩外傳曰有大忠有次忠有下忠以道覆君而化之大忠也以德調君而輔之次忠也以是諫非而死之下忠也周公於成王可謂大忠管仲於桓公可謂次忠也子胥於夫差可謂下忠也

又曰崔杼殺莊公陳不占聞君有難將死之飡則失哺上車失軾僕曰雖往其有益乎不占曰死君義也無勇私也遂驅車比至公門外聞鍾鼓戰鬬之聲遂駭而死

國語曰彘之亂宣王在邵公宮國人圍之邵公乃以其子代宣王王長而立之

戰國策曰吳入郢楚冒勃蘇羸（音盈）糧潛行十日而薄秦朝鶴立不轉晝吟宵泣七日不得告水漿無入於口秦王聞而走之冠纓不相及左奉其首右濡其口於是秦救楚退吳師復楚

漢書曰初吳王芮高祖賢之制詔御史長沙王忠其定著甲令（臣瓚曰漢以芮忠故特王之非故時令也）

又曰匈奴求和親群臣議上前博士狄山曰和親便上問張湯湯曰此愚儒無知狄山曰臣固愚忠若御史大夫湯乃詐忠

又曰王莽既篡使者即拜龔勝爲講學祭酒勝曰吾受漢家厚恩無以仰報今年老矣旦暮入地豈一身事二姓下見故主哉勝因勑以棺斂喪事語畢遂不復開口飲食積十四日而死

東觀漢記曰上於大會中指王常謂群臣曰此家率下江諸將輔翼漢室心如金石忠貞臣也是日遷常爲漢中將軍

又曰吳漢性忠厚自從征伐在左右上未安則側足屏息上安然後退舍兵有不利軍營不完漢常獨繕敬其弓戟閱其兵馬激揚吏士上時令人視吳公何爲還言方作戰攻具上常曰吳公差強人意隱若敵國

又曰上爲大司馬以王霸爲功曹令史從渡河北賓客隨者數十人稍稍引去謂霸曰潁川從我者皆去而子獨留始驗疾風知勁草

又曰鮑昱字文淵拜司隸校尉詔昱詣尚書使封胡降檄上遣小黃門問昱有所怪不對曰臣聞故事通官不着姓又當徒露布怪使司隸而着姓也帝報曰吾欲令天下知忠臣之子復爲司隸

又曰鮑永字君長到京兆灞陵過更始冢引車入陌欲下從事諫止永曰親北面事人何忍車過其墓雖以獲罪司隸不辭也遂下車哭盡哀而至右扶風推牛上苟諫冢上聞之問公卿曰奉使如此何如時太中大夫張堪對曰仁者百行之宗忠者禮義之主仁不遺舊忠不忘君行之高者上悅之

謝承後漢書曰梁冀奏誅李固固臨命與胡廣趙戒書曰固受國厚恩是以竭其股肱不顧死亡志欲扶王室比隆文王何圖一朝梁氏迷謬公等曲從以吉爲凶成事爲敗漢家衰微從此始矣公等受主厚祿顛而不扶傾覆大事後之良史豈有所私固身已矣於義得矣夫復何言廣戒得書悲慚長歎

范曄後漢書曰來歙盖延馬成進攻公孫述將王元環安於河池下辯陷之乘勝遂進蜀人大懼使刺客刺歙未絕馳召盖延見歙因伏悲哀不能仰視歙叱延曰虎牙何敢然今使者中刺客無以報國故呼巨卿欲相屬以軍事而反効兒女子涕泣乎刃雖在身不能勒兵斬公邪延收淚強起受所誡歙自書表曰臣夜人定後爲何人所賊傷中臣要害（何人謂不知何人也）臣不敢自惜誠恨奉職不稱以爲朝廷羞夫理國以得賢爲本太中大夫段襃骨鯁可任願陛下裁察又臣兄弟不肖終恐被罪陛下哀憐數賜教督投筆抽刃而絕

魏志曰典韋拜都尉太祖引置左右將親兵數百人常繞帳韋性忠至謹重常晝立侍終日夜宿帳左右稀歸私寢

英雄記曰曹操圍張超於雍丘臧洪從袁紹請兵將赴其難紹不聽之超城遂陷張氏族洪由是怨袁紹不與通紹增兵急攻洪殺愛妾以食兵將流涕莫有離叛城陷生執洪紹問臧洪何相負若是今日服未洪據地瞋目曰諸袁事漢四世五公可謂受恩今王室微弱因際會觖望非冀惜洪力弱不能爲天下推刃報仇何謂服乎紹命殺焉洪邑人陳容在座見洪當死起謂紹曰將軍舉大事而先誅忠義豈合天意紹慚使人牽出曰汝臧洪儔寧復汝爲容顧曰夫仁義豈有常所蹈之則君子背之則爲小人今日寧與臧洪同日死不與將軍同日生遂復見殺在紹座者無不歎息

蜀志曰先主退軍義陽傳彤斷後拒戰兵人幾盡吴將語
彤令降彤罵曰吴狗豈有漢將軍降者遂戰死子僉爲關羽
都督景曜六年又臨危授命論者嘉其弈世忠義
晉中興書曰王敦欲誣帝以不孝於衆坐明帝辭玄温太
真在東宮久最所知悉因厲聲問嶠謂懼威必與己同嶠
正色對曰鉤深致遠小人無以測君子當今諒闇之際雖有
至性可稱敦嘿然不悦然憚其居正不敢害之
又曰王敦作逆石頭城既陷王師敗績周顗徃詣敦敦曰
伯仁卿負我顗曰公戎車犯順下官親帥六軍不能其事
使王旅撓敗以此負公敦憚其正辭不知所荅顗與戴淵
俱被收路經太廟顗大言曰天地先帝之靈臣忠於社稷
王敦無道陵虐天下神祇有靈當速殺敦無令縱毒以傾
王室語未終人以戟傷其口不得復言血流至踵顔色不

變士庶聚觀皆爲流涕於石頭南門外石上害之
蕭子顯齊書曰王敬則轉安城王車騎參軍蒼梧王狂虐
左右人不自保敬則以太祖有威名歸誠奉事每下直輙
徃領軍府夜着青衣扶匍道路爲太祖聽察
崔鴻十六國春秋前涼録曰麻秋以書誘致宛戍都尉宋
矩矩至謂秋曰辭父事君當立功義功義不立當守名節
矩終不背主覆宗偷生於世乃先殺妻子自刎而死秋曰
義士也命吏人葬之重華嘉其誠節賜振威將軍
又曰前燉煌太守辛憑隴西人也唯有一子髡至狄道省墓
遇辛宴反叛爲宴所執憑勸張茂討宴茂曰髡在彼如何
憑曰人臣奉主豈顧子乎茂曰汝純臣賜爵關内侯
又前趙録曰王廣永嘉之亂聚族避世及爲楊州刺史被
蠻賊圍一百一十日外救不至糧食罄絶雞犬雀鼠靡有

將士泣曰將軍忠於本朝故有今難豈有背將軍理哉衆
相枕而死者五千人○又南涼録曰振武將軍尉賢政固守
浩亹木下熾盤招之曰樂都已潰卿妻子皆在吾間孤城
獨守何所爲也政曰受涼王厚恩爲國家藩屏雖知樂都
已陷妻子爲擒先歸獲賞後順受誅然不知主存亡未敢
歸命妻子小事豈動懷盤乃遣虎臺手書喻政政曰爲國
儲不能盡忠反面縛於人棄父負君虧萬世之業賢政義
士豈如汝乎
三國典略曰齊平東雍州刺史傅伏堅守不降帝遣韋孝
寛將伏子仁寛招伏曰并州已平故遣公兒來報今授上
大將軍武鄉郡公以金馬腦二酒鍾爲信公宜急下伏不
受謂孝寛曰事君有死無貳此兒爲臣不忠爲子不孝願
即斬以示天下帝又遣高阿那肱等百餘人臨汾召伏伏

出軍隔水相見問至尊何在阿那肱曰已被捉獲別路入
關伏仰天大哭率衆入城於廳事前北面哀號良久乃降
帝見之曰何不早下伏流涕而對曰臣三代被任草命不
能自死羞見天地帝執其手曰爲臣當若此朕平齊國唯
見公一人乃自食一羊肋以骨賜伏曰骨親肉疎所以相
付授上儀同也
唐書曰隋屈突通與竇琮戰於稠桑通結陣以自固竇琮
縱通子壽令徃諭之通大呼曰昔與汝爲父子今與汝爲
仇讎命左右射之桑顯和呼其衆曰京師陷矣汝並關西
人欲何所去衆皆釋仗通知不免乃下馬東南向再拜號
哭曰臣力屈兵敗不負陛下天地神祇實所鑒察遂擒通
送于長安高祖謂曰何相見晚耶通泣對曰通不盡人臣
之節力屈而至此高祖曰隋室忠臣也命釋之

又曰馮立事隱太子太子誅左右悉散立歎曰豈有人生受其恩死逃其難立乃率兵犯玄武門殺將軍敬君弘謂其徒曰微以報太子矣遂解兵而遁俄來請罪太宗數之立對曰出身事主期之効命當戰之日無所顧憚因歔欷悲不自勝太宗宥之立謂所親曰逢莫大之恩終當以死奉荅俄而突厥至便橋立率數百人力戰殺獲甚衆太宗深嘉歎之

又曰安金藏爲太常工人時睿宗爲皇嗣或有誣告皇嗣潛有異謀者則天令來俊臣按之左右不勝楚毒皆欲自誣唯金藏大呼謂俊臣曰公旣不信金藏言請剖心以明皇嗣不反則引佩刀自剖其胷五藏並出流血被地氣遂絶則天聞之令舁入宮中遣醫人却内五藏以桑白皮縫合之傅藥經宿乃蘇則天臨視歎曰吾有子不能自明不

如爾之忠也即令停推睿宗由是獲免

新序曰陳恒弑簡公而盟盟者完其家召他入曰不盟是弑父母也盟之是無君臣之禮乃盟以免父母死而自殺以禮其君

又曰智伯之時有士曰長兒子魚絶智伯而去之三年將東之魯而道聞智伯死曰吾聞忠臣無餘祿吾聞智伯之死動吾心餘祿加於我至今尚存將往吾佐之遂反而死之

續説死曰趙苞漢靈帝時爲武威守夷戎畏其果毅母及妻子自郡來遇鮮卑萬騎入塞爲其所掠苞出擊賊陳步騎二萬鮮卑恐懼出母示苞苞悲號謂母曰爲子無狀欲以微祿奉養不圖作禍今爲王臣不得顧私母曰人各有命何得毀忠節耶立忠榮親孝莫大焉行矣勉之苞瞋目援桴虜衆碎斬其帥伏屍十里母妻子皆爲賊所害苞收母殯斂奏請歸葬天子策弔封爲列侯葬訖謂鄉人曰食祿避難不忠殺母全義不孝何面目立於天下遂自殺

又曰官者田鵬事齊至内侍中齊主走青州圖入陳出覘爲周人所獲毆問齊主所在紿去已去周人折其支每折一支辭色逾厲四支俱絶而死

許肅別傳曰肅爲愍帝侍中左衛將軍麴武將與肅齊心拒守而外救已退城遂陷沒逼愍帝送于平陽肅後冒難侍左右劉載乃以帝爲歸漢王頃之陰行鴆毒帝因食心悶欲見許侍中肅馳詣賊相見帝已不復能語肅曰不圖陛下尚識臣不帝猶能執肅手流涕肅歔欷登牀帝遂殂於扶抱之中晝夜號泣哀慼異類載外欲明已不害乃僞責諸臣欲盡誅之群臣逬竄唯肅獨曰備位故臣願乞

得殯殮然後就戮載特聽許事訖詣載曰國亂不能匡君亡弗能死舉目莫非愧耻將何顏以存所以忍辱正以山陵未畢故耳微情已叙甘就刑戮賊　議之曰此晉之忠臣宜加甄賞載遂從議故得全免

庾珉別傳曰珉字子居位列侍中劉曜作亂京都傾覆珉時直在省謂僚佐曰吾必死此屋内既天子蒙塵珉與許遐等侍從曜設會使帝行酒珉至帝前乃慨然流涕曜曰此動人心即時遇害

太平御覽卷第四百一十八

人事部六十

仁德　仁惻

仁德

釋名曰仁忍也性惡殺好善含忍之也

禮記經解曰上下相親謂之仁

又中庸曰仁者人也親親爲大

又表記曰子曰仁有三與仁同功而異情與仁同功其仁未可知也與仁同過然後其仁可知也仁者安仁知者利仁畏罪者弘仁子曰仁之爲器重其爲道遠舉者莫能勝也行者莫能致也取數多者仁也夫勉於仁者不亦難乎

子曰中心安仁者天下一人而已矣

又緇衣曰子曰禹立三年百姓以仁遂焉豈必盡仁言百姓勉爲仁非本性能仁也

又大學曰一家仁一國興仁堯舜率天下以仁而民從之

又曰仁者以財發身不仁者以身發財又儒行曰温良者仁之本敬愼者仁之地寛裕者仁之作遜接者仁之能禮節者仁之貌言談者仁之文歌樂者仁之和分散者仁之施儒皆兼此而有之猶且不敢言仁也

又鄉飲酒義曰天地温厚之氣始於東北盛於東南此天地之仁義也

毛詩生民曰行葦忠厚也周家忠厚仁及草木

尚書太甲曰民罔常懷懷于有仁民所歸無常以仁政爲常

又泰誓曰雖有周親不如仁人

論語里仁曰里仁爲美居仁者之里是爲美擇不處仁焉得智求善居而不處於仁者之里不得爲有智

又曰君子無終食之間違仁造次必於是顛沛必於是

又顏淵曰顏淵問仁子曰克己復禮爲仁一日克己復禮天下歸仁焉爲仁由己而由人乎哉顏淵曰請問其目子曰非禮勿視非禮勿聽非禮勿言非禮勿動顏淵曰回雖不敏請事斯語矣

又顏淵曰仲弓問仁子曰出門如見大賓使民如承大祭己所不欲勿施於人在邦無怨在家無怨仲弓曰雍雖不敏請事斯語矣

又子路曰如有王者必世而後仁聖人受命而王必父子相承然後天下之民能仁也

又憲問耻曰子路曰桓公殺公子糾召忽死之管仲不死曰未仁乎子曰桓公九合諸侯不以兵車管仲之力也如其仁如其仁重言如其仁者九合諸侯功濟天下此仁爲大代節仁小者也

又衛靈公曰民之於仁甚於水火水火吾見蹈而死者未見蹈仁而死者也甚於水火於仁最急也

又曰志士仁人無求生以害仁有殺身以成仁

又陽貨曰子張問仁於孔子孔子曰能行五者於天下爲仁矣請問之曰恭寛信敏惠恭則不侮寛則得衆信則人任焉敏則有功惠則足以使人不敏人無侮慢之言

又微子曰微子去之箕子爲之奴比干諫而死孔子曰殷有三仁焉此三人紂同姓人臣微子知紂惡而去之箕子比干不忍去故或見奴或見殺之

家語曰或問孔子曰顏淵何人也曰仁人也丘弗如

爾雅曰太平之人仁

大戴禮曰君子執仁志先行後言千里之外皆兄弟也

尚書考靈耀曰春行仁政順天之常

尚書大傳曰子張曰仁者何樂於山也孔子曰夫山者㟪

然高嵬然高則何樂焉夫山草木生焉鳥獸蕃焉財用殖焉生財用而無私爲四方皆伐焉每無私予焉出雲風以通乎天地之間陰陽和合雨露之澤萬物以成百姓以饗此仁者之所樂於山者也

又曰周人以仁接民而天下莫不仁故曰文矣言文王仁故謂之文矣

又曰舜不登而高不行而遠拱揖于天下而天下稱仁

又曰誓可以觀義五誥可以觀仁甫刑可以觀誡洪範可以觀度

韓詩外傳曰仁道有四仁者有聖仁者有智仁者有德仁者有謙

史記曰帝堯其仁如天其知如神

又曰孔子適周問禮於老子辭去老子送之曰吾聞富貴者送人以財仁人者送人以言吾不能富貴竊仁人之號送子以言

又曰高祖仁而愛人喜施意豁如也

漢書曰何武爲人仁厚

後漢書曰王莽末虞延從女弟年在孩乳其母不能活之棄於溝中延聞其號聲哀而收之養至成人

范曄後漢書曰劉寬字文饒弘農人遷南陽太守溫仁多恕吏人愆過但用蒲鞭罰之示辱而已

又曰宣秉所得俸祿輒以收養親族其孤弱者分與田地自無擔石之儲前漢書音義曰齊人名小甖爲擔今江淮人謂一石爲一擔擔音丁濫切

齊書曰虞愿爲晉安太守郡出蚺蛇膽可用爲藥有人餉愿愿放之二十餘里一夜蛇還歸床下復送四十里經還復故處愿令人更送逕明乃復歸如此再三時以爲仁義之心所致

又曰江泌字士清性行仁義衣弊虱多以綿裹致之食菜不食心以其有生意也

崔鴻後燕錄曰趙秋字子武汲郡朝歌人也輕財好施鄰人李玄度母死家貧無以葬秋謂其兄曰赴死生救不足仁之本也家有二牛以與之玄度得以葬他年秋夜行見一老母遺秋金一餅曰子能葬我是以相報子五十已後當富貴不可言勿忘玄度也

老子曰大道廢有仁義

文子曰積惠重厚使萬物忻忻樂其性者仁也

莊子曰仁義先王之蘧廬蘧廬猶傳舍也可以一宿而不可以久處古人假道於仁託宿於義

莊子曰義人利物之謂仁

曾子曰伯夷叔齊仁者也

墨子曰除天下之害謂之仁

孟子曰齊宣王問交隣國有道乎對曰唯仁者能以大事小故湯事葛伯文王事昆夷

又曰君行仁政斯民親其上而死其長矣

又曰當今之時萬乘之國行仁政民之悅之猶解倒懸也

又曰夫仁天之尊爵人之安宅

又曰爲富不仁矣爲仁不富矣

又曰爲天下得人謂之仁

又曰三代之得天下也以仁其失天下也以不仁國之所以廢興存亡者亦然天子不仁不保四海諸侯不仁不保社稷卿大夫不仁不保宗廟士庶人不仁不保四體今惡死亡而樂不仁是猶恐醉而彊酒也

又曰仁則榮不仁則辱今惡辱而居不仁是猶惡濕而居下

又曰仁之勝不仁猶水之勝火

荀卿子曰仁義禮善之於人譬之若貨財粟米之於家也多有之者富少有之者貧無有之者窮

尸子曰仁則人親之義則人尊之智則人用之也

又曰文王四乳是謂至仁

六韜曰仁之所在者天下歸之

呂氏春秋曰工尹他爲荆使於宋司城子罕觴之南家之牆犨於前不直（猶犨出）西家之潦經其宮而不止工尹他問其故子罕曰南家工人也爲鞔（鞔履也一曰鞔也）吾將徙之其父曰吾恃鞔以食三世矣今徙是宋國之求鞔者不可吾將不食也是弗徙也西家高吾宮庳潦之經吾宮也利故弗禁也工尹他歸荆適攻宋工尹他諫於荆王曰宋不可攻其主賢其相仁故釋宋攻鄭

新序曰魏文侯曰仁人者國之寶也國有仁人則羣臣不爭

姚信士緯曰孟軻驅世士於仁義之域行者步中正之途

抱朴子曰仁者爲政之脂粉刑者御世之轡策

符子曰春秋華林傳曰不知不言其所以仁

延篤仁孝論曰夫仁之有孝猶四體之有心腹枝葉之有本根仁以枝葉扶踈爲大孝猶心體充實爲先。曹植仁孝論曰且禽獸悉知愛其母知其孝也唯白虎騶騏稱仁獸者以其明盛衰知治亂也孝者施近仁者及遠

逸士傳曰高鳳隣里有爭財鬪者兵刃相加鳳脫衣巾爲叩頭曰仁義遜讓不可廢也

會稽典録曰陳囂字子公山陰人也同縣車嫗年八十餘

無子慕囂仁義欲求寄命囂以車嫗有財產未敢便許乃詣於長者長者僉白其宜囂遂迎嫗朝夕定省如其所親出家財以供餚膳嫗以壽終囂殯斂畢皆勉其奴令守嫗墓財物付與嫗內外（踪睞）不入殯者以置塼中制服三月由是著名流稱上國矣

仁惻

周公曰文王在鄗召太子發曰吾語汝童年不服童馬不馳是謂大仁

欒嘉耀稽曰仁者有惻隱之心本生於木（仁生於木故惻隱出於自然也）

禮記表記曰中心憯怛愛人之仁也

左傳文下曰邾文公卜遷于繹史曰利於民而不利於君邾子曰苟利於民孤之利也天生民而樹之君以利之也民既利孤必與焉左右曰命可長也君何弗爲邾子曰命在養民死之短長時也民苟利矣遷也吉莫如之遂遷於繹邾文公卒君子曰知命也

家語曰孔子曰啓蟄不殺方長不折此高柴之行

漢書曰汲黯字長孺濮陽人河內失火燒千餘家上使黯往視之還報曰家人失火燒比屋延燒不足憂臣過河內貧人傷水旱萬餘家父子相食臣謹以使持節發河內倉粟以賑貧民請歸節伏矯制罪上賢而釋之

東觀漢記曰曹褒在射聲營舍有停棺不葬百餘所褒親自履行問其意故吏對曰此等多是建武以來絕無後者褒愴然爲買空地悉葬其無主者設祭以祀之遷將作大匠時疾疫褒巡行病徒爲致醫藥經理饘粥多蒙濟活

又曰鍾離意辟大司徒侯霸府詔部送徒詣河內時冬寒徒病不能行路過弘農意輙移屬縣使作徒衣縣不得已

與之而上書言狀意亦具以聞上得奏以見霸曰君所使
掾何乃仁於用心誠良吏也
又曰趙熹爲赤眉所迫亡走遇更始親屬皆裸跣塗炭飢
困不能前熹見之悲感所裝縑帛資糧悉以與之
又曰吳祐字季英陳留人遷膠東侯相政唯仁簡以身率
物民有相爭訴者輙閉閤自責然後斷其訟以道譬之或
身對閭里重相和解自是之後爭隙省息矣
又曰崔篆爲建新大尹班春所至之縣獄塡滿篆垂涕
曰嗟乎刑罪不中乃陷民於穽此皆何罪而至於是遂平
理所出二千餘人掾吏叩頭諫曰誠仁者之心然獨爲君
子將有悔乎篆曰殺一大尹贖二千人蓋所願也遂稱疾
去矣
謝承後漢書曰韓韶字仲黃潁川人韶爲嬴長嬴隣境歲

饑多被寇癈耕桑其民流入縣界求索衣糧者衆韶愍其
饑困開倉賑之所稟贍萬餘戶主者爭謂不可韶曰長活
溝壑之民而以此伏罪可含笑入地也
范曄後漢書曰史弼字公謙陳留人爲平原相時詔書下
舉鉤黨郡所奏相連及者多至數百唯弼獨無所主詔書
責曰青州六郡其五有黨平原弼何理而得獨無弼曰先
王疆理天下畫界分境水土異齊風俗不同他郡自有平
原自無胡可相比若望上司誣陷良善淫刑濫罰以逞非
理則平原之民戶可爲黨相有死而已所不能也從事大
怒即收郡僚械送獄遂奏弼曾黨禁中解弼以奉贖罪
免濟活者千餘人
英雄記曰劉翊字子相潁川人遷陳留太守出關數百里
見士大夫病亡道次翊以馬易棺脫衣殮之又逢知故困

餓於路不忍委去因殺所駕牛以救之衆人止之翊曰視
沒不救非志士遂俱餓死
晉中興書曰劉驎之南陽人少有信義去家百餘里有一
獨嫗病將死歎息謂人曰誰當埋我唯有劉長史耳何由
令知驎之先聞其有患故往候之值其命終乃身爲治棺
殯送之其仁愛惻隱若此
會稽典錄曰盛吉字君達山陰人拜廷尉吉性多仁恩務
在哀矜每至冬月罪當斷夜省刑狀其妻執燭吉手持丹
筆夫妻相向垂泣所當平決若無繼嗣吉令其妻妾得入
經營使有遺類視事十二年天下稱其有恩
列女傳曰雋不疑母仁而善教不疑爲尹行縣録囚徒還
其母輙問所平活幾何人即不疑多所平反平其事反死爲生也母
喜笑爲飲食言語異於他時或無出母怒爲之不食由是

故不疑爲吏嚴而不殘君子謂不疑母能以仁教子
孟子曰君子之於禽獸也見其生不忍見其死聞其聲不
忍食其肉是以君子遠庖廚也
孟子曰惻隱之心仁之端羞惡之心義之端辭讓之心禮
之端是非之心智之端人有四端猶有四體也
莊子曰古公亶父居邠狄人攻之事之以皮帛而不受事
之以珠玉而不受狄人所求者地古公亶父曰與人兄居
而殺其弟與人父居而殺其子吾不忍也子皆免居矣爲
吾臣與爲狄臣奚以異且吾聞之君子不以所用害所養
因杖策而去民相連而從之遂成國於岐山之下也
尸子曰駙馬共爲荆使於巴見擔酖者問之是何以曰所
以酖人也於是請買之金不足又益之車馬已得之盡注
之於江

韓子曰仁者謂其中心欣然愛人也其喜人之有福而惡人之有禍

世說曰桓車騎時有陳莊者爲府將性仁愛雖存行陣未嘗殺戮

太平御覽卷第四百一十九

太平御覽卷第四百二十

人事部六十一

義上

釋名曰義者宜也裁制事物使合宜也

說又曰義者己之威儀也

易下繫曰理財正辭禁民為非曰義

禮記經解曰除去天地之害謂之義

尚書曰以義制事

左傳隱公曰君子曰石碏純臣也大義滅親

論語里仁曰君子喻於義小人喻於利（喻猶曉也）

又曰君子之於天下無適也無莫也義之與比

又曰見義不為無勇也

史記曰趙朔將下軍娶晉成公姊為夫人景公三年屠岸賈欲誅趙氏賈始有寵於靈公至景公時為司寇將作難乃治靈公之賊韓厥告趙朔趨亡朔不肯曰子必不絕趙祀朔死不恨韓厥許諾稱疾不出賈不請而擅攻趙氏於下宮殺趙朔趙同趙括趙嬰齊皆滅其族趙朔妻成公姊有遺腹走公宮匿趙朔客曰公孫杵臼杵臼謂朔友人程嬰曰胡不死程嬰曰朔之婦有遺腹若幸而男吾奉之即女也吾徐死耳居無何而朔婦免身生男屠岸賈聞之索於宮中夫人置兒袴中祝曰趙宗滅乎若號既不滅若無聲及索兒竟無聲已脫程嬰謂公孫杵臼曰今一索不得後必索之奈何杵臼曰立孤與死孰難程嬰曰立孤難耳杵臼曰趙氏先君遇子厚子為其難者吾為其易者請先死乃謀取他人嬰兒負之衣以文葆匿山中程嬰出謬謂諸將曰嬰不肖不能立趙孤孰予我千金吾告其處諸將皆喜

許之發師隨程嬰攻公孫杵臼殺之諸將以為趙氏孤兒已死皆喜然趙氏真孤乃反在程嬰卒與俱匿山中居十五年晉景公疾卜之大業之後不遂者為祟景公問韓厥厥知趙孤在乃曰大業之後絕祀者其趙氏乎夫自中衍者皆嬴姓也中衍人面鳥噣降佐殷帝大戊及周天子皆有明德下及幽厲無道而叔帶去周適晉事先君文侯至于成公世有功德未嘗絕祀今吾君獨滅趙宗國人哀之故見龜策唯君圖之景公問趙向有後乎韓厥具以實告景公乃與韓厥謀立趙孤兒召而匿之宮中諸將入問疾景公因韓厥之衆以脅諸將而見趙孤名武諸將不得已乃曰昔下宮之難屠岸賈為之矯以君命非然孰敢作難微君之疾群臣固且請立趙後今君有令群臣之願也於是召趙武程嬰遍拜諸將諸將遂反與趙武程嬰攻屠岸賈滅其族復與武田邑如故及趙武冠為成人程嬰乃辭諸大夫曰昔下宮之難皆能死我非不能死我思立趙氏之後今趙武既立成人復故位我將下報宣孟與公孫杵臼趙武啼泣頓首固請曰武願苦筋骨以報子至死而子忍去我死乎程嬰曰不可彼以我為能成事今不報為不成遂自殺趙武服齊衰三年為之祭邑春秋祠之世世勿絕

又曰項王已死楚地皆降漢獨魯不下漢乃引天下兵欲屠之為其守禮義主死節乃持項王頭示魯父兄乃降即以魯公禮葬項王

又曰樂毅去燕之趙趙王欲圖燕毅泣曰臣事昭王猶事大王若獲戾施在他國終身不敢謀趙之徒隸況燕昭王後嗣乎

又曰欒布梁人也彭越為家人時常與布游及漢誅彭越

夷三族梟首雒陽下詔有收視者輙捕之布時爲越使齊
還奏事彭越頭下祠而哭之吏捕以聞上召罵布若與彭
越反耶吾禁人勿收若獨祠而哭之與反明矣趣亨之方
提趣湯顧曰願一言而死上曰何言布曰方上之困彭城
敗滎陽成臯間項王所以不能遂西徒以彭王居梁地與
漢合從苦楚也當是之時彭王一顧與楚則漢破與漢則
楚破且垓下之會微彭王項氏不亡天下已定彭王剖符
受封亦欲傳之萬世今漢一徵兵於梁彭王病不得從而
疑以爲反反形未見以苛細誅之臣恐功臣人人自危今
彭王已死臣生不如死請就亨上乃釋布拜爲都尉
漢書曰樓護有故人呂公無子歸護託身護與呂公及妻
呂嫗同食護妻子頗厭呂公護聞之流涕責子曰呂公以
窮老託身於我義所當奉遂養呂公終身

又曰衛青曰衰而霍去病日貴青故人門下多事去病輙
得官爵唯獨任安不去
又曰卜式河南人初以田畜爲事弟奇忽請於式欲分財
異居式便脫身出唯取羊百頭遂入山放牧經十餘年十
倍於初却買田宅居焉弟奇悉破其産矣式輙復分與之
續漢書曰李固被誅梁兾乃露固屍於四衢令有敢臨者
加其罪固弟子汝南郭亮年始成童左提章鉞右秉鈇鑕
詣闕上書乞收固屍不許因往臨哭陳辭於其前遂守喪
不去夏門亭長呵之亮曰含陰陽氣以生戴乾履坤義之
所重豈知生命何爲以死相懼太后聞而不誅乃聽得襚
斂歸葬之
又曰梁兾諷有司刻杜喬遂執繫之死獄中與李固俱暴
屍於城北故人莫敢視者喬故掾陳留楊匡聞之號哭星

行到洛託爲夏門亭吏守衛屍喪驅護蠅蟲都官從事執
之以聞太后義而不罪使於是帶鈇鑕上書詣闕乞杜李
二公骸骨太后許之成禮殯殮送喬喪還家葬送行服隱匿
又曰袁忠子秘爲郡門下議生黃巾起秘從太守趙謙擊
之軍敗秘與功曹封觀等七人以身扞刃皆死於陣謙以
得詔復秘等門閭號曰七賢
又曰陳蕃既被害友人陳留朱震時爲銍令聞而棄官哭
之收葬蕃屍匿其子逸於甘陵界中事覺繫獄合門桎梏
震受拷掠誓死不言故逸其得免
又曰史弼遷河東太守斷絕書屬中常侍侯覽遣諸生
齎書請之并求假鹽稅弼大怒乃付安邑獄拷殺之覽遂
詐作飛章下司隸誣弼誹謗檻車徵前孝廉魏劭毀變形
服詐爲家僮瞻護於弼弼遂受誣事當棄市劭與同郡人

賣郡邸行賂於覽得減死罪一等論輸左校時人或譏曰
平原行貨免君無乃甚乎陶丘洪曰文王羑里閎散懷金
史弼遭患義夫獻寶亦何疑焉議者乃息
又曰李燮字德公初李固既策罷知不免禍乃遣三子歸
鄉里時燮年十三有頃難作下郡收固三子二兄受害燮
姊文姬乃告父門生王成曰今委君以六尺之孤李氏存
滅其在君矣成乃將燮入徐州界中變名姓爲酒家傭而
成賣卜於市陰相往來梁兾既誅而災眚屢見明年史官
上言宜有赦令又當存録大臣冤死者子孫於是求固後
燮乃以本末告酒家酒家具車重厚遣之後王成卒燮以
禮葬之感傷舊恩每四節爲設上賓之位而祠焉
又曰李膺門生皆禁錮侍御史景毅子寔爲膺門徒未有
録牒故不譴毅慨然曰本謂膺賢遣子師之豈可以漏脫

名籍苟安而已遂自表免歸時人義之
後漢段頴討羌涼州刺史郭閎貪其功稽留頴軍義從者
日役久戀鄉悉反叛於閎罪歸頴頴坐徵輸左校羌涼覆
沒營塲吏人守門訟頴詔問狀頴謝罪不敢枉京師稱之
爲長者焉
又曰雷義字仲翁爲尚書郎同時郎坐事當居刑義默
自表取罪論免同臺郎覺之委位自上乞贖義罪順帝皆
除其罪
東觀漢記曰杜林弟成物故隗囂乃聽林持喪東歸既遣
而悔追令刺客楊賢於隴坻遮殺之賢見林身推鹿車載
致弟喪乃歎曰當今之世誰能行義雖小人何忍殺義士
乃亡去
又曰鮑永字君長爲司隸校尉行縣到京兆霸陵過更

始冢引車入陌欲下從事諫止之永曰親北面事人過其墓
雖以獲罪司隸不辭也遂下車哭盡哀西至右扶風推牛
上苟諫冢上問公卿曰奉使如此何如時太中大夫張堪
對曰仁者百行之宗忠者禮義之至也仁不遺舊忠不忘
君行之高者也上悅
又曰肅宗崩廉范奔赴敬陵時廬江郡嚴麟奉章弔國俱
會於路麟乘小車塗深馬死不能自進范見而愍然命從
騎下馬與之不告而去麟事畢不知馬所歸緣路訪之或
謂麟曰故蜀郡太守廉叔度好賙人窮今奔國喪當是耳
麟亦素聞范名以爲然即牽馬造門謝而歸之世伏其好
義
又曰李善字次孫南陽人本同縣李元蒼頭建武中疫疾
元家相繼死沒唯孤兒續始生數旬而有資財千萬諸奴

婢私共計議欲謀殺續分財產善乃潛負續逃亡隱山陽
瑕丘界中親自哺養乳爲生續孩抱奉之不異長君有
事輒長跪請白然後行之閭里感其行皆相率修義續年
十歲善與歸本縣修理舊業告奴婢於長吏悉收殺之時
鍾離意爲瑕丘令上書薦善行狀
又曰索盧放字君陽東郡人署門下掾更始時使者督行
郡國太守有事當斬放前對曰方今天下苦王氏之虐政
戴仰漢德傳車所過未聞恩澤而斬郡守恐天下惶懼各
自疑也使有功不如使有過遂解衣而前願代太守斬使
者義而赦之由是顯名
又曰魏譚字少閒王莽末政亂盜賊起人民相食譚爲夷
所得等輩數十皆縛束當稍就噉見譚貌謹勑獨放令主
炊養有夷長公哀譚謂曰汝曹皆當以次死哀縱汝急宜

去譚不肯去叩頭曰我常爲諸君主炊養食馨肉肌香餘
皆菜食羸瘦肉腥臊不可食願先等輩死長公義之即相
謂此兒有義可哀縱也賊遂皆放之數十人皆得脫
又曰更始即位舞陰大姓李氏擁城不下更始遣柱天將
軍李寶降之不肯云聞宛之趙氏有孤孫喜信義著聞願
得降之更始徵喜使詣舞陰李氏遂降
又曰桓典字公雅舉孝廉爲郎中居無幾國相王吉以罪
被誅故人親戚莫敢至者典獨棄官收斂歸葬服喪三年
負土成墳爲立祠堂盡禮而去
又曰劉平字公子楚郡人更始時天下亂平弟仲爲賊所
殺其後賊忽然而至平扶侍其母奔走逃難抱仲遺腹女
而棄其子母欲還取之平不聽曰力不能兩活仲不可以
絕類遂去不顧與母俱匿野澤中平朝出求食逢餓賊將

亨之叩頭曰今旦爲老母求菜老母待歸爲命願得歸食母畢還就因涕泣賊哀而遣之平還食母訖因白曰屬與賊期義不可欺遂還詣賊衆皆大驚相謂曰常聞烈士今乃見之去矣吾不忍食子於是得全

又曰汝南王琳字巨尉年十餘歲弟季出遇赤眉賊將爲所哺琳自縛請先季死賊矜而放遣

謝承後漢書曰天下亂人相食趙孝弟禮爲餓賊所得孝聞之即自縛詣賊曰禮久餓羸瘦不如孝肥飽賊大驚放之謂曰可歸更持米糒來孝求不能得復往報賊願就烹衆異之遂不害

又曰姜肱字伯淮彭城人肱與二弟仲海季江俱以孝著聞肱常與季江謁郡夜於道遇盜欲殺之兄弟爭死賊遂兩釋但奪衣資既至郡中見肱無衣帷問肱託以他辭終不言盜聞而感悔後乃就精廬求見徵君肱與相見皆叩頭謝罪而還所略物肱不受勞以酒食而遣之

又曰劉翊字子相陳國人也張季禮嘗弔師喪大冰寒車毀牛病不能進罷曳道路翊行於汝南界中逢之素與疏闊下馬與語便推所乘牢車强牛與之供其資糧不告姓名

又曰梁國車章爲縣功曹令黃拳爲人所誣章證其無罪當下箠立辭乃以斧斫右手五指閉口死獄中

又曰會稽戴就爲郡倉曹掾太守爲州所奏見收持吏以鐵針刺手爪中使以把土就十爪皆墮地終無撓辭

又曰張儉爲東部督郵時中常侍侯覽殘暴百姓儉舉劾覽遏絕章奏並不得通遂上書告儉與同郡二十四人爲黨儉得亡命止李篤家外黃令毛欽操兵到門篤引欽謂

曰張儉知名天下而亡非其罪縱儉可得寧忍執之乎欽因起撫篤曰蘧伯玉恥獨爲君子足下如何自專仁義篤曰篤雖好義明廷今日載其半矣欽歎息而去

又曰彭修州辟從事時賊張子林等數百人作亂修與太守俱出討賊賊望見車馬競交射之飛矢雨集修以身障扞太守而爲流矢所中死太守得全賊素聞其恩信即殺弩中修者餘悉皆降散言曰自爲彭君故降不爲太守服也

魏志曰閻溫字伯儉天水西城人守上邽令馬超奔上邽郡人任養等舉衆迎之溫止之不能禁乃馳還州超復圍州甚急乃遣溫密出告急於夏侯淵賊圍數重溫夜從水中潛出明日賊見其跡遣追遂得之執溫還詣超超解其縛謂曰今成敗可見若從吾言反謂城中東方無救此轉禍爲福之計也不然今爲戮矣溫僞許之超乃載溫詣城下溫向城大呼曰大軍不過三日至勉之超怒數之曰足下不爲命計耶溫曰夫事君有死無貳而公乃欲令長者出不義之名吾豈苟生者乎超遂殺之

又曰董卓遷帝長安幽州牧劉虞署田疇爲從事奉使得報馳還未至虞已爲公孫瓚所害疇至謁祭虞墓陳發章表哭泣而去瓚聞之大怒購求獲疇謂曰汝何哭劉虞墓而不送章報於我疇荅曰漢室衰頹人懷異心唯劉公不失忠節章報所言於將軍未美恐非所樂聞故不進也且將軍方舉大事以求所欲既滅無罪之君又讎守義之臣誠行此事則燕趙之士將皆東海而死豈忍從將軍者瓚壯其對不誅

又曰初濟陰王思與梁習俱爲西曹令史思直日白事失

太祖㫖太祖大怒教召主者將加重辟時恩近出君代往
對巳被收執恩乃馳還自陳已罪罪應受死太祖歎息之
不言恩思之識分曰何意吾軍中有義士二人乎
又曰牽招字子經袁紹辟招爲督軍從事紹卒又事子尚
後遼東送袁尚首懸在馬市牽招覩之悲感設祭頭下太
祖義之
又曰龐淯字子異初以涼州刺史從事守破羌長會武威
太守張猛反殺刺史邯鄲商猛令敢有臨喪死不赦淯聞
之棄官晝夜奔走號哭喪所詣猛門懷匕首欲因見以
殺猛猛知其義士勑遣不殺由是以忠烈聞
魏略下脂習除太醫令與孔融親善會融被誅當時許中
與融善者莫敢收恤而習獨往撫而哭之曰文舉卿捨我
而死復當與語者哀歎無已太祖收習欲理之尋以其事

直見原
蜀志曰曹公東征擒關羽以歸拜爲偏將軍禮之甚渥曹
公壯羽爲人而察其無久留意謂張遼曰卿試以情問之
遼以問羽羽歎曰吾極知曹公待我厚然吾受劉將軍恩
誓以共死不可背之吾終不留吾要當立效以報曹公而
後乃歸遼以羽言報曹公公曰事君不忘其本天下義士
也度何時去遼曰受公恩必效力而後去也及羽殺顏良
曹公知其必去重加賞賜羽拜書告辭而奔先主左右欲
追之曹公曰彼爲其主勿追也
吴志曰陸瑁同郡徐原居會稽素不相識臨死遺瑁書託
孤瑁爲起墳收導其子養之
王隱晉書曰鄧攸遭石勒亂負母妻行入草遇賊失牛馬
攸語其妻吾弟早亡唯有遺民今當步擔兩兒便當盡死

不如自棄兒抱遺民吾後猶當有兒婦乃從之
又曰趙王倫害張華之時洛中震悚唯閻纘詣東市號哭
尹屍而撫之曰早語君遜位而不肯去今果不免禍
于宝晉紀曰宣王討王陵發令狐愚冢暴屍兖州武丈東
平馬隆託廬三年種植松栢一州之士愧之
漢晉春秋曰文王誅鍾會爲功曹向雄收葬王召而責之
雄曰昔先王掩骼埋胔仁流枯骨當時豈先卜其功罪而
後葬哉今王誅既加於法已備雄感義收葬法教無闕法
立於上教弘於下以此訓物雄曰可矣何必使雄背死違生
以立於時殿下讎忿枯骨捐之中野百歲之後爲臧獲所
笑豈仁賢所掩哉王悅與宴談而遣之
三十國春秋曰成都王穎與長沙王乂於建春門陸機敗
遁走穎誅機及弟雲夷三族機吳人而在寵族之上人多惡

之成都王嬖人孟玖素不快於雲及機建門之敗機衆多
喪牽秀譖之於穎言機持兩端孟玖復構之於內使牽秀
斬機初機之專征請孫承爲後軍司馬至是收承下獄考
捶數百兩髁骨見終言機冤吏知承義烈謂承曰二陸之
痛誰不知枉君何不愛身承仰天曰陸君兄弟世之奇士
有顧於吾吾危不能濟死復相誣非吾徒也乃夷三族承
門人費慈自詣穎明承之冤承諭之曰吾唯不負二陸死
自吾分卿何爲尔邪慈曰僕又安負君而求生乎固明承
冤玖又疾之亦并見害

太平御覽卷第四百二十

太平御覽卷第四百二十一

人事部六十二

義中

晉書曰郗鑒字道徽高平金鄉人漢御史大夫慮之玄孫初鑒值永嘉喪乱在鄉里窮餒鄉人以鑒名德傳共飴之時兄子邁外生周翼並小常携之就食鄉人曰各自饑困以君賢欲共相濟耳恐不能兼有存鑒於是獨往食訖以飯着兩頰邊還吐與二兒後並得存同過江邁位至護軍翼爲剡縣令鑒之終也翼追撫育之恩解職而歸席占忌喪三年

又曰顔含有孝行兄畿服藥多死於醫家含迎歸開棺復生毋妻家人日益勤倦含弃官侍兄疾十三年曽無勞怠

又曰顔含嫂病困須髯蛇膽不能得含憂歎累日忽有一童子持青囊授含乃蚺膽也童子忽化爲青鳥飛去

何法盛晉中興書曰紀瞻字士遠歷陽太守沛國武嘏臨亡以家後不立遂手書寄託瞻悉迎接爲居宅衣食取足有若骨肉少與陸機兄弟親善機一門被誅瞻復相營恤機女爲嫁之由是士稱其篤義

宋書龔頴遂寧人也少好學益州刺史毛璩辟爲勸學從事璩爲譙縱所殺故佐吏並逃亡頴號哭奔赴殯送以禮縱後設宴延頴不獲已而至樂奏頴流涕起曰北面事人亡不能死何忍舉觴聞樂蹈跡逆亂乎縱大將譙道福引出將斬之道福毋即頴姑也跌出救之得免及縱僣號備禮徵又不至乃脅以兵刃執志無迴改至于蜀平遂不屈節

又曰張進之永嘉安固人也爲郡中大族少有志行歷五官主簿永寧安固二縣領校尉家世富足經荒年散財救贍鄉里遂以貧罄全濟者多太守王味之有罪當見收逃避進之供奉經時盡其誠力味之嘗避地墮水沉没進之投水拯救相與沉淪危而得免時劫掠充斥每入村抄暴至進之門輙相約勒不得侵犯其義信所感如此

又曰孫棘大明五年發三五丁弟薩應充行坐違期不至棘自詣郡辭引巳爲家長令弟不行罪當在巳乞以身代薩應又辭自引太守張岱疑其不實以棘薩各置一處報云聽其相代顔色並悦甘赴死焉棘妻許氏又寄語囑夫曰君當門户豈可委罪小郎且大家臨亡以小郎囑君今竟未婚娶家道不立君巳有三子死復何恨岱依事表上孝武帝詔特原罪

又曰蔡廓字子度事兄軌如事父家内大小諮而後行公私賞賜一皆納軌有所諮須就典者請之曽從武帝在彭城妻郗氏書求夏服時軌爲給事郎中廓荅曰知須夏服給事自應相供無庸别寄

崔鴻十六國春秋前趙録曰江都王延年年十五喪二親奉叔父孝聞子良孫及弟從子爲噉人賊所掠延年追而請之賊以良孫歸延年延年拜請曰我以少孤爲叔父所養此叔父之孤孫也願以子易之賊曰君義士也免之

又後趙録曰石勒謂右長史張賓曰鄴魏之舊都吾將營建誰可任也賓曰晉故東萊太守趙彭忠亮篤敏將軍若任之以鄴必能允副神規勒於是徵拜魏郡太守彭至泣而辭曰臣往曽策名晉室食其禄矣且受人榮寵復事二姓者臣志所不爲且豈愚臣之猶志恐亦明公之所不許有死而巳未敢聞命若賜其餘年全臣一介之願者則明

公大造也於是賜安車駟馬養以卿秩
又蜀志曰李安字武龍少養外家羅氏元康八年避地入
蜀從李特征伐以勇烈聞李驤引爲帳下督數有戰功甚
信愛之羅尚之遣隗伯攻郫也驤逆戰不利被傷落馬臥
未能起士衆皆散唯安與任回在左右伯從數千騎來叱
安曰羅武龍吾所取有人卿宜避我嗔目呵之曰吾不相
與因前馬刺之伯逡巡而退
又前凉録曰張世度燉煌人幼以孝讓著稱遊學京師遇
中州大疫鄉人宗族死于京師數十人世度年十六収恤
殯葬識者嘉之
吳均齊春秋曰上不豫南康王緋於弟賜死獨江泌守尸
晝夜號泣悲動路人于時諸王並見誅翦故舊無敢瞻看
唯泌及衡陽王子淩侍讀嚴植各爲營理喪事時人高其

節泌字士清濟陽人也
後魏書曰陽固字敬安北平無終人性儼儻不拘小節博
覽篇籍有文才清河王懌辟太尉從事中郎懌爲元乂所
害朝野震悚懌諸子及門生僚吏莫不處禍隱避不出固
獨詣喪所盡哀慟哭良久乃還僕射游肇聞而嘆曰雖欒
布王脩何以尚也
唐書曰李密既降徐勣尚守黎陽倉謂長史郭恪曰魏公
既歸于唐我士衆土地皆魏公之有也吾若上表獻之即
是自邀富貴吾所恥也今宜具録以啓魏公聽公自獻則
魏公之功也及使者至高祖無表甚怪之使者具以聞
高祖大悦曰徐勣感德推功真忠臣也即授黎州摠管賜
姓李氏
又曰李綱孫安仁永徽中爲太子左庶子屬太子被廢歸

于陳邸宮寮皆逃散無敢辭送者安仁獨泣涕拜辭而去
朝野義之後卒於恒州刺史
又曰王義方泗州漣水人也少孤貧事毋甚謹博通五經
而謇傲獨行初舉明經因詣京師中路逢徒步者自云父
爲潁上令聞病篤倍道將徃焉徒步不前計無所出義方
所乘馬與之不告姓名而去
老子曰大道廢有仁義
又曰失道而後德失德而後仁失仁而後義失義而後禮
文子曰世治則以義衛身世亂則以身衛義
又曰體君臣正上下明親疎存危國繼絶世立無後者義
也
墨子曰墨子之齊遇故人故人曰今天下莫爲義獨子爲
義不若已墨子曰今有子十人一人耕九人處耕者不可

以不急何則食者衆而耕者寡也今天下莫爲義子宜勸
何以止我
又曰世俗君子視義士不若視負粟者今有人負粟息於
路側欲起而不能君子見之無長少貴賤必起之何也曰
義也今爲義之君子奉承王之道以語之縱不悅而行又
從而非毀之則是世俗之君子之視義士也不若視負粟
者
列子曰桀紂唯重利而輕道是以亡人而無義唯食而已
是雞狗也強食磨角勝者爲利是禽獸也爲雞狗禽獸而
欲人之尊已不可得也
孟子曰魚我所欲熊掌亦我所欲二者不可兼舍魚取熊
掌生亦我所欲義亦我所欲二者不可得兼舍生取義
孫卿子曰仁義礼善之於人也譬之貨財粟米之於家也

多有之者富少有之者貧至無有者窮
六韜曰義之所在天下歸之
尸子曰賢者之於義曰貴乎義乎曰義是故堯以天下與
舜曰富乎義乎曰義是故子罕以不受玉爲寶曰生乎義
乎曰義故務光投水而殪三者人之所重而不足以易義
又曰十萬之軍無將軍必大亂夫義萬事之將也國之所
以立者義也人之所以生者亦義也
又曰莒有石焦原廣數尋長五十步臨百仞之谿有以勇
見莒公者卻行劑踵焉莒國莫之敢近已獨劑踵焉所以
服莒國也夫義之爲焦原也亦高矣是故賢者之於義也
必且劑踵焉所以一世也
韓子曰義者君臣上下之禮父子貴賤之差也
賈誼書曰齊桓公之始霸翟人伐燕桓公爲燕北伐翟至

孤竹桓公歸燕君送入齊地百六十里問於管仲曰禮諸
侯相送固出境乎管仲曰非天子不出境公曰然則燕君
畏而失禮也寡人恐後世以寡人爲能存燕而欺之也乃
令燕君旋車割燕君所至而與之諸侯聞桓公之義而皆
服之
淮南子曰君子非義無以生失義則失其所以生小人非
嗜欲無以活失嗜欲則失則所以活故君子懼失義小人
懼失利
監鐵論曰阻險不如阻義也
說苑新序曰白公勝既殺令尹司馬欲立王子閭以爲王
王子閭不肯刼之刃王子閭曰見國滅而志王不仁刼白
刃而失義不勇吾雖死不子從也白公強之不可遂縊而
殺之

新序曰白公之難楚人有莊善者辭其母曰弃其親而死
其君可謂義乎莊善曰吾聞事君者內其祿而外其身今
所以養母者君之祿也身安得無死乎遂辭而行比至公
門三廢車中其僕曰子懼矣何不反乎莊善曰懼者吾私
也死君公義也吾聞君子不以私害公遂刎頸而死
風俗通曰巴郡太守太山任埅字伯闓爲司徒掾同産弟
子殺人繫獄埅自劾去星行電征便道詣府露首肉袒辭
謝太守李固請與相見埅頓頭流血自說弟薄命早亡以
遺孤爲託埅失義方之教自陷罪惡息男國既豫知情幸
有微緍乞以代之言甚哀切李公於是原活出之
又曰俗說齊人有空車行魯人有負釜者便持釜置車
中行二百里臨別取釜不相問亦不謝後車家繫獄當死釜
主徑往篡之穿壁未達曰極哉車者怒不肯出釜主慙欲

俱死明日主者以事白齊君齊君義而原之
說苑曰子路曰不能甘勤苦不能恬貧窮不能輕死亡而
曰我行義吾弗信也
又曰燕昭王使樂毅伐齊閔王亡燕之初入齊也聞蓋邑
人王歜賢令軍曰環蓋邑三十里毋入以歜之故已而使
人謂歜曰齊人多高子之義吾以子爲將封子萬家歜固
謝燕人曰子不聽吾引三軍而屠蓋邑王歜曰忠臣不事
二君貞女不更二夫齊王不聽吾諫故退而耕於野國既
亡吾不能存今又刼之以兵爲君將是助桀爲暴也生而
無義固不如烹遂懸其脰樹枝自奮絕脰而死齊士大夫
聞之曰王歜布衣猶不皆齊向燕況在位食祿者乎乃相
聚如莒求諸公子立爲襄王
又曰左儒友於杜伯皆臣周宣王宣王將殺杜伯而非其

罪也左儒爭之于王九復之而王不許也王曰別君而異友斯汝也左儒對曰臣聞之君道友逆則順君以誅友友道君逆則率友以違君王怒曰易而言則死左儒對曰臣聞古之士不枉義以從邪不易言以求生故臣能明君之過以死杜伯之無罪王殺杜伯左儒死之

說苑曰佛肸以中牟縣叛設祿邑炊鼎曰與我者受邑不與我者亨中牟之士皆與之城北餘子田基獨後至祛衣將入鼎曰田基之義軒冕在前非義不乘斧鉞於後義死不避遂祛衣將入鼎佛肸止之趙簡子屠中牟得而取之論有功者用田基爲始基曰吾聞廉士不耻人如此受中牟之功則中牟之士終身慙矣遂襁負其母南徙於楚楚王高其義待以司馬

新序曰白公勝拔劍而屬之於屈廬曰子與我將捨之不

與我將殺之屈廬曰吾聞之知命之士見利不動臨死不恐爲人臣者時生則生時死則死是謂之禮故人知天命下知人臣之道其有可刼乎子不推之白公勝乃入其劍

汝南先賢傳曰王恢字仲通太守郭紆同爲主簿詔書發筋角紆親里竟辜較之恢諫紆曰明府爲藩屏大臣事當從公聽恣私曲何以爲治紆不從有告言之者詔書案問事當傳考紆見恢曰太守負君今當何以圖之恢曰明府不須爲憂明府年六十恢年七十先明府生十有餘年不於今日効命將復何有遺詣考所自引受罪言太守不知之因欝氣不食而死郡以無事

廣州先賢傳曰尹牙字猛德合浦人太守南陽終寵憂見頻色常用怪焉牙造膝伏見明府四節悲歎有慘悴之恩者何也寵曰父爲周張所害重仇未報是以長愧也牙乃傭僕自貶吏役而至于宛陵與張校圍交通竭節於張伺其間隙出入三年乃先酹張左右近侍以夜解縱諸馬令之亂駭張果出問其故牙因手刃張首而還

楚國先賢傳曰應余字子正爲郡公曹是時吳蜀不賔山民背叛余與太守東里袞逃竄得出賊便射袞余以身當箭被七瘡因謂賊曰我以身代君已被重瘡若身死君全殯殁無恨因仰天號泣涕血俱下如雨賊見其義烈釋袞不害

會稽典錄曰張京從戎西州軍罷還歸各給車牛京同里寡母與三子從軍子各物故見京還不能自致悲傷歔欷京以載之牛羸道死京入轅引軛妻子單步

又曰孟英字公房上虞人爲郡掾史王憑坐罪未應死太守下縣殺憑憑家詣闕稱寃詔書下州撿栲英出定文書

悉著英名楚毒慘至辭色不變言太守病不關衆事英以冬至日入占病因竊印以封文書下縣殺憑非太守意也繫歷冬夏肉皆消爛遂不食而死

豫章志曰龔頎字顯先爲下江督郵太守會稽謝斐獲罪於時大皇帝幸尋陽頎乃具作章陳斐事候大駕於道叩頭流血時大風寒雪之後血流成冰上乃爲之住駕省章斐事見理〇繁欽丘儁碑曰故右扶風都尉主簿有從都尉討叛胡官兵敗績卒伍奔散都尉臨陣墮馬儁於是下馬授甲以身禦寇遂致死戰場都尉乘儁馬得免

桂陽先賢畫讚曰朱陽羅陵果而好義郡汲府君爲州章陵被掠栲桊加五毒援刀截舌以着盤中獻之廷尉群公義之事得清理

會稽先賢傳曰陳業字文理郡守蕭府君卒業與書佐曾

雙率禮送喪雙道溺于水業因掘泥楊波探出其尸又業
兄度海復見傾命時同依止者乃五六人骨肉消爛而不
可記別業仰皇天誓后土曰聞親戚者必有異焉因割臂
流血以洒骨上應時得血住餘皆流去

續齊諧記曰田真兄弟三人家巨富而殊不睦忽共議分
財金銀珍物各以斛量田業生貲平均如一唯堂前一株
紫荆樹花葉美茂共議欲破爲三人各一分待明就截之
尔夕樹即枯死狀火燃葉萎枝摧根莖燋悴真至攜門而
往之大驚謂語弟曰樹本同株聞當分析所以燋悴是人
不如樹木也因悲不自勝便不復解樹樹應聲遂更青翠
華色繁美兄弟相感更合財産遂成純孝之門真以漢成
帝時爲太中大夫

西京雜記曹敞在吳章門下時輩謂敞好斥人過爲輕薄
世人皆以爲然及章後爲王莽所殺門生無敢收葬者皆
更易姓名以從他師敞時爲司徒掾獨稱章弟子收而葬
之方知諒直者不見容於凡輩矣平陵人生立敞碑於吳
墓在龍首山南嶺上

汝南先賢傳曰闞敞字子張平輿人仕郡爲五官掾時太
守第五常被徵臨發倉卒有俸錢百三十萬留付敞敞埋
着堂上遂遭世倉卒道路斷絕敞年老飢羸其妻曰第五
府君所寄錢可取自給然後償之敞曰吾窮老何明當有
用故君之財耶道通當送飢寒何損常舉門遭疫妻子皆
死常病臨困唯有孤孫年九歲常謂之曰吾寄故五官掾
平與闞敞錢三十萬氣遂絕後孫年年長大步擔至汝南
問敞敞見之悲喜與共臨發穽錢乃百三十萬孤孫曰亡
祖臨終言有三十萬耳今乃百三十萬不敢當也敞曰府

君病困氣索言謬誤耳郎無疑也

傅子曰太祖既誅袁譚梟其首令曰敢有哭之者戮及妻
子於是王脩治田子泰相謂曰生受辟命亡而不哭非義
也畏死亡義何以立世遂造其首而哭之哀動三軍軍正
白行其戮太祖曰義士也赦

劉彦明燉煌實録曰童巽字文舉學有才太守京兆諒舉
巽上掾歷主簿功曹諒卒官巽衰絰送喪道遇寇虜衆皆
散走巽身蔽柩哭嘔血賊欲破棺巽叩頭救請頭破流血
賊義而釋之由是顯名

太平御覽卷第四百二十一

人事部六十三

義下　義婦

義下

戰國策曰孟嘗君出記問門下諸客誰能爲文收債於薛者馮驩曰能於是載券契而行辭曰收債畢何市而反孟嘗曰視吾家所寡有者乃爲之至薛召諸民當償債者悉來合券遍合乃矯命以債賜諸民燒其券民稱萬歲長驅到齊晨而求見孟嘗怪其疾正衣冠而見之曰債畢收乎來何疾也何市而反驩曰君云視吾家所寡有者臣竊計君宮中珎寶滿內府狗馬實外廐美人充後宮君家所寡有者義耳竊以爲君市義曰市義柰何曰今君有區區之薛不能撫愛其民因而賈利之臣竊矯君命以債賜諸民

因燒其券民稱萬歲乃臣所以爲君市義也孟嘗君不悅曰諾先生休矣後朞年孟嘗就國於薛未至百里民扶老攜幼迎君道中顧謂驩曰先生所爲文市義者乃今日見之

又曰秦縮高鄢陵人也其子仕秦秦以爲管守魏信陵君攻之不下乃使人謂鄢陵君曰遣縮高來吾將仕之使爲持國尉鄢陵君曰小國不能必其民使者自往請使吏導使者至縮高曰君之命高也將使攻管也夫父攻子守人之大笑也見臣而下是背主也父殺子背亦非君善敢再辭使者以報信陵君大怒遣使謂鄢陵君曰鄢陵之地亦猶魏也今吾攻管而不下則秦兵不返社稷必危矣願君生東縮高而致之若君弗致吾將十萬之師以造君城下鄢陵君曰吾先君成侯受詔襄王以守此地受太府之憲曰子殺父臣殺君有常不赦國雖大赦降城亡子不得預焉今縮高不受大利以全父子之義而君曰生致之是使我負襄王之詔而廢太府之憲雖死終不敢行也縮高聞之曰信陵君爲人悍而自用此辭反必爲國禍吾已全已爲人臣之義矣豈可使吾君有魏患乎乃之使者舍自刎頸而死信陵君聞之大驚縞素出舍使使者謝鄢陵君曰無忌小人也困於思慮敢再拜釋罪

英雄記曰袁紹以臧洪爲東郡太守時曹操圍張超於雍丘洪始聞超被圍乃徒跣號泣並勒所領將赴其難從紹請兵而紹竟不聽之超城遂陷張氏族滅洪由是怨紹絶不與通紹增兵急攻洪城中粮盡厨米三升使爲薄糜遍頒衆又殺其愛妾以食兵將咸流涕無能仰視男女七八千相枕而死莫有離叛城陷生執洪紹謂曰臧洪何相負

若是今日服未洪據地瞋目曰諸袁事漢四世五公可謂受恩今王室衰弱無輔翼之意而欲因際會觖望非冀惜洪力劣不能推刃爲天下報仇何爲服乎紹乃命殺之洪邑人陳容在坐見洪當死起謂紹曰將軍今舉大事欲爲天下除暴而先誅忠義豈合天意紹慙遣人牽出謂曰汝非臧洪儔歟空復尓爲容顧曰夫仁義豈有常所蹈之則君子背之則小人今日寧與臧洪同日死不與將軍同日生遂復見殺在紹坐者無不歎息

又曰袁譚既死弟熙尚爲其將焦觸張南所攻奔遼西烏桓觸自號幽州刺史陳兵數萬殺白馬盟曰違命者斬各以次歃至別駕代郡韓珩曰吾受袁公父子厚恩今其破亡智不能救勇不能死北面曹氏所不能爲也一坐爲珩失色觸曰舉大事當立大義事之濟否不待一人可卒珩志

以厲事君曹操聞珩節甚貞之屢辟不至
又曰公孫瓚字伯珪爲上計吏部太守劉基爲事被徵伯珪御重到洛陽身執徒養其將徙日南伯珪具豚米於北邙上祭先人觴醊祝曰昔爲人子今爲人臣當詣日南多障氣恐或不還與先人辭於此再拜慷慨而起觀者莫不歔欷在道得赦俱還
魏略曰郭憲字幼簡西平人以仁篤爲一郡所歸韓約失衆從羌中還依憲衆人多欲取約以邀功而憲責之言人窮來歸我云何欲危之遂擁護厚遇之其後約病死而田樂楊逵等就斬約頭當送之逵等欲條疏着憲名憲不肯在名中言我當不忍生圖之豈忍取死人以要功乎逵等乃止時太祖方攻漢中在武都而逵等送約首到太祖宿聞憲名及視條疏恠不在中以問逵逵等具以情對太祖

歎其至義乃表例與逵等並賜爵關內侯
列士傳曰羊角哀左伯桃二人相與爲死友欲仕於楚道遥山阻遇雨雪不得行飢寒無計自度不俱生也伯桃謂角哀曰天不我與深山窮困併在一人可得生官俱死之後骸骨莫收内手捫心知不如子生恐無益而弃子之器能我樂在樹中角哀聽伯桃入樹中而死得衣糧前至楚楚平王愛角哀之賢嘉其義以上卿禮葬之竟角哀夢見伯桃曰蒙子之恩而獲厚葬然正苦荊將軍冢相此欲役使吾吾不能聽也與連戰不勝今月十五日當大戰以決勝負得子則勝否則負矣角哀至期日陳兵馬詣其冢上作三桐人自殺下而從之君子曰執義可爲世規
唐新語曰陸南金博涉經史言行修謹開元初太常少卿盧崇道犯罪自嶺南逃歸匿于南金家俄爲讎人所發詔侍御史王旭按之崇道辭引南金旭處以極法南金弟趙璧請代兄死南金執稱弟實自誣身請當罪兄弟爭死旭問其故趙璧曰兄且是嫡又能幹家亡母未葬小妹未嫁自惟幼劣生無所益身自請死旭列上其狀玄宗嘉而宥之張說陸象先等咸相欽重累遷庫部員外郎南金祖士季爲隋越王侗記室兼侍讀侗稱制授著作郎時王世充將行篡奪侗謂士季曰隋有天下三十餘載朝廷文武豈無忠烈者乎士季對曰見危授命臣之宿心今請因其啓事便加手刃後事洩充遂停士季侍講貞觀初爲大學博士而卒矣
又曰畢構性至孝丁繼母憂有兩妹皆在繈褓構乳養嫁遣之及其亡也二妹初聞哀慟氣絶者久之言曰雖兄弟無三年之禮吾倚鞠養豈同常人遂行三年服朝野聞之

莫不稱歎構弟栩任太府主簿留司東都聞構疾星馳赴京侍醫藥者累月既而哀毀骨立變服視事踰年未嘗言笑深爲朝野所重構嘗爲益州長史兼按察使多所舉正風俗一變玄宗降璽書慰之曰卿孤潔獨行有古人之風自臨蜀川弊化頓易覽卿前後執奏何異破柱求姦諸使之中在卿爲最終户部尚書
又曰李憗爲貝州刺史甘露徧於庭樹邑人曰美政所致請以聞憗謙退寢其事歷官十七政俸禄先兄弟嫂姪謂其子曰吾厚汝曹以衣食不如厚之以仁義勿辭弊也天下莫不嗟尚之
又曰姚崇少不慕學年踰弱冠嘗過所親見修文殿御覽閲之甚喜遂就墳史以文華著名歷牧常楊吏人並建碑紀德再秉衡軸天下欽其公直外生任并任异少孤長於

崇家乃與之立家產謂之曰汝與吾無間然矣惜殊宗而
代疎命與其子連名異無以別也時人美之
又曰孟景休事親以孝聞丁母憂毀瘠踰禮殆至滅性弟
景偉年在襁褓景休親乳之乳爲之豐及葬時屬祁寒跣
履雪霜脚指墮而復生如初景休進士擢第歷監察御史
鴻臚丞爲來俊臣構陷遇害時人傷焉

義婦

南史孝義傳吳興東公濟妻姚氏生二男而公濟及兄願
公乾伯並卒各有一子姚養育之賣田宅爲取婦自與二
男寄止隣家明帝詔爲其二子婚表閭復徭役
又會稽永興吳翼之母丁氏少喪夫性仁愛遭年荒分衣
食以飴里中飢餓者隣里求借未嘗違同里陳攘父母死
孤單無親戚丁收養之及長爲營婚娶又同里王禮妻徐

荒年客死丁隂爲買棺器自往斂葬元徽末大雪商旅斷
行村里比室飢餓丁自出鹽米計口分賦同里任僑家露
四喪無以葬丁爲辦冢槨有三調不登者代爲送丁長子
婦王氏守寡執志不再醮州郡上言詔表門閭租稅
崔鴻十六國春秋前趙録曰冠軍喬晞攻界休尅之其令
賈渾抗節不降晞怒殺之其妻宗氏年二十餘有姿色晞
欲納之宗罵曰屠各奴何有害人之夫而欲加無禮于尒
毋乎何不促殺我遂仰天大哭亦殺之
唐書獨孤武都謀叛王世充歸于我其子師仁方三歲世
充以其幼不殺乳母王英蘭髡鉗求入保養世充許之英
蘭扶气所得與師仁唯自啖土飲水而竟爲採拾竊師仁
至京師高祖嘉之封永壽鄉君
又曰陽三安妻李氏雍州涇陽人也事舅姑以孝聞及舅
姑亡没三安亦死二子孩童家至貧窶李晝則力田夜便
紡緝數年間葬舅姑及夫并夫之叔姪兄弟七喪深爲遠
近所嗟尚太宗聞而異之賜帛二百段遣州縣恤存之
又曰鄭義宗妻盧氏幽州范陽人也盧彥衡之女也略涉
書史事舅姑甚得婦道嘗夜有強盜數十人持杖鼓譟踰
垣而入家人悉逃竄唯有姑獨在堂盧冒白刃往至姑側
爲賊捶擊之幾至於死賊去後家人問曰羣凶擾攘人盡
奔逃何獨不懼荅曰人所以異於鳥獸者以其有仁義也
昔宋伯姬守義赴火流稱至今吾雖不敏安敢忘義且比
隣有急尚相赴救況在姑而可弃委若萬一危禍豈宜獨
生其姑每云古 稱歲寒然後知松栢之後凋吾今乃見
盧新婦之心矣貞觀中卒
又曰冀州鹿城女子王阿足者早孤無兄弟唯姉一人阿

足初適同縣李氏未有子而夫亡時年尚少又多娉之爲
姉年老孤寡不能捨去遂誓不嫁以養其姉每晝營田業
夜便紡績衣食所須無非阿足出者如此二十餘年及姉
亡葬送以禮鄉 莫不稱其義行竟令妻女求與相識後
數歲竟終于家
又曰楚王靈龜妃上官氏上邽人也父懷仁右金吾將軍
上官氏年十八歸於靈龜繼楚哀王後本生具存朝夕侍
奉恭謹弥甚凡有新味非舅姑嘗訖未曾先嘗經數載靈
龜薨及將葬其前妃閻氏嫁不踰年而卒又無近族衆議
欲不舉之上官氏曰夫神而有靈寧可使孤魂無記於是備
禮同葬聞者莫不嘉歎服終諸兄弟姉謂曰妃年尚少又
無所生改醮異門禮儀恒範妃思之掩泣對曰丈夫以義
烈標名婦人以守節爲行未能即先犬馬殉溝壑寧可復

飾粧袨服有他志乎遽將截鼻割耳以自誓諸兄姊知其志不奪歎息而止尋卒

説苑曰齊遣兵攻魯見一婦人將兩小兒走抱小而挈大顧見大軍且至抱大而挈小使者甚怪問之婦人曰大者妾夫兄之子小者妾之子夫兄子者公義也妾之子者私義也寧濟公而廢私耶使者悵然賢其辭即罷軍還對齊王説之曰魯未可攻也匹婦之義尚如此何况朝廷之臣乎

列女傳曰衛宗二順者衛宗室靈王之夫人及傅妾也秦滅衛君角封靈主世家使奉其祀靈主死夫人無子而守寡傅妾有子代後夫人謂傅妾曰孺子養我甚謹子奉祭祀而妾事我我不聊顧出居外傅妾泣曰夫人豈欲使靈氏受三不祥耶公不幸蚤終是一不祥夫人無子而妾有

子是二不祥今夫人將出居外妾居内是三不祥欲自殺其子止之不聽夫人懼遂終年供養不替

又曰魯孝義保者魯孝公稱之保母初孝公父武公與長子括中子戲朝周宣王宣王立戲爲魯大子武公薨戲立是爲懿公孝公于時號公子稱括之子伯御與魯人作亂攻殺懿公而自立求稱於宮中將殺之義保聞伯御欲殺稱乃衣其子以稱之衣卧於稱之卧處伯御之義保遂抱稱以逃周天子殺伯御立稱爲孝公魯人高義保之義故謂之義保

又曰河南貞義者樂羊子之妻羊子出學將友人歸貞義截髮賣以供其費後羊子得遺金一餅以與貞義貞義曰妾聞君子不以利汙行羊子慙而弃之

又曰杞梁名殖齊人也爲大夫莊公襲莒約車五乘載士殖不與歸而不食母曰汝生有義死有名五乘盡汝下也殖遂至莒獲甲首公止之曰共同齊國殖曰不與五乘少吾勇也臨敵止吾以利汙吾行也遂進至莒城下殺二十七人而死莒人築尸城爲京觀妻往迎喪向之哭土爲之崩得喪於是公使男葬之葬畢曰婦人有三從之義今吾外無夫以立節内無子以見志吾何歸乎乃赴水而死

又曰梁節姑姊者梁之婦人其室失火兄子與其子三人在内中欲取兄子輙得其子火盛不得復入婦人將自赴火其夫止之婦人曰梁國豈可户告人曉也被不義之名何面目以見兄弟國人哉吾欲復投吾子爲失母之恩吾勢不可以生遂赴火而死

又曰會稽右師安妻者同郡呂氏之女也名軍少寡無子守義不遷其兄遂犯法軍匿之知不能免乃泣曰少遭家

不造兄弟單少門宗唯兄爲主而復罹此禍我有一計猶足免難將詣縣陳之兄曰其計若何軍曰臨時從宜不可先言也乃請督者爲辭乞代兄遂之命因自刎縣門官嘉其義乃捨遂罪

又曰齊義繼母者齊二子之母也當宣王時有人鬭死於道者吏視之被一瘡二子立其傍吏問之兄曰我殺之弟曰非兄也我殺之朞年不决吏言之於相相不能决言於王王曰皆赦之是縱有罪皆殺之是誅無辜也其母必知其子之善惡聽所欲殺活相召而問之其母泣而對曰殺少子相曰少子人之所愛今欲殺之何也對曰少者妾之子也長者前妻之子也雖痛乎獨謂義何泣下沾襟相言之於王王美其義皆赦二子號曰義母

又曰天水姜叙母者同郡楊阜之姑也阜爲州史馬超殺

刺史太守叙屯曆城阜往見之戲欷悲甚叙曰何爲乃尒阜曰守城不能完君亡不能死何以視息於天下乎君擁兵專制無討賊之心此趙盾所以書殺也叙母慨然勑叙從阜討遂起兵於歷城超聞之襲歷城得叙母母罵之曰若背父之逆子殺君之桀賊天地豈久容若何不早死敢以面目視人超即殺之

杜預女記曰王氏之母者漢丞相安國侯王陵之母漢王擊項羽陵以兵屬漢王項羽得陵母置軍中漢使至則東向坐陵母欲以招陵陵母私送使者爲之泣曰爲老妾語陵善事漢王漢王長者也無以老母故懷二心言妾已死乃伏劒而死以固勉陵

定命録曰賈直言妻莫知姓氏貞元中其舅道得罪賜酖直言欲代父死奪酖飲之不死流于嶺徼直言妻一志事

姑髽髻絕膏沐自三十年蟣虱蔽其肉厭後如枯蓬之植爆上無復蟣虱迨十五載直言遇赦歸妻始一沐其髮自斷絕墮于泔盆終爲禿婦直言後歷諫議大夫出刺兩郡

傳記李如璋爲夏陽令素輕其妻鄭氏如璋因醉誤殺人母其子入縣將復讎如璋與鄭以床拒門讎者推窻而入鄭急以身蔽如璋舉手秉刃右臂既落復舉其左臂讎復斷之猶乞以身代夫死時方懷姙讎者以刃鑠其腹胎出而殞乃害如璋及其二子州司以聞坐死者數十人

太平御覽卷第四百二十二

太平御覽卷第四百二十三

人事部六十四

謙　讓上

謙

易謙卦曰謙亨君子有終吉彖曰天道下濟而光明地道卑而上行天道虧盈而益謙地道變盈而流謙鬼神害盈而福謙人道惡盈而好謙謙尊而光卑而不可踰君子之終也象曰地中有山謙君子以裒多益寡稱物平施初六謙謙君子用涉大川吉六二鳴謙貞吉九三勞謙君子有終吉六四無不利撝謙上六鳴謙利用行師征吉易下繫曰謙德之柄也

尚書曰滿招損謙受益

左傳莊公曰齊侯使敬仲爲卿辭曰羇旅之臣敢辱高位以速官謗敢以死告

又成上曰晉與齊戰而勝歸范文子後入武子曰無爲吾望尒也（武子士會文子之父）對曰師有大功國人喜以逆也先入必屬耳目是代帥受名故不敢武子曰吾知免矣（知其不益已禍）

漢書曰張安世兄賀爲掖庭令而宣帝以皇曾孫收養掖庭賀視養拊循恩甚密爲上追思賀恩欲封其塜爲恩德侯置守塜户二百家安世深辭賀封又求損守塜户上曰吾自爲掖庭令非爲將軍安世乃止

又曰于定國爲人謙恭尤重經術士雖卑賤徒步定國皆與均禮

又曰元帝即位徵孔霸爲師賜爵關内侯霸爲人謙退不好權勢常爵位泰過何德以堪之霸讓位自陳上深知其志誠乃弗用

東觀漢記曰北海靖王睦顯宗之在東宮尤見幸而睦性謙恭好士名儒宿德莫不造門永平中法憲頗峻睦乃謝絶賓客放心音樂歲終遣中大夫奉璧朝賀召而謂曰朝廷設問寡人大夫將何辭對使者曰大王忠孝慈仁敬賢樂士臣雖螻蟻敢不以實對睦曰吁子危我哉此乃孤幼時進趨之行也大夫其對以孤襲爵已來志意衰惰聲色是娛犬馬是好使者受命而行

又曰李通娶寧平公主爲大司空通性謙恭常避權勢謝病不視事

又曰馮異字公孫爲人謙退與諸將相逢輒引車避道每止頓諸將共論功伐異常屏止樹下軍中號大樹將軍

又曰鄧騭兄常居禁中騭謙退不欲久在内連求還第太后乃許

又曰樊宏爲人謙慎常誡其子曰富貴盈溢未有能終者及病困車駕臨問其所欲言宏頓首自陳無功享食大國願還壽張食小鄉亭上悲傷其言而不許

又曰梁商朝廷敬憚其委任自前世外戚見禮過尊顯所未曾有商門無駐馬請謁之賓謙虚挹損九命弥恭漢興已來妃后之家亦無商比

晉書曰羊祜開府累年謙讓不辟士始有所命會卒不得除署

宋書曰劉懷慎武帝北伐以爲中領軍宿衛輦轂雖名位優重而恭恪愈至每所之造位任不踰已者皆束帶門外下車其謹退類如此

又曰蒯恩字道恩以戰功封新寧縣男武帝北伐留恩侍衛世子命朝士與之交恩益自謙損與人語常呼官位自

稱鄙人撫士卒甚有恩紀

又曰臨川王義慶爲平西將軍荆州刺史荆州居上流之重資實兵士居朝廷之半義慶以宗室令美故特有此授性謙虛始至及去迎送物並不受

又曰彭城王義康與王弘共輔朝政弘既多疾且每事推謙自省內外衆務一斷之義康

又曰建平王宏爲人謙儉周慎禮賢接士明達政事上甚信仗之轉尚書令

唐書曰李藩以張建封在徐州辟爲從事居幕中謙謙未嘗論細微

會稽典録曰陳瑞字文象世爲縣卒瑞謙恭敬讓及其居二千石九卿位少年童豎拜者皆正朝服與之抗禮若疾病不能荅拜輒拊頰以謝之

新序曰晉人伐楚楚大夫請擊之莊王曰先君在時晉不伐楚及孤之身而晉伐楚是孤之過如何其辱諸大夫大夫曰是臣之罪請擊之莊王俛泣起拜諸大夫晉人聞之曰君臣爭以過爲在乜上下一心三軍同力未可攻也還師而歸

袁彥伯明謙曰賢人君子推誠以存禮非降巳以應世率心以成謙非匿情以同物故侯王以孤寡饗天下江海以卑下朝百川易曰天道下濟而光明地道卑而上行老子曰高以下爲基貴以賤爲本此之謂乎

讓上

尚書舜典曰咨四岳有能奮庸熙帝之載使宅百揆亮采惠疇僉曰伯禹作司空帝曰俞咨禹汝平水土惟時懋哉禹拜稽首讓于稷契暨皋陶帝曰疇若予工工百工也僉曰垂

哉垂臣名也帝曰俞咨垂汝作共工垂拜稽首讓于殳斨暨伯與帝曰俞往哉汝諧帝曰疇若予上下草木鳥獸僉曰益哉帝曰俞咨益汝作朕虞虞掌山澤官名益拜稽首讓于朱虎熊羆朱虎熊羆二臣也帝曰俞往哉汝諧帝曰咨四岳有能典朕三禮僉曰伯夷伯夷臣名帝曰俞咨伯汝作秩宗秩宗主郊廟之官伯拜稽首讓于夔龍

毛詩魚藻角弓曰民之無良相怨一方受爵不讓至于巳斯亡

周禮地官上大司徒曰以陽禮教讓則民不爭

禮記曲禮曰博聞強識而讓尊善行而不怠謂之君子

又曲禮曰君子恭敬撙節退讓以明禮

又坊記曰故貴賤有等衣服有別朝廷有位則民有所讓

子云君子辭貴不辭賤辭富不辭貧則亂益亡子云觴酒豆肉讓而受惡民猶犯齒衽席之上讓而坐下民猶犯貴朝廷之位讓而就賤民猶犯君子云君子貴人而賤巳先人而後巳則民作讓

又祭義曰天子有善讓德於天諸侯有善歸諸天子卿大夫有善薦於諸侯士庶人有善本諸父母

又儒行曰儒有衣冠中動作愼其大讓如慢小讓如僞

又鄉飲酒曰三揖至于階三讓以賓升月者三日則成魄三月則成時是禮有三讓

左傳隱公曰宋穆公疾召大司馬孔父而屬殤公焉曰先君舍與夷而立寡人先君穆公兄宣公也與夷宣公子即所屬殤公也若以大夫之靈得保首領以歿先君若問與夷其將何辭以對請子奉之以主社稷對曰群臣願奉馮也馮穆公子莊公公曰不可先君以寡人賢使主社稷若弃德不讓是廢先君之舉也

又僖上曰齊侯使管夷吾平戎于王使隰朋平戎于晉王以上卿之禮饗管仲管仲辭曰臣賤有司也有天子之二守國高在若節春秋來承王命何以禮焉陪臣敢辭王曰舅氏余嘉乃勳應乃懿德謂督不忘往踐乃職管仲卒受下卿之禮而還君子曰管氏之世祀也宜哉讓不忘其上

又曰宋桓公疾太子茲父固請曰目夷長且仁君其立之(茲父襄公也目夷茲父庶兄子魚也)公命子魚子魚辭曰能以國讓仁孰大焉臣不及也且又不順(立庶不順禮)遂走而退

又文上曰穆伯如齊始聘禮也凡君即位卿出並聘踐修舊好要結外援好事隣國以衛社稷忠信卑讓之道忠信德之固也卑讓德之基也

又宣上曰鄭人立子良辭曰以賢則去疾不足(去疾子良之名)以順則公子堅長乃立襄公

又成下曰諸侯將見子臧於王而立之子臧曰前志有之曰聖達節次守節下失節爲君非吾節也雖不能聖敢失守乎遂逃奔宋

又襄上曰晉韓獻子告老公族穆子有廢疾將立之辭曰詩曰豈不夙夜謂行多露無忌不才讓其可乎請立起也(無忌穆子名起無忌弟宣子也)

又襄二曰晉侯使士丐將中軍辭曰伯游長(伯游荀偃)昔臣習於智伯是以佐之非能賢也請從伯游使荀偃將中軍士丐佐之使韓起將上軍辭以趙武又使欒黶辭曰臣不如韓起願上趙武君其聽之使趙武將上軍韓起佐之欒黶將下軍魏絳佐之晉國之民是以大和諸侯遂睦君子曰讓禮之主也范宣子讓其下皆讓欒黶爲汏弗敢違也

又襄二曰吳子諸樊既除喪將立季札(札諸樊少弟)季札辭曰

曹宣公之卒也諸侯與曹人不義曹君將立子臧子臧去之遂弗爲也札雖不才願附於子臧以無失節固立之弃其室而耕乃舍之(傳言季札之讓月明吳兄弟相傳)

又襄五年曰鄭伯賞入陳之功饗子展賜之先輅三命之服(先輅次輅皆王所賜車侯伯之上卿三命)先八邑賜子產次輅再命之服先六邑子產辭邑曰自上已下降殺以兩禮也臣之位在四且子展之功也臣不敢及賞請辭邑公固與之乃受三邑公孫揮曰子產其將知政矣讓不失禮也

論語曰能以禮讓爲國乎何有不能以禮讓爲國如禮何

又曰子曰太伯其可謂至德也已矣三以天下讓民無得而稱焉

孝經曰先之以敬讓而民不爭

國語曰狐毛卒使趙衰代之辭曰城濮之役先且居之佐軍也善(先且居晉大夫先軫子也)軍伐有賞善君有賞能其官有賞且居有三賞不可廢也且臣之倫箕鄭胥臣先都在(倫輩也三子皆晉大夫也)乃使先且居佐上軍公曰趙衰三讓其所讓皆社稷之衛也廢讓是廢德也以趙衰之故蒐于清原作五軍(清原之蒐在魯僖三十年也)使趙衰將新上軍箕鄭佐之胥臣將新下軍先都佐之

又曰君子急病讓夷

又曰齊桓公自莒反於齊使鮑叔牙爲宰辭曰臣不若夷吾者有五寬惠愛民臣不若也治國家不失其柄臣不若也忠信可結於百姓臣不若也制禮義可法於四方臣不若也執枹鼓立於軍門使百姓皆加勇臣不若也

又曰晉悼公使張老爲卿辭曰臣不如魏絳乃使魏絳佐新軍

家語曰虞芮二國爭田而訟連年不決相謂曰西伯仁人玟盖往質焉入其境則耕者讓畔行者讓路入其朝則士讓於大夫大夫讓於卿虞芮之君曰吾儕小人不可以入君子之朝遂自相與成以其所爭爲閑田

史記曰吳太伯弟仲雍皆大王之子季歷之兄也季歷賢又生聖子曰太王欲立季歷以及昌於是太伯仲雍二人奔荆蠻文身斷髮示不可用以避季歷

又曰太尉周勃立代王代王曰奉高帝宗廟重事寡人不足以稱寡人不敢當群臣皆伏固請代王西向讓者三南向讓者再

又曰魯連既說秦軍秦軍爲却平原君欲封魯連魯連辭謝者三終不肯受平原君乃置酒酒酣起前以千金爲魯連壽連嘆曰所貴天下之士者爲人排難解紛而無取也即有取者是商賈之事連不忍爲也遂辭而去終身不復見

又曰董偃在館陶主家兒戲慱殿下主伏檻觀之偃負則饒人勝則有讓主益奇之

又曰伯夷叔齊孤竹君之子也父欲立叔齊乃讓伯夷伯夷曰父命也遂逃去

漢書曰文帝初立以陳平爲相太尉勃親以兵誅呂氏功多平欲讓勃位迺謝病文帝怪平病問之平曰高帝時勃功不如臣及誅諸呂臣功亦不如勃願以相讓勃

又曰袁盎謂文帝曰陛下至代邸西鄉讓天子者三東讓天子者再夫許由一讓而陛下五以天下讓過許由四矣

又曰龔遂爲渤海太守數年上遣使者徵遂議曹王生願從太守會遂引入宮王生醉從呼曰願有所白遂問其故王生曰天子即問君何以治渤海君不可有所陳宜曰皆聖主之德非小臣之力也上果問以治狀遂對如王生言天子怪其有讓嘆曰君安得長者之言而稱之遂因前曰臣非知此乃臣議曹教臣也

又曰武帝屬霍光以輔少主光讓金日磾日磾曰臣外國人且使匈奴輕漢於是遂爲光副

又曰韋賢薨子玄成當爲嗣玄成心知其兄非賢雅意欲讓即佯狂丞相御史遂以玄成實不病劾奏之有詔勿劾引拜玄成不得已受侯爵

太平御覽卷第四百二十三

太平御覽卷第四百二十四
人事部六十五
讓下
東觀漢記曰承宮遭王莽篡天下擾攘盜賊並起宮遂避
世漢中建武四年將妻子之華陰山谷耕種禾黍臨熟人
就認之宮悉推與而去由是顯名
又曰光武封朱祐爲鬲侯祐自陳功薄而國大願受南陽
五百戶足矣上不許
又曰竇融光武時數辭讓位不許因上疏曰臣融年五十
三有一子年十五質性頑鈍臣融朝夕教導以經藝不得
令觀天文見讖記誠欲令恭肅畏事恂恂循道不願其有
才能何況乃當傳以連城廣土享諸侯國哉
又曰鄧騭永初元年封騭等以定策增三千戶讓不獲遂

逃避使者上疏自陳
又曰歐陽尚書博士缺上欲用桓榮叩頭讓曰臣經術淺
薄不如同門生郎中彭閎楊州從事臯弘帝曰俞往女諧
因拜榮爲博士引閎爲議郎車駕幸太學會諸博士論難
於前榮被服儒衣溫恭有蘊藉明經義每以禮義讓相厭
不以辭長人儒者莫之及特爲加賞賜又詔諸生雜吹擊
磬盡日乃罷榮卒子郁當襲爵上書讓於兄子汎顯宗不
許不得已受封而悉以租入與之帝以郁先師子有禮讓
甚見親厚
又曰上欲封樊興置印綬於前興固讓曰臣未有先登陷
陣之功而一家數人並蒙爵土令天下觖望誠不願帝嘉
興之讓不奪其志
又曰劉愷字伯豫以當襲父般爵讓與弟憲逃避封有司
奏請絕國上美其義特優加之愷猶不出有司復奏之侍
中賈逵上書曰孔子稱能以禮讓爲國於從政乎何有和
帝納之詔下曰故居巢侯劉般嗣子愷當襲父般爵而稱
父遺意致國弟憲遁亡七年所守弥固蓋王法崇善成人
之美其聽憲嗣爵乃徵愷拜爲郎稍遷侍中愷之入朝在
位者莫不仰其風行
又曰淳于恭以謙儉推讓爲節家有山田橡樹人有盜取
之者恭助爲收拾載之歸乃知其恭橡盜者還橡恭不受
人又有盜刈恭禾者恭見之念其愧因伏草中至去乃起
續漢書曰張堪讓先人餘財數百萬與兄子
謝承後漢書曰雷義舉茂才讓於陳重刺史不聽義遂佯
狂不應命鄉里爲之語曰膠漆自謂堅不如雷與陳
又曰陳囂與鄉人紀伯爲隣伯夜竊囂藩地自益囂見之

伺伯去密移其藩一丈地以益伯伯慚懼還所侵又却一
丈二尺相避凡廣三丈太守高其義名其閭爲義里
范曄後漢書曰馮緄字鴻卿巴郡宕渠人也長沙蠻寇益
陽荊南皆没於是拜緄爲車騎將軍軍至長沙進擊武陵
蠻夷荊州平定詔賜錢一億固讓不受振旅還京師推功
於從事中郎
魏志曰田疇字子泰右北平人太祖北征烏丸軍次無終
夏水路不通疇將其衆爲鄉導出盧龍塞虜乃驚太祖與
戰遂大斬獲軍還論功封疇爲亭侯疇上疏陳誠以死自
誓太祖不聽欲引拜之至于數四疇終不受
又曰太祖署邴原爲丞相徵事崔琰爲東曹掾讓曰徵事
邴原議郎張範皆秉德純壹志行忠敏清靜足以厲事貞
固足以幹事所謂龍翰鳳翼國之重寶舉而用之不仁者

遜

又曰王基字伯輿東萊人基拔壽春轉基爲征東將軍封東武侯基上疏固讓歸功參佐由是長史司馬等七人皆侯

吳志曰魯肅卒孫權以嚴畯代肅後固辭曰僕素書生不閑軍事非才而據殃咎必至發言慷慨至於流涕權乃聽焉嘉其能以實讓

又曰薛綜爲選曹尚書固讓顧譚曰心精體密貫道達微才照人物德服衆望誠非愚臣所可越先

王隱晉書曰司徒魏舒遜位司空衛瓘與書曰每與足下共論此事日日未果可謂瞻之在前忽然在後于時皆有欲遜者或先顯此意不能行或以歸家申喻復還唯舒知命內定於懷未嘗形之於言論者以爲晉興以來能辭榮令終未有如舒者焉

又曰杜夷字行齊廬江人王敦爲刺史舉方正顧榮等各薦夷於相府元帝曾欲省夷夷深讓帝答曰吾與足下雖情在忘言然虛遲歷載正以足下羸病故欲相省寧論常敬以爲國子祭酒夷前後十餘表求解不聽明帝踐祚夷又頻表

又曰上以羊祜爲開府儀同讓表曰今光祿李熹秉節高亮在公正色光祿魯芝絜身寡欲和而不同光祿李胤清亮簡素立身在朝皆服事華髮以禮終始雖歷外內之寵不異寒賤之家而猶未蒙此選臣更越之何以塞天下之望又封南城郡侯祜曰昔張良請受留侯漢高不奪其志請受鉅平薨遺令不得以南城侯入柩詔祜曰固讓歷年志不可奪身沒讓存遺言益厲此夷叔所以稱賢季札所以全節重違其志今聽復本封

于寶晉紀曰鍾會鄧艾將伐蜀與劉寔別客謂寔曰二將當破蜀不寔曰必破蜀但皆不還客問其故寔曰治道在於克讓因著崇讓論曰季世不能讓賢虛謝見用之恩莫肯讓於勝已

晉中興書曰郗愔拜給事黃門侍郎愔苦求外出時吳郡缺朝議欲用愔愔以資輕而少年不宜超登大郡辭讓切至朝廷嘉之爲臨海太守在郡優游養志不以事物縈心

崔鴻前趙錄曰張寔爲鉅鹿太守治任威強路不拾遺曾欲以寔爲司徒太保皆垂涕固辭身騎瘦馬妻乘敗車

後魏書曰高肇字首文文昭皇太后之兄也肇子植自中書侍郎出爲濟州刺史元愉之反也植率州軍出討破愉別將有功當蒙封賞朝廷論勳每謙讓不受云其家荷重恩爲國致効是其常節何足以應進陟之報懇惻發於至誠

又曰崔光韶爲司空行參軍復請讓從叔和曰臣誠微賤未登讓品屬逢唐朝耻無讓德和亦謙退辭而不當高祖善之遂以和爲廣陵王國常侍

後周書曰蘇祐字承先陳留圉人也有膂力便騎射從征伐常潰圍陷陣還之日諸將爭功祐終無競太祖歎之常謂諸將曰承先口不言勳孤當代言其見知如此

沈約齊紀曰朝係伯襄陽人也事母甚謹西土風俗田與鄰畔者輒於畔上種桑以誌之係伯上種桑枝條陰蔽他地每開數尺以避焉鄰者隨復侵之係伯輒伐樹更種侵畔者慙不敢犯也

齊書曰謝朓遷尚書吏部郎上表三讓中書疑朓官未及

讓以問國子祭酒沈約約曰宋嘉元中范曄讓吏部朱脩之讓黃門蔡興宗讓中書並三表詔答近代小官不讓遂成恒俗恐有乖讓意王藍田劉安西貴重初自不讓今豈可慕此不讓耶孫興公孔顗並讓記室今豈可三署皆讓耶謝吏部今授超階別有意豈關官之大小撝讓之美本出人情若大官必讓便與詣闕章表不異例既如此謂都非疑朓讓優荅不許

唐書曰溫彥博與兄大雅共掌機密彥博以昆季同在機務意不自安固請他職高祖曰我虛心相待不以爲疑卿何自疑也彥博雖應命然每退讓遠避機權寮列以此多之

又曰長孫無忌冊拜司空無忌固辭讓不許

又曰臣幸居外戚恐招聖主私親之誚敢以死請太宗曰

御四百二十四　五　王乾

無忌聰明鑒悟且有武略公等並知所以委之台鼎無忌又上表切讓帝使謂之曰昔黃帝得力牧而爲五帝先夏禹得咎繇而爲三王祖齊桓得管仲而爲五伯長朕自在藩邸卽任使公遂得廓清宇內君臨天下以公功績才望允稱具瞻故授此官無宜辭讓爲禮也

又曰盧懷愼開元三年遷黃門監懷愼與紫微令姚崇對掌樞密懷愼自以爲吏道不及崇每事皆推讓之

周書曰湯放桀而歸於亳三千諸侯大會湯取天子之璽置之天子之坐再辭從諸侯之位湯曰此天子之位有道者可以處之三讓于諸侯諸侯莫敢卽位然後湯卽天子之位

愼子曰堯讓許由舜讓善卷皆辭爲天子而退爲疋夫

列子曰昔堯舜爲以天下讓許由善卷而不失天下伯夷叔齊實以孤竹讓而終亡其國

晏子春秋曰晏子方食景公使至分食食之使者不飽晏子亦不飽公致千金以奉賓客晏子不受公曰先君桓公以書社百封管仲管仲不辭獨辭何也晏子曰嬰聞聖人千慮必有一失愚人千慮必有一得意以管仲失之嬰得之

又曰景公使晏子爲阿宰三年而譽聞於國景公悅召而賞之辭而不受公問其故對曰昔嬰之治阿三邪毀於外三讒毀於內今則三邪譽於外三讒譽於內昔者嬰之當誅者當賞而今以當賞者當誅是故不敢受景公知晏子賢乃任以國政三年而齊大興

莊子曰堯以天下讓許由由曰日月出矣而爝火不息其於光也不亦難乎時雨降矣而猶浸灌其於澤也不亦勞乎又讓於子州支父子州支父曰我適有幽憂之疾方且

御四百二十四　六　王乾

治之未暇治天下也

又曰舜以天下讓於善卷善卷曰余逍遙於天地之間而心意自得吾何以天下爲哉遂不受

又曰舜以天下讓其友北人無擇北人無擇曰異哉后之爲人居畎畝之中而遊於堯之門不若是而已又欲以其辱行汙漫我吾羞見之自投於清泠之淵

又曰湯將伐桀因卞隨而謀卞隨曰非吾事也湯又因務光而謀務光曰非吾事也湯曰伊尹何如曰強力忍詬吾不知其他湯遂與伊尹謀伐桀尅之以讓卞隨卞隨曰君之伐桀謀乎我必以我爲賊也勝桀而讓乎我必以我爲貪也吾生乎亂世而無道之人再來漫我吾不忍數聞也乃自投於椆水而死（椆水今在潁州）又讓務光曰智者謀之武者遂之仁者居之古之道也吾子胡不立乎務光辭曰廢上

非義殺人非仁子犯其難我享其利非廉也吾聞之曰非其義不受其祿無道之世不踐其土況尊我乎吾不忍見也乃負石自沉於廬水（廬水在遼東也）

呂氏春秋曰沈尹筮遊於郢五年荆王欲以爲令尹辭期思之鄙人有孫叔敖彼聖人也王於是使人以王輿迎叔敖以爲令尹而國治

韓子曰舜耕於歷山農者讓畔漁於河濱漁者讓長

符子曰禹讓天下於奇子奇子曰君之佐舜勞矣鑿山川通河漢首無髮股無毛故舜也以勞報子我生而逸不能爲君之勞矣

又曰武王以天下讓岐封子岐封子曰孰勿勿然以天下爲事乎君往矣余不忍聞之

又曰太伯將讓其國於季歷謂其傅曰大王欲以一國之事而以嗣我我其羞之吾聞至人也不居一世而萬世以之君不貴一代而萬代以之貴吾焉能貴乎一國而賤乎萬代哉

山海經曰君子國民衣冠帶劒土方千里多薫華之草好讓故爲君子國

許遜別傳曰遜年七歲無父躬耕負薪以養母盡孝敬之道與寡嫂共田桑推讓好者取其荒者不營利毋常隨之如此當乞食無處遜嘆應母曰但願母老壽耳

郭翻別傳曰翻經河墜刀於水路人有爲取者翻因與之路人不取至於三四路人固辭翻曰爾向不取我豈能復得乎路人曰吾若取此物爲天地鬼神所責矣知其終不受乃沉刀於向所失處路人悵然乃復没爲取之翻於是不逆其意十倍刀價與之

魏武令曰里諺曰讓禮一寸得禮一尺斯合經之要矣

魏文雜事曰辭爵逃祿不以利累名不以位虧德之謂讓

博物志曰三讓一曰禮讓二曰固讓三曰終讓

晉劉寔崇讓論曰古之聖王治天下所以貴讓者欲以出賢才而息爭競也夫人情莫不皆欲已之賢以自明賢豈假讓而賢哉故讓道興賢能之人不求而自出矣至公之舉而自立矣一官缺擇衆官所讓最多者而用之審才之道也在朝之人相讓於上草廬之人咸皆化之推能讓賢之風從此生矣爲一國所讓則一國士也爲天下所讓則天下才也推讓之風行賢不肖灼然殊矣

晉孫盛周泰伯三讓論曰孔子曰泰伯可謂至德也已矣三以天下讓民無得而稱焉鄭玄以爲託採藥而行一讓也不奔喪二讓也斷髮文身三也三者之美皆蔽隱不著

王肅曰其讓隱故民無得而稱焉咸謂玄既失之而肅亦未爲暢也玄之所云三跡顯然天下所共見也何得云隱而未著乎三跡苟著則高讓知亦復不得云其讓隱也蓋泰伯之出讓迹已露不奔喪故一事耳斷髮之與左傳明文相背又不經也然則稱三讓者其在古公至文王乎周之王業顯於亶父受命於昌泰伯玄覽棄周太子之位一讓也假託遜遁受不赴喪之譏潛推太美二讓也無胤嗣而養仲雍之子以爲已後是深思遠防令周嗣在昌天人叶從四海悠悠無復纖介疑惑三讓也凡此三者帝王之業故孔子曰三以天下讓言非直常讓若礼藏之倫者

人事部六十六

清廉上

釋名曰清青也去濁遠穢色如青也廉斂也自檢斂也

左傳襄元曰季文子卒宰庀家器爲葬具無衣帛之妾無食粟之馬無藏金玉無重器備（器備謂珍寶甲兵之物）君子是以知季文子之忠於公室也相三君矣而無私積可不謂忠乎

又襄二曰宋人或得玉獻諸子罕子罕弗受獻玉者曰以示玉人玉人以爲寶也故敢獻之子罕曰我以不貪爲寶爾以玉爲寶若以與我皆喪寶也不若人有其寶

又襄五曰與晏子邶殿其鄙六十弗受子尾曰富人之所欲也何獨弗欲對曰慶氏之邑足欲故亡吾邑不足欲也益之以邶殿乃足欲足欲亡無日矣且夫富如布帛之有幅焉爲之制度使無遷也謂之幅利利過則爲敗吾不敢貪多所謂幅也與子雅邑辭多受少

漢書曰琅琊邴漢以清行徵爲京兆尹漢遂歸老於鄉里漢兄子曼容亦養老自脩爲官不肯過六百石輒自免去其名過出於漢

又曰蓋寬饒身爲司隷子常步行自戍北邊（蘇林曰子自行戍不敢役）也公廉如此

又曰趙禹以佐吏補中都官用廉爲令史事太尉周亞夫爲丞相史府中皆稱其廉平然亞夫弗任曰極知禹無害然文深（禹持文法深刻）

續漢書曰第五倫字伯魚京兆長陵人倫脩行清白嘗召見上曰聞卿爲吏不過從弟兄飯寧有之耶倫對曰臣生遭飢饉米石萬錢不敢妄過人飯

又曰秦彭字伯楚祖父安歷廣漢南陽太守順帝初爲光祿勳行至清爲吏麤袍糲食終於議郎

東觀漢記曰司空宋弘嘗受俸得鹽令諸生糶諸生以賤不糶弘怒悉賤糶不與民爭利

又曰孔奮字君魚右扶風人守姑臧長供養至謹老母極膳妻子但食葱菜或嘲奮曰置脂膏中不能自潤而奮不改

又曰楊震字伯起弘農人性公廉不受私謁子孫常蔬食步行故舊長者或欲令爲開產業震不肯曰使後世稱爲清白吏子孫以此遺之不亦厚乎爲東萊太守道經昌邑邑令王密故所舉茂才夜懷金十斤以遺震震曰故人知君君不知故人何也密曰夜無知者震曰天知神知何謂無知（范曄後漢書曰天知神知我知我知也）

又曰閔仲叔客居安邑老病家貧不能買肉日買一片猪肝屠者或不肯爲斷安邑令候之問諸子何飯對曰但食猪肝屠或不肯予令出勑市吏後買輒得仲叔怪問其子道狀乃嘆曰閔仲叔豈以口腹累安邑耶遂去之

又曰梁鴻少孤常獨止不與人同食比舍先炊已呼鴻及熱釜炊鴻曰童子鴻不因人熱者也滅竈更然火

又曰廉范年十五至蜀迎祖母喪及到葭萌船沒幾死太守張穆持筒中布數僕與范范曰石生堅蘭生香前後相違不忍行也遂不受

又曰魯恭弟丕耽思閉門講誦兄弟雙高太尉趙熹歲時遣子送米肉辭讓不受

謝承後漢書曰黃向字文章爲性廉潔常步行於路中得金璣一囊可直二百餘萬募求得其主還之

又曰范丹姊病往看之姊設食丹以姊壻不德出門留二百錢姊使人追索還之丹不得已受之閭里中芻藁僮僕更相怒曰言汝清高豈范史雲輩而去不盜我菜乎丹聞之曰吾之微志乃在僮竪之口不可不勉遂投錢去

又曰羊茂字季寶豫章人為東郡太守冬坐白羊皮夏處丹板榻常食乾飯出界買鹽豉

又曰巴祗字敬祖為楊州刺史在官不迎妻子暗坐不然官燭

又曰左雄字伯豪為冀州刺史不舉烟火常食乾飯

又曰羊續字興祖泰山人為廬江太守卧一幅布綢穿敗糊紙以補綢為南陽太守初之郡府丞嘗獻其生魚續受而懸之於庭丞後又進之續乃出所懸者以杜其意

又曰徐稚字孺子豫章南昌人也少為諸生隱處篤行常身躬耕非其衣不服非其食不食糠粃不厭所居閭里服其德化

又曰河南陶碩鄉曲餉之碩無所受但食棗飲水而已

袁山松後漢書曰范丹字史雲外黃人為縣吏年十八弃衣物道邊家以為死遂西入關學為萊蕪長去官於市賣卜妻紡績以自給辟公府步行無被囊自隨常使兒裙麥得五斛鄉人遺之一斛屬兒曰莫令尊君知兒歸不敢不道丹即令并送六斛言麥已雜遂不取丹弟子惶見丹藩不完載柴辨藩之時丹適行還怒勑子拔柴載還之閭里歌之曰甑中生塵范史雲釜中生魚范萊蕪自以性急每為吏常佩韋

范曄後漢書曰張禹字伯達性篤厚父歆卒於汲令使人贈送前後數百萬悉無所受

又曰檀敷字文有山陽瑕丘人少為諸生貧而志清不受鄉里施惠

又曰鄭均字仲虞東平人少好黃老書兄為縣吏頗受禮遺均數諫止不聽即脫身為傭餘得錢帛歸以與兄曰物盡可復得為吏坐贓身捐弃兄感其言遂為廉潔

典略曰程堅字謀甫南陽武陰人仁孝清潔居貧無資磨鏡自給不受人施諸嫗共漂更相呼食或不食者相謂曰汝非程謀甫何為不食人食

魏略曰沐並字德信河間人少孤苦袁紹父子時始為吏名有志介嘗過姊姊為殺鷄炊黍而不留為三府長吏時吳使朱然諸葛瑾攻圍樊城遣船兵於峴山東斫材兵人作食有先熟者呼後熟者荅言不也呼者曰汝欲作沐德信耶其名流布播於異域如此

又曰舊故西征有官廚財藉遷轉之際無不因緣而趙儼又手上車發到灞上志持其常所服藥雍州聞之乃追送雜藥朴數箱儼笑曰人言語殊不易我偶問所服耳何用是為遂不取

魏志曰盧欽著書稱徐邈曰徐公志高行潔才博氣猛其施之也高而不狷潔而不介博而守約猛而能寬聖人以清為難而徐公之所易也或問欽徐公當武帝之時人以為通向在涼州及還京師人以為介何也欽荅曰往者毛孝先崔季珪用事貴清潔之士時皆變易車服以求名高而徐公不改其常故以為通比來天下奢靡轉相放效而徐公雅尚自若不與世同故前日之通乃今日之介是世人無常而徐公有常也

又曰景初二年以蒲寵年老徵還為太尉寵不治產業家

無餘財詔曰君典兵在外專心憂國有行父祭遵之風賜
田十頃穀五百斛錢二十萬以明清忠儉約之節
又曰胡質爲荆州刺史薨家無餘財唯有賜衣書篋而已
王隱晉書曰魏舒爲尚書三娶妻皆亡自表求還本郡葬
上曰魏舒清貧不營財產頻舉衆喪必無以自供其賜葬
地一頃錢五十萬
鄧粲晉記曰王訢籍周顗家笥簏中有故絮故播酒五甕
米數斛在位者服其清
晉陽秋曰胡威字伯虎少有志尚清白歷位宰牧武帝賜
見歎其父清因謂威曰卿清孰與父清威對曰臣不如也
帝曰以何爲不如對曰臣父清恐人知臣清恐人不知是
臣不如遠矣
晉中興書曰劉驎之字子驥志在逸遁居于岐陽凡人致

贈一無所受
又曰龔玄之字道玄潛處未曾至公門有致餉一無所受
又曰翟湯字道淵尋陽人篤行純素始安太守于寶與湯
通家遣船餉之敕吏翟公廉讓卿致書訖便委船還湯無
人送致乃更貨易絹物因寄還寶寶本以惠而反煩之益
愧歎焉
徐廣晉記曰中宗令曰太常賀循冰清玉潔行爲俗表孤
曾造其廬屋室服物周身而已賜牀褥錢二十萬
崔鴻前凉錄曰氾勝字無忌燉煌人舉孝廉除郎中天下
亂去官還鄉里太守張閬造之閉門不見禮遺一無所受
北齊書曰辛術字懷哲隴西人爲淮南經略所部郡守犯
大辟朝廷以其奴婢及資財盡賜術術三辭不見許術乃
書送詣所司不復聞奏邢卲聞之遺術書曰昔鍾離意云

孔子忍渴盜泉珠璣委地今能如此可謂異代一時
沈約宋書曰柳元景南岸有數十畝菜園人賣菜得錢三
萬送宅元景怒曰我立此園種菜以供家中噉之乃復賣
取錢奪百姓之利耶以錢乞守園人
又曰郭原平性至孝太守蔡興宗以私米遺之固辭不受
許瑤之罷建安郡丞還家以綿一斤遺原平原平不受送
而復反者前後數十瑤之乃自往曰今歲過寒而建安綿
好以此奉尊上耳原平乃拜而受之原平以種瓜爲業
大旱瓜瀆不復通船世祖令劉僧秀下瀆水與之原平曰
今天大旱百姓俱困豈可減溉田之水以通運瓜之船步
行從他道往錢塘貨賣
又曰孔覬字思遠不尚矯飾服用麤敗終不改易時吳郡
顧覬之亦尚儉素衣裘器服皆擇其陋者宋世言清約稱

此二人覬弟道存從弟徽頗營產業二弟請假東還輜
重十餘舡皆是綿絹紙席之屬覬見之令上置岸側命左右
取火燒之盡乃去道存代覬爲江夏內史時都邑米貴道
存慮覬甚乏遣吏載五百斛米餉之覬呼吏載米還彼吏
曰都下米貴乞於此貨之不聽吏乃載米而去

太平御覽卷第四百二十五

太平御覽卷第四百二十六

人事部六十七

清廉下

蕭子顯齊書曰王秀之字伯奮琅琊臨沂人也為晉平太守至郡期年謂人曰此郡豐壤祿俸常盈吾生資已足豈可久留以妨賢路上表請代時人為王晉平恐富求歸

齊春秋曰何敬叔為東海令在縣清廉不受饋餉夏節忽牓門受餉數日中得米二千餘斛他物稱是悉以代貧民輸租

梁書曰范岫每所居官恒以廉潔著稱為長城令時有梓材巾箱至數十年經貴遂不改易在晉陵唯作牙管一雙猶以為費

又曰沈顗字處默吳興武康人也顗不治家產值齊末兵荒家人并日而食或饋其粱肉者閉門不受

陳書曰姚察字伯審吳興武康人察自居顯要甚勵清節嘗有私門生送南布一端花練一疋察謂之曰吾所衣着止於麻布蒲練幸不煩此人遜請猶冀受納察勵色驅出自此伏事者莫敢饋遺也

隋書曰狄士文嘗入朝遇上賜公卿入左藏任取多少人極重士文口銜絹一疋兩手各持一疋上問其故士文曰臣口手俱滿餘無所須上異之別賞物勞遣之

唐書曰屈突通從太宗平薛舉時珍物山積諸將皆爭取之通獨無所犯高祖聞而謂曰公清正奉國著自終始名下定不虛也

又曰賈敦頤曹州寃句人也貞觀中歷遷滄州刺史在職清潔每入朝盡室而行唯弊車一乘羸馬數疋銜勒有闕

以繩為之見者不知其刺史也

又曰袁承序陳尚書僕射憲之子也武德中累轉建昌令在任清潔士吏懷之高宗在藩太宗選學行之士為其僚屬謂岑文本曰梁陳名臣有誰可稱復有子弟堪招引否文本言隋師入陳百司奔散唯袁憲獨在其主之傍王世充將受隋禪群僚勸進憲子給事中承家託疾不署名此之父子足稱忠烈承家第承序清貞雅操實繼先風由是召守晉王友

又曰蘇瓌性廉儉所得俸祿盡推與諸弟或散之親族家無餘資

又曰盧懷慎清儉不營產業器玩服飾無金玉綺文之麗所得俸祿皆隨時分散而家無餘蓄妻子匱乏

又曰馮履謙補河北尉有部人張懷道任江陽尉與謙疇舊餉鏡一面謙集寮吏遍視之曰此張公所致也吾與之有舊吾効官以俸祿自守豈私受遺哉昌言曰清水見底明鏡照心余之効官必至於此復書於使者乃歸之

又曰李懷遠久居榮位而好尚清廉宅舍屋無所增改嘗乘款段馬豆盧欽望謂之曰榮貴如此何不買駿馬乘之答曰此馬幸免驚蹶無假別求聞者莫不歎伏

又曰裴玢為鄜州刺史三年改授山南西道節度使玢歷二鎮頗以公清苦節為政不交權倖不務貢獻蔬食弊衣居處纔避風雨而廩庫饒實百姓安業

又曰杜暹在家孝友撫異母弟昱甚厚常以公清勤儉為己任弱冠便自誓不受親友贈遺以終其身初為婺州參軍秩滿將歸州吏以紙萬餘張以贈之暹唯受一百餘番還之時州寮別者見而歎曰昔清吏受一大錢復何異也

家語曰曾子弊衣而耕於魯君聞之而賜邑焉曾子固辭
曰吾聞受人者常畏人與人者常驕人縱君不我驕也吾
能勿畏乎孔子聞之曰參之言足以全其節（說苑同）
又曰子路問於孔子曰仁人廉士窮則改節乎子曰改節
則何以稱仁廉哉
孔叢子曰子思居貧其友饋之粟者受二車焉或獻樽酒束
脩子思弗當也或曰子取人粟而辭吾酒是辭少而取多
也義則無名介則不全子思曰然伋不幸而貧於財至乃
困乏將絕先人之祀夫所以受粟爲賙之酒脯則所飲讌
也方乏於食而乃飲讌非義也吾豈以爲介哉或擔其酒
脯以歸
韓詩外傳曰鮑焦衣弊膚見挈畚採蔬遇子貢於道子
貢問曰吾子何以至於此乎鮑焦曰天下之道德教者衆矣吾

何以不至於此吾聞之世不已知而行之不已者是華行
也上不已用而干之不止者是毀廉也行華廉毀然且弗
舍惑於利者也子貢曰吾聞之非其世者不生其利汙其
君者不食其土非其世而採其蔬詩曰溥天之下莫非王
土此誰之有哉鮑焦曰於戲吾聞賢者重進而輕退廉者
易愧而輕死則棄其蔬而立槁於洛水之上
列子曰東方有人焉曰爰旌目將有適也而餓於道孤父
之盜曰丘見而下一飱以餔之旌目三餔而後能視曰子
何爲者也曰我孤父盜人爰旌目曰譆汝非盜耶吾義不
食也兩手據地而歐之不出喀喀而死
孟子萬章曰陳仲子豈不誠廉士哉居於陵三日不食耳
無聞目無見井上有李螬食實者過半矣匍匐往將食
之三咽然後耳有聞目有見也（李實有虫食之過半）避兄離母居於
陵
又曰伯夷叔齊聖人之清者也聞伯夷叔齊之風貪夫廉
懦夫有立志
晏子春秋曰景公以五十乘魚賜弦章章歸魚車塞塗撫
其御之手曰昔者晏子辭賞以正君故過失不掩今諸臣
諂諛以干利吾若受魚是反晏子之義而順諂諛之欲固
辭魚不受君子曰弦章之廉晏子之遺行也
又曰有工女託於晏子之家者曰婢子東郭之野人願得
入身比數於下陳焉晏子曰乃今而後自知吾不肖也古
之爲政者士農工商異居男女有別而士無邪行女無淫
事今僕託國主民而僕必行無清也遂不見
韓子曰晉文公出亡箕鄭挈一壺食而從迷而失道與文
公相失餓而不敢食及文公反國伐原以爲原令
呂氏春秋曰古之人非無寶也所寶者異孫叔敖將死屬

其子曰我死王必封汝汝毋受利地荊楚之間有寢丘其
利少而甚惡可長有也其子受之至今不失
淮南子曰曾子立廉不飲盜泉所謂養志者也
又曰君子不入市爲其侳廉
說苑曰孔子見景公景公致廩丘以爲養孔子辭不受出
謂弟子曰吾聞君子當功以受祿今說景公未之行而賜
我廩丘其不知丘亦甚矣遂辭而行
又曰子思居於衛縕袍無裏二旬九食田子方使人遺白
裘恐其不受因謂之曰吾假人遂忘之吾予人也如弃之
子思辭曰伋聞忘予不如遺弃物於溝壑伋雖貧不忍以
身爲溝壑
楊子法言曰楚兩龔之絜其清矣（兩龔龔勝龔舍）

三輔決録曰安陵清者有與仲山飲馬渭水曰與三錢以償之

風俗通曰潁川黄子廉者毎飲馬投錢於水中

又曰鮑焦耕田而食穿井而飲非妻所織不衣餓於山中食棗或問之此棗子所種也遂強嘔立枯而死

又曰郝子廉飢不可得食寒不可得衣一分不取諸人曾過姊家飲留十五錢置席下去

列女傳曰河南樂羊子妻不知何氏羊子嘗行路得遺金一餅還以與妻妻曰妾聞志士不飲盜泉之水廉者不受嗟來之食況拾遺求利以汙其行乎羊子大慙捐金於里遂尋師學

又曰凡爲名者必廉廉斯貧爲名者必讓讓斯賤

長沙耆舊傳曰徐偉奴善叛知識欲爲偉售之偉曰不得

奴性當復逃亡豈可虛受其價廉平義正若此

廣州先賢傳曰踈源字元流南海人出給郡役爲户曹佐源性廉絜家貧餉晏不至同第人餉先到呼之共食源未嘗聽

又曰丁密字靖公蒼梧人少以清介爲節非家織布物不衣非已種耕菜菓不食羣蠻之餽不受於人

汝南先賢傳曰周燮字彦祖好潛靜養志唯典籍是樂有先人草廬廬于東坑其下有陵田魚蛤生焉非身所耕漁則不食

又曰胡定　潁川人也至行絶人在喪雉兎遊其庭雪覆其室縣令遣户曹排雪問定定以絶穀妻子皆卧在床令遣掾以乾粮就遺之定乃受半

録異傳曰漢時大雪積地丈餘洛陽令身出案行至袁安門無行路謂安已死除雪入見安僵卧問何以不出安曰大雪人皆餓不宜干人令以安爲賢舉爲孝廉

郭緣生武昌先賢傳曰郭翻字長翔爲人非已耕不食非妻自織不衣

漢皇德傳曰蓋晉燉煌人天性皎絜自小不嘗過人飯貧爲官書得錢足供而已不取其餘

任嘏別傳曰嘏字紹先幼以至性見稱遇荒亂家貧賣魚官發魚價貴數倍嘏即取直如常

陳留耆舊傳曰洛陽令董宣死詔使視之閑舉一乘白馬一疋帝曰董宣之清死乃知之

益部耆舊傳曰朱倉字雲卿之蜀從處士張寧受春秋糴小豆十斛屑之爲糧閉户精誦寧矜之斂得米二十斛倉不受一粒

鍾離意別傳曰意爲尚書交阯太守張恢居官貪亂贓輸千金珠璣玩寶乃有石數收贓薄入司農詔悉以珠賜諸尚書尚書皆拜受意獨委珠璣於地不拜受明帝問委珠何也對曰愚聞孔子忍渴不飲盜泉之水曾子還車不入勝母之閭惡其名也今陛下以贓珠賜忠臣以故臣不拜受耳

羊祜別傳曰昔有攘羊遺叔向母母埋之後事發撿羊肉盡唯舌存遂以羊舌爲氏族祜其後也

華陽國志曰何隨字季業除安漢令蜀土去官時巴土飢荒所在無穀送吏行乏輙取道側民羊隨以綿繫其處使足所取直民視羊見綿相語曰聞何安漢清廉行過從者無糧必能爾耳持綿追還之終不受人爲語曰安漢吏取糧令爲之償

范亭燕書曰皇甫眞字楚季安定朝那人也從輔國恪討檎冉閔即南園拔鄴石氏舊都城內珎玩寶貨充溢眞無所取唯存恤人物收斂圖籍眞上䟽曰臣輙以家奴婢五十口馬七疋牛四十頭以助軍貲

物理論曰有呂子義當世清賢士也有舊人往存省嫌其設酒食懷乾糒而往主人榮其降已乃盛爲饌義出懷中乾糒求一杯冷水而食之

語林曰何公爲楊州親親有葬者乞數萬錢而帳下無有楊州常有糒（胡恩切）米以賑孤寡乃有千餘萬斛虞存爲治中面見道帳下空索求粜此米付帳下何公曰汝道義不與其孤寡爭粒

世說曰范宣絜行廉約韓豫章遺百疋絹不受稍減遂至一疋旣終不肯受韓後與范同載就車中手裂二丈與范

云人寧可使婦無褌耶范笑而受之

郭子曰庾公爲護軍屬桓廷尉爲索一佳吏桓後遇見徐寧而知之（寧字安期東海人）致與庾而稱云是海內清士

顏延之廷語曰清者人之正路

劉弘教曰錄事巫衞忠清厲節衣食不充賜單復衣各一具恒令廚食給其家穀三百斛諸吏宜見賢思齊

太平御覽卷第四百二十六

太平御覽卷第四百二十七

人事部六十八

正直上

易坤卦曰六二直方大不習無不利（直方地之性也）
又曰夫乾其靜也專其動也直是以廣生焉
尚書皋陶謨曰直而溫
又洪範曰無反無側王道正直
又曰三德一曰正直
毛詩緇衣羔裘曰彼其之子邦之司直
又谷風小明曰靖共尒位好是正直神之聽之介爾景福
左傳襄元曰恤民爲德正直爲正正曲爲直叅和爲仁
又昭四仲尼曰叔向古之遺直也（事具刑法門）
論語爲政曰哀公問何爲則民服孔子對曰舉直措諸枉
則民服舉枉措諸直則民不服（措猶投也諸之也言投之於上位也）
又曰葉公曰吾黨有直躬者其父攘羊而子證之（攘盜也我鄉黨）
（有直人名躬父盜羊則證其罪）孔子曰吾黨之直者異於是父爲子隱子
爲父隱直在其中矣
又衛靈公曰直哉史魚邦有道如矢邦無道如矢（史魚衛大夫名）
（鰌君有道無道行常如矢直不曲也）
又微子曰柳下惠爲士師三黜（柳下惠魯大夫展禽食菜柳下謚曰惠士師獄官名）
（黜取退也）人曰子未可以去乎曰直道而事人焉往而不三黜
枉道而事人何必去父母之邦
漢書曰周昌爲人強力敢直言自蕭曹等皆卑下之昌嘗
入奏事高帝方擁戚姬昌退走高帝逐得昌項問曰我
何如主昌仰曰陛下即桀紂之主也於是上笑之然尤憚
昌及高帝欲廢太子而立戚姬子如意爲太子群臣固爭

莫能得而昌廷爭之上問其說昌爲人口吃又盛怒曰臣
雖口不能言然臣知其不可陛下欲廢太子臣期期不奉
詔上欣然而笑即罷呂后側耳於東廂聽見昌爲跪謝曰
微君太子幾廢矣
又曰申屠嘉爲人廉直門不受私謁是時太中大夫鄧通
方愛幸文帝嘗讌飲通家時嘉入朝而通居上旁有怠慢
之禮嘉奏事畢因言陛下幸愛群臣則貴富之至於朝
廷之禮不可不肅上曰君勿言吾私之罷朝嘉爲檄召鄧
通詣丞相府不來且斬通恐入言上上曰汝第往吾今使人
召若通至詣丞相府免冠徒跣頓首謝嘉責曰朝廷者高
皇帝之朝廷也通小臣戲殿上大不敬當斬通頓首首盡
出血上使持節召通而謝丞相
又曰單于嘗爲書謾呂太后太后怒召諸將議討之上將軍
樊噲曰臣願得十萬衆橫行匈奴中諸將皆阿太后以噲
言爲然季布曰樊噲可斬夫以高帝四十餘萬困於平城
噲時亦在其中今噲奈何以十萬衆橫行匈奴中
又曰諸葛豐字少季琅耶人以明經爲郡文學特立剛直
貢禹爲御史大夫除豐爲屬舉侍御史元帝擢爲司隷校
尉刺舉無所避京師爲之語曰間何闊逢諸葛上嘉其節
加豐秩光祿大夫時侍中許章以外屬貴幸奢淫不奉法
度賓客犯事與章相連豐案劾章欲奏其事適逢許侍中私
出豐駐車舉節欲收之章窘馳去豐追之許侍中因得入
宮門自歸上豐亦上奏事於是收豐節司隷校尉去節自
豐始也
又曰安昌侯張禹以帝師位至特進甚尊重朱雲上書求
見公卿在前雲曰今朝廷臣上不能匡主下無以益民皆

尸位素飡臣願賜尚方斬馬劒斷佞臣一人頭以厲其餘
上問誰也對曰安昌侯張禹上大怒曰小臣居下訕上廷
辱師傅罪不赦御史將雲下雲攀殿檻檻折雲呼曰臣得
下從龍逢比干遊地下足矣未知聖朝何如耳於是左將
軍辛慶忌免冠解印綬叩頭殿下曰此臣素著狂直於世
使其言是不可誅其言非固當容之上意然後已及後當
治殿檻上曰勿易因而葺之以旌直言之臣
東觀漢記曰戴憑為侍中數進見問得失上謂憑曰侍中
當匡輔國政勿有隱情憑對曰陛下嚴上曰朕何用嚴憑曰
伏見前太尉西曹椽蔣遵清亮忠孝學通古今陛下納膚
受之訴遂致禁錮世於是為嚴上怒曰汝南子欲復黨乎
憑謝曰臣無謇諤之節而有狂瞽之言不能以尸伏諫偷
生苟活誠慙聖朝上即勑尚書解遵禁錮拜憑虎賁中

郎將以侍中兼領之
又曰朱暉字文季南陽宛人為臨淮太守表善黜惡抑強
絕邪吏民懷而愛之歌曰強直自遂南陽朱季吏畏其威
民懷其惠
又曰祭遵從征河北為軍市令上舍中兒犯法遵格殺之
上怒命收遵時主簿陳副諫曰明公欲衆整齊今遵奉法
不避是教命行也上乃貰之以為刺姦將軍謂諸將曰當
備祭遵吾舍中兒犯命尚殺之必不私諸卿也
又曰鄭衆字仲師建武中太子及山陽王因虎賁將梁松
請衆欲為通籍遺縑帛衆悉不受謂松曰太子儲君無外
交義漢有舊防諸王不宜通客松諷以長者難逆不可不
慮衆曰犯禁觸罪不如守正而死
又曰吳良字太儀齊國臨淄人以清白方正稱於鄉里為

郡議曹掾正旦掾入賀太守門下掾王望前言曰齊郡敗
亂遭離盜賊人民飢餓不聞鷄鳴狗吠之音明府視事五
年土地開闢盜賊滅息五穀豐熟家給人足今日歲首誠
上雅壽掾皆稱萬歲良跪曰門下掾佞諂明府無受其觴
盜賊未弭人民困乏不能家給人足於今議曹掾尚無袴
寧為家給人足耶太守曰此生言是遂不舉觴賜鰒魚百
枚宴罷教署功曹良恥以言受官不拜
又曰申屠剛字巨卿扶風人性剛直忠正志節抗厲常慕
史鰌汲黯之為人涉獵書記果於行義元始中舉賢良對
策言甚切直建武初徵拜侍御史遷尚書令謇謇多直無
所屈撓時隴蜀未平上嘗欲近出剛諫上不聽剛以頭軔
乘輿車輪馬不得前
謝承後漢書曰李燮為議郎會西羌及邊章韓遂作亂隴

右徵發天下役賦無已司徒崔烈以為宜弃涼州燮厲色
言曰斬司徒天下安尚書郎楊贊奏燮廷辱大臣帝以問
燮燮曰涼州天下衝要國家藩衛今牧御失和使一州叛
逆烈為宰相不念為國思所以弭之之策乃欲割弃一方
萬里之土臣竊惑之若烈不知之是極蔽也知而故言是
不忠也帝從燮議由是朝廷重其方略每公卿有缺為衆
議所歸
又曰范滂字孟博汝南人太守宗資署功曹滂外甥西平
李頌顏囂濁穢鄉曲所弃常侍唐衡求屬仕宦資勑曹召
署文學史滂不聽極乂衡復有書誚資資怒召功曹書佐
朱零問不召頌意狀零以告滂滂謂曰若荅教當言頌則
滂之姊子豈不樂其升進頌緣汙穢小人不宜玷塵清朝
不敢以位私人是以不召

又曰楊奇字公偉弘農人爲侍中天子所問引經據義靡事不對靈帝嘗問朕何如桓帝對曰陛下躬秉藝文聖才雅藻有優先帝禮善愼刑或未之有今天下以陛下准桓帝猶謂堯舜比德者也上不悅其言謂曰奇所謂楊震子孫有強項遺風想死後又當致大鳥也

泰山松後漢書曰李膺等下獄獄吏曰諸入獄當祭皐繇以祈福范滂曰皐繇古之賢臣知滂無罪將理之於天如其有罪祭之何益及訊獄王甫以次詰之滂年少在後越次而前甫曰夫合黨連群必有盟誓其所謀圖皆何等耶滂曰竊聞仲尼之言見善如不及見惡如探湯欲使善善齊其情惡惡同其行謂王政之所思不悟反以爲黨乃仰天歎曰古之脩善自求多福今之脩善乃陷大戮死之日願賜一幡埋於首陽山側上不負皇天下不愧夷齊尚書

霍諝以黨事無驗表陳赦之

范曄後漢書曰高獲字敬公南陽人與世祖有素舊師事司徒歐陽歙歙下獄當斷獲冠鐵冠帶鈇鑕詣闕請歙帝雖不赦而引見之謂曰敬公朕用子爲吏宜改常性獲對曰臣受性於天地父母不可改之於陛下出便辭去三公爭辟不應

又曰任延字長孫南陽人爲武威太守帝戒之曰善事上官無失於和延對曰臣聞忠臣不和和臣不忠上下雷同非陛下之福善事上官不敢奉詔帝曰卿言是也

又曰樊儵字長魚宏之子也廣陵王荆有罪詔與任隗雜治其獄事竟奏請誅引見宣明殿帝怒曰諸卿以我弟故欲誅之即我子卿等敢尓也儵對曰春秋之義君親無將而誅焉是以周公誅弟季友鴆兄經傳大之臣等以荆屬託母弟陛下留聖心加惻隱故請耳如令陛下子臣等專誅而已帝歎息良久儵益以此知名

又曰張綱字文紀皓之子也漢安元年選八使徇風俗皆耆儒知名多歷顯位唯綱年少官次最微餘人受命之部而綱埋其車輪於洛陽都亭曰豺狼當路安問狐狸遂奏曰大將軍梁冀河南尹不疑蒙外戚之援荷國厚恩以芻蕘之姿居阿衡之任不能敷揚五教翼贊日月而專爲封豕長蛇肆其貪饕誠天威所不赦大辟所宜加書奏而京師震竦

又曰爰延字秀平陳留外黃人桓帝時徵博士太尉楊秉舉賢良方正再遷爲侍中帝遊上林苑從容問曰朕何如主也延對曰陛下爲漢中主帝曰何以言之對曰尚書令陳蕃任事則治中常侍黃門預政則亂是知陛下可與爲善可與爲非帝曰昔朱雲折檻今侍中面稱朕違敬聞闕

矣

又曰趙熹字伯陽南陽人爲太尉受遺詔典録喪禮自王莽篡亂舊典不存皇太子與東海王等雜止同席熹乃正色橫劒扶下諸王以明尊卑

又曰桓典字公雅榮之玄孫也拜御史執正無所迴避常乘驄馬京師畏憚爲之語曰行行且止避驄馬御史

又曰吳祐字季英陳留長垣人大將軍梁冀表爲長史及冀誣奏太尉李固祐聞而請見與冀爭之不聽時扶風馬融爲冀章祐因謂融曰李公之罪成於卿手李公即誅卿何面目見天下人乎冀起入祐亦徑去

又曰李充遷侍中大將軍鄧騭貴戚傾時以充高節卑敬之嘗置酒請充賓客滿坐酒酣騭跪曰幸託椒房位列上

將幕府初開欲辟天下奇偉以匡不逮唯諸君慱求其器充乃爲陳海內隱居懷道之士頗有不合鷹欲絕其語以肉啖之充抵肉於地曰説士猶甘於肉遂出徑去

又曰崔琦數引古今成敗戒梁冀琦以言不從失意復作白鵠賦以爲諷梁冀見之呼琦問百官內外各有司存天下云云豈獨吾人之尤琦對曰將軍累世台輔任齊伊尹而德政未聞元元荼炭不能納貞良以救禍敗乃復欲鉗塞士口杜蔽主聽將玄黃改色馬鹿易形乎冀無以對

又曰許敬字鴻卿汝南平輿人也有吏誣君者會於縣令坐敬拔佩刀斷席曰敬不忍與惡人同席

魏志曰蘇則拜侍中與董昭同寮昭嘗枕則膝卧則推下之曰蘇則之膝非佞人之枕

又曰張承字公先範弟也避地楊州袁術問承曰周室凌遲則有桓文之霸秦失其政則高祖接而用之今孤以土地之廣士民之衆欲邀福齊桓擬迹高祖何如對曰在德不在強夫能用德以從天下之欲雖由疋夫之資而興霸王之功不足爲難若苟僭擬干時而動衆之所弃誰能興之術不悦

又曰陳泰爲匈奴中郎將京邑貴人多致貨因市奴婢泰皆掛名於壁徵爲尚書悉以還之

又曰蔣濟入爲散騎常侍時有詔征南將軍夏侯尚曰卿腹心重將當使恩施足死惠愛可懷可作威作福殺人活人尚以詔示濟濟既至帝問曰卿聞見天下風教何如濟對曰未有他善但見亡國之語耳帝忿然作色而問其故濟具以荅因曰夫作威作福書之明誡天子無戲古今所愼唯陛下察之於是帝意乃解追取前詔

又曰辛毗字佐治潁川人嘗從帝射雉帝曰射雉樂哉毗曰於陛下甚樂而群下甚苦帝默然後爲之稀出

又曰王基字伯輿東萊人爲荆州刺史書戒司馬景王曰許允傅嘏袁保崔贊皆一時正士有直質而無流心可與同政事者也景王納其言

吳志曰張昭每朝見言論辭氣壯厲義形於色曾以直言逆旨中否不進見後蜀使來稱蜀德美而群臣莫拒權歎曰使張公在坐彼不折則廢安得復自誇乎明日遣中使勞問因請見昭昭避席曰昔太后桓王不以老臣屬陛下而陛下屬老臣臣是以思盡臣節以報厚恩若乃變易思慮以偷榮取容此臣所不能也權辭謝焉

太平御覽卷第四百二十七

太平御覽卷第四百二十八

人事部六十九

正直下

王隱晉書曰劉毅字仲雄爲司隷校尉言議切直無所回撓故不至公輔王基薦毅方正亮直介然不群言不苟合行不苟容

又曰初武帝知太子闇弱後必亂國然不能擇才遣荀勗及和嶠重往觀之勗還盛稱太子德更進茂不同西宮之時嶠曰臣以爲太子如故不見更勝此自陛下家事非臣所盡知於是天下貴嶠而賤勗

干寶晉紀曰高貴鄉公薨太祖會朝臣而謀其日太常陳泰不至使其舅荀顗召之垂涕而入太祖謂曰玄伯何以處我對曰誅賈充以謝天下太祖曰不可爲更思其次泰曰但見其進不知其次太祖乃不復問

郭粲晉紀曰初王敦將下朝士共議周顗以爲敦剛愎不仁親害乎子必能稱兵以向朝廷敦既尅石頭顗與戴淵共詣敦謂顗曰伯仁卿負我顗答曰公戎車內侮下官親帥六軍不能其事使王旅敗績以此負公又問淵吾此舉動天下爲何如答曰見形者謂之逆體識者以爲忠敦笑曰若思卿能言

晉中興書曰紀回字恭則雅性方範不畏強禦丹陽尹桓景頗以佞事司徒導甚昵之會熒惑守南斗經旬導語回曰南斗楊州分而熒惑守之吾當遜位以厭此讁回答曰公與桓景造膝熒惑何由退舍導甚愧之

又曰初庾冰兄弟每說顯宗國有強敵宜須長君顯宗晏駕何充建議曰父子相傳先王舊典忽妄改易懼非長計冰等不從遂立康帝康帝臨軒冰充侍坐帝曰朕嗣洪業二君之力也充對曰陛下龍飛臣冰之力若如臣議不覩升平之世其強正不撓率皆如此

又曰王彬字世儒從兄敦入石頭中宗使彬銜命慰勞會周顗被殺彬往哭顗既而見敦敦怪其有涕淚問其所以彬曰向哭伯仁情不能已敦曰伯仁自致刑戮且凡人遇汝復何爲哉彬曰伯仁世譽與君齊行忠烈之軌邈焉難逮其有何罪而致禍戮勃然數敦曰兄抗旌內侮戮殺忠義謀圖不軌禍及門戶敦大怒厲声曰尓之狂悖乃可至此爲吾不能殺汝耶丞相導在坐勸彬起謝彬曰昨暴脚痛不能拜且此復何所謝意氣自若敦曰脚痛孰若頸痛然猶以至親忍不加害

檀道鸞續晉陽秋曰初淮陵內史虞珧子妻裴以尺牘辯

利兼服食絕谷常衣黃衣狀若學道司馬道子常延致甚悅其才每與百官飲宴裴亦預焉悉令與賓客談衆人皆爲降節王恭辭曰恭聞男女之別國之大節未聞宰相之坐有失行婦人一坐竦然道子爲慙

崔鴻十六國春秋後趙錄曰張進元城屠各人也爲刺姧外部都督糾舉不避豪右軍中憚之號曰張霹靂

又前涼錄曰氾禕字休臧燉煌人爲福祿令剛直不事上府酒泉太守馬濮遣督郵張休祖劾禕休祖曰君不聞寧逢三千頭虎不逢張休祖乎禕怒以印擊肘出而就縛縛訖發印以告從事閻休祖坐不解印擅縛令長以大不敬論禕迁居延令

又前秦錄曰王墮字安生京兆霸城人也博學有雄才性剛愎疾惡雅好直言疾董榮如仇讎每朝見之略不與言

人謂之曰董尚書貴幸一時公宜降意隨曰何雞狗而令國士與之言乎榮聞而懟恨故訛符生誅之及刑榮謂隨曰君今復敢不數董龍作雞狗乎隨瞋目而叱之龍榮之小字也

後魏書曰尉聿字成興性耿介肅宗時爲武衛將軍領軍元乂秉權百寮莫不致敬聿獨長揖不拜出爲涼州刺史涼州緋色天下之最又送白綾二千疋令聿染之聿拒而不許

又曰古弼代人也少忠謹善騎射初爲獵郎使長安稱旨轉門下奏事以敏正著稱太宗嘉之賜名曰筆取其直而有用後改名弼言其有輔佐才也上谷民上書言苑囿過度民無田業宜減太半以賜貧者弼覽而善之入欲陳奏遇世祖與給事中劉樹棊志不聽事弼侍坐良久不獲申

聞乃起於世祖前捽樹頭掣下床以手搏其耳以拳毆其背曰朝廷不治寔尒之罪世祖失容曰於棊不聽奏事實在朕躬樹有何罪置之弼乃具狀以聞世祖奇弼公直皆可其所奏以與百姓

又曰游肇之爲廷尉也世宗嘗私勑肇有所降恕肇執而不從曰陛下自能恕之豈是令臣曲筆也其執意如此

又曰于烈世宗初咸陽王禧當權遣家奴傳信於烈曰須舊羽林虎賁執仗出入烈曰天子諒闇事歸宰輔領軍典掌宿衛有詔不敢違理無私給奴悵然而返以報禧禧遣謂烈曰我號天子兒天子叔元輔之命與詔何異烈厲色曰其若是詔應遣官人何由遣私奴索官家羽林烈頭可得羽林不可得禧惡其剛直遂議出之乃授恒州刺史

又曰于忠嘗侍宴世宗賜之劒杖令出入周旋恒以自衛遷侍中辭無文世宗曰今文人少心直不如卿欲使卿劬勞於下我無憂於上

又曰録尚書高陽王雍欲以令史朱暉爲廷尉評頻煩託吏部尚書元順順不爲用雍遂下命用之順投之於地雍聞大怒昧爽坐都廳召順曰身天子之子天子之弟四海之内親尊莫二元順何人以身成命投弃於地順徐謂雍曰高祖迁宅中土創定九流官方清濁軌儀萬古而朱暉小子身爲省吏何合爲廷尉清官殿下既先皇同氣宜遵成旨自有短垣而復踰之也

周書曰王羆字熊羆霸陵人也質直木強處物平當州閭敬憚焉

三國典略曰初周萬年縣令樂運抑挫豪右時稱強直帝甚嘉之特許通籍事有不便咸令奏聞至是召運赴行在

所既至問之曰卿來日見太子否運曰臣來日奉辭帝曰卿言太子何如人也運曰中人時齊王憲等並在帝側帝顧之謂曰百官佞我皆云太子聰明唯運獨云中人方驗之忠直因問中人之狀運曰班固比齊桓爲中人管仲相之則霸竪貂輔之則亂可與爲善可爲與惡帝曰我知之矣超拜運爲京兆郡丞

吴均齊春秋曰王僧虔性甚方直遠近望之咸曰如水鏡也

唐書曰蘇世長高祖待之意甚厚高祖謂曰卿自謂諂佞耶正直耶對曰臣實愚直高祖曰卿若直何爲背世充而歸我對曰洛陽既平天下爲一臣智窮力屈始歸陛下向使世充尚在臣據漢南天意雖有所歸人事足爲勍敵高祖大笑嘗又嘲之曰名長意短口正心邪弃忠貞於鄭國忘信義於吾家世長對曰名長意短實如聖旨口正心

邪未敢奉詔
又曰桓彥範爲大理凡所奏議若逢人主詰責則辭色無
懼爭之愈厲又常謂所親曰今旣躬爲大理人命所懸必
不能順旨詭辭以求苟免
又曰高宗使宦者緣江採異竹將於苑中植之宦者所在
縱暴還過荊州蘇良嗣因之因上疏切諫稱遠求珎異以
疲道路恐非聖人抑已愛人之道又小人竊弄威福以虧
皇明言甚切直疏奏高宗下詔慰勉遽令弃竹於江中
又曰高宗謂侍臣曰邢文偉事我見能減膳切諫此正直
人也遂擢拜右史
又曰憲宗以李絳爲相同列李吉甫便僻善逢迎上意絳
梗直多所規諫故與吉甫不叶絳性剛計每與吉甫爭論
人多直絳憲宗察絳忠正自立故絳論奏多所允從

又曰武元衡從父弟儒衡字庭碩才度俊偉氣直貌莊言
不妄發與人交友終始不渝相國鄭餘慶不事華潔後進
趍其門者多垢衣敗服以望其知而儒衡謁見未輒易所
好但與之正言直論餘慶因亦重之
晏子春秋曰景公觀於淄上歎曰使國可長保而傳之子
孫豈不樂哉晏子曰今君臨民若寇讎見善如避熱不亦
難乎
又曰景公晝被髮乘六馬御婦人以出正閨刖跪擊馬而
反之曰非吾君也公慙而不朝晏子曰臣聞下無直辭上
有墮君民多矯行今君有失行而刖跪直禁是君之福也
於是令刖跪倍資
又曰景公見梁丘據公曰與我和晏子曰此同也和者君
甘則臣酸君淡則臣醎今據也君甘則甘所謂同也安得
爲和
尸子曰范獻子遊河大夫皆在君曰孰知欒氏之子大夫
莫荅舟人清涓捨楫荅曰君奚問欒氏之子君曰自吾亡
欒氏也其老者未死少者壯矣清涓曰善脩晉國之政內
得大夫外不失百姓雖欒氏子其若君何若不脩晉國之
政內不得大夫而外失百姓則舟中之人皆欒氏子也君
曰善
呂氏春秋曰能意見齊宣王曰寡人聞子好直有之乎對
曰意何能直意聞好直之士家不處亂國身不見汙君今
意身得見君而家託乎齊意何能直夫賢主所以貴士者
以其能直言也言直則枉者見人主欲聞枉而惡直是鄣
水源而欲其流也
說苑曰魏武侯浮西河而下中流謂吳起曰美哉山河之

固此魏之寶也對曰在德不在險昔三苗氏左洞庭而右
彭蠡德義不脩而禹滅之夏桀之居左河濟而右太華伊
闕在南羊腸在北脩政不仁而湯放之紂之國左孟門
而右太行常山在其北大河經其南脩政不德而武王伐
之由此觀之在德不在險若君不脩德舟中之人盡敵國
也武侯曰善
又曰秦始皇既有天下乃召群臣而議曰昔五帝禪賢三
王世繼孰是將爲之博士七十人未對鮑白令之對曰天
下官則禪賢是也天下家則世繼是也故五帝以天下爲
官三王以天下爲家秦皇帝仰天歎曰吾德出乎五帝將
官天下誰何使代我後者鮑白令之對曰陛下行桀紂之
道欲爲五帝之禪非陛下所能行也秦皇大怒曰令之前
若何以言我桀紂之道也速說之不解則死令之對曰陛

下築臺于雲宮殿五里建千石之鍾立萬石之簴婦女連
百倡優累千興作麗山宮室至雍相繼不絕所以自奉者
殫天下竭民力陛下所謂自營僅存之主耳何暇比德於
五帝欲官天下哉秦皇帝闇然無以應面有慙色
新序曰齊景公遊於牛山之上而北望齊曰美哉國乎使
古無死者則寡人將去斯如之何乃泣沾襟高子曰然賴
君之賜蔬食惡肉可得而食也駑馬棧車可得而乘也且
不欲死而況吾君乎俯而垂泣晏子拊手而笑曰樂哉今
日嬰之遊也見怯君一而諛臣二使古之無死者則太公丁
公至今猶存吾君方將被蓑笠而立乎畎畝之中唯事之
恒何暇念死乎景公慙焉
又曰晉平公閒居師曠侍坐平公曰子生無目子之默默
也師曠對曰天下有五默默而臣不得預一焉平公曰何

謂也師曠曰群臣行賂以採名譽百姓侵冤無所告愬而
君不悟此一默默也忠臣不用用臣不忠下才處高不肖
處賢而君不悟此二默默也姦臣欺詐空虛府庫以其少
才覆塞其惡賢人逐邪臣貴而君不悟此三默默也國貧民
罷上下不和而好財用兵嗜欲無厭諂諛在傍而君不悟
此四默默也至道不明法令不行吏民不正百姓不安而
君不悟此五默默也國有五默默而不危者未之有也臣
之默默何害乎國家哉
又曰周舍立趙簡子門三日三夜簡子使問之曰夫子將
何以教寡人對曰願為君諤諤之臣墨筆操牘隨君之後
伺君過而書之簡子悅之
又曰魏文侯與士大夫坐問曰寡人如何君也群臣皆曰
君仁君也至任座曰君非仁君也曰子何以言之對曰君

伐中山不以封君之弟而封君之子是以知君非仁君也
文侯怒逐任座次到翟璜對曰君仁君也曰何以言之對
曰臣聞其君賢者其臣言直向任座之言直是以知君之
仁也文侯曰善復召任座
郭子曰王含為廬江（含字處弘敦兄也）貪強狼藉王敦欲護其兄
故於衆坐中稱家兄在郡為政定善廬江人咸稱之時何
充為主簿在坐正色曰充即廬江人所聞異於此
汝南先賢傳曰李宣字公休為太尉黃瓊所辟是時寒暑
不和羌夷數起瓊見掾屬曰是太尉無德願諸掾有以匡
之掾東平王象對曰昔堯遭洪水之變湯有六年之旱自
上聖之君誰能無此明公日昃恪勤夙職脩理小掾等無
以加增如此至數人瓊欣笑次及宣乃仰曰明公被日月
之衣居上司之位輔弼天子處諫諍之職未有對揚謇謇

之言其所旌命不授巖谷之士小掾私以於邑小掾聞之
三台不明責在三公願明公深思消復災異進納忠良衆
人默然慙愧
華陽國志曰中山諸王每過溫縣必責求供給溫吏民患
之李密至縣中山王過欲徵芻茭薪蒸密引高祖過沛賓
客老幼礼桑梓之恭一無煩擾伏惟明王孝思惟則本國
望風式歌且儛誅求之疲所未聞命後諸王經過不煩溫
縣
又曰陳禪字紀山安漢人也拜諫議大夫西域獻幻伎天
子與公卿觀之禪獨伏不視
李固外傳曰梁冀欲立清河王蒜常侍曹騰聞議定見冀
曰清河為人嚴明若遂即位將軍受禍不久矣冀更會議
立蠡吾侯子唯固與杜喬深據本議桓帝立固與杜喬以

夲立繇下獄太后詔出固冀乃復令黃門常侍作飛章虛
奏收固等繫獄皆死京師諺曰直如絃死道邊曲如鈎反
封侯
孔融別傳曰袁術僭亂曹操託楊彪與術婚姻誣以欲圖
廢置奏收下獄劾以大逆融聞之不及朝服往見操曰楊
公四世清德海內所瞻周書父子兄弟罪不相及況以袁
氏歸罪易稱積善餘慶徒欺人耳操曰此國家之意融曰
假使成王殺邵公周公可得言不知耶纓緌搢紳所以瞻
仰明公者以公聰明仁智輔相漢朝舉直措枉致之雍熙
今橫殺無辜則海內觀聽莫不解躰孔融魯國男子便當
拂衣而去操不得已遂理出彪
樊英別傳曰順帝策書備禮玄纁徵英詔切郡縣駕載上
道英不得已到京師稱疾不肯赴乃強輿入殿猶不以禮

屈帝怒曰朕能生君能殺君能貴君能賤君能富君能貧
君君何慢朕英曰臣受命於天生盡其命天也死得其命
亦天也陛下焉能殺臣臣見暴君如見仇讎立朝猶不肯
可得貴乎雖在布衣列環堵之中晏然自得不易萬乘之
尊又何得而賤乎陛下焉能賤臣臣非禮之祿萬鍾不受
也申其志雖簞食不厭也陛下焉能富臣焉能貧臣帝不
能屈而敬其名使出就太醫養疾日置羊酒
語林曰晉王敦與世儒議下都世儒以朝廷無亂且唱兵
始自古所難諫諍甚苦處冲變色曰吾過蒙恩遇受任南
夏卿自同姦邪阻遏義舉王法焉得相私因目左右令進
世儒正色曰君昔歲害兄今又殺弟自古多士豈有如此
舉動言畢流涕敦意乃止
王符論曰國以賢興以諂衰君以忠安以佞危此古今之
常論而時所共知也然衰國危君繼踵不絕者豈時無忠
信正直之士哉誠苦其道不得行耳

太平御覽卷第四百二十八

太平御覽卷第四百二十九

人事部七十

公平

尚書洪範曰無偏無黨王道蕩蕩無黨無偏王道平平

禮記曰昔衞獻公出奔反國及郊將班邑於從者而後入柳莊曰如皆守社稷則孰執羈靮而從如皆從則孰守社稷君反其國而有私也無乃不可乎於是弗果班

又孔子閒居曰子夏曰三王之德參於天地敢問何如孔子曰奉三無私以勞天下曰敢問何謂三無私子曰天無私覆地無私載日月無私照奉斯三者以勞天下

又儒行曰儒有內稱不避親外舉不避怨

左傳文上曰賈季奔狄宣子使臾駢送其帑（帑妻子也宣子以賈季中軍之佐同官故也）夷之蒐賈季戮臾駢臾駢之人（臾駢從臣也）欲盡殺賈氏以報之臾駢曰不可吾聞前志有之曰敵惠敵怨不在後嗣忠之道也（敵猶對也）夫子禮於賈季我以其寵報私怨無乃不可乎介人之寵非勇也（介因也）損怨益仇非智也以私害公非忠也釋此三者何以事夫子盡具其帑與其器用財賄親帥扞之送致諸境

又襄上曰祁奚請老晉侯問嗣焉稱解狐其讎也將立之而卒（解狐之卒）又問焉對曰午也可（午祁奚子）於是羊舌職死矣晉侯曰孰可以代之對曰赤也可（赤職之子伯華）於是使祁午為中軍尉羊舌赤佐之君子謂祁奚能舉善矣稱其讎不為諂立其子不為比舉其偏不為黨商書曰無偏無黨王道蕩蕩其祁奚之謂矣

又昭七年曰晉韓宣子卒魏獻子為政（魏舒）魏戊為梗陽大夫（戊舒之庶子也梗陽在太原也）魏子謂成鱄（鱄晉大夫）吾與戊也縣人其以

我為黨乎對曰何也夫舉無他唯善所取親疏一也

論語雍也曰子游為武城宰孔子問之曰汝得人焉耳乎（汝為此宰寧得賢人與之耳語助也）對曰有澹臺滅明者行不由徑非公事未嘗至於偃之室

史記曰邑人出獵任安常為人分麋鹿雉兔部署小大劇易眾人皆喜曰任少卿分別平

又曰陳平為社宰分肉甚均里父老曰善哉陳孺子之為宰平曰嗟乎使平得宰天下亦如此肉

漢書曰蕭何不與曹參相能及何病惠帝自臨視因問君即百歲後誰可代君對曰知臣莫若主帝曰曹參何如何稽首曰帝得之矣臣死不恨

又曰朱邑惇篤於故舊然性公正不可交以利天子器之

東觀漢記曰耿嵩字文都鉅鹿人履清高之節齠童介然特立不隨於俗鄉黨大人莫不敬異之王莽敗盜賊起宗族在兵中穀食饑貴宗家數百人升合分粮時嵩年十二三宗人長少咸共推令主稟莫不稱平

又曰陰興字君陵盡忠竭思其無益於國雖在骨肉不以私好害公義與張宗鮮于裒不相喜而知其有用猶稱其所長而薦之張汜杜禽之徒與興厚善以其華而少實私貨以財終不為言是以世稱其忠平

又曰第五倫字伯魚京兆尹閻興召為主簿時長安鑄錢多姦巧乃署倫為督鑄錢掾領長安市長倫平銓衡正斗斛市無阿枉百姓悅服

又曰吳漢嘗出征妻子在後買田業漢還讓之曰軍師在外吏士不足何多買田宅乎遂盡以分與昆弟外家

謝承後漢書曰張陵清河人初為梁冀弟胤舉孝廉正

月初歳百官朝賀冀恃豪勢不卹王憲帶劒入省陵主臺
中威儀呵冀使出勑羽林虎賁奪其劒徹爲陵曰昔舉君
適所以自伐也荅曰明府不以陵之不德誤見擢序不敢
阿公以報私恩徹有媿色
華嶠後漢書蔡孟喜汝南頻人以禮化鄉里鄉里有諍
訟者輒詣喜決之其所平處皆曰無怨
范曄後漢書曰袁紹官渡之役審配二子爲曹操所擒逢
紀與配不睦紹以問之紀對曰配天性烈直每所言行慕
古人之節不以二子在南爲不義也公勿疑之紹曰君不
惡之耶紀曰先所爭者私情今所陳者國事紹曰善乃不
廢配
又曰蘇章字孺文扶風平陵人順帝時遷冀州刺史故人
爲清河太守章行部案其姦贓乃請太守爲設酒殽陳平

生甚歡太守喜曰人皆有一天我獨有二天章曰今夕蘇
孺文與故人飲者私恩也明日冀州刺史案事者公法也
遂舉正其罪
典略曰荀彧在臺閣不以私欲撓意或有群從一介才德
實薄或謂彧曰以君當事不可以某爲議郎耶或笑曰官
者所以表才也若如汝言衆人其謂我何其持心平實皆類
此也
魏志曰王觀字偉臺東郡廩丘人爲南陽太守明帝即位
下詔書使郡縣條爲劇中平者主者欲言郡爲中平觀教
曰此郡濱近外虜數有寇害云何不爲劇耶主者曰若郡
爲外劇則恐於明府有任子觀曰夫君者所爲民也郡外
劇則於役調當有降差豈可爲太守之私而負一郡之民
遂言爲外郡送任子詣鄴時觀但有一子而又幼弱其心

公如此
又曰魏國初建時未立太子臨淄侯植有才而愛太祖狐
疑以函令密訪於外唯崔琰露荅曰蓋聞春秋之義立子
以長加五官郎將仁孝聰明宜承正統琰以死守之植琰
之兄女壻太祖貴其公亮
蜀志廖立傳曰諸葛亮爲人公直表廢立徙汶山立聞亮
卒泣曰吾其左衽矣
又李傳曰亮表廢平徙梓潼平聞亮卒乃發病死（習鑿齒曰夫水至平而邪者取法鏡至公而醜者忘怒水鏡之所以能窮物而不怨者以其無私也水鏡無私猶以免謗況大人君子懷樂生之心流矜恕之德爵之而非私誅之而非怒天下豈有不服也哉）故蜀志評曰諸葛
亮之爲國開誠心布公道其盡忠益時者雖讎必賞犯法
怠慢者雖親必罰
吳志曰呂蒙字子明嘗以部曲事爲江夏太守蔡遺所白

蒙無恨意及豫章太守顧邵卒權問所用蒙因薦遺奉職
佳吏權笑曰君欲爲祁奚耶於是用之甘寧麤暴好殺既
嘗失蒙意又時違權令權怒之蒙輒陳請曰天下未定鬬
將如寧者難得宜容忍之權遂厚寧卒得其用
徐廣晉紀曰劉弘字和季在襄陽帝在西京命弘選良守
乃稱守宰徵士武陵五朝字世朗高尚荆王牙門將曾國
皮初有勳江漢弘上言朝爲零陵太守初爲襄陽內史詔
以襄陽顯郡初資名未允以弘壻前東平太守夏侯陟爲
襄陽弘曰夫揔天下者當與天下同心治一國者當與一
國推實吾揔荆州十郡安得十女壻然後爲治乃表陟婚
親舊制不得相臨
燕書曰梁琛使秦琛從兄弈先在秦爲尚書郎會罷秦主
欲令琛止弈舍琛語有司曰昔諸葛亮兄弟各處三國及

其聘集公朝相見退無私而君子之志余敢忘乎竟不詣弈數就卽舍因問東國起居琛曰今二方鼎據兄弟並蒙附寵論心各有所在今欲以東國事語君恐非西國之所欲聞

周書曰王羆字熊羆京兆霸陵人也性嚴急處物必當每至享會自秤量酒肉給付將士時人尚其均平

宋書曰張邵有佐命功元嘉五年爲征虜將軍領寧蠻校尉初王華與邵不和及華參要親舊爲之危心邵曰子陵方弘至公豈以私隙害正義是任也華實舉之

唐書曰房玄齡爲尚書左僕射既任揔百司虔恭夙夜盡心竭節不欲一物失所聞人之善若已有之明達吏事而緣飾以文雅審定法令意在寬平不以求備取人不以已長格物隨能收敘無隔卑賤論者稱爲良相焉

又曰張文瓘爲大理卿旬日決遣疑事四百餘條莫不允當自是人有抵罪者皆無怨言

又曰奚陟字殷卿知吏部選事銓綜平允有能名遷吏部侍郎所莅之官時以爲稱職

又曰韋承慶自天授巳來三掌天官選事銓授平允海內稱之

又曰楊纂除吏部侍郎典選十餘載銓敘人倫稱爲允當然而抑文雅進黠吏觀時任數頗爲時論所譏

尸子曰自井中窺星所見不過數星自丘上望之則見其始出也夫私心井中公正丘上也

愼子曰有權衡者不可欺以輕重有尺寸者不可差以長短有法度者不可巧以詐僞

又曰夫投鉤分財投策分馬非以鉤策爲均也使得美者不知所以德得惡者不知所以怨故蓍龜所以立公識也權衡所以立公正也書契所以立公信也度量所以立公審也法制禮籍所以立公義也凡立公所以棄私也

國語曰趙宣子言韓獻子於靈公以爲司馬宣子趙孟獻子韓厥河曲之役趙孟使人以其乘車奸行獻子執而戮之衆咸曰韓厥必不役矣其主朝登之而夕戮其車車車僕也宣子召禮之告諸大夫曰可賀我矣吾舉厥而忠吾乃今知免於罪矣

家語曰澹臺滅明公正無私

韓詩外傳曰直者順道而行順理而言公平無私不爲安肆志不爲危易行

又曰楚有白公之難有壯之善者辭其母將死君難其母曰棄母死君何乎壯之善曰聞事君者內其祿而外其身

今之所養母者君之祿也請往死之比至朝三廢車中其僕曰子懼如是何不返也壯之善曰懼吾私也死吾公也吾聞君子不以私害公遂往死之

韓子曰古之全大體者則天地觀江海不以智累心不以私累已寄治乱於法術託是非於賞罰屬輕重於權衡不逆天理不傷情性不引繩之外不推繩之內不急法之外不緩法之內守成理因自然禍福主乎道法而不出乎愛惡榮辱之責在已而不在乎人故名成於前德垂於後治之至也

又曰解狐與荊伯柳爲怨趙簡主問於解狐曰孰可以爲上黨守對曰荊伯柳可趙簡主曰非子之讎乎對曰臣聞忠臣舉賢不避仇讎其廢也不阿親近簡主曰善遂以荊伯柳爲守韓詩外傳曰魏文侯問解狐曰寡人將立西河之守誰可用解狐舉其讎荊伯柳文侯乃用

又曰為人臣者北面委質有口不以私言有目不以私視
又曰解狐薦其讎以為相其讎往拜謝解狐引弓迎而射之
呂氏春秋曰堯有子十人不予其子而授舜舜有子九人不予其子而授禹至公也（周語曰舜有商均此曰九子不知出何書）墨者鉅子腹䵍居秦（鉅姓子男子通稱䵍續大車䵍䵍之䵍也）其子殺人秦惠王曰先生之年長矣非有他子寡人已令吏弗誅對曰墨者之法殺人者死傷人者刑此所以禁殺傷天下之義也王雖為之賜（變賜）而令吏弗誅腹䵍不可不行墨者之法遂殺之子人之所私也忍所以行大義鉅子可謂公矣
又曰晉平公問祁黄羊曰南陽無令其誰可乃舉其讎解狐又問國無尉其誰可乃舉其子午孔子聞之曰祁黄羊可謂至公也

又曰天無私覆地無私載日月無私燭四時無私為
又曰昔先聖王之治天下必先公（公正也）公則天下平矣其得之必以公其失之必以偏（偏私下正）
又曰荊人有遺弓者弗肯索曰荊人遺之荊人得之又何求焉孔子聞之曰去其荊而可矣老聃聞之曰去其人而可矣故老聃則至公得矣
又曰天下非一人之天下也天下之天下也（書曰皇天無親惟德是輔故天下之天下）陰陽之和不私長一類甘露時雨不私長一物（私猶異也）萬民之主不阿一人
又曰夏不衣裘非愛裘也煖有餘也冬不用翣（翣扇也）非愛翣也清有餘也（凊寒）聖人不為私非愛費也節乎己也
說苑曰人臣之公治官事則不營私家公門則不言貨當公法則不阿親奉公舉則不避仇讎忠於事君謂之公

又曰楚令尹虞丘子言於莊王曰臣聞奉公行法可以得榮能淺行薄無望上位臣為令尹十年國不加治竊選俊士孫叔敖秀才多能其性無欲君舉而授之政則國可寧莊王從之賜虞丘子田三百號曰國老以孫叔敖為令尹少焉而虞丘子家干法孫叔敖執而戮之虞丘子喜入見於王言孫叔敖果可使持政奉國法而不黨施刑戮而不亂可謂公平莊王曰夫子之賜也
又曰楚令尹子文之族有奸法者廷理拘之聞其令尹族也釋之子文召廷理而責之曰令立廷理者將以伺犯王令察觸國法者也於犯法甚明而使廷理緣吾私心釋之是吾不公之心明著於國執一國之柄而以私聞吾生無義吾不若死遂致其族人於廷理曰不是刑也吾將死廷理懼遂刑其族人

又曰晉文侯問於咎犯誰可使為西河守者對曰虞子羔可曰子羔非汝之仇歟曰君問可為守者非問臣之仇也子羔見咎犯謝之曰君幸赦臣之過薦於君得為西河守咎犯曰薦子者公也吾不以私事害公義子其去矣顧吾射之矣
周生列子曰天下所以平者政平也政所以平者心平也心所以平者衡平也衡所以平者銖兩平也銖兩所以平者毫釐平也無所不均也無所不平也謂之太平夫天之於物無所偏阿君之散恩無所外內
任子曰以義事主不私其己以仁接人不謀其欲火佚焚家家不罪火食過傷人人不罪食以其積之於仁義無私害也伊尹放太甲太甲無怨心管仲黜伯氏伯氏無怨言以其積之於公正無私惡也

抱朴子曰君人者必脩諸己以先四海去偏黨以平王道遣私情以標至公

魏武令曰今壽春漢中長安先欲使一見各往督領之欲擇慈孝不違吾令亦未知用誰也兒雖小時見愛而長大能善必用之吾非有二言也不但不私臣吏兒子亦不欲有所私

諸葛亮書曰吾心如秤不能爲人作輕重應亭與州將牋曰夫公正治化之本德教之基公則無私正則無邪無邪無私而患政教不行未之有也昔叔向論叔魚之罪石碏討石厚之亂祁奚稱解狐之賢臧紇思孟孫之愛春秋嘉之篤崇世教經乎百王歷乎盛衰其義不傾公正之德弘矣重矣明君之所以摠天下賢臣之所以奉上民庶之所以繫仰德化之所以美盛公正之可不勉哉

曹羲至公論曰夫世人所謂掩惡揚善者君子之大義保明同好朋友之至交斯旨之作蓋閭閻之白談所以救愛憎之相謗崇居厚之大分耳篤正之至理折中之公議也世士不料其數而係其故善惡不分以覆過爲弘朋友忽義以雷同爲美善惡不分亂實由之朋友雷同敗必從焉談論以當實爲清不以過難爲貴相知者以等分爲交不以雷同爲固是以達者存其義不察於文識其心不求於言

嵇康釋私論曰不知冒陰之可以無景而患景之不匿不知無情之可以無患而恨情之不巧豈不哀哉未有抱僞而身立清世藏情而信著明君者也是以君子既有其質又覩其鑒貴夫亮達希而存之惡夫矜悋弃而遠之言無苟諱而行不苟隱不以愛之而苟善不以惡之而苟非心無所矜而情無所繫體清神正而是非允當忠感明天子而信篤乎萬民寄胸懷於八荒垂坦蕩於永日斯非賢人君子高行之美者乎

太平御覽卷第四百二十九

太平御覽卷第四百三十

人事部七十一

信　謹愼

信

釋名曰信申也相申束使不相違也

易中孚卦曰信及豚魚豚魚喻卜民也

又乾文言曰君子忠信所以進德也

韓詩外傳曰受命之主正其衣冠而立儼然人望而信之其次聞言而信次見其行而信既聞其言既見其行衆皆不信民之下也

又曰孟子少時東家嘗殺猪孟子問其母曰東家猪何爲其母曰欲啖汝母悔失言曰吾懷是子席不正不坐割不正不食胎教之也今適有知而欺之是教之不信乃買東家猪肉以食之明不欺也

禮記儒行曰儒有不寶金玉而忠信以爲寶又曰忠信以爲甲胄

左傳僖中曰晉侯圍原命三日之粮原不降命去之諜出曰原將降矣軍吏曰請待之公曰信國之寶也民之所庇也得原失信何以庇民所亡滋多退一舍而原降呂氏春秋云七日期原不下去之也明年復伐與士期必得而反原聞之乃下衛人聞之曰文公信至矣乃歸之故曰攻原得衛新序云温人聞之而降故曰伐原得温

又僖下曰王子虎盟諸侯于王庭要言曰皆獎王室無相害也君子謂是盟也信

公羊傳曰莊公會齊侯盟于柯莊公將會曹子進曰君之意何如莊公曰寡人之生則不若死自傷與齊侯雖不能復也曹子曰然則君請當其君臣請當其臣莊公曰諾於是會莊公升壇曹子手劍而從之管子進曰君何求曹子曰城壞壓境齊數取魯邑以淪信君不圖與君爲齊桓公也不當許侵魯地太甚願請汶陽之田管仲顧曰君許諾桓公曰諾曹子請盟已曹子摽劍而去之要盟可犯而桓公不欺曹氏可讎而桓公不怨桓公之信著乎天下自柯之盟始也

又僖公曰晉獻公死奚齊立里克謂荀息曰君殺正廢長而立幼如之何願與子慮之荀息曰君嘗訊臣訊問臣對曰使死者反生生者不愧乎其言則可謂信矣里克知其不可與謀退殺奚齊荀息立卓子里克殺卓子荀息死之荀息可謂不食其言矣

論語學而曰信近於義言可復也復猶覆也言語之信可反覆

又顏淵曰子貢問政子曰足食足兵民信之矣子貢曰必不得已而去於斯三者何先曰去兵曰必不得已而去於斯二者何先曰去食自古皆有死民無信不立言民所急者信也

爾雅曰西至日入所爲太蒙太蒙之人信

史記蘇秦說燕王曰尾生與女子期於梁下女子不來水至不去抱梁柱而死

又曰楚莊王圍宋五月不解宋城中急無食華元乃夜私見楚將子反告莊王王問曰城中何如曰析骸而炊易子而食王曰誠哉是言我軍亦有三日粮以其信故遂罷兵去

又曰季札之初使北過徐君君好季札劍口弗敢言季札知之爲使上國未獻還至徐君已死於是乃解其寶劍繫徐君冢樹而去從者曰徐君已死尚誰與乎季子曰不然吾心已許之豈以死背吾心

漢書曰季布楚人以任俠爲名貴然諾聞楚人爲之諺曰得黃金百斤不如季布一諾

東觀漢記曰郭伋在并州行部到美稷有童兒數百騎竹馬迎拜問使君何當還伋計日告之既還先期一日乃止乎野亭須期而入

又曰任延除細陽令每至歲時伏臘輒休遣繫囚徒各使歸家並感其恩德應期而還有囚於家被病自載詣獄既至而死延率掾吏殯于門外百姓悅之

范曄後漢書曰范式字巨卿山陽金鄉人也少遊太學爲諸生與汝南張劭爲友劭字元伯二人並告歸鄉里式謂劭曰後二年當還將過拜尊親見孺子焉乃共剋期後期方至元伯具以白母請設饌以俟之母曰二年之別千里結言爾何信之審也對曰巨卿信士必不乖違母曰若然當爲醞酒至其日巨卿果到升堂拜母盡歡而別

又曰高湖及銅馬餘衆降光武封其渠帥爲列侯降者猶不自安光武知其意令各歸營勒兵乃自乘輕騎案行部陳降者相語曰蕭王推赤心置人腹中得不投死乎哉

吳曆曰太史慈字子義於神亭戰敗爲孫策所執策素聞其名即解縛請見諮問進取之術慈曰州軍新破士卒離心欲出宣恩安集恐不合尊意策長跪荅曰誠本心所望也明日日中望君來還諸將皆疑策曰太史子義青州名士以信義爲先終不欺策明日大會諸將豫設酒食立竿視影日中而慈果至

晉陽秋曰陸抗羊祜推信礼之好抗甞遺祜酒祜飲之不疑抗有疾祜饋之藥抗亦推心服之

唐書曰蕭至忠年少時與友人期於路隅會風雪凍冽諸人皆奔避就宇下至忠曰寧有與人期而求安失信乎獨不去衆咸歎服

鬻子曰上下相親謂之和不求而得謂之信

子思曰同言而信信在言前同令而化化在令外聖人在上民遷如化

列子曰子華有寵於晉不仕而居三卿之右禾生子伯范氏之上客也出行垧外宿於田叟商丘開之舍中夜禾生子伯二人相與言子華之名勢能使存者亡亡者存富者貧貧者富商丘開先窘於飢寒潜於牖聽之因之子華子華之門徒皆世族也見商丘開年老力弱面目黎黑狎侮欺紿無所不爲遂與商丘開俱乘高臺於衆中謾言曰有能自投下者賞百金衆皆競應商丘開以爲信然遂先投之形若飛鳥揚於地巳骨無傷因復指河曲之隈曰彼中有寶珠泳可得也商丘開復從而泳之（水底潜行曰泳）既出果獲珠焉衆始同疑 俄而范氏之藏失火子華曰若能入火取錦者從所得多少賞焉商丘開徃無難色入火徃還埃不漫身不燋范氏之徒乃共謝之曰吾不知子之有道而紿子吾不知子之有神而辱子敢問其道商丘開曰吾亡道雖吾之心亦不知其所以然有一於此試與子言之曩子二客之宿吾舍也聞譽范氏子之勢能使存者亡亡者存富者貧貧者富吾誠之無二心故遠而來及來以子黨之言皆實也唯恐誠之不至行之不及不知形體之所措利害之所著也心一而巳物無迕者如斯巳矣今昉知子黨之紿我我內藏猜慮外矜觀聽追無昔日之不燋溺也怛然內熱惕然震悸矣水火豈復可近哉自此之後范氏門徒路遇乞兒馬醫弗敢辱也必下車而揖之宰我聞之以告仲尼仲尼曰汝不知乎夫至信也動天地感鬼神横六合而無逆豈但履危嶮入火水而巳哉

孫卿子曰君者治之源也源清則流長在上有信小民不待探籌投鉤

莊子曰夫交邇則相靡以信交遠則忠之以言

慎子曰折券契屬符節賢不肖用之（券契不爲人信人自用之）

韓子曰魏文侯與虞人期獵明日天疾風左右止文侯文侯曰不可以疾風故失信遂犯風而往（戰國策同）

又曰齊索讒鼎於魯以其僞往齊曰使樂正子來將聽會君謂樂正子樂正子曰君胡不以眞往曰我愛之荅曰臣亦愛臣之信

又曰吳起示其妻以組曰子爲我織組合如是組妻織組異善吳起曰非詔也使衣之而歸妻往請之起曰家無虛言

呂氏春秋曰吳起治西河欲諭其信於民乃置表於南門之外令於邑中曰有能僨此表者仕長大夫民相謂曰此必不信有一人曰試往僨表還來謁之吳起見而仕大夫又復立表令於邑中如前邑人守門爭表

又曰晉文公伐原示信明年復伐之與士期必得原然後返原人聞之乃下衛人聞之以信爲至矣乃歸晉故曰攻原得衛者此之謂也始文公非不欲原也不信得之不若勿得必誠以得之歸之者非獨衛也文公可謂知求矣

又曰人主必信信之爲政大矣信立則虛言可以賞矣虛言可以賞則六合之內皆爲巳府天行不信不能成歲地安不信草木不大春風不信其華不盛夏暑不信其土不肥秋雨不信其穀不堅冬寒不信其地不閉天地之大四時之化而猶不能以不信成物也又況乎人事君不信則百姓誹謗社稷不寧處官不信則少不畏長貴賤相輕賞罰不信則民易犯法不可使令交友不信則離散鬱怨不能相親百工不信則器械苦僞丹漆不眞夫可與爲始可與爲終可與尊通可與卑窮者其唯信乎信而又信重襲於身乃通於天以此君人則膏雨甘露降寒暑四時當矣

又曰齊桓公伐魯魯人不敢戰去魯國五十里而封之魯請比關內侯以聽桓公許之曹劌謂莊公請從於是明日將盟莊公與曹劌皆懷劒至於壇上曰魯國去境數百今去境五十亦無生矣均其死也戮於君前管仲鮑叔進曹劌案劒當兩陛下間曰君將改圖毋或進者莊公曰封於汶則可不則請死管仲曰以地衛君非以君衛地君其許之乃遂封汶南與之盟歸而欲勿予管仲曰不可人將劫君而不知不可謂智臨難而不能勿聽不可謂勇許之而不予不可謂信不智不勇不信有此三者不可以立功名子之雖亡地亦得信也以四百里之地見信於天下君猶得也莊公仇也曹劌賊也信於仇賊又況於非仇賊者乎夫九合而之合一匡而之聽乃從此生矣

賈誼書曰禹與士民同務故不自言其信諭矣

淮南子曰管子以小辱成大榮蘇秦以百誕成一信

又曰胡人彈骨（胡人盟約置酒人頭骨中飲以相詛）越人齧臂中國歃盟所由各異其於信一也

說苑曰魏太子謂經侯曰主信臣忠此魏國之寶也

列女傳曰魯之母師者九子之寡母也臘日祀畢悉召諸子謂曰婦人之義非有大故不出夫家然吾父母家多幼稚歲時禮不理吾從汝謁往監之（謁請也監視也）諸子皆稽首唯諾又召諸婦曰婦人有三從之義無專制之行少繫於父母長繫於夫老繫於子今諸子許我視私家願與少子俱

以備婦人出入之制諸婦其愼房户之守吾夕而反於是
使少子僕歸辦家事天陰還失早至閭外而止待夕而入
魯大夫從臺上見而恠之召而問之曰母從北來至閭外
而止良久乃入吾不知其故是以召母也對曰妾不幸早
失夫獨與九子處臘日從諸子謁歸視私家與諸婦孺子
期夕而反妾恐其醻醵醉飽 醻醵合聚飲酒也 人情所有也妾反
失早故止閭外盡期而入大夫美之言於穆公穆公賜母
尊號曰母師使朝謁夫人夫人諸姬皆師之
會稽典録曰卓恕字公行上虞人恕為人篤信言不宿諾
與人期約雖遭暴風疾雨雷電氷雪無不必至甞從建
業還家辞太傅諸葛恪恪問何當復來恕對曰某日當
復親覲至是日恪欲為主人停不飲食以須恕至時賔客會
者皆以為會稽建業相去千餘里道阻江湖風波難必豈

得如期須臾恕至一座盡驚
諸葛亮别傳曰魏明帝自征蜀幸長安遣宣帝督張郃
諸軍勁卒三十餘萬潛軍密向劒閣亮有戰士十萬十二更
下在者八萬時魏軍始陳番兵適交亮參佐咸以敵衆強
多非力所制宜權停下兵以并聲勢亮曰吾聞用武行師
以大信為本得原失信古人所惜去者束裝以待期妻子
鶴望以計日皆勑速遣於是去者感悦願留一戰住者憤
勇咸思致命臨戰之日莫不拔刃爭先以一當十殺張郃
却宣帝一戰大尅此之由也
王符論曰夫十步之閒必有茂草十室之邑必有忠信

謹愼

易頤卦曰君子以愼言語節飲食
尚書堯典曰愼徽五典五典克從
毛詩蕩抑曰敬愼威儀惟民之則
周禮地官大司徒曰以賢制爵則民愼德
禮記中庸曰君子戒愼乎其所不睹恐懼乎其所不聞蓋
君子愼其獨也
又儒行曰敬愼者仁之地也
又太學曰敬愼者仁之地也
又太學曰有國者不可以不愼辟則為天下僇矣是故君
子先愼乎德
論語學而曰愼終追遠民德歸厚矣
又為政曰多聞闕疑愼言其餘則寡尤 尤過 多見闕殆愼行
其餘則寡悔
又述而曰子之所愼齋戰疾
又公冶長曰季文子三思而後行

孝經曰在上不驕高而不危制節謹度滿而不溢高而不
危所以長守貴也滿而不溢所以長守富也
家語曰孔子入右稷廟左前有金人焉三緘其口而銘其
背曰我古之愼言人也戒之哉無多言多言多敗無多事
多事多患安樂必戒無所行悔
漢書曰成帝為太子寛愽謹愼上甞急召太子出龍樓門
不敢絶馳道西至直城門得絶乃度
又曰石建為太僕奏事事下建續之驚恐曰書馬者與尾
而五 服虔曰作馬字典者五建上事誤作四 今乃四不足一獲譴死矣第慶
為太僕御出上問車中幾馬慶以策數馬畢舉手曰六馬
又曰金日磾自在左右目不忤視者數十年賜出宮女不
敢近上欲内其女後宮不肯應其篤愼如此
又曰霍光入禁闥小心謹愼未甞有過

又曰張安世職典樞機以謹愼周密自著
又曰孔光性周密謹愼時有所言輙削藁沐日歸休兄弟
妻子燕語終不及朝廷政事或問光溫室省中樹皆何木
也光嘿不應更答以他語其不泄如此
東觀漢記曰陳寵字昭公沛人爲尚書寵性周密重愼時
所表薦輙自手書人莫得知常言人臣之義若不畏愼自
在樞機謝遣門人不復教授絶知友之路
又曰樊梵字文高爲尚書郎每當直事常晨駐馬待漏
雖在閑署冠劒不解於身每齋祠恐失時乃張燈俯伏
又曰陰識爲執金吾居位數十年與賓客語不及國家其
重愼如此
又曰蔡倫字敬仲爲中常侍有才學盡忠重愼每至休下
輙閉門絶賓客曝體田野

又曰樊宏字靡卿拜光禄大夫位特進宏爲人謙愼每當
朝會先到俯伏待事時至乃起上聞之勑騶臨朝乃告勿
令豫到
又曰杜安字伯夷貴戚慕其名或遺其書安不發悉壁藏
之後捕貴戚賓客安開壁出書而封如故由是不罹其患
又曰張純字伯仁爲虎賁中郎將純素重愼周密時上封
事輙削去草
後漢書曰馬援在交趾還書誡兄子曰龍伯高敦厚周密
吾愛之重之願尔曹効之
又曰馬光字叔山爲衛尉卿上以光周密謹愼特親異之
又曰皇甫嵩爲人愛愼勤書前後上表陳諫有補益者五
百餘事皆手書毁草不宣於外
吳志曰闞澤字德潤山陰人也性謙恭篤愼人有非短口

未甞及容貌似不足者
王隱晉書曰李康嘗答司馬文王問因以爲家誡曰昔侍
於先帝時有三長史俱見臨辭出上曰爲官長當愼當勤
當清脩此三者何患不治乎上問臣曰必不得已於斯三
者何先吾對曰愼乃爲先夫清者不必愼愼必自清上曰
卿言得之矣
晉書曰羊祜多所進達而人不知所由或謂祜愼密太過者
祜曰是何言歟夫入則造膝出則詭辭君臣不密之誡
吾惟懼其不及不能舉賢取異豈得不愧知人之難哉且
拜爵公朝謝恩私門吾所不取
晉起居注曰太康四年制曰選曹銓管人才宜得恪謹寡
欲柳華崇本尚書朱整周愼敬讓以自居是其人也
後魏書曰庚岳代人也置相州即拜岳爲刺史公廉平當

百姓稱之鄴舊有園池時菓初熟丞吏送之岳不受曰菓
未進御吾何得先食其謹愼如此
北齊書曰封隆之字祖裒渤海脩人也性寛和有度量義
旗始建首參經略奇謀妙策密以啓聞上書削藁罕聞於
外高祖嘉其忠謹每多從之
隋書曰高熲字昭玄渤海蓨人也少明敏尤善詞令所出
奇策密謀及損益時政皆世無知者
又曰李德林字公輔博陵平安人也從入官巳後典機務
甚密愼常云古不言溫樹何足稱也
唐書曰溫彦博自掌知機務即杜絶賓客國之利害知無
不言太宗嘉之及薨謂侍臣曰彦博以憂國之故勞精竭
神我見其不逮巳二年矣恨不縱其閑逸致夭生靈
又曰陸元方在官清謹再爲宰相則天將有遷除每先以

訪之必密封以進未嘗露其私恩臨終取前後草奏悉命焚之且曰吾陰德於人多矣其後庶幾福不衰矣又有書一匣常自緘封家人莫有見者及卒視之乃前後勑書其慎密如此

又曰楊再思在位累載屈節希旨無所規弼然慎畏未嘗忤物或謂再思曰公名高位重何爲屈折如此再思曰世路艱難直者受禍苟不如此何以全其身哉

又曰高郢性恭慎廉潔罕與人交游守官奉法勤恪掌誥累年家無制草或謂曰前輩皆留制集公焚之何也曰王言不可存私家時人重其慎密

太公金匱曰黄帝曰予之居上搖搖恐夕不至朝

尸子曰言美則響美言惡則響惡身長則影長身短則影短名者響也行者影也是故慎而言將有和之慎而行將

有隨之

淮南子曰君子之居民上也若以腐索御馬恐失民意若履薄冰蛟在其下

又曰若行獨梁不爲无人不兢其容

般康明慎曰犇車之上無仲尼覆舟之下無伯夷益言慎也

魏任嘏別傳曰嘏字紹先樂安愽昌人也文帝時爲黄門侍郎毎納忠言輙手書壞本自在禁省歸書不封帝嘉其淑慎

太平御覽卷第四百三十

太平御覽卷第四百三十一

人事部七十二

勤　儉約　儉嗇

勤

尚書無逸曰文王自朝至于日中昃弗遑暇食用咸和萬民

又大禹謨曰克勤于邦

又金縢曰昔周公勤勞王家惟予沖人弗及知

又梓材曰先王旣勤用明德

又周官曰功崇惟志業廣惟勤

左傳宣下曰郤成子曰吾聞之非德莫如勤非勤何以求民文王猶勤況寡德乎

又宣下曰民生在勤勤則不匱

禮記祭法曰舜勤衆事而野死冥勤其官而水死

東觀漢記曰明帝行部罷不用輦晝甲夜乃解偃讀衆書乙夜盡寢先五鼓起率常如此

又曰陳寵辟司徒鮑昱府掾屬專尚交遊以不肯親事爲高寵常非之獨勤以物務

又曰班超居家常執勤苦不恥勞辱

又曰王丹字仲因每歲農時輒載酒肴於田閒候勤者與而勞之

魏氏春秋曰高文惠爲荊莪令夙夜匪懈至擁膝抱書而寐太祖嘗夜微出覘察諸吏見而哀之徐解衣覆之而去

魏志曰段灼上疏理鄧艾曰艾值歲凶又爲區種身被烏衣手執耒耜以率將士上下相感莫不盡力

吳志曰諸葛恪征淮南以滕胤爲都督掌統留事胤白日接賓客夜省文書或至曉不寐

王隱晉書曰陶侃少長勤務自強不息常語人曰大禹聖者乃惜寸陰至於凡俗當惜分陰

晉書曰任愷素有識鑒加以在公勤恪甚得朝野稱譽

唐書曰杜佑性勤而無倦雖位極將相手不釋卷質明視事接對賓客夜則燈下讀書孜孜不怠與賓佐談論人憚其貴而伏其博

杜預自叙曰在家則滋味經籍居官則畢力理治公家之事知無不爲

夏仲御別傳曰夏統字仲御永與人與母兄弟居恒星行夜歸採梠求食毋老病不悰家事仲御鼓四起洒掃庭內鑽火炊爨之後徑便入野

孟子曰鷄鳴而起孜孜爲善舜之徒也

淮南子曰墨子無黔突孔子無煖席是故聖人蒙恥辱以干世主者非以貪祿慕位也欲事天下之利除萬民之害也

又曰跬步不休跛鼈千里積累不輟可成丘阜

鹽鐵論曰禹感洪水身親其勞簪墮不掇冠挂不顧

儉約

尚書大禹謨曰禹克儉于家

周書曰文王疾召太子發曰吾栝柱茅茨蓋爲民愛費也

禮記檀弓下曰晏子一狐裘三十年

又禮器曰晏平仲祀其先人豚肩不掩豆澣衣濯冠以朝君子以爲隘矣

左傳桓公曰臧哀伯諫曰清廟茅屋大輅越席大羹不致粢食不鑿昭其儉也

又閔公曰衛文公大布之衣大帛之冠
又襄公上曰季文子卒大夫入斂公在位無衣帛之妾無
食粟之馬無藏金玉無重器備
又襄五年曰叔向曰子展儉而壹
又哀上曰子西曰二三子無患矣吾昔聞闔閭食不二味
居不重席室不崇壇器不雕鏤宮室不觀舟車不飾衣服
財用擇不取費礎取堅厚斲細靡
公羊傳宣公曰晉靈公無道趙盾趨入靈公望見再拜知其
欲諫拒之以盾出公使勇士往殺之勇士入俯而闚其戶方食
魚飧勇士曰嘻子誠仁人也爲晉國重卿而食魚飧見子
之儉也君使我殺子吾不忍殺子也吾亦不可復見君遂
刎頸而死
論語里仁曰以約失之者鮮矣

覽四百三十一　三　劉佩

又泰伯曰子曰禹吾無間然矣菲飲食而致孝乎鬼神惡
衣服而致美乎黻冕卑宮室而盡力乎溝洫
漢書曰公孫弘起徒步數年至宰相封侯於是開東閤以
延賢人食一肉脫粟之飯故人賓客仰衣食俸祿皆以給
之
又曰辛慶忌居處恭儉飲食被服尤以節約
東觀漢記曰第五倫性節儉雖爲二千石常衣布躬坐養
馬妻炊爨飲食受俸祿常取赤米
又曰王良爲大司徒司直在位恭儉妻子不入官舍布被
瓦器時司徒吏鮑恢以事到東海候其家而良妻布裠曳
柴從田中歸恢告曰我司徒吏也故來授書欲見夫人妻
曰妾是也恢乃下拜歎息而還
又曰李恂爲兗州刺史清約率下食不二味

謝承後漢書曰東郡趙咨爲東海人遺其雙枯魚者啜之
二歲不盡以儉化俗
又曰朱寵字仲威爲太尉家貧食脫粟飯臥布被朝廷
賜錦被粱肉皆不敢受
張璠漢記曰荀爽爲三公食不過一肉脫粟飯坐皮褥
范曄後漢書曰羊陟拜河南尹計日受俸食乾飯茹菜
又曰宣秉字巨公馮翊雲陽人爲御史中丞遷司隸校尉
秉性節約常布服被蔬食瓦器帝嘗幸其府舍見而歎曰
楚國二龔不如雲陽宣巨公卽賜布帛帳帷
又曰祭遵爲人廉約小心克己奉公賞賜輒盡與士卒家
無私財身衣韋絝布被夫人裳不加緣帝以是重焉
魏略曰常林字伯槐歷宰守刺史所在檢身節用其家常
飢乏糟糠縕弊

覽四百三十一　四　佩

魏志曰太祖平柳城頒所獲器物以素屏風素馮几賜毛
玠曰君有古人之風故賜君古人之服玠居顯位常布衣
蔬食
吳志曰是儀字子羽北海營陵人爲尚書僕射不服精細
食不重膳孫權聞之幸儀舍求視蔬食親嘗之對之歎息
晉書曰帝以山濤清儉無以供養特給日契加賜牀帳茵
褥禮秩崇重時莫爲比濤居榮貴貞慎儉約雖爵同千乘
而無嬪媵
王隱晉書曰李胤歷職內外而至貧儉兒病無以市藥上
賜錢十萬
晉中興書曰王廙爲母立屋過制中宗流涕諫之帝所幸
鄭夫人袍無文綉其恭儉率下如此
又曰陸納字祖言徵拜左民尚書將應召綱紀白日宜裝

幾觗約曰吾家不在此已勑私奴乘駕裝并食糧米無所須也臨發載被襆而已其餘皆封還官

崔鴻十六國春秋趙録曰孟卓字君偉廣平人少脩清苦之志有一單衾十年不辭

又前燕録曰太尉楊鶩字士秋右北平無終人也鶩毋李氏博學有毋儀慕容晃常升堂拜敬性尤清儉好施無倦位爲台保爵封郡公常乘弊車瘠牛卒無餘財

後漢書曰孝文帝性儉素常服澣濯之衣鞍勒鐵木而已

宋書曰文帝性存儉約不好奢侈車府令嘗以輦篸故請改易之輦席舊以烏皮緣欲代以紫皮上以篸未至於壞紫色貴並弗聽也篸蘇音

又曰孝武大明中壞上所居陰室於其處起玉燭殿與群臣觀之牀頭有土鄣壁上挂葛燈籠麻繩拂侍中袁顗盛稱巳爲過矣

又曰顔延之性既褊傲兼有酒過肆意直言曾無迴隱故論者多不知之居身清儉不營財利布衣蔬食獨酌郊野當其爲適傍若無人

蕭子顯齊書曰高帝即位後身不御精細之物勑中書舍人桓景真曰主衣中似有玉爪導此制始自大明末復太始增其光麗留此著主衣政是興長疾源可即時打破後宮器物欄檻以銅爲飾者改用鐵內殿施黃紗帳宮人著紫皮履華蓋除金花爪以用鐵迴釘每曰使我治天下十年當使黃金與土同價

又曰太官進食有裹蒸明帝曰我食此不盡可四片破之餘充晚食

又曰太始巳來相承奢侈太祖輔政上表禁民間華僞不得作成綉褁衣道路不得着錦履不得作局脚檉栢牙牀箱籠錦緣不得以七寶飾樂器又諸雜漆物不得以金銀爲花獸

又曰王逡之字宣約瑯邪臨沂人也少好學儉素衣服不沆几案塵墨

齊春秋曰王儉字仲寶臨沂人不好聲色衣裘服用取給而巳

梁書曰到溉字茂灌美風儀善容止所莅以清白脩性又率儉不好聲色虛室單衣傍無姬侍

後周書曰辛慶之位遇雖隆而率性儉素車馬衣服不尚華侈志量温和有儒者風度特爲當時所重

唐書曰虞世南隋時世基當朝貴盛妻子被服擬於王者世南雖同居而躬履勤儉不失素業

又曰李藩爲相憲宗謂曰前代理天下或家給人足或國貧下困其故何也藩對曰古人云儉以足用蓋足用繫於儉約誠使人君不貴珠玉惟務耕桑則人無淫巧俗自敦本百姓既足君孰與不足帝曰儉約之事是我誠心唯當上下相勗以保此道

又曰于休烈在朝几三十餘年歷掌清要家無擔石之蓄恭儉深仁未嘗以喜愠形於顔色而親覽下士推轂後進雖位崇年高曾無倦色

文子曰量腹而食度身而衣節乎已者貪心不生矣

墨子曰晉文公好惡衣臣下皆衣牂羊之裘以韋帶劒

呂氏春秋曰周明堂茅茨蒿柱土階三尺以見儉也

風俗通曰大禹關百品之蓄而菲庖厨殷湯寐寢黃屋駕而乘露輿

魏武別傳曰武皇帝子中山恭王袞尚儉約教勑妃妾紡績織絍習爲家人之事

桓階別傳曰階爲趙郡太守時俸盡食醬辭上聞之數戲曰卿家作醬頗得成不詔曰光光大魏富有四海棟梁大臣而有蔬食非吾所以禮賢之意也其賜射鹿師二人并給媒弩

三輔決録曰前隊大夫有范仲公鹽豉蒜果共一筩言其廉儉也

會稽典録曰陳脩字奉先遷爲豫章守性清絜恭儉十日一炊不燃官薪

殷康明愼曰古人云驕奢人之殃恭儉福之場

古今善言曰靈帝時欲用羊續爲三司而中官求其賂續出黄絁補袍以示使者

延篤與李文德書曰吾食赤烏之麰麥飲化益之玄醴折張騫大苑之蒜歠晉國郇瑕氏之鹽

魏武令曰吾衣被皆十歲也歲歲解浣補納之

衛覬奏曰武皇帝之時後宫食不重肉衣不錦繡茵席不緣物無丹漆用能平定天下遺福子孫

儉嗇

毛詩曰汾沮洳刺儉也沮洳漸洳也

又葛屨曰刺褊也魏地狹隘其民機巧趨利其君儉嗇褊急

又曰蟋蟀刺晉僖公也儉不中禮故作是詩以閔之

論語曰如有周公之才之美使驕且吝其餘不足觀也已

又曰出納之吝謂之有司

史記曰魯人俗儉嗇曹氏邴氏尤甚以鐵冶起富至巨萬然家自父兄子孫約俛有拾仰有取

三輔決録曰平陵士孫奮富聞京師性儉悋嘗宿客舍雇錢直甚少主人曰君惜錢如此欲作士孫景卿耶

魏略曰曹洪家富而性嗇文帝前在東宮嘗從洪貸絹百疋洪不稱意及犯法自分必死

晉書曰王戎性好興利廣收八方園田水碓周遍天下積實聚錢不知紀極而又儉嗇不自奉養天下人謂之膏肓之疾女適裴頠貸錢數萬久而未還女後歸寧戎色不悦女遽還直然後乃懽從子將婚戎遺其一單衣婚訖而更責取家有好李常出貨之恐人得種恒鑽其核以此獲譏於世

後魏書曰崔光韶家足於財而性儉悋衣弊馬瘦食味麄薄始光韶在都同里王蔓於夜遇盜害其二子孝莊詔黄

門高道穆令加檢捕一方之人家別搜索至光韶宅綾絹錢布匱篋充積議者譏其矯嗇

郭子曰王丞相性儉帳下甘果盈溢不散涉春爛敗都督白之公令拾去勑云愼不可使大郎知大郎名悦字長豫

晉書曰和嶠家產殷富擬於王者然性至悋以是獲譏杜預以爲嶠有錢癖

後魏書曰和跋清河人也爲平昌太守家巨富而性悋嗇理錢數百斛其母季春思堇惜錢不買

太平御覽卷第四百三十一

人事部七十三

慈愛

說文曰慈愛也

釋名曰慈字也

韓詩外傳曰夫爲人父者必懷慈仁之愛以畜養之愛子不詈髡子不笞

禮記學記曰夫慈者所以使衆也

左傳昭五年曰子產卒仲尼聞之出涕曰古之遺愛

孝經援神契曰母之於子也鞠養殷勤推燥居濕絶少分甘宗均曰火則自絶甘則分

家語曰孔子曰明君必寬裕以容其民慈愛以優柔之

漢書曰翟方進少爲郡小吏號遲鈍因病歸欲遊學後母愍其志而憐其幼隨之長安織屨以給之

謝承後漢書曰楊彪子脩爲曹操所殺後見彪問曰公何瘦之甚對曰愧無日磾先見之明猶懷老牛舐犢之愛操爲之改容

列女傳曰魏孟陽之女丗外之後妻也有三子前妻之子有五人皆不愛慈母前妻中子犯魏王令罪當死慈母憂感悲哀帶因減赤人有謂慈母曰人不愛母何爲憂懼勤勞如此母曰其父爲其孤也而使妾爲之繼母如爲人母而不能愛其子何謂慈乎魏王聞之高其義赦其子而復其家自此之後五子親侍慈母

老子曰吾有三寶一曰慈

韓子曰愛子者慈於子重生者慈於生貴功者於事仁

淮南子曰堯立孝慈使民如子弟

說苑曰魏文侯封太子擊於中山三年使不往來舍人趙倉唐曰爲人子三年不聞父問不可謂孝爲人父三年不聞子問不可謂慈臣願奉使侯何所好太子曰侯嗜晨鳧好北犬倉唐絳北犬奉晨鳧文侯賜太子衣一襲令以雞鳴時致之太子發篋視衣盡顛倒太子曰趣具駕君侯召我也唐來不受太子曰詩曰東方未明顛倒衣裳顛之倒之自公召之遂西至文侯大喜倉唐一使文侯爲慈父輩爲孝子

潘岳西征賦曰夭赤子於西安坎路側而瘞之亭有千秋之號子無七日之期雖逸屬於延吴實潛慟於余慈

蔡邕書曰邕薄祐早喪二親年踰三十鬢髮二色叔父親之猶若幼童陸則對座食則比豆

恭敬

說文曰恭肅也

釋名曰恭供也自持也亦言供給事人敬警也

易小過卦曰山下有雷小過君子以行過於恭取過於禮而不爲害

易繫辭曰君子致恭以存其位

易文言曰敬以直內義以方外敬義立而德不孤

尚書五子歌曰居民上者奈何弗敬

毛詩小弁曰唯桑與梓必恭敬止

又曰敬之敬之天惟顯思

大戴禮曰昔禹見耕者五偶而式過十室之邑則下爲秉德之士存焉

又曰昔武王踐祚入於戶未嘗越履往來過之不履影

禮記曲禮曰君子恭敬蹲節退讓以明禮

又檀弓上曰晉獻公將殺其世子申生公子重耳謂之曰
子盍言子之志於公乎世子曰不可君安驪姬是我傷公
之心也曰然則盍行乎世子曰不可謂君謂我欲殺君也
天下豈有無父之國哉吾何行如之使人辭於狐突曰君
老矣子少國家多難伯氏不出而圖吾君讕伯氏苟出而
圖吾君申生受賜而死再拜稽首乃卒是以爲恭世子也
又少儀曰賓客主恭祭祀主敬
又樂記曰中正無邪禮之質也莊敬恭順禮之制也
又哀公問曰敢問何謂敬身孔子對曰君子過言則民作
辭過動則民作則君子言不過辭動不過則百姓不令而
恭敬如是則能敬其身能敬其身則能成其親矣
又經解曰恭儉莊敬禮教也
左傳宣上曰晉靈公不君趙宣子驟諫公患之使鉏麑賊

之晨往寢門闢矣盛服將朝尚早坐而假寐麑退而歎曰
不忘恭敬民之主也賊民之主不忠觸槐而死
又襄（四年）曰季氏以公鉏爲馬正（賈逵曰馬正家司馬）慍而不出閔子
馬見之（閔子馬曾大夫閔馬父也）曰爲人子者患不孝不患無所恭敬
父命何常之有公鉏然之敬恭朝夕恪居官次
又昭二曰正考父佐戴武宣（三人皆宋君也）三命滋益恭（三命上卿）故
其鼎銘云一命而僂再命而傴三命而俯（俯恭於傴傴恭於僂）循墻
而走（言不敢安行也）亦莫余敢侮
論語曰恭近於禮遠恥辱也
又曰司馬牛憂曰人皆有兄弟我獨亡子夏曰商聞之矣
死生有命富貴在天君子敬而無失與人恭而有禮四海
之內皆兄弟也
又曰樊遲問仁子曰居處恭執事敬與人忠雖之夷狄不
可弃
又曰子禽語子貢曰子之爲恭也仲尼豈賢於子乎
家語曰孔子曰恭則近禮堯舜篤恭以王天下
又曰顏淵將西遊宋問孔子曰何以爲身子曰恭敬而已
矣恭則近於禮忠敬則人愛
史記曰子路爲蒲大夫辭孔子孔子曰蒲多壯又難治然
則吾語汝恭以敬可以執勇
漢書曰萬石君石奮其父趙亡徙溫高祖東擊項籍過河
內時奮年十五爲小吏高祖與語愛其恭敬奮積功勞孝
文時太中大夫恭勤過宮闕門必下車趍見路馬必式子
孫爲小吏來歸謁萬石君必朝服見之
魏略曰常林少單貧帶經耕鋤其妻自擔餉餽之林雖在
田野其相敬過於賓客

吳書曰顧悌字子通待妻子有禮常夜入晨出希見其面
常疾篤妻出看之悌命左右自扶起冠幘
王隱晉書曰庾衮執事有恪與弟子治藩跪而受條其人
曰今在隱屏先生胡不踞衮乃揖而延之正席而坐告之
曰何以幽顯易其操者乎
樊英別傳曰英嘗病卧便室中英妻遣婢拜問英荅拜或
問之英曰妻齊也
說苑曰魯有恭士名曰机泥行年七十其恭甚益冬日行
陰夏日行陽一食之間三起見衣裘褐之士則爲之禮魯
君問曰机子年甚長矣不可釋恭乎泥對曰君子好恭以
成其名小人學恭以除其刑斧鑕加於泥者何釋恭爲
又曰趙簡子乘弊車瘦馬衣羖羊裘其宰諫曰車新則安
馬肥則往來疾狐格之裘溫且輕簡主曰吾非不知吾

聞君子服美則益恭小人服美則益倨我以自偷恐有小
人之心也

智

易繫辭曰智周乎萬物而道濟天下
禮記中庸曰舜其大智也與舜好問而好察邇言
論語公冶長曰甯武子邦有道則智邦無道則愚其智可
及其愚不可及也甯武子衛大夫甯俞
又雍也曰智者樂水
又曰智者動
爾雅曰岠齊州以南戴日爲丹穴丹穴之人智
史記秦使王稽於魏知范雎賢載入秦至湖穰侯至勞稽
曰君得無與諸遊子俱來稽曰不敢即別去雎曰吾聞穰
侯智士也其見事遲向者疑車中有人忘索之於是下車

走行十餘里果使騎還索車中無人乃止
又曰樗里子名疾秦惠王弟也滑稽多智秦人號曰智囊
又曰晁錯以辯得幸太子太子家號曰智囊
又曰項王謂漢王曰天下匈匈數歲者徒以吾兩人耳願
與漢王挑戰決雌雄漢王笑謂曰吾寧鬬智不鬬力
漢書曰陳嬰者東陽令史也少年殺其令相聚邑中從之
者得二萬人欲立嬰爲王嬰母謂曰吾爲乃家婦聞先故
未曾貴今暴得大名不祥不如有屬成猶得封侯事敗易
以亡亡爲世所指名也嬰乃不敢爲王
范曄後漢書曰魯恭祖父匡王莽時羲和有權數號曰智
囊
干寶晉紀曰桓範出赴曹爽宣王謂蔣濟曰智囊往矣
晉中興書曰王允之字淵猷年在摠角從伯敦深智之甞
夜飲允之辭醉先眠時敦將謀作逆因允之醉別牀卧夜
中與錢鳳計議允之已醒悉聞其語恐或疑便於眠處大
吐衣面並汚鳳既出敦果照視見其眠吐中以爲大醉不
復疑之
華陽國志曰任文孫字文公閬中人初武擔山石折文公
曰噫西方智士死吾其應之遂卒益部爲之諺曰任文公
智無雙
文子曰神者智之淵也神清則智明智者心之府也智公
則心平
莊子曰巧者勞智者憂
尹子曰兩智不能相救兩貴不能相臨兩辯不能相屈力
均勢敵故也
商君書曰智者見於未萌

申子曰智均不相使力均不相勝
呂氏春秋曰目之見也籍於照心之智也籍於重
淮南子曰智之以智權者人英也
又曰裨諶出而智公成子産之事
新序曰魏文侯曰智士者國之器也國有智士則無諸侯
之憂
桓譚新論曰楊子雲何人耶荅曰才智開通能入聖道漢
興以來未有此也
論衡曰其智如傾其德如山智能之人須三寸之舌一尺
之筆以乃能自通
又曰劉子駿漢朝智囊筆墨淵海
袁子正書曰楊子曰莊周何人哉袁子曰太而不儉重而
畏禍智人也

孫卿智賦曰血氣之釋也志意之榮也百姓待之是謂君子之智

聰敏

論語公冶長曰子謂子貢曰汝與回也孰愈對曰賜也何敢望回回也聞一以知十賜也聞一以知二子曰弗如也吾與汝弗如也

漢書曰桑弘羊雒陽賈人子以心計年十三爲侍中

謝承後漢書曰應奉讀書五行並下

九州春秋曰夏侯淵爲劉備所殺於陽平曹公自長安出斜谷至陽平備拒險守峽王欲還出令曰鷄肋官屬不知所謂楊脩便曰夫鷄肋弃之可惜食之無所得以比漢中王欲還也引還

吳志曰顧譚每省簿書未嘗下籌徒屈指心計盡發疑謬

後魏書曰祖瑩字元珎十二爲中書學生博士張天龍講尚書選爲都講生徒悉集瑩夜讀書勞倦不覺天曉催講既切遂誤持曲禮卷上座博士嚴毅不敢復還仍置禮於前誦尚書三篇不遺一字

沈約宋書曰劉穆之内總朝政外供軍旅決斷如流事無壅滯目覽辭訟手答牋書耳行聽受口並酬應不相參涉

益部耆舊傳曰何祇補成都令使人投筭祇聽其讀而心計不差外合其精如此

費禕別傳曰于時戰國多事衆務煩猥禕識寤過人每續書記粗舉目暫視已究其數接納賓客飲食嬉戲加之博弈每盡人之歡事不廢也董允代禕爲尚書令欲則禕之所行旬日之中事多紆滯允爲歎曰才力相懸若此之遠

説苑曰昔鄒忌爲齊相稷下先生淳于髡之屬七十二人皆輕鄒忌爲設姣辭淳于三稱鄒忌三知之如應響淳于等辭詘而去故所以尚干將莫耶者貴於立斷也所以尚騏驥爲立至也是以聰明敏捷欲人之入也

世説曰魏武嘗過曹娥碑下楊脩從碑背上題曰黃絹幼婦外孫齏臼魏武謂脩卿解不荅曰解魏武帝曰卿未可言待我思之行三十里乃曰已得令脩別記所知脩曰黃絹色絲也於字爲絶幼婦少女也於字爲妙外孫女子也於字爲好齏臼受辛也於字爲辤所謂絶妙好辤帝亦記之與脩同乃歎曰不如卿三十里

世説曰人餉食魏武帝一杯酪魏武噉少許蓋頭題上爲合字以示衆莫之解次至楊脩使噉曰公教人一口何疑

強記

禮記曲禮曰博聞強識謂之君子

漢書曰上行幸河東嘗亡書三篋張安世憶記之後得書以相校無所遺失安世長子千秋爲中郎將將兵隨渡遼將軍范朋友擊烏桓還謁大將軍光光問千秋戰鬬方略山川形勢千秋口對兵事畫地成圖無所忘失

東觀漢記曰虞延字君大爲郡督郵光武東巡路由小黃高帝母昭靈后園陵在焉詔呼延引見問園陵之事延占對可觀其陵株梓皆識其數俎豆犧牲頗曉其禮

謝承後漢書曰應奉常從彭城相袁賀時出行閉治車師門内出半面視奉奉即委去別後數十年於道路見車師識而呼之

又曰吳郡陸績初仕郡戶曹史飢荒太守君興使續於都亭賦民饘粥續悉簡閱其人訊以名氏事畢興問所幾因說六百餘人皆分別姓字無有誤謬

又曰王充字仲任上虞人家貧無書常遊洛陽肆閱所賣書輙能誦憶

袁山松後漢書曰荀淑與陳寔神交及其弃朗陵而歸也數命駕詣之淑御慈明從叔慈抱孫文若而行寔亦令元方侍側季方作食抱孫長文而坐相對怡然甞一朝求食季方尚少跪曰高聞大人荀君言甚善竊聽之甑壞飯成糜寔曰汝聽談解乎諶曰唯因令與二慈說之不失一辭二公大悅

典略曰延篤字叔堅南陽犨人初從堂谿季度受春秋左傳借本便諷

魏志曰初王粲與人共行讀道邊碑人問卿能誦否曰能即暗誦之不差一字觀人碁局壞粲爲覆之碁者不信以帊蓋局使更以他局爲之用相比校不誤一道其強記嘿識如此

吳志曰朱桓強識與人一面數十年不忘部曲妻子悉識之

晉中興書曰陶侃明識過人武昌道上種楊柳人有竊之殖于其家侃見而識之問何以盜官所殖乎時以爲神

益部耆舊傳曰張松識達精果劉璋遣曹公楊脩以公所撰兵書示松飲讌之間一省即便闇誦

禰衡別傳曰衡字正平黄射作章陵太守衡俱有所之見蔡伯喈所爲碑正平一過視之歎之言好後各歸章陵自恨不令使寫之正平曰吾雖一過皆識其所言唯第四行中石盡磨滅兩字不分明因援筆書之初無遺失唯兩字不着

蔡琰別傳曰琰字文姬邕之女年六歲邕鼓琴弦絕琰曰第一絃邕故斷其一絃問之琰曰第二絃邕故斷一絃琰曰第四絃

世說曰夏侯稱魏文帝其爵里刺一見之悉憶

俗說曰桓宣城丧後家至貧孔夫人疾患須羊解神不能得桓溫以弟買得質羊羊主家富謂桓言僕乃不須買得郎爲質但郎家貧幸可爲郎養買得郎耳車騎冲也後江州出射堂射羊主東邊看射車騎猶識之呼來問公識我否荅云不識桓公曰我是昔日買得郎也

太平御覽卷第四百三十二

太平御覽卷第四百三十三

人事部七十四

勇一

釋名曰勇踴也見敵踴躍欲擊之也

說文曰勇氣也從力用聲

尚書曰武王左杖黃鉞右秉白旄以麾曰逖矣西土之人稱爾戈比爾干立爾矛予其誓勗哉夫子尚桓桓（孔安國曰桓桓武皃也）如虎如貔如熊如羆于商郊

又曰亦有熊羆之士弗二心之臣保乂王家（言文武既聖則亦有勇猛如熊也羆之士）

毛詩曰大叔于田刺莊公也叔多才而好勇不義而得衆大叔于田乘乘馬執轡如組兩驂如舞叔在藪火烈具舉袒裼暴虎獻于公所將叔無狃戒其傷女

禮記曰魯莊公及宋人戰于乘丘縣賁父御卜國爲右馬驚敗績公隊佐車授綏公曰末之卜也縣賁父曰他日不敗績而今敗績是無勇也遂死之

又曰用人之智去其詐用人之勇去其怒用人之仁去其貪（鄭玄曰用智者之謀勇者之斷仁者之施足以成治矣）

又曰商者五帝之遺聲也商人識之故謂之商齊者三代之遺聲也齊人識之故謂之齊明乎商之音者臨事而屢斷明乎齊之音者見利而讓臨事屢斷勇也見利而讓義也有勇者義非歌孰能保此

左傳曰公及齊師戰于長勺公將鼓之曹劌曰未可齊人三鼓曰可矣齊師敗績公將馳之劌曰未可下視其轍登軾而望之曰可矣遂逐齊師既克公問其故對曰戰勇氣也一鼓作氣再而衰三而竭彼竭我盈故克之夫大國難測也懼有伏焉吾視其轍亂望其旗靡故逐之

又曰晉襄公縛秦囚使萊駒以戈斬之囚呼萊駒失戈狼瞫取戈以斬囚禽之以從公乘遂以爲右箕之役先軫黜之而立續簡伯狼瞫怒其友曰盍死乎瞫曰吾未獲死所其友曰吾與汝爲難瞫曰周志有之勇則害上不登於明堂（杜預曰周志書也明堂祖廟也所以崇功序德故不義之士不得外之）死而不義非勇也共用之謂勇（吾以勇求右）無勇而黜之亦其所也謂上不我知黜而宜乃知我矣子姑待之及彭衙既陳以其屬馳秦師死馬晉師從之大敗秦師君子謂狼瞫於是乎君子也

又曰晉郤克及齊侯戰於鞌齊高固入晉師磔石以投人（杜預曰磔擲也）禽之而乘其車繫桑本焉以徇齊壘（將至齊壘以桑樹繫車而走欲自異也）曰欲勇者賈余餘勇（賈買也言已有餘勇欲賣之也）

又曰欒盈師曲沃之甲以晝入絳初斐豹隸也著於丹書

欒氏之力臣曰督戎國人懼之斐豹謂范宣子曰苟焚丹書我殺督戎宣子喜曰而殺之所不請於君焚丹書者有如日乃出豹而閉之督戎從之踰隱而待之督戎踰入豹自後擊而殺之

又曰楚平王執伍奢無忌曰奢之子材若在吳必憂楚國盍以免其父召之彼仁必來不然將爲患王使召之曰來吾免而父棠君尚謂其弟員爾適吳我將歸死吾知不逮我能死爾能報聞免父之命不可以莫之奔也親戚爲戮不可以莫之報也奔死免父孝也度功而行仁也擇任而往智也知死不避勇也父不可棄名不可廢爾其勉之相從爲愈伍尚歸奢聞員不來曰楚君大夫其旰食乎楚人皆殺之

又曰晉趙鞅圍衛報夷儀也初衛侯伐邯鄲午於寒氏城

其西北隅而守之宵熸及晉圉衛午以從七十人門於衛
西門殺人於門中曰請報寒氏之役涉佗曰夫子則勇矣
然我往必不敢啓門亦以徒七十人旦門焉步左右皆立
如植日中不啓門乃退
又曰楚白公勝將作難謂石乞曰王與二卿士皆以五百
人當之則可矣乞曰不可得也市南有熊宜僚者若得之
可當五百人矣乃從白公而見之與之言悅告之故辭承
之以劒不動勝曰不爲利諂不爲威惕不泄人言以求媚
者去之
又曰楚白公奔山而縊其徒微之生拘石乞而問白公之
死焉對曰予知其死所而長者使予勿言不言將烹乞曰
此事也克則爲卿不克則烹固其所也何害乃烹石乞
又曰晉楚戰楚師薄於險叔山冉謂養由基曰雖君有命

爲國故子必射乃射再發盡殪叔山冉搏人以投中軍折
軾晉師乃止（言二人皆有避人之議）
又曰齊莊公朝指殖綽郭最曰寡人之雄也州綽曰君以
爲雄誰敢不雄然臣不敏平陰之役先二子鳴（十八年晉伐齊及平
陰）莊公爲勇爵（設爵位以命勇士）殖綽郭最與焉州綽曰東閭之
役臣左驂迫還於門中識其板數（識門板數）其可以與此乎
周官曰司右掌群右之政令凡軍國之勇士能用五兵者
屬焉掌其政令
河圖曰勇敢重瞳（宋均注曰項羽也）
又曰鳥一足名獨立見則主勇強
家語曰仲由字子路少孔子九歲子路性鄙好勇力志抗
直冠雄鷄佩豭豚陵暴孔子孔子設禮稍誘之子路後服
子路問君子尚勇乎孔子曰君子義以爲上君子好勇而
無義則亂小人好勇而無義則盜
又曰孔子將之衛路出於蒲會公叔氏以蒲叛衛而止孔
子弟子有公良孺者爲人賢良有勇力挺劒而合衆將與
之戰蒲人懼曰苟無適衛吾則出子乃盟孔子出之
又曰孔子北遊登乎農山子路子貢顏回侍側孔子四望
喟然而歎曰於斯致思無所不至矣二三子各言爾志吾
將擇焉子路進曰由願得白羽若月赤羽若日鐘鼓之音
上震于天旌旗繽紛下蟠于地由也當一隊而敵之必也
攘地千里搴旗執馘唯由能之使二子者從我焉夫子曰
勇哉
史記曰毛遂隨平原君與楚合從言其利害日出而言之
日中不決遂案劒歷階而上謂平原君曰從之利害兩言
而決耳今日出而言從日中不決何也楚王謂平原君曰

客何爲者也平原君曰是勝之舍人也楚王叱胡不下吾
乃與爾君言汝何爲者也毛遂案劒而前曰今十步之內
王不得恃楚國之衆也王之命懸於遂手叱者何且遂聞
湯以七十里之地王天下文王以百里之壤而臣諸侯今
楚地方五千里持戟百萬此霸王之資也白起小豎子耳
率數萬之衆興師以與楚戰一戰舉鄢郢再戰而燒夷陵
三戰而辱王之先人此百世之怨而趙之所羞而王弗知
惡合從者爲楚非爲趙也吾君在前叱者何也楚王曰先
生之言是也遂定從而還
又曰范雎說秦昭王夫以烏獲任鄙之力荆成孟賁（許慎曰荆
成古勇士賁衛人也）孟慶忌夏育之勇焉而死死者人之所必不免
也
又曰廉頗者趙之良將也趙惠文王十六年廉頗爲趙將

伐齊大破之取晉陽拜爲上卿以勇氣聞於諸侯
又曰藺相如者趙人也爲趙宦者令繆賢舍人趙惠文王時
得楚和氏璧秦昭王願以十五城請易璧令曰臣客舍人藺
相如其人勇士有智謀宜可使乃使相如奉璧入秦秦王坐
章臺得璧大喜傳璧以示美人及左右左右皆呼萬歲相如
視秦王無意償趙城乃前曰璧有瑕請指示王王授璧中立
倚柱怒髮上衝冠謂秦王曰趙王齋戒五日使臣奉璧拜
送書於庭何者嚴大國之威以脩敬也今臣至大王見臣
列觀禮節甚倨得璧傳戲無償趙王城邑故臣復取璧大
王必欲急臣臣頭今與璧俱碎於柱矣持璧睨柱欲以擊
柱秦王恐其破璧乃辭謝固請召有司案圖十五城與趙
相如見其詐乃謂曰趙王送璧時齋五日大王亦宜齋五
日乃敢上璧秦王許相如就舍使其從者衣褐褱璧亡歸

趙秦王齋竟引相如相如曰自秦繆公以來二十餘君未
有堅盟約者臣恐見欺負趙故令人持璧歸間至趙矣王
若割十五都與趙趙豈敢留璧得罪於大王臣知欺大王
當誅請就湯鑊秦遂厚遇之既歸趙王以爲賢大夫使不
辱於諸侯拜爲上大夫秦亦不以城與趙趙亦不與秦璧
後秦王會澠池秦王飲酒酣曰寡人竊聞趙王好音請奏
瑟趙王鼓瑟秦御史前書曰某年某月秦王與趙王會飲
令趙王鼓瑟相如前曰趙王竊聞秦王善爲秦聲請奏缶
以相娛樂秦王怒不許於是相如前進缶因跪請之秦王不
肯擊缶相如曰五步之內臣請以頸血濺大王矣左右欲
刃相如相如張目叱之左右皆靡秦王不懌爲一擊缶相
如顧召趙御史書曰某年某月秦王爲趙王擊缶秦之群
臣曰請以趙十五城爲秦王壽相如亦曰請以秦之咸陽

爲趙王壽趙亦盛設兵待秦秦不敢動既罷歸國以相如
功大拜爲上卿位在廉頗右
又曰曹沫者魯人也以勇力事魯莊公齊桓公與魯莊公
會于柯而盟桓公與莊公既盟於壇上曹沫執匕首劫齊
桓公桓公左右莫敢動問曰子將何曹沫曰齊強魯弱而
大國侵魯亦已甚矣今城壞即壓境君其圖之公乃許盡
還魯之侵地既已言曹沫没其匕首下壇北面就羣臣之
位顏色不變辭令如故
又曰楚於期奔燕丹計無所出鞠武曰燕有田光先生者
其爲人智深而勇抗可與太子因謁光光言荆卿太子曰
願因先生得結交於荆卿可乎田光曰敬諾即起趍出太
子送之至門戒曰丹所報先生言者國大事也願先生勿
洩也田光跪而笑曰諾見荆軻曰光與子相善燕國莫不

知今太子聞光壯盛之時不知吾形已不逮也幸而教之
曰燕秦不兩立願先生之留意光竊不自外言足下於太
子願足下過太子於宮荆軻曰謹奉教田光曰吾聞之長
者爲行不使人疑之今太子告光曰所言國之大事也願
先生勿洩也是太子疑光也夫爲行而使人疑之非節也
欲自殺以激荆卿曰願足下急過太子言光已死明不言
也因遂自刎
又曰秦將李信年少壯勇嘗以兵數千逐燕太子丹至於
汙水卒得破丹

太平御覽卷第四百三十三

太平御覽卷第四百三十四

人事部七十五

勇二

漢書曰韓信數以策干項羽弗用漢王之入蜀信亡楚歸漢未得知名爲連敖（楚官也）坐法當斬其疇十三人皆已斬至信信乃仰視滕公曰上不欲就天下乎而斬壯士滕公奇其言壯其貌釋弗斬與語大悅之漢王以爲治粟都尉信謂漢王曰臣嘗事項王請言項王爲人也項王喑嗚叱咤千人皆廢然不能任屬賢將匹夫之勇也

又曰齊哀王弟章高后封爲朱虛侯章年二十有氣力忿劉氏不得職嘗入侍讌飲高后令章爲酒吏章自請曰臣將種也請得以軍法行酒高后曰可酒酣章進歌舞已而曰請爲太后言耕田高后兒子畜之笑曰顧乃父知田耳若生而王子安知田乎章曰知之太后曰試爲我言田意章曰深耕穊種立苗欲疏非其種者鉏而去之太后嘿然頃之諸呂有一人醉亡酒章追拔劒斬之而還報曰有亡酒一人臣謹行軍法斬之太后大驚已許其軍法毋以罪也因罷酒

又曰江都易王非二年立爲汝南王吳楚反時非年十五有才氣上書自請擊吳景帝賜非將軍印擊吳吳破徙王江都治故吳國以功賜天子旌旗

又曰李廣爲上谷太守數與匈奴戰典屬國公孫昆耶爲上泣曰李廣才氣天下無雙自負其能數與虜确恐亡之（或曰确音角）上乃徙廣爲上郡太守廣以郎中令將四千騎出右北平博望侯張騫將万騎與廣俱異道行數百里匈奴將四万騎圍廣軍士皆恐廣乃使其子敢往馳之敢從數十騎直貫胡騎出其左右而還謂廣曰胡虜易與耳軍士乃安爲圜陳外鄉胡急擊矢下如雨漢兵死者過半漢矢且盡廣乃令持滿毋發而廣身自以大黃射其裨將（服虔曰黃肩弩）殺數人胡虜益解會暮吏以無人色而廣意氣自若益治軍軍中服其勇也明日復力戰而博望侯軍亦至匈奴乃解去

又曰王尊字子贛涿郡人爲東平相時王素驕不奉法尊謂王曰天下皆言王勇但負貴安能勇如尊乃勇耳王變色欲格殺之遷東郡太守河水盛溢泛浸瓠子金堤老弱奔走恐水大決爲害尊躬率吏民投沉白馬祀水神河伯尊親執圭璧使巫策祝請以身填金堤因止宿廬居隄上吏民數千萬人爭叩頭救止尊終不肯去及水盛隄壞吏民皆走唯一主簿泣在尊旁尊立不動而水波稍却迴還吏民嘉壯尊之勇節白三毛朱英等奏其狀詔秩尊中二千石賜黃金二十斤

又曰朱雲字游魯人徙平陵少時通輕俠借客報仇身長八尺餘容貌甚壯以勇力聞

又曰趙充國字翁孫隴西人後徙金城令居以六郡良家子善騎射補羽林爲人沉勇有大略少好將帥之節學兵法通知四夷事武帝時以假司馬從貳師將軍擊匈奴爲虜所圍漢軍乏食數日死傷者多充國乃與壯士百餘人潰圍陷陳貳師引軍隨之遂得解身被二十餘創貳師奏狀詔徵充國詣行在所武帝親自視其創嗟歎之拜爲中郎

又曰項羽下邳人身長八尺二寸力能扛鼎少學書劒不成季父梁怒羽羽曰書足以記姓名劒一人敵不足學也梁

梁奇之教以兵法籍大喜遇秦始皇遊會稽渡浙江梁與
籍俱觀籍曰彼可取而代也梁掩其口會七月陳勝起兵九
月會稽守通謂梁曰江西皆反此亦天亡秦時也先則制人
後則爲人所制吾欲發兵使公及桓楚將梁曰桓楚亡人獨
籍知其處請召籍受命籍因擊殺數十人府中讋伏梁遂
舉郡中得八千人渡江而去至下邳軍已六七萬邯鄲人
范增說梁曰秦滅六國楚最無罪自懷王入秦不返楚人
憐之至今若立楚後亡楚必也梁然之梁於是立懷王孫心
爲楚王是爲義帝從民望也都盱眙梁自號武信君師次
定陶有驕色宋義諫曰戰勝而驕卒墮者敗今卒墮矣秦兵
日益爲君危之梁不聽秦將章邯兵至擊楚大破梁戰死
義帝以宋義有先見徵爲上將軍羽爲次將范增爲末將
北救趙至安陽留不進籍謂義曰今秦軍圍鉅鹿疾引兵

渡河楚擊其外趙應其內破秦軍必矣義曰不然夫搏牛
之蝱不可以破蝨蟣今秦攻趙戰勝則兵疲我乘其弊不
勝則我引兵鼓行而西必舉秦矣夫擊敵輕銳我不如公坐
運籌策公不如我因下令曰猛如虎狠如羊貪如狼強不
可令者斬之乃置酒高會留四十六日不進是時天寒士
卒飢凍籍曰且國家兵新破王坐不安席埽境內屬將軍
國家安危在此一舉今不恤士卒而徇私非社稷之臣也
籍乃斬宋義於帳中左右懾伏莫敢枝梧悉發兵渡河沉
舟敗釜燒廬舍持三日粮示必死乃大破秦兵虜王離諸
將入轅門膝行而前莫敢仰視師次鉅鹿會戰夜坑秦卒二
十萬入關屠咸陽殺子嬰自立爲西楚霸王與漢王相持
五年後漢兵大會垓下食盡與漢王戰不利圍之夜聞漢
軍作楚歌聲驚曰漢已得楚乎遂與從騎者八百人夜潰

圍南馳漢令騎將灌嬰追至東城籍唯單騎自知窘窮乃
大呼躍自刎而死遂爲五將各分一體漢王以魯公葬於
穀城諸項賜姓劉

又曰樊噲沛人也身長八尺家貧以屠爲業後爲高祖參
乘高祖項羽會鴻門因飲范增起出爲項莊曰汝可以劒
舞便因擊沛公殺之莊入爲壽曰軍中無以爲樂臣請以
劒舞因拔劒起舞時項伯亦起舞常以身翼蔽漢王時帳
下唯有張良噲居營門外聞事急乃持楯撞入立於帳下
項羽目之問誰張良曰漢王參乘樊噲也羽曰壯士賜之
巵酒彘肩噲既飲酒啗彘肩羽曰能復飲乎噲曰臣死且
不辭何憚巵酒且漢王入關定咸陽曝師于灞上以待大
王今大王至而聽小人言與漢王有隙臣恐天下解心疑
大王也項羽嘿然噲因目揮漢王佯如厠遂與噲輕騎歸

營漢王即皇帝位封噲爲武陽侯後從上擊陳豨有功遷
左丞相又從上破黥布後上病惡見人群臣莫敢入噲排
闥直入大臣等隨之噲曰陛下起沛何其壯也今天下已
定又何憊也且陛下病甚不見臣等計會國事獨與一宦
者處幽室中絕不見臣等陛下豈不思趙高之事乎上笑
而起

又曰天漢二年貳師李廣利將三萬騎出酒泉擊右賢王
於天山召李陵欲使爲二師將輜重陵召見武帝叩頭自
請曰臣所將屯邊者皆荊楚勇士奇才劒客也願得一隊
到蘭于山以分單于兵無令專鄉貳師上曰將惡相屬耶
吾發軍多無騎予汝陵對無所事騎願以少擊衆兵五千
涉單于庭上壯而許之

又曰李敢男禹亦有勇嘗與侍中貴人飲侵陵之莫敢應

後想之於上上召禹使刺虎懸下圈中未至地有詔引出之禹落中以劍斬絕縲欲刺虎上壯之遂無殺心

又曰季布弟季心氣蓋關中任俠方數千里士爭為死中尉郅都不敢加少年時借其名行是時心以勇聞布以諾聞關中

范曄後漢書曰牛邯字孺卿狄道人有勇力才氣雄於邊

又曰蓋延字巨卿漁陽安陽人也身長八尺彎弓三百斤邊俗尚勇力而延以氣聞

又曰帝使王霸與馬武攻周建蘇茂救建與武戰霸曰開營後出精騎襲其背茂建前後受敵驚亂敗走霸武各歸營賊後聚挑戰霸堅臥不出方饗士作倡戲茂兩射營中中霸前酒鐏霸安坐不動

又曰中郎將張耽性勇銳而善撫士卒軍中皆為用命遂繩索相懸上通天山破烏桓悉斬其渠帥還得漢民獲其畜生財物

東觀漢記曰劉伯升部將宗人劉稷數陷陳潰圍勇冠三軍聞更始立怒曰本起兵圖大事者伯升兄弟更始何為者耶更始聞而心忌之以稷為抗威將軍稷不肯拜更始乃收稷將誅之伯升固爭并執伯升即日害之

又曰祭遵為征虜將軍將兵北入箕關與弘農厭新柏華蠻賊合戰中弩矢入口洞出眾見遵傷卻退遵呵吏士吏士進戰皆一人擊十大破之

又曰馬援曰方今匈奴烏桓尚擾北邊欲自請擊之男兒要當死於邊野以馬革裹尸還葬耳何能臥牀上在兒女子手中耶

又曰耿秉性勇壯而簡易於事軍行常自被甲在前休止不結營部然遠斥候明要誓有警軍陳立成士卒皆為死戰

又曰永平中竇固擊匈奴班超為假司馬將兵別擊伊吾戰於蒲類海多斬首虜固又遣與從事郭恂俱使西域鄯善王廣禮敬甚備後更疏懈超謂其官屬曰寧覺廣志意薄乎此必有北虜使來也召侍胡詐之曰匈奴使來數日安在侍胡具服超悉會其吏士三十六人酒酣激怒曰不探虎穴不得虎子當今之計獨有因夜以火攻虜使彼不知我多少必大震怖可殄盡鄯善破膽功成事立也眾曰善遂將吏士往奔虜營超手格殺三人斬其使明日乃還告郭恂恂大驚既而色動超知其意舉手曰掾雖不行班超何心獨擅之乎恂乃悅鄯善一國震怖竇固具上超功并求更選使西域帝壯超詔固曰吏如班超何故不遣而

選乎今以超為軍司馬令遂前功固欲益其兵超曰願得本所從三十餘人足以備有虞多益為重煩

又曰楊政字子行京兆人嘗過楊虛侯馬武武稱疾見政去對机邊牀臥欲令政拜牀下政入户前排武徑上牀坐武恨語言不懌政把武手責之曰卿蒙國恩備位藩臣不思求賢助國而驕天下英俊今日搖者刀入脅左右大驚以為見劫操兵滿側政顏色自若會信陽侯至責數武令為朋友其果勇敢折皆此類也

又曰賈復以偏將軍從上救邯鄲擊青犢大戰至日中賊陣堅不卻傳召復曰吏士飢且朝飯復曰先破之後食耳於是被羽先登所向皆靡諸將咸服其勇上以復敢深入希令遠征而壯其勇節常自從之故復少方面之勳諸將每論功復未曾有言上輒曰賈君之功我自知之

又曰張步攻耿弇營合戰飛矢中弇股以佩刀截之左右
無知者
又曰邳彤爲遼東太守有勇力能貫三百斤弓虜每犯塞
常爲士卒先鋒數破之
又曰溫序爲護羌校尉行部爲隗囂將苟宇所拘刼序素
有氣大怒叱宇等曰虜何敢迫脅漢將因以節撾殺數人
衆爭欲殺之宇止之曰此義士死節可賜以劒序受劒銜
鬚於口顧左右曰無令鬚汚
又曰朱暉字文季南陽人暉早孤有氣決年十三莽敗天
下亂與外氏家屬從田間奔入宛城道遇群賊賊操兵弩
欲掠奪婦女衣物昆弟賓客皆惶迫伏地莫敢動暉拔劒
前曰財物皆可取諸毋衣不可得今日朱暉死日也賊見
其小壯其志笑曰童子內刀遂舍之

謝承後漢書曰彭脩字子陽會稽人年十五時父爲郡吏
得休與脩歸道爲盜所刼脩困迫乃拔佩刀前持盜曰父
辱子死盜相謂曰此童子義勇士也不宜逼之遂辭謝而
去
魏志曰龐德將所領與曹仁共拔宛遂南屯樊討關羽樊
下諸將以德兄在漢中頗疑之德常曰我受國恩義在効
死親與羽交敵射羽中額時德常乗白馬羽軍謂之白馬
將軍
又曰曹仁從平荆州以仁行征南將軍留屯江陵拒吳周
瑜瑜將數萬人來攻遣部曲將牛金逆與挑戰賊多金衆
少遂爲所圍仁望金等垂沒左右皆失色仁氣奮怒甚將
壯士數十騎直前衝入賊圍等金乃得解餘衆未盡出仁
復直還突出金兵賊乃退

又曰臧霸字宣高太山人父戒爲縣獄掾據法不聽太守
所欲殺太守怒收戒詣府送者百餘人霸年十八將客數
人於南山中奪之送者莫敢動因與父俱亡命東海由是
以勇壯聞
又曰曹真字子丹太祖族子也少孤召養與諸子同使與
文帝共止嘗獵爲虎所逐顧射之應聲而倒太祖壯其鷙
勇使將虎騎討虛丘賊拔之封靈壽亭侯
又曰劉曄字子楊淮南成德人也鄭寶張多許慶之屬各
擁部曲寶最驍果才力過人一方所憚曄時年二十餘會
太祖遣使詣州有所案問寶從數百人齎牛酒來候使曄
令家僮將其衆坐下門外爲設酒飯與寶於內宴飲密勒
健兒令因行觴而斫寶寶性不甘酒視候甚明觴者不敢
發曄因自引取使刀以斫殺寶斬其首以令其軍

魏書曰呂布字奉先五原人也董卓爲都尉誓爲父子遷
至中郎將卓每以布自衛布嘗小失於卓卓拔戟擲之布
蹻捷得免布由是陰怨於卓布後應王允於門刺殺卓卓
將李傕等阻兵布自南陽投袁術自術又投袁紹紹與布
擊張燕布嘗御良馬號赤兎能馳城飛壍遂突張燕軍陣
一日或至三四皆斬首而出遂破燕軍布乃暴橫紹患之
布不自安求還洛陽後復從袁術攻劉備於沛破之曹公
自將至下邳擊布降之見曹公曰今日已後天下定矣公
曰何以言之布曰明公所患不過布耳今布將騎明公將
步天下不足定顧謂劉備曰玄德卿爲坐客我爲降虜繩
縛我急獨不一言乎曹公笑曰縛虎不得不急遂縊殺之
又曰張遼字文遠爲蕩寇將軍陳蘭梅成叛太祖討之蘭
入潛山中有天柱山遼遂進軍斬蘭成首太祖論功曰登

山穫峻險遼之功也增封假節孫權率十萬衆圍合肥遼募其敢死者八百人登鋒陷陣大破之太祖遣遼屯合肥給遼母車輿兵馬遂詣屯所勑遼母至所在令道從迎觀者榮之江東小兒啼恐之曰遼來遼來無不止矣

又曰許褚字仲康長八尺大十圍勇力絕人太祖初見曰此樊噲也即日拜都尉太祖征韓遂馬超等單馬會語褚從行馬超負其力欲前突素聞褚勇乃問太祖曰公有虎侯安在太祖指褚瞋目眄之超不敢動數日會戰大破超等軍遷武衛中郎將武衛之號自此始也

又曰典韋形皃魁梧膂力過人好持大雙戟與長刀軍中爲之語曰帳下壯士有典君手提雙戟八十斤

太平御覽卷第四百三十四

人事部七十六

勇三

吳志曰孫堅年十七與父共載船至錢塘會海賊胡玉等從匏里上掠賈人財物方於岸上分之行旅皆住船不敢進堅謂父曰此賊可擊請討之父曰非爾所圖也堅行操刀上岸以手東西指麾若分部兵以羅遮賊狀賊望見以爲官兵捕之即委財物散走堅追斬得一級以還父大驚由是顯聞

又曰曹公出濡須甘寧爲前部督受勑斫敵前營權特賜米酒衆肴寧乃賜手下百兵食食畢寧先以銀椀酌酒自飲兩椀乃酌與都督伏不肯持寧引白削置膝上呵謂之曰卿見知於至尊孰與甘寧甘寧尚不惜死卿何得獨惜死乎都督見寧色厲即起拜持酒次通酌兵各一銀椀至二更時銜枚出破敵敵驚動遂退寧益貴重增兵二千

又曰董襲字元岱餘姚人權討黃祖祖橫兩艨艟守江口以栟櫚大紲縛石爲矴上有千人以弩交射軍不得進襲將敢死百餘人被兩鎧乘軻船突入艨艟襲乃以刃斷其紲艨艟於是橫流制不能已大兵遂進祖乃開門走追斬之明日大會權舉觴屬襲曰今日之會斷紲之功也

又曰甘寧字興霸性奢靡甞以繒錦維舟去或割弃勸權襲黃祖擒之隨魯肅至益陽拒關羽羽擇銳士五千人從上流淺瀨夜渡寧曰請以五百人往對之羽聞吾咳唾聲必不敢涉涉即成擒矣

又曰陸統字公績從征合肥爲右部都督時權徹軍還前部已發魏將張遼等奄至津北統率親近三百人陷圍扶權出敵已毀橋權策馬馳統復還戰左右盡死所殺數十人度權已免乃還橋敗道絕被甲潛行權既御船見之驚喜統痛親近無返者悲不自勝權引袂拭之謂曰公績亡者已矣苟使卿在何患無人

蜀志曰關羽字雲長河東人也先主入益州留羽督荊州軍事甞爲流矢所中貫左臂羽令鑿骨劈之時與諸將飲食血流盈器言笑自若及破曹仁於樊城威振華夏曹公議遷都以避其銳司馬宣王蔣濟以爲關羽得志孫權必大怒權後果用呂蒙計平荊州虜羽斬之

又曰張飛字益德涿人先主背曹公依劉表於當陽聞曹公卒至弃妻子而奔乃以飛將二十騎拒之後飛據水斷橋瞋目橫槊曰張益德在此爾曹敢來決死否衆無敢近者先主入益州飛與諸葛亮分定郡縣飛雄猛名亞關羽羽善待卒伍而驕士大夫飛敬愛君子而不恤小人先主常戒之及先主伐吳臨發益州於是飛帳下張達殺之持其首順流奔于孫權

晉書曰桓石虔小字鎮惡有材幹趫捷從父在荊州於獵圍中見猛獸被數箭而伏諸督將素知其勇戲令拔箭石虔因急往拔得一箭猛獸跳石虔亦跳高於猛獸猛獸伏復拔一箭以歸甞從桓沖入關沖爲符健所圍垂沒石虔躍馬赴之拔沖於數萬衆中而還莫敢抗者三軍歎息威震敵人

又曰吾彥字士則吳郡人出自寒微有文武才幹身長八尺手格猛獸旅力絕群陸抗奇其勇略將拔用之衆情不允乃會諸將密使狂人拔刀跳躍而走彥不動舉几禦之衆伏其勇乃擢用焉

又曰庾闡字仲初潁川鄢陵人也祖輝安北長史父東以
勇力聞武帝時有西域健胡趫捷無敵晉人莫敢與校帝
募勇士唯東應選遂撲殺之名震殊俗
又曰王弥多權略凡有所掠必預圖成敗舉無遺策弓馬
迅捷膂力過人青土號爲飛豹
又曰周處爲人勇暴不可當之嘗居義興水中有蛟龍山
上有白額虎鄉里有周處時人謂之三横有里人說處請
殺虎虎死入水擊蛟龍没行數十里處與之俱經三日三
夜人謂已死矣皆相慶賀處殺蛟龍迴聞鄉里相賀始知
身之患人也於是反身脩已至洛陽惠帝拜爲將軍累遷
爲建威將軍後西征没于陣贈西平將軍
又曰郭默殺江州太守自稱刺史爲人勇捷常身被重甲
跳三丈矛時人莫不憚之後陶侃及庾亮率軍滅之

又曰蔡會仕僞趙爲振武將軍少有勇力呼聲若雷嘗有
盜入室會撫机一呼賊衆皆殞時人憚之
又曰李特巴西人少仕州郡雄勇善騎射沉毅有大度嘗
至劍閣箕踞太息顧眄險阻曰劉禪有如此之地面縛於
人豈非庸才耶後聚流人衆至數萬遂攻城自稱大將軍
爲益州刺史後稱蜀爲羅尚所殺子孫六世至勢爲大司
馬桓温所滅共四十六年
又曰劉元海匈奴中人祖扶羅助漢討黃巾遂以衆留定
難屬董卓亂屯于河内元海即扶羅之孫也聦嶷英惠及
長好學尤好左氏傳孫吴兵法略皆誦之兼愛武事妙絶
於衆猨臂善射趫捷膂力過人姿儀魁偉身長八尺四寸
鬚長三尺太始中武帝召與語大悦之及惠帝失馭寇盜
蜂起成都王頴表元海爲將軍後王浚伐頴元海說頴曰
令二鎮跋扈衆餘十萬恐非宿衛所能禦及請爲殿下還
說五部以赴國難頴曰五部之衆可保發否鮮卑烏丸勁
速如風雲何易可當吾欲奉乘輿還洛陽避其鋒鋭徐傳
檄天下以逆順制之君意如何元海曰殿下武皇帝之子
有殊勳於王室威恩允洽四海欽風孰不思爲殿下没命
捐軀者何難發之有乎王浚豎子東瀛疎屬豈與殿下爭
衡乎殿下一發鄴宫示弱於人洛陽何復得至縱達洛陽
威權不復在殿下也紙檄尺書誰人奉之且東胡之悍不
踰五部願殿下勉撫士衆靖以鎮之當爲殿下以二部摧
東瀛二部梟王浚二豎之首可指日而懸矣頴悦拜元海
爲北單于元海至左國城二旬之間衆已五萬元海謂劉
宣等曰夫帝王豈有常哉大禹出於西戎文王生於東夷
唯德所授耳遂僭稱漢王子孫四世至曜爲石勒所滅合

二十五年
又曰石季龍趙王石勒從子也身長七尺五寸趫捷便弓
馬勇冠當時至於降城陷壘不復料別善惡坑壍士女鮮
有遺類指授攻討所向無前故勒委以專征之任所在立
功後廢弘而僭位時豪傑侵恣賄賂公行季龍患之擢殿
中御史李宬爲御史中丞特親任之自此百僚震慴州部
肅清季龍曰朕嘗聞良臣猛獸高步通衢而豺狼避路信
矣哉李宬是也賞賜甚厚後以疾卒
又曰石閔趙王季龍養子也善謀策勇力絶人既殺石鑒
遂僭國號大魏戎卒三十萬旌旗鍾鼓綿亘百餘里雖石
氏之盛無以過之慕容儁遣慕容恪率衆伐之閔與恪十
戰皆敗恪恪乃以鐵鏁連馬簡善射卑勇而無剛者五千
方陣而前閔所乘赤馬日行千里左仗雙刃右執鉤戟順

風擊之斬鮮卑三百餘級俄而燕騎大至圍之數匝閔躍
馬潰圍馬死爲恪所擒斬之左右七里草木悉枯
又曰符生健之子也幼而無賴及長力舉千斤雄勇好殺
手格猛獸走及奔馬擊刺騎射冠絶一時
何法盛晉中興書曰周訪字士達尋陽人遷武昌太守時
杜弢作亂寇豫章訪進討弢別帥杜弘張彥等邀訪訪爲
流矢所中折齒口中流血壯氣益勇先登奮擊臨陣斬彥
殺數百人
又曰劉遐字正長廣平人性果毅便弓馬遭天下亂遐自
爲塢主攻拔日至無時不戰遐每奮擊直入賊軍陷堅摧
鋭鄉人邵續深知之以女妻焉遂立壁河濟之間胡不敢
逼時人號爲關羽張飛
王隱晉書曰段疋磾召弟文鴦還厭次石虎來先縱騎抄

城左右鴦登城臨見不勝其勇欲出擊胡磾疑有伏不聽
出民出大爲胡所殺掠鴦單將壯士數十騎出擊胡所殺
甚多胡騎退鴦追躡磾率步繼鴦虎伏騎起磾鴦力戰殺
胡數十鴦還赴磾磾已散還鴦所乘馬乏頓虎呼曰大兄
久望共天同不違願今日見何故復戰請精杖語鴦罵曰
汝爲寇虜久應死吾兄不能用吾計故令汝得至此吾寧
死不忍爲汝擒遂下馬與胡戰稍折執刀戰不降虎軍四
面解馬羅披自鄣前捉鴦自辰至申力極斫殺人而後見
得也
又曰石勒攻夏口朱伺銜鐵面以弩的射賊大帥數人皆
殺之並以磊石弓箭雨下所向摧破賊皆抛船上岸於水
邊作陣伺身被數十箭氣色不變諸軍尋至賊兵便崩退
投水死者百數夏口之全伺之勳也

宋書曰蒯恩字道恩蘭陵人高祖出征恩縣差爲征民充
甲士使伐馬蒭恩常負大束兼倍餘高祖聞之即給器仗
伏恩大喜因征妖賊常爲先登多斬首級既習戰陳膽力
過人
又曰宋越朱陽人爲郡吏太守夏侯穆擢爲隊主蠻有爲
寇盜者常使越討伐往輒有功家貧無以市馬常刀楯步
出單身挺戰衆莫能當每一捷郡將輒賞錢五千因此得
買馬
又曰宗愨爲江夏王國上將軍十五年不徙官元嘉二十
二年伐林邑愨自奮願行義恭舉愨有膽勇乃降除振威
將軍
又曰薛安都與副將譚金追魯爽於小峴爽自與腹心壯
騎斷後譚金先薄之不能入安都望見爽便躍馬大呼直

往刺之應手而倒左右范雙斬爽首爽累世驍猛生習戰
陣咸云萬人敵安都單騎直入斬之而反時人皆云關羽
之斬顏良不過也
徐爰宋書曰柳元景字孝仁河東解人也良家子少便弓
馬慕尚將師數隨父伐蠻夙以勇稱
孫嚴宋書曰拓跋燾字佛貍壯健有筋力勇於戰鬬忍虐
好殺夷旅畏之攻城臨敵皆親貫甲胄
又曰宗愨字元幹南陽涅人兄泌娶妻始入門夜被刼愨
年十四挺身與刼相拒十餘人皆披散不得入室時天下
無事士人並以文義爲業而愨任氣好勇故不爲鄉曲所
知
齊書曰桓崇祖在淮陰見上便自比韓信白起咸不信唯
上獨許之崇祖再拜奉旨及破虜啓上謂朝臣曰崇祖許

爲我制虜果如其言恒自擬韓白今眞其人也

又曰張敬兒年少便馬有膽氣好射虎發無不中南陽新野風俗出騎射而敬兒尤多膂力

又曰魚復侯子響勇力絶人開弓四斛力數在園池中帖騎馳走竹樹下身無虧傷

又曰周山圖鎮軍將軍張永征薛安都於彭城山圖領二千人迎軍至武原爲虜騎所追合戰多所傷殺虜圍轉急山圖據城自固然後更結陣死戰突圍出虜披靡不能禁衆稱其勇呼爲武原將

又曰焦度初青州刺史顔師伯出鎮差度領幢主送之索虜寇青州師伯遣度領軍與虜戰於沙溝杜梁度身破陣大捷師伯板爲已輔國府參軍虜遣清水公寇清口度又領軍救援刺虜騎將劉皮公墮馬獲其裝鎧矟手殺數十

人師伯啓孝武稱度氣力弓馬並絶人帝召還充左右見度身形黑壯謂師伯曰眞健物也

又曰周盤龍子奉叔單馬率二百餘人結陣虜萬餘騎張左右翼圍繞之一騎走還報奉叔已沒盤龍方食棄筯馳馬奮矟直奔虜陣自稱曰周公來虜素畏盤龍驍名即時披靡時奉叔已大殺虜得徃在外盤龍不知乃衝東擊西奔走突北賊衆莫敢當奉叔見其父久不出復躍馬入陣父子兩騎縈攪數萬人虜衆大敗盤龍父子由是名播北國形甚羸訥而臨軍勇果諸將莫逮

又曰崔慧景恭祖者慧景宗人驍果便馬矟氣力絶人頻經軍陣討王敬則與左興盛軍容袁文曠爭及敬則首詐明帝曰恭祖秃馬絳衫手刺倒賊故文曠得斬其首以死易勳而見枉奪若失此勳要當刺殺左興盛帝以其勇使謂興盛曰何容令恭祖與文曠爭功遂封二百户

又曰桓康蘭陵人勇果驍悍宋太初中隨武帝起義爲郡所繫衆皆散康裝擔一頭貯穆后一頭貯文惠太子竟陵王子良自負至山中與門客蕭欣祖三十餘人相結破獄出武帝郡兵追急康死戰破之隋武帝起兵摧堅陷陣所經村邑恣行暴害江南人畏之以其名怖小兒畫其形狀於寺中病瘧者寫其形帖其牀壁無不立愈位至蘭陵太守

梁書曰王神念少善射騎既老不衰常於高祖前手執二刀楯左右交度馳馬徃來冠絶群伍

又曰侯景懷朔人也少而不羈高歡以爲將雄勇冠時征伐數有大功景謂高歡曰若假臣三萬人當橫行天下要須縛取蕭衍老翁遣作太平寺主及歡敗於沙苑景謂歡

曰宇文泰恃於戰勝今必致殆請以勁騎數千至關中取之歡以告其妃婁氏婁氏曰彼若得泰景亦不歸高歡乃止後歡死景乃以河南十三州降于梁高澄使慕容紹宗圍景於長社景乃走紹宗追之至渦陽景遣使謂紹宗曰欲送客耶將定雌雄耶紹宗曰決戰景乃令將士皆被甲持短刃但低視斫人脳馬足遂敗紹宗軍裨將斛律光尤之紹宗曰吾戰多矣未見此賊爾相持連月景食盡其將景顯等降紹宗衆遂潰景乃與腹心數十騎南走後稍收散卒得馬步八百人晝夜兼行追軍不敢逼遣使謂紹宗曰景若就擒公復何用紹宗乃縱之遂攻壽春下之據其城

太平御覽卷第四百三十五

太平御覽卷第四百三十六

人事部七十七

勇四

崔鴻十六國春秋前燕録曰將作大匠屯騎校尉朝郍侯青武邑人也機巧有筭略驍勇善騎射所在先登陷陳慕容儁擬之張飛

又曰成公都晉興元吳人也都騎猛有勇力陽慮之戰年十八揁矛太呼賊不敢當獨步當時擬之方叔論者咸曰當求之於古造次無其比也

後魏書曰來大千驍果善騎射遷中散至於朝賀之日大千常着御鎧盤馬殿庭莫不歎異嘗從太宗獵見虎在高巖上大千持矟直前刺之應手而死太宗嘉其勇壯又爲殿中給事

又曰乙瓌代人也其先世統部落世祖時瓌父正知慕國威化遣瓌入貢世祖因留之瓌便弓馬善騎射手格猛獸膂力過人數從征伐甚見信待尚上谷公主世祖之女也

又曰庾業爲將有謀略治軍清整常以少擊多士衆服其智勇名冠諸將

又曰楊播字延慶自云弘農華陰人也除左將軍尋假前將軍隨車駕南討至鍾離師迴詔播領步卒三千騎五百爲衆軍殿時春水初長賊衆大至舟艦塞川播以諸軍渡淮未訖嚴練南岸身自居後諸軍賊衆遂集於是圍播數重播乃爲圓陳以禦之身自搏擊斬殺甚多相拒再宿軍人食盡賊圍更急高祖在北而望之旣無舟舡不得救援水勢稍減播領精騎三百歷其船大呼曰今我欲渡能戰者出賊莫敢動遂擁衆而濟高祖甚壯之賜爵華陰子

又曰河間公齊烈帝之玄孫也少雄傑魁岸世祖愛其勇壯引侍左右從征赫連昌世祖馬蹶賊衆逼帝齊以身蔽捍決死擊賊賊乃退

又曰賈思伯字仕休齊郡益都人也世宗即位加輔國將軍任城王之圍鍾離也以思伯持節爲其軍司及失利思伯爲後殿以思伯儒者謂之必死及至大喜曰仁者必勇常謂虛談今於軍司見之矣

又曰于栗磾代人也少習武藝拜冠軍將軍道武畋于白登山見熊領數子道武顧謂栗磾曰能縛之乎栗磾曰能道武曰若搏之不勝豈不虛斃一壯士耶栗磾曰自可能致御前坐而制之尋而擒之晉將劉裕遺栗磾書曰黑矟將軍磾常好持黑矟故有其號

又曰楊大眼武都氐王難當之孫也少驍勇趫捷走如飛

電宣武南征尚書李冲典選統校征官大眼往求征焉冲不許大眼曰尚書不見知聽下官出一伎便出長繩三丈繫之於髻而走繩直如矢馬馳不及冲大驚曰千載已來未有此人也遂用爲軍主大眼顧謂同寮曰吾之今日所謂蛟龍得水之秋也自此一舉不復與諸君齊列矣所經戰皆武冠六軍大眼妻潘氏善射詣軍省大眼至攻戰遊獵之際潘氏亦戎裝齊鑣並轡乃至還營同坐幕下對諸寮佐言笑自得大眼指謂諸人曰此潘將軍也明帝加光禄大夫淮泗之間童兒啼者恐之云楊大眼至無不立止王肅之初歸國也謂大眼曰吾在南時聞君之名以爲眼如車輪及見君乃不異常人大眼曰鼓旗相望瞋眸奮發足使君目不能視何必大如車輪

又曰文成帝名濬太武孫晃子也即位後冬〻大儺曜兵帝

有勇力善騎射靈丘南有山高四百餘丈詔群官仰射山
峯無能踰者帝彎弧發矢出山四十餘丈過山南二百步
遂詔刋石勒銘紀功
北齊書曰高昂字敖曹膽力過人姿儀殊異其父次同爲
求嚴師加鞭撻昂不遵師訓專事馳騁毎言男兒當橫行
天下自取富貴誰能端坐讀書作老博士也其父曰此兒
不滅吾族當大吾門以其昂藏敖曹故以名字
北史曰達奚震少驍勇走及奔馬周文嘗渭北校獵時有
兎過周文前震與諸將競射之馬倒而墜震足不傾躓因
步射之矢中兎顧馬纔起遂迴身騰上周文喜曰非此父
不生此子
陳書曰蕭摩訶齊軍戰有西域胡妙於弓矢弦無虛發衆
軍尤憚之及將戰明徹謂摩訶曰若殪此胡則彼軍奪氣

君有關張之名可斬顏良矣摩訶曰願識其形狀當爲公
取之明徹乃召降人有識胡者云胡着絳衣樺皮弓兩端
骨弭明徹遣人覘乃知胡在陣仍自酌以飲摩訶摩訶飲
訖馳馬衝齊軍胡挺身出陣前十餘步彀弓未發摩訶遥
擲銑鋧立中其額應手而仆齊軍大力十餘人出戰摩訶
又斬之
又曰周鐵虎事梁河東王譽王僧辯擒欲烹之鐵虎曰侯
景尚未滅奈何殺壯士耶僧辯奇之後降高祖
又曰蕭摩訶帥齊兵爲寇高祖遣安都北拒齊軍於鍾山龍
尾及北郊壇安都謂摩訶曰卿驍勇有名千聞不如一見
摩訶對曰今日令公見矣
隋書曰宇文慶從武帝攻河陰先登攀堞與賊短兵接戰
良久中石遁墜絕而後蘇帝勞之曰卿之餘勇可以賈人

也
又曰楊玄感驍勇多力毎戰親軍長矛身先士卒喑嗚叱
咤所當者莫不震懾論者方之項羽
又曰魚俱羅馮翊下邽人也身長八尺膂力絕人聲氣雄
壯言聞數百步
又曰權武少果勁勇力絕人能重甲上馬嘗倒投於井未
及泉復躍而出其拳捷如此
又曰長孫晟突厥之內大畏長孫總管聞其弓聲謂爲霹
靂見其走馬稱爲閃電王笑曰將軍震怒威行域外遂與
雷霆爲比一何壯哉
唐書曰丘行恭從討王世充會戰於邙山之上太宗欲知
其虛實強弱乃與數十騎衝之直出其後衆皆披靡莫敢
當其鋒所殺傷甚衆既而限以長堤與諸騎相失唯行恭

獨從尋有勁騎數人追及太宗矢中御馬行恭乃迴騎射
之發無不中餘賊不敢復前然後下馬拔箭以其所乘馬
進太宗行恭於御馬前步執長刀巨躍大呼斬數人突陣
而出得入大陣貞觀中有詔刻石爲人馬以象行恭拔箭
之狀立於昭陵闕前
又曰淮陽王道玄拜洛州總管及府廢改授洛州刺史五
年劉黑闥引突厥寇河北復授山東道行軍總管師次下
博與賊軍遇道玄帥騎先登命副將史萬寶督軍繼進萬
寶與之不協及道玄深入而擁兵不進謂所親曰吾奉手
詔言淮陽小兒雖名爲將而軍之進止皆委吾今其輕銳
越滹交戰大軍道動必滔泥溺莫如結陣以待之雖不利
於王而利於國道玄遂爲賊所禽全軍盡沒唯萬寶逃歸
道玄遇害年十九太宗追悼久之嘗從容謂侍臣曰道玄

終始從朕見朕深入賊陣所向必尅意嘗企慕所以每陣先登蓋學朕也惜其年少不遂遠圖因爲之流涕

又曰王君廓鎭幽州會突厥入寇君廓邀擊破之俘斬二千餘人獲馬五千疋高祖大悅徵入朝賜以御馬令於殿庭乘之而出因謂侍臣曰吾聞藺相如叱秦皇目皆出血君廓往擊竇建德將出戰李勣遏之君廓發憤大呼目及鼻耳一時流血此之壯氣何謝古人不可以常例賞之復賜錦袍金帶還鎭幽州

又曰劉世讓爲并州惣管統兵屯於鴈門突厥處羅可汗與高開道苑君璋合衆攻之甚急鴻臚卿鄭元璹先使在蕃可汗令元璹來說之世讓厲聲曰大夫奈何爲夷狄作說客耶經月餘虜乃退及元璹還述世讓忠勇高祖下制褒美之

又曰李嗣業賊將李歸仁初以銳師數來挑戰我師潰失而逐之賊軍大至逼我追騎突入我營我師囂亂嗣業謂郭子儀曰今日之事若不以身啖寇決戰於陣萬死而無其一生不然則我軍無孑遺矣嗣業乃脫衣徒搏執長刀立於陣前大呼當嗣業刀者人馬俱碎殺十數人陣容方駐前軍之士盡執長刀而出如牆而進嗣業先登奮命所向摧靡

又曰張濬拜諫議大夫其年冬宰相王鐸至滑臺兼充天下行營都統方徵兵諸侯奏用濬爲都統判官時王敬武初破弘霸郎軍大振累詔徵平盧兵敬武獨不赴援鐸遣濬往說之敬武已授僞命復怙強不迎詔使濬至謁見責之曰公爲天子守藩王臣賫詔宣諭而侮慢詔使既未識君臣禮分復何顏以御軍民哉敬武愕然謝咎旣宣詔軍士按兵默然濬並召將佐集於鞠場面諭之曰人生効忠仗義所冀粗分逆順懸知利害黃巢前日販鹽虜耳公等捨累葉天子而臣販鹽白丁何利害之可論耶今諸侯勤王天下響應公等獨據一州坐觀成敗賊平之後去就何安君能此際排難解紛陳師鞠旅共誅寇盜迎奉鑾輿則富貴功名指掌可取吾惜公輩捨安而即危也諸將改容引過謂敬武曰諫議之言是也即時出軍從濬入援京師

晏子春秋曰昔夏之衰也有推移大戲殷之衰也有費仲惡來足走千里手裂兕虎任之以力凌轢天威專行勇力不顧乎義理是以桀紂以滅殷夏以衰

又曰莊公奮乎勇力不顧於行尚勇力之士無忌於國貴戚不薦善偪邇不引過故晏子見公公曰古者亦有徒以勇力立於世者乎晏子對曰嬰聞之輕死以行理謂之勇誅暴不避強謂之力故勇力之立也以行理義也今公自奮乎勇力不顧乎行暴尚勇力之士無忌於國身立威彊行流淫暴貴戚不薦善偪邇不引過反聖王之德而循滅君之行用此存者嬰未嘗聞有也

吳越春秋曰專諸豐邑人伍子胥初去楚如吳時遇之於塗專諸方與人鬪其怒有萬人之氣甚不可當其妻一呼即還子胥怪而問其壯何夫子怒之盛聞一女子之聲而即折道寧有說乎專諸曰子視吾之儀寧類愚者耶何言之鄙也夫屈一人之下必申萬人之上子胥因相決之椎顙深目虎口鷹背戾於從難知其勇士也

又曰伍子胥見吳王僚王僚望其顏色甚可畏長一丈大十六圍眉間一尺僚與語三日辭無復者賢人也子胥知王好之每入言語侃侃有勇壯之氣也

孔演漢魏春秋曰許褚之爲人長八尺餘大十圍容貌甚雄勇力絶人漢末賊起褚在汝南與少年相聚及宗族數千家共堅壁相保曹公徇兵汝南褚以其衆歸公公見而壯之曰此樊噲也即日拜都尉引入宿衞諸從褚俠客皆爲虎士出入周旋不離左右軍中以褚力如虎癡勇號曰癡虎至今天下稱之皆謂其姓名也

呉均齊春秋曰戴僧静會稽永興人臨湘侯副大祖在淮陰雅有人鑒見而賞之會匈奴卒至僧静應募出戰單力直前虜騎奔退又斬三級時天盛寒乃脫衣口銜三頭以刀捧背拍浮而還臨湘侯大賞之曰殺三人亦可反命矣進之於太祖石頭之役功冠諸將遂至貴顯

蕭方等三十國春秋曰苻洛雄勇多力猛氣絶人坐制奔牛射洞犁耳苻堅深憚之故常爲邊守

又曰劉陽少驍猛甚有勇力手曳牛尾却行百步

又曰趙將麻秋命黒槊龍騰三千人馳擊謝艾軍艾左右擾動李偉勸艾乘馬艾不從乃下踞胡牀而麾衆趙人以爲有伏懼而不進

韓詩外傳曰衞靈公晝寢而起志氣益衰使人馳召勇士公孫悁道遭行人卜商子夏曰何馳之疾也對曰君晝寢而起使我馳召勇士公孫悁子夏曰微悁而勇若悁者可乎御曰可子夏曰載我而反至君曰延先生上起召公孫悁俄而悁至入門拔劒疾呼曰商不我取若頭子夏顧叱之曰咄内劒吾將與若言勇於是君令悁内劒而上子夏曰來吾嘗與子從君而北見趙簡子趙簡子被髮杖矛而見我君從十三行之後趨而進曰諸侯相見不宜不朝服君不朝服行人卜商將以頭血濺君之衣矣使反朝服而見吾君者子耶我耶悁曰子也子夏曰子之勇不若我一矣又與子從君而東至海曹齊君重鞇而坐從十三行之後趨進曰諸侯相見不宜相臨以其一鞇而去之者子耶我耶悁曰子也子夏曰子之勇不若我二矣又與子從君於囿中於是兩軍逐我君與拔矛格而還之者子耶我耶悁曰子也子夏曰子之勇不若我三矣所貴爲士者上不攝萬乘下不放乎疋夫外立節矜敵而不侵掠内禁殘害而君不危殆是士之所長而君子之所致貴也若夫以長掩短以衆暴寡凌轢無罪之民而威於閭巷之間者是士之甚毒而君子之所致惡也於是靈公避席曰抑乎寡人雖不敏請從先生勇

又曰孔子游於景山之上子路子貢顏回從焉孔子曰君子登高必賦爾願言者何其丘將啓汝子路曰由願奮長戟揚三軍乳虎在後仇敵在前捧躍快志進救兩國之患孔子曰勇士哉

又曰齊莊公出獵有螳蜋舉足將摶其轉輪問其御曰此何蟲也對曰此螳蜋者也其爲蟲知進而不知退不量力而輕敵莊公曰以此爲人必爲天下勇士矣於是迴軍避之勇士歸之

虞溥江表傳曰曹公出濡須號步騎四十萬臨江飲馬孫權帥衆七萬應之使甘寧領三千人爲前部督權密勑寧使夜入魏軍寧乃選手下健兒百餘人徑詣公營下使拔鹿角踰疊入營斬得數十級北軍驚駭鼓譟舉火如星寧已還入營作鼓吹稱萬歲因見權權曰聊以觀卿膽耳即賜絹千疋刀百口權曰孟德有張遼孤有興霸足相敵也停住月餘北軍乃退

劉向列士傳曰秦召公子無忌無忌不行使朱亥奉璧一雙謝秦秦王大怒執朱亥着虎圈中瞋目視虎終不敢動

殷氏世傳曰亮字子華少好學年四十舉孝廉到陽城遇兩虎爭一羊馬不敢進於是亮乃按劍直至虎所斬羊腹虎乃各得其半去時人爲之謠曰石里之勇殷子華暴虎見之合爪牙

劉昭幼童傳曰魏太祖幼而智勇年十歲嘗浴於譙水有蛟來逼自水奮蛟乃潛退於是畢浴而還弗之言也後有人見大虵奔逐太祖笑之曰吾爲蛟所擊而未懼斯畏虵而恐耶衆問乃知咸驚異焉

又曰秦舞陽者燕國人也年十二以勇氣聞人犯必殺之莫有敢迕視

太平御覽卷第四百三十六

太平御覽卷第四百三十七

人事部七十六

勇五

盛弘之荆州記曰襄陽城北河水極深先有蛟年常為害太守鄧遐氣果兼人拔劒入水蛟繞其足遐因揮劒截蛟數段流血丹水自此無復蛟患

干寶搜神記曰東越閩中有庸嶺高數十里下北隰中有大虵長七八丈大十餘圍常病都尉及長吏下夢巫覡欲得啖童女常八月朝祭送虵穴虵輙吞之已用九女將樂李誕有小女名寄應募而行乃請好劒咋虵犬作數斛餈疾資切蜜灌之以置穴口虵出頭大如囷目如二尺鏡先啖餈寄便放犬虵以劒斫殺得九女髑髏越王乃以寄為后

漢末英雄記曰公孫瓚除遼東屬國長史連接邊寇每有驚輙厲色憤怒如赴讎敵望塵奔繼之夜戰虜識瓚聲憚其勇莫敢犯之與魏書語別故兩出

越絕書曰越王請臣於吳吳王許之子胥大怒目若夜光聲若哮虎曰此越未戰而服天以賜吳其逆天乎臣唯君王急制之吳王不聽遂許之

又曰闔閭惡王子慶忌問於伍子胥子胥曰臣有所厚於國其人細小也曰要離臣嘗見其辱壯士菑丘訢東海上人也為齊王使於吳過淮津欲飲馬水神出取菑丘訢大怒偏袒操劒入水與戰殺兩蛟一龍連日乃出眇其左目遂之吳會於友人之座訢恃其與神戰之勇輕士大夫要離與之對座即謂之曰吾聞勇士之戰也與日戰者不移表與鬼戰者不旋踵與人戰者不達聲生往死還不受其辱今子與神戰於泉水之中亡馬失御又受眇目之病形殘名辱勇士所恥自驕於友人之旁何其忍負也於是菑丘訢卒於結恨勢怒未及有言座衆分解菑丘訢宿怒遺恨宣往攻要離要離戒其妻曰曩日吾辱壯士菑丘訢於大衆之座彼勇士有受不還報荅之怒餘恨忿志冥必來矣慎毋閉門菑丘訢果往入門不閉登堂不關入室不守放髮僵卧訢乃手拔劒而捽要離曰子有三當死之過子知之乎要離曰吾不知也菑丘訢曰子辱吾於大座之衆一死也歸不閉門二死也卧不守衛三死也子有三死之過雖欲勿怒其得乎哉要離曰吾無三死之過子有三不肖之媿子知之乎菑丘訢曰吾不知要離曰吾辱子於千人之衆子不報荅是一不肖也入門不駭登堂無聲是二不肖也先拔劒手持頭乃敢有言是三不肖也子有三不肖之媿而欲滅我豈不鄙哉於是菑丘訢仰天歎曰吾之勇也人莫敢有訾吾者若斯要離乃加吾之上此天下壯士也

劉彥明敦煌實錄曰索苞有文武材舉孝廉除郎中每征伐尅敵勇冠三軍時人比之關羽宋澄於金城為步羌三千人所圍窮守孤塠垂當破没苞以完騎五千奮劒突陣徑入與澄對坐搥頭拊掌大笑羌皆佩楯擢刀四面直前苞謂澄曰君但安心觀我擊之乃除弨弓接矢繞塠射之莫不應弦而倒皆陷楯通中立殺三十餘人創夷者百計羌即散走稱神

嚴尤三將論曰王翦為秦將滅燕燕王喜奔逃東夷秦王曰齊楚何先李信曰楚地廣齊地狹楚人勇齊人怯請先從事於易

袁准正論曰兵有三勇主愛其民者勇有威刑者勇賞信

於民者勇故仁愛加於下則有必死之民

劉向新序曰田恒將弑君勇士六人刼子川捷曰子與我請分齊之半以予子不吾與今此是已子川捷曰子之欲與我也以我爲智乎臣弑君非智也以我爲仁乎見利而倍君非仁也以我爲勇乎刼我以兵懼而予子非勇也使吾無此三者與子無恒矜子若有此三者終不從夫子乃舍之

又曰勇士一呼三軍皆辟易士之誠也夫勇士孟賁水行不避蛟龍陸行不避虎狼發怒吐氣聲響動天至其死矣頭行斷絶夫不用仁而用武當時雖快身必無後是以孔子勤勤行仁

又曰齊遣淳于髡到楚髡爲人短小楚王甚薄之謂之曰齊無人耶而使子來子何長也髡對曰臣無所長腰中七尺之劍欲斬無狀王王曰止吾但戲子耳與髡共飲酒

又曰秦王以五百里地封鄢陵君鄢陵君辭不受使唐且謝秦王秦王忿然變色怒曰亦嘗見天子之怒乎且曰臣未嘗見王曰夫天子之怒伏尸百萬流血千里且曰大王亦嘗見布衣韋帶士之怒乎王曰布衣韋帶士之怒解冠徒跣以頭搶地耳何難知者且曰此乃庸夫庶人之怒耳非布衣韋帶士之怒也夫專諸刺王僚彗星襲月奔星晝出要離刺王子慶忌蒼鷹擊於臺上聶政刺韓王白虹貫日此三者皆布衣怒也與臣將四士無怒則已一怒伏尸二人流血五步即案其匕首起視秦王曰今將是矣王色變長跪曰先生就坐寡人喻矣鄢陵獨以五十里在者徒用先王故乎史記鄒陽上書曰白起長平之謀太白食昴荆軻慕燕丹之義白虹貫日

又曰林既衣韋衣而朝齊景公景公曰此君子之服耶小人之服耶林既作色曰夫服事何足以端士行乎昔荆爲長劍危冠令尹子西出焉齊桓短衣而遂溝之冠管仲隰朋出焉越文身剪髮范蠡大夫種亦出焉西戎左衽而組結由餘亦出焉如君言衣大裘者當大號衣羊裘者當羊鳴今君衣狐裘而朝得無爲變乎景公曰子自以爲勇悍乎曰登高臨危而目不眴而足不凌者此工匠之勇悍也入深泉取蛟龍拘黿而出者此漁夫之勇悍也入深山刺虎豹抱熊羆而出者此獵夫之勇悍也夫不難斷頭裂腹暴骨流血中野者此武士之勇悍也今臣居廣廷作色而辯以犯主君之怒前雖有乘軒之賞未爲之動也後雖有斧鑕之威未爲之恐也此既之所以爲勇悍也

劉敬叔異苑曰荆州上明江浦常有蛟浴汲者死不脫歲升平末陳郡鄧遐字應延素勇健憤而入水覓蛟得便與拳即曳着岸欲斫殺母語云蛟是神物寧忽殺之令可呪令勿復爲害遐呪而放焉自兹迄今絶無此患盛弘之荆州記云揮劍截蛟血流滿水餘同

太公六韜曰大勇不勇

又曰以死取人謂之勇

又曰文王問太公曰守士柰何公曰危之而不恐者勇也

又曰武王問太公曰陳士之道柰何太公曰軍中有大勇暴強者聚爲一卒名曰陷陳之士有枝格強良多力能潰破金鼓絶滅旌旗者聚爲一卒名曰勇力之士

老子曰勇於敢則殺勇於不敢則活

莊子曰孔子遊於宋匡人圍數匝而弦歌不輟子路入見問曰圍者數重弦歌不輟何也子曰由來吾語爾夫水行不避蛟龍者漁父之勇也陸行不避兕虎者獵夫之勇也白刃交於前視死若生者烈士之勇

也聖人知窮之有命知勇之有時臨大難而不懼聖人之勇也由處矣吾命有所制矣無幾何持甲者進辭曰以爲陽虎故圍之今非請辭而退

又曰田光荅太子曰竊觀太子客無可用者夏扶血勇之人怒而面赤宋意脉勇之人怒而面青武陽骨勇之人怒而面白光所知荆軻神勇之人怒而色不變

又曰闔廬試其民於五湖劒皆加於肩地流血幾不可止

又曰大勇不鬭大兵不寇

又曰齊之好勇者其一人居東郭其一人居西郭卒然相遇於塗曰姑相與飲乎觴數行曰姑求肉乎一人曰子肉也我肉也尚胡求肉於是酒而已因抽刀而相啗至死而止勇若此不若無勇

又曰齊莊公時有士曰賔卑聚夢有壯士白縞之冠束布

之衣素履墨劒從叱之唾其面揚然而寤徒夢也明召其支而告之曰吾少好勇年六十而無所挫辱今夜辱吾將索之得之則可不得將死之每朝立乎衢三日不得退而自殺

又曰兵天下之凶器也勇天下之凶德也舉凶器行凶德由不得已也

呂氏春秋曰荆有佽飛者得寶劒於江干遂還反涉江至於中流有兩蛟夾繞其船佽飛曰子嘗見兩蛟繞船而活者乎船人曰未之嘗見也佽飛攘臂袪衣拔寶劒曰此江中之腐肉朽骨也持劒赴江刺蛟殺之而復上船舟中之人皆得活荆王聞之仕以執圭

抱朴子曰赴白刃而忘生格兕虎於谷者勇人也

韓子曰越勾踐欲民輕死出見怒鼃乃爲之軾曰爲其有氣故也明年民以頭獻十餘人由此觀之譽足殺人矣

孟子曰晉有馮婦者善搏虎野有衆搏虎虎負嵎莫敢攖馮婦趍而迎之攘臂而下車衆皆悅之 趙岐曰馮婦姓名也

又曰梁惠王曰寡人有疾寡人好勇孟子對曰王請無好小勇撫劒疾視曰彼惡敢當我哉此匹夫之勇敵一人者也詩云王赫斯怒爰整其旅以遏徂莒以篤周祜以對于天下此文王之勇也一人衡行於天下武王耻之此武王之勇也武王一怒而安天下之民今王亦一怒而安天下之民民惟恐王之不好勇也

楊雄法言曰或問勇曰軻也曰何軻也曰軻也者謂孟軻若荆軻君子盜諸或問孟軻之勇曰勇於義而果於德不以貧富貴賤死生動其心於勇也其庶乎

孫卿子曰有三勇上不循亂世之君下不循亂世之民無

貧窮富貴天下知之則欲與天下共樂不知之則傀然獨立天地之間而不畏是上勇也禮恭意儉輕貨惟賢有不肖者敢援而廢之是中勇也輕身重貨以斯勝人爲意是下勇也○尸子曰孟賁曰生乎勇乎貴乎勇乎曰勇富乎勇乎曰勇三者人之所難而皆不足以易勇此其所能懾三軍服猛獸者也

又曰田成子問勇顏歜聚之荅也不敬田子之僕填劒曰更言則生不更則死歜聚曰以死爲有智今吾生是也是吾所以懼汝而反以懼我

又曰聖人畜仁而不主仁畜智而不主智畜勇而不主勇昔者齊桓公脅於魯君而獻地百里勾踐脅於會稽而身宦之三年襄子脅於智伯而以顏爲愧其卒桓公臣魯君勾踐滅吳襄子以智伯爲戮此謂勇而能怯者也

愼子曰有勇不以怒反與怯均也

胡非子曰夫曹劌匹夫徒步之士布衣柔履之人也唯無怒一怒而劫萬乘之師存千乘之國此謂君子之勇勇之貴者也

又曰屈將子好勇見胡非　而問曰聞先生非鬬有說則可無說則死胡非曰吾聞勇有五等夫負長劒赴榛薄折兕豹搏熊羆獵徒之勇也負長劒赴深泉折蛟龍搏黿鼉漁人之勇也登高危之上鵠立四望顏色不變陶匠之勇也若迕視必殺立刑之勇也昔齊桓公伐魯曹劌聞之觸齊軍見桓公曰臣聞君辱臣死君退師則可不退則臣以血濺君矣桓公懼管仲曰許與之盟而退夫曹劌疋夫一怒而劫齊侯之師此君子之勇晏嬰疋夫一怒而沮崔子之亂亦君子之勇也五勇不同公子將何處屈將悅稱善乃解長劒釋危冠而請爲弟子焉

淮南子曰桀之力申鈎索鐵揉金椎移大犧水殺黿鼉陸搏熊羆然湯革車三百乘困之鳴條禽之焦門由此觀之則勇不足以爲天下矣智不足以恃勇不足爲強

張華博物志曰賁育之勇

劉義慶徐州先賢讚曰徐盛字文嚮琅琊莒人也遭亂客居吳以勇直勇氣聞魏王出濡須孫權每選出戰者盛常在前魏嘗大出橫江盛與諸將俱赴討時乘艦遇風落岸下諸將恐懼未有出者盛獨將上斫賊賊三披走所傷殺甚衆風止得還權大壯之

應璩與許子俊書曰足下以方剛之盛年應不羈之勁勇將發虓虎之威致霜雪之誅擒吳梟蜀定功萬里而劉備不下山孫權不出水武力不奮猛氣畜勇其毒如何

蔡謨書曰祖士稚昔葬雍丘城內祖約在壽春時賊據雍丘約遣路永將數百人夜緣入雍丘城戰并開墓檐柩踰城出徑還壽春永之勇如此

太平御覽卷第四百三十七

太平御覽卷第四百三十八

人事部七十九

烈士

禮記曰戰于郎（郎魯邑也）公叔禺人遇負杖入保者息曰使之雖病也任之雖重也君子不能爲謀也士弗能死也不可我則既言矣與其鄰重汪踦往皆死焉（重當爲童汪踦名）魯人欲勿殤重汪踦問於仲尼仲尼曰能執干戈以衛社稷雖欲勿殤不亦可乎

又曰齊大饑黔敖爲食於路以待餓者而食之有餓者蒙袂輯屨貿貿然來黔敖左奉食右執飲曰嗟來食揚其目而視之曰予唯不食嗟來之食以至於斯也從而謝焉終不食而死曾子聞之曰微與其嗟也可去其謝也可食

又曰魯莊公及宋人戰于乘丘縣賁父御馬驚敗績公隊賁父曰他日不敗績而今敗績是無勇也遂死之圉人浴馬有流矢在白肉公曰非其罪也遂誄之

史記曰齊人或毀孟嘗君於湣王曰將爲亂及田甲劫湣王王意之孟嘗乃奔魏前有獲粟於孟嘗之賢者聞之乃上言言孟嘗不作亂請以身爲盟遂自剄以明孟嘗湣王乃知孟嘗君果無謀

又曰漢高帝既立以田橫兄弟本定齊齊人賢者多附焉今在海中不收後爲亂乃使赦罪召之橫乃與其客二人乘傳詣雒陽至尸鄉尸鄉在偃師廄置置馬以傳驛也橫謝使者曰人臣見天子當洗沐因止留謂其客曰橫始與漢王俱南面稱孤今漢王爲天子而橫爲亡虜北面事之其耻甚矣且吾亨人之兄與其弟比肩而事主縱彼畏天子詔不敢動我獨不愧於心乎且陛下欲見我者不過欲見吾面貌耳今陛下在雒陽斬吾頭馳三十里間形容未敗猶可觀也遂自剄二客亦自殺從之高帝聞大驚以田橫客皆賢聞其餘五百人在海中使召之至聞橫死又皆自殺是知田橫兄弟皆得士也

又曰楚下滎陽生得周苛項王謂苛爾從我我以公爲上將軍封三萬戶苛罵曰若不趣降漢漢今虜若若非漢敵也項王怒亨苛

又曰李廣從衛青伐匈奴失道後至大將軍使長史急責廣之幕府對簿廣曰校尉無罪乃我自失道謂其麾下曰廣結髮與匈奴大小七十餘戰今幸從大將軍出接單于兵而大將軍又從廣部行回遠而又迷失道豈非天哉且廣年六十餘矣終不能復對刀筆之吏遂引刀自刎軍士大夫皆哭

漢書曰高祖時告趙王張敖反者貫高對曰獨吾屬爲之王不知也吏按笞數千刺爇身無完者終不復言廷尉以貫高辭聞上曰壯士誰知者以私問之中大夫泄公曰臣素知此趙國立名義不侵爲然諾者也上使泄公持節問之高曰人情豈不各愛其父母妻子哉今吾三族皆已論死豈以王易吾親哉顧爲王實不反獨吾等爲之具道本指所以不知狀於是泄公具以報上上乃赦趙王上賢高能自立然諾使泄公赦之告曰張王已出上多足下故赦足下高曰所以不死者白張王不反耳今王已出吾責塞矣且人臣有簒弒之名何面目復事上哉乃仰絕吭而死

又曰丞相王嘉數上言不宜封董賢上怒詔嘉詣廷尉詔獄使者至府掾史涕泣和藥進嘉嘉引藥杯擲地謂官屬曰丞相幸得備位三公奉職負國當伏刑都市以示萬衆

豈見女子耶何謂咀樂而死嘉遂乘吏小車去蓋不冠隨使者詣廷尉二十餘日不食歐血而死

又曰田延年有罪霍光使使就獄延年曰幸縣官寬我耳何面目入牢獄使衆人指笑我卒徒唾吾背乎即閉閤獨居持刀東西步聞鼓聲及自刎死

范曄後漢書曰趙苞遷遼西太守明年遣使迎母及妻子爲鮮卑鈔掠苞率步騎與賊對陣賊出母示苞苞悲號謂母曰爲子無狀欲祿奉養朝夕不圖爲母作禍母遙謂苞曰人各有命何得相顧以虧忠義昔王陵母向漢使伏劒以固其志爾其勉之苞即時進戰賊悉摧破其母妻皆遇害苞殯斂母畢白上歸葬帝遣策弔慰葬訖苞歐血而死

東觀漢記曰温序字次房爲隗囂别將苟宇所刼宇謂序曰子若與我并威同力天下可圖也序素有氣力大怒叱

宇等曰虜何敢迫脅漢將因以節撾殺數人賊衆爭欲殺之宇止曰此義士也可賜以劒序受劒銜鬚顧左右曰賊所迫殺無令鬚汙土遂伏劒而死

又曰馬援曰方今匈奴烏桓尚擾北邊欲自請擊之男兒要當死於邊野以馬革裹尸還葬耳何能卧床上在兒女子手中耶故人孟冀曰諒爲烈士當如此矣

又曰永和八年匈奴遣使求和親上遣鄭衆持節使匈奴衆素剛烈至北庭虜欲令拜衆不爲屈單于大怒圍守閉之不與水火欲脅服衆衆拔刃自誓單于恐而止

又曰漢圍隗囂囂窮困其大將王捷登城呼漢軍曰爲隗王城守者皆必死無二心願諸軍亟罷請自殺以明之遂刎頸而死

謝承後漢書曰濟陰戎良字子恭年十八爲郡門下吏良儀容偉麗太守諸葛豐使閤裏寫書從者誣良與婢通劾腹引出腸肝示豐

漢末英雄記曰袁尚使審配守鄴曹操攻之操出行圍配伏弩射之幾中及城陷生獲配操謂曰吾近行圍弩何多也配曰猶恨其少操曰卿忠於袁氏不得不爾志欲活之配意氣壯烈終無撓辭遂斬之

魏志曰龐淯字子異酒泉人初以涼州從事守破羌長會武威太守張猛反殺刺史邯鄲商猛令敢有臨商喪死不赦淯聞之弃官晝夜奔走號哭喪所訖詣猛猛知其義士遣不殺由是以忠烈聞

又曰夏侯惇字元讓沛國譙人夏侯嬰之後年十四就師學人有辱其師者惇殺之由是以烈氣聞

又曰大將軍司馬文王斬諸葛誕傳首夷三族誕麾下數

百人坐不降見斬皆曰爲諸葛公死不恨其得人心如此

又曰賈逵初爲郡吏守絳邑長郭援之攻河東所經城邑皆下逵堅守援攻之不拔及召單于并軍急攻之城將潰絳父老與援要不害逵絳人既潰援聞逵名欲使爲將以兵刼之逵不動左右引逵使叩頭逵叱之曰安有國家長吏爲賊叩頭援將斬之絳吏民聞將殺逵皆乘城呼曰負要殺我賢君寧俱死耳左右義逵多爲請遂得免

韋昭吳書曰顗熙使魏辭意不屈魏留之熙懼見迫乃引刀自刺中乳房上聞嘉之賜鹽米復其國

蜀志曰義陽傅彤先主與吳戰退軍彤斷後距戰兵人死盡吳將語彤令降罵曰吳狗何有漢將軍降者遂戰死

晉書曰太守陳楚迫韋忠爲功曹會山羌攻郡楚携子走出賊射之中三創忠冒刃伏楚以身捍之泣曰韋忠願以

身代君乞諸王哀之亦遭五矢賊相謂曰義士也舍之忠於是負楚以歸

又曰辛勉累遷侍中及洛陽陷隨帝至平陽劉聰遣其黃門侍郎喬度賫藥酒逼之勉曰大丈夫豈以數年之命而虧高節事二姓下見武皇帝哉引藥將飲度遽止之曰主上相試耳君貞士也歎息而去

習鑿齒晉春秋曰後主將從譙周策北地王諶怒曰若數窮力屈禍敗必及便當父子君臣背城一戰同死社稷以見先帝可也後主不納遂送璽綬是日諶哭於昭烈之廟先殺妻子然後自殺

沈約宋書曰薛安都反傳靈越奔逃爲沈慶之軍人所擒厲聲曰我傳靈越也汝得賊何不即殺生送詣何勔勔躬自慰詰其叛逆對曰九州唱義豈獨在我勔又問四方阻逆無戰不擒主上皆加曠蕩即其才用卿何不早歸天闕乃逃命草間乎靈越答薛公舉兵淮北威震天下不能專任智勇委付子姪敗之由實在於此然事之始末備皆參豫人生歸於一死實無面求活勔壯其意送還京師太宗欲加原宥靈越辭對如一終不回改乃殺之

隋書曰張季珣大業末爲鷹擊郎將其府據箕山爲固與洛口連接及李密翟讓攻陷倉城遣人呼之季珣罵密極口密怒遣兵攻之三年糧用盡士卒羸病不能拒戰遂爲所陷季珣曰吾雖爲敗軍之將猶是天子爪牙之臣何容拜賊也密壯而釋之翟讓從之求金不得遂殺之時年二十八

又曰許善心母范氏梁太子中舍人孝才之女也少寡養孤博學有高節高祖知之勑尚食每獻時新常遣分賜嘗

詔范入內侍皇后詣讀封永樂郡君及善心遇禍范年九十有二臨喪不哭撫柩曰能死國難我有兒矣因卧不食後十餘日亦終

唐書曰屈突通聞京師平家屬盡沒乃留顯和鎮潼關率兵東下將如洛陽通適進路而顯和降於劉文靜遣副將竇琮段志玄等率精騎與顯和追之及於稠桑通結陣以自固竇琮縱通子壽令往諭之通大呼曰昔與汝爲父子今與汝爲仇讎命左右射之顯和呼其衆曰京師陷矣汝並命關西人欲何所去衆皆釋仗通知不免乃下馬東南向再拜號哭曰臣力屈兵敗不負陛下天地神祇實所鑒察遂擒通送于長安高祖謂曰何相見晚耶通泣對曰通不能盡人臣之節力屈而至爲本朝之辱高祖曰隋室忠臣也命釋之授兵部尚書封蔣國公

又曰劉世讓字元欽雍州醴泉人也爲定安道行軍揔管率兵以拒薛舉戰敗世讓及弟寶俱爲舉軍所獲舉將至城下令紿說城中曰大將軍五道已趣長安宜開門早降世讓僞許之因告城中曰賊兵多少極於此矣宜益自固以圖安全舉重其執節終不之害

又曰新興王良孫晉先天中爲殿中監兼雍州長史甚有威名始封新興王尋附會太平公主伏誅初晉之就誅寮吏皆奔散惟司功李撝徒步不失在官之禮仍哭其屍姚崇聞之曰欒布之儔也擢爲尚書郎

又曰徐晦由進士第登直言科爲櫟陽尉皆自楊憑所薦及憑得罪貶官臨賀縣尉親交無敢祖送獨晦至藍田與憑言別時故相權德輿與憑交分最深知晦之行因謂晦曰今日送臨賀誠爲厚矣無乃反爲累乎晦曰晦自布衣沐

楊公之知今日不一送他日相公爲奸邪所讚烏可不送相公乎德輿大慙因稱之於人不數日御史中丞李夷簡請爲監察晦至之日白夷簡曰晦不由公門公何所取信而見獎拔於千萬人中哉荅曰君送楊臨賀寧肯負國乎由是名益振

呂氏春秋曰要離既殺王子慶忌吳王大悅請分國要離曰不可殺妻子焚而揚其灰爲不仁爲故主殺新主爲不義不可以生伏劒而死

韓詩外傳曰楚昭王有士曰石奢公正而好直王使爲理於是有殺人者石奢追之則其父也還反於庭曰殺人者父也以父成政非孝也不行君法不忠也遂伏鈇鑕曰命在君君曰追而不及庸有罪乎子其治事石奢曰不然死罪而生不廉也君赦之上之惠臣不失法下之義遂不去

鈇鑕而死乎庭中

會稽典録曰魏朗字少英會稽人靈帝即位竇武陳蕃等欲誅宦官謀泄反爲所害朗以黨被徵乃慷慨曰丈夫與陳仲舉李元禮俱死得非乘龍上天乎於丹陽牛渚自殺海内列名八俊

張騭文士傳曰陸機爲大都督請孫承爲司馬成都王既害機兄弟收承付刺姦獄考掠千餘兩踝骨見終不自誣獄吏知承烈士諫承曰二陸之痛誰不知枉君何不惜身乎承乃仰而歎曰吾二不能濟死而相誣非吾徒也獄吏作承服辭謀反狀成都乃下令夷承三族

劉世叔異苑曰潯陽周虓字孟威寧康中鎮于巴西爲苻堅所獲守節不屈堅使使清道虓躬詣達陌謂使者云煩君語氐賊苻堅何至取國士如此堅聞之曰豁子正欲覓死殺之適足成其名耳及苦加榜楚不食而卒堅怒猶未歇剖棺臨視虓欲運髀斷（何斤反）齒鬚鬢張列精暗明亮迴盼瞷堅乃厚加賵贈

劉向新序曰崔杼弑莊公申蒯漁於海而後至將入死其御止之曰君之無道聞於天下不可死也申蒯曰告我晚子不早告我吾食亂君之食而死治君之事乎子勉之子無死其御曰子有亂主猶死之我有治長奈何勿死至於門曰申蒯聞君死請入守門者以告崔子曰勿内申蒯曰汝疑我乎吾與汝臂乃斷其臂以予其門者門者以示崔子崔子陳八列曰令入申蒯拔劒呼天三踊乃鬬殺七列未及崔子一列而死其御亦死之門外君子聞之曰蒯可謂守節死義矣

又曰白公勝欲殺楚惠王出云令尹司馬皆死勝拔劒而

屬之矜屈廬曰子與我舍子不與我將殺子屈盧曰詩有之曰莫莫葛藟肆于條枚愷悌君子求福不回今子殺子父而求福於盧也可乎且吾聞之知命之士見利不動臨死不恐爲人臣者時生則生時死則死是謂人臣之禮故上知臣道其有可劫乎胡不推之白公勝乃入其劒

又曰白公勝既殺令尹司馬欲立王子閭以爲王王子閭不肯劫以刃王子閭曰王孫輔相楚國扶正王室后自庇爲閭之願也今子假威以暴王室殺伐以亂國家吾雖死不子從也白公强之不可遂殺之

常璩華陽國志曰張飛攻破巴郡獲將軍嚴顔謂曰大軍至何以不降敢逆戰乎顔對曰卿等無狀侵奪我州但有斷頭將軍無降將軍也飛怒曰牽去斫頭顔正色曰斫頭便斫何爲怒也飛義之引爲賓客

又曰章明字公儒繁人王皓字子離江夏人也明爲太中大夫莽篡位歎曰不以一身事二主遂自殺皓爲美陽令去莽歸蜀公孫述僭號高之使聘之皓乃自刎以頭付使者述慙怒誅其妻子

又曰李業字巨遊梓潼人少執志清白太守到咸慕其名辟爲功曹十命不詣咸怒欲殺之業徑詣獄咸釋之公孫述累徵聘不應述怒遣鴻臚尹融持藥酒逼業業笑曰名可成不可毀身可殺不可辱遂飲藥死述耻殺善士贈錢百萬子暈逃匿不受建武中察孝廉

太平御覽卷第四百三十八

太平御覽卷第四百三十九

人事部八十

貞女上

毛詩曰漢廣德廣所及也文王之道被于南國美化行乎江漢之域無思犯禮求而不可得南有喬木不可休息漢有游女不可求思漢之廣矣不可泳思江之永矣不可方思

又曰行露召伯聽訟也衰亂之俗微貞信之教興強暴之男不能侵陵貞女也誰謂雀無角何以穿我屋誰謂女無家何以速我獄雖速我獄室家不足

又曰柏舟共姜自誓也衛世子共伯蚤死其妻守義父母欲奪而嫁之誓而弗許故作是詩以絕之也汎彼柏舟在彼中河髧彼兩髦實唯我儀之死矢靡它母也天只不諒人只

禮記曰文伯之喪敬姜據其牀而不哭曰昔者吾有斯子也吾以爲將爲賢人也吾未嘗以就公室今及其死也朋友諸臣未有出涕者而內人皆行哭失聲斯子也必多曠於禮矣夫

穀梁傳曰宋災伯姬卒傳曰取卒之日加之災上者見以災卒也其見以災卒奈何伯姬之舍失火左右夫人少避火乎伯姬曰婦人之義傅母不在不下堂遂逮於火而死婦人以貞爲行者也伯姬之義婦道盡矣詳其事賢伯姬也

戰國策曰韓取聶正尸暴於市縣購之千金久之莫知誰子正姊聞之曰弟至賢愛妾之軀滅吾弟名非弟意也乃之韓視之曰勇哉今死而無名父母既沒矣弟兄無有此爲我故也夫愛身不揚弟之名不吾忍也乃抱尸而哭之曰此吾弟軹深井里聶正亦自殺於尸旁晉楚齊聞之曰非獨聶正之能乃其姊者烈女也

史記曰寡婦清其先得丹穴而擅其利數世家亦不訾寡婦能守其業用財自衛不見犯秦皇帝以爲貞婦而客之

袁宏後漢紀曰初弘農王唐姬故會稽太守唐瑁女也王薨父欲嫁之不從及關中破爲李傕所略不敢自說也傕欲妻之姬弗聽尚書賈詡聞之以爲宜加爵號於是迎置於園拜爲弘農王妃

謝承後漢書曰曹節弟破石爲越騎校尉越騎營五伯妻有美色破石從求之五伯不敢違妻執意不肯行遂自殺

魚豢魏略曰龐淯外祖父爲人所殺其三子弱不能報淯母載車出與仇家相逢於府門外乃拔刀下車手斫殺之州郡義其女人能如此縱而不問及淯長大節行又如此

故令酒泉畫其母子儀像於廳壁而銘贊之

謝靈運晉書曰劉曜王彌入于京都焚燒宮廟六宮幽辱愍懷太子妃拔刃距賊曰吾皇太子妃義不爲逆胡所汙遂見害

何法盛晉中興書曰張茂初起義討賊陳武一郡用全中宗初鎮召爲掾屬中興累遷至太子右衛率出爲吳國內史爲沈充所殺茂妻陸氏散家財合義軍助國討充詣闕上書理茂忠節詔書褒歎追贈太僕卿

鄧粲晉紀曰前始興太守尹虞起兵於巴陵日號監軍以討杜弢連戰稍勝遂進長沙爲弢所沒初敗略虞二女皆國色也將妻之女不肯曰我父二千石終不爲賊作婦有死而已及虞攻賊賊殺之

又曰散騎常侍梁緯妻辛氏隴西人也劉曜欲妻之使人

扶取因據地哭從者亦哭曜並殺之
又曰廣平太守崔諒表政穀執長崔希子休妻石氏年十
餘歲爲邦邑所宗旣歸鄭氏爲九族可重休前妻女少孤
父希臨終庶子沉生是時漢末大亂希命棄之曰奈何使
舅愛之至不存活乎寧割肌膚之恩以存顧援之命養沉
乃前女力不兼舉九年之中三不舉子
梁書曰王僧辯母貞敬太夫人夫人姓魏氏僧辯父神念
以天監初董率徒衆據東關退保合肥巢湖西因娶以爲
室生僧辯性甚安和善於綏接家門內外莫不懷之初僧
辯下獄夫人流淚徒行將謝罪世祖不與相見時貞惠世
子有寵於世祖軍國大事多問焉夫人往詣閤自陳無訓
涕泗嗚咽衆並憐之及僧辯免出夫人深相責勵辭色俱
嚴云人之事君唯須忠烈非但保祐當世亦乃慶流子孫
及僧辯剋復舊京功蓋天下夫人恒自謙損不以富貴驕
物朝野咸共稱之謂爲明哲婦人也
崔鴻前秦錄曰符登妻毛氏毛興之女也善騎射營壘旣
陷猶彎弓跨馬率壯士數百與姚萇交戰殺賊七百餘人
衆寡不敵爲萇所執毛有姿色萇將納之毛罵曰天子皇
后安可爲賊羌所辱萇殺之
崔鴻前趙錄曰陝有婦人十九婺居事叔姑甚謹其家欲
奪而嫁之此婦毀面自誓
崔鴻後凉錄曰建中將軍遼東太守呂憲妻符氏年十五
有姿色憲卒自殺
後凉錄曰初呂紹之死也美人敦煌張氏年十四爲沙門
清辯有姿色呂隆見而悅之遣中書郎裴敏說之張氏善
言理敏爲之屈隆親逼之張氏曰欽樂至法故投身道門

且一辱於人誓不毀節今逼如此豈非命也昇門樓自投
於地二脛俱折口誦佛經俄而卒
又曰呂超殺纂纂后楊氏及侍婢數人殯纂于城西超問
楊氏玉璽何在楊氏怒曰盡懷之矣楊氏國色也超將妻
之謂父桓曰后若自殺禍及卿宗桓以言告楊氏楊氏曰
大人本賣女與氐以圖富貴一之以甚可復使女辱于二
氏乎桓不能強乃自殺
後魏書曰經州貞女仙氏許嫁彭老生爲妻幣娉旣畢未
成禮率行貞淑君貧常自汲以養父母老生輒往逼之女
曰與君禮命雖畢二門多故未相見何由不稟父母擅見陵
辱若苟行非禮正可身死耳遂不肯從老生怒而刺殺之
取其衣服女尚能言臨死謂老生曰先身何罪與君相遇
我所以執節自固者盛更有所邀政欲奉給君耳今反爲
君所殺若魂靈有知自當知報言終而絕老生持女衣服
珠瓔至其叔宅以告叔叔曰此是汝婦奈何殺之天不祐
汝遂執送官太和七年有司劾以死罪詔曰老生不仁侵
陵貞淑原其強暴便可誅戮而女守禮履節沒身不移雖
處草萊行合古跡宜賜美名以顯風操其標墓旌善號曰
貞女
又曰勃海封卓妻彭城劉氏女也成婚一夕卓官於京師
後以事伏法劉氏在家忽然夢想知卓已死哀泣不輟諸
嫂喻之不止經旬凶問果至遂憤歎而死時人比之秦嘉
妻中書令高允念其義高而名不著爲之詩
又曰平原鄃縣女子孫男玉夫爲零縣民所殺追執讎人
男玉欲自殺之其弟止而不聽男玉曰女人出適以夫爲
天當親自復雪云何假人之手遂以杖毆殺有司處死以

聞顯祖詔曰男王重節輕身以義犯法緣情定罪理可原
其特恕之
隋書曰楊慶王世充以兄女妻之署滎州刺史及世充將
敗慶欲將其妻同歸長安其妻乃告之曰國家以妾奉箕
箒於公者欲以申厚意結公心耳今叔父窮迫家國將危
而公不顧婚姻孤負付囑爲全家之計非妾所能責公也
妾若至長安則公家一婢耳何用妾爲願得送還君之惠
也慶不許其妻遂沐浴靚粧飲藥而死慶遂歸大唐爲宜
州刺史
又曰元務光母者范陽盧氏女也少好讀書造次以禮盛
年寡居諸子幼弱家貧不能就學盧氏每親自教授勗以
義方世以此稱之仁壽末漢王諒舉兵反遣將綦良往山
東略地良以務光爲記室及良敗慈州刺史上官政薄務

光之家見盧氏悅而逼之盧氏以死自誓政爲人凶悍怒
甚以燭燒其身盧氏執志彌固竟不屈節
又曰孝女王舜者趙郡王子春之女也子春與從兄長忻
不協屬齊滅之際長忻與其妻同謀殺子春舜時年七歲
有妹粲年五歲璠年二歲並孤苦寄食親戚舜撫育二妹
恩義甚篤而舜陰有復讎之心長忻殊不爲備姊妹俱長
親戚欲嫁之輙拒不從乃密謂其二妹曰我無兄弟致使
父讎不復吾輩雖是女子何用生爲我欲共汝報復汝意
如何妹皆垂泣曰唯姊所命是夜姊妹各持刀踰牆而入
手殺長忻夫妻以告父墓因詣縣請罪姊妹爭爲謀首州
縣不能決高祖聞而嘉歎特原其罪
又曰韓覬妻者洛陽于氏女也字茂德父寔周大左輔于
氏年十四適于覬雖生長膏腴家門鼎盛而動遵禮度躬

自儉約宗黨敬之年十八覬從軍戰没于氏哀毀骨立慟
感行路每至朝夕奠祭皆手自持及免喪其父以其幼少
無子將嫁之誓無異志復令家人敦喻于氏晝夜涕泣截
髮自誓其父喟然傷感遂不奪其志因養夫之弟子世隆
爲嗣身自撫育愛同已生訓導有方卒能成立自孀居已
後唯時或歸寧至親族之家絶不來往有尊卑就省謁者
送迎皆不出户庭蔬食布衣不聽聲樂以此終身
又曰裴倫妻者河東柳氏女也少有風訓大業末倫爲渭
源令屬薛舉之亂縣城爲賊所陷倫遇害柳時年四十有
二女及兒婦三人皆有美色柳氏謂之曰我輩逢禍亂汝
父已死我自念不能全汝我門風有素義不受辱於群賊
我將與汝等同死如何其女等皆垂泣曰唯母所命柳氏
自投于井其女及婦相繼而下皆重死於井中

又曰趙元楷妻者清河崔氏之女也父儦在文學傳家有
素範子女皆遵禮度元楷父爲僕射家富於財重其門望
厚禮以娉之元楷甚敬崔氏雖在宴私不妄言笑進止容
服動合禮儀化及之反也元楷隨至河北將歸長安至滏
口遇盜攻掠元楷僅以身免崔氏爲賊所拘賊請以爲妻
崔氏謂賊曰我士大夫女爲僕射子妻今日破亡自可即
死遣爲賊婦終必不能羣賊毀裂其衣形體悉露縛於簀
牀之上將凌辱詐之曰人力已屈當聽處分不敢相違請
解縛賊遽釋之妻因着衣取賊佩刀倚樹而立曰欲殺我
任加刀鋸若欲覓死任來相逼賊大怒亂射殺元楷後得
殺妻者支解之以祭崔氏之柩
又曰鍾士雄母者臨賀蔣氏女也士雄仕陳爲伏波將軍
陳主以士雄嶺南酋帥慮其反覆每質蔣氏於都下及晉

王平江南以士雄在嶺表欲以恩義致之遣蔣氏歸臨賀既而同郡虞子茂鍾文華等作亂舉兵攻城遣人召士雄士雄將應之蔣氏謂士雄曰我前在楊都備嘗辛苦今逢聖化毋子聚集沒身不能上報烏得爲逆哉汝若禽獸其心背德忘義者我當自殺於汝前士雄於是遂止蔣氏復爲書與子茂等諭以禍福子茂不從尋爲官軍所敗上聞蔣氏甚異之封爲安樂縣君

太平御覽卷第四百三十九

人事部八十一

貞女中

唐書曰魏衡妻王氏梓州郪人也武德初薛仁果舊將旁企地侵掠梁部因獲王氏逼而妻之後企地漸強盛衡謀以城應賊企地領衆將趍梁州未至數里飲酒醉卧王氏取其佩刀斬之携其首入城賊衆乃散高祖大悅封爲崇義夫人

又曰絳州孝女衛氏字無忌夏縣人也初其父爲鄉人衛長則所殺無忌時年六歲母又改嫁更無弟兄及長常思復讎無忌從伯嘗設宴爲樂長則時亦預坐無忌以塼擊殺之既而詣吏稱父讎既報請就刑戮巡察大使黃門侍郎褚遂良以聞太宗嘉其孝烈特令免罪

又曰鄒待徵妻薄氏待徵大曆中爲當州山陰縣尉其妻爲海賊所掠薄氏守節出待徵官告於懷中託付村人使謂待徵曰義不受辱乃投江而死賊退潮落待徵於江岸得妻屍爲江左文士多著節婦文以紀之

又曰奉天縣竇昇朝二女伯娘仲娘雖長於村野而幼有志操住與邠州接界永泰中草賊數千人持兵刃入其村落行剽刼聞二女有容色姊年十九妹年十六藏於巖窟間賊徒擬爲逼辱乃先曳伯娘出行數十步又曳仲娘出賊相顧自慰行臨深谷伯娘曰我豈受賊汚辱乃投之於谷賊方驚駭仲娘又投於谷谷深數百尺姊尋卒仲娘脚折面破血流被體氣絶良久而蘇賊義而去

又曰崔玄暐博陵安平人也父行謹爲胡蘇令本名曅以字下體有則天祖諱乃改爲玄暐少有學行深爲叔父秘

書監行功所器重龍朔中舉明經累補庫部員外郎其母盧氏嘗誡之曰吾見姨兄屯田郎中辛玄馭云兒子從官者有人來云貧乏能有立此是好消息若聞貲貨充足衣馬輕肥此是惡消息吾嘗重此言以爲確論比見親表中仕官者多將錢物上其父母但知喜悅竟不問此從何而來必是禄俸餘資誠以善事如其非理所得此與盜賊何別縱無大咎獨不內媿於心孟母不受魚鮓之饋蓋爲此也汝今坐食禄俸榮幸已多若其不能忠清何以戴天履地孔子云雖日用三牲之養猶爲不孝又曰父母唯其疾之憂特宜修身絜己勿累吾此意也玄暐遵奉母氏教誡以清謹見稱

又曰于琮尚廣德公主琮爲黃寇所害而赦公主主視琮受禍爲賊曰妾李氏女也義不獨存願與于公并命賊不許公主入室自經而死

又曰幽州兵亂殺判官韋雍雍妻蕭氏聞難號呼專執夫袂左右格去以死不從及雍臨刃蕭氏泣而告曰妾不幸年少義不苟活今日之事願先就死執刃者斷其臂詞氣不撓雖凶捍圍視無不傷歎其夕蕭氏亦卒

趙曅吳越春秋曰子胥至吳乞食至於溧陽溧陽有女子澼紗瀨水之上筥中有少飯子胥遇見長跪而請之曰夫人豈可乞一飡乎女子曰妾獨與母居年三十不嫁飯不可得也子胥曰夫人賑窮者少飯有何嫌乎女知非恒人言曰妾豈可逆人情乎即發其簞飯清其壺漿長跪而與子胥子胥去顧見女子自沉

孔演漢魏春秋曰龐淯外祖父酒泉趙君安爲同縣李壽所殺淯舅兄弟三人同時病死壽家喜相賀淯母娥自傷

讎不報乃推車袖劍白日刺壽於都亭前訖徐詣縣顏色
不變曰父讎已報請受戮祿福長尹嘉解印綬縱娥娥不
肯去遂強載還會赦得免州郡莫不嗟歎嘉其烈義刊石
以表其閭
張勃吳錄曰吳入郢也自王以下位班處宮而妻其室次
及伯嬴伯嬴者昭王之母也伯嬴操刃曰公侯一國之儀
表也有失則其邦危亂夫婦之禮人倫之始王教之端若
君王棄儀表則無以臨民妾犯非禮則無以自存貪生受
辱固不如死王乃止
和苞漢趙記曰今上殺晉散騎常侍梁緯召妻辛氏伏地
大哭仰白今上曰妾聞女不再醮男以義烈聞妾夫已死
理無獨生乞就辟有司地下以事舅姑且婦人再娉明公
亦安用哉遂號哭不止上曰貞婦也其任之亦自殺

又曰魯陽侯王廣字廣之為西揚州刺史晉末聚衆避世
為蠻梅芳扇動山夷圍廣城陷蠻因廣將詣芳廣女有美
色芳引入甚有寵入經一旬王伺芳睡引刀斬芳芳驚起
曰何故反耶王罵曰蠻畜我欲誅反賊何等謂我反乎吾
聞父仇不同天母仇不同地汝反逆無狀害我父母而復
無禮凌人吾所以不死者欲誅汝耳今死自吾分不待汝
殺我但恨不得梟汝首於通逵以塞大恥辭氣猛厲色無
變容乃自殺時年十五
劉義慶幽明錄曰武昌陽新縣北山上有望夫石狀若人
立者傳云昔有貞婦其夫從役遠赴國難婦攜弱子餞送
此山立望而死形化為石
列女傳曰息夫人者息君之夫人伐息破之虜其君使守
門將其夫人而納之於宮楚王出遊夫人遂出見息君謂
之曰人生要一死而已何自苦乃作詩曰穀則異室死則
同穴謂予不信有如皎日息君止之夫人不聽遂自殺息
君亦自殺
又曰安定陳仲妻者同郡張叔明之妹名芝字李張年十
四適仲朞年而寡執節不嫁叔明從軍芝與二嫂沒賊恐
見侵略而相謂曰婦人以不汙身為高不虧節為美豈可
委身待辱哉於是自刺二嫂既死芝獨不死叔明言於將
軍耿弇耿弇以駙馬負芝芝曰女子亡之餘汙將軍服乘
不可也弇奇其言更以他馬負芝至營為致醫藥因乃得
全郡表其閭九十壽終
又曰譙國曹文叔妻者同郡夏侯文寧之女字令女文叔
早死無子喪畢斷髮自誓不貳其後家欲嫁之又截兩耳
依文叔從兄爽爽後被誅文寧上書與曹氏絕婚復欲嫁之

乃割鼻其母謂曰曹氏夷滅已盡守此欲為誰乎令女曰
仁者不以盛衰改節義者不以存亡易心曹氏前盛尚欲
保終況今衰滅何忍棄之太傅司馬公聞而嘉歎聽乞子
為曹氏後
又曰吳孫奇妻者廣陵范慎女名姬十八配奇一年而奇
亡慎以姬少寡無子迎還其家姬不肯歸迎者以父命迫
之姬遂操刀割耳及鼻曰父迎我者不過以我年少色美
今已殘矣行將焉之於是迎者空反
又曰丹陽華穆妻者下邳劉方之女字桃樹生一男而早
亡吳丁諝相與友知名之士家將嫁許為桃樹聞之乃操刀
割耳其子又亡樹桃安身守正動不踰禮
又曰吳沈伯陽妻者顧文宣之女字昭君早寡無嗣盡禮
供養其父陰許人姑聞之而哭昭君乃引刀剪髮割兩耳

以明其志
又曰吳許昇妻呂氏之女名榮外遊誕博戲不治操行榮
躬勤家業以養其姑勸外學問未嘗不垂淚而言榮父疾
外呼榮欲改嫁之榮曰命之所遭義無離貳終不肯歸外
後感悔尋師遠學四年乃歸遂致名譽爲州所辟遇刼害
歲餘姑亡夫族多欲娉之誓不肯嫁後黃巾賊欲犯之榮
踰垣而走賊拔刀追榮曰從我則生不從立死榮曰義不
畏死而見虜辱也賊遂殺之
又曰河南貞義者樂羊子之妻羊子出學七年不歸鄰人
欲犯貞義而刼其姑貞義操刀而出鄰人曰從者可不從
者殺汝姑貞義仰天而歎以刀刎頸而死太守以大夫葬
之號曰貞義
皇甫謐列女傳曰漢中趙嵩妻者同郡張氏之女也字禮

脩遭賊嵩死君難理脩以碧塗面亂髮稱病懷刀在身意
氣列決賊不迫也叔父矜其年少又世方喪亂欲更嫁禮
脩慷慨以死爲誓
又曰丹陽羅靜者廣德羅勤之女爲同縣朱曠所婚禮未
成勤遇疫疾喪没鄰比斷絶曠觸冒經營尋復病亡靜感
其義遂誓不嫁與弟妹共居求者過十餘志無傾移有楊
祚者多將人衆自往納幣靜乃逃竄祚刼其弟妹靜懼爲
祚所害乃出見之曰實感朱曠爲妾父而死是以託身亡
者自誓不貳辛苦之人願君哀而舍之如其不然請守之
以死祚乃舍之靜守純固年六十餘卒
又曰蜀景奇妻者羅氏之女字貢羅奇亡無嗣貢羅專心
供養父青以許同郡宰詩貢羅與父母書陳其情志曆年
不歸後青使詩白州告縣發遣貢羅乃由徑道詣州自訴

言意慷慨請死不從州嘉而許焉貢羅恐詩於道路迫脅
乃請吏兵自衛還家執義終身
又曰犍爲相登妻者周氏之女名度適登一年而寡年令
吳厚因人問度心執匪石引刀截髮縣長吏復遣媒欲娉
度曰前已斷髮謂足表心何誤復有斯言哉取刀欲割鼻
左右救止表其閭
又曰廣漢馮季宰妻者季氏之女名珥字進娥早寡無嗣
奉養繼姑及宰兄顯守心純固以義自防珥母愍其姑苦
陰有所許珥斷髮自明遂乞養男女各一率道有法鄉人
稱之
又曰廣漢王輔妻彭氏之女也名非輔遊學數年遂卒京
師迎喪葬訖事姑孝敬彌篤非叔父以許蘇孟非叩心泣
血訴情九族猶不見聽乃剪髮諸府乞終供養遂乞養子
靜居年踰七十而卒

又曰沛國劉長卿妻者同郡桓始春之女少有名於桓宗
嫁於劉氏生一男字王玉五歲而長卿卒懼見誘嫁旣不
歸寧兄弟時往防漸遠疑言不及外玉年十五死其弟會
喪援刀割耳明已不貳在喪側者無不感傷宗婦謂之曰
家未有相嫁之計若其有世條可因姊妹以喻意何貴義
輕身之甚耶荅曰昔我君五更學爲儒宗尊爲帝師歷世
不替以忠孝顯女以貞順稱是以懼忝諸姑或以我年未
衰又喪子卒迫之間非所能防豈可不豫見其意哉郡表
其閭號曰景行義桓
皇甫謐列女傳曰沛公孫去病妻者同郡戴元世之女旣
嫁久而無子謂其夫曰妾不才得奉巾櫛歷年無嗣禮有
七出請願受訣以其夫不許復進曰福莫大於昌熾禍莫

大於絕嗣君不忍見遣當更廣室夫復不肯夫死服除父
母欲嫁之女遂操刀割鼻郡表其閭
又曰梁夏文生妻者沛國劉景實之女名娥生一女而寡
娥誓不再嫁父以配同郡衡氏逼迫入門娥謂衡氏曰妾
聞婦人不改嫁越義失節妾所不爲君可見遣衡氏曰相
取有媒禮何遣之有衡氏妻服未闋娥因數之曰君衰麻
在身犯禮納室雖顏之厚柰相鼠何妾必死不爲君妻相
留不知辱乎舊衣而出衡氏不敢強留父復以許臨睢倪
氏強扶上船俄陽不憂書與女别乃以刀割耳鼻曰所以
不死者老姑在堂孤女尚幼故耳執義終身

太平御覽卷第四百四十

人事部八十二

貞女下

列女傳曰張氏妻者丹陽曾輝之女名潛既適張氏會其家門伏誅以潛女弱姑老故得不死然資産没官單煢壁立昏晨力作供養甚謹猶應配適士伍之限無妻者國有常法知終不免每與姑言有必死之志姑曰夫亡改適悠悠皆是人當隨時之宜何至於此潛曰悠悠之爲非妾心也後至當配果自經死

又曰代趙夫人者趙襄子之姊也襄子誘代王殺之因舉兵平代取地而迎夫人夫人曰吾受先君之命事代之君今代已亡吾將奚歸吾聞婦人之義無二夫欲迎我何之以弟慢夫非義（謂慢棄不爲立節）以夫怨弟非仁也自殺於磨笄之地

又曰沛王母王陵之母也陵始爲縣邑豪（豪俊也）及高祖起沛陵亦聚黨數千人屬漢王項羽與漢爲敵國得陵母置軍中漢使至則東向坐陵母欲以招陵陵母私送使者泣曰爲老妾語陵善事漢王漢王長者也必得天下無以妾故懷持二心言妾已死也乃伏劒而死

又曰蜀朱叔賢妻者張氏之女字昭儀賢爲郡督郵軍襲郡城城門閉賢兄弟謀踰城出事泄伏誅乃配嫁昭儀泣曰誅我夫而逼嫁我此寧夫婦平生之願乎乃竊刀割咽而死

又曰巴趙娥者趙萬之妻郡縣遭亂萬得足疾不能行爲賊所殺賊欲將娥娥守喪不去賊舉矛指娥欲以怖之娥知賊必欲劫略乃以身赴矛貫心達背而死

又曰九江王孝謙妻者同郡袁氏之女字貴女與母俱流移共止孝謙好酒兇悖無子聟之禮貴女每涕泣諫喻不能匡改母怨孝謙之爲貴女輒悲哀不食言於鄰人曰爲子致母於辱非孝也事無道之人非義也昔秋胡之妻不忍見不義之人我何爲於世間哉乃自殺

又曰沛周明都妻者衛尉趙長平之女也名阿長平德行純粹海内知之阿少習儀訓長閑婦道而都驕淫暴躁不式上命都父衛謂阿曰新婦賢者女也當以禮法匡聟都之不改新婦之過也阿既拜命退謂左右曰我無樊衛二姬之行故君以責我我言而不用君必謂我不奉教則罪在已爲生如此亦何顏哉乃自殺

劉向列女傳曰楚昭貞姜者齊侯之女楚昭王之夫人也昭王出遊留夫人漸臺之上而去王聞江水大至使者迎

夫人忘持符使者至謂夫人出夫人曰大王與宮人約命召宮人必以符今使者不持符妾不敢從使者而行妾聞之矣貞女之義不犯約勇者不畏死守節而已矣妾知從使者必生留必死也然妾不敢弃約越義而求生水大至而死乃號曰貞姜

又曰楚白貞姬者楚白公勝之妻也白公死其妻紡績不嫁吳王聞其美使人操金百鎰白璧一雙以娉焉因以輜軿三十乘迎之將以爲夫人妻辭曰白公無恙之時妾幸得充後宮執箕帚衣裳履拂枕席爲妃今白公不幸而死妾願守其墳墓奉其祠祀以終天年今王賜金璧之娉夫人之位非遇妾之所妾聞之忠臣不借人以力貞女不假人以色豈獨事生若此哉於死亦然妾既不位（位猶仁也）不能從死今又去而嫁不亦大甚乎遂辭娉而不行吳王賢其

節而有義號曰楚白貞姬

又曰魯陶寡嬰者魯陶門之女少寡養幼孤無強昆弟紡績爲產魯人或聞其義將求焉嬰聞之恐不得免乃作歌明已之不二也其詩曰悲黃鵠之蚤寡兮十年不雙宛頸戢翼兮不與衆同時則非鳴兮獨行惸惸天命兮然兮愧獨求傷感鳥悒巳兮淚下成行嗚呼悲兮死者不可忘飛鳥尚然兮何况貞良雖有賢雄兮終不重行魯人聞之曰斯女不可得也遂不敢復求之嬰寡終身

又曰衛寡夫人者齊侯之女也嫁於衛至城門而衛君死保母曰可以還矣女不聽遂入行三年之喪畢弟立謂曰衛小國也不容二庖請願同庖唯夫妻爲同庖夫人不聽衛君乃使愬於齊兄弟皆欲與後君使人告女女終不聽乃作詩曰我心匪石不可轉也我心匪席不可卷也

又曰邵南申女者申人之女也既許嫁於豐夫家禮不備而欲迎之女蓋與其人言以爲夫婦者人倫之始也嫁娶者所以傳重承業繼續先祖爲宗廟主夫家輕禮違制不可以行遂不肯往夫家訟之於理致之於獄女終以一物不具一禮不備守節持義必死不往而作詩曰雖速我訟亦不汝從言夫婦之禮不備足也君子以爲得婦道之宜（與詩說小異故兩出）

又曰蔡人之妻者宋人女也既嫁於蔡夫有惡疾其母將改嫁之女曰夫之不幸乃妾之不幸也奈何去之適人之道壹與之醮終身不改夫不幸遇惡疾不改其意且夫采芣苢之草雖甚臭惡猶始於將采之終於懷襭之浸以益親况於夫婦之道終不聽其母而作芣苢之詩

又曰魯秋潔婦者魯秋胡子之妻也秋胡子既納之五日而去官於陳五年乃歸未至家見路傍有一美婦人方採桑秋胡子下車謂曰苦暴採桑吾行道遠願託桑陰下餐婦人採桑不輟秋胡子謂曰力田不如逢年力桑不如見郎今吾有金願與夫人曰嘻夫採桑力作紡績織以衣食奉二親養夫子而已矣吾不願人之金也收子之資與子筍金秋胡還家奉金遺母母使人呼其婦婦至乃向採桑者婦曰君辭家遠仕五年方還當乍驅楊塵疾至今也乃悦道旁婦人是忘母不孝好色滛佚是汙行也妾不忍見不義不孝之人子改娶矣妾亦不嫁遂去東走自投於河而死

又曰梁寡高行者梁之寡婦榮於色敏於行早寡不嫁梁貴人爭欲取之不能得梁王聞之使相娉焉高行曰妾之夫不幸先犬馬填溝壑妾宜以身薦其棺槨守養幼孤不得專意妾聞婦人之義壹往不改以全貞信之節今忘死而趨生是不信也見貴而忘賤是不貞也棄義而從利無以爲人乃援鏡操刀以割其鼻曰妾巳刑矣所以不死者不忍幼嗣之重孤也刑餘之人殆可釋矣王高其節乃復其身號曰梁高行

皇甫謐列女傳曰天水姜叙母者同郡楊阜之姑也阜爲州吏馬超殺刺史太守叙屯歷城阜往見之歔欷悲悵叙曰何爲乃爾阜曰守城不能完君亡不能死何以視息於天下乎君擁兵專制而無討賊之心此趙盾所以書弑也叙母慨然勒叙從阜計遂起兵於鹵城超聞之襲歷城得叙母母駡之曰若背父之逆子殺君之桀賊天豈久容若何不早死敢以面目視人乎超即殺之超敗隴右平定魏武令曰姜叙之毋明智乃爾雖楊敞之妻蓋不過也

又曰留子直妻者歷陽人漢末擾攘隨夫之從父客居豫章從父通郡牧族之妻年少有色太守客請以爲妻守死不從十餘日客以還太守夷殺之臨死不變口無言郡吏及客憐之更還救請既得活乃自割耳以之太守聞其夫在遂還其妻

又曰下邳陳悝妻者同郡丹氏之女漢末喪亂流寓東城東城令戚奇欲北就呂布焚城疊虜人衆聞女有容色善史書能彈琴瑟遂殺悝住車令僕者接女上車女謂奇曰君隳壞都城虜略士女殺人之夫欲以人婦爲妻何酷逆之甚願守志而死不願無行而生遂自刎奇猶有哀慭殯葬乃去

又曰戎士陳南妻冉者戴氏之女美而早寡事舅姑恭篤同伍之人咸樂其賢色求者甚多守死不嫁後之娉者告

其軍主軍主命之知不得已乃自經死

韓詩外傳曰魯公甫文伯死其母不哭季孫聞之曰公甫文伯之母貞女也子死不哭必有方矣使人問焉對曰昔是子也吾使事仲尼仲尼去魯送之不出魯郡贈之不以家珎且吾聞君子貴義而賤利是子病不見士來視死不見士之流涕死之日宮女纕經從者十人不足於士而有餘於婦人吾是以不哭

陳壽益部耆舊傳曰廣漢德陽王上妻者同縣袁氏女也名福年二十適上舅姑既沒復遭上喪悲傷感切不妄言笑有二子養育遺孤執心純篤及叔父愍其窮困私以許張奉掩迫合婚其旦計欲殺奉恐禍及母叔孤兒永棄死讎必生忼慨流涕自殺而死

益部耆舊傳曰犍爲楊鳳珪妻者蜀郡臨邛陳氏女也名姬珪早亡時姬產子適生六月躬喪事育幼孤三年喪訖兄弟宗親哀其子少年壯謀議更配以許蜀中豪姓姬聞仰天歎息引刀割咽幾死於是九族驚愕遂敬從其節

又曰犍爲南安周繕紀妻者同縣曹氏女也名禁字敬姬年十七適周氏二年而夫亡隕時禁懷妊數月後產子元餘喪事闋遂移居依託父母欲必守義育養孤弱父愍其年少子稚默以許同縣狐賓遣車馬衣服來欲迎禁父乃告禁勃然作色悽愴言曰依近父母本不圖此因流涕忼慨乃自投舍後流水於是舉家競赴救出而氣息已絕積二日一夜乃復蘇息二親由是知其至誠謝賓解婚禁款獻長歎乃更將子還依夫第居止潔身執操非禮不動

又曰廣漢新都便敬妻者同縣王氏女也名和年十七適敬敬亡和育養遺孤闔門守節不隨宗家宴樂嘉會居理

甚脩蜀郡何玉因媒問和兄者取和遂相聽許著深曉其夫死子小宜有改圖加貧褰無以自立何氏公族必據福祚和自陳說斷計決分守全孤弱辭言未訖忼慨涕淚哀慟左右然著終受玉幣因欲迫脅和乃斷耳示著以信至見聽請以死謝舉宗敬重哀其大義

又曰巴三貞者閬中馬脁新妻義西充國王元憒妻姬皆閬中人也閬中趙蔓君妻華西充國人也姬早失夫介然守操中平五年黃巾餘類延益州賊帥趙蕃據閬中城拘迫衣冠令人婦女爲質義姬華等隨比入城後賊類爭勢攻破閬中時人或死或奔家室相失義姬華隨類出城走傳聞後賊或拘略婦女於是三人自度窮迫恐不免於據逼乃相與自沈水而死鄉黨聞之莫不感傷號曰三貞

又曰蜀郡廣都公乘士會妻者同縣張氏女也會早卒年

壯無嗣欲有問者親戚將以許之發憤忼慨斷髮割耳事姑盡禮肅恭供養養族子以承宗廟列女傳爲熊氏女斷髮割耳同

又曰廣漢廖伯妻者同縣殷氏女也名紀年十六適伯伯早卒紀性聰敏達於詩書女傳進退閑暇又有美色見貪割面告誡以全其節曰求生害仁仁者不爲紀生見禮義豈獨使古人擅名者哉因作詩三章以風父母而舉縣嘉其才麗媒介滋繁遂援刀鑽斷指明情

邵氏家傳曰虞建武都尉邵夫人字義姬鴻臚之第二女夫人少而寡虞氏及夫人之宗哀夫人辛苦欲更爲圖婚然重夫人宿操慮不可以非禮逼亦知夫人潛佩刀誓以必死故不敢生意夫人自以虞氏凶短繼世無子常獨處一室絕書學非祭祀墳墓不出紡績輒貨以供祭稱其多少不求豐厚

于寶搜神記曰東越閩中有庸嶺高數十里其下北濕中有大蛇長七八丈大十圍常病治都尉及屬城長吏多有死者祭以牛羊故不得福或與人夢或下諭巫祝欲得啖童女年十二三者都尉令長並共患之然氣厲不息共請求人家生婢子有罪家女養之八月朝祭送蛇輒夜出吞噬之累年如此前後已用九女尒時豫募覓未得將樂縣李誕有六女無男其小女寄應募欲行父母不聽寄曰父母無相生女六人雖有如無無有緹縈濟父之功不能供養消費衣食生無所益不如蚤去賣寄之身可得少錢父母終不聽寄自潛發不可禁止寄乃行請好劒及咋蛇犬先作數石米餈用蜜灌之以置穴口蛇夜便出頭大如囷目如三尺鏡聞餈香氣先啖食之寄便放犬犬就噬咋寄從後斫得數劍蛇因踊出至庭而死寄入視其穴得九女髑髏悉舉出緩步而歸越王聞之娉寄爲后拜其父爲將樂令母及姊皆有賜自是東治無復祅邪之物其歌謠至今存焉

杜預女記曰二寡婦者淑也昺也淑喪夫守寡兄弟將嫁之誓而不許爲書曰蓋聞君子導人以德矯俗以禮是以列士有不移之志貞女無迴二之行淑雖婦人竊慕殺身成義死而後已夙遘禍罰喪其所天男弱未冠女幼未笄是以僶俛求生將欲長育二子上奉祖宗之嗣下繼祖禰之禮然後覲于黃泉永無慙色仁兄德弟既不能厲高節於弱志發明德於闇昧許我他人逼我于上乃命官人訟去箇書夫智者不可惑以事仁者不可脅以死晏嬰不以白刃臨頸改正直之辭梁寡不以毀形之痛忘執節之義高山景行豈不思齊計兄弟備託學門不能匡我以道悖我以文雖曰既學吾謂之未也

祖冲之述異記曰晉元興末魏郡民陳氏女名琬家在查浦年十六飢疫之歲父母相係死沒唯有一兄傭賃自活女容色甚艶隣中士庶見其貧弱競以金帛招要之女立操貞槩未嘗有許後值盧循之亂賊衆將加凌逼女厲然不迴遂以被害

杜預女記曰大女緱玉者陳緱氏之女也夫之從母兄弟殺其父玉乃爲父報讎其殺已至親縛玉付吏獄竟當行刑有名士申徒子龍者緱玉同縣人也嘉其義勇奏記於縣曰伏聞大女緱玉爲父報讎獄已決不勝感悼之情敢陳所聞昔太原周黨感春秋義辭師復讎當時論者猶高其節況玉女弱耳無所聞心無所激內無同生之謀外無交遊之助直推父子之情奮發怒之心手刃刺讎僵尸流

血當時聞之人無勇怯莫不強膽增氣輕身殉義攘袂高談稱美今聞王幽執牢檻罪名已定皆心低意沮悵恨長歎蟠雖愚豎以為王之節義歷代未有定足以感無恥之孤激忍辱之子假王不值明時尚望追旌閭墓顯異後嗣況事在清聽不加八議哀矜之貸誠為朝廷痛之申屠蟠字子龍

又曰新野公主者光武皇帝姊也少有節行姿容嫁為新野人鄧晨妻生一男三女王莽地黃三年光武起兵攻破棘陽至小長安為莽兵所敗弃車走時天大霧還求室家道得小妹伯姬與共騎前行復見新野公主命使上馬主以手麾上曰行矣文叔努力早建大功追兵方至不能相救無為兩沒也上駐馬重呼之主曰不駃馳但志免我更當三人死也且急自脫我身何在會追兵至上遂驅馬而去主即遇害

裴啓語林曰王經少處貧苦仕至二千石其母語之汝本寒家兒仕至二千石可止也經不能止後為尚書助魏不忠於晉被牧流涕辭母曰恨昔不從勑以致今日母無戚容謂曰汝為子則孝為臣則忠有何負哉

虞預會稽典錄曰孟淑上虞人也父質中郎將淑年十七當出適聘禮既至為盜所刼淑祖父操刃對戰不敵見害淑思慕哀慟憔悴毀形以致盜由己乃喟尒歎曰微淑之身禍誠不生以身害祖苟活何顏於是遂自經而死

太平御覽卷第四百四十一

太平御覽卷第四百四十二

人事部八十三

知人上

尚書咎繇曰都在知人在安民禹曰吁咸若時惟帝其難之(言堯亦以知人安民為難故曰吁)知人則哲能官人安民則惠黎民懷之

禮記曰趙文子與叔譽觀乎九原文子曰死者如可作也吾誰與歸叔譽曰其陽處父乎(處父字文公之傳也)文子曰行并植(音特)於晉國不沒其身其智不足稱也(并猶專也謂剛而專己為狐射姑所殺)其咎犯乎文子曰見利不顧其君其仁不足稱也我則隨武子乎利其君不忘其身謀其身不遺其友晉人謂文子其中退然如不勝衣其言吶吶然如不出諸其口所舉於晉國管庫之士七十有餘家生不交利死不屬其子焉

春秋僖五年曰鄭殺申侯初申侯申出也(姊妹之子曰出)有寵於楚文王文王將死與之璧使行曰唯我知女女專利而不厭予取予求不女疵瑕(從我取從我求我不以女為罪)後之人將求多於女(謂嗣君也求多以禮義大望責之)女必不免我死女必速行無適小國將不女容焉(政狹法峻)既葬出奔鄭又有寵於厲公子文聞其死也曰古人有言曰知臣莫若君弗可改也已

又曰晉文公及曹曹共公聞其駢脅欲觀其裸浴薄而觀之(薄迫也駢脅合幹)僖負羈之妻曰吾觀晉公子之從者皆足以相國若以相(若以為傳相)夫子必反其國反其國必得志於諸侯而誅無禮曹其首也子盍蚤自貳焉(自貳自別異於曹)乃饋盤飧寘璧焉(臣無竟外之交故用盤藏璧飧中不欲令人見也)公子受飧反璧

又曰秦伯伐晉濟河焚舟取王官及郊晉人不出遂自茅津濟封殽尸而還遂霸西戎用孟明也君子是以知秦穆之為君也舉人之周也與人之壹也(壹無二心)孟明之臣也其不解也能懼思也子桑之忠也其知人也能舉善也(子桑公孫枝舉孟明者)詩曰于以采蘩于沼于沚于以用之公侯之事(詩國風言沼沚之蘩至薄猶采以共公侯以喻秦穆不遺小善)秦穆有焉夙夜匪懈以事一人孟明有焉(詩大雅美仲山甫也一人天子也)詒厥孫謀以燕翼子子桑有焉(詒遺也燕安也翼成也詩大雅美武王能遺其子孫善謀以安成子孫言子桑有舉善之謀)

又曰晉陽處父聘于衛反過甯甯嬴從之及溫而還其妻問之嬴曰以剛商書曰沈潛剛克高明柔克夫子壹之其不沒乎(陽子性純剛)天為剛德猶不干時(寒暑相順)況在人乎且華而不實怨之所聚也(言過其行)犯而聚怨不可以定身(剛則犯人)余恐不獲其利而離其難是以去之(為六年晉殺處父)

又曰晉侯觀于軍府見鍾儀問之曰南冠而縶者誰也有司對曰鄭人所獻楚囚也使稅之(稅解也)召而弔之再拜稽首問其族對曰伶人也(伶人樂官)公曰能樂乎對曰先父之職官也敢有二事使與之琴操南音(南音楚聲)公曰君王何如對曰非小人之所得知也固問之對曰其為太子也師保奉之以朝于嬰齊而夕于側也(嬰齊令尹子重側司馬子反言其尊卿敬老)不知其他公語范文子文子曰楚囚君子也言稱先職不背本也樂操土風不忘舊也稱太子抑無私也(言其近事而遠稱少子以示性所自然明至誠)名其二卿尊君也(尊晉君也)不背本仁也不忘舊信也無私忠也尊君敏也仁以接事信以守之忠以成之敏以行之事雖大必濟(言有此四德必能成大事)君盍歸之使合晉楚之成公從之重為之禮使歸求成

又曰子產始知然明問為政焉對曰視民如子見不仁者誅之如鷹鸇之逐鳥雀也子產喜以語子太叔且曰他日

吾見蔑之面而已（蔑然明名）今吾見其心矣
又曰韓宣子如齊納幣見子雅子雅召子旗（子旗子雅之子）使見
宣子曰非保家之主也不臣（志氣亢）見子尾子尾見彊（彊子尾之子）
宣子謂之如子旗（亦不臣）大夫多笑之唯晏子信之曰夫
子君子也（夫子韓起）君子有信其有以知之矣（爲十年齊欒施高彊來奔）
漢書曰薛宣爲丞相而翟方進爲司直宣知方進大儒有
宰相器深結厚焉後方進竟代爲丞相
又曰薛宣字贛君初宣察孝廉瑯琊太守趙貢見宣異之
令妻子與相見戒曰贛君至丞相我兩子亦中丞相史宣
爲相除趙貢兩子爲史
東觀漢記曰上旣破邯鄲誅王郎召鄧禹宿夜語曰欲北
發幽州突騎諸將誰可使者禹曰吳漢可其人勇鷙有智
謀諸將鮮能及者上於是以漢爲大將軍漢遂斬幽州牧

苗曾上以禹爲知人更始時大司馬朱鮪在洛陽上欲南
定河內問禹曰諸將誰可使守河內者禹曰寇恂文武備
足有牧民之才河內富貴南迫雒陽非寇恂莫可使也上
拜寇恂爲河內太守
又曰朱勃字叔陽年十二能誦詩書候馬援兄勃衣方領
能矩步辭言閑雅援纔知書見之自失兄知其意乃自酌
酒慰援曰朱勃小器速成智盡此耳卒當從汝稟學及援
爲將軍封侯而勃位不過縣令
又曰虞延字子大陳留人孝明帝時有新野功曹鄧寅以
外戚小侯每豫朝會而容姿趍步有出於衆顯宗目之顧
左右曰朕之儀貌豈若此人特賜輿馬之服延以寅雖有
容儀而無實行未嘗加禮拜郎中遷玄武司馬寅在職不
服父喪帝聞乃歎曰知人則哲惟帝難之信哉斯言以延
爲明
謝承後漢書曰許邵字子將汝南平輿人清論風行高唱
草偃多所賞識拔樊子昭於未聞天下咸稱許郭
袁山松後漢書曰李膺子瓚位至東平相初曹操微時瓚
異其才將沒謂子宣等曰世將亂矣天下英雄無過曹操
張孟卓與吾善袁本初汝外親雖尒勿依必歸曹氏諸子
從之並免亂世矣
又曰南陽何顒初見曹操歎曰漢將亡安天下者必此人
也操以是嘉之
魏志曰武帝機警有權數時人莫知者橋玄見而異焉謂
曰今天下將亂安生民者其在君乎太祖常感其知己後
經過玄墓輒悵然致祭
又曰王粲字仲宣蔡邕見而奇之時邕才學顯著常車騎

塡巷賓客盈座聞粲在門倒屣迎之粲年旣幼弱容狀短
小一座皆驚邕曰此王公孫也有異才媿吾不如也吾家
書籍文章盡當與之
又曰陳羣爲童兒時祖寔常異之曰此兒必興吾門羣爲
司空而曹屬時薦樂安王模下邳周逵者太祖辟之還敎
以爲模逵穢德終必敗太祖不聽後模逵皆坐姧宄誅太
祖以謝羣羣薦廣陵陳喬丹陽戴乾太祖皆用之後吳人
叛乾忠義死難喬爲名臣
又曰楊駿字季才司馬宣王年十六七與駿相遇駿曰此
非常人也同郡王象少孤特爲人僕隸年十七八使牧羊
而私讀書駿見美其人質即贖着家中娉妻立屋然與別
駿自少及長以人倫自任
魏略曰趙岐逃難匿姓名賣餅北海市時安丘孫嵩字賓

石遊市見岐察非常人呼與共載岐懼失色嵩乃令騎屏行人從容問曰視子非賣餅者不有重怨即亡命乎北海孫賓石闔門百口勢能相濟岐素聞嵩名即以實告之遂與俱歸藏岐複壁中

孫盛魏氏春秋曰嘉平元年右將軍夏侯霸奔蜀人問太傅之德霸對曰彼自為家非人臣也問京師儁士對曰有鍾會者若管朝政吳蜀之憂也

蜀志曰先主年十五母使學同宗劉德然遼西公孫瓚俱事同郡盧植德然父元起常資給先主與德然等起妻曰各自一家何能常尓耶起曰吾宗中有此非常人也

又曰諸葛亮字孔明瑯琊人耕隴畝好為梁父吟自比於管仲樂毅時人莫之許也唯博陵崔州平潁川徐庶與亮友善謂為信然先主屯新野庶見先主器之庶謂先主曰

諸葛孔明卧龍也將軍豈願見之先主曰君與俱來庶曰此人可就見不可屈致也將軍宜枉駕顧之由是先主詣亮

又曰龐統字士元襄陽人少時樸鈍未有識者潁川司馬徽清雅有知人鑒統弱冠往見徽徽採桑樹上坐統桑下共語自晝達夜徽甚異之稱當為南州士人冠冕由是漸顯也

吳志曰顧邵字孝則雍長子也年三十七起家為豫章太守小吏姿質佳者令獎就學擇其先進擢置左右職舉善以敎風化大行初錢塘丁諝出於役伍陽羨張秉生乎民庶烏程吳粲雲陽殷禮起乎微賤邵皆拔而友之諝至典軍中郎秉至丹陽禮至零陵令粲至太子少保

又曰張温字惠恕少脩操容貌瓌偉權聞之以問公卿曰温當今與誰為比大司農劉基曰無可與為輩顧雍曰温當今無輩權曰如是張允不死也徵到延見文辭占對觀者傾悚權改容加禮

又曰張昭字子布為人矜嚴忠謹能識人諸葛恪字元遜年少之時衆人奇其英才昭言終敗葛氏者元遜

吳書曰陶謙字恭祖年十四猶帛幡乘竹馬而戲邑中兒童皆隨之蒼梧太守同縣甘公出遇之於塗見其容貌異住車與語甚悅之因許妻以女甘夫人怒曰聞陶家兒遨戲無度如何以女許之甘公曰彼有奇志少大成遂與之後為徐州刺史

王隱晉書曰石苞少子崇字季倫苞臨終預分諸子財物獨不及崇其母以為言苞曰此兒雖小大自能得財也

又曰魏舒字陽元任城人容貌朴實少號遲鈍人莫之知唯叔父衡知其奇每有賓客已常勸使過舒言吾兄子非常人也

虞預晉書曰魏舒少名遲鈍唯太原王乂曰卿終當為台輔然亦不能令妻子免飢寒吾當助卿營之常借給舒受而不辭

又曰武陔字元夏沛國竹邑人父同有顯名陔及二弟韶茂皆總角見稱時同郡劉公榮名人嘗詣同過陔兄弟與觀其舉動使出語同曰君三子皆國士也元夏量最優出輔佐之風仕官可為亞公叔夏季夏不減常伯納言陔後果開府

徐廣晉書曰鄭袤純和有識初荀攸見袤曰鄭公業為不士矣時相國掾魏諷有盛名同郡任覽謂袤曰諷姦雄必以禍終子宜絕之後諷果敗司空王朗辟掾委以求才袤舉

高陽許允扶風魯芝東萊王基並爲名臣
又曰魏諷者郭玄信出使從弘農求御人遣石苞及鄧艾爲御行十餘里玄信謂二人曰子並當至將相旣而苞爲縣吏到鄴賣鐵于市長趙元儒異之曰公輔才也遂與交稍遷至弘農司馬欲求縣吏部郎許允謂苞曰君我輩人也當相引置朝廷何欲小縣乎苞還歎不意允之知已
晉書陶侃傳曰樂廣欲會荆揚士人武庫令黃慶進侃於廣人中或非之慶曰此子終當遠到復何疑也
又曰王導少有風鑒識量清遠年十四陳留高士張公見而奇之謂其從兄敦曰此兒容貌志氣將相之器也
又石苞傳曰趙元儒有知人鑒見苞異之因與結交歎苞遠量當至公輔
又曰陸雲幼時吳尚書廣陵閔鴻見而奇之曰此兒若非龍駒當是鳳雛
又曰劉裕爲布衣衆未之識也唯王謐獨奇貴之嘗謂裕曰卿當爲一代英雄
晉書曰庾翼字稚恭風儀俊偉少有經綸大略京兆杜乂陳郡殷浩並才名冠世而翼弗之重也每語人曰此輩宜束之高閣候天下太平然後議所任耳見桓溫總角之中便期之以遠略因言於成帝曰桓溫有英雄之才願陛下勿以常輩畜之宜委以方部之任必有弘濟艱難之勳
又曰謝安常疑劉牢之不可獨任又知王味之不宜專城牢之旣以亂終而味之亦以貪敗由是識者服其知人
又陶侃傳曰劉弘爲荆州刺史將之官辟侃爲南蠻長史遣先向襄陽討賊張昌破之弘旣至謂侃曰吾昔爲羊公參軍語吾其後當居此今相觀察必繼老夫矣

又曰時豫章郎中令楊晫陶侃州里人也爲鄉論所歸侃詣之晫曰易稱貞固足以幹事陶士行是也與同乘見中書郎顧榮榮甚奇之吏部郎溫雅謂晫曰奈何與小人共載晫曰此人非凡器也

太平御覽卷第四百四十二

太平御覽卷第四百四十三

人事部八十四

知人中

晉書曰裴頠字逸民弘雅有遠識博學稽古少知名御史中丞周弼見而歎曰頠若武庫五兵縱橫一時之傑也

又曰荀勗父肹早亡勗依于舅氏岐嶷夙成年十餘歲能屬文從外祖魏太傅鍾繇曰此兒當及其曾祖旣長遂博學達於從政

又曰郭弈時亭長李含有俊才而門寒爲豪族所排弈用爲別駕含後果有名位時以弈爲知人

又曰賀循少玩篇籍善屬文博覽衆書尤精禮傳雅有知人之鑒拔同郡楊方於卑陋卒成名於世

又曰應詹鎭南大將軍劉弘詹之祖舅也請爲長史謂之

曰君器識弘深後當代老子於荆南矣乃委以之軍政

又曰楊方字公回少好學有異才初爲郡鈴下威儀公事之暇輙讀五經鄉邑未之知内史諸葛恢見而奇之待以門人之禮由是始得周旋貴人間

又曰郭奕字大業太原陽曲人也少有重名山濤稱其高簡有雅量爲野王令羊祜嘗過之奕歎曰羊叔子何必減郭大業少選復又歎曰羊叔子去人遠矣遂送祜出界數百里

又曰李憙薦樂安孫璞亦以道德顯時人稱爲知人

又曰唐彬初受學於東海閻德德門徒甚多獨目彬有廊廟才及彬官成而德已卒乃爲之立碑

又曰韋忠年十二喪父哀慕毁悴杖而後起司空裴秀弔之匍匐號訴哀慟感人秀出而告人曰此子長大必爲佳器歸而命子頠造焉也

又曰沛國戴晞少有才智與嵇紹從子含相友善時人許以遠致紹以爲必不成器晞後爲司州主簿以爲無行被斥州黨稱有知人之明

又曰鄭袤字林叔滎陽開封人也高祖衆漢大司農父泰楊州刺史有高名袤少孤早有識鑒荀攸見之曰鄭公業爲不亡矣

又曰王戎傳云阮籍與渾爲友戎年十五隨渾在郎舍戎少籍二十歲而籍與之交籍每適渾俄頃去過戎良久然後出謂渾曰濬沖清貴非卿倫也共卿言不如共阿戎譚

又曰樂廣字彦輔父方參魏征西將軍夏侯玄軍事廣時年八歲玄嘗見廣在路因呼與語還謂方曰向見廣神姿朗徹當爲名士卿家雖貧可令專學必能興卿門户也

又曰曹攄字顔遠譙國人也祖肇魏將軍攄少有孝行好學善屬文太尉王衍見而器之調補臨淄令

又曰潘京舉秀才到洛尚書令樂廣京州人也共談累日深歎其才謂京曰君天才過人恨不學耳若學必爲一代談宗京感其言遂勤學不倦

又曰王澄傳云王衍有重名於世時人許以人倫之鑒尤重澄及王敦庾敳常爲天下士目曰阿平第一子嵩第二處仲第三澄嘗謂衍曰兄形似道人而神鋒太儁衍曰誠不如卿落落穆穆然澄由是顯名

又曰戴若思往武陵省父時同郡人潘京素有理鑒名知人其父遣若思就京與語旣而稱若思有公輔之林

又曰周顗傳云同郡賈嵩有清操見顗歎曰汝潁固多奇士自頃雅道陵遅今復見周伯仁將振起舊風清我邦族

矣
又曰劉隗伯父訥字令言有人倫鑒識初入洛見諸名士而歎曰王夷甫大鮮明樂彥輔我所敬張茂先我所不解周弘武巧於用短杜方叔拙於用長
又曰周浚有人倫鑒識其鄉人史曜素微賤衆所未知浚獨引之爲友遂以妹妻之曜竟有名於世
又曰阮脩傳云王衍當時談宗自以論易略盡然有所未了研之終莫悟每云不知此後當見能通之者不衍族子敦謂衍曰阮宣子可與言衍曰吾亦聞之但未知其亹亹之處定何如耳及與脩談言寡而旨暢衍乃歎服焉
又曰桓彝字茂倫庾亮每屬彝覔一佳吏部及至都謂亮曰爲卿得一吏部矣亮問安在彝曰人所應有而不必有人所應無而不必無徐寧眞海岱清士因爲敘之即遷吏

部郎
又曰謝玄時苻堅強盛邊境數被侵冠朝廷求文武良將可以鎮禦北方者安乃以玄應舉中書郎郗超素與玄不善聞而歎曰安違衆舉親然玄亦必不負舉時咸以爲不然超曰吾嘗與玄共在桓公府見其使才雖履屐閒亦得其任所以知之
晉中興書曰何充字次道年在童齓伯父遂謂之曰我爲兒時亡伯車騎謂我汝後當與伯父爭名汝今器宇宏深亦當名出我右由是少有名望
又曰吳隱之字處默少有孝行遭母憂哀毀過禮時與太常韓康伯鄰居伯母語伯曰汝後若居銓衡之職當用如此輩人及伯爲吏部尚書因進用之遂歷清顯
又曰范汪字玄平少失父年六歲過江依外家庾氏荊州刺史王澄見而奇之以爲興范族者必是人也
又曰魏徐州刺史呂虔有佩刀工相之以爲必三公可服此刀虔謂別駕王祥曰苟非其人刀或爲害卿有公輔之量故以相與祥始辭之固強乃受祥死之日以刀授弟覽曰吾兒凡汝後必興足稱此故以相與
又曰王珣字元琳弱冠與謝玄俱辟大司馬桓溫掾溫語人曰謝掾年三十必擁旄仗節王掾當作黑頭公皆不易才也
又曰薛兼與同郡紀瞻廣陵閔鴻吳郡顧榮會稽賀循同志友善號曰五儁初入洛司空張華見而歎曰皆南金也
又曰陸曄童齓中從兄機稱之爲陸氏之寶我家不世之公也
又曰褚季野翼從弟弱冠譙國橋彝見而異之曰褚季野

有皮裏陽秋
又曰王敦爲太子舍人滎陽潘滔時爲洗馬見而目之曰處仲蜂目已露但豺聲未振若不噬人亦當爲人所噬
沈約宋書曰桓玄聞一軍起便憂悴無復計或曰劉裕等衆力微弱豈便有成陛下何慮之甚玄曰劉裕是爲一世之雄劉毅家無擔石之儲樗蒲一擲百萬何無忌劉牢之甥酷似其舅共舉大事何慮無成也
宋書曰謝弘微童幼時精神端審時然後言叔父混嘗異之曰此兒深衷夙敏方成佳器有子如此足矣
又曰謝弘微叔父混尚晉陵公主高祖受命晉陵公主降東鄉君以混得罪前代東鄉君節義可嘉聽還謝氏自混亡至是數載而室宇脩整倉廩充盈門徒業使不異平日曰疇曩闕有如於舊東鄉君歎曰僕射平生重此子可謂

知人僕射爲不亡矣
又曰袁淑字陽源陳郡陽夏人丹陽尹豹少子也少有風
格年數歲伯湛謂家人此非凡兒
齊書曰隋郡王子隆能屬文明帝謂王儉曰我家東阿也儉
曰東阿重出實爲皇家藩屏
又曰徐孝嗣姑適東莞劉舍舍兄藏爲尚書左丞孝嗣往
詣之藏退語舍曰徐郎是令僕人三十餘可知矣汝宜善
自結
又曰江斆爲丹陽丞時袁粲爲尹見斆歎曰風流不墜正
在江郎數與宴賞流連日夜
蕭子顯齊書曰褚淵字彥回河南陽翟人也父卒悉推財
與弟唯取書數千卷初與從弟炤同載道遇太祖淵舉手
指太祖車謂炤曰此非常人將來不可測

梁書曰沈瑀起家州從事奉朝請嘗詣齊尚書右丞殷瀰
瀰與語及政事甚器之謂曰觀卿才幹當居吾此職
又曰范述曾字子玄吳郡錢塘人也幼學從餘杭呂道惠
受五經略通章句道惠學徒常有百數獨稱述曾曰此子
必爲王者師
又曰賀琛字國寶會稽山陰人也伯父瑒步兵校尉爲世
碩儒琛幼瑒授其經業一聞便通義理瑒異之常曰此兒
當以明經致貴
又曰臧盾幼從徵士瑯琊諸葛璩受五經通章句璩學徒
常有數十百人盾處其間無所狎比璩異之歎曰此生重
器王佐才也
又曰賀瑒時沛國劉瓛爲會稽府丞見瑒深器異之嘗與
俱造吳郡張融指瑒謂融曰此生神明聰敏將來當爲儒
者宗
又曰丘仲孚字公信吳興烏程人也少好學從祖靈鞠有
人倫之鑒常稱爲千里駒也
陳書曰杜之偉強識俊才頗有名當世吏部尚書張瓚深
知之以爲廊廟器也
又曰陸慶永陽王爲吳郡太守聞其欲與相見慶固辭以
疾時宗人陸榮爲郡五官慶嘗詣焉王乃微服往榮舍穿
壁以觀之王謂榮曰觀陸慶風神凝峻殆不可測嚴君平
鄭子眞何以尚茲
北史曰于謹南伐江陵以唐瑾爲元帥府長史及軍還諸
將多因虜掠大獲財物瑾一無所取唯得書兩車載之以
歸或言於周文曰唐瑾大有輜重悉是梁朝珍玩周文初
不之信然欲明其實密遣使檢閱唯見墳籍而已乃歎曰
孤知此人來二十許年耳其不以利汚義向若不令檢視

恐常人有投杼之疑孤所以益明之耳凡受人委任當如
此也
隋書曰魏任城王諧薦李德林因遺尚書令楊遵彥書云
燕趙固多奇士此言誠不爲謬今歲所貢秀才李德林者
文章學識固不待言觀其風神器宇終爲棟梁之用至如
經國大體是賈生晁錯之儔彫蟲小伎殆相如子雲之輩
今雖唐虞君世俊乂盈朝然脩大廈豈厭夫良材之積也
吾嘗見孔文舉薦祢衡表云洪水橫流帝思俾乂以正平
比夫大禹常謂擬諭非倫今以德林言之便覺前言非大
又曰楊素少落拓有大志不拘小節世人多未之知唯從
叔祖魏尚書僕射寬深異之每謂子孫曰處道當逸羣絕
倫非常之器非汝曹所逮也

又曰柳莊少有遠量博覽墳籍兼善辭令濟陽蔡大寶有重名於江左時為岳陽王蕭詧諮議見莊便歎曰襄陽水鏡在於茲矣大寶遂以女妻之

又曰高構河東薛道衡才高當世每稱構有清鑒所為文筆必先以草呈構有所詆訶道衡未甞不嗟伏大業七年終于家時年七十二所舉杜如晦房玄齡等後皆自致公輔論者稱構有知人之鑒

又曰虞世基字茂世會稽餘姚人也父荔陳太子中庶子世基幼沉靜喜愠不形於色博學有高才兼善草隸陳中書令孔奐見而歎曰南金之貴屬在斯人少傅徐陵聞其名召之世基不往後因公會一見而奇之顧謂朝士曰當今潘陸也因以弟女妻焉

隋書曰李德林任城王諧為定州刺史重其才召入州館

朝夕同遊殆均師友不為君民禮數嘗語德林云竊聞蔽賢蒙顯戮父令君沉滯吾獨得潤身朝廷縱不見尤亦懼明靈所譴於是舉秀才入鄴李德林幼聰敏年數歲誦左思蜀都賦十餘日便度高隆之見而嗟歎遍告朝士云若假其年必為天下偉器鄴京人士多就宅觀之月餘日中車馬不絕年十五誦五經及古今文集日數千言俄而該博墳典陰陽緯候無不通涉善屬文辭覈而理暢魏收嘗對高隆之謂其父曰賢子文筆終當繼温子昇隆之大笑曰魏常侍殊已嫉賢何不近比老彭乃遠求温子

又曰李士謙字子約趙郡平棘人也髫齔喪父事母以孝聞母曾嘔吐疑為中毒因跪而嘗之伯父魏岐州刺史瑒深所嗟尚每稱曰此兒吾家之顏子也

太平御覽卷第四百四十三

太平御覽卷第四百四十四

人事部八十五

知人下

唐書曰王珪幼孤性雅澹少嗜慾志量沉深能安於貧賤體道履正交不苟人叔父頗當時通儒有人倫之鑒嘗謂所親曰門戶所寄唯在此兒耳

又曰裴行儉有人倫之鑒自掌選及為大摠管凡遇賢俊無不甄採每制敵摧兇必先期捷日時有後進楊炯王勃盧照隣駱賓王並以文章見稱吏部侍郎李敬玄盛為延譽引以示行儉行儉曰才名有之爵祿蓋寡楊應至令長餘並鮮能令終是時蘇味道王勮未知名因調選行儉一見深禮異之仍謂曰有晚年子息恨不見其成長二公十數年當居衡石願記識此輩其後相繼為吏部皆如其言

行儉甞所引偏裨有程務挺張虔勗崔智晉王方翼党金毗劉敬同郭待封李多祚黑齒之盡為名將位至刺史將軍者數十人其所知賞多此類也

又曰狄仁傑授汴州判佐時工部尚書閻立本為河南道黜陟使仁傑為吏人誣告立本見而謝曰仲尼云觀過知仁矣足下可謂海曲之明珠東南之遺寶薦授并州都督府法曹

又曰張守珪儀形瓌壯善騎射性慷慨有節義時盧齊卿為幽州刺史深禮遇之常共榻而坐謂曰足下數年外必節度幽涼為國之良將方以子孫相託豈得以寮屬常禮相期耶

又曰李勉以故吏前密縣尉王晬子對勤幹俾攝南鄭令俄有詔處死勉問其故乃為權倖所誣勉詣將吏曰上方藉牧宰為人父母豈以譖言而殺不辜乎即亭詔拘晬飛表上聞晬遂獲宥而勉竟為執政所非追入為大理少卿謁見面陳王晬無罪政事修舉盡力吏也肅宗嘉其守正即日除太常少卿王晬後以推擇拜大理評事龍門令終有能名時稱知人

又曰李晟德宗之幸山南既入駱谷謂渾瑊曰渭橋在賊腹內兵勢懸隔李晟可辦事乎瑊對曰李晟秉義執志臨事不可奪以臣計之破賊必矣帝意始安

又曰楊嗣復字繼之僕射於陵之子也初於陵十九登進士第二十再登博學宏詞科調補潤州句容尉浙西觀察使韓滉有知人之鑒見之甚悅滉有愛女方擇佳婿謂其妻柳氏曰吾閱人多矣無如楊生貴而壽生子必為宰相於陵秩滿寓居楊子而生嗣復後滉見之撫其首曰名位果踰於父楊門之慶也因字曰慶門竟如其言

又曰于邵傳云樊澤嘗舉賢良方正邵一見之於京師謂樊將相之材也不五年擇為節將

又曰李德裕與牛僧孺有隙或以卑溫厚於牛僧孺言於德裕裕曰此人堅正中立君子也

又曰劉三復長慶中李德裕拜浙西觀察使三復以德裕禁密文臣以所業文詣郡干謁德裕閱其文倒屣迎之乃辟為從事

後魏書曰崔亮傳云崔亮字敬儒清河東武城人也時隴西李冲當朝任事亮從兄言之於冲冲與亮語因謂亮曰比見卿先人相命語使人胷中無復怵迫之念奇之延為館客冲謂兄子奇曰大崔寬和篤雅汝宜友之小崔生峭整清徹汝宜敬之二人終將大至

孔叢子曰魏安釐王問子順馬回之爲人雖少文然梗直有丈夫之節吾欲以爲相可乎荅曰知臣莫若君何有不可至於亮直之節臣未之明也曰何故荅曰臣聞諸孫卿其爲人長目而汞視者必體方而心圓每以其法相人千百不失臣見回非不偉其體幹然甚疑其目王卒用之三月王果以謟得罪

淮南子曰甯戚欲干齊桓公困窮無以自達於是爲商旅將牛車暮宿於郭門之外桓公郊迎客夜爓火甚盛從者甚衆戚飯牛車下望見桓公而悲擊角而疾商歌桓公聞之撫其僕之手曰異哉歌者非常人也命後車載之賜衣冠

說苑曰楚令尹虞丘子復相莊王曰臣聞奉公行法可以得榮能淺行薄無望上位臣爲令尹十年矣國故不治獄

訟不息臣竊選國俊士孫叔敖秀才多能其性無欲君舉而授之政則國可使寧而士民可使附莊王從之虞丘子萊田三畝號曰國老以孫叔敖爲令尹虞丘子家干法叔敖執而戮之虞丘子喜曰叔敖果可使持正矣

傅子曰劉備襲蜀丞相掾趙戩曰劉備其不濟乎拙於用兵每戰每敗奔亡不暇何以圖人徵士傅朝曰劉備寬仁有度能得人死力諸葛亮達治知變正而有謀而爲之相張飛關羽勇而有義皆万人之敵而爲之將此三人者皆人傑也以劉備之略三傑佐之何爲而不濟也

郭子曰冀州刺史楊淮字彥清二子喬髦有識俱總角爲成器淮與裴頠樂廣友善遣見之頠謂淮曰喬當及卿髦小減也廣謂淮曰喬自及卿髦尤精出淮笑曰我二兒之優劣乃裴樂之優劣議者皆許之

又曰王仲祖云眞長知我勝我自知

又曰王渾妻鍾生女甚賢明令武子爲妹擇嘉壻而未有其人兵家子有才欲以妻之獨與母議初不告事定乃白母曰誠是地也自可貴要當令我見之於是武子令此兵與羣小雜處使母帷察之母曰刑衣者汝可拔乎武子曰是母曰此才足以拔萃然地寒非長年不足展其才用觀其形骨恐不可與婚數年果死

呂氏春秋曰魏公叔座疾惠王往問之曰公叔之病甚矣將奈社稷何對曰臣之御庶子鞅也願王以國聽之若不能聽勿使出境王不應出而謂左右曰豈不悲哉以叔之賢而今謂寡人以聽鞅悖也公叔死公叔鞅西遊秦秦孝公聽之秦果強魏果弱

竹林七賢論曰山濤與阮籍嵇康皆一面而契若金蘭濤

妻韓氏嘗以問濤濤曰當年可爲友者唯此二人耳妻曰負羈之妻亦觀狐趙意欲一窺之可乎濤曰可也二人至妻勸濤留之宿其酒食夜穿墉而窺之濤入曰所見何如吾妻曰君才殊不如也正當以識度相友濤曰然伊輩亦當謂我識度勝

世說曰袁宏少貧常爲人傭載運謝鎭西常夜泊舟江渚清風明月聞賈客舫上有詠聲甚有清致聽所詠詩又所未嘗聞歎美不能已即遣人委曲訊問乃是袁宏自誦其詠史詩遂厚相賞重

又曰郄太尉遣門生與王丞相書求女壻曰請往東廂中選之門生歸白郄云王家諸郎亦皆可然聞覓女壻咸自矜持唯有一郎在東床上坦腹食如不聞郄云此正嘉壻旣而訪焉乃逸少也

又曰顧和始爲楊州從事月旦當朝停車州門外周侯詣
丞相歷和車邊過和覔虱夷然不動周旣過返還指顧心
曰此中何所有顧擇虱如故徐應曰此中最是難量地周
侯旣入語丞相曰卿州吏有一令僕才
語林曰夏少明在陳國不知名聞裴逸民知人乃裹粮寄
載入洛從之未至裴家少許見一人着黄皮袴褶乘馬將
獵夏問逸民家遠近荅曰君何以問夏曰聞其名知人故從
會稽來投之裴曰身是逸民明可更來明往逸民果知之
又嘉其志尚乃用爲西門候於此遂知名
又曰魏武將見匈奴使自以形陋不足雄遠國使崔季珪
代乃自捉刀立牀頭坐旣畢使僕問曰魏王何如使荅曰
魏王信自雅望非常然牀頭捉刀人此乃英雄魏王聞之
馳遣殺此使

世說曰王濬沖裴叔則二人於總角時詣鍾士季須臾去
後客問向二童子是誰曰裴王客曰何如鍾曰裴楷清通
王戎簡要須三十年此二賢當爲吏部尚書冀尒時天下
無復滯才
崔鴻前燕録曰慕容廆幼而魁岸美姿貌身長八尺雄桀
有大度晉安北張華一見奇之謂廆曰君長必爲命世之
器定難濟時者也遺廆冠簪以結慇懃
崔鴻前秦録曰姜宇宇子居天水冀人也少孤貧爲河北
陳不識家牧羊年十五身長七尺九寸聰惠美風儀每夜
專讀書睡則縣頭于屋梁達旦而止不識奇之將妻以女
其妻弗聽不識乃置酒引宇令女潛觀之問女曰姜宇人
士才明吾欲以汝妻之汝母難曰宇家之牧人汝意云何女
曰觀宇之姿才豈復爲人牧羊也遂妻之宇後歷位京兆
尹御史中丞
郭林宗別傳曰郭泰字林宗入潁川則友李元禮至陳留
則結符偉明之外黄則親韓子助過蒲亭則師仇季智止
學舍則收魏德公觀耕者則拔茅季偉皆爲名士至汝南
見袁閬不宿而去從黄憲三日乃去過新蔡薛勲問之曰
足下見袁奉高不宿而去從黄叔度乃弥日何也泰曰奉
高之流雖清而易挹叔度汪汪若千畝之陂澄之不清撓
之不濁難測量也
何顒別傳曰顒字伯求有人倫鑒同郡張仲景總角造顒
顒謂曰君用思精而韻不高將爲良醫卒如其言
顧和別傳曰和字君孝總角時顧榮曰此吾家騏驥興衰宗
必此子也頤珠亦有令問榮謂珠曰卿速步君孝超卿矣
孟嘉別傳曰庾亮拔孟嘉爲勸學從事褚裒爲豫章太守

出朝亮正旦大會州府人士率嘉集坐第甚遠問亮曰江
州有孟嘉其人何在亮曰在坐卿但自覔裒歷觀之久指
嘉謂亮曰此君小異將無是乎
衛玠別傳曰劉眞長謝仁祖並知名時人商略中朝人士
或問弘治可得方衛洗馬不謝曰安得相比其間可容數
人
三輔決録曰龐知伯名勃爲郡小吏東平衛農爲書生窮
乏乃客鍜於勃家知伯知其賢尤加禮待雇直過償及去
送十里過舅家復貸錢贈之農不肯受勃曰不受令勃不
告農乃受曰爲馮翊乃相報後果爲馮翊太守勃子爲門
下書佐
又曰游殷字幼齊與司隸校尉胡軫有隙軫誣搆殺之初
殷爲郡功曹有童子張旣者時未知名爲郡書佐殷察異

之旣過家具設賔饌及旣至殷妻哭曰君甚勃乎張德容
童昏小兒何異殷曰卿勿怪乃方伯之器也殷遂與旣論
霸王之事饗訖以楚子託之斬害殷月餘得病目䀮但言
伏罪游幼齊將鬼來於是遂死諺曰生有知人之明死有
鬼靈之驗
又曰王諶字子嗣博學有才辯洛陽种景伯武原吳季高
未知名諶數稱二人於朱伯厚有宰輔之器退語二人曰
卿必爲公而景伯至司徒季高至司空世以是服諶之知
人也
會稽典録曰盛憲字孝章嘗出行逢一童容貌非常憲怪
而問之是魯國孔融融時年十餘歲憲下車執手載以歸
舍與融談宴知其不凡便結爲兄弟因升堂見親

汝南先賢傳曰薛勤字恭祖仕郡功曹陳仲舉時年十五
爲父賫書詣勤勤見而祭之明日往造焉仲舉父出見勤
勤曰足下有不凡子吾來候之不從卿也言議盡日乃歎
曰陳仲舉有命世才王才之具又見黃敉度於童幼太當
爲內盛德其後二賢英名並耀於世
又曰謝甄禀氣聰爽明識遠理見許子將兄弟弱冠之歲
曰平輿之淵有二龍出焉察其盼睞則賞其心覩其顧步
則知其道
襄陽耆舊記曰劉備訪世事於司馬德操操曰儒生俗士
豈識時務哉此間自有伏龍鳳雛備問誰曰諸葛孔明龐
士元也並用爲軍師中郎
又曰潘記見溫習十數歲時曰此兒名士必爲吾州里議
主粉子弟與善溫後果爲荆州太公平令
又曰李衡字敉平漢末父將走入吳以下戶調爲武昌渡
民聞羊衜有人物往干之衜曰多士之世尚書劇曹郎才
也勸習並仕以女配之
太平御覽卷第四百四十四

太平御覽卷第四百四十五

人事部八十六

品藻上

論語子曰管仲之器小哉

又子貢問曰賜也何如子曰汝器也（言女器用之人也）曰何器也曰瑚璉也（瑚璉黍稷之器夏曰瑚商曰璉周曰簠簋宗廟之貴器）

又曰由也千乘之國可使治其賦也求也千乘之邑百乘之家可使為之宰赤也束帶立於朝可使與賓客言也

又曰子謂子產有君子之道四焉其行己也恭其事上也敬其養民也惠其使民也義

又曰子張問令尹子文三仕為令尹無喜色三巳之無慍色舊令尹之政必以告新令尹何如子曰忠矣曰仁矣乎曰未知焉得仁崔子弒齊君陳文子有馬十乘弃而違之至於他邦則曰猶吾大夫崔子也違之何如子曰清矣曰仁矣乎曰未知焉得仁

又曰子曰雍也可使南面仲弓問子桑伯子子曰可也簡仲弓曰居敬而行簡以臨其民不亦可乎居簡而行簡無乃太簡乎

又曰季康子問仲由可使從政也與子曰由也果於從政乎何有曰賜也可使從政也與曰賜也達於從政乎何有曰求也可使從政也與曰求也藝於從政乎何有

家語曰子貢曰陳靈公君臣宣淫於朝泄冶諫而殺之是與比干同也可謂仁乎子曰比干於紂親則叔父官則少師忠疑之心在於宗廟而已固必死爭之冀身死之後紂悔寤其本志情在乎仁者也泄冶位下大夫無骨肉之親懷寵不去以區區之一身欲正一國之淫昏死而死益可謂懷矣詩曰民之多僻無自立辟其泄冶之謂也

又曰孔子北遊農山顏回侍曰願得明王聖主而輔相之敷其五教道之以禮樂使城郭不修溝渠不越鑄劍戟為農器放牛馬於原藪室家無怨曠之思千歲無鬬戰之患子曰美德也不傷財不害人不繁辭則顏氏之子有矣

又曰顏回問於孔子曰臧文仲武仲孰賢孔子曰武仲賢哉回曰武仲世稱聖人而身不免於罪是智不足稱好言兵討而挫銳於邾是勇不足名也夫文仲其身雖沒而言不朽惡有未賢孔子曰身沒言立所以為文猶有不仁者三不智者三是則不及武仲也回曰可得聞乎孔子曰下展禽置六關（六關關名置之以稅行者）妾織席三不仁也設虛器縱逆祀祀海鳥三不智也武仲在齊齊將有禍不受更其國以避其難是智難之也

又曰澹臺子羽有君子之容而行不勝其貌宰我有文雅之辭而智不充其辯孔子曰以容取人則失之子羽以言取人則失之宰予

又曰子夏三年之喪畢見於孔子孔子與之琴使之弦偘偘而樂子曰君子也閔子三年喪畢見孔子孔子與之琴使子之絃切切而悲子曰君子也子貢曰閔子哀未盡矣子曰君子也子夏哀已盡矣子曰君子也二者殊情而俱君子賜也惑之敢問孔子曰閔子哀未盡能遊之以禮子夏哀已盡能引之及禮均之君子不亦可哉

又曰孔子曰不遷怒不深怨不錄舊罪冉雍之行也不畏強禦不侮鰥寡才任治戎仲由之行也文勝其質好學博藝省物而動是冉求之行也齊莊而能肅志通而好禮篤雅而有節是公西華之行也滿而不盈實而不虛其德敢

言於人無所不信是曾參之行也送迎必敬上交下撰是卜商之行也先成其慮及事而行故動則非妄是言偃之行也三復白珪之玷是南容之行也執親之喪未嘗見齒是高柴之行也不念舊惡蓋伯夷叔齊之行也畏天而敬人蓋趙文子之行也臨其難不愛其死謀其身不遺其友君若用則進蓋隨武子之行也國家有道其言之足以治無道其默之足以生蓋伯華之行也外寛而內亡直己而不直人以善自終蓋蘧伯玉之行也孝恭慈仁允德圖義終貧去怨輕財不道蓋柳下惠之行也君有道從命無道衡命蓋平仲之行也

漢書曰高帝置酒洛陽南宮上曰吾所以有天下者何項氏之所以失天下者何王陵對曰陛下嫚而侮人項羽仁而敬人然陛下使人攻城略地所降下者因以與之天下

同利也項羽疾能妬賢有功者害之賢者疑之戰勝而不與人功得地而不與人利此所以失天下也上曰公知其一不知其二夫運籌策於帷幄之中決勝於千里之外吾不如張子房鎭國家撫百姓吾不如蕭何連百万之衆戰必勝攻必取吾不如韓信三者人傑也吾能用之此吾能以取天下也項羽有一范增而不能用之此其所以為我擒也羣臣皆悅服

又曰公孫弘傳贊云儒雅則公孫弘董仲舒倪寛篤行則石建石慶質直則汲黯卜式推賢則韓安國鄭當時律令則趙禹張湯文章則司馬遷相如滑稽則東方朔枚皋應對則嚴助朱買臣歷數則唐都洛下閎協律則李延年運籌則桑弘羊奉使則張騫蘇武將師則衛青霍去病受遺則霍光金日磾其餘不可勝記是以興造功業制度遺文後世莫及孝宣承統纂脩洪業招選茂異而蕭望之梁丘賀夏侯勝韋玄成嚴彭祖尹始以儒術進劉向王褒以文章顯將相則張安世趙充國魏相邴吉于定國杜延年治民則黃霸王成龔遂鄭弘邵信臣韓延壽尹翁歸趙廣漢嚴延年張敞之屬皆有功迹見述於世參其名臣亦莫次也

謝承後漢書曰桓帝徵徐稺等不至因問陳蕃曰徐稺袁閎韋著誰為先後蕃對曰閎生公族聞道漸訓長於三輔仁義之俗所謂不扶自直不鏤自雕至於稺者爰自江南卑薄之城而角立傑出宜當為先

袁山松後漢書曰王允字子師太原人世仕州郡郭林宗嘗見允而奇之曰王生一日千里王佐才也遂與友善允至司徒

范曄後漢書曰許劭嘗到穎川多長者之遊唯不詣陳蕃蕃喪妻還葬鄉人畢至而劭獨不往或問其故劭曰太丘道廣廣則難周仲舉性峻峻則少通故不造其多所裁量若此曹操微時常卑辭厚禮求為己助劭鄙其為人而不肯對操乃伺隙脅劭不得已曰君清平之姦賊亂世之英雄操大悅而劭與從兄靖俱有高名好共覈論鄉黨人物每月更其品題故汝南俗有月旦評焉

魏志曰盧欽著書稱徐邈曰徐公志高行絜才緯氣猛聖人以清為難而徐公之所易也或問欽徐公當武帝之時為通自在涼州及還京都人以為介何也欽荅曰往者毛孝先崔季珪用事貴清素之士徐公不改其常故以為通比來天下奢靡轉相放効而徐公雅尚自若不與俗同故前日之通乃今日之介也

又曰司馬文王與陳泰親友武陔亦與泰善文王問陔曰玄伯何如其父陔曰通雅博暢能以天下聲教爲已任者不如也明統簡至立事過之

又曰文帝問賈詡曰吾欲伐不從命以一天下吳蜀何先對曰攻取者先立權建本者尚德化但用兵之道先勝後戰量敵論將故舉無遺策臣竊料羣臣無備權之對也雖以天威臨之未見万全之勢今宜先文後武文帝不納後興江陵之役士卒多死

典略曰祢衡自荆州北遊許都書一卷懷之漫滅無所適或問之曰何不從陳長文司馬仲達乎衡曰卿欲我從屠酤兒輩耶又問曰當今復誰可衡曰大兒孔文舉小兒楊德祖又問荀令君趙蕩寇皆蓋世乎衡見荀有儀容趙有腹尺因答曰文若可借面弔喪稚長可監厨請客其意以

爲荀但有貌趙但啖肉也

又曰趙戩遭三輔亂客於荆州劉表以爲賓榮是時祢衡來遊京師詆訿朝士及南見戩歎之曰劍則干將莫耶木則椅桐梓漆人則顏冉仲弓也建安中丞相南取荆州執戩手曰何相見之晚

魏氏春秋曰高貴鄉公即位神明爽儁德音宣朗罷朝景王私曰上何如主也鍾會對曰才同陳思武類太祖景王曰若如卿言社稷之福也

又曰高貴鄉公爲宴羣臣於太極東堂與侍中荀顗崔贊袁亮鍾毓虞松等講述因帝問顗等曰有夏既衰后相殆滅少康收集夏衆復禹之績高祖拔起隴畝驅帥豪儁芟夷秦項包舉宇內斯二主可謂殊才異略命世大賢者也考其功德誰宜爲先顗等對曰造之與因難易不同少康功德雖美至如高祖臣等以爲優帝曰未必創業者皆優紹繼者咸劣少康中宗中興之美論德最實方諸漢祖吾見其優未聞其劣少康生於滅亡之後降爲諸侯能布其德而兆其謀卒滅過戈復禹之績非至德豈能濟斯漢祖因土崩之勢專任智力爲人子則數危其親爲人君則囚繫賢相爲人父則不能衛其子身沒之後社稷幾傾若與少康易時而處或未能復大禹之績推此言之宜高夏康而下漢祖矣帝又曰夫太上立德其次立功漢祖功高未若少康武烈之盛豈必降於漢祖哉但夏書淪亡舊文殘缺故勳美闕而罔載向令墳典俱存行事詳備亦豈有異同之論哉於是羣臣咸悅服也

又曰胡綜論吳朝俊士英才卓越超踰倫匹則諸葛恪清識知機達究幽微則顧譚淑辯宏達言能釋結則謝景究

學甄微游夏同科則范慎羊衜恪才而疎譚精而俱景辯而校後恪譚果以強亡人論綜言而有徵

蜀志曰大鴻臚張儼作默記諸葛亮與司馬宣王書曰漢朝傾覆天下分崩豪傑之士竟希神器魏氏跨中土劉氏據益州並稱兵海內爲世霸王諸葛司馬二相遭值際會託身盟主或收功於蜀漢或聞名於伊洛丕備既沒後嗣即統各受保阿之任輔翼幼主亦一國之守臣霸王之賢佐也歷前世以觀近事二相優劣可得而詳也孔明起巴蜀之地蹈一州之士方之大國其戰士人民蓋有九分之一也提步卒數萬長驅祁山慨然有飲馬河雒之志達據天下十倍之地杖兼并之衆據牢城擁精銳無擒敵之意務自保而已使彼孔明若此而不亡則涼雍不解甲中國不解鞍勝負之策亦決矣方之司馬不亦優乎

吳志曰孫權與陸遜論周瑜魯肅及呂蒙曰公瑾雄烈膽略兼人遂破孟德開拓荊州邈焉難繼君今繼之子敬東來孤與宴語便及大略帝王之策一決也後孟德率數十萬衆水步俱下孤請諸將問其所宜子布文表俱言而遣迎之子敬即駮言不可勸孤呼公瑾付兵衆逆而擊之此二決也勸吾借玄德地是其一短不足以損二長也孤忘其短而不遺其長子明少果敢有膽而長大學問籌略可以次公瑾但言議不及耳

又曰周昭著書稱步騭及嚴畯等曰古今賢士大夫所以失名喪身者其由非一也大歸四者而已急論議一也爭名勢二也重朋黨三也務欲速四也急論議則傷人爭名勢則敗友重朋黨則蔽主務欲速則失德此四者不除未有能全者也當世君子能不然者亦此有之豈獨古人乎

然論其絕異未若顧豫章諸葛使君步丞相嚴衛尉張奮威之爲美也論語言夫子恂恂然善誘人又曰成人之美不成人之惡豫章有之矣望之儼然即之也温聽其言也厲使君體之矣恭而不猛丞相嚴履之矣學不求祿心無苟得衛尉奮威蹈之矣此吾君雖德實有差輕重不同至於趣舍大檢不犯四者俱一揆也昔丁諝出於孤家且粲由於牧豎豫章揚其美以並隆全之列是以人無幽滯而風俗厚焉使君丞相衛尉三君昔以布衣俱相友善論者因名叙其優劣初先衛尉次丞相而後使君也其後並事明主經營世務出處之才儀有不同先後之名須反其初比世常人所決勤也至於三君分好卒無虧損豈非古哉又魯橫江昔仗万兵屯據陸口當世之美業也能與不能孰不願焉而橫江既亡衛尉應其選自以才非將帥深辭固讓終於不就後徙九列遷典八座榮不足以自奉至於二君皆位爲上將窮富極貴衛尉既無求欲二君又不稱薦各守所志保其名好孔子曰君子矜而不爭羣而不黨斯有風矣又奮威之名亦三君之次也當一方之戍受上將之任與使君丞相不異也然歷國事論功勞實有先後故爵位之榮殊焉而奮威將處此決能明其部分心無失道之欲事無充詘之求每升朝堂循禮而動辭氣謇謇罔不惟忠叔嗣雖親貴言憂其敗蔡文雖疎賤談稱其賢女配太子受禮若弔慷慨之趨唯篤人物成敗得失皆如所慮可謂守道見機好古之士也若乃經國家當軍旅於馳騖之際立霸王之功此五君者未爲過人至其純粹履道求不苟得升降當世保全名行邈然絕俗實有所師故粗論其事以示後之君子

又曰薛瑩王蕃器量綽異弘博多通樓玄清白節操文理條暢賀邵厲行貞潔機理清要韋曜篤學好古博見羣籍有記述之才胡冲以爲玄邵蕃一時清妙略無優劣必不得已玄宜在先邵當次之華覈詩賦之才有過於曜典誥不及也

王隱晉書曰河南郭象著文稱嵇紹父死在非罪曾無耿介貪位死闇主義不足多曾以問郄公曰王裒之父亦非罪死裒猶辭徵紹不辭用誰爲多少郄公曰王勝於嵇或曰魏晉所殺子皆仕宦何以無非也答曰殛鯀興禹禹不辭興者以鯀犯罪也若以時君所殺爲當耶則同於禹以不當耶則同於嵇

又曰世皆以嵇見危授命答曰紀信代漢高之死可謂見危授命如嵇偷善其一可也以備體論之則未得也

又曰顧榮謂中宗曰陸士光貞正清貴金相玉質甘季思忠款誠盡加以膽幹殊快殷慶元質略有明規文武可用榮族兄公讓明亮守節困不易操會稽楊彥明謝行言皆服膺儒教足爲民望賀生沉潛青雲之士陶恭兄弟才力雖少實事極佳凡此諸人皆南金也中宗納之

又曰衛玠妻父樂廣有海內重名議者以爲婦公冰清女壻玉潤

又曰裴憲字景思陳郡謝鯤潁川庾敳皆儁朗士也見而奇之相謂曰裴憲鯁亮宏達通機識命不知其何如父然至於深弘保素不以世物嬰心者其殆過之

又曰裴楷嘗目夏侯玄肅肅如入宗廟中但見禮樂器鍾會如觀武庫森森見矛戟在前傅嘏汪翔靡所不見山濤若登山臨下幽然深遠

又曰杜預在內七年損益万機不可勝數朝野稱美號曰杜武庫言其無所不有也

又曰杜預傳云時王濟解相馬又甚愛之而和嶠頗聚歛預常稱濟有馬癖嶠有錢癖武帝聞之謂預曰卿有何癖對曰臣有左傳癖

又曰裴楷風神高邁容儀俊爽博涉羣書特精理義時人謂之玉人

又曰見裴叔則如近玉山映照于人也

又曰裴楷傳云吏部郎缺文帝問其人於鍾會會曰裴楷清通王戎簡要皆其選也

又曰阮裕除東陽太守尋徵侍中不就還剡山有肥遁之志有以問王羲之羲之曰此公近不驚寵辱雖古之沉冥何以過此時人云裕骨氣不如逸少簡秀不如真長韶潤不如仲祖思致不如殷浩而兼有諸人之美

又曰謝安義在輔導雖會稽王道子亦賴弼諧之益時彊敵寇境邊書續至梁益不守樊鄧陷沒安每鎮以和靖御以長筭德政既行文武用命不存小察弘以大綱威懷外著人皆比之王導而文雅過之

太平御覽卷第四百四十五

太平御覽卷第四百四十六

人事部八十七

品藻中

晉書曰韋忠傳云裴頠爲僕射數言忠於司空張華華辟之辭病不赴人問其故忠曰吾茨簷賤士本無宦情且茂先華而不實裴頠欲而無厭弃典禮而附賊后此豈大丈夫之所宜行耶

又曰王戎有人倫鑒識嘗目山濤如璞玉渾金人皆欽其寶莫知名其器王衍神姿高徹如瑶林瓊樹自然是風塵外物謂裴頠拙於用長荀勗工於用短陳道寧纓纓如束長竿

又曰褚陶兵平召補尚書郎張華見之謂陸機曰君兄弟龍躍雲津顧彦先鳳鳴朝陽謂東南之寶已盡不意復見

褚生機曰公但未覩不鳴不躍者耳華曰故知延門之德不孤川岳之寶不匱矣

又曰樂廣尚書令衛瓘朝之耆舊逮與魏正始中諸名士談論見廣而奇之曰自昔諸賢既歿常恐微言將絶而今乃復聞斯言於君矣命諸子造焉曰此人之水鏡見之瑩然若披雲而覩青天也

又曰嵇紹始入或謂王戎曰昨於稠人中始見嵇紹昂昂然若野鶴之在雞羣戎曰君復未見其父耳

又曰王戎幼而頴悟神彩秀徹視日不眩裴楷見而目之曰戎眼爛爛如巖下電

又曰張翰有清才善屬文而縱任不拘時人號爲江東步兵

又曰劉毅轉司隸校尉糾正豪右京師肅然司部守令望風投印綬者甚衆時人以毅方之諸葛豐蓋寛饒

又曰樂廣少與弘農楊准相善准之二子曰喬曰髦皆知名於世准使先詣裴頠頠性弘方愛喬有高韻謂准曰喬當及卿髦少減也又使詣廣廣性清淳愛髦有神檢謂准曰喬自及卿然髦亦清出准歎曰我二兒之優劣乃裴樂之優劣也論者以爲喬雖有高韻而神檢不足樂爲得之矣

又曰劉頌守廷尉時尚書令史扈寅非罪下獄詔使考竟頌執據無罪寅遂得免時人以頌比張釋之乎

又曰和嶠遷頴川太守爲政清簡甚得百姓懽心太傅從事中郎庾敳見而歎曰嶠森森如千丈松雖磥砢多節目施之大厦有棟梁之用

又曰郗鑒傳云王敦嘗謂曰樂彦輔短才耳後生流宕言

違名檢考之以實豈勝武秋耶鑒曰擬人必於其倫彦輔道韻平淡體識冲粹處傾危之朝不可得而親疏及愍懷太子之廢柔而有正武秋失節之士何可同日而言敦曰愍懷廢徙之際交有危機之急人何能以死守之乎以此相方其不減明矣

又曰孫登傳云嵇康從之遊三年問其所圖終不荅康每歎息將别謂曰先生竟無言乎登乃曰子識火乎火生而有光而不用其光果在於用光人生而有才而不用其才而果在於用才故用光在乎得薪所以保其曜用才在於識眞所以全其年今子才多識寡難乎免於今之世去矣子無求乎康不能用果遭非命

又曰王湛傳云武帝亦以湛爲癡每見濟輒調之曰卿家癡叔死未濟常無以荅及是帝又問如初濟曰臣叔殊不

凝因稱其美帝曰誰比濟曰山濤以下魏舒以上時人謂
湛上方山濤不足下比魏舒有餘湛聞曰欲處我季孟之
間乎
又曰陸機天才秀逸辭藻宏麗張華嘗謂之曰人常恨才
少而子更患其多
又曰陸雲刺史周浚召爲從事謂人曰陸士龍當今顏子
也
又曰王衍雋秀有令望虛心玄遠未嘗語利王敦過江常
稱之曰夷甫處衆中如珠玉在瓦石間顧愷之作畫贊亦
稱衍巖巖清峙壁立千仞
又曰杜乂性純和美姿容有盛名於江左王羲之見而目
之曰膚若凝脂眼如點漆此神仙中人也桓彝亦曰衛玠
神清杜乂形清

又曰郭文傳溫嶠嘗稱曰文有賢人之性而無賢人之才
柳下惠梁琦之亞乎
又曰羅含謝尚與含爲方外之好乃稱曰羅君章可謂湘
中之琳琅
又曰羅含桓溫嘗與寮屬讌會含後至溫問衆座曰此尚
如人或曰可謂荊楚之杞梓桓曰此自江左之秀豈唯荊
楚而已
又曰薛兼少與同郡紀瞻廣陵閔鴻吳郡顧榮會稽賀循
齊名號爲五雋初入洛司空張華見而奇之曰皆南金也
又曰郗超傳云沙門支遁以清談著名于時風流勝貴莫
不崇敬以爲造微之功足參諸正始而遁常重超以爲一
時之雋
又曰郗超爲桓溫參軍謝安與王坦之常詣溫論事溫令

超帳中卧聽之風動帳開安笑曰郗生可謂入幕之賓矣
又曰周顗傳曰庾亮嘗謂顗曰諸人咸以君方樂廣顗曰
何乃刻畫無鹽唐突西施也
又曰應詹弱冠知名性質素弘雅雖犯而弗之校以學藝
文章稱司徒何邵見之曰君子哉若人
又曰桓溫豪爽有風槩姿貌甚偉面有七星少與沛國劉
惔善帝稱之曰溫眼如紫石稜鬚作蝟毛磔張格孫仲謀晉宣
王之流亞也
又曰劉惔寓居京口家貧織芒屩以爲養雖蓽門陋巷晏
如也人未之識唯王導深器之後稍知名論者比之袁羊
惔憙還告其母其母聰明婦人也謂之曰此非汝比勿受
之又有方之范汪者惔復憙母又不聽及惔年德轉昇
論者遂比之荀粲

又曰荀崧弱冠太原王濟甚相器重以方其外祖陳郡袁
侃謂侃弟奧曰近見荀監子清虛名理當不及父德性純
粹是賢兄輩人也
又曰成公簡字宗舒東郡人也世二千石性清素不求榮
利潛心味道罔有干其志者默識過人張茂先每言公簡
清靜比楊子雲默識擬張安世
又曰謝安總角神識沉敏風宇條暢善行書弱冠詣王濛
清言良久既去濛子脩曰向客何如大人濛曰此亹亹而
來逼人王導亦深器之由是有重名
又曰謝萬善屬文叙漁父屈原季主賈誼楚老龔勝孫登
嵇康四隱四顯爲八賢論其旨以處者爲優出者爲劣以
示孫綽綽與往反以體公識遠者則出處同歸
又曰韓康伯傳云庾龢名重一時少所推服常稱康伯及

王坦之曰思理倫和我敬韓康伯志力彊正吾愧王文度
又曰王獻之嘗與兄徽之俱詣謝安徽之多言俗事獻之寒温而已既出客問安王氏兄弟優劣安曰小者佳客問其故安曰吉人之辭寡
又曰褚裒與杜乂俱有盛名冠于中興譙國桓彝見而目之曰季冶有皮裏陽秋言其外無臧否而內有所褒貶也
又曰王恭美姿儀人多愛悅或目之濯濯如春月柳嘗被鶴氅裘涉雪而行孟昶窺見之歎曰此真神仙中人也
又曰王恭字孝伯少有美譽清辯過人自負才地高華恒有宰輔之望與王忱齊名友善慕劉惔之爲人謝安常曰王恭才地可以爲將相
宋書曰謝弘微叔父混特所敬貴號爲微子常云何遠剛躁負氣阿容慱而無檢曜恃才而持操不篤晦自知而納

善不周設復功濟三才終亦以此爲恨至如微子吾無間然
又云微子異不傷物同不害正若年造六十必至公輔
又曰龔祈不應徵辟祈風姿端雅容止可觀中書郎范述見而歎曰此荆楚仙人也
蕭子顯齊書曰王僧祐父遠爲光祿勳宋世爲之語曰王遠如屏風屈曲能蔽風露
陳書周弘正叔父捨每與談論輒異之曰觀汝神情穎晤清理警發後世知名當出吾右
又曰高祖在京城嘗與諸將讌杜僧明周文育侯安都爲壽各稱功伐高祖曰卿等悉良將也然而並有所短杜公志大而識闇狎下而矯尊矜功不收其拙周侯交不擇人而推心過差居危履險猜防不設侯郎傲誕而無猒輕佻

而肆志並非全身之道耳卒皆如其言
隋書曰元善以高頴有宰相之具嘗言於上曰楊素麤疎蘇威怯懦元胄元旻正似鴨耳可以付社稷者唯獨高頴
又曰蘇威治書侍御史梁毗以威領五職安繁戀劇無舉賢自代之心抗表劾威上曰蘇威朝夕孜孜志存遠大舉賢不䦨何遽迫之顧謂威曰用之則行舍之則藏唯我與爾有是夫因謂朝臣曰蘇威不值我無以措其言我不得蘇威何以行其道楊素才辯無雙至若斟酌古今助我宣化非威之匹也蘇威若逢乱世南山四皓豈易屈哉
又曰楊達爲人弘厚有局度楊素每言曰有君子之貌兼君子之心者唯達耳
唐書曰王珪嘗侍宴太宗謂珪曰卿識鑒清通尤善談論自房玄齡等咸宜品藻又可自量孰與諸子玄對曰孜孜

奉國知無不爲臣不如玄齡才兼文武出將入相臣不如李靖敷奏詳明出納惟允臣不如彥博處繁理劇衆務必舉臣不如戴胄以諫諍爲心恥君不及於堯舜臣不如魏徵至如激濁揚清嫉惡好善臣於數子亦有一日之長太宗深然其言羣公亦各以爲盡己所懷謂之確論
又曰馬周有機辯能敷奏深識事端動無不中太宗嘗我於馬周暫時不見則便思之中書侍郎岑文本謂所親曰吾見馬君論事多矣援引事類揚搉古今舉要删蕪會文切理一字不可加一言不可減聽之靡靡令人忘倦昔之蘇張終賈正應此耳然鳶肩火色騰上必速恐不能久耳
又曰韋述時趙冬曦孫逖王翰常遊其門趙冬曦兄冬日弟和璧居貞安貞頤貞等六人逖弟迪遒迥迟趙巡亦六

人並詞學登科張説曰趙韋昆季今之杞梓也
又曰馮定字介夫宿之弟也儀貌壯偉與宿俱有文學而
定過之貞元中皆舉進士時人比之漢朝二馮君
呂氏春秋曰管仲有病桓公往問之曰仲父之病病矣將
何以教寡人管仲對曰願君之遠易牙豎刀常之巫衛公
子啓方也公曰易牙烹其子以慊寡人（慊快也）猶尚可疑耶
管仲對曰人之情非不愛其子子之忍將何有於君公又
曰豎刀自害以近寡人猶尚可疑耶管仲對曰人之情非
不愛其身其身之忍又將何有於君公又曰常之巫審於
死生能去疴病猶尚可疑耶管仲對曰死生命也疴病本
也君不用其命守其本而待常之巫彼將以此無不爲也
公又曰衛公子啓方事寡人十五年其父死不敢歸哭猶
尚可疑耶管仲對曰人之情無不愛其父父之忍將何有
於君公曰諾管仲死盡逐之食不甘宮不治病不起朝不
肅居三年公曰仲父不亦過乎復召而反之明年公有病
常之巫從中曰公將以某日薨易牙豎刀相與作乱公令
衛公子啓方以書社四十人衛公慨焉歎涕曰管子聖人
之所見豈不遠哉若死者有知我何面目以見仲父乎蒙
衣袂而死絶于壽宮
又曰吳起謂商文曰事君果有命矣商文曰何謂也吳起
曰治四境之內成訓敎變習俗使君臣有義父子有序子
與我孰賢商文曰吾不若子曰今日置質爲臣其主安重
今日釋璽辭官其主安輕子與我孰賢商文曰吾不若子
曰櫻桴一鼓敵人在前使三軍之士樂死若生子與我孰
賢商文曰吾不若子吳起曰三者子皆不吾若也位在吾
上命矣夫商文曰善子問我我亦問子變世主少羣臣相

疑黔首不定當此之時屬之我乎屬之子乎吳起默然不
對少閒曰然商文曰是吾所以加於子之上也
崔鴻前涼錄曰張茂謂馬岌曰劉曜自古可誰等輩也岌
謂曰曹孟德之流茂默然岌曰孟德公族也劉曜戎狄難
易不同曜殆過之茂曰曜可方呂布關羽而云孟德不及
豈不過哉岌曰孟德挾天子令諸侯仗大義討不庭曜一
卒胡人用烏合之衆而能建威成大逆天下莫之當其不
優歟茂曰天生胡以滅中國殆不可以人事論也
秦記曰姚萇大破苻登置酒高會諸將各曰若值魏武王
尋破此賊陛下將軍大過上嘆曰吾不如亡兄者四也長
八尺五寸垂臂過膝人望而畏之一也當十万之衆與天
下爭衡望麾直突前無橫陣二也突覽古今講論道藝駕
御羣賢收羅雋異三也揔領大衆經履嶮難大小忱稱人
盡死力四不如也
又曰魏武王姚襄禮待楊亮亮奔桓溫溫問亮曰襄何如
人荅曰天下傑也神明器度故是孫策之疇而雄武過之
越絶書曰或問曰子胥范蠡何人也曰子胥勇而智范蠡
智而明皆賢人也問曰子胥死范蠡去二人行違皆稱賢
何也荅曰論語曰陳力就列不能者止事君以道言耳范
蠡單身入越致主於霸有所不合故去也問曰不合何不
死曰止去事之義也義無死子胥死者受恩深也傳曰孔
子去魯燔俎無肉曽子去妻藜蒸不熟微子去比干死孔
子並稱仁行雖違其義同死與生敗與成其同奈何論語
曰有殺身以成仁子胥重其信范蠡貴其義信從中出義
從外入微子去者痛殷道也比干死者忠於紂也箕子亡
者絶世也忠信之至相爲表裏耳問二子孰逾乎曰以爲同

耳

華陽國志曰廣陵太守下邳陳登字元龍太尉球孫也有儁才較天下士謂功曹陳喬曰閨門雍穆有德有行吾敬陳元方父子冰清玉潔有德有言吾敬華子魚博聞強識奇逸卓犖吾敬孔文舉雄姿傑出有王霸之略吾敬劉玄德

零陵先賢傳曰劉備曰子初（卽劉巴字也）才智絕人如孤可用非孤者難獨任也亮亦曰運籌策於帷幄之中不如子初遠矣若提枹鼓會於軍門使百姓喜勇當與議之可

陳武別傳曰武時人無察者頓丘閻遐薦之於軍府或問武當今可與誰爲輩遐曰方謝道堅不足比徐世璋有餘道堅世璋皆同時知名士也武聞之笑曰乃處我季孟之閒乎

衛玠別傳曰永和中丹陽尹劉眞長鎭西將軍謝仁祖商略中朝士人遂及於玠或問杜弘治得方衛洗馬不謝曰安得相比其閒可容數人

世說曰埶中散語趙景眞卿瞳子白黑分明有白起之風限量小狹趙荅曰尺表能審琁衡之度寸管能測往復之氣何必在大但問識何如耳

又曰諸名士共洛水上戲還樂令問王夷甫曰今日共看樂不王曰裴僕射善談名理混有雅具張茂先論史漢靡靡可聽我王安豐說延陵子房亦超然者

又曰劉萬安卽道眞之子庾公所謂灼然王舉又云千人亦見百人亦見王右軍少時丞相云逸少何緣復減萬安

又曰諸葛瑾弟亮及從弟誕並有盛名各在一國于時以爲蜀得其龍吳得其虎魏得其狗誕在魏與夏侯玄齊名瑾在吳吳朝服其弘雅

又曰卞望之云郗公體中有三反方於事上好下接己一反治身清貞而大脩計校二反自好讀書憎人學問三反也

又曰王敦爲大將軍鎭豫章衛玠避亂從洛投敦相見欣然談話彌日于時謝鯤爲長史敦謂鯤曰不意永嘉之末復聞正始之音阿平若在當復絕倒時人以玠爲王人

語林曰謝碣絕重其婦張玄常稱其婦欲以敵之有濟尼者並遊張謝二家人問其二嫗優劣荅曰玄夫人神情散朗故有林下之風碣家婦清心玉映自是閨房之秀也

三輔決錄曰弭生字仲叔其父賤故張伯英與李幼才書曰弭仲叔高德美名命世之才非弭氏小族所有新豐瘠土所當出也

郭泰別傳曰泰字林宗少遊汝南先過袁閬不宿而退往從黃憲累日方還或問林宗林宗曰奉高之器譬諸泛濫雖清而易挹叔度汪汪君子若千頃陂澄之不清撓之不濁不可量也

太平御覽卷第四百四十六

人事部八十八

品藻下

孔叢子曰子高謂魏王曰臣入魏見君二計臣張叔謀有餘范威智不逮然其功一也王曰叔也有餘威也不逮可得同乎荅曰驚驥同轅伯樂爲之咨嗟玉石相糅和氏爲之歎息故賢愚共貫則能士匿謀眞僞相錯則智士結舌雖有餘猶不逮也

又曰東里闓空腹而好自賢欲自親於子順子順弗下曰夫東里闓外質頑拙有似踈直內懷虛妙非丈夫之節若其度骸稱膂面目驤眉實美於人也聖人論士不以此爲貴者無益於德故也

又曰宮他見子順曰他困於貧賤欲自託富貴之門庶克

濟乎子順曰夫富而可以託貧貴而可以寄賤者天下寡矣非信義君子明識通達則不可所欲託者誰也宮他曰將適趙公子順曰非其人矣雖好養士奉而已終不能稱也宮他曰將之燕相子順曰彼從兄弟甥舅各濟其私無求賢之志不足歸也宮他曰將之齊田氏子順曰齊大國也其士大夫皆有多黨之心不能容子也他曰然則何向而可子順曰濟子之欲則宜若后成子可也

又曰魏安釐王問子順曰馬回之爲人雖少文桓桓亮直丈夫之節吾欲以爲相可乎荅曰知臣莫若君何有不可至於亮直之節臣未明也何故荅曰聞諸孫卿其爲人也長目而豕視者必體方而心圓每以其法相人千百不失臣見回非不偉其體幹然甚疑其自王卒用之三月王果以謟得罪

淮南子曰管子文錦也雖醜登廟（相桓公以霸功成事衣文錦之服大書在明堂故曰雖醜登廟也）子產綃染也美而不尊（子產相鄭以乘車濟朝涉者孟子曰惠而不知爲政絹染者以子產喻母人月令曰命婦宮染絹溫暖其民如人之母也）

袁子正書曰孔子稱蘧伯玉國無道可卷而懷也今李膺居濁世之中皦然與世殊塗此西山餓夫之疇耳卒死於非罪惡得爲雅人

又曰李膺言出于口人莫得違也有難李君之言者則鄉黨非之李君子與人同輿載則名聞天下

又曰或云少府楊阜豈非忠哉荅曰然可謂直士忠臣則吾不知也夫爲人臣見人主失道指其非而播揚其惡可謂直士未爲忠臣故司空陳羣則不然其談論終日未嘗言人主之非書數十上而外不知君子謂陳羣於是乎長者

姚信士緯曰論清高之士上可如老子莊周下可如君平子貢耳若於陵仲子及嚴遵夏甫子治未可盡以爲師矣平議之士若季札趙武逮于林宗皆可盡爲則也其洩冶伯宗及末世史雲子將之屬皆美而未善也聖人考功黜陟猶以三載而子將月旦之處史雲睚眦廢人其觀進者或飾虛其怠俎者皆離叛識誠可謂妙矣然非洙泗之風三千之弘化

又曰延陵季子際會之間衛尉蔡君限之於弱余必以然季子通妙達道之機假其討光恐增禍亂受光之讓非其本志若季子之爲君也欲行王道其與周爭治霸術以力與列國爭強則不肯破強楚而并其封疆也國人疾光而心歸季子季子不立社稷將傾恐光憂迷內灼而異圖外生非常之變將加于高人是以季子相時處事順以安民

而謂其弱未聞厥旨蔡子答曰諸凡以賢讓國與之奧能揚文武之遺教崇仁義之美化以移風易俗耳何必當與周爭乎而苟守一節退耕於野使還國無討賊之意反云國家有主社稷有祀乃吾君也蓋開篡弒之路非所謂從忠教也

又曰楊子雲有深才潛知屈伸沉浮從容玄默近于柳下惠朝隱之風智似蘧瑗而高不及也班固稱之有大度不孜孜於富貴不戚戚於貧賤二者之美蓋亦良矣然楊子之書清貴甚遠然無廟堂之議對王公大人之辭故令其骨鯁不見節操不顯也夫孟子之書將門人所記非自作也故其志行多見非唯教辭而已或拒方鍾之祿或辭兼金之贈或以周漢禮殊二子時異不可責之於周或曰帝納異言而子雲無正論卒有投閣之累孟軻昂昂其肯然

平四ヨ四十七　三　单壽四

子雲保家養智之士孟軻鳳峙高世之英也

又曰周勃之勳不如霍光此前史所載較然可見而人以勃功大於光意竊不安何者勃本帝大臣居太尉之位擁兵百萬既有陳平王陵之力又有朱虛諸王之據酈寄游說以譎諸呂因衆之心易以濟事若霍光者以倉卒之際受寄託之任輔弼幼主天下晏然遇燕王上官之亂誅除凶逆以靖王室廢昌邑立宣帝任漢家之重隆中興之祚參聲伊周爲賢相推驗事校優劣明矣

又曰汝南陳仲舉體氣高烈有王臣之節潁川李元禮忠平正直有社稷之能海內論二士有議而未決陳留蔡伯喈以仲舉強於犯上元禮長於接下犯上爲難接下爲易仲舉爲先元禮後矣天下於是爲定愚思竊以伯喈未必可從也夫皐繇戒舜犯上之徵也舜治百揆接下之效也

故陳平謂王陵言面折廷爭我不如公至安劉氏公不如我而犯上則爲優是王陵當高於良平朱雲殊乎異鄧矣陸恭仲答曰陳李二君德齊於行才等於身無長短之差時人或其先後

魏文帝典論曰或有方周成王於漢昭帝者余以爲周氏體聖考之作氣稟賢妣之胎教周邵爲保傅呂尚爲太師故咳笑必含仁義之聲觀聽必覩禮義之容弘踐祚之義隆太平之化禮樂興於上頌聲作於下時成王年二十二享國三十年世永治長德與年豐夫孝昭父非武王母非邑姜體不承聖化不胎育保無仁孝之德佐無隆平之治所謂生深宮中長婦人手矣德與體并智與性成孝昭之崩年二十有一承衰弊之世收彫落之民臣無淑聖之智身有短折之期欲高隆周豈不謬哉

平四ヨ四十七　四　单壽四

曹植漢二祖論曰高祖因暴秦而起官由亭長自亡徒招集英雄遂誅強楚光有天下功齊湯武業流後嗣誠帝王之元勳人君之盛事也直寡善人之美稱鮮君子之風采惑秦宮而不出窘項座而不起計失乎酈生忿過乎韓信太公是諾於孝違矣敗古今之大教傷王道之實義然其驍將盡臣皆古今之鮮有而能任其才而用之聽其言而察之故兼天下而有帝位也不然斯不免當世之姦夫世祖體乾靈之休德稟亞聖之才聰達而多識樂施而愛人神光前驅威風先逝軍未出於南京莽已斃于西都當此時也九州鼎沸四海淵涌言帝者二三稱王者四五咸鴟視狼顧虎超龍驤光武秉朱光之巨鉞震赫斯之隆怒盪滌凶穢勦除醜類若勁風而縱烈火曬白日而掃朝雲也計功則業殊比隆則事異語德則靡愆言行則無穢卒能

立不刋之遐跡建不朽之元功故曰光武其近優也
曹植成王論曰周公以天下初定武王旣終而成王尚幼
未能定南面之事是以推已忠誠稱制假號二弟流言邵
公疑之發金縢之匱然以用寤亦未决也至於昭帝所以
不疑於霍光亦縁武帝有遺詔於光使光若周公踐天子
之位行周公之事吾恐叛者非徒二弟疑者非徒邵公也
且賢者固不能知聖賢自其宜耳昭帝固可不疑霍光周
王自可疑周公也若以昭帝勝成王霍光當踰周公耶若
以堯舜爲成王湯禹作管蔡邵公周公之不見疑必也
陳羣汝頴士論曰羣以爲孔氏先汝頴士勝負之評矣孔
荅曰汝南戴子高親止千乘万騎與光武帝共揖於道中
頴川士雖抗節未有能頡頏天子者也汝南許子伯與友
人共説世俗將壞同夜起舉聲號哭頴川士雖頗憂時未

有能哭世者也汝南許掾教太守劉晨圖開稻陂灌數万
頃累世獲其功韓元長雖好地理未成功見效如許掾者
也汝南張元伯身死之後見夢於范巨卿頴川雖有竒異
未有鬼神能靈者也汝南應世叔讀書五行並下頴川士
雖多聰明未有能離婁並誦者也汝南李鴻爲太尉掾弟
殺人當死鴻自縛詣門乞代弟命使飲鴆而死弟因得全
頴川士雖欲尚節義未有能煞身成仁者也汝南翟文仲
爲東郡太守始舉義兵以誅王莽頴川士雖疾惡未有破
家爲國者也汝南袁公著爲甲科郎中上書欲治梁冀頴
川士雖務忠讜未有能没命直言者也
何晏兾州論曰略言春秋以來可與海内比而校也恭謹
有禮莫賢乎趙衰仁德忠義莫賢乎趙盾納諫服義莫賢
乎韓起決危定國莫賢乎狐偃勇謀經國莫賢乎魏絳逵

讎爲主莫賢乎祁奚延譽先主莫賢乎張老明智識物莫
賢乎趙武清直篤義莫賢乎叔向聰明肅恭莫賢乎羊舌
職守信不移莫賢乎荀息見利思義莫賢乎中行穆子憂
國扞君莫賢乎先軫書法不諱莫賢乎董狐分謗和衆莫
賢乎郄克流放能顯莫賢乎冀缺拔幽進滯莫賢乎臼季
守義死節莫賢乎欒恭子抗言不屈莫賢乎荀瑩刼略不
動莫賢乎解楊審聽知機莫賢乎師曠放而益顯莫賢乎
狼瞫儒雅博通莫賢乎董仲舒體恭篤敬莫賢乎石奮才
兼文武千金不入私門莫賢乎竇嬰明君顯賢莫賢乎田
叔證主知分莫賢乎貫高忠義正直莫賢乎鮑子都謇諤
忠諫莫賢乎王宏
張輔名士優劣論曰世人論司馬遷班固才之優劣多以
固爲勝余以爲失遷叙三千年事五十萬言固叙二百年

事八十萬言煩省不敵固之不如一也良史述事善足以
奬勸惡足以鑒誡人道之常中流小事無取之因循難易
益不同矣又遷爲蘇秦張儀范雎蔡澤作傳逞辭流離亦
足以明其大才也此眞所以爲良史也
又曰世人見魏武皇帝處有中土莫不謂勝劉玄德也余
以玄德爲勝夫撥亂之主當先以能收相獲將爲本一身
之善戰不足恃也世人以玄德爲呂布所襲爲武帝所走
舉軍東下爲陸遜所覆未若武帝爲徐榮所敗馬被創之
危也玄德在荆州劉景升父子不能用其計舉州降魏手
下步騎不滿數千爲武帝大衆所走未若武帝爲呂布奔
北騎所擒突火之急也玄德爲陸遜所覆未若武帝爲
張繡所困挺身逃遁以喪二子也若令高祖死於彭城世
人方之不及項羽遠矣武帝死於下將俊謂不及張繡矣

而其安忍無親若楊德祖之徒多見賊害孔文舉桓文林
等以宿恨見殺良將不能任行兵三十餘年無不親征功
臣謀士曾無列土之封豈若玄德威而有思勇而有義諸
葛孔明張飛關羽皆人傑也服而使之夫明闇不相爲用
臧否不相爲使武帝雖處強不爲用矣況在危急之間勢
弱之地乎若令玄德據有中州將與周室比隆豈徒三傑
而已
又曰樂毅諸葛孔明之優劣乎或以毅爲弱燕合五國之
兵以破強齊雪君王之恥莫不謂毅爲優余以爲五國之
兵共伐一齊不足爲強大戰濟西伏尸流血不足爲仁夫
孔明包文武之德劉玄德以知人之明屢造其廬諮以濟
世至如奇策泉涌智謀縱橫遂東說孫權北抗大魏以乘
勝之師翼佐取蜀及玄德終禪登大位在擾攘之際立童

蒙之主設官分職班叙衆才文以寧內武以折衝勳業濟
而殞觀其遺文謀謨弘遠雅規恢廓已有功則讓於下闕
則躬自咎見善則遷納諫則改故烈聲震遐迩者也
習鑿齒　周魯通諸葛論曰客問曰周瑜魯肅何人也主
人曰小人也客曰周瑜奇孫策於總角定大計於一面摧
魏武百勝之鋒開孫氏偏王之業威震天下名馳四海魯
肅一見孫權建東帝之略子謂之小人何也主人曰此乃
眞所以爲小人也夫君子之道故將竭其忠直佐扶帝室
尊主寧時遠崇名教若乃力不能合事與志違躬耕南畝
遁迹當年何由盡臣禮於孫氏於漢室已亡之日耶客曰
諸葛武侯翼戴玄德與瑜肅何異而子重諸葛毀瑜肅何
其偏也主人曰夫論古今者故宜先定其所爲之本迹其
致用之源諸葛武侯龍蟠江南託好管樂有匡漢之望是

有宗本之心也今玄德漢高之正冑也信義著於當年將
使漢室亡而更立宗廟絕而復繼誰云不可哉
袁宏七賢序曰阮公瓌傑之量不移於俗然獲免者豈不
以虛中犖節動無近對乎中散遺外之情最爲高絕不免
世禍將舉體秀異直致自高故傷之者也山公中懷體默
易可因任平施不撓在衆樂同遊刃一世不亦可乎
新序曰晉獻公用荀息之謀而禽虞不用宮之奇謀而亡
故荀息非霸王之佐乃戰國并兼之臣也若宮之奇則可
謂忠臣之謀也
蔣子萬機論曰太史遷云顏回雖篤行不遇仲尼不能彰
其名也故五尺之童德擬大舜使在他門未或及此也夫
甘羅少回六歲獲河東五城万乘郊迎而佩印雖所引非
道義然當秦之時淶詐變之風也使羅在孔門治丘之訓

亦可聞一知十乎曰未必也昔齊欲伐魯曾回求說陳常而
孔子不許遂使子貢子貢一出破齊強晉亡吳霸越存魯
也夫顏子與賜程智比才相校於八至於此事而丘不使
也
抱朴子曰凡薄之徒雖便辟流俗而懷空抱虛有似蜀人
瓠壺之喻胸中無一紙之識不過酒炙所謂冒于貨賄貪
于飲食左生所載不才之子
傅子曰夏侯玄求交於傅嘏嘏不納荀粲謂傅嘏曰夏侯
太初一時之俊虛心交子不合則怨至二賢不睦非國之
利也嘏荅之曰太初能虛聲而無實才何平叔言遠而情
近好辯而無誠鄧玄茂外徇名利內無關鑰此三人者皆
敗德也
孫子曰譙周勸王降魏何平曰自謂天子而乞降請命何

恥之深乎夫爲社稷死則死亡則亡先君正魏之寡不與同天過於其父俛首而事讎可謂苟存豈大君之正道哉

郭子曰庾道季云藺相如雖千載死人懍懍恒如有生氣曹蜍李志雖見在厭厭如九泉下

又曰世中稱庾文康爲豐年玉庾稚恭爲荒年穀

又曰魏明帝世使后弟毛曾與夏侯太初共坐時人謂蒹葭倚玉樹時目夏侯太初朗如明月入懷

又曰人有問王長史(王仲祖也)江彪羣從兄弟者王荅云諸江皆能自生活

又曰人問謝太傅王子敬可與先輩誰比謝荅曰阿敬近王劉之間(王脩與真長)

又曰王子敬問謝公嘉賓何如道季(嘉賓郗超小名道季庾龢小名)荅云道季誠抄撮清悟嘉賓故自勝桓公稱云(桓温也)鏘鏘有文武

又曰王右軍道劉真長樹雲柯而不扶踈

又曰桓公問孔思陽安石何如文度孔思未荅反問公謂如何荅曰安石居然不可陵踐

又曰簡文云謝安南(名奉字弘道)清泠如其弟(弟名躬字弘遠)學義不如孔嚴(嚴字彭祖)

又曰王丞相云雖下論以我比安期千里(王丞字安期阮瞻字千里)我亦不推此二人唯共推王太尉夷甫也

又曰周伯仁道桓茂倫欽崎歷落可笑之人也或云是謝幼輿言

又曰王丞相言刁玄亮之察察(刁協字玄亮)戴若思之巖巖(戴淵字若思)卞望之峰岠並一見我而服也

又曰祖士少道右軍王家阿菟(菟羲之小各吾菟)何緣復減處仲右軍道祖士少風領毛骨恐沒世不復見如此人王子猷說世目士少爲朗邁我家亦以爲徹朗

又曰孫子荆應上品狀王武子時爲之目曰天才英博亮拔不羣

太平御覽卷第四百四十七

太平御覽卷第四百四十八

人事部八十九

權謀上

說文曰慮難曰謀

易曰人謀鬼謀百姓與能（言謀為善謀助之百姓能與已）

尚書曰汝則有大疑謀及乃心謀及卿士謀及庶民謀及卜筮（將舉事而汝則有大疑先盡汝心以謀慮之次及卿士衆民然後卜筮以決之）

又曰爾有嘉謀嘉猷則入告爾后于內爾乃順之於外

詩曰載馳載驅周爰諮謀

禮記曰謀於長者必操几杖以從

左傳曰齊師伐我公將戰曹劌請見其鄉人曰肉食者謀之又何間焉（肉食在位者也間猶與之位也）劌曰肉食者鄙未能遠謀乃入見公與之乘戰于長勺公將鼓之劌曰未可齊人三鼓劌曰可矣齊師敗績

又曰楚師背酅而舍（酅丘陵之限也）晉侯患之聽輿人之誦曰原田每每舍其舊而新是謀（高平曰原每每美厚貌詩曰周原每每堇荼如飴舍其舊而謀新也言仰楚舊惠為利薄謀楚之新推其利厚衆欲之意也）

又曰晉人患秦之用士會也趙宣子曰隨會在秦賈季在狄難曰至矣若之何乃使魏壽餘偽以魏叛者以誘士會執其孥於晉使夜逸請自歸于秦秦伯許之履士會之足於朝秦伯師于河西魏人在東壽餘曰請東人能與夫二三有司言者吾與之先使士會士會辭曰晉人虎狼也若背其言臣死妻子為戮無益於君不可悔也秦伯曰若背其言所不歸爾孥者有如河

又曰晉悼公歸謀所以息民魏絳請施舍已責輸積聚以貸自公已下苟有積者盡出之國無滯積亦無困人

公羊傳曰權者反於經後有善者也行權有道自貶損以行權不害人以行權殺人以自生亡人以自存君子不為也

論語曰為人謀而不忠乎

又曰君子謀道不謀食也

史記曰人有上書告楚王韓信謀反上問左右左右爭欲擊之用陳平計乃偽遊雲夢會諸侯於陳楚王迎因即執之

又曰魏伐趙趙急請救於齊齊王欲將孫臏臏辭謝曰刑餘之人不可於是乃使田忌將兵而往直走梁魏將龐涓聞之去韓而歸齊軍已過而西矣孫子謂忌曰彼三晉之兵素悍而齊號為怯善戰者因其勢而利導之兵法百里而走利者蹶上將（魏文帝曰蹶猶挫也）軍半至使齊軍入魏地為十萬竈明日為五萬竈明日為二萬竈龐涓行三日大喜曰

我固知齊卒怯入吾地三日士卒亡者過半矣乃弃其步兵與其輕銳（辨士反）倍日并行逐之孫子度其暮當至馬陵馬陵道狹而傍多阻險可伏兵乃大斫樹白而書之曰龐涓死此下於是令齊軍善射者萬弩夾道而暮見火舉而俱發涓夜至斫木下見白書乃鑽火燭之讀未畢齊軍方弩兵發軍大亂相失涓自知計窮兵敗遂自剄曰遂成豎子之名

漢書曰高祖十年陳豨反上親征之師次邯鄲令周昌選趙壯士堪為將者得四人及見上上罵曰豎子能為將乎四人慙赧俯伏上各封千戶任以為將左右諫曰從陛下入蜀漢破強楚定海內轉鬬數千里瘡痍遍體而功賞未行今四人何功而遽封千戶上曰非尒所知也今陳豨反趙代地皆豨之有也吾以羽檄徵天下兵未有至者今唯

獨邯鄲中兵耳吾何愛四千户不以慰趙子弟乎左右曰善又聞豨將皆商賈人高祖曰吾知其易與之矣商人尚利乃以金購豨將多降者

又曰景帝三年吳楚七國反太尉周亞夫將東擊師次灞上趙涉遮說亞夫曰將軍東擊吳楚勝則宗廟安不勝則天下危能用臣言乎亞夫下車禮而問之涉曰吳王素富懷輯死士久矣此知將軍且行必置間人於崤澠阨狹之間且兵事尚神密將軍何不從此右去趨藍田出武關抵洛陽間不過二三日直至武庫擊鳴鼓諸侯聞之以謂將軍從天而下也如其謀至洛陽使人索崤澠間果得伏甲以涉爲護軍竟滅吳楚

又曰周勃等既誅諸呂使迎代王郎中令張武等議皆曰不可信願稱疾無行以觀其變中尉宋昌進曰羣臣之議

皆非也夫以呂太后之嚴立諸呂爲三王擅權專利然而太尉以一節入北軍一呼士皆左袒爲劉氏叛諸呂卒以滅之此乃天授非人力也內有朱虛東牟之親外畏吳楚淮南琅耶齊代之強方今高帝子獨淮南王與代王代王又長賢聖仁孝聞於天下故大臣因天下之心而欲迎立大王大王勿疑也

又曰上擊韓王信從晉陽連戰乘勝逐北至樓煩會大寒士卒墮指者十二三遂至平城爲匈奴所圍七日用陳平祕計得出（應劭曰平畫圖美人形遺閼氏恐漢女美奪己寵因謂單于曰漢天子亦有神靈得其土地非能有也於是匈奴開其一角得突出以計鄙祕不傳也）

又曰七國反條侯將乘六乘傳會兵滎陽至洛陽問故父絳侯客鄧都尉曰策安出客曰吳楚兵銳難與爭鋒楚兵輕不久方今爲將軍計莫若引兵東北壁昌邑以梁委吳吳必盡銳攻之將軍深溝高壘使兵絕淮泗口塞吳饟道而粮食竭乃以全制其敝破吳必矣條侯曰善乃從其策

又曰陳平將終曰我多陰謀道家所禁吾即廢亦已矣終不能復起以吾多陰禍也

又曰（諸呂擅權丞相陳平患之平嘗燕居深念）不見陸賈賈曰何念深也陳平曰生揣我何念賈曰足下位爲上相食三万户侯可謂極富貴無欲矣然有憂念不過患諸呂少主耳陳平曰然爲之柰何賈曰天下安注意相天下危注意將君何不交於太尉深相結交陳平用其計迺以百金爲絳侯壽厚具樂飲太尉亦報如之兩人深相結交呂氏謀益壞陳平又以奴婢百人車馬五十乘錢五百萬遺賈爲食飲之費賈以此時遊漢庭公卿間名聲籍甚及誅呂氏立孝文賈頗有力

又曰高祖既誅黥布聞朱建諫不聽賜建號平原君爲人

刻直行不苟合義不取容辟陽侯行不正得幸呂太后欲知建建不肯見建母死貧未有發喪陸賈素與善乃賀辟陽侯曰平原君母死何乃賀我陸生曰前君侯欲知平原君義不知君以母故今其母死君誠厚送喪則彼爲君死辟陽侯迺奉百金稅（韋昭曰衣服曰稅稅當爲襚也）列侯貴人以辟陽侯故往賻凡五百金或人毀辟陽侯惠帝大怒下吏欲誅之太后慙不可言大臣多害辟陽侯行欲遂誅之辟陽侯急使人欲見建建辭曰獄急不敢見君建迺求見孝惠幸臣閎藉孺說曰君所以得幸帝天下莫不聞今辟陽侯幸太后而下吏道路皆言君讒欲殺之今日辟陽侯誅旦日太后怒亦誅君君何不肉袒爲辟陽侯言帝帝聽君出辟陽侯太后大忻兩主俱幸君君富貴益倍矣於是閎藉孺大恐從其言帝果出之辟陽侯之囚也欲見建建不見辟陽

侯以爲背之大怒及其成功出之乃大驚
又曰韓信已拜大將軍漢王曰丞相數言將軍將軍何以教寡人計策信再拜曰臣嘗事項王請言項王爲人不能任屬賢將此特匹夫之勇又背約而逐義帝所過無不殘滅雖爲霸實失天下心大王之入武關秋毫無害除秦苛法與民約法三章秦民無不欲大王王秦者今王舉兵而東三秦可傳檄而定也於是漢王大喜自以爲得信晚遂聽信計部署將舉兵東出陳倉定三秦
又曰韓信張耳以兵數万欲東下井陘擊趙趙王及成安君陳餘聞漢且襲之聚兵井陘口號稱二十萬廣武君李左車說成安君曰聞漢將韓信乘勝去國遠鬬其鋒不可當臣聞千里餽粮士有飢色樵蘇後爨師不宿飽今井陘之道車不得方軌騎不得成列行數百里糧食必在後願足

太四ヨ四十八　五　单四

下假臣奇兵三万人從間路絕其輜重足下深溝高壘勿與戰彼前不得鬬退不得還吾奇兵絕其後野無所掠不至十日兩將之頭可致麾下成安君常稱義兵不用詐謀奇計韓信既破趙令軍有生得廣武君購千金須史有縛至者信解其縛而師事之曰僕欲北攻燕東伐齊何如廣武君辭曰臣聞亡國之大夫不足以圖存敗軍之將不可以語勇若臣者何足以權大事乎信曰百里奚居虞而虞亡之秦而秦霸非愚於虞而智於秦也用與不用聽與不聽耳使成安君聽子計僕亦擒矣僕委心歸計願子勿辭廣武君曰足下虜魏王禽夏說不旬朔破趙二十萬衆誅成安君名聞海內威震諸侯士庶莫不傾耳以待命者然衆勞兵罷其實難用也今足下與倦弊之兵頓堅城之下臣愚竊以爲過矣韓信曰然則何由廣武君對曰當今之計不如偃甲休兵百里之內牛酒日至以饗士大夫北首燕路然後發一乘之使持咫尺之書以使燕燕必不聽從燕而東臨齊雖有智者不能爲齊計矣知如此則天下事可圖也兵固有先聲後實者此之謂也信曰敬奉教於是用廣武君策發使燕燕隨風而靡
又曰惠帝崩太后發喪而泣不下留侯子張辟彊爲侍中年十五謂丞相陳平曰太后獨有帝今哭而不悲君知其解未陳平曰何解辟彊曰帝無壯子太后畏君等今拜呂台産爲將將兵居南北軍及諸呂皆爲官居中用事如此則太后心安君等幸脫禍矣丞相以辟彊計請之太后悅其哭也迺哀
又云藝文志云權謀者以正守國以奇用兵先計而後戰

太四ヨ四十八　六　亥

范曄後漢書曰袁紹既兼河朔之地有驕氣曹操敗於張繡紹與操書甚倨慢大怒欲先攻之所患力不敵訪於荀彧彧量紹雖強終爲操所制乃說取呂布然後圖紹操從之
又曰袁紹引沮授爲別駕因謂授曰今賊臣作亂朝廷遷弒吾歷世受寵志竭力命與復漢室今欲與卿戮力將何匡之授曰將軍弱冠登朝播名海內值廢立之際忠義奮發單騎出奔董卓懷懼濟河而北渤海稽服擁一郡之卒撮冀州之衆威凌河朔名重天下若舉軍東向則黃巾可埽還討黑山則張燕可滅迴師北首則孫瓚必擒震脅戎狄則匈奴立定橫大河之北合四州之地收英雄之士擁百万之衆迎大駕於長安復宗廟於洛邑號令天下誅討未服以此爭鋒誰能禦之比及數年其功不難紹喜曰此

吾心也

又曰劉表寵後妻爲小子琮娶蔡氏遂愛琮而長子琦不自寧嘗與諸葛亮謀自安之術亮初不對後乃共外高樓因令去梯謂亮曰今日上不至天下不至地言出子口而入吾耳可以言未亮曰君不見申生在內而危重耳居外而安琦意感悟因規出

又曰馮異字公孫潁川城父人通左氏春秋孫子兵法歸世祖授大將軍與赤眉戰不利異乃令各更衣色伏於道傍戰移時伏兵卒起衣服相亂衆驚大敗降赤眉男女八万餘衆初爲世祖主簿王郎起河北世祖自薊南馳至饒陽蕪蔞亭時天寒烈衆皆飢疲異上豆粥明旦世祖謂諸將曰昨得公孫豆粥飢寒俱解至南宮遇大風雨世祖引車入道傍空舍異復進麥飯兎肴從破王郎封應侯異爲人謙退不伐行能諸將論功異常獨坐屛樹下軍中號曰大樹將軍世祖即位封夏節侯

東觀漢記曰光武發邯鄲晨夜馳騖傳聞王郎軍在後吏士惶恐至下曲陽呼沲河導吏還河水流澌無船不可渡官屬益懼上不然也遣王霸往視之實然王霸恐驚衆即還曰冰堅可渡士衆大喜上笑曰果妄也比至河河流澌已合上令霸護渡以沙土紛冰上遂得渡渡未畢軍冰解上謂霸曰安吾衆能濟者卿力也謂官屬曰王霸從我勞苦前連水變權時以安吏士是天瑞也爲善不費賞無以勸後即日以霸爲軍正賜爵關內侯

又曰隗囂死其將高峻擁兵據高平帝入關將自征之寇恂時從上議遣使降之帝乃謂恂曰卿前止吾此舉今爲行也若峻不即降引耿弇等五營擊之恂奉璽書至高平峻遣軍師皇甫文謁辭禮不屈恂怒將誅文諫曰高峻精兵万人卒多強弩西遮隴道連年不下今欲降之反戮其使無乃不可乎恂不應遂斬之遣其副歸告峻曰軍師無禮已戮之矣欲降急降不欲固守峻惶恐即日開城降諸將皆賀因曰敢問戮其使而降城何也恂曰皇甫文峻之腹心其所計事者也今來不屈無心降耳諸將皆曰非所及也

又曰朱勃上書理馬援謀如涌泉勢如轉圜

謝承後漢書曰靈帝時楊琁爲零陵太守時蒼梧桂陽猾賊攻琁力弱吏民憂恐琁乃特製馬車數十以排囊盛石灰於車上繫布索於馬尾會戰乃令馬車居前從風鼓灰賊不得視以火燒布布燃馬驚奔突賊陣大破之

太平御覽卷第四百四十八

太平御覽卷第四百四十九

人事部九十

權謀中

續漢書曰銅馬所過虜掠王俊言於上曰宜捨輕兵出賊前使百姓各堅壁以絶其食可不戰而殄也上然之遣俊將輕騎馳出賊前視民保壁者勑令固守散在野者因掠取之賊至無所得遂散敗及軍還上謂俊曰困此虜者將軍策也

又曰廉范爲雲中太守會匈奴大入塞范自率士卒拒之虜衆盛不敵令軍士各交縛兩炬三頭爇火虜見火多謂漢兵救至待旦將退范乃命軍中蓐食晨往赴之斬首數千級虜自此不敢復向雲中

又曰朝歌賊甯季等數千人攻殺長吏乃使虞詡爲朝歌長故舊皆弔詡曰得朝歌何衰詡笑曰志不求易事不避難臣之職也不遇盤根錯節何以別利器乎始到謁河内太守馬稜稜勉之曰儒者謀謨廟堂反在朝歌耶詡曰初除之日大夫皆弔及到官設令三科以募求壯士自掾吏以下各舉所知其攻劫者爲上而不事家業者爲下收得百餘人詡爲之饗會悉貸其罪使入賊中誘令劫掠乃伏兵以待之遂殺賊百人又潛遣貧民得縫者傭作賊衣以采綖縫其裾爲識有出市買者吏輒禽之由是駭散咸稱神明遷武都太守及還羌率數千遮詡於陳倉詡即停軍不進而上書請兵須到當發羌聞之乃分鈔傍縣詡因其兵散日夜進行百餘里令吏士各作兩竈日增倍之羌不敢逼或問曰孫臏減竈而君增之兵法曰日行不可過三十里而今日行二百何也詡曰虜衆多吾兵少徐則易爲所及速則彼不測虜見竈增必謂郡兵來迎行速必憚追我孫臏見弱吾今示彊勢有不同故也

魏志曰荀彧字文若潁川人淑之孫也舉孝廉遷亢父令以董卓之亂弃官歸太祖太祖悅曰吾子房也以爲司馬時年二十九後太祖破黄巾漢獻帝自河東還洛陽彧勸太祖曰晉文納周襄王而諸侯服從漢高爲義帝縞素天下歸心自天子蒙塵將軍首唱義兵雖禦難于外心無不在王室今鑾駕旋軫東京榛蕪義士有存本之思兆人懷感舊之哀誠因此時奉主上以從民望大順也秉至公以服天下大略也仗弘毅以致英俊大德也四方雖有逆節其何能爲太祖從之遂迎天子都許進彧爲尚書令及袁紹兼河北天下畏其強與太祖書極悖慢太祖以書示彧曰將誅不義而力不敵如何彧曰古之成敗者誠有其才雖弱必強苟非其人其強易弱劉項存亡足以觀之太祖卒破紹於官渡如彧所策

又曰荀攸字公達彧從子也太祖遺攸書曰方今天下大亂智者勞心之時也遂徵入爲尚書操謂鍾繇曰公達非常人也吾得之與計事天下何憂哉以爲軍師征呂布至下邳攻之不拔太祖欲還攸曰布勇而無謀不可解遂生擒布太祖又與袁紹相拒於官渡攸勸擊紹將淳于瓊運糧遂破紹魏國初建爲尚書令太祖謂文帝曰公達人之表汝宜盡禮敬之

又曰袁尚攻兄譚於平原留別駕審配守鄴爲曹公所圍尚聞鄴急弃而救之求人入城計會事主簿李孚請行時圍甚急尚曰何辦孚曰多人不可三騎足矣尚遣之孚選温信者得三人各給駿馬不示其謀令釋戎器着平上幘冠

秉問事𣏌投暮直抵鄴城下自稱曹公巡歷圍壘所過失
候者輒擒之自東西正出曹公營當城門復怒守圍者收
縛之因直入城下配以縋引之乎與配相見既事了外圍
益急乎因謂配曰城中穀少無用老弱不如驅出省穀也
配乃夜簡得一千人皆令持白幡秉脂燭從三門而出請
降乎將所來騎隨降人而出時守圍吏聞城中悉降火光
照耀但共觀降不復視圍乎從北門突圍而歸報命於袁
尚明旦曹公聞乎已出拊掌大笑鄴郡竟爲曹公所取袁
尚奔于遼東
又曰郭嘉字奉孝潁川人詣太祖太祖與論天下事曰使
孤成大業必此人也太祖用其　計先擊呂布擒之太祖
與袁紹相持於官渡孫策北襲楚衆並懼嘉料曰策輕而
無備雖有百万之衆無異獨行於中原也以吾觀之必死

於匹夫之手策臨欲濟江果爲許貢客所殺後太祖又用
其計密襲盧龍塞大破單于
又曰鄧艾字士載義陽人少孤貧每見高山大澤輒指畫
軍營處所時人笑焉因計吏上見司馬宣王宣王奇之辟
爲掾景元四年秋詔諸軍征蜀艾授大將軍節度鍾會攻
劒閣不下艾自陰平行無人之地七百餘里鑿山通道艾
以氊自裹推轉而下進至江曲遂入成都降劉禪
蜀志曰龐統字士元襄陽人守耒陽令在縣不治免官吳
魯肅遺先主書曰士元非百里之才使處治中別駕始展
驥足耳先主以爲治中從事親待亞亮爲軍師中郎將亮
留鎮荊州統隨入蜀劉璋與先主會統曰因此會執之則
無用兵之勞先主曰初入地恩信未着不可也統復說三
計先主用中計向成都所過輒克進圍雒率衆攻城爲流

矢中卒
又曰法正字孝直扶風人建安初天下亂入蜀依劉璋別
駕張松與正書度璋不足成事因勸璋結先主乃遣正往
及還謂松曰雄略密謀可共戴奉之璋復使正迎先主先
主定蜀以正爲蜀郡守外統都畿內爲謀主正說曰曹公
留夏侯淵張郃屯漢中淵等才略不勝國之帥今舉衆討
必克先主乃率諸將兵討漢中淵將兵來爭其地正曰可
擊矣先主命黃忠乘高攻之淵等授首曹公聞正策曰吾
故知玄德不辦此必爲人教以正爲尚書令
吳志曰太史慈字子義東萊人避亂至遼東北海相孔融
聞而奇之數遣餉饋其母融以黃巾寇暴出屯都昌爲賊
管亥所圍慈歸其母曰汝與孔北海未嘗相識汝去後贍
卹過於故舊今被圍汝宜赴之慈單步至都昌夜因伺開

間得入見融融欲告急平原相劉備城中人無由得出慈
請行融難慈慈曰昔府君傾意老母母感遇遣慈赴急今
衆人言不可豈府君愛顧之義老母遣慈意耶慈晨出下
鞭直突圍馳去射殺數人應弦而倒無敢追者到平原說
備備歛容曰孔北海知世間有劉備耶即遣兵三千隨慈
擊賊遂退
又曰黃蓋字公覆零陵人隨周瑜拒曹公於赤壁蓋白瑜
曰今寇衆我寡難爲持久可燒而走也乃取鬬船數十艘
實以薪草膏灌其中裹以帷幕上建牙旗先書報曹公期
以欲降引次俱前蓋令諸船同時發火時風盛猛延燒岸
上營煙焰張天燒溺死者甚衆曹公乃敗
晉書曰馬隆字孝興東平人涼州刺史楊欣失羌戎之計
爲虜所没河西斷絕上臨朝歎曰誰能爲我討此虜朝臣

莫對隆曰陛下若能任臣臣能平之帝遂許隆募勇士三
千五百人而行或奇謀間發或夾道壘磁石賊負鐵鎧卒
行不得隆卒悉被犀甲無所留礙賊以爲神轉戰千里涼
州遂平詔假節西平太守
又曰明帝大寧元年王敦反屯兵濟陰帝微服行其營壘
旣而馳去敦方晝寢夢日環其營驚起曰必是鮮卑黃鬚
奴來也使騎切遽而追之帝亦馳去馬有遺糞輒以冷水
沃之時逆旅有賣飯嫗帝以七寶鞭與之俄而追者至訊
嫗嫗云去已遠矣因以鞭示之傳示遲留又見馬糞冷信
已遠矣而止帝遂得免
又曰僞趙張賓字孟孫趙郡中山人石勒初爲劉元海授
輔漢將軍賓謂所親曰吾歷觀諸將多矣獨胡將軍可以
共成大事乃提劍軍門大呼請見勒勒初未可也漸見進

重引爲謀主機不虛發筭無遺策成勒之事皆賓之計勒
常歎曰吾每臨大事吾意未了右侯已了及卒勒親臨哭
之慟顧謂左右曰天不欲吾成事何奪右侯之早也
又曰僞燕慕容垂欲興師討慕容永長子議曰頃年士卒
疲於行陣居人不暇耕織瘡痍滿身哭泣盈路且宜撫士
安人以待時長子未足憂也慕容德曰不然昔光武馳蘇
茂之難不顧百官之疲夫豈不仁機急故也兵法有不得
巳而用之方今海內殷蕩人百其心急之則得其用緩之
各懷所思可因其勞而成其逸何得緩之垂笑曰御言當
矣二人同心其利斷金行其謀而滅永
又曰杜預以太康元年正月陳兵江陵遣參軍樊顯尹林
鄧圭襄陽太守周奇等率衆循江西上授以節度旬日之
間累尅城邑皆如預策焉

又曰杜預陳兵江陵遣周旨伍巢等率奇兵八百汎舟夜
渡以襲樂鄉多張旗幟起大巴山出於要害之地以奪賊
心吳都督孫歆震恐與伍延書曰北來諸軍乃飛渡江也
後周書曰武帝保定元年汾晉之北離石之南悉是羌胡
而地居齊境抄掠我東鄙朝廷患之韋孝寬乃於要害欲
置大城以扼其吭興役十萬甲士百人遣姚岳監之岳有
難色謂孝寬曰國家每於境外築城未嘗不動大衆今深
入胡境密迩齊師以兵百騎何以禦役孝寬曰事有万途
兵非一勢君但受成規無所憂也計築城十日即畢今齊
君徵兵三日方集謀議之間自稽三日計其軍行二日不
到我之城隍辦矣乃令築之齊人果如期而至界首疑有
伏軍不敢進迫其夕岳令緣汾傍山處處舉火齊人謂有
大軍因示自固猶豫之間土功已畢齊師乃退

隋書曰上嘗問高熲取陳之策熲曰江北地寒田收差晚
江南土熱水田早熟量彼收穫之際徵士馬聲言掩襲彼
必屯兵禦守足得廢其農時彼旣聚兵我便解甲再三若
此賊以爲常後更集兵彼必不信猶豫之頃我乃濟師登
陸而戰兵氣益倍又江南土薄舍多竹茅所有儲積皆非
地窖密遣行人因風縱火待彼修立復更燒之不出數年
自可財力俱盡上行其策由是陳人益弊
又曰樊子蓋與宇文述陪宴積翠亭帝親以金杯屬子蓋
酒曰良筭嘉謀俟公後動即以此杯賜公用爲永年之瑞
并綺羅百疋
唐書曰劉武周戰于度索原軍敗賊徒進逼河東江夏三
道宗時年十七從太宗率衆拒之太宗登玉壁城望賊顧
謂道宗曰賊恃衆來邀我戰汝謂如何對曰羣賊乘勝其

鋒不可當易以計屈難與力競今深壁高壘以挫其鋒烏
合之徒莫能持久糧運致竭自當離散可不戰而擒太宗
曰汝意闇與我合後賊果食盡夜遁追及介州一戰滅之
又曰張守珪爲瓜州刺史領餘衆修築州城板榦裁立賊
又暴至城下城中人相顧失色雖相率登陴略無守衞之
意守珪曰彼衆我寡又瘡痍之後不可以矢石相持須以
權道制之也乃於城上置酒作樂以會將士賊徒疑城中
有備竟不敢攻城而退
又曰裴行儉行至朔州知蕭嗣業以運粮被掠兵多餒死
遂詐爲粮車三百乘每車伏壯士五人各賫陌刀勁弩以
羸兵數百人援車兼伏精兵令居險以待之賊果大下羸
兵弃車散走賊驅車就泉井解鞍牧馬方擬取粮車中壯
士齊發伏兵亦至殺獲殆盡餘衆奔潰自是續遣粮車無
平四百四十九 七 張元
敢近之者及軍至單于之北際晚下營壕塹方周遽令移
就崇岡將士皆以士衆方就安堵不可勞擾行儉不從更
促之比夜風雨暴至前設營所水深丈餘將吏莫不歎服
又曰裴行儉前後殺虜不可勝數僞可汗泥孰匐爲其下
所殺以其首來降又擒其大首領奉職而還餘黨走依狼
山行儉既迴阿史那佛念又僞稱可汗與温傅合勢鳩集
餘衆明年行儉復摠諸軍討之頓軍於代州之陘口縱反
間説佛念與温傅令相猜貳佛念恐懼密送降欵仍請自
效行儉不泄其事而密表以聞數日有煙漲天而至斥候
惶惑來白行儉召三軍謂曰此是佛念執温傅來降非他
然受降如受敵但須嚴備更遣單使迎前勞之少間佛念
果率其屬縛温傅軍門請罪盡平突厥餘黨高宗大悦遣
户部尚書崔知悌赴軍勞之

又曰裴行儉至西州人吏郊迎行儉召其豪傑子弟千餘
人隨已而西乃揚言紿其下曰今正炎蒸熱坂難冒涼秋
之後方可漸行都支覘知之遂不設備行儉乃召四鎮諸
蕃酋長豪傑謂曰憶昔此遊未嘗厭倦雖還京輦無時暫
忘今因是行欲尋舊賞誰能從吾獵也是時蕃酋子弟投
募者僅万人行儉假爲畋獵教試部伍數日遂倍道而進
去都支部落十餘里先遣都支所親問其安否外示閑暇
似非討襲續又使人趣召相見都支先與遮匐通謀秋中
擬拒漢使卒聞軍到計無所出自率兒姪首領等五百餘
騎就營來謁遂擒之是日傳其契箭諸部酋長悉來請命
並執送碎葉城簡其精騎輕齎曉夜前進將虜遮匐途中
果獲都支還使與遮匐使同來行儉釋遮匐行人令先往
曉喩其主兼述都支已擒遮匐尋復來降於是將吏已下
平四百四十九 八 張
立碑於碎葉城以紀其功擒都支遮匐而還高宗廷勞之
曰比以西服未寧遣卿揔兵討逐孤軍深入經途萬里卿
權略有聞誠節夙著兵不血刃而凶黨殄滅伐叛柔服深
副朕委尋又賜宴謂行儉曰卿文武兼資今故授卿二職
即日拜禮部尚書兼檢校右衞大將軍
周書曰容容熙熙皆爲利謀熙熙攘攘皆爲利往
九州春秋曰龐士元説劉備曰荊州荒殘人物殫盡東有
吳孫北有曹氏鼎足之勢難以得志益州國富民強户口
有四郡兵馬所出畢具寶貨無求於外今可權借以定大
事備曰今指與吾爲水火者曹操也操以急吾以寬與反
事乃可成耳今以小國而失信義於天下吾所不足取也
士元曰權變之時固非一道所能定也兼弱攻昧五伯定
事逆取順守報之以義事定之後封以大國何負於信今

日不取終爲人制耳備後遂行

太平御覽卷第四百四十九

太平御覽卷第四百五十

人事部九十一

權謀下

尚書大傳曰周公先謀於同姓同姓從然後謀於朋友朋友從然後謀於天下天下從然後加之蓍龜是以君子聖人謀義不謀不義故謀必成卜義不卜不義故卜必吉以義擊不義故戰必勝是以君子聖人謀則成戰則勝

戰國策曰秦攻趙長平大破之而歸因使人索六城於趙講計未定婁緩新從秦來趙王與緩計曰與秦地何如勿與緩曰此非臣所能知也王曰雖然試言之緩曰緩新從秦來言勿與則非計也言與之則恐以臣之爲秦也故不敢對使臣得爲王計焉不如與之王曰諾虞卿見王王以緩言告之虞卿曰秦索六城於王王以五城以賂齊齊秦深讎也得王五城并力西擊秦是王一舉結二國之親而與秦易道也趙王曰善因發虞卿東見齊王與之謀秦婁緩聞之逃去

又曰楚圍雍氏五月韓令使者求救於秦冠蓋相望秦師不下殽韓令靳尚使秦謂王曰韓之於秦也居爲隱蔽出爲鴈行今韓已病矣秦師不下殽臣聞之脣亡者其齒寒願大王熟計之太后乃謂尚子曰妾事先王以其髀加妾之身妾困弗支也盡置其身妾不重何也以其少有利焉今救韓日費千金獨不可使妾少有利耶靳尚歸報王遣張翠張翠稱病日行一縣張翠至甘茂曰韓急矣先生病而來張翠曰韓未急也甘茂曰韓之急緩人莫弗知今先生言不急可乎翠曰韓急則折而入楚矣臣安敢來甘茂曰先生勿復言也乃入言於王曰公叔且以國南合於楚

楚韓爲一魏氏不敢不聽是楚以三國謀秦也如此則伐秦之形成矣不識坐而待伐孰與伐人之利秦王曰善果下師於殽以救韓

又曰中山陰姬與江姬爭爲后司馬喜請見陰姬公爲畫計公稽首曰誠如君言喜即奉書詣中山王曰臣聞趙強即中山弱臣能弱趙而強中山中山王悅而見之喜曰臣願乞之趙觀其地形險阻人民貧富君臣賢不肖商搉爲資未可豫陳也乃見趙王曰臣聞趙天下善爲音容佳麗之所出也今來至境入都邑人民謠俗容貌顏色殊無佳麗好美者以臣所見多矣周流無所不至未嘗見人如中山陰姬者不知者將以爲神其容貌顏色過絶人矣乃其眉准頞權衡犀角偃月彼乃帝王之后非諸侯之姬趙王大悅曰吾願請之何如對曰非臣所敢議願王無泄喜歸報中山君曰趙王非賢王也不好道德而好聲色不好仁義而好勇力聞其乃欲請陰姬中山君作色不悅喜曰趙強國也請之必矣王不與之即社稷危與之即爲諸侯笑王立爲后以絶趙王意可也遂立爲后趙王亦無請也

又曰秦王使人之楚楚王賢之恐其爲楚用以危秦也昭子曰以王之德與王之賢因以遣之楚王必爲有外心去楚矣從其計果如其言

又曰安陵纏以顏色美壯得幸於楚恭王江乙往見安陵纏曰子之先人豈有矢石之功於王乎曰無有江乙曰子之身豈亦有乎曰無有江乙曰子之貴何以至於此乎曰僕不知所以江乙曰吾聞之以財事人者財盡而交疎以色事人者華落而愛衰今子之華有時而落子何以長幸無解於王乎安陵纏曰臣年少愚陋願委質於先王江乙

曰獨從爲殉可耳安陵纏曰敬聞命矣江乙去君居朞年逢安陵纏謂曰前諭子者通之於王乎曰未可也居朞年江乙復見安陵纏曰子豈諭王乎安陵纏曰臣未得王之閒也江乙曰子出與王同車入與王同坐居三年言未得王之閒子以吾之說未可耳不悅而去其年共王獵江渚之野野火之起若雲蜺虎狼之嘷若雷霆有狂兕從南方來正觸王左驂王舉旌旄而使善射者射之一發兕死車下王大喜拊手而笑顧謂安陵纏曰吾萬歲之後子將誰與此樂乎安陵纏乃逡巡而却泣下沾衿曰萬歲之後臣將從爲殉安知樂此誰於是共王乃封安陵纏於車下三百戶故曰江乙善謀安陵纏知時也

又曰智伯欲襲衛故遺之乘馬先之一璧衛君大悅酌酒諸大夫皆喜南文子獨不喜有憂色衛君曰大國禮寡人

寡人故酌諸大夫酒諸大夫皆喜而子獨不喜有憂色者何也南文子曰無方之禮無功之賞禍之先也我未有往彼有以來是憂也於是衛君乃修梁津而擬邊城智伯聞衛兵在境上乃還

又曰智伯欲襲衛乃佯亡其太子顏使奔衛南文子曰太子顏之爲其君子也甚愛非有大罪也而亡之有故然人亡而不受不祥使吏逆之曰車過五乘愼勿內也智伯聞之乃止

又曰趙簡子使人以明白之乘六先以一璧爲遺於衛衛叔文子曰先不意可以生故以小之所以事大也今我未以往而簡子先以來必有故於是斬林除園聚斂蓄積而後遣使者簡子曰吾舉也爲不可知也今旣已知之矣乃輟圍衛也

又曰鄭桓公將欲襲鄶先問鄶之辯智果敢之士書其名姓擇鄶之良臣而與之爲官爵之名而書之因爲設壇於門外而埋之釁之以猳若盟狀鄶君以爲內難也盡殺其臣桓公因襲之遂取鄶

又曰鄭桓公東會封於鄭暮舍於宋東之逆旅逆旅之叟從外來曰客將焉之曰會封爲鄭逆旅之叟曰吾聞之時難得而易失今客之寢安殆非封也鄭桓公援轡自駕其僕接御而載之行十日十夜而至釐何與之爭封故以鄭桓公之賢微旅之叟幾不會封也

又曰趙簡子使成何涉他與衛靈公盟於專澤靈公未喋盟成何涉他捘靈公之手而撙之靈公怒欲反趙王孫商曰君欲反趙不如與百姓同惡之公曰若何對曰請命臣令於國曰有姑姊女者家一人質於趙百姓必怨君因反之

矣君曰善乃令之三日遂徵之五日而令畢國人巷哭君乃召國大夫而謀曰趙爲無道反之可乎大夫皆曰可乃出西門閉東門趙氏聞之縛涉他而斬之以謝於衛成何走燕子貢曰王孫商可謂善謀矣憎人而能害之有患而能處之欲用民而能附之一舉而三物俱至可謂善謀矣

又曰吳闔閭夫人姜氏齊景公以其子妻闔閭送諸郊泣曰余死不汝見矣高夢子曰齊負海而縣山縱不能全收天下誰干我君愛則勿行公曰余有齊國之固不能以令諸侯又不能聽是生亂也寡人聞之不能令則莫若從且夫吳蜂蠆然不弃毒於人則不靜余恐弃毒於我也遂遣之

又曰晉文公與荊人戰於城濮君問於咎犯咎犯對曰服義之君不足於信服戰之君不足於詐君愼之詐而已矣

君問於雍季對曰焚林而畋得獸雖多而明年無復也乾澤而漁得魚雖多而明年無復也詐猶可以偷利而無報遂與荆軍戰大敗之乃賞先雍季而後咎犯侍者曰城濮之戰咎犯之謀也君曰雍季之言百世之謀也咎犯之言一時之權也寡人既巳行之矣

又曰智伯圍晉陽絺疵謂智伯曰韓魏之君必反矣智伯曰何以知之對曰夫勝趙而三分其地今城未没者三板臼竈生鼃人馬相食城降有日矣而韓魏之君無喜志而有憂色是非反何也明日智伯謂韓魏之君曰疵言君之反也韓魏之君曰必勝趙而三分其地今城將勝矣二家雖愚不弃美利而佩約爲難不可成之事其勢可見也是疵必爲趙說君且使君疑二主之心而不解於攻趙也今君聽讒臣之言而離二主之交爲君惜之智伯出欲殺絺疵絺疵逃韓魏之君果反

又曰白圭之中山中山欲留之固辭而去又之齊齊王亦欲留之又辭去人問其辭白圭曰二國將亡矣所學者國有五盡故莫之必忠則言盡矣莫之必譽則名盡矣莫之必愛則親盡矣行者無糧居者無食則財盡矣不能用人又不能自用則功盡矣國有此五者無辜必亡中山與齊皆當此若使中山之與齊也聞五盡而更之則必不亡也其患在不聞也雖聞又不信也然則人主之務在乎善聽而巳矣

又曰下蔡威公閉門而哭三日三夜泣盡而繼之以血旁隣窺牆而問之曰子何故而哭悲若此乎對曰吾國且亡曰何以知也應之曰吾聞病之將死不可爲良醫國之將亡不可爲計謀吾數諫吾君吾君不用是以知國之將亡也於是窺牆者聞其言則舉宗而去之於楚居數年楚王果舉兵伐蔡窺牆者爲司馬將兵而往東虜其衆問曰得無有昆弟故人乎見威公縛在虜中問曰若何以至於此應曰吾何以不至於此且吾聞之也言之者行之役也行之者言之主也汝能行我能言汝爲主我爲役吾亦何以不至於此哉窺牆者乃言之於楚王遂解其縛與俱之楚故曰能言者未必能行能行者未必能言也

又曰石乞侍坐屈建曰白公其爲亂乎石乞曰是何言也白公至於室無縈所下士者三人與巳相君臣者五人所與同衣食者千人白公之行若此何故爲亂屈建曰此建之所謂亂也以君子行則可於國家行過禮則國家疑之且苟不難下其臣必不難高其君矣建是以知夫子將爲亂也處十月白公果亂也

又曰韓昭侯作高門屈宜咎曰昭侯不出此門曰何也曰不時吾所謂不時者非時日也人固有利不利昭侯嘗利矣不作高門往年秦拔宜陽明年大旱民饑不以此時恤民之急也而顧反益以奢此謂福不重至禍不重來者也高門成昭侯卒竟不出此門矣

又曰田子顏自大術至乎平陵城下見人子問其父見人父問其子田子方曰其以平陵反乎吾聞行於内然後施於外子顏欲使其衆甚矣後果以平陵叛

又曰晉人巳勝智氏歸而繕甲治兵楚王恐召梁公弘曰晉人勝智氏矣歸而繕甲兵其以我爲事乎梁公曰不患害其在吴乎夫吴君恤民而同其勞使其民重上之令而人輕死以從上使如慮之戰臣登山以望之見其用百姓之信必也勿巳乎其備之若何不聽明年闔廬襲郢

又曰楚莊王欲伐陳使人視之使者曰陳不可伐也莊王曰何故對曰其城郭高溝壑深畜積多其國寧也王曰陳可伐也夫陳小國也而蓄多是賦斂重則民怨上矣城郭高溝壑深則民力罷矣興兵伐之遂取陳

又曰齊桓公將伐山戎孤竹使人請助於魯魯君進羣臣而謀皆曰師行數千里入蠻夷之地必不反矣於是魯許助之而不行齊已伐山戎孤竹而欲移兵於魯管仲曰不可諸侯未親今有伐遠而還誅近隣隣國不親非霸王之道君之所得山戎之寶器者中國之所鮮也不可以不進周公之廟乎桓公乃分山戎之寶獻之周公之廟明年起兵伐莒魯下令丁男悉發五尺童子皆至孔子曰聖人轉禍爲福報怨以德此之謂也

又曰智伯請地於魏宣子宣子不與任增曰何爲不與宣子曰彼無故而請地也吾是以不與任增曰彼無故而請地者無故而與之是重欲無厭也彼喜必又請地於諸侯不與必怒而伐之宣子曰善遂與地智伯喜又請地於趙趙不與智伯怒圍晉陽韓魏合趙而反智氏智氏遂滅

又曰楚莊王與晉戰勝之懼諸侯之畏已也乃築爲五仞之臺成而觴諸侯諸侯請爲觴皆仰而曰將將之臺窅窅其謀我言而不當諸侯伐之於是遠者來朝近者入賓

又曰吳王夫差破越又將伐陳楚大夫皆懼曰昔闔閭能用其衆故伐我於栢舉今聞夫差又甚焉子西曰二三子胡不相睦也無患吳矣昔闔閭食不二味處不重席擇不取費在國天有災親戚乏困而供之在軍食熟者半而後食其所嘗者卒乘必與焉是以民不罷勞今夫差次有臺榭陂池焉宿有妃嬙嬪御焉一日之行所欲必具玩好必集

珍異是聚夫差元自敗已焉能敗我

又曰吳請師於楚以伐晉楚王與大夫皆懼將許之左史倚相曰此恐吾攻已故示我不病請爲長轂千乘卒三萬與分吳地也莊王聽之遂取東國

又曰陽虎爲難於魯走之齊請師攻魯齊侯許之鮑文子曰不可也陽虎欲破齊師齊師破大臣必多死於是欲奮其詐謀夫虎有寵於季氏而將季孫以不利魯國而容其求焉今君富於季氏而大於魯滋陽虎所欲傾覆也魯免其疾而君收之無乃害乎齊君乃執之免而奔晉

又曰湯欲伐桀伊尹曰請阻之貢職以觀其動桀怒起九夷之師以伐之伊尹曰未可彼尚猶能起九夷之師是罪我也湯乃謝罪請服復入貢職明年又不貢職桀怒起九夷之師九夷之師不起伊尹曰可矣湯乃興師伐而殘之遷桀南巢焉

孔藂子曰趙聞魏將以來親於秦子順謂趙王曰此君之下吏計過也比目之魚不見得於人者偶視近而俱走也今秦兼吞天下之志不忘側息也趙魏與之隣接而強弱不敵所以不敢圖并趙魏者徒以二國併力周旋無故自離以資強秦天下拙謀無過此者夫連雞不能互栖二國構難不能自免於秦也願王熟慮之趙王曰敬受教

又曰韓與魏有隙子順謂韓王曰昭釐侯一世之明君也申不害一世之賢相也韓與魏仇敵之國而釐侯執珪見梁君者非好卑而惡尊慮過而計失與嚴敵爲隣動有滅亡之變獨勁不能支二難故降心以相從屈已以求存也申不害慮事而言忠臣也昭釐侯聽而行之明君也今之韓弱於始之韓今之秦強於始之秦而背先人之舊好以

區區之衆居二敵之間非良策也齊楚遠而難恃秦魏呼吸而至舍近而求遠是虛名自累而不知近敵之困者也爲王計者莫如除小忿全大恕也吳越之人同舟濟江中流遇風波其相救如左右手所患同也今不恤所同之患是不如吳越之舟人也韓王曰善

太平御覽卷第四百五十

太平御覽卷第四百五十一

人事部九十二

諫諍一

尚書去木從繩則正后從諫則聖

毛詩序曰上以風化下下以風刺上主文而譎諫言之者無罪聞之者足以戒故曰風

禮記曰爲人臣之禮不顯諫(顯明也謂明言其惡不幾微)三諫而不聽則逃之(逃去也君臣有義則合不義則離)子之事親也三諫而不聽則號泣而隨之(至親無去至在感動之心)

又曰父母有過下氣怡色柔聲以諫

又曰子曰事君遠而諫則諂也近而不諫則尸利也(尸謂不知人事無辭讓者)子曰邇臣守和宰正百官大臣慮四方(邇近也和爲和君臣事也宰主治官慮謀)子曰事君欲諫不欲陳(諫謂言其過於外)

左傳曰衛公子州吁嬖人之子也有寵而好兵公弗禁石碏諫曰臣聞賤妨貴少陵長遠間親新間舊小加大淫破義所謂六逆也君義臣行父慈子孝兄愛弟敬所謂六順也去順效逆所以速禍也

又曰魏獻子爲政以魏戊爲梗陽大夫梗陽人有獄魏戊不能斷以其獄上大宗賂以女樂(訟者之大宗也)魏子將受之魏戊謂閻沒汝寬曰(二子晉大夫魏子之屬)主以不賄聞於諸侯若受梗陽人賂賄莫甚焉吾子必諫皆許諾退朝待於庭饋入召之(召二大夫食)此置三歎既食使坐魏子曰吾聞諸伯叔諺曰唯食忘憂吾子置食之間三歎何也同辭對曰昨或賜二小人酒不夕食(昨飲酒醉故不夕食)饋之始至恐其不足是以歎中置自咎曰豈將軍食之而有不足是以再歎及饋之畢願以小人之腹爲君子之心屬厭而已獻子辭梗陽人(屬足也小人二子自謂小人腹飢則恐食之不足厭飽則恐君子居尊官食重祿而不知足故願以其腹爲君子之心)

又曰公將如棠觀漁臧僖伯諫曰凡物不足以講大事其材不足以備器用君不舉焉(材謂皮革齒牙骨角)君將納民於軌物者也故講事以度軌量謂之軌取材以章物采謂之物不軌不物謂之亂政亂政亟行所以敗也

又曰宋華督已殺孔父而弒殤公召莊公于鄭而立之以親鄭以郜大鼎賂公納于太廟非禮也臧哀伯諫曰君人者將昭德塞違以臨照百官猶懼或失之故昭令德以示子孫夫德儉而有度升降而有數文物以紀之聲明以發之百官於是乎戒懼而不敢易紀律今滅德立違而寘其賂器於太廟以明示百官百官象之又何誅焉國家之敗由官邪也官之失德寵賂章也郜鼎在廟章甚孰焉周內史聞之曰臧孫達其有後於魯乎君違不忘諫之以德

又曰初鬻拳強諫楚子楚子弗從臨之以兵懼而從之鬻拳曰吾懼君以兵罪莫大焉遂自刖也楚人以爲大閽謂之太伯使其後掌之(其後鬻拳之孫)

又曰莊公如齊觀社非禮也曹劌諫曰不可夫禮所以整民也故會以正班爵之義師長幼之序征伐以討其不然諸侯有王王有巡狩(有四方也)以大習之(大習會朝之禮)君舉必書書而不法後嗣何觀公不聽

又曰丹桓宮楹(丹雕宮桓公廟楹謂之柱)刻其桷(經書刻桓宮桷謂之榱榱椽也)皆非禮也御孫諫曰臣聞之儉德之恭也侈惡之大也先君有恭德而君納諸大惡無乃不可乎秋哀姜至公使宗婦覿用幣御孫諫曰男贄大者玉帛(公侯伯子男執玉至諸侯世子附庸孤執帛也)小者禽鳥(卿執羔大夫執鴈士執雉)以章物也女贄不過榛栗棗脩以告虔也(榛小栗也脩脯也虔敬也皆取名以示敬也)今男女同贄是無別

世男女之別國之大節也由夫人亂之無乃不可乎
又曰晉侯假道於虞以伐虢宮之奇諫曰虢虞之表也虢
亡虞必從之晉不可啓寇不可翫一之謂甚其可再乎諺
所謂輔車相依脣亡齒寒者其虞虢之謂也輔頰輔也車牙車也
又曰晉靈公不君厚斂以雕牆從臺上彈人觀其避丸宰
夫胹熊蹯不熟殺之寘諸畚使婦人載之以過朝趙盾士
季見其手問其故而患之將諫士季曰諫而不入則莫之
繼也會請先 入則子繼之三進及霤而後視之曰吾知
所過矣將改之猶不改宣子驟諫公患之
又曰晉師爲楚所敗師歸桓子請死晉侯欲許之士貞子
諫曰不可城濮之役師三日穀文公猶有憂色左右曰有
喜而憂如有憂而喜乎公曰得臣猶在憂未歇也困獸猶
鬭況國相乎及楚殺子玉子玉得臣公喜而後可知也曰莫余

毒也是晉再勝而楚再敗也楚以是再世不競 今天或者
大警晉也而又殺林父重楚勝其無乃久不競乎
穀梁曰陳靈公通於夏徵舒之家公孫寧儀行父亦通於
其家或衷其 襦以相戲於朝泄冶聞之入諫曰使國
人聞之則猶可使仁人聞之則不可君愧泄冶不能用其
言而殺之
周禮地官保氏掌諫王惡諫者以禮義正之
論語曰事父毋幾諫
孝經曰曾子曰敢問子從父之令可謂孝乎子曰是何言
歟是何言歟昔者天子有爭臣七人雖無道不失其天下
諸侯有爭臣五人雖無道不失其國大夫有爭臣三人雖
無道不失其家士有爭友則身不離於令名父有爭子則
身不陷於不義

史記曰主父偃上書闕下朝奏暮召入見所言九事其八
事爲律令一事諫伐匈奴其辭曰臣聞明主不惡切諫以
博觀忠臣不敢避重誅以直言是故事無遺策而功流萬
代
又曰趙高親近胡亥曰毀惡蒙氏求其罪過舉殺之子嬰
諫曰君誅殺忠臣而立無節行之人是內使羣臣不相信
而外令鬬士之意離也臣竊以爲不可胡亥弗聽
又曰趙肅侯遊大陵出於鹿門大夫戊午扣馬諫曰耕事
方急一日不作百日不食肅侯下車而謝之
又曰秦夷郡縣城銷兵刃不復用不立子弟爲王功臣爲
諸侯者使後無攻戰之患始皇三十四年置酒咸陽宮博
士僕射周青臣等頌稱始皇威德齊人淳于越進諫曰臣
聞之殷周千餘歲封子弟功臣自爲枝輔今陛下有海內

而子弟爲匹夫卒有田常六卿之臣無輔弼何以相救哉
事不師古而能長久者非所聞也
又曰沛公入秦宮室帷帳狗馬重寶婦女以千數意欲留
居之樊噲諫沛公出舍沛公不聽張良曰夫秦無道故沛
公得至此矣爲天下除殘賊宜縞素爲資今始入秦即安
其樂此所謂助桀爲虐且忠言逆耳利於行良藥苦口利
於病願聽樊噲言沛公乃還軍灞上
又曰高帝欲以趙王如意易太子叔孫通諫上曰太子仁
孝天下皆聞之呂后與陛下攻苦食淡其可背哉必廢嫡
立少臣願先伏誅以頸血汙地高帝曰公罷矣吾直戲耳
叔孫通曰太子天下本一搖天下振動奈何以天下戲
又曰司馬相如嘗從上至長楊獵是時天子方好自擊熊
彘馳獸相如上疏諫曰臣聞物有同類而殊能者故力稱

烏獲捷言慶忌勇期賁育曰之愚以爲人誠有之獸亦宜然今陛下好陵阻險射猛獸卒然遇軼材之獸駭不存之地犯屬車之清塵是胡越起於轂下而羌夷接軫也

又曰楚莊王即位三年不出號令日夜爲樂令國中曰有敢諫者死無赦伍舉入諫莊王左抱鄭姬右抱越女坐鍾鼓之間伍舉曰願有進隱曰有鳥在於阜三年不飛不鳴是何鳥也莊子曰三年不飛飛將冲天三年不鳴鳴將驚人舉退矣 吾知之矣居數月滛益大甚蘇從乃入諫王曰若聞令乎對曰然身以明君臣之願也於是乃罷滛樂聽政所誅者數百人所進者數百人任伍舉蘇從以政國人大悅

又曰孫叔敖病且死屬其子曰我死必貧困往見優孟言我孫叔敖子也居數年其子窮困負薪逢優孟與言曰我

孫叔敖子也父且死時屬我貧困往見優孟孟曰若無遠有所之即爲叔敖衣冠抵掌談語歲餘像孫叔敖楚王及左右不能別也莊王置酒優孟前爲壽莊王大驚以爲孫叔敖復生也欲以爲相優孟曰請歸與婦計之三日而爲相莊王許之三日優孟復來王曰婦言何對曰婦言慎無爲楚相孫叔敖盡忠爲廉以治楚楚王以得霸今死其子無立錐之地貧困負薪以自飲食必如孫叔敖不如自殺於是莊王謝優孟乃召孫叔敖子封寢丘侯四百戶以奉其祀

又曰優旃者秦倡侏儒也二世立欲漆其城優旃曰善主上雖無言臣固將請之漆城雖於百姓愁費然佳哉漆城光蕩蕩寇來不得上即欲就之易爲漆耳固難 爲蔭室於是二世以其故止

又曰武帝少時東武侯母嘗養帝帝壯時號之曰大乳母所言未嘗不聽公卿大臣皆敬重乳母家子孫奴從者橫暴長安中當道掣頓人車馬奪人衣服聞於中上不忍致之法有司徙乳母於邊奏可乳母當入至前面見辭乳母先見郭舍人爲下泣舍人曰即入見辭去疾步數還顧乳母如其言謝去步疾數顧郭舍人疾言罵之曰咄老女子何不疾行陛下已壯矣寧尚須乳母而活耶尚何還顧於是人主憐悲之乃下詔止無徙乳母

又曰始皇長子扶蘇諫曰天下初定遠方黔首未集今皆重法繩之臣恐天下不安唯上察之始皇怒使扶蘇北監蒙恬於上郡

漢書曰上朝東宮趙談參乘袁盎伏車前曰臣聞天子所與共六尺輿皆天下豪英今漢雖乏人陛下獨奈何與刀

鋸之餘同載於是上笑下趙談談泣下車

又曰吳王謀反枚乘諫曰夫舉吳以訾於漢譬由虻蝻之腩羣牛腐肉之齒利劒也

又曰南越自相攻上欲救之淮南王上書曰臣聞越非有城郭邑里也處谿谷之閒篁竹之中習於水鬬便於用舟地深昧而水險中國之不知其勢阻而入其地雖百不當其一夫賴宗廟之靈方內大寧戴白之老不見兵革民得夫婦相守子孫相保陛下之德也陛下方寸之印丈二之組鎮撫方外不勞一卒不煩一戰而威德並行

又曰王吉字子陽爲昌邑中尉上疏諫曰大王不好書術而樂逸遊口倦乎叱咤手苦於轡棰身勞乎車輿朝則冒霜露晝則被塵埃夏則爲大暑之所暴炙冬則爲風寒之所侵薄以耎脆之玉體犯勤勞之煩毒夫廣厦之下細氈

之上明師居前勸誦在後上論唐虞之際下及殷周之盛考仁聖之風習治國之道訢訢焉發憤忘食日新厥德其樂豈徒銜橛之間哉

又曰鮑宣每居位嘗上書諫民有七亡而無一得欲望國安誠難也民有七死而無一生欲望刑措誠難也陛下擢臣巖穴誠冀有益毫毛豈徒欲臣美食太官重高門之地哉

又曰龔遂字少卿山陽人以明經爲昌邑郎中令王動作不正遂爲人忠厚剛毅有大節內諫爭於王外責傅相引經義陳禍福至於涕泣蹇蹇亡已面刺王過王至掩耳起走曰郎中令善愧人及國中皆畏憚焉王嘗與騶奴宰人遊戲飲食過度遂入見王涕泣膝行左右御皆出涕王曰郎中令何爲遂曰臣痛社稷之危也

又曰張敞爲膠東相王太后數出遊獵敞上書諫曰臣聞

秦王好淫聲葉陽后爲不聽鄭衛之曲楚莊好畋獵樊姬爲不食鳥獸之肉口非惡芳甘耳非憎絲竹也所以抑心意絕嗜欲將以帥二君而全宗祀也禮君母出門則乘輜軿下堂則從傅姆進退則鳴玉珮內飾則結綢繆此言尊貴所以自斂制不縱恣之宜也唯觀覽往古今后姬有所則書奏后不復出

又曰成帝起昌陵數年不成復還歸延陵制度奢大劉向上書諫曰闔廬違禮厚葬十有餘年越人發之秦皇帝葬於驪山之阿下錮三泉高五十餘丈周五里水銀爲江海黃金爲鳧鴈珍寶之藏機械之變棺槨之麗宮館之盛不可勝量工匠計以萬數數年之間被項羽之災離牧豎之禍丘壟彌高者發掘必速竊爲陛下羞之上甚感向言而不能從

又曰王莽新即位恃府庫之富欲立威乃拜十二部將率同時十道並出窮追匈奴因分其地立呼韓邪十五子莽將嚴尤諫曰周宣存時獫狁內侵至于涇陽命將征之盡境而還其視戎狄之侵譬猶蚊䖟之螫敺之而已故天下稱明是爲中策漢武帝選將治兵輕糧深入遠戍雖有尅獲之功胡輒報之兵連禍結三十餘年中國罷耗匈奴亦創而天下稱武是爲下策秦始皇不忍小恥而輕民力築長城之固延袤萬餘里轉輸之所行起於負海壃境既完中國內竭以喪社稷是爲無策莽不聽轉兵穀如故天下騷動

又曰王莽新即位立威而窮追匈奴莽將嚴尤諫曰今天下遭陽九之阨比年飢饉此一難也不然奉軍糧二難也胡地沙鹵多乏水草三難也胡地秋冬甚寒春夏甚風多

此四難也輜重自隨虜徐遁逃五難也功必不成莽不聽

又曰成帝時王氏擅權羣臣莫敢言梅福上書諫曰昔高祖納善若不及從諫如轉圜此高祖所以無敵於天下也

又曰梅乘上書諫吳王曰夫以一縷之任係千鈞之重上縣之無極之高下垂之不測之泉雖甚愚之人猶知其絕也

又曰谷永上疏諫成帝曰臣聞三代之所以隕社稷皆由婦人與羣惡顚陛下追觀夏商周秦所失也

又曰伍被楚人諫淮南王曰昔伍子胥諫吳王吳王不用迺曰臣今見麋鹿游姑蘇之臺也今臣亦將見宮中生荊棘露霑衣也因流涕而起

太平御覽卷第四百五十一

太平御覽卷第四百五十二

人事部九十三

諫諍二

漢書曰文帝幸上林皇后愼夫人從其在禁中常同坐及坐郎署袁盎却愼夫人坐因前說曰臣聞今陛下既巳立后愼夫人迺妾妾主豈可以同坐哉不見人彘乎於是上迺悅愼夫人賜盎金五十斤盎以數直諫不得久居中調爲隴西都尉

又曰元帝時左將軍史丹護太子家事竟寧元年上寢疾傅昭儀及定陶王常在左右而皇后太子希得進見丹直入臥內頓首伏青蒲上涕泣曰皇太子以適長立積十餘年名號繫於百姓今者道路流言以爲太子有動搖之議審若此臣願先賜死以示羣臣應劭注曰以青規地曰青蒲自非皇后不得至此

又曰項羽發使立沛公爲漢王王巴蜀沛公怒不許蕭何諫曰雖漢中之惡猶　不愈於死乎王曰何爲乃死也何曰今衆不如百戰百敗不死何俟周書曰天與不取反受其咎天漢其稱美乎夫能屈一人之下而申於萬乘之上者湯武是也臣願大王王漢中養其人致英傑收巴蜀定三秦天下之事可圖也漢王善之遂之國

又曰周昌沛國人高祖時爲御史大夫高祖欲廢呂后所生太子立戚夫人之子如意爲太子昌諫之曰陛下若廢嫡立庶臣不敢奉詔高祖乃止後太子立是爲惠帝拜昌爲太傅

又曰薛廣德爲御史大夫元帝永光中行幸不已廣德乃上書諫曰臣竊見關東人民流離陛下日撞亡秦之鍾聽鄭衛之樂馳騁千戈𢍰獵于田野不恤百姓臣誠悼之今士卒暴露從官勞倦願陛下亟返宮與天下同憂樂上即日還宮又帝欲酎祭宗廟出便門橋欲御樓船廣德乃當車免冠頓首諫曰陛下宜從橋上帝曰大夫冠廣德曰陛下不聽臣臣自刎頸以血汚車輪陛下不得入宗廟矣帝不悅先驅光祿大夫張猛前曰臣聞主聖臣直乘船危從橋安聖主不涉危不履虛御史大夫言可用上曰曉人不當如此乃從橋

又曰劉向爲宗正時西域都護甘延壽副校尉陳湯矯制發胡漢兵四萬攻郅支單于斬首傳送京師名王巳下七千五百人一十八級生虜百四十五人降虜千餘人上議其功丞相匡衡石顯等皆以延壽與湯擅興師矯制幸得不誅不宜加爵土上欲從之向乃上疏極諫文多不載於

是上乃赦湯與延壽等矯制罪封延壽爲義城侯長水校尉湯爲關內侯食實封三百戶

又曰貢禹字少翁瑯瑘人累爲諫議大夫時歲不登郡國多困禹乃進諫曰今關東諸道禾稼不稔江淮淅右人民流離父子不保願陛下蠲賦稅常貢減太官之食去角觝諸戲廢不急務役速下詔命以蘇疲人上悅之遷禹爲御史大夫禹自治憲司數陳得失又言官家奴婢十餘萬人稅良民以給之率脂膏以滑之歲費鉅萬於國無益宜請免爲庶人從之又奏武帝始臨天下犯法者贖罪入穀者補吏是以官私俱亂盜賊並起玉石混雜眞僞不分今欲興至理致太平宜除贖法以進賢良則天下治矣上大悅行之賜禹錢百萬

又曰劉輔爲諫議大夫成帝欲立趙婕妤爲后輔疏曰今

陛下觸情縱慾傾於卑賤之女欲以母天下豈不畏于天
乎上怒使掖庭中縛之谷永等上書訟之上乃減死
又曰谷永時成帝好微行不止永乃諫曰陛下弃萬乘之
至尊樂家人之賤事厭高美之尊號好匹夫之卑業使拱
衛之臣執干戈守其空宫使公卿百寮不知陛下所在忽
有變將柰社稷何帝歛容而止
又曰耿育關内侯陳湯被譏奪爵黜之燉煌郡育上書諍
曰陳湯昔年討絶域不羈之君雪國家累年之恥自古及
今安有比哉今被譏黜老弃燉煌復爲遺虜所笑誠可痛
哉至今奉使外夷者未嘗不陳以郅支之誅夷以揚漢國
之威稜豈可以授人之功弃人之身閉倖門路快讒佞者
乎帝遂詔湯還京師復舊爵
又曰鄭崇字子游高密大族哀帝時爲尚書僕射數見諫
諍陳得失每奏事嘗曳革履上笑曰我識鄭尚書履聲崇
每以董賢貴寵過度陳諫由是得罪上因責崇曰君門如
市何乃欲禁切主上用人乎崇曰臣門如市臣心如水矣
又曰朱雲成帝封諸舅王鳳等五人同日爲侯傾壞朝政
京兆尹王章以直言見誅安昌侯張禹以依違任事雲爲
槐里令頗銜之乃諫曰今朝廷大臣上不能匡君下不能
益人皆尸禄耳不可以事君臣請尚方劍斷佞臣頭一人
勵其餘上問曰誰也雲曰張禹上大怒曰小臣居下訕上
廷辱師傅罪死不赦御史將下雲攀折殿檻大呼曰臣願
得從龍逄比干遊於地下免事桀紂之主死不恨矣將軍辛
慶忌叩頭流血極諫得免所司理檻帝曰勿理以旌直臣
又曰王宏爲侍中哀帝寵董賢爲大司馬衛將軍事是時
賢年二十二上置酒與賢父親屬宴飲上放酒從容視賢

而笑曰吾欲法堯禪舜何如時宏在坐進諫曰昔周成戲
以桐葉封弟叔虞於晉周公入曰天子無戲言耳今天下
乃高帝之天下非陛下之天下也陛下以藩王入奉嗣孝
成皇帝後當承宗廟傳子孫於無窮豈得以戲言將高祖
社稷輸人耶上默然不悦終以失旨貶爲郎署
又曰郅都景帝時爲中郎敢直諫面折大臣於朝嘗從上
入上林賈姬在厠野彘入厠上目郅都不行上欲自持兵
救賈姬都伏上前曰一姬死更一姬進天下所少寧賈姬乎陛
下縱自輕柰宗廟太后何上還彘亦不傷賈姬太后聞嘉
之賜都金百斤上亦賜金百斤
又曰梅福上書諫成帝曰天下民有上書求見者輙使詣
尚書問其所言諫可採取者秩以升斗之禄賜以一束之
帛若此天下之士發憤懣吐忠言嘉謀日聞於上天下條
貫國家表裏爛然可睹矣
又曰哀帝時杜欽諫曰臣聞非仁無以廣施非義無以正
身今漢承周秦之弊宜抑文上質表實去僞臣竊有所憂
言之怫心逆旨不言則增漸日長爲禍不細
續漢書曰張子孝平陵人性矜嚴非禮不動遇妻子若嚴
君三輔以爲儀表人或謂之詐子孝曰我誠詐也人皆詐
惡我獨詐善不亦可乎爲光禄諫正常乘白馬上每有異
政輙言白馬生且復諫矣
又曰吴祐字季英陳留人父恢南海太守祐年十二隨恢
到官欲以殺青簡寫尚書章句祐諫曰今君踰江湘越五
嶺僻在海濱風俗雖陋然多珍玩上爲朝廷所疑下爲權
戚所望此章若成載必兼兩昔馬援以薏苡興謗王陽以
衣囊邀名嫌疑之戒願留意焉恢撫其首曰吴氏世不乏

季子者

後漢書曰陳蕃爲太尉桓帝末朝綱失序封賞踰制蕃上疏諫曰臣聞諸侯上象七曜下應九土以藩屏王室高祖非功臣不侯今寵臣以非義受邑左右以無村傳賞守位不料其德列土莫紀其功乃至一門之內侯者數人後宮之中數千采女肉食錦衣脂油粉黛不可勝計鄙諺曰盜不入五女之門以貧人家也今後宮之女豈不以貧人國乎且聚而不御必生憂怨之感以致兵革水旱之因也上知之而不能用爲佞所害

又曰申屠剛字巨卿茂陵人累遷尚書令帝嘗欲出遊剛以隴蜀未平不宜宴逸諫不聽乃以頭軔乘輿帝遂止

又曰王尊爲隗囂將世祖遣來歙往諭之囂不從命而執之欲煞害尊諫曰臣聞爲國者慎器與名爲家者畏怨重禍慎名器則下服其命輕怨禍則上受其殃今將軍遣子質漢內懷他志名器逆矣而更謀誅其使怨禍結矣古者列國兵交使在其間所以兵貴和而不任戰者何況承王命藉重質而犯之哉且來歙雖單車遠使而漢帝之外兄害之無損於彼滅之有害於吾昔宋執楚使者有折骸易子之禍小國猶不辱況萬乘之主乎遂不敢害以禮遣之

又曰張敏字伯達河間鄚人累爲尚書建初中有侮辱人父者而子煞之肅宗貸其死刑時定其議敏議曰夫怨生之決宜從上下猶天之四時有生有死若開相容恕著之爲定法者則是故設對萌生長罪隙今欲趨生反開殺路一人不死天下受弊記曰利一害百民去其郭王者承天地順四時法聖人從經律願陛下留意下民考尋利害天下幸甚從之

又曰爰延字季平外黃人性質直遷侍中帝遊上林苑從容問延曰朕何如主也對曰爲漢中主帝曰何以言之對曰尚書令陳蕃任事則治中常侍豫政則亂是以知陛下可與爲善可與爲非帝曰嗚呼昔朱雲庭折欄檻今侍中面稱朕過何代無奇人哉敬聞命矣

又曰杜根字伯堅潁川人永初元年爲郎時和熹鄧后臨朝權在外戚根以安帝年長宜親政事與同舍郎上書直諫太后大怒令盛根於囊殿上武士撲殺之執法者以根素知名私語行事人使不加力旣而載出根得蘇太后使人撿覆根詐死三日目中生蛆因得免

又曰李雲字行祖甘陵人爲白馬令衆災頻降雲素剛直憂國將危乃露布上書直諫帝怒遂下黃門北寺獄五官掾杜衆傷雲以忠諫獲罪上書願與雲同日死詔下廷尉皆死獄中

又曰陳琳爲丞相府主簿靈帝時朝綱失序政在官官尚書何進謀於袁紹曰昔趙鞅興晉陽之甲誅君側之惡今閹豎弄權可謂蔓草也盍萌而薙之琳諫曰易稱即鹿無虞諺有掩日捕雀夫微物尚不可欺以得志況國之大事其可以詐乎今明公總皇威權兵要龍驤虎步高下在心此猶鼓洪鑪而燎毛髮耳夫違經合道天人所慎而反委釋利器更徵外助大兵聚會強者爲雄所謂倒持干戈授人以柄功必無成爲禍階矣進不聽遂召前將軍太原守董卓卓未至卒爲禍亂而進亦爲官官所殺

又曰銚期重於信義在朝廷憂國憂主其有不得於心犯顏諫爭帝嘗輕與期門近出期頓首車前曰臣聞古今之戒變生不意誠不願陛下微行數出帝爲之回輿而還

又曰桓帝時有上書宜改鑄大錢劉陶上議曰伏讀鑄錢之詔平輕重之議蓋以當今之憂不在於貨在於民飢竊見比年以來良苗盡於蝗螟之口杼柚空於公私之求野無青草室如懸磬所急朝夕之飡所患靡盬之事豈謂錢之銖兩輕重哉就使當今沙礫化爲黃金瓦石變爲和玉使百姓渴無飲飢無食雖黃羲之純德唐虞之文明猶不能以保蕭牆之內也蓋人民可百年無貨不可一朝有飢故食爲至急也

又曰劉陵字孟高豫章人爲侍中車駕出祠南郊陵恭乘上起早外輿眠陵跪曰陛下爲萬乘之主外輿宜正立雖早嚴欲寢不當上爲天地靈祇下爲百姓觀覩上媿色曰敬受侍中斯言以後爲式更自整頓

謝承後漢書曰延篤字叔固孝桓皇帝拜侍中自在機密常見進納上數問政事得失以經義古典默諫帷幄言不

宣外

又曰李膺等黨事下獄陳蕃上疏極諫曰臣聞聖明之君委心輔佐亡國之主諱聞直辭故湯武雖聖而興於伊呂桀紂迷惑亡在失人由此言之君爲元首臣爲股肱同體相須共成美惡者伏見前司隸校尉李膺太僕杜密太尉掾范滂等正身無點死心社稷以忠忤旨橫加考案或禁錮閉隔或死徙非所杜塞天下之口聾盲一世之人與秦焚書坑儒何以爲異臣位列台司憂責深重不敢尸祿惜生坐觀成敗如不蒙採錄使身首分裂異門而出所不恨也帝諱其言切託以蕃非其人遂策免之

又曰陳蕃諫桓帝曰故皐陶戒舜無敗遊周公戒成王無般于遊田虞舜成王猶有此戒況德不及二主者乎夫安平之時尚宜有節況當今之世有三空之危哉田野空朝廷空倉庫空是謂三空加兵戎未戢四方離散是陛下焦心毀顏坐而待旦之時也豈宜揚旗曜武騁心輿馬之觀乎

太平御覽卷第四百五十二

太平御覽卷第四百五十三

人事部九十四

諫諍三

東觀漢記曰上將自擊彭寵伏恩公諫曰臣聞文王享國五十伐崇七年而三分天下有二至武王四海乃賓陛下承大亂之極出入四年中國未化遠者不服而遠征邊郡四方聞之莫不恠疑願思之

又曰郅惲爲上東城門候上嘗夜出還拒關詔開門欲入惲不納上令從門間識面惲遂不開明日惲上書曰昔文王不敢盤于遊田以萬民惟憂而陛下遠獵山林以夜繼晝其如社稷宗廟何誠小臣所竊憂也由是上特重之

又曰第五倫爲司空奉公不撓言事無所依違諸子諫止輒叱之每上封自作草不復示掾吏或民奏記言便宜便封上

又曰明帝時決獄多近於重尚書陳寵上疏諫曰先王之政賞不僭刑不濫與其不得已寧僭故古賢君歎相重式者重刑之至也

又曰帝時伐匈奴魯恭王上疏諫曰竊見竇憲耿秉銜使奉命暴師於外陛下親勞憂在軍役誠欲以安定邊陲爲民除害臣思之未見其便數年以來民食不足國無積盛春興擾動天下妨廢農時以事夷狄非所以垂意於中國憫念民命也

又曰日蝕司徒丁鴻上疏曰臣聞春秋日蝕三十六而殺君三十六變不空生夫帝王不宜以重器假人觀古及漢傾危之禍靡不由世位擅寵之家伏見大將軍刺史二千石初除謁辭求通待報雖奉璽書受臺勑不敢去至數十日背公室向私門此乃上威損下權盛外附之臣依託權門謟諛以求容媚宜誅之

又曰竇憲爲車騎將軍辟崔駰爲掾憲府貴重掾屬三十人皆故刺史二千石唯駰以處士年少擢在其間憲擅權驕恣駰數諫之及出征匈奴道路愈多不法駰爲主簿前後奏記數十指切長短憲不能容稍疎之因察駰高弟出爲岑長　駰自以遠去不得意遂不之官而歸卒于家

又曰楊賜字伯獻代劉郃爲司徒帝欲造畢圭靈昆苑賜上疏諫曰竊聞使者並規度城南民田欲以爲苑昔先王造囿裁足以脩三驅之禮薪萊芻牧皆悉往焉先帝之制左開鴻池右作上林不奢不約以合禮中今猥規郊城之地以爲苑囿廣壞田園廢居民畜禽獸殆非所謂保赤子之義

又曰光和中有虹蜺晝降嘉德殿上引楊賜等入金商門問以祥異對曰按春秋讖曰天投蜺恐海內亂加四百之期象見吉凶聖人則之今妾媵嬖人閹尹之徒共專國朝欺罔日月而今縉紳之徒委伏畎畝口誦堯舜之言身蹈絕俗之行亡捐溝壑不見逮及冠履倒易陵谷代處

又曰白馬令李雲桓帝誅大將軍梁冀而中常侍單超等五人皆以誅冀功並封列侯又立掖庭民女亳氏爲皇后數月間后家封四人賞賜巨萬時地數震裂衆災頻降雲素剛憂國乃露布上書移三府曰孔子曰帝者諦也今官位錯亂小人謟進財貨公行政令日損是帝欲不諦乎帝得奏震怒下有司送雲黃門北寺獄死

魏志曰辛毗字佐治潁川人帝踐祚爲侍中帝欲徙冀州士家十萬民實河南時連蝗民飢羣司以爲不可而帝意

甚盛毗與朝臣俱求見帝知其欲諫作色以見之皆莫敢言毗曰陛下徙士家其計安出帝曰卿謂我徙之非耶毗曰誠以爲非也帝曰吾不與卿共議也毗曰陛下以臣不肖置之左右厠之謀議之官安得不與臣議耶臣所言非私也乃社稷之慮也帝不荅起入內毗隨而引其裾帝遂奮衣而還良乆乃出曰佐治卿持我 何太急耶毗曰今徙既失民心又無以食也帝遂徙其半嘗從帝射雉帝曰射雉樂哉毗曰於陛下甚樂而於羣下甚苦帝默然爲之希出

又曰太祖討張魯東還時有將軍許遊擁部曲不附太祖而有慢言太祖怒先欲討之羣臣多諫太祖橫刀於膝作色不聽繆襲入欲諫太祖逆 之曰吾計以定卿勿復言襲曰若殿下計是耶臣方助殿下成之若殿下計非耶雖成宜敗之殿下逆臣令勿言何待下之不闇乎太祖曰許遊慢吾何言可致乎襲曰臣聞千石之弩不爲鼷鼠發機萬鈞之鍾不以莛橦起音今區區之許遊何足以勞神哉太祖曰善遂厚撫遊遊即歸服

又曰賈詡字文和文帝時爲五官將而臨淄侯植才名方盛有奪宗之議文帝使人問詡自固之術詡曰願將軍恢崇德度躬素士之業朝夕孜孜不違子道如此而已文帝從之深自砥礪太祖又當屛除問詡詡嘿然不對太祖曰與卿言而不荅何也詡曰思袁本初劉景升父子也太祖大笑於是太子遂定

又曰文帝頻出遊獵或昏夜還宮王朗上䟽曰夫帝王將行則設兵而後登輿淸道而後奉引所以顯至尊務戒愼也近日車駕及昏而反非萬乘之至愼也

又曰文帝踐祚以高柔爲治書侍御史時人間數有誹謗祅言帝疾之有祅言輙殺而賞告者柔上䟽曰宜除祅謗賞告之法帝乃下詔敢以誹謗相告者以所告罪罪之於是遂絶

又曰太祖置校事盧洪趙達等使察羣下高柔諫曰今置校書既非君上信下之指又達等數以憎愛擅作威福宜撿治之後姦利發太祖殺之以謝於柔

又曰太祖征并州留崔琰傅文帝於鄴太子仍出田獵變服易乘志存驅逐琰書諫曰今邦國殄悴惠康未洽唯太子燔翳損褶以塞衆望不令老臣獲罪於天

又曰高堂隆寢疾口占上䟽曰臣寢疾病有增無損常懼忠欵不昭時王莫不思紹堯舜而蹈桀紂之跡願陛下少垂省覽

又曰明帝即位辛毗爲廷尉帝欲平北邙令登臺觀則見孟津毗諫曰天地之性高高下下今而反之既非其理若九河溢溢洪水爲害而丘陵皆移將何以禦之帝乃止

又曰明帝時百姓凋匱而役務方殷衛覬上䟽曰順止者愛所由來逆意者惡所從至故人臣皆爭順指而避逆意非破家爲國殺身成君者誰能犯顏色觸忌諱建一言開一説哉

又曰荀彧傳曰時曹公欲滅陶謙乘勝欲取徐州而後定呂布彧諫曰昔高祖保關中光武據河內深根固本以制天下進可以勝敵退可以自守雖師北身適者數矣而終復振成大業也今將軍本以兖州首事故能平定山東此實天下之要地而將軍之關河也若不先定根本將何以寄諸乎宜且急收熟麥以實軍資呂布不足慮也今捨此而

東未見其便多留兵則不可勝敵少留兵則不可固守且呂布乘虛寇暴震動人心縱保數城非巳所有操乃從其言遂破呂布而平兖州

魏略曰蘇則爲侍中文帝時人多飢困而軍數出又兼治宫室則又數面諫由此上頗不悦其後出以爲河東相

又曰時太祖欲征吴而大雨霖三軍多不願行太祖知其然恐外有諫者教曰今孤戒嚴未知所之有諫者死賈逵受教謂其同寮三主簿曰今實不可出而教如此不可諫也乃建諫草以示三人三人不獲皆署名入白事太祖怒收逵等當送獄教取造意者逵即言我造意遂走詣獄獄吏以逵主簿也不即着械逵謂獄吏曰促械我尊者且疑我在近職求緩於卿旣而復職

又曰明帝從長安鍾簴起土山寺司徒軍議掾河東董尋

上書曰臣聞古之貞士盡言於國不避死亡故周昌比高祖於桀紂劉輔譬趙后於人婢天生忠直雖白刃沸湯往而不顧者誠爲時主愛惜天下也建安巳來野戰死亡或門單户盡雖有在者遺孤老弱若今宫室狹小當大之猶隨時不妨農務况乃作無益之物黄龍鳳皇九龍承露盤土山淵池也此皆聖明之所興其功參倍於殿舍三公九卿侍中尚書天下至德皆知非道而不敢言者以陛下春秋方剛心畏雷霆臣今知言出必死而臣自比於牛一毛生旣無益死亦何損秉筆流涕心與世辭臣有八子臣死之後累陛下矣將奏沐浴旣通帝曰董尋不畏死耶主者奏收尋有詔勿問

吴志曰張昭少子休字叔嗣從中庶子轉爲右弼都尉孫權嘗遊獵逮暮乃歸休上疏諫戒權大善之以示於昭

又曰孫權欲廢太子和立亮尚書僕射屈晃固諫不止權大怒牽晃入殿杖一百

又曰孫權任信校事呂壹壹性苛慘用法深刻太子登數諫權不納後壹姦罪發露權引咎責躬

又曰孫權旣爲吴王歡宴之末自起行酒虞翻伏地陽醉不持權去翻起坐權於是大怒手劒欲擊之侍坐者莫不惶遽唯大司農劉基起抱權諫曰大王以三爵後殺善士雖翻有罪天下孰知之權曰曹孟德尚殺孔文舉孤於虞翻何有哉基曰孟德輕害士人天下非之今大王躬行德義欲與堯舜比隆何自喻於彼乎翻由是得免權因勑左右自今酒後言殺皆不得殺

又曰張紘字子綱廣陵人避難江東委質於孫策遣奉章詣許昌曹公聞策薨欲伐吴紘諫曰以爲乘人之喪旣非

古義若有不克弃好成讎不如厚禮曹公從之紘歸吴後爲長史權率輕騎將赴敵紘諫曰兵者凶器戰者危事麾下多強暴之勇三軍之衆莫不寒心權納而止

又曰呂蒙時爲護軍權將欲北取徐州以廣其地蒙諫曰不可今曹操遠在河北新破二袁撫集幽冀未暇東顧今徐州將守惡足言也往必尅之然地勢陸通四面受敵今日得之明日還失舉全吴之衆未足守也不如取關羽西據荆州則利盡長江此上流之勢於國之便十徐州也則重關西門國之固也權甚然之興師遂擒關羽而平荆州

又曰華覈字永先吴人上疏諫皓曰臣聞之主所求於民者二民之所望於主者三二謂求其爲巳勞也求其爲巳死者也三謂飢者能食之勞者能息之功者能賞之今民以致其二事而主失其三主二求巳備民之三望未報今

百工作無用之器婦人爲綺靡之飾且美貌者不待華彩以
崇好艷姿者不待文綺以致愛若極粉黛窮盛服未必無
醜婦廢華彩文繡未必無美貌也皓終不納後以讒免
數年而卒
又曰韋曜字弘嗣吳人本名昭避晉文諱改之孫皓立曜
以直諫非一漸見責怒皓每饗宴以七升爲限小户雖不
入口並澆灌取盡曜遂見逼皓輙以爲曜與華覈薛瑩楔
吳書皓欲以父和作帝紀曜以和不登帝位宜作傳曜遂
被誅
又曰賀邵字興伯孫皓時爲中書令領太子太傅皓凶暴
驕矜邵上䟽諫曰陛下媟近寵媚之臣日聞順意之辭海
內悼心朝臣失圖書奏皓深恨之竟見殺
蜀志曰天旱禁酒釀者有刑吏於人家索得釀具欲令與

作酒者同罰簡雍從先主遊見一男子行道謂先主彼人
欲淫何以不縛先主曰卿何以知之雍對曰彼有淫具與
欲釀者同先主大笑而原欲釀者雍之滑稽凡此類
又曰黃權字公衡州牧劉璋召爲主簿時別駕張松建議
宜迎先主代張魯權諫曰左將軍有驍名今欲以部曲遇
之則不滿其心欲以賓客禮待則一國不容二君客若有
太山之安則主有累卵之危可但閉境以待河清璋不聽
又曰張松說劉璋云通先主璋從之遣法正請先主璋從
事廣漢王累倒自懸於州門以諫璋一無所納勑在所供
奉先主入境如歸
晉書曰何尚之傳時造玄武湖上欲於湖中立萬丈蓬萊
瀛洲三神山尚之固諫乃止時又造華林園並盛暑欲與人
工尚之又諫宜加休息

又曰續咸僞趙石勒將遷都於鄴咸固諫勒怒曰不斬此
老臣朕宫不得遷也勑御史收之中書令徐光表極諫勒
乃悟停作賜咸絹百疋
又曰孫嵩爲王弥長史弥與石勒有隙勒常惡之乃請計
於右侯張賓賓曰英雄不並立宜早圖之勒於是開宴請
弥弥將行嵩請諫曰石公卑甚言甘不可信也願公勿往
自守保固恐有專諸孫峻之禍及耳弥曰石勒一豎子耳
奚能爲也不聽遂入酒酣遇害
又曰裴元略事僞秦苻堅爲金部郎中堅常以珠璣奇異
弥飾不可勝計以朝羣臣元略諫曰周卑宫室慶垂八百
始皇窮極嗣不及孫此万古所以傳載也願陛下去之以
延洪祚慶流萬代堅曰非卿忠何以聞寡人之過悉命去
之

又曰游子遠仕劉曜西羌羯叛亂舉兵四十餘萬三輔大
震曜甚患之欲大興師伐之子遠諫曰足下納臣愚計不
勞大軍可一月而定矣且羌夷之叛也非有大度窺竊神
器矣但迫足下嚴刑峻網今死者可不追生者猶可安莫
若大赦釋諸逆人若没官者悉還之遽相撫育聽其復業
與人更始彼生路既開人情豈有樂禍好亂者也且小人
聚居必有他心今無刑辟之懼以恩信懷之不降何待矣
縱酋長負罪而不下者請假臣弱兵五千人爲足下梟之
不勞大軍此可定矣今賊黨既盛弥川被谷君臨之以兵
恐非歲月而可殄也此言其術也曜大悅行其計西方遂
平
王隱晉書曰愍懷太子頗好游宴洗馬江統等諫曰宜諮
詢保傅引見賓客悉得自盡有增博見益多聞

晉中興書曰江逌爲侍中時穆宗欲於後園脩立池苑逌諫以強賊未滅宜務軍備當存儉約以率羣下上即納之

也

徐廣晉紀曰成帝有乳母經營艱苦詔假其名號顧和諫曰保母奉祐聖躬不遺其勳第舍供給已爲隆厚若假以名號非令典也書而不法後嗣何觀帝乃止

臧榮緒晉書曰衛瓘字伯玉每議及經國屢形於言色晉祖恐大臣有諫瓘嘗因宴飲歡醉手撫御牀曰此坐可惜

宋書曰世祖遊幸無度太后六宮常乘副車在後沈懷文與王景文每諫不宜亟出後同從坐松樹下風雨甚驟景文曰卿可以言矣懷文曰獨言無從理相與從之江智淵卧草側亦謂之爲善俄而入召俱入雉場懷文曰風雨如此非聖躬所宜冒景文又曰懷文所啓宜從智淵未及言上方注弩作色曰卿欲效顏竣耶何以恒知人事又曰顏竣小子恨不得鞭其面

又曰何尚之遷尚書左僕射加散騎常侍時上行幸還多侵夜尚之表諫曰萬乘宜重尊不可輕此聖心所鑒豈假臣啓輿駕比還多冒夜伏願少採愚誠上優詔納之

太平御覽卷第四百五十三

太平御覽卷第四百五十四

人事部九十五

諫諍四

崔鴻前趙録曰劉聰將起凰儀殿於後庭廷尉陳元達諫聰怒曰將營一宮豈問汝鼠子乎將斬之時在逍遥園元達抱堂下樹叫曰臣所言者社稷之計也劉后在後堂密手疏救之乃解改逍遥園爲納賢園季中堂爲愧賢堂

又曰閹豎王沈等用事大宰易大將軍敷御史大夫陳元達詣闕請固請免沈等官聰以表示沈等沈等笑曰是兒等爲元達所引遂成癡也聰手壞其表

又曰趙染次于新豐東晉安將軍索綝長安東討染有輕敵之色染長史魯徽曰困獸猶鬬況於國乎染曰索綝小豎豈能汙吾馬蹄刀劒也師精騎逆戰于城西敗績悔曰

吾不用魯徽之言以至於是乃斬徽徽臨刑謂染曰將軍違謀取敗誅忠良以逞過忿若死而有知當訴將軍於黄泉使將軍不得眠牀枕死趙染攻北地夢魯徽引弓射之且將攻城中弩卒

又曰石虎馳獵無度晨出夜歸太子韋傅諫曰臣聞千金之子坐不垂堂萬乘之主行不履危陛下雖天生神武雄據四海乾坤眞贊方無所慮者也然白龍魚服有豫且之禍海若潛游離葛陂之酷深願陛下清宫蹕路思二神爲玄鑒不忘天下之重虎省善之賜以束帛

又曰趙明字顯昭南陽人虎攝位拜爲尚書及誅勒諸子明諫曰明帝功格皇天爲趙之太祖安可以絶之虎曰吾之家事幸御不須言也以直言忤旨故十年不遷貞固之風時論擬之蘇則

崔鴻前秦録曰符堅如鄴狩於西山親馳射獸遊獵旬餘昏而忘返伶人王洛叩馬諫曰若禍起須臾變在不測者其如宗廟何其如太后何堅曰善哉昔文公悟愆於虞人朕聞罪於王洛吾過也

崔鴻前涼録曰張天錫元日與嬖褻飲既不受羣寮朝賀又不朝於永訓宫從事郎中張憲輿櫬切諫不納

又曰張駿讌羣臣于閑豫堂議欲嚴刑峻制衆咸以爲宜參軍黄斌進曰　臣未見其可若尊親犯令不行矣駿性嚴猛乃弃几改容曰微黄生吾不聞過矣黄生可謂忠之至也

後魏書曰高允爲中書令武帝禁封良田人無農多游者允上疏諫曰臣少也賤所知唯田請以農事言之夫地方十里爲田三頃六十畝百里爲田三萬六十頃若勤之則

畝增三斗墮之則畝減三斗百里之内損益之率爲粟可知矣況天下之廣乎若户有私儲則國無陰陽之眚上從之三年而國霸

又曰元昭業爲諫議大夫莊帝將畋洛南昭業叩馬諫止帝避之而過後　詔勞勉之

又曰汝南王悦字宣禮性不倫俶儻難測無故過杖京兆王愉子寶月悦國前郎中令北平陽固上疏諫曰伏聞殿下乃以小怒過行威罰誠嚴訓有餘而慈惠不足當今主上幼冲宰輔用事履冰踐霜兢業猶恐不濟況肆意非彝任情行事欲保全福禄其可得乎昔龍逢去國猶獻直言韋孟離朝不忘本國況臣忝荷朝私猥充謬舉伏隸國僚聞道有歳敢不盡言悦覽之大怒

陳書曰章華字仲宗上疏諫後主曰陛下不思先帝之艱

難不知天命之可畏溺於嬖寵惑於酒色祠七廟而不出拜后妃而臨軒老臣宿將弃之草莽諂佞讒邪升之朝廷令壘塲日蹙隋軍且至陛下不改絃易張臣見麋鹿遊於姑蘇矣後主大怒即日斬之

隋書曰盧愷武帝在雲陽宮勑諸屯簡老牛欲以享士愷進諫曰昔田子方贖老馬君子以為美談向奉明勑欲以老牛享士有虧仁政帝美其言而止

又曰劉行本沛人累遷黃門侍郎高祖嘗怒一郎於殿前笞之行本進諫曰此人素清其過又小上不顧行本又曰陛下不以臣不肖置在左右臣言若是陛下安得不聽臣所言非當致之大理安得輕臣而不顧臣所言非私因置笏於地而退上於是斂容謝之

又曰蘇威見宮中以銀為幔鉤因盛陳節儉之美以諭上上為之改容彫飾舊物悉命除毀上嘗怒一人將殺之威入閤進諫不納上怒甚將自出斬之威當上前不去避之而出威又遮止上拂衣而入良久乃召威謝曰公能若是吾無憂矣於是賜馬二疋錢十餘萬

又曰趙綽為刑部侍郎治梁士彥等獄賜物三百段奴婢十口馬二十疋每有奏讞正色侃然上嘉之漸見親重上以盜賊不禁將重其法綽進諫曰陛下行堯舜之道多存寬宥況律者天下之大信其可失乎上忻然納之因謂綽曰若更有聞見宜數陳之也上禁行惡錢有二人在市以惡錢易好者武候執以聞上令悉斬之綽進諫曰此人坐當杖殺之非法上曰不關卿事綽曰陛下不以臣愚暗置在法司欲妄殺人豈得不關臣事上曰撼大木不動者當退對曰臣望感天心何為動木上復曰啜羹者熱則置之

天子之欲相挫耶綽拜而益前訶之不肯退上遂入治書侍御史柳彧復上奏切諫上乃止

唐書曰虞世南雖容貌懦愞若不勝衣而志性抗烈論及古先帝王為政得失必存規諷多所補益太宗常謂侍臣曰朕因暇日與虞世南商略古今有一言之失未嘗不悵恨其懇誠若此朕用嘉言羣臣皆若世南天下何憂不理

又曰孔穎達數進忠言益見親待太宗嘗問曰論語云以能問於不能以多問於寡有若無實若虛何謂也穎達對曰聖人設教欲以謙光己雖有能不自矜大仍就不能之人求訪能事己之才藝雖多猶以為少仍就寡小之人更求所益己之雖有其狀若無己之雖實其容若虛非唯疋庶帝王之德亦當如此夫帝王內蘊神明外須玄默深不可測度不可知易稱以蒙養正以明夷莅衆若其位居尊極炫燿聰明以才凌人飾非拒諫則上下情隔君臣道乖自古滅亡莫不由此也太宗深善其對

又曰劉洎太宗嘗謂侍臣曰夫人臣之對帝王皆順旨而不逆甘言以取容朕今發問欲聞己過卿等須言朕愆失長孫無忌李勣楊師道等咸云陛下聖人化致太平臣等不見其失洎對曰陛下化高萬古誠如無忌等言然頃上書人不稱旨或面加窮詰無不慙退非獎進言者之路太宗曰卿言是也當為卿改之

又曰谷那律遷諫議大夫嘗從太宗出獵在途遇雨因問曰油衣若為得不漏那律曰能以瓦為之則不漏矣意欲太宗弗為獵太宗大悅賜帛二百段

又曰柳範貞觀中為侍御史時吳王恪好畋獵損居人範奏彈之太宗因謂侍臣曰權萬紀事我兒不能匡正其罪

合死範進曰房玄齡事陛下猶不能諫止畋獵豈可獨罪萬紀太宗大怒拂衣而入久之獨引範謂曰何得逆折我範曰臣聞主聖臣直陛下仁明臣敢不盡愚直太宗意乃解

又曰薛收嘗上書諫獵太宗手詔曰覽讀所陳實悟心膽今日成我卿之力也明珠兼乘豈比來言當以誠心書何能盡今賜卿黃金四十鋌以酬雅意

又曰高季輔授太子右庶子又上疏切諫時政得失特賜鍾乳一劑曰卿進藥石之言故以藥石相報

又曰太宗問褚遂良曰舜造漆器禹雕其俎當時諫舜禹者十餘人食器之間苦諫何也遂良對曰雕琢害農事組纂傷女工首創奢淫危亡之漸漆器不已必金為之金器不已必玉為之所以諍臣必諫其漸及其滿盈無所復諫太宗為然

又曰高宗將廢皇后王氏立武昭儀為皇后褚遂良欲陳諫及入高宗難於發言再三顧曰莫大之罪絕嗣為甚王后無胤息昭儀有子今欲立皇后公等以為如何遂良曰皇后出自名家先朝所娶伏事先帝無愆婦德先帝不豫執陛下手以語臣曰我好兒好婦今將付卿陛下親承德音言猶在耳皇后自此未有愆過恐不可廢臣今不敢曲從上旨違先帝之命特願再三思審愚臣上忤聖顏罪合萬死但願不負先朝厚恩何顧性命遂良致笏殿陛曰還陛下此笏乃解巾叩頭流血帝大怒令引出因左遷遂良潭州都督後轉桂州未幾貶愛州刺史

又曰納言桓彥範嘗上表論中宗時政數條其大略曰昔孔子論詩以關雎為始言后妃者人倫之本理亂之端也故皇英降而虞道興任姒歸而姬宗盛桀奔南巢禍階末嬉魯桓滅國惑以齊媛伏見陛下每臨朝聽政皇后必施帷幔坐於殿上預聞政事臣愚歷選列辟詳求往代帝王有與婦人謀及政者莫不破國亡身傾輈繼路且以陰乘陽違天也以婦凌夫違人也違天不祥違人不義由是古人譬以牝雞之晨惟家之索易曰無攸遂在中饋言婦人不得預於國政也伏願陛下覽古人之言察古人之意上以社稷為重下以蒼生在念宜令皇后無往正殿干預外朝專在中宮聿修陰教則坤儀式固鼎命惟新疏奏不納

又曰中書侍郎袁恕己以將作少匠楊務廉素以工巧見用中興初恕己恐其更啓游娛侈靡之端言於中宗曰務廉致位九卿積有歲年若言嘉謀無足可紀每宮室營構必務其侈若不斥之何以廣昭聖德由是左授陵州刺史

又曰德宗嘗泛舟魚藻宮張水戲命皇太子昇舟舟具皆飾以金碧丹青使婦人盛飾操篙檝行舟光彩映燭絲竹歌謳俱發德宗顧謂上曰今日如何上對曰極盛退因以奢為諫德宗不悅

又曰杜希全積功至朔方軍節度使嘗獻體要八章多所規諫德宗深納之乃著君臣箴以賜之

又曰憲宗元和中有五坊使犯法上將宥之裴度懇論不已時方征鄆冀上曰五坊是小事今日與卿要商量用兵度奏曰山東叛逆不過亂數州五坊使橫暴將亂輦下上怒起入見諸中人曰使我羞見宰相遂殺五坊使京師肅然天下望風而理

又曰鎮州王承宗之叛憲宗將以吐突承璀為招討處置使呂元靖與給事中穆質兵部侍郎許孟容等八人抗論

不可且曰承璀雖貴寵然內臣也若為師搃兵恐不為諸將所伏指喻明切憲宗納之為改使號然猶專戎柄

又曰李絳嘗因浴堂北廊奏對違忤上旨指切時病及論中官縱恣方鎮進獻事宜上怒甚厲聲曰卿所論事何太過耶絳前論不已曰臣所陳豈臣身之利是國家之利陛下不以臣愚使處腹心之地豈可見事虧聖德致損清時而惜身不言仰屋竊歎是臣負陛下也若不顧患禍盡誠奏論旁忤倖臣上犯聖旨以此獲罪是陛下負臣也且臣與內官素不相識又無嫌隙只是威福太盛上損聖明臣所以不敢不論耳使臣緘默非社稷之福也上見其誠不迴即怒解稍慰喻曰卿盡節於朕人所不言 卿悉言之使朕聞所不聞眞忠正誠節之臣也他日南面亦須如今日絳拜恩而退後教坊忽稱密旨取良家士女及衣冠別

第妓人京師囂然絳謂同列曰此事大虧損聖德須有論諫或曰此嗜慾閒事從諫官陳疏絳曰居常諸公嘗病諫官論事此難事即推與諫官可乎遂極疏論奏翌日延英上舉手謂絳曰昨見卿狀所論採擇事非卿盡忠於朕何以及此朕都不知向外事此是教坊罪過不諭朕意以至於此朕緣丹王以下四人院內都無侍者朕令於樂工中及閭里有情願者厚其錢帛只取四人四人各與一人伊不會朕意便如此生事朕今已科罰其所取人並放歸若非卿言朕寧知過矣

又曰白居易為右拾遺上令神策中尉吐突承璀為招討使諫官上章者十七八居易面論詞情切至既而又請罷河北用兵凡數千言皆今人之難言者上多聽納唯諫承璀事稍過上頗不悅謂李絳曰白居易小子是朕拔擢致名位而無禮於朕朕實難奈絳對曰居易所以不避死亡之誅事無巨細必言蓋酬陛下特力拔擢耳非輕言也陛下欲聞諫諍之路不宜阻居易言上曰卿言是也繇是多見聽納

又曰柳公權字誠懸幼嗜學十二能為詞賦元和初進士擢第釋褐祕書省校書郎李聽鎮夏州辟為掌書記穆宗即位入奏事帝召見謂公權曰我於佛寺見卿筆蹟思之久矣即日拜右拾遺翰林侍書學士遷左補闕司封員外郎穆宗政僻嘗問公權筆何盡善對曰用在心心正則筆正上改容知其筆諫也

唐穆宗便殿對六學士上語及漢文恭儉帝舉袂曰此澣濯者三矣學士皆贊詠帝之儉德唯公權無言帝留而問之對曰人主當進賢良退不肖納諫諍明賞罰服澣濯之

衣乃小節耳時周墀同對為之股慄公權詞氣不可奪帝徐謂之曰極知舍人不合作諫議以卿言事有諍臣風彩却受卿諫議大夫翌日降制以諫議知制誥學士如故

又曰鄭覃穆宗不恤政事喜遊宴即位之始吐蕃寇邊覃與同職崔郾等廷奏曰陛下即位已來宴樂過多畋遊無度今蕃寇在境緩急奏報不知乘輿所在臣等忝備諫官不勝憂惕伏願稍減遊從留心政道伏聞陛下晨夜昵狎倡優近習之徒賞賜太厚凡金銀貨帛皆出自生靈膏血不可使無功之人濫沾賜與縱內藏有餘亦乞用之有節如邊上警急即支用無闕免令有司重斂百姓實天下幸甚帝初不悅其言顧宰相蕭俛曰此輩何人俛對曰諫官也帝意稍解

又曰劉栖楚敬宗即位畋遊稍多坐朝常晚栖楚出班以

額叩龍墀出血苦諫曰臣歷觀前王嗣位之初莫不躬勤庶政坐以待旦陛下即位已來放情嗜寢樂色忘憂安卧宮闈日晏方起西宮密邇未過山陵鼓吹之聲日喧於外伏以憲宗皇帝大行皇帝皆是長君恪勤庶政四方猶有叛亂陛下運當少主即位未幾惡德布聞臣恐福祚之不長也臣忝諫官致陛下有此請碎首以謝遂以額叩龍墀久之不已宰相李逢吉出位宣曰劉栖楚休叩頭俟進旨栖楚捧首而起因便陳論搖頭見血上爲之動容以袖連揮令出栖楚又云不可臣奏臣即碎首死中書侍郎牛僧孺從宜示而出敬宗爲之動容無何遷起居郎

又曰李程爲相敬宗冲幼好治宮室畋遊無度欲於宮中營新殿程諫曰自古聖帝明王以慈儉化天下陛下在諒闇之中不宜興作願以瓦木迴奉園陵上忻然從之

又曰文宗時魏謩爲起居舍人紫宸中謝召誡之曰事有不當即須奏論謩曰言臣頃爲諫官合伸規諷今居史職職在記言不敢輒踰職分帝曰凡兩省官並合論事勿拘此言尋以本官直弘文館四年拜諫議大夫仍兼起居舍人判弘文館事

又曰魏謩儀容魁偉言論切直與同列上前言事他宰相必委曲規諷唯謩讜言無所畏避宣宗每曰魏謩綽有祖風名公子孫我心重之

漢武帝故事曰上性嚴急法令峻刻汲黯諫曰陛下不愛才樂士求之爲倦比得一人心勞苦神未盡其用輒已殺之以有限之士資無已之誅臣恐天下賢才將盡陛下欲與誰爲治乎上笑喻之黯曰願陛下自今已後改之無以臣愚不知理也

田融趙書曰前石數出遊獵每亟馳騁主簿程琅諫前石馳逐自若草木有瓦木馳馬觸之馬即死前石亦危殆體小不穩還宮歎曰程琅忠臣也不用其言吾之不善追之何及

段龜龍涼記曰太常卿楊穎上疏諫呂纂飲酒過度出入無恒纂曰不有直亮之臣誰匡邪僻之君也纂雖有此言終不能改

又曰呂光龍飛二年太常黁友叛黁以書招誘楊軌推爲盟主軌性直不慮黁之傾危西河太守程肇諫軌曰將軍之與呂主可謂臭味是同今欲釋同心託異類背龍頭尋蛇尾非將軍之高筭也

梁祚魏國統曰吳丞相顧雍諫孫權曰公孫泉未可信後必悔也權入禁中雍後隨之頓首曰此國之大事臣以死爭之權使左右扶出

太平御覽卷第四百五十四

人事部九十六

諫諍五

鍾離意別傳曰孝明帝作北宮意復諫曰頃天旱不雨陛下躬自勑責避正殿之榮今日雨而不濡豈政有攷耶是天威未消也愚以爲可命大匠止功作諸室減省不急以助時氣奏聞有詔曰朕之不德敢不如教即日中沛然大雨

列女傳曰魏曲沃負者魏曲沃大夫如耳之毋也（曲沃邑也）魏哀王爲太子納妃而將自納焉負謂如耳曰王亂於不別何故不匡之如耳未遇閒會使於齊（未值王之淸閒而受使行也）負因詣王門請見曰妾聞男女之別國之大節也婦人脆於志窳於心不可以邪開（脆窳不堅固不宜以邪事闢誘也）是故十五而笄二十而嫁早成其號謚所以就之（號謚笄嫁之名）聘則爲妻奔則爲妾所以開善遏淫也節成然後許嫁親迎而後隨貞女之義也今大王爲太子求妃而自納之此毀貞女之行而亂男女之別妾恐王之國危也王曰然寡人不知也遂與太子而賜負粟三十鍾（六石四斗曰鍾）

又曰楚處莊姪者楚縣邑之女也頃襄王好遊觀之樂焉王左右謂王曰南遊於唐五百里有樂焉王將行姪年十二王旣見出操幟伏於南郊道傍王車至姪舉其幟王使人問之姪曰願謁隱事於王王召之子何以成寡人對曰大魚失水有龍無尾牆欲內崩而王不視王曰不知對曰大魚失水者離國五百里也有龍無尾者年三十無太子牆欲內崩王不視者禍亂且成而王不改王曰何對曰王好臺榭而不恤衆庶出入不時耳目不聰強奏聞王左右

使王日以滋甚王不亟反且及禍雖悔無逮三日善命後車載之立反國比至國門已閉反者已定王乃發鄢郢之師以擊之僅而得勝乃立姪爲夫人

說苑曰齊晏子復於景公曰朝居嚴乎公曰朝居嚴則曷害於治國哉晏子對曰朝居嚴則下無言下無言則上無聞矣下無言則謂之喑上無聞則謂之聾聾喑則非害治國家如何且泰山之高非一石也累卑然後高也夫治天下者非用一士之言也

又曰秦始皇時侯生諫始皇望見侯生大怒曰老虜不良誹謗而至乃敢復見我侯生曰陛下奢侈失本淫佚趨末人力殫盡尚不知臣等恐言之無益而自取死也故逃而不敢言

又曰趙簡子舉兵攻齊令軍中諫者罪至死被甲之士名曰公盧望見簡子而笑曰臣有宿笑當桑之時臣鄰家父與妻俱之田見桑中女因往追之不能得還反其妻怒而去之臣笑其曠也簡子還師而歸

又曰左儒友於杜伯皆臣周宣王宣王將殺杜伯而非其罪也左儒爭之王不許也王曰黨友也易而言則生不易而死左儒對曰臣聞古之士不枉義以從邪不易言以求生王殺杜伯而儒死之

又曰有能盡言於君用則留不用則去謂之諫

又曰秦始皇帝太后不謹幸郎嫪毒封以爲長信侯爲生兩子毒專國事浸益驕奢與侍中左右貴臣俱博飲酒醉爭言而鬬瞋目大叱曰吾乃皇帝之假父也窶人子何敢乃與我抗所與鬬者走行白皇帝皇帝大怒毒懼誅因作亂戰咸陽宮敗始皇乃取毒四支車裂之取其兩弟囊撲

殺之諫而死者二十七人矣齊客茅焦乃往上謁曰齊客
茅蕉願上諫皇帝皇帝使使者出問客得無以太后事諫
也茅焦曰然使者還白曰果以太后事諫皇帝曰走往告
之若不見闕下積死人耶使者問茅焦茅焦曰臣聞之天
有二十八宿今死者已有二十七人矣臣所以來者欲滿
其數耳臣非畏死人也走入白之茅焦邑子同食者盡負
其衣物行亡使者入白之皇帝大怒曰是子故來犯吾禁
趣炊鑊湯煑之是安得積闕下乎趣召之入皇帝按劍而
坐口正沫出使者召之入茅焦不肯疾行足趣相過耳使
者趣之茅焦曰臣至前則死矣君獨不能忍吾須臾乎使
者極哀之茅焦至前再拜謁起稱曰臣聞之夫有生者不
諱死有國者不諱亡諱死者不可以得生諱亡者不可以
得存死生存亡聖主所欲急聞也不審陛下欲聞之不皇

帝曰何謂也茅焦對曰陛下有狂悖之行不自知耶皇帝
曰何等也願聞之茅焦對曰陛下車裂假父有嫉妬之心
囊撲兩弟有不慈之心遷母棫陽宮有不孝之行從蒺藜
於諫士有桀紂之治今天下聞之盡瓦解無嚮秦者臣竊
爲陛下危之所言已畢乞行就鑕乃解衣伏鑕皇帝下殿
左手接之右手麾左右曰赦之先生就衣今願受事乃立
焦爲仲父爵之爲上卿皇帝立駕千乘萬騎空左方自行
迎太后棫陽宮歸於咸陽太后大喜乃置酒待茅焦及飲
太后曰抗枉令直使敗更成安秦之社稷使妾母子復得
相會者盡茅君之力也
又曰楚莊王築層臺延石千里延壤百里士有反三月之
糧者大臣諫者七十二人諫者皆死矣有諸御已者違楚
百里而耕謂其耦曰吾將入見於王其耦曰以身乎吾聞
說人主者皆閒暇之人也然且至而死矣今子持草茅之
人耳諸御已曰若與子同耕而比方也至於說人主不與
子比智矣委其耕入見莊王莊王謂曰諸御已來汝將諫
耶諸御已曰君有義之用有法之行且已聞之土負水者
平木負繩者正君受諫者聖君築層臺延石千里延壤百
里民之釁咎血成通於塗然且未敢諫也已何敢諫乎顧
臣愚竊以虞不用宮之奇而晉并之陳不用子家羈而楚
并之曹不用僖負羈而宋并之萊不用子猛而齊并之吳
不用子胥而越并之秦不用蹇叔之言而秦國危桀殺關
龍逢而湯得之紂殺王子比干而武王得之宣王殺杜伯
而周室卑此三天子六諸侯皆不能尊用賢辯士之言故
身死而國亡遂趨而出楚王遽而追之曰已子反矣吾
將用子之諫先日說寡人者其說也不足以動寡人之心

又危加諸寡人故皆至而死矣今子說足以動寡人之心又
不危加諸寡人故將用子之諫明日令曰有能入諫者吾與
爲兄弟遂解層臺而罷民楚人歌之曰薪乎萊乎無諸御
已訖無子乎萊乎薪乎無諸御已訖無人乎
又曰齊桓公謂鮑叔曰寡人欲鑄大鐘昭寡人之名焉寡
人之行豈避堯舜哉鮑叔曰敢問君之行桓公曰昔者吾
圍譚三年得而不自與者仁也吾北伐孤竹剗令支而反
者武也吾爲葵丘之會以偃天下之兵者文也諸侯抱美
王而朝者九國寡人不受者義也然則文武仁義寡人盡
有之矣寡人之行豈避堯舜哉鮑叔曰君好直言臣以直言對昔者
公子糾在上位而不讓非仁也背太公之言而侵魯境
非義也壇場之上詘於一劍非武也姪娣不離懷衽非
文也爲不善遍於物不自知者無天禍必有人害天處甚

高其聽甚下令君過言天且聞之桓公曰寡人有過子幸
記之是社稷之福也子不幸教幾有大罪以辱社稷
又曰楚昭王欲之荆臺游司馬子綦進諫曰荆臺之游左
洞庭之陂右彭蠡之水南望獵山下臨方淮樂其使人遺
老而忘死人君游者盡以亡其國願大王勿往游焉王曰
荆臺乃吾地也有地而游之子何爲絶我游乎怒而擊之
於是令尹子西駕安車四馬至於殿下曰今日荆臺之游
不可不觀也王登車而拊其背曰荆臺之游與子共樂之
矣步馬十里引轡而止曰臣不敢下車願得有道大王肯
聽之乎王曰第言之令尹子西曰臣聞之爲人臣而忠其
君爵禄不足以賞也若司馬子綦者忠臣也若臣者諛臣
也願大王殺臣之軀罰臣之家而禄司馬子綦王曰若我
能止聽公子獨能禁我游後世游之無有極時奈何乎令

尹子西曰欲禁後世易耳願大王山陵崩阤爲陵於荆臺
未嘗有持鍾鼓管弦之樂而游於父之墓上者也於是王
還車卒不游於荆臺令罷先置孔子從魯聞之曰悲哉令
尹子西諫之十里之前而催之於百世之後者也
又曰荆文王得如黄之狗箘簬之矰以畋於雲夢三月不
反得舟之姬淫之朞年不聽朝保申諫曰先王卜以臣爲
保吉今王得如黄之狗箘簬之矰畋於雲夢三月不反得
舟之姬淫之朞年不聽朝王之罪當笞匍伏將笞王王曰不
穀免於繈緥託諸侯矣願請變更無笞保申曰臣承先王之
命不敢廢王不受笞是廢先王之命也臣寧得罪於王無
負於先王王曰敬諾乃蓆王王伏保申承細箭五十跪而
加之王背如此者再謂王起矣王曰有笞之名一也遂致
之保申曰臣聞之君子恥之小人痛之恥之不變痛之何

益保申趨出欲自流乃請罪於王王曰此不穀之過保申將
何罪王乃變行從保申殺如黄之狗折箘簬之矰逐舟之
姬務治乎荆兼國三十令荆國廣大至於此者保申敢極
言之功也蕭何王陵聞之曰聖主能奉先世之業而以成
功名者其唯荆文王乎故天下譽之至今明主忠臣孝子
以爲法
又曰晉平公使叔向聘於吳吳人拭船以送之左五百人
右五百人有繡衣豹裘者叔向歸以告平公平公曰吳其
亡乎奚以敬舟奚以敬民叔向對曰君爲馳底之臺上可
以發千兵下可以陳鍾鼓諸侯聞君者亦曰奚以敬臺奚
以敬民所敬各異也於是平公乃罷臺
又曰齊景公好弋使燭鄒主鳥而亡之景公怒而欲殺之
晏子曰燭鄒有罪請數之以其罪乃殺之景公曰可於是乃

召燭鄒數之景公前曰汝爲君主鳥而亡之是一罪也使
吾君以鳥之故殺人是二罪也使諸侯聞之以吾君重鳥
而輕士是三罪也數燭鄒罪已畢殺之景公曰止勿殺而
謝之
又曰齊景公正晝被髮乘六馬御婦人以出正閨刖跪擊
其馬而反之曰爾非吾君也公慙而不朝晏子睹裔敖而
問曰君何故不朝對曰昔者君正晝被髮乘六馬御婦人
出閨刖跪擊其馬而反之曰爾非吾君也公慙而反不果
出是以不朝晏子入公見曰昔者寡人有罪被髮乘六馬
以出正閨刖跪擊馬而反之曰爾非吾君也寡人以天子
大夫之賜得率百姓以守宗廟今見戮刖跪以辱社稷吾
猶可以齊於諸侯乎晏子對曰民無直辭上有隱惡民多
諱言君有驕行古者明君在上下有直辭君上好善民無諱

言今君有失行而刖跪有直禁是君之福也故臣來慶請賞之以明君之好善禮之以明君之受諫公咲曰可乎晏子曰可於是刖跪倍資時朝無事

又曰景公飲酒移於晏子家前驅報門曰君至晏子被朝衣立於門曰諸侯得微有諫乎國家得微有事乎君何爲非時而夜辱公曰酒醴之味金石之聲願與夫子樂之晏子對曰布薦席陳簠簋者有人臣不敢與焉公曰移於司馬穰苴之家前驅報門曰君至司馬穰苴介胄操戟立於門曰諸侯微有兵乎大臣得微有叛者乎君何爲非時而夜辱公曰酒醴之味金石之聲願與夫子樂之對曰布薦席陳簠簋者有人臣不敢與焉公曰移於梁丘據之家前驅報門曰君至梁丘據左操瑟右挈竽行歌而至公曰樂哉今夕吾飲酒也微彼二子者何以治吾國微此一臣者何

以樂吾身聖賢之君皆有益友無偷樂之臣景公弗能及故兩用之僅得不亡

又曰吳王濞反梁孝王中郎枚乘字叔聞之爲書諫王其辭曰君王之外臣乘竊聞得全者昌失全者亡舜無立錐之地以有天下禹無百户之衆以王諸侯湯武之地方不過百里上不絶三光之明下不傷百姓之心者有王術之故父子之道天性也忠臣不敢避誅以直諫故事無廢業而功流於萬世也臣乘願披腸心而效愚忠恐大王不能用也臣乘願大王聽臣乘之言夫一縷之任係千鈞之重上懸之無極之高下垂之不測之淵雖甚愚之人且猶知哀其絶也馬方駭而重驚之係方絶而重鎮之係絶於天不可復結墜入深淵難以復出其出不出間不容髮誠能用臣乘言以百舉必脱必若所欲爲危於累卵難於上天變所欲爲易於反掌安於泰山今欲極天命之壽弊無窮之樂保萬乘之勢不出反掌之易以居泰山之安乃欲乘累卵之危走上天之難此愚臣之所大惑也人生有畏其影而惡其迹者乃背而走無益也不如就陰而止影滅迹絶欲人勿聞莫若勿言欲人勿知莫若勿爲欲湯之冷令一人炊之百人揚之無益也不如絶薪止火而已不絶之於彼而救之於此譬猶抱薪救火也故武王諤諤而昌紂嘿嘿而亡君無諤諤之臣父無諤諤之子兄無諤諤之弟夫無諤諤之婦士無諤諤之友其亡可待故曰君失之臣得之父失之子得之兄失之弟得之夫失之婦得之士失之友得之故無亡國破家悖父亂子放兄弃弟狂夫淫婦絶交敗友者也

又曰易曰王臣蹇蹇匪躬之故人臣之所以蹇蹇爲難而

諫其君者非爲身也將欲以匡君之過矯君之失也君有過失者危亡之萌也見君之過失而不諫是輕君之危亡也夫輕君之危亡者忠臣不忍爲也三諫而不用則去不去則亡身亡身者仁人所爲也是故諫有五一曰正諫二曰降諫三曰忠諫四曰戇諫五曰風諫孔子曰吾其從風諫夫不諫則危君固諫則危身與其危君寧危身危身終不用則諫亦無功矣智者度君權時調其緩急而處其宜上不敢危君下不爲危身故在國而國不危在身而身不殆昔陳靈公不聽泄冶之諫而殺之曹羈三諫曹君不聽而去春秋序義雖俱賢而曹羈合禮

太平御覽卷第四百五十五

太平御覽卷第四百五十六

人事部九十七

諫諍六

周書曰微子開者紂之兄也紂不道數諫不聽度紂終不可諫欲死之及去未能决乃問太師箕子少師比干曰紂湎於酒婦人之言是用若涉水無津涯箕子曰今誠得治國國治身死不恨爲死終不治不如去之紂乃爲象牀箕子曰彼爲玉牀則思遠方珍怪之物而御之矣爲人臣者諫不聽是彰君之惡乃被髮佯狂比干曰君有過不以死爭則百姓何辜矣乃直言諫紂怒剖視其心微子曰父有過三諫不聽則號泣而隨之臣三諫不聽則其義可以去矣

又曰許綰魏襄王欲爲中天之臺誡曰敢諫者死綰乃負操捶而入曰臣聞大王將爲中天之臺願加一力焉王曰何也對曰臣聞天地相去萬五千里今王因而半之當高七千五百里基址當廣八千里盡王之地不足以爲大王必欲爲之先起兵以伐諸侯及四夷盡有地乃足矣然以林木之積人徒之衆倉廩之輸當給其外乃可以作襄王嘿然無以應之乃罷

又曰段規智伯請地於韓康子康子欲勿與規諫曰不可夫智伯之爲人好利而鷙復來請地而勿與則必加兵於我矣若與之彼又請地於他國他國不聽必向之以兵然則與可以免於患而待事之變康子曰善因使使者封萬家之縣一與智伯智伯大悅復請地於趙不與果陰約韓魏而伐園晉陽三年後韓魏應之遂滅智伯

又曰田嬰齊宣王弟封靖郭君於薛嬰自威王以來任職

有功故封之靖郭君嬰將城薛客多諫者嬰謂謁者有諫者勿通於是人有請見者曰臣請三言而已矣若過三言臣則請烹靖郭君見之客趨進曰海大魚因返走君不解曰更言之客對曰君夫不聞海大魚乎網不能止鈎不能牽忽而失水則螻蟻得志焉今齊亦君之水也若長有齊奚以薛爲君若一旦失齊雖降薛之城到天猶無益也君曰善遂不城薛

又曰不幸不聞其過福在受諫基在愛民固在親賢

戰國策曰齊王有幸臣九人九人欲傷安平君田單田單之與王君臣無禮陰結諸侯之雄俊其志欲有爲也貂勃從楚來王賜諸前酒酣王曰召相田單貂勃避席稽首曰王惡得此亡國之言乎人臣之功豈有厚於安平君乎王乃煞九子益封安平君

又曰先生王歜造門而欲見於宣王宣王使謁者延入王歜趨見王爲好勢王趨見歜爲好士於王何如使者還報宣王因趨而迎之於門與入曰寡人聞先生直言正諫不諱王歜曰生於亂世事亂君焉敢直言正諫宣王忿然作色不說有間王歜曰昔先君桓公所好者五天子受籍立爲太伯今王有四焉宣王說曰寡人愚陋焉能有四王歜曰先君好馬好狗好酒好色王亦好之先君好士王不好士宣王曰當今之世無士寡人何好歜謂王曰世無騏驥騄耳王駟已備世無東郭韓盧氏之犬王走犬已備無毛嬙西施之妓王宮已充王亦弗好士也何患無士

附託辛戰國策曰趙且伐燕蘇代爲燕王謂趙惠王曰今者來過川蚌方出曝而鷸啄其肉蚌合而掩其喙鷸曰今日不雨明日不雨蚌將爲脯蚌亦謂鷸曰今日不出明日

不出必見死鷸兩者不肯相捨漁父得而并禽之今趙且伐燕燕趙久相交以弊大衆臣恐強秦之爲漁父也惠王曰善乃止之

又曰趙太后新用事秦急征之趙氏求救於齊齊曰必以長安君爲質兵乃出太后不肯大臣強諫太后謂左右有復言令長安君爲質者老婦必唾其面右師解龍言願見太后盛氣而須之入而徐趨曰老臣賤息舒旗最少不肖而衰竊愛憐之願令得補黑衣之數以衛王宮太后敬諾問年幾何矣對曰十五歲矣太后曰丈夫亦愛憐少子對曰甚於婦人太后曰婦人異甚對曰左右臣竊以爲媼之愛燕后賢於長安君過矣媼之送燕后時祭祀則祝之曰必不使反豈非計長久爲子孫相繼爲王也今媼尊長安君之位而封之以膏腴之地與之重器而不反今令有功於國山陵崩長安君何以自託於趙老臣與媼爲長安君短也故以爲其愛不若燕后太后曰諾惟君所使之於是爲長安君約車百乘質於齊齊兵乃出

補逸禮傳曰衛靈公之時蘧伯玉賢而不用弥子瑕不肖而任事史鰌患之數言蘧伯玉　賢而不聽病且死謂其子曰我死則治喪於北堂吾生不能進蘧伯玉而退弥子瑕是不能正君也生不能正君者死不當成禮而致尸於北堂於是足矣靈公往吊問其故其子以父言聞靈公靈公失容曰吾失矣立召蘧伯玉而進之召弥子瑕而退之徙喪於堂成禮而後去衛國以治史鰌之力也史鰌以尸諫可謂忠不衰矣

孝經援神契曰三諫待放復三年眷眷所以者臣爲君諫若言有過而放矣所諫事遂以行者遂去不留九侍放者

與君用耳事以行咎將至無爲留之臣侍放於郊君不絕其祿者亦不欲去道不合故去耳以其宗廟賜之環即還之玦則去

國語曰周靈王二十二年穀雒鬬將毀王宮王欲壅之太子晉曰不可晉聞古之長人者不墮山不崇藪不防川不竇澤

行成坤國語曰吳伐越越王令諸稽郢行成於吳曰君王不以鞭箠使之而辱軍士使寇令焉(若御寇之號令)勾踐請一介嫡女執箕箒一介嫡男奉盤匜以隨諸御(匜沃器也)春秋貢獻不懈王府諺曰狐埋之而狐搰之是無成功也今大王既封植越國而又刈之(刈斬)是無勞也吳王曰吾將許越謝成申胥諫曰(申胥楚臣伍員)不可許大夫種勇以善謀將還玩吳國於摧掌之上以得其志故婉約其辭以從王志爲虺弗摧爲蛇將若何(虺短蛇長)吳王不聽乃許盟

立後土國語曰魯武公以括與戲見宣王(武公敖也括武公長子伯御也)王命立戲樊仲山父諫(樊宣王卿士山父之所封也仲山父樊穆仲也)曰不可立也不順必犯王命犯王命必誅故出命不可不慎也命之不行政之不立行而不順民將弃上夫下事上少事長所以爲順也今天子立諸侯而建其少是教逆也天子其圖之

又曰宣王既喪南國之師乃料民于太原仲山父諫曰民不可料也無故而料民天之惡也害於政而妨於後嗣王卒料之及幽王乃滅

諷諫木國語曰晉平公射鷃不死使豎襄搏之失公怒拘將殺之叔向聞之曰君必殺之昔吾先君唐叔射兕于徒林殪以爲大甲以封於晉今君嗣吾先君射鷃不死搏之

不得是揚吾君之恥者也君必速然之無令遠聞君顏伍悒乃走赦之

說死曰齊景公遊於海上而樂之六月不歸令左右曰敢有先言歸者致死不赦顏燭趍進諫曰君樂治海上而六月不歸彼儻有治國者君且安得樂此海也景公援戟將斬之顏燭進撫衣待之曰君奚不斫也昔者桀殺關龍逢紂殺王子比干君之賢非此二主也臣之材亦非此二子也君奚不斫以臣參此二人者不亦可乎景公說遂歸中道聞國人謀不內矣

又曰吳王欲伐荆舍人少孺子欲諫不敢則懷丸操彈遊於後園露沾其衣王曰何沾衣如此對曰榆上有蟬高居而鳴不知螳蜋在其後螳蜋欲取蟬不知黃雀在其傍黃雀延頸欲啄螳蜋而不知彈丸在其下臣欲彈雀不知露沾

衣如此三者皆務欲得其利而不顧其後患也王曰善哉乃罷兵

又曰晉平公好樂多其賦斂不治城郭敢有諫者死國人憂之有咎犯者見門大夫曰臣聞主君好樂故以樂見門大夫入言晉人咎犯欲以樂見平公曰內之止坐殿上則出鍾磬竽瑟坐有頃平公曰客子為樂咎犯對曰臣不能為樂臣善隱平公召隱士十二人咎犯曰隱臣竊願昧死御平公曰諾咎犯申其左臂而詘五指平公問於隱官曰占之為何隱官皆曰不知平公歸之咎犯則申其一指曰是一也便游赭盡而後城門二也柱梁衣繡士民無褐三也侏儒有餘酒而死士渴四也民有饑色而馬有粟秣五也近臣不敢諫遠臣不得達平公曰善乃屏鍾鼓除竽瑟遂與咎犯治國

又曰枚乘上書諫吳王曰福生有基禍生有胎納其基絕其胎禍何從來哉泰山之溜穿石彈極之綆斷幹水非石之鑽繩非木之鋸也漸靡使之然夫銖銖而稱之至石必差寸寸而度之至丈必過石稱丈量徑而寡失十圍之木始生於蘖可分而絕可擢而拔據其未生先其未形磨礱砥礪不見其損有時而盡種樹畜長不見其益有時而大積德循行不知其善有時而用弃義背理不知其惡有時而亡臣乘願大王孰計而身行之此百王不易之道也王不聽卒死丹徒

又曰晉靈公造九層臺費用千億謂左右曰敢有諫者斬荀息聞之上書求見靈公張弩持矢見之謂曰子欲諫耶息曰不敢諫也臣能累十二博碁加九鷄子其上公曰子為寡人作之息即正顏色定志意以碁子置下加九鷄子

其上左右懼息靈公扶伏氣息不續公曰危哉危哉息曰是不危也復有危於此者公曰願復見之息曰九層之臺三年不成男不得耕女不得織國有空虛隣國謀議將欲興兵社稷亡滅君欲何望靈公曰寡人之過乃止於此即壞九層之臺

又曰秦始皇時侯生諫始皇望見侯生大怒侯生曰陛下之淫萬萬丹朱而千千桀紂臣恐陛下之十亡曾不一存始皇嘿然久之曰汝何不蚤言侯生曰陛下之自賢自健上侮五帝下陵三王弃毒樸就末伎陛下徵見久矣臣等恐言之無益而自為取死也故逃而不敢言

又曰楚莊王伐陽夏師久而不罷羣臣欲諫而不敢莊王獵於雲夢椒舉諫曰所以多得獸者馬也而廢王國亡王之馬豈可哉王曰善不穀之屈強國之可以長諸侯也知

得地可以爲富也士其民之不用也明日飲諸大夫酒楸
擧爲上客罷陽夏之師
晏子春秋曰景公爲長庲（音來舍也）將欲美之有風雨作公與
晏子入坐飲酒致堂上之樂酒酣晏子作歌曰穗兮不得
穫秋風至兮草零落風雨之拂煞之靡弊之歌終顧而流
涕張掖而儛公止之曰今日夫子有賜譏寡人之罪遂廢
酒罷役
又曰齊景公使人養所愛馬暴病死景公怒令人持刀欲
煞養馬者是時晏子侍前左右執刀而進晏子止之而問
古者堯舜支解人從何體始公懼然曰從寡人始遂止不
支解公曰以屬獄晏子曰請數之使自知其罪然後煞之
獄公曰可晏子數之曰尒有罪三公使汝養馬汝煞之當
死罪一又煞公之所愛馬當死罪二使公以一馬之故而

煞人百姓聞之必怨吾君諸侯聞之必輕吾國汝一煞公
馬使公怨積於百姓兵弱於隣國汝當死罪三令以屬獄
公喟然曰赦之
又曰景公築路寢之臺三年未息而又爲鄒之長塗晏子
諫公斬板而去之
又曰景公有愛槐令吏謹守之令犯槐者刑傷槐者死有
不聞令過而犯之者將加罪焉晏子諫曰嬰聞窮人財力
以從嗜欲謂之暴崇玩好威嚴謂之逆形煞不稱謂之賊
三者守國之大殃也君饗國德行未見於民而三辟著於
國嬰恐其不可以莅國子人也公曰善出犯槐之囚
君目荎晏子曰景公畋於署梁十有八日而不返晏子伯
自徃見公比至衣冠不正不革衣冠望游而馳公望見晏
子曰何其遽國家得無故乎晏子對曰國人皆以君安於
野不安於國好獸而惡民公曰寡人之有子猶心之有四
支也心有四支故心得佚焉豈不可哉晏子對曰嬰聞之
與君言異乃若心之有四支而心得佚焉則可令四支無
心也十有八日矣不亦久乎公于是罷田歸
又曰楚巫微道裔款以見景公侍坐三日景公說之楚巫
曰公明神之主帝王之君也公即位十有七年矣事未大
濟者神明未至也請致五帝以明君德景公再拜稽首楚
巫曰請巡國郊以觀帝位至於牛山而不敢登曰五帝之
位在於國南請齊具而後登之公命百官供齊具裔款視
事晏子聞之而見於公曰古者不慢行而繁祭不輕身而
恃巫今政亂而行辟　弃賢而用巫
帝王之在身也　而求帝王不亦難
乎

又曰景公射鳥野人駭之公怒令吏誅之晏子曰野人不
知也臣聞之賞無功謂之亂罪不知謂之虐兩者先王之
禁也公曰善自尒以來未有鳥獸之禁
又曰景公曰爲臣冠長衣以聽朝日晏不罷晏子進曰日
晏矣君脫服就晏公曰諾寡人受令退朝遂去衣冠不復
服也
蕭方等三十國春秋曰秦王符堅懸珠簾於正殿以朝羣
臣宮宇服御物極珍飾之奇尚書金部郎裴元略諫曰願
陛下遵采椽之不斲鄙瓊室而不居堅笑曰非卿之忠朕
何由聞過乎
趙曄吳越春秋曰吳王既煞子胥問太宰曰子胥數以越
諫遂以喪身從死以來若有所士令欲祠之何日可也曰
三月癸未可也及夫差出國祠子胥江水之濵乃言曰寡

人昔日不聽相國之言至令相國遠投江海自亡
司馬彪九州春秋曰曹公征孫權叅軍傅幹諫曰今未承
王命者吴與蜀也唯明公思虞舜舞干戚之義全威養德
以道制勝公不從軍遂無功

太平御覽卷第四百五十六

太平御覽卷第四百五十七
人事部九十八
諫諍七
白虎通曰諫間也更也是非相間革更其行也
又曰諷諫者禮也視君顏色不悅且却悅者復前以禮進
退
又曰士不得諫者士賤不得豫政故不得諫諍父之力得因盡其忠耳
保傅曰大夫進諫士傳民語妻得諫夫者夫妻一體榮辱
共之詩曰相鼠有皮人而無儀不死胡爲此妻諫夫之詩
子諫父父不從不得去者父子一體無相離之性猶火去
木而滅
劉向新序曰魯哀公爲室而大公儀子諫哀公毀室而止
又曰莊辛諫楚襄王曰君王左州侯右夏侯從新安君與

壽陵君同軒淫行侈靡而亡國政郢其危矣王曰先生老
惛歟妄爲楚國祅與對曰臣非敢爲楚祅誠見之也不出
十月十月王果亡失江漢鄢郢之地
諷諫木新序曰楚襄王亡失江漢鄢郢之地乃使召莊辛
辛曰庶人有稱曰亡羊而固牢不爲遲見兔而呼狗不爲
晚湯武以百里王桀紂以天下亡今國雖小絕長繼短以
千里數且君王獨不見夫青蛉乎六足四翼蜚翔乎天地
之間求蚊蝱而食之待甘露而飲之自以爲無患不知五
尺童子以竹竿加之乎四仞之上而下爲虫蟻所食青蛉猶其
小者黃雀俛啄百粒仰棲茂樹皷其翼奮其翅自以爲無
患與民無爭不知公子王孫左挹彈右攝丸晝遊乎茂樹
而夕和乎酸鹹黃雀猶其小者鴻鵠嬉游乎江河脩其六
翮一舉千里自以爲無患與民無爭不知弋者操其弓矢

脩其防翳故朝遊乎江河而暮調乎鼎俎鴻鵠猶其小者
蔡侯之事又是也蔡侯南遊乎高陵北經乎巫山嬉遊乎
高蔡之囿不以國家爲事不知子發受命宣王絀以朱絲
也蔡侯之事猶其小者今君王之事又是也君王左州侯
右夏侯從新安君與壽陵君淫行康樂遊娛馳騁不知穰侯
方與秦王謀殺之乎黽塞之外襄王大懼形體悼慄曰謹
受令乃封辛爲成陵君而用計焉戰國策文亦同
又曰趙簡子上羊腸之坂羣臣皆偏裼推車而虎會獨擔戟
行歌不推車簡子曰寡人上坂羣臣皆推車會獨戟行歌
不推車會謂人臣而侮其主者其罪何若對曰爲人臣侮
其主者死又曰身死妻子爲戮君既已聞爲人臣侮其主
之罪君亦聞爲人君侮其臣者乎簡子曰爲人君而侮其
臣者如何對曰爲人君侮其臣智者不爲謀辨者不爲使

勇者不爲鬬夫智者不爲謀則社稷危辨者不爲使則指
事不通勇者不鬬則邊境侵三者不使則君難保簡子曰
善乃罷羣臣推車爲上大夫酒舉羣臣飲以虎會爲上客
又曰楚人有獻魚於楚王者曰今日獲魚食之不盡賣之
不售弃之又惜故來獻之左右曰鄙哉辭也楚王曰子不知
漁者仁人也蓋聞囷倉粟餘者國有餓死民後宮多幽女
者下多曠夫餘衍之蓄衆府庫者境內多貧困之民皆失
君人之道漁者知之其此諭寡人也於是乃遣使恤鰥寡而
存孤獨出倉粟發幣帛而賙賑不足罷去後宮不御者出
以妻鰥夫楚民大悅隣國歸之故漁者獻魚而楚國賴之
又曰魏文侯與士大夫坐問曰寡人何如君羣臣皆曰仁
君也次至翟黃曰君非仁君曰子何以言之對曰君伐中
山不封君之弟而封君之長子臣以知君非仁君也文侯

怒而逐翟黃黃趨而出次至任座文侯問寡人何如君也任座對曰仁君也臣聞之其君仁者其臣直向者翟黃之言直臣是以知君仁也文侯曰善復召翟黃

各納木新序曰魏文侯曰吾一見箕季而得四焉其牆壞而不築吾問何不築對曰不時是教我不奪農功其牆枉而不端吾問何不端對曰然是教我無侵封壃也從者食其桃箕季禁之豈愛桃哉是教我下無犯上也食我糟飡之食瓜瓠之羹豈不具五味教我無多斂於百姓以省飲食之養也

王孫子新書曰楚莊王攻宋將軍子重諫曰今君厨肉臭而不可食罇酒敗而不可飲而三軍之士皆有饑色欲以勝敵不亦難乎莊王曰請有酒投之水有食饋之賢行軍中之有饑色者加五倍之賜

又曰衛靈公座重華之臺侍御數百隨珠照日羅衣從風仲叔敖入諫曰昔桀行此而亡今四境內侵諸侯加兵土地日削百姓乖離今君內寵無乃太盛歟靈公再拜曰寡人過矣微子之言社稷傾於是出宮女之不進者數百人百姓大悅

莊子曰趙簡子出田鄭龍爲右有一野人簡子曰龍下射彼使無驚吾馬三命鄭龍鄭龍不對簡子怒鄭龍曰昔践土之盟不戮一人虎狼殺人固將救之簡子還車輟田曰今吾田也得士

又曰梁君出獵見白鴈羣集梁君下車彀弓欲射之道有行者白鴈羣駭梁公怒欲殺行者其御公孫龍下車撫其心梁君忿然作色而怒曰龍不與其君而顧與他人何也公孫龍對曰昔者齊景公之時天旱三年卜之曰必以人祠乃雨景公下堂頓首曰吾所以求雨者爲民也今必使吾以人祠乃且雨寡人將自當之言未卒而天大雨方千里何爲有德於天而惠施民也今主君以白鴈之故而欲殺人無異於虎狼梁君援手與上車歸入郭門呼萬歲曰樂哉今日也人獵皆禽獸吾獵獨得善言而歸

又曰齊桓公讀書堂上輪扁斲輪堂下釋椎鑿而上問桓公曰敢問公之所讀者何言耶公曰聖人之言也曰聖人在乎公曰已死矣然則君之讀者古人之糟粕也

列子曰晉文公出欲會伐衛公子鉏仰而笑曰公問何笑曰笑臣隣之人也臣之隣人有送其妻適家者道見柔婦悅而與言然顧視其妻亦有招之者矣竊笑此也公悟其言乃止引師還未至而有伐其北鄙者

見君火韓子曰衛靈公之時彌子瑕有寵專於衛國侏儒

有見公者曰臣之夢踐矣公曰奚夢曰見竈爲見公也公怒曰吾聞夢見人主者見日奚爲見竈對曰夫人君兼照一國一人不能壅故將見人主而夢見日夫竈一人煬焉則後人無從見矣今或者一人煬君乎則臣雖夢見竈不亦可乎公曰善遂去雍鉏退子瑕而用司空狗

臺甲孔叢子曰陳惠侯大城因起陵陽之臺未終而坐法死者數千人欲坑三監吏殺之夫子適見陳侯與登臺而觀焉夫子曰美哉斯臺自古聖王爲城未見不戮一人而能功若此者也陳侯默然而退遽竊赦所坑吏旣而見夫子問曰昔周作靈臺亦戮人乎荅曰文王之興附者六州六州之衆各以子來區區之臺未及期月而旣成矣何戮之有夫以少少之衆能立矣大大之功唯君耳

又曰齊王行車裂之刑羣臣諫爭之弗聽子高見齊王曰

車裂之刑無道之刑也而君行之臣竊以為下吏之過也
齊王曰謹聞命遂除車裂
又曰智伯欲伐仇由而道難不通乃鑄大鍾遺仇由仇由
君悅除道將內之赤章曼支諫曰不可此小之所以事大
而今大以遺小卒必隨之不可內不聽遂內之曼支因以
斷轂而馳至齊十月而仇由亡
又曰秦繆公以女樂二八與良宰遺戎王戎王喜迷惑大
亂由余驟諫而不聽因怒而歸繆公也
諫木孔叢子曰趙簡子曰厥也愛我鐸也不我愛厥諫我
必於無人之所鐸之諫我也喜質我於人中必使我愧尹
鐸對曰厥愛君之愧也而不愛君之過也鐸也愛君之過
而不憂君之愧也此簡子之賢也人主賢則人臣之言直
又曰越饑請食於吳子胥諫曰不可與也夫吳之與越仇

讎之國非吳喪越越必喪吳若燕秦齊晉山處陸居豈能
踰五湖九江越十地以有吳哉今將輸之粟是長仇讎財
匱民怨悔無及也
殺諫庚符子曰龍逢進諫桀曰臣嘗觀君之冕非其冕也
而冕危石君之履非其履也而履春冰未有冠危石而不
壓蹈春冰而不陷者也桀乃笑而應之曰子且就炮烙之
刑龍逢布武而趨赴火而死
桓氏要論曰易曰王臣蹇蹇傳曰諤諤者昌變人之情抑
人之欲咈人之耳　逆人之意不亦不為諫也
楚漢春秋曰惠帝崩呂太后欲為高墳使從未央宮而見
之諸將諫不許東陽侯垂泣曰陛下見惠帝冢悲哀流涕
無已是傷生也臣竊哀之太后乃止
汝南先賢傳曰郭憲字子橫建武中為光祿勳車駕西征

隗囂諫曰天下初定車駕未可動憲乃當車拔佩刀以斷
車靷帝不從遂上隴其後潁川兵起乃迴駕而還帝歎曰
恨不用光祿之言也
又曰郭憲字子橫學貫祕奧師事東海王仲子王莽為大
司馬權貴傾朝莽召仲子欲令為兒講仲子聞即褰裳欲
往憲曰今君位為博士如何輕身駮道禮有來學無往教
之義不宜輕道也於是仲子晏乃往莽問君來何遲仲子
具以憲言荅之莽陰奇焉
又曰劉璋遣法正迎劉備劉巴諫曰不可內也既入巴復
諫曰若使備討張魯是放虎於山林也璋不聽巴閉門稱
疾備攻成都令軍中其有害巴者誅及三族及得甚善
又曰時匈奴數犯塞帝患之乃召百寮廷議時郭憲以為
天下疲弊不宜動衆諫諍不合乃伏地眩瞀不復言帝令

兩郎扶下殿憲亦不拜
又曰薛勤字子恭定遠侯班始尚公主主遇始傲慢無婦
禮始殺主詔書怒欲滅其家勤建議執志不顧遂奏上施
行其立朝盡忠類皆如此
又楚國先賢傳曰楊顒字子昭襄陽人為蜀丞相主簿諸
葛亮嘗自校簿書顒直入諫曰為治有體不可相侵請為
明公作家以喻之今有人使奴執耕稼婢典炊爨雞主司
晨狗主吠盜牛負重載馬涉遠路私業無曠所求皆足雍
容　高拱飲食而已矣忽一旦捐弃欲以身親其役為此
碎務形疲神困終無一成豈智不如奴婢雞犬哉失家之
法耳是以古人稱坐而論道謂之三公作而行之謂之卿
大夫明公為治乃躬自校簿流汗竟日不亦勞乎亮謝之
鍾離意別傳曰明帝作北宮意諫曰昔湯遭旱以六事自

責曰政不節耶使民疾耶宮室榮耶女謁盛耶說夫昌耶
苞苴行耶夫宮室廣大所以驚耳極觀非所以崇德致平
宣化海內
東方朔別傳曰孝武皇帝時人有殺上林鹿者武帝大怒
下有司殺之羣臣皆相阿敘人主鹿大不敬當死東方朔
時在旁曰是人罪一當死者三使陛下以鹿之故殺人一
當死使天下聞之皆以陛下重鹿賤人二當死也匈奴即
有急推鹿觸之三當死也武帝默然遂釋殺鹿者之罪
邵氏家傳曰邵信字孝信為執法都尉吳王嘗因迎春便
道遊獵信從行露板諫曰今元正御節是萬物萌育之始
豈可亡溫養之德而為逆害之道乎吳王省板即為迴駕
虞溥江表傳曰孫權以鄭衆為郎中嘗與之言卿好於衆
中面諫或失禮敬寧不畏龍鱗乎對曰君明臣直朝廷與
下無諱實恃洪恩不畏龍鱗

諫木顧子曰昔梁丘據之諫景公也於房晏嬰之諫景
公也於朝然晏嬰之忠著於竹素梁丘之佞于今不絕亦
為公平正直者聖賢之所先矣
宮殿甲漢書楊雄甘泉賦曰甘泉本因秦離宮既奢泰而
武帝復增通天高光迎風觀且其為已久矣非成帝所造
欲諫則非時欲嘿則不能已故遂推而隆之乃上比於帝
室紫宮若曰此非人力之所為儻鬼神可也
何晏表諫魏齊王曰臣晏言臣聞善為國者必先治其身
愼其所習季末闇主不知損益亂生近昵譬之社鼠
崔駰與竇憲牋曰主簿崔駰言今旦漢陽太守稜吏卒數
十人皆臂鷹牽狗陳於道側云欲上幕府駰聞傳曰禽獸
之皮不足以備器用其肉不可以將獻豢則公不舉焉禮
公侯非麋兕不射且以服猛為民除害因以登臨器械也故
晉唐叔射兕于徒林以為大甲夫鷹犬所獲不過雉兔而
有歷險阻之難斯乃細人匹夫之事非王公大人所為要
資也
崔駰與竇憲牋曰駰幸得充下館序在衆賢後塵是以竭
其惓惓敢進壹言
闞纂理愍懷太子表曰臣備近職雖未能自潔天日請因
閹寺悾悾之職
王景興與鍾元常書諫其室人大歸事曰朗白近聞室人
孫氏歸或曰大歸也共經憂樂既久矣曷為一旦離析以
至於歸而不反乎不得面談裁書敘心
祖台之與王荊州書曰君頃復飲不古人以酒為篤誡通人
識士往往累於此物君受重任憂深責大至於酒事一條

而未先急僕請以諫願君屏爵弃卮焚罍毀榼殛儀狄
於羽山放杜康於三危流王武於幽都拘穀陽於崇山四
罪既除道自康矣
楚辭曰七諫者東方朔之所作也諫正也陳法度以正君
也

太平御覽卷第四百五十七

太平御覽卷第四百五十八

人事部九十九

鑒戒上

易曰防患曰戒

又曰君子終日乾乾夕惕若厲無咎

又曰見羣龍無首吉

又曰履霜堅冰至

又曰積善之家必有餘慶積不善之家必有餘殃

又曰其亡其亡繫于包桑

又曰當其憂悔吝之時其介不可慢也

又曰言行者君子之樞機樞機之發榮辱之主也可不慎乎

尚書曰兢兢業業一日二日萬機

又曰無稽之言勿聽弗詢之謀勿庸

又曰不矜細行終累大德

又曰功崇惟志業廣惟勤位弗期驕祿弗期侈

又曰先王克謹天戒

又曰作德心逸日休作僞心勞日拙

又曰戒慎無虞罔失法度

又曰懔乎若朽索之馭六馬

又曰德惟一動罔弗吉德二三動罔弗凶

毛詩曰惴惴小心如臨于谷

又曰戰戰兢兢如臨深淵如履薄冰

又曰無念爾祖聿脩厥德

又曰白圭之玷尚可磨斯言之玷不可為

左傳曰晉入楚軍三日穀范宣子立於戎馬之前曰君幼弱諸臣不佞何以及此天命不於常有德之謂也君其戒之

又曰禍福無門唯人自召

又曰臧孫去季孫之愛我疾疢也孟孫之惡我藥石也美疢不如惡石孟孫死吾亡無日矣

又曰吳公子札來聘見叔孫穆子曰悅之謂穆子曰子其不得死乎好善不能擇人吾聞君子務在擇人吾子為魯宗卿而任其大政不慎所舉何以堪之禍必及子聘於鄭見子產如舊相識與之縞帶子產獻紵衣焉謂子產曰鄭之執政者侈難將至矣政必及子子為政慎以禮不然鄭國將敗適晉說叔向曰吾子勉之君侈而多良大夫皆富政將在家吾子直必思自免於難

又曰正考父三命茲益恭故鼎銘云一命而僂再命而傴三命而俯循牆而走亦莫予敢侮

禮曰毋不敬儼若思安定辭

又曰敖不可長欲不可縱志不可滿樂不可極

又曰安安而能遷臨財毋苟得臨難毋苟免很毋求勝分毋求多

又曰不登高不臨深不苟訾不苟笑孝子不服闇不登危懼辱親也

又曰管仲鏤簋朱紘山節藻梲君子以為濫矣晏平仲祀其先人豚肩不揜豆澣衣濯冠以朝君子以為隘矣是故君子之行禮也不可不慎也

又曰莫見乎隱莫顯乎微故君子慎其獨也

孝經曰在上不驕高而不危制節謹度滿而不溢

論語曰君子有三戒少之時戒之在色及其壯也戒之在

闕及其老也戒之在得
又曰如有周公之才之美使驕且吝其餘不足觀也已
又曰三思而後行再思可矣
家語曰孔子之周觀於太廟右階之前有金人焉三緘其口而銘其背曰古之愼言之人也戒之哉無多言多言多敗無多事多事多患安樂必戒無行所悔勿謂何傷其禍將長勿謂何害其禍將大勿謂莫聞神將伺人熒熒不滅炎炎奈何涓涓不壅終爲江河緜緜不絶將成網羅毫末不札將尋斧柯誠能愼之福之根也口是何傷禍之門也彊梁者不得其死好勝者必遇其敵盜憎主人民怨其上君子知天下之不可上也故下之知衆之不可先也故後之温恭愼德使人慕之執雌持下人莫踰之人皆趨彼我獨守此孔子顧謂弟子曰此言雖鄙而中事情又孔子觀

於周廟而有欹器焉孔子問守廟者曰此謂何器對曰蓋謂右坐之器孔子曰吾聞右坐之器滿則覆虛則欹中則正有之乎對曰然孔子使子路取水而試之滿則覆中則正虛則欹孔子喟然而歎曰嗚呼惡有滿而不覆者哉子路曰敢問持滿有道乎孔子曰持滿之道挹而損之子路曰損之有道乎孔子曰高而能下滿而能虛富而能儉貴而能卑智而能愚勇而能怯辯而能訥博而能淺明而能闇是謂損而不極能行此道唯至德者及之易曰不損而益之自損而終益故也
家語曰孔子行遊中路聞哭者聲甚悲孔子驅之前有異人者少進見之吾丘子也擁鐮帶索而哭孔子辟車而下問曰夫子有喪也何哭之悲也吾丘子對曰吾有三失孔子曰願聞三失吾丘子曰吾少好學問周通天下還後吾

親亡一失也事君驕奢諫不遂是二失也厚交友而後絶三失也樹欲靜而風不止子欲養而親不待往而不來者年也不可得再見者親也請從此辭則自刎而死孔子曰弟子記之此足以爲戒矣於是弟子歸養親者十三人
又曰曾子曰狎甚則簡莊甚則不親是故君子之狎足以交情莊足以成禮而已孔子聞斯言也曰二三子志之孰爲參也而不知禮者乎
又曰衛孫文子得罪於獻公居戚公卒未葬文子擊鐘焉延陵季子適晉過聞之曰異哉夫子之在此也猶鷰之巢于幕懼猶未也又何樂焉君又在殯可乎文子於是終身不聽琴瑟孔子聞之曰季子能以義正人文子能克己復義可謂善識善改矣
國語曰智襄子爲室美士茁夕焉智伯曰室美夫對曰美

則美矣抑臣亦有懼也曰何懼對曰臣以秉筆事君記有之曰夫高山峻原不生草木松柏之地其土不肥今土木勝臣懼其不安人也室成三年而智氏亡
漢書張安世曾孫勃嗣每登閣殿常曰桑霍爲我誡豈不厚哉
又曰雋不疑字曼倩渤海人也爲郡文學進退必以禮名聞州郡武帝末郡國盜賊羣起暴勝之爲直指使者繡衣持斧捕盜素聞不疑賢至渤海遣吏請與相見躧履迎之坐定不疑據地曰竊伏海　瀕聞暴公子舊矣迺今承顏接辭凡爲吏太剛則折太軟則廢威行施之以恩然後樹功揚名永終天祿勝之納其誡深接以禮
又曰楊惲失爵位居處治產業起室宅其友人安定守孫會宗與書誡之曰大臣廢退當闔門惶恐爲可憐之意不

當通賞客有譽稱也惲內懷不服驕奢不悔坐誅斬
望前列曰元帝時京房以言災異數召見又爲吏考課事
奏之因問上曰幽厲之君何以危所任者何人也上曰主
不明而任巧佞房曰知巧佞而任之邪將以爲賢而任之
耶上曰賢之房曰然則何以知其不賢也曰以其時亂而
君危知之房曰今治乎亂乎上曰亂房曰然則有所任乎
上曰幸其未至於彼也房曰臣恐後世之視今猶今之視
古也元帝嘿然矣
又曰韓延壽善爲政坐法弃市吏民數千人送至渭城老
小扶持車轂爭奉酒炙延壽不忍拒逆爲飮酒石餘使掾
吏分謝吏民百姓莫不流涕延壽三子皆爲郎吏臨死屬
其子勿爲吏以已爲戒子皆以父言去官
東觀漢記曰馮勤遷司徒是時三公多見罪退上欲令以

善自終乃因讌見從容戒之曰朱浮上不忠於君下陵轢
同列終以中傷放逐受誅雖復追加賞賜不足以償不訾
之身忠臣孝子覽照前世以爲鑒戒能盡忠於國事君無
二則爵賞光乎當世名列於不朽可不勉哉
又曰樊宏爲人謙愼常戒其子曰富貴盈溢未有能終者
天道惡滿而好謙前世貴戚明戒也保身全已豈不樂哉
後列曰班超爲都護以任尚代超尚謂超曰君在外國三
十餘年而小人猥承君後宜以誨之超曰塞外吏士本非
孝子順孫皆以罪過徙補邊而蠻夷懷鳥獸之心難養易
敗今君情嚴急水清無大魚察政不得下宜蕩爲簡易寬
小過繩大罪而已
又曰馬援出屯襄國詔百官祖道援謂黃門侍郎梁松竇
固曰凡人貴富當使可賤如卿等欲不可復賤居高自持

勉思鄙言松後果貴滿致災固亦幾不免
後列曰馬援兄子嚴敦並喜通輕俠援前在交阯還書戒
之曰吾欲汝曹聞人過失如聞父母之名耳可得聞而口
不可得言也好論議人長短是非正法此吾所大惡也寧
死不願聞子孫有此行
又曰徐穉嘗爲太尉黃瓊所辟不就及瓊卒歸葬穉乃負
糧徒步到江夏赴之設鷄酒薄祭哭卒而不告姓名時會
者四方名士郭林宗等數千人聞之疑其穉也乃選能言
生茅容輕騎追之及於塗容爲設飯共言稼穡之事臨決
去謂曰爲我謝郭林宗大厦將顛非一繩所維何爲栖栖不
遑寧處也
魏志曰傅嘏與鍾會從平毋丘儉後會有自矜色嘏戒之
曰子志大量小而勳業難爲也可不愼哉

又曰吏部尚書何晏詣管輅問曰連夢青蠅數頭來在鼻
上驅之不肯去有何意故輅曰今君侯位重山岳勢若雷
霆而懷德者鮮畏威者衆殆非小心翼翼多福之人又鼻
者艮此天中之山高而不危所以長守富也今有蠅而集
焉位峻者顚輕豪者亡不可不愼
又曰曹爽飮食衣服擬於乘輿擅取武庫禁兵曹羲深以
爲憂數諫止之又著書三篇陳驕淫盈溢之致禍敗辭旨
甚切不敢斥爽託戒諸子以示爽爽知其爲已發也甚不
悅羲或時以諫喻不納涕泗而起
吳志曰孫權每田獵常乘馬射虎虎嘗突前攀持馬鞍張
昭變色而前曰將軍何用不當尒夫爲人君謂能駕御英
雄驅使羣賢豈謂馳逐於原野校勇於猛獸者乎
江表傳曰孫權征合肥還爲張遼所襲幾至危殆賀齊時

率三千兵在南津迎權權旣就大船會諸將飲宴齊下席
涕泣而言曰至尊人主當持重今日之事幾致禍敗羣下
震怖若無天地願以此爲終身戒權自前拭其淚曰大慚
謹以刻心非但書紳也
王隱晉書曰庾袞兄女芳將嫁美服具矣袞刈荊苕爲箕
箒焉召諸子集之于堂男女以班而命芳來汝少孤汝逸
汝豫不汝疵瑕今汝將適人事舅姑灑掃庭內婦人道也
故賜汝以匪器之美欲汝之溫恭朝夕雖休勿休也
晉書曰趙王倫纂位嵇紹爲侍中惠帝復祚紹居本職上
疏諫曰願陛下無忘金墉大司馬無忘潁上大將無忘黃
橋則禍亂之萌無由而兆
隋書曰賀若弼父敦以武烈知名仕周爲金州總管宇文
護忌而害之臨刑呼弼謂之曰吾必欲平江南然此心不

果汝當成吾志且吾以舌死汝不可不思因引錐刺弼舌
出血誡以愼口
唐書曰太宗嘗謂長孫無忌等曰朕聞主賢則臣直人不
自知公直面論攻朕得失無忌奏言陛下武功文德跨絕
古今發號施令事皆利物孝經云將順其美臣順之不暇
實不見陛下有所愆失太宗曰朕冀聞已過公乃妄相諛
悅朕今面談公等得失以爲鑒誡言之者無過聞之者可
以自改因目無忌曰善避嫌疑應對敏速求之古人亦當
無比而總兵攻戰非所長也高士廉涉獵古今心術聰悟
臨難旣不改節爲官亦無朋黨所少者骨鯁規諫耳唐儉
言辭俊利善和解人酒杯流行發言啓沃事朕三十載遂
無一言論國家得失楊師道性行純善自無愆過無情實
怯懦未甚更事急緩不可得力岑文本性過敦厚文章自

其所長而持論恒據經遠自當不負於物劉洎性最堅貞
言多利益然其意尚然諾於朋友能自補闕亦何以尚馬
周見事敏速性甚貞正於論量人物直道而行朕比任使
多所稱意褚遂良學問稍長性亦堅正旣寫忠誠甚親附
於朕譬飛鳥依人自加憐愛
又曰閻立本雖有應務之才而尤善圖畫工於寫眞秦府
十八學士圖及貞觀中凌煙閣功臣圖並立本之跡也時
人咸稱其妙太宗嘗與侍臣學士泛舟於春苑池中有異
鳥隨波容與太宗擊賞數賜詔座者爲詠召立本令寫焉
時閣外傳呼云畫師閻立本時以爲主爵郎中奔走流汗
俛伏池側手揮丹粉瞻望座賓不勝媿赧退戒其子曰吾
少好讀書幸免牆面緣情染翰頗及儕流唯以丹青見知
躬廝役之務辱莫大焉汝宜深戒勿習此末伎立本爲性

所好欲罷不能也及爲右相與左相姜恪對掌樞密恪旣
歷任將軍立功塞外立本唯善於圖畫非宰輔之器故時
人以千字文爲語曰左相宣威沙漠右相馳譽丹青
唐書曰房玄齡嘗誡諸子以驕奢沉溺必不可以地望陵
人集古今聖賢家戒書於屏風令各取一具謂曰若能留
意足以保身成名又云袁家累葉忠節是吾所向汝即宜
師之

太平御覽卷第四百五十八

太平御覽卷第四百五十九

人事部一百

鑒戒下

韓子曰昔周公使康叔守商戒之曰無殺不辜寧失有罪亦有無罪而見誅亦有有功而不賞慎之

管子曰齊桓公管仲鮑叔牙甯戚飲公曰何不爲寡人壽鮑叔牙奉杯而起曰使公無忘在莒管仲無忘束縛於魯甯戚無忘飯牛車下公避席再拜

晏子曰夫爵益高者意益下官益大者心益小祿益厚者施益博也

又曰君子居必擇隣遊必就士可以避患也

又曰人之將疾必先不甘粱肉之味國之將亡必先惡忠臣之語

列子曰狐丘丈人謂孫叔敖曰人有三怨子知之乎孫叔敖曰何謂也對曰爵高者人妬之官大者主惡之祿厚者患處之孫叔敖曰吾爵益高吾志益下吾官益大吾心益小吾祿益厚吾施益博以是免三怨可乎

莊子曰夫畏途十殺一人則父子兄弟相戒必盛從卒而後敢出衽席之上飲食之間而不知爲之戒過也

文子曰其文好者身必剥其角美者身見殺甘泉先竭直木必伐

荀子曰魯哀公問政於孔子曰寡人生於深宮之中長於婦人之手未嘗知哀未嘗知憂未嘗知勞未嘗知懼未嘗知危孔子曰君之問也丘小人也何以知之曰無吾子無所聞之孔子曰君入廟門而右登自胙階仰見榱棟俯察机筵其器存其人亡君以此思則哀至焉昧爽而櫛冠未明而聽朝一物失所亂之端也君以此思則憂至焉君平明而聽朝日昃而退諸侯之子孫必有在君之庭者君以此思則勞至焉君出魯之四門以望四郊亡國之墟則必有類焉君以此思則懼至焉且丘聞之君者舟也民者水也水能載舟亦能覆舟君以此思則危至焉

又曰慶封爲亂於齊而將之越其族人曰晉近奚不之晉慶封曰越遠利以避難族人曰變是心也居晉而安不變是心雖越其可以安乎

又曰桓公往問管仲曰仲父有病即有不幸政將遷誰豎刁何如曰不可人情莫不愛其身豎刁自宮而爲君治內身之不愛何能愛君公曰衛公子開封何如管仲曰齊衛之間不過十日之行開封事君十年不歸不見父母非人心也父母之不親安能親君公曰易牙何如曰夫易牙爲君主味君之所未嘗食唯人肉而易牙蒸首子而進之其子不愛焉能愛君公曰孰可管仲曰隰朋可其爲人堅中而廉外少欲而多信堅中足以爲表廉外可與大任少欲則能臨其衆多信則能親隣國此霸王之佐也君其用之管仲死桓公不用隰朋而用豎刁三年桓公南遊堂邑豎刁易牙衛公子開封及大臣爲亂桓公餓而死

荀子曰伯禽將歸於魯周公謂伯禽曰君子力如牛不與牛爭力走如馬不與馬爭走智如士不與士爭智

韓子曰西門豹性急佩韋以自緩董安于心緩佩弦以自急故能以有餘補不足以長續短之謂明至

淮南子曰奔車之上無仲尼覆舟之下無伯夷

韓子曰天下有至貴而非勢位也有至富而非金玉也有至壽而非千歲也原惡反性則貴矣適情知足則富矣明

生死之分則壽矣
韓子曰秦昭王謂左右曰今時韓與魏孰強對曰魏強秦昭王曰其無柰寡人何左右皆然中旗伏瑟而對曰王之料天下過矣當六晉之時智氏最強滅范中行氏又率韓魏之兵以圍趙襄子於晉陽決晉水以灌晉陽之城城不沒者三板智伯行水魏宣子御韓康子驂乘智伯曰吾始不知水可以亡國也乃今知之汾水可以灌安邑絳水可以灌平陽魏宣子肘韓康子韓康子履魏宣子之足接於車上而智氏身死國亡為天下笑今秦雖不過智氏韓魏弱尚賢其在晉陽之下也此方其用肘足之時願王勿易也於是秦王恐
又曰吳鐸以聲自毀膏燭以明自鑠
又曰魏武侯浮西河而下中流謂吳起曰美哉山河之固魏國之寶也對曰在德不在險昔三苗氏左洞庭而右彭蠡德義不修而禹滅之夏桀之居左河濟而右太華伊闕在其南羊腸在其北修政不仁湯放之商紂之國左孟門右太行常山在其北大河經其南修行不德而武王滅之王恃儉而不修德舟中之人盡敵國也武侯曰善
說苑曰昔成王封周公周公辭不受乃封周公子伯禽於魯將辭去周公戒之曰去矣子其無以魯國驕士矣我文王之子也武王之弟也今王之叔父也又相天子吾於天下亦不輕矣嘗一沐而三握髮一食而三吐哺猶恐失天下之士吾聞之曰德行廣大而守以恭者榮土地博裕而守以儉者安祿位尊盛而守以卑者貴人衆兵彊而守以畏者勝聰明睿智而守以愚者益博聞多記而守以淺者廣此六守者謙德也夫貴為天子富有四海不謙者先天

下亡其身桀紂是也可不慎乎故易曰天道虧盈而益謙地道變盈而流謙鬼神害盈而福謙人道惡盈而好謙誡之哉子其無以魯國驕士矣
又曰春秋有忽然而足以亡者國君不可以不慎也妒妾不一足以亡公族不親足以亡大臣不任足以亡國爵不用足以亡親佞近讒足以亡舉百事不時足以亡使民不節足以亡刑罰不中足以亡內失衆心足以亡外嫚大國足以亡
說苑曰田子方侍魏文侯坐太子擊趨而入見賓客羣臣皆趨田子獨不起文侯有不說之色太子亦然田子方稱曰為子起與無如禮何不為子起與無如罪何請為子誦楚恭王之為太子也將出之雲夢遇大夫工尹工尹遂趨避家人之門中太子下車從之家人之門中曰子大夫何為其若是吾聞之尊其父者不兼其子兼其子者不祥莫大焉子大夫何為其若是工尹曰向吾望見子之面今而後記子之心文侯曰善太子擊前誦恭王之言而習之
又曰孫叔敖為楚令尹一國吏民皆來賀有一父衣麤衣冠白冠後來弔孫叔敖正衣冠而出見之謂老父曰楚王不知臣不肖使臣受吏民之垢人盡來賀子獨來弔豈有說乎父曰有說身已貴而驕人者民去之位已高而擅權者君惡之祿已厚而不足者患處之孫叔敖再拜曰謹受命願聞餘教父曰位已高而意益下官益大而心益小祿已厚而慎不取君守此三者足以治楚矣
說苑曰魏公子牟東行穰侯送之曰先生將去　之山東矣獨無一言以教冉乎魏公子曰微君言之牟幾忘語君君知夫官不與勢期而勢自至乎勢不與富期而富自至

乎富不與貴期而貴自至乎貴不與驕期而驕自至乎驕不與罪期而罪自至乎罪不與死期而死自至乎穰侯曰善謹受明教

說苑曰高上尊貴無以驕人聰明聖智無以窮人資給疾速無以先人剛毅勇猛無以勝人不知則問不能則學雖知必質然後辯之雖能必讓然後爲之故士雖聰明聖智自守以愚功被天下自守以讓勇力距世自守以怯富有四海自守以廉此謂高而不危滿而不溢者也

說苑曰齊桓公爲大臣具酒期以日中管仲後至桓公舉觴以飲之管仲半弃酒桓公曰期而後至飲而弃酒於禮可乎管仲對曰臣聞酒入舌出舌出者言失言失者身弃臣計弃身不如弃酒桓公笑曰仲父起就坐

說苑曰常樅有疾老子往問焉曰先生疾甚矣無遺教可以語諸弟子者乎常樅曰子雖不問吾將語子曰過故鄉而下車子知之乎老子曰過故鄉而下車非謂其不忘故鄉耶常樅曰嘻是已常樅曰過喬木而趨子知之乎老子曰過喬木而趨非謂其敬老耶常樅曰嘻是以張其口而示老子曰吾舌存乎老子曰然吾齒存乎老子曰亡常樅曰子知之乎老子曰夫舌之存也豈非以其柔耶齒之亡也豈非以其剛耶常樅曰嘻是以天下之事已盡矣無以復語子哉

說苑曰桓公曰金剛則折革剛則裂人君剛則國家滅人臣剛則交友絕夫剛不和不和則不可用是故四馬不和取道不長父子不和其世破亡兄弟不和不能久同夫妻不和家室大凶易曰二人同心其利斷金因不剛也

又曰老子曰得其所利必慮其害樂其所樂必顧其敗人爲善者天報以福人爲不善者天報以禍也故曰禍兮福

所倚福兮禍所伏戒之愼之君子不務何以備之夫上知天則不失時下知地則不失財日夜愼之則無害矣

太公金匱曰武王問師尚父曰五帝之戒可得聞乎師尚父曰舜之居民上兢兢如履薄冰禹之居民上慄慄如恐不滿湯之居民上翼翼乎懼不敢息

呂氏春秋曰出則以車入則以輦務以自逸命之曰招蹷之機肥肉厚酒務以自強命之曰爛腸之食靡曼皓齒鄭衛之音務以自樂命之曰伐性之斧三者富貴之所致者也

新序曰楚恭王有疾召令尹曰常侍筦蘇與我處忠我以義吾與其處不見不思也雖然吾有以得也其功不細必爵之申侯伯與我處吾所樂者勸吾爲之吾所好者勸吾服之吾與處不見思之雖然吾終無得也其過也不細必亟遣之令尹曰諾明日王薨令尹即拜筦蘇爲上卿而逐申伯出於國

諸葛亮集先主遺詔勑後主曰勿以惡小而爲之勿以善小而不爲唯賢唯德能服於人汝父德薄勿效之讀傳必可讀漢書禮記閑暇歷視諸子及六韜商君書益人意知吾終之後汝兄弟父事丞相

鄭玄別傳曰玄病困戒子益恩曰吾家舊貧爲父母羣弟所容去廝役之吏遊周秦之都往來幽并兗豫之役候覲通人大儒得意者咸從捧手有所受焉遂博稽六藝究覽傳記今我告爾以事將閑居以安性覃思以終業自非國君之命問親族之憂展孝墳墓觀省野物曷常扶杖出門乎家事大小汝一承之吾煢煢一夫曾無同生相依其勗求君子之道研鑽勿替恭愼威儀以近有德顯譽成於僚友

德行立於已志若致聲稱亦有榮於所生耳
曹植別傳曰植博學有高才年十餘歲誦詩論及賦十萬言性簡易不事華麗太祖征孫權使植留守鄴戒之曰吾昔為頓令年二十三思此時所行無悔於今今汝年二十三矣可不勉歟
文士傳曰陸景誡盈曰重臣貴戚隆盛三族莫不罹患構禍鮮以善終大者破家小者滅身唯金張子弟世履忠篤故能保貴持寵祚鍾昆季其餘禍敗可為痛心
東方朔集曰朔將仙戒其子曰明者處世莫尚於中庸優哉遊哉與道相從首陽為拙柱下為工飽食安步以仕代農依隱玩世詭時不逢
劉向集誡子書曰君歆謙之無怨若未有異德蒙恩甚厚將何以報董生有云弔者在門賀者在閭有憂則恐懼敬

事慎事則必有善功而遺福也
蔡邕女誡曰心猶首面也是以甚致飾焉面一旦不脩則塵垢穢之心一朝不思善則邪惡入之咸知飾其面不脩其心夫面之不飾愚者謂之醜心之不脩賢者謂之惡愚者謂之醜猶可賢者謂之惡將何容焉故覽照拭面則思其心之潔也傅脂則思其心之軟也加粉則思其心之鮮也澤髮則思其心之順也用櫛則思其心之理也立髻則思其心之正也攝鬢則思其心之整也
蔡邕廣連珠曰臣聞目瞤耳鳴近夫小戒也狐鳴犬嘷家人小袄也猶忌慎動作封鎮書符以防其禍是故天地示異灾變橫起則人主恒恐懼而脩政
魏文帝誡子曰父母於子雖肝傷腐爛為其掩蔽不欲使鄉黨士友聞其罪過然行之不改久久人自知之用此仕宦不亦難乎
王脩誡子書曰我實老矣所恃汝等也汝今踰郡縣越山河離兄弟去目下者欲令見舉動之宜以觀高人遠節聞一得三父欲令子善唯不能殺身其餘無惜也
諸葛亮誡外生曰夫志當存高遠慕先賢絕情欲棄凝滯使庶幾之志揭然有所存惻然有所感忍屈伸去細碎廣咨問除嫌吝雖有淹留何損於美趣何患於不濟若志不強毅意不慷慨徒碌碌滯於俗默默束於情永竄伏於凡庸不免於下流矣
又曰夫君子之行靜以脩身儉以養德非澹薄無以明志非寧靜無以致遠夫學欲靜也才須學也非學無以廣才非志無以成學滔慢則不能勵精險躁則不能治性年與時馳意與日去遂成枯落多不接世悲守窮廬將復何及

崔瑗坐右銘曰無道人之短無說己之長施人慎勿念受施慎勿忘世譽不足慕唯仁為紀綱隱心而後動謗議庸何傷

太平御覽卷第四百五十九

人事部一百一
游説上
釋名曰説者述也宣述人意也
左傳曰晉人將尋盟齊人不可叔向告于齊曰明王之制
使諸侯歲聘以志業間朝以講禮再朝而會以示威再會
而盟以顯昭明自古以來未之或失齊人懼
又曰晉郤缺言趙宣子曰衛不睦故取其地今已睦矣可
以歸之叛而不討何以示威服而不柔何以示懷非威非
懷何以示德趙宣子悅歸衛主威之田
又曰吳人執衛侯子服景伯謂子貢曰子盍閒見太宰乃
請束錦以行語及衛故子貢曰衛君之來也必謀於其衆
或欲或否是以緩來欲來者子之黨也其不欲來者子之

讎也若執衛君是墮黨而崇讎也難以霸乎太宰嚭説乃
舍衛侯
又曰晉楚會于虢季武子伐莒取鄆莒人告於國會楚告
於晉曰請戮其使趙孟請諸楚曰魯雖有罪其執事不避
難疆場之邑一彼一此何常之有去煩宥善莫不競勸固
請諸楚楚人許之乃免叔孫
又曰楚五舉奔鄭將遂奔晉聲子將如晉遇之於鄭郊聲
子曰吾必復子還如楚令尹子木與之語聲子曰椒舉今
在晉矣晉人將與之縣以叔向彼若謀害楚國豈不爲患子
木懼言諸王益其祿爵而復之聲子使椒鳴逆之
又曰晉侯秦伯圍鄭佚之狐言於鄭伯曰國危矣若使燭
之武見秦君師必退燭之武夜縋而出出見秦伯曰秦晉
圍鄭鄭旣知亡鄭而有益於君敢以煩執事越國以鄙遠

君知其難也焉用亡鄭以陪鄰夫晉何厭之有旣東封鄭
又欲肆其西封不闕（音掘下同）秦焉取之闕秦以利晉唯君圖
之秦伯悅
傳曰吳伐楚入郢申包胥如秦乞師曰吳爲封豕長蛇荐
食上國虐始於楚寡君失守社稷越在草莽使下臣告急
曰夷德無厭若鄰於君疆場之患也逮吳之定也君其取
分焉若以君靈撫之世以事秦立依於庭墻而哭日夜不
絶聲勺飲不入口七日秦師乃出
又曰楚子饗魯昭公于新臺好以大屈旣而悔之薳啓彊
聞之見公公語之拜賀公曰何賀對曰齊與晉越欲此久矣
寡君無適與也敢不賀乎公懼乃反之
戰國策曰蘇秦死其弟蘇代欲繼之乃北見燕王噲曰臣
東周之鄙人也至燕廷觀王之羣臣下吏大王天下明王

也王曰何如曰臣聞之明王也務聞過不欲聞善臣請謁
王之過
又曰濮陽人呂不韋賈於邯鄲見秦質子楚説之乃説秦
王后弟陽泉君曰王后無子子楚賢才也棄在趙王后誠
請而立之是有子也陽泉君入説王后王后爲請而歸之
爲太子也
又曰張儀爲秦連横説韓王曰夫違禍而求福計莫如事
秦今王西面事秦以攻楚　秦王必喜
又曰蘇秦説李兌抵掌而談兌送秦以明月之珠和氏之
璧
戰國策曰齊宣王因燕喪攻取十城蘇秦爲燕説齊王再
拜而賀因仰而弔齊王案戈曰何慶弔相隨之速也對曰
人之饑所以不食烏喙者以爲雖愈饑充腹而與死同患

齊乃歸燕城

戰國策曰應侯使人召蔡澤蔡澤入曰夫四時之序功成者去君何不歸相印讓賢者授之必有伯夷之廉長爲應侯而有喬松之壽孰以禍終此哉應侯曰善乃延入坐爲上客

又曰楚免淖齒於柱國遊騰爲楚王曰秦有上羣午者重兵之戰請秦王曰必無與楚戰王曰何也對曰南方火也西方金也金之不勝火亦必矣秦王不聽其戰不勝今午又請秦王必與楚戰南方火西方金也楚正夏中年而免其柱國此所謂內自滅也楚懼復置淖齒

又曰齊欲伐魏魏使人請淳于髡曰齊欲伐魏能解患唯先生也淳于髡曰諾遂入說齊王曰楚齊之仇敵也魏齊之與國也夫伐與國使仇敵制其餘弊名醜而實危爲王不取也齊王曰善乃不伐魏也

又曰趙魏攻華陽韓謁急於秦冠蓋相望秦不救韓相國謂由余曰事急願公雖病爲一宿之行由余見穰侯穰侯曰急乎由余對曰未急也彼韓急則將變矣穰侯請發兵救韓大敗趙魏於華陽之下

又曰昭陽爲楚伐魏覆軍殺將得八城移師而攻齊陳軫爲齊王使見昭陽再拜賀戰勝起而請問楚之法覆軍煞將其官爵何也昭陽曰官爲上柱國爵爲上執珪陳軫曰今小貴矣又移師攻齊而不知止者身且死爵且偃昭陽車而歸之

又曰范雎謂秦王曰大王國之北有甘泉谷口南法涇渭右隴蜀左關阪戰車千乘奮卒數百萬以秦卒之勇車騎之多以當諸侯譬若放韓盧而逐狡兔也霸王之業可致今

反間關不敢窺兵於山東者是穰侯爲秦謀不忠大王之計

又曰秦王謂趙使諒毅曰豹平原君數欺弄寡人趙能煞此兩人則可若不能煞請率諸侯受命邯鄲城下諒毅曰趙豹平原君親寡君之母弟也猶大王之有葉陽涇陽君夫以孝悌聞於天下衣服之便於體膳啗之兼於口未嘗不分與焉衣裘無非大王之服今受大王之嚴令以報敝邑之君不敢弗行無乃傷君之心乎

戰國策曰趙且伐燕蘇代爲燕謂趙惠王曰今者來過川蚌方出曝而鷸啄其肉蚌掩鷸咮鷸曰今日不雨明日不雨蚌將爲脯蚌亦謂鷸曰今日不出明日不出必見死鷸兩者不相捨漁者得而併擒之今趙且伐燕燕趙久相持臣恐強秦之爲漁父也故願王熟計之惠王曰善乃止

戰國策曰昭陽爲楚伐魏移兵而攻齊陳軫爲齊王使見昭陽曰今子既貴矣王非置兩令尹也臣竊爲公譬之可乎楚有祠錫其舍人酒一卮舍人相謂曰數人飲之不足一人飲之有餘請畫蛇先成者飲酒一人蛇先成乃左手持卮右手畫蛇曰吾能爲足爲足未成一人蛇成奪其卮曰蛇故無足子安能爲足遂飲其酒畫蛇足者終亡其酒公攻魏殺將得八城又移師亦攻齊齊畏公甚公以是名足矣冠之非可重也戰無不勝而不知止者身且死爵且偃猶爲蛇足也昭陽以爲然解軍而歸

又曰衛客事魏王三年不得見乃見梧立先生許之以百金先生曰諾乃見魏王曰吾聞秦出兵未知所之願王專事秦無他計王曰諾客趨出至郭門而返曰臣恐王事秦之晚也夫人於事已者過急於事人者過緩今王於事已

緩安能急於事人衛客事王五年不得見臣以是知王緩
也魏王趨見衛客曰蘇秦爲楚合從說韓王曰夫以韓卒
之勇被堅甲帶利劒一人當百不足云也夫以韓卒之勁
與王之賢乃欲事秦秦爲天下笑無過此者大王事秦秦必
求宜陽成皐今茲效之明年又求之予之則無地以給不
子則弃前功而受後禍大王之地有盡而秦之求無厭以
有盡之地而應無已之求鄙語曰寧爲鷄口不爲牛後今
西南交臂而事秦何異牛後乎
又曰秦王與中期爭論而不勝秦王大怒中期徐行去人
爲說秦王曰此悍人也中期適遇明君故也遇桀紂必殺
之矣王因弗罪
又曰秦令樗里疾以車百乘入周周君迎之甚敬楚王怒
讓周以其重秦客也游勝爲周君謂楚王曰秦者虎狼之

國也有獨吞之意周君懼焉楚王乃說也
又曰司馬錯與張儀爭論於秦惠王前錯欲伐蜀儀曰不
如伐韓王問其說對曰親魏善楚下兵三川塞轘轅緱氏
之口當屯留之道此王業也
又曰惠施爲韓魏交令太子鳴質於齊王欲見朱倉謂王
曰何不稱病臣請說晏子曰魏王之年長矣今有病公不
如歸太子以德之不然公子高在楚將內而立之是齊抱
空質而行不義也王從之太子得還
又曰范雎謂秦王曰秦韓之地形相錯如繡秦之有韓若
木之蠹爲秦害者莫大於韓王
又曰張儀爲秦連橫說韓王曰諸侯不料兵之弱而聽從
人之甘言不顧社稷長利而聽諛人之說詿誤人言無過
此矣

戰國策曰燕文公時秦惠王以其女爲燕太子婦文公卒
殤王立齊宣王因燕喪攻取十城蘇秦爲燕說齊王再拜
而賀因仰而弔曰燕雖弱小強齊之埒王利其十城而深
與秦爲仇王能聽臣莫如歸燕城卑辭以謝秦是王弃強
仇而立厚交也齊王大悅乃歸燕城
又曰齊楚約而欲攻魏魏有唐雎見秦王曰今齊楚之兵
已在魏郊矣大王之救不至魏急則割地而約王雖欲救
之豈有及哉秦王遽發兵赴魏魏復存唐雎之說也
又曰楚絕齊齊舉兵攻楚陳軫謂楚王曰不如以地東解
於齊而西講於秦矣
又曰文信侯欲攻趙而廣河間使張唐相燕張唐辭之少庶
子甘羅曰臣請行之甘羅見張卿即曰今文信侯自請卿
相燕而卿不肯行臣不知卿所死之處矣卿曰請孺子而

行令庫具車廄具馬府具幣行有日矣
戰國策曰東周欲爲稻西周不下水東周患之蘇子謂東
周君曰臣請使西周下水可乎乃往見西周之君曰君之
謀過矣今不下水所以富東周也今其人皆種禾君若欲
東周之乏不若一下水以病其所種下水東周必復種稻
種稻而復奪之若是則東周之人可令一仰西周而受命
於君矣西周君曰善遂下水蘇子亦得兩全矣
又曰司馬錯與張儀爭論於秦惠王前錯欲伐蜀儀曰不
如伐韓王問其說曰臣聞欲富者務廣其地欲強者務富
其人欲王者務崇其德三資者備而至道與矣王曰善起
兵伐蜀
又曰司馬錯與張儀爭論於秦惠王前錯欲伐蜀儀曰不
如伐韓王問其說對曰親魏善楚下兵三川誅周王之罪

侵楚魏之地周自知不救九鼎寶器必出據九鼎案圖籍
挾天子以令天下天下莫敢不聽此王業也
又曰蘇秦發書陳篋爲揣摩曰安有說人主不能出金玉
錦繡取相之尊者乎
又曰司馬錯與張儀爭論於秦惠王前錯欲伐蜀儀曰不
如伐韓王問其說對曰臣聞爭名於朝爭利於市今三川
周室天下之市朝也而不爭焉顧爭於戎狄
又曰秦將急攻韓韓王安使公子韓非西入秦上書說秦
王曰脣亡齒寒故曰兵者凶器陛下試聽臣之計則從者
困而趙孤天下可蠶食也
又曰以秦卒之勇車騎之多以當諸侯譬若放韓盧而逐
蹇兔也
又曰司馬錯與張儀爭論於秦惠王前錯欲伐蜀儀曰不

如伐韓王問其說對曰案圖籍挾天子以令天下錯曰不
然蜀戎翟之長也以秦政之譬如使豺逐群羊王曰善起
伐蜀
又曰蔡澤對應侯曰君之祿位貴盛而身不退竊爲君危
之物盛則衰天下之常數也
又曰張登謂趙魏曰齊欲伐河東何以知之齊之羞與中
山之爲王甚矣今召山中與之遇而許之王是欲用其兵
也豈若令大國先與之王以止其遇哉趙魏許之諸果與
中山之王而親之中山東絕齊而從趙魏
又曰蘇秦爲燕說齊王歸燕之十城人有毀蘇秦於燕王
左右賣國反臣也將作亂蘇秦恐得罪歸而燕王不復官
也蘇秦見燕王曰臣東周之鄙人也無尺寸功而王親拜
之於廟朝而禮之於廷今臣爲主却齊之兵而攻得十城

宜以益親今者而王不官臣人必有不信傷臣於王者臣
之不信王之福也
史記曰初沛公引兵過陳留酈生上謁沛公拔甲曰延客
入酈生入揖謂沛公曰今足下甚若暴衣露冠將兵助楚
討不義足下何不自喜也臣願以事見
又曰李斯說秦王曰夫以秦之強大王之賢足以滅諸侯
成帝業秦王乃拜斯爲長史聽其計
又曰田常欲爲亂於齊移兵欲伐魯子貢見吳王說曰齊
與吳爭強切爲王危之王曰善雖然子待我伐越而聽子
子貢曰王必惡越請東見越王令出兵以從吳王大說使
子貢之越越王許諾也
又曰田常欲伐魯子貢至齊說田常曰君之伐魯過矣不
如伐吳吳王果與齊人戰於艾陵大破齊師故子貢一出

存魯亂齊
戰國策曰鄒忌以鼓琴見威王王悅而舍之右室須臾王
鼓琴鄒忌推戶入曰善鼓琴夫大絃濁以春者君也小絃
廉折以清者相也攫之深而令人愉者政令也鈞以鳴大
小相蓋因推而不害者四時也故曰琴音調而天下正也
又曰秦圍邯鄲急且降平原君甚患之邯鄲傳舍吏子李
同說平原君曰誠能令家之所有盡散以饗士士方其危
苦之時易得耳於是平原從之得敢死之士三千李同遂
與三千人赴秦軍秦軍爲之却三十里
又曰漢王數困滎陽城皐酈生曰今燕趙已定唯齊未下
臣請得奉明詔說齊王使爲漢稱東藩上曰善
又曰范增說項梁曰君江東楚將皆爭附君者以君　代
楚將爲能復立楚之後也於是項梁然其言也

又曰范陽人蒯通說范陽令曰竊聞公之將死故弔然賀得通而生

又曰韓非說難曰計利害以難其攻直指是非以飾其身以此相持說之氏也

戰國策曰蘇秦說六國從合秦爲從長并相六國喟然歎曰使我有雒陽負郭田二頃豈能佩六國相印乎於是散千金以賜宗族

又曰張儀說燕昭王曰今王事秦秦王必喜趙不敢妄動燕王曰今大客幸教之請西面而事秦王耳

戰國策曰張儀聞蘇秦死乃說楚王曰夫爲從者無以異於驅羣羊而攻猛獸獸之與羊不格明矣今王不與獸而與羣羊臣竊聞以爲大王之計過

又曰韓非知說之難爲說難書曰所說實爲厚利而顯爲名高者也而說之以名高則陽收其身而實數疏之說以厚利則陰用其言而顯棄其身

又曰漢王使隨何說淮南王隨何曰項王伐齊大王宜悉淮南之衆爲楚軍前鋒今乃提空名以向楚臣竊爲大王不取也淮南王陰許畔楚與漢

又曰李斯詣秦會莊襄王卒乃求爲秦相呂不韋舍人不韋賢之任以爲郎李斯因以得說秦王　秦王乃拜爲長史聽其計

太平御覽卷第四百六十

人事部一百二

游說中

史記曰蘇秦說趙王王乃飾車百乘黃金千鎰白璧百雙錦繡千純以游諸侯

又曰蘇秦說齊王曰齊三軍之良五家之兵戰如雷霆解如風雨

又曰漢王使隋何說淮王隋何曰臣請與大王持劒而歸漢王

又班彪王命論曰游說之士比天下於逐鹿也

又曰蒯通對高祖曰秦失其鹿天下共逐之

又曰蒯通爲奇策感通韓信佯以相人說信

又曰子貢之晉謂晉君曰臣聞慮不先定不可以應卒兵

不先辨不可以勝敵今吳戰勝必以其兵臨晉晉君大恐也

又曰田常欲爲亂於齊憚高國鮑晏故移兵欲伐魯子貢說田常曰臣聞之憂在內者攻強憂在外者攻弱今君憂在內破魯以廣齊戰勝以驕主求以成大事難矣

又曰范陽人蒯通說范陽令曰今諸侯叛秦矣武信君兵且至而君堅守范陽少年皆爭殺君下武信君君急遣臣見武信君可轉禍爲福在今矣

又曰田肯說高祖曰秦形勝之國也得百二焉地勢便利其以下兵於諸侯譬猶居高屋之上建瓴水也

又曰漢王數困滎陽成皐計欲捐成皐以東屯鞏洛以距楚酈生曰臣聞知天之天者王事可成王者以人爲天而人以食爲天夫倉敖天下輸久矣

又曰子貢一出說存魯亂齊破吳强晉而霸越也

又曰漢王數困滎陽成皐計欲捐成皐以東屯鞏洛距楚酈生因曰臣願足下急復進收取滎陽據敖倉之粟塞成皐之險杜太行之道距飛狐之口守白馬之津則天下知所歸矣

又曰韓非知說之難爲說難書曰凡說之難在知所說之心可以吾說當之

又曰韓信既殺龍且項恐使武涉說信曰足下右救則漢王勝左救則項王勝項王今日亡則次取足下也

又曰蒯通說韓信曰酈生一士伏軾掉三寸之舌下齊七十餘城案漢書曰食其馮軾下齊

又曰張儀聞蘇秦死乃說楚王曰今秦與楚接境壤大王誠能聽臣臣請使秦以秦女爲大王箕箒之妾長爲昆弟

之國臣以爲計無便於此者楚從其計

又曰李斯說秦王曰自孝公以來周室卑微諸侯相兼關東爲六國秦之乘勝役諸侯蓋六世矣今諸侯服秦譬若郡縣夫以秦之強大王之賢如老嫗竈上掃除足以滅諸侯成帝業今怠而弗急諸侯復強相聚約從雖有黃帝之資弗能并也秦王聽其計

又曰李左車說成安君陳餘曰臣聞韓信涉西河虜魏王擒夏悅新喋血閼與今乃輔以張耳議欲以下趙此乘勝而遠鬪其鋒不可當臣聞千里餽粮士有飢色今井陘之道車不得方軌騎不得成列其勢粮食必在其後願足下假臣奇兵三萬人從間道絶其輜重彼前不得鬪退不得還吾奇兵絶其後野無所掠不至十日兩將之頭可致麾下

又曰酈食其說齊王曰知天下所歸乎齊王曰天下何歸曰歸漢何以言之曰漢王與項王戮力西面擊秦約先入咸陽者王之項王負約不與而王之漢中又還殺義帝漢王聞之起蜀漢之兵責義帝之罪降城即以侯其將得財即以分其士蜀漢之粟方舡而下項羽有背約之名殺義帝之負於人之罪無所忘天下之士歸於漢王可坐而觀令以據敖倉之粟塞成皐之險守白馬之津杜太行之陵距飛狐之口天下後服者先亡王疾下漢王齊國社稷可得而保不下漢王危亡可立而待乃聽酈生

又曰高祖使陸生賜尉他印為南越王陸生進說佗曰足下中國人親戚昆弟墳墓在真定今反天姓棄冠帶欲以區區之越與天子抗衡禍且及身乃欲以新造未集之越屈強於此漢一偏將將十方衆臨越則殺王降漢如反覆手耳

漢書曰張耳陳餘北略地燕界趙王為燕軍所獲燕因留之欲與分地趙有廝養卒乃走燕壁問曰知臣何欲燕將曰若欲得王耳曰君知張耳陳餘何人也燕將曰賢人也曰其志何欲燕將曰欲得其王耳趙卒嘆曰君未知兩人所欲也夫武臣張耳陳餘杖馬箠下趙數十城亦各欲南面王夫臣之與主豈可同日道哉兩人亦欲分趙而王時未可耳今兩人名為求王實欲燕殺之此兩人分趙而王夫以一趙尚易燕況以兩王右提左挈而責義殺王滅燕易矣燕以為然迺歸趙王養卒為御而歸

又曰陸賈說尉他他賜賈橐中裝直千金張晏注曰珠玉之寶裝裹也

又曰魏豹叛漢王漢王謂酈生曰緩頰往說之

又曰蒯通知天下權在於韓信欲說令背漢曰臣願披心腹隨介肝膽效愚忠恐足下不能用也曰夫功者難成而易敗時者難值而易失時不再來願足下無疑臣之計信猶豫不忍背漢遂謝通通乃陽狂為巫

又曰漢三年與項羽相距京索間上數使使勞苦丞相鮑生謂蕭何曰數勞苦君者有疑君今為君計遣君子孫昆弟能勝兵者悉詣軍所上益信君於是何從其計漢王大悅

又曰項羽擊陳留外黃不下數日降羽悉令男子年十五以上詣城東欲坑之外黃令舍人兒年十三往說羽曰彭越強刼外黃恐故降以待大王大王至又皆坑之百姓豈有所歸心哉從此以東梁地十餘城皆恐莫肯下矣羽然其言迺赦外黃當坑者而東至睢陽聞之皆爭下

又曰漢王至雒陽新成三老董公遮說漢王曰臣聞順德者昌逆德者亡兵出無名事故不成故曰明其為賊敵乃可服項王為無道放殺其主天下之賊也夫仁不以勇義不以力三軍之衆為之素服以告諸侯為此東伐四海之內莫不仰德此三王之舉也漢王曰善非夫子無所聞於是漢王為義帝發喪哀臨三日發使告諸侯

又曰婁敬齊人也漢五年戍隴西過雒陽帝在焉敬脫輓輅見齊人虞將軍曰臣願見上言便宜虞將軍入言上召見賜食敬說曰陛下都洛陽豈欲周室比隆哉上曰然敬曰陛下取天下（與周異周之先）積德累善十有餘世武王伐紂成王即位周公之屬傅相焉乃營成周都雒陽以為天下中諸侯四方納貢職道里均矣有德則易以王無德則易以亡今陛下與項籍戰滎陽大戰七十小戰四十使天下之民

肝腦塗地哭泣之聲不絕傷痍者未起而欲比隆成康之時臣竊以爲不侔矣且夫秦地被山帶河四塞以爲固卒然有急百萬之衆可具夫與人鬬不搤其肮（張晏曰亢喉嚨）拊其背未能全勝今陛下入關而都按秦之故此亦搤天下之肮而拊其背也高帝即日西都關中

又曰陳豨反上自將至邯鄲而韓信謀反關中呂后用蕭何計誅信上已聞信誅使拜何相國益封五千户令卒五百人一都尉爲相國衛諸君皆賀邵平獨弔謂何曰禍自此始矣上暴露於外而君守內非被矢石之難而益君封置衛者以今者淮陰新反於中有疑君心夫置衛君非以寵君也讓封勿受悉以家私財佐軍何從其計上喜悅

又曰齊悼惠王時曹參爲相禮下賢人請蒯通爲客初齊王田榮怨項羽謀舉兵叛之齊處士東郭先生梁石君在

刼中強從及田榮敗二人醜之相與入山深隱居客謂通曰先生之於曹相國拾遺舉過顯賢進能齊國莫若先生者先生知梁石君東郭先生士俗所不及何不進於相國乎通曰諾臣之里婦與里諸母相善也里婦夜亡肉姑以爲盜怒而逐之婦晨去過所善諸母語以事而謝之里母曰汝安行我今令而家追汝矣即束蘊請火於亡肉家曰昨暮犬夜得肉爭鬬相殺請火治之亡肉家遽追呼其婦故里母非談說之士也束蘊乞火非還婦之道也然物有相感事有適可臣請乞火於曹相國曰婦人有夫死三日而嫁者有幽居守寡不出門者足下即求婦何取曰不取嫁者通曰然則求臣亦猶是也彼東郭先生梁石君齊之俊士隱居不嫁未嘗卑節下意以求仕也願足下使人禮之曹相國曰敬受命皆以爲上賓

又曰袁盎逢丞相申屠嘉下車拜謁丞相從車上謝盎還媿其吏迺之丞相舍上謁求見丞相曰且陛下從代來每朝郎官者上書疏未嘗不止輦受其言言不可用置之言可採未嘗不稱善何也欲以致天下賢士日聞所不聞以益聖今君自閉鉗天下之口而日益愚夫以聖主責愚相君受禍不久矣丞相乃再拜曰嘉鄙人迺不知將軍幸教引與之坐爲上客

范曄後漢書曰更始尚書令謝躬留魏郡太守陳康守鄴自率諸將擊五校賊世祖因躬在外乃使吳漢襲其城漢先令辯士說陳康曰蓋聞之上智不處危以僥倖中智能因危以爲功下愚安於危以自亡之智在人所由不可不察今京師敗亂四方雲擾公所聞也蕭王兵強士附河北歸命公所見也謝躬內背蕭王外失衆心公所知也公今據

孤危之城待滅亡之禍義無所立節無所成不若開門內軍轉禍爲福免下愚之敗收中智之功此計之至者也康然之於是開門內漢

又曰袁紹奔冀州董卓購募求紹時侍中周毖城門校尉伍瓊等陰爲紹說卓曰夫廢立大事非常人所及袁紹不識大體恐懼出奔非有它志今急購之勢必爲變袁氏樹恩四世門生故吏遍於天下若收豪傑以聚徒衆英雄因之而起則山東非公之有也不如赦之拜一郡守紹喜於免罪必無患矣卓以爲然乃遣授紹渤海太守

又曰袁紹以書要公孫瓚以襲冀州牧韓馥紹乃使外甥陳留高幹及潁川荀諶等說馥曰公孫瓚乘勝來南而諸郡應之袁車騎意未可量也竊爲將軍危之馥懼曰然則爲之柰何諶曰君自料寬仁容衆爲天下所附孰與袁氏

馥曰不如也臨危吐決智勇邁於人又孰與袁氏馥曰不如也世布恩德天下之蒙其惠又孰與袁氏馥曰不如也諶曰今將軍資三不如之勢久處其上袁氏一時之傑必不爲將軍下也且公孫提征伐之卒其鋒不可當夫冀州天下之重資若兩軍並力兵交城下危亡可立而待也夫袁氏將軍之舊且同盟當今之計莫若舉冀州以讓袁氏厚德將軍公孫瓚不能復與之爭矣是將軍有讓賢之名而身安於太山也願勿有疑馥性怯因然其計

又曰沮授說袁紹曰將軍累葉台輔世濟忠義今朝廷播越宗廟殘毀觀諸州郡雖外託義兵內實相圖未有匡正社稷卹民之意且今州城粗定兵強士附西迎大駕即宮鄴都挾天子令諸侯畜士馬以討不庭誰能禦之

又曰曹操與袁紹相持於官渡紹遣人求助劉表許之而

不至亦不助曹操且欲觀天下之變從事中郎南陽韓嵩別駕劉先說表曰今豪桀並爭兩雄相持天下之重在於將軍將軍若欲有起乘弊可也如其不然因將軍所宜從豈可擁甲十萬坐觀成敗求援如不能助見賢而不肯歸此兩怨必集於將軍恐不得復中立矣

又曰曹操軍至新野蒯越韓嵩傅選等說劉琮曰逆順有大體強弱有大勢以人臣拒人主逆道也以新造之楚御中國必危以劉備敵曹公不當也三者皆短欲以抗王師之鋒必亡之道也將軍自料何與劉備琮曰不若也選曰誠以劉備不足禦曹公則雖保全楚不能以自存也誠以劉備足禦曹公則備不爲將軍下也願將軍勿疑琮乃請降

又曰閻忠說皇甫嵩曰將軍指揮足以展風雲叱咤可以興雷電

東觀漢記曰隗囂將王元說囂曰昔更始四方響應天下喁喁謂之太平一旦壞敗今南有子陽北有文伯江湖海岱王公十數而欲牽儒生之說棄千乘之基計之不可者也今天水完富士馬最強北取西河東收三輔案秦舊迹表裏山河元請以一丸泥爲大王東封函谷關此萬世一時也若計不及此且畜養士馬據隘自守曠日持久以待四方之變圖王不成其弊猶足以霸囂然其計

又曰更始大司馬朱鮪守洛陽吳漢諸將圍守數月不下世祖以岑彭嘗爲鮪校尉令彭說鮪曰赤眉已得長安今公誰爲守乎蕭王受命平定燕趙百姓安土歸心賢俊四面雲集今北方清淨大兵來攻洛保一城欲何望乎不如亟降鮪曰大司徒公被害時鮪與其謀又諫更始無遣上

北伐自知罪深故不敢降耳彭還詣河陽白上上謂彭復往曉之夫建大事者不忌小怨今降官爵可保況誅罰乎上指水曰河水在此吾不食言彭奉上旨復至城下說鮪因曰彭往者得執鞭侍從蒙薦舉拔擢深受厚恩思以報義不敢負公鮪從城上下索曰當如此來彭趨索欲上鮪見其不疑即曰旦蚤與我會上東門外彭如期往與鮪交馬語鮪輕騎詣彭降彭爲殺羊具食鮪身爲降虜未見吳公諸將不敢食彭即令鮪自縛與俱見吳公將詣行在所河津亭上即時解鮪縛復令彭夜送歸洛陽

又曰更始使侍御史黃黨即封世祖爲蕭王罷兵耿弇詣曰今使者來欲罷兵不可聽也兵一罷不可復會也上曰國家已都長安天下大定何用兵爲弇曰青徐之賊銅馬赤眉之屬數十輩輩數十萬衆皆東至海所嚮無前聖公

不能辯也敗必不久帝起坐曰卿失言我擊卿弇曰大王哀厚弇如父子故披赤心爲大王陳事上曰我戲卿耳何以言之弇曰百姓患苦王莽苛刻日久聞劉氏復興莫不欣喜望風從化而去虎口就慈母倒戟橫矢不足以喻明公首事南破昆陽敗百萬師今復定河北以義征伐表善懲惡躬自克薄以待士民發號響應望風而至天下至重公可自取無令他姓得之上曰卿若東得無爲人道之弇曰此重事不敢爲人道也

又曰馮異因間進說曰天下同苦王氏思漢久矣更始諸將縱橫暴虐所至虜掠百姓失望今專命方面施行恩德夫有桀紂之亂乃見湯武之功民人飢渴易爲充飽宜急分遣官屬徇行郡縣理冤結布惠澤上納之

又曰隗囂既立便聘平陵方望爲軍師望至說囂曰足下

欲承天順民輔漢而今起立者乃在南陽王莽尚據長安雖欲以漢爲名其實無所受命將何以見信於衆宜急立高廟稱臣奉祠所謂神道設教求助民神者也且禮有損益質文無常削地開兆茅茨土堦陛下以致其肅敬雖未備物神明其舍諸囂從其言

又曰蜀郡功曹李熊說公孫述曰方今四海波蕩疋夫橫議將軍割據千里地方十城若奮發盛德以投天隙霸王之業成矣宜改名號以鎮百姓述曰吾亦慮之公言起我意於是自立爲蜀王熊復說述曰今山東飢饉人民相食兵所屬滅城邑丘墟蜀地沃野千里土壤膏腴果實所生無穀而飽女工之業覆衣天下名材竹幹不可勝用又有魚鹽銀銅之利浮水轉漕之便北據漢中杜褒斜之塗東守巴郡拒扞關之口地方數千里戰士不下百萬見利出兵而略地無利則堅守而力農東下漢水以窺秦地南順江流以震荊揚所謂用天因地成功之資也君有爲之聲聞於天下而名號未定志士狐疑宜即大位使遠人有所依歸述遂自立爲天子

又曰荊邯東方漸平兵且西向說公孫述曰兵者帝王之大器古今所有不能廢也昔秦失其守豪桀並起漢祖無前人之迹立錐之地於戰陣之中躬自奮擊兵破身困數矣然軍敗復合創愈復戰何則死而功成踰於却就於滅亡臣之愚計以爲宜及天下之望未絕豪傑尚可招誘急以此時發國內精兵令田戎據江南之會倚巫山之固築壘堅守傳檄吳楚長沙已南必隨風而靡令延岑出漢中定三輔天水隴西拱手自服如此海內震搖冀有大利

又曰鄧禹聞上安集河北即杖策北渡追及於鄴上欣其

至禹進說曰更始雖都關西今山東未安赤眉青犢之屬動以萬數三輔假號往往群聚更始既未有所挫而自聽斷諸將皆庸人屈起志在財幣爭用威力朝夕自快非有忠良明智深慮遠圖欲尊主安民者明公雖蕃輔之功猶恐無所於今之計莫如覽延英雄務悅民心立高祖之業救萬民之命以公而慮天下不足定也上大悅因令左右號禹曰鄧將軍常宿止於中與定計議

又曰光武以寇恂爲河內太守行大將軍事恂同門生董崇說恂曰上新即位四方未定而君以此時據大郡此讒人所側目怨禍之府也宜思功遂身退之計恂然其言因病不視事

太平御覽卷第四百六十一

太平御覽卷第四百六十二
人事部一百三
游説下
魏志曰袁紹領冀州牧從事沮授説紹曰將軍屬廢立之
際忠義奮發雖黄巾猾亂黒山跋扈舉軍東向則青州可
定還討黒山則張燕可滅迎大駕於西京復宗廟於洛邑
號令天下以討未服以此爭鋒誰敵之紹喜
王沉魏書曰桓階字伯緒天下亂太祖興義兵袁紹强盛
劉表舉州應之階説其守張羨曰夫舉事而不本於義未
有不敗者也曹公雖弱扶義而起奉王命以討有罪羨曰
善矣
魚豢魏典畧曰蘇秦四説秦惠王書十上而説不行
蜀志曰曹公追先主與諸葛亮至于夏口亮曰事急矣請
覽四百六十二　一　束定
求救於孫將軍亮説權曰曹操之衆遠來疲弊聞追豫州
騎一日一夜行三百里此所謂强弩之末不能穿魯縞者
今將軍誠與豫州協規同力破操軍必矣權大悦即并力
拒曹公敗于赤壁
又曰曹公追先主至於夏口諸葛亮曰事急矣請奉命求
救於孫將軍時權軍柴桑觀望成敗亮説權曰海内大亂
將軍起兵江東劉表豫州牧衆漢南與曹操並爭天下今
操芟薙大難畧已平矣遂破荆州威震四海英雄無所用
武故豫州牧遁逃至此將軍量力而處之若能以吳越之
衆與中國抗衡不如與之絶若不能當何不按兵束甲北
面而事之今將軍外託服從之名而内懷猶豫之計事急
而不斷禍至無日矣
晉中興書曰蘇峻反温嶠推陶侃爲盟主侃欲西歸嶠説侃

曰天子幽逼社稷危殆四海臣子肝腦塗地嶠等與公
致命之秋事若尅濟則臣主同休如其不然身雖灰滅足
以謝責於先帝今之事勢義無旋踵騎虎之勢可得下乎
公若違衆獨反衆心必沮沮衆以敗事義旗將迴指於公
矣侃無以對遂留不去
又曰建興初祖逖進説曰晉室之亂非上無道而逃民怨
叛也由藩王爭權自相誅滅遂使戎狄乘隙毒流中原今天
下既被殘酷遺黎思本人有奮擊之心但悉無所憑倚大
王誠能命將帥使若逖等執殳前驅上爲國家雪恥下爲
百姓請命則郡國豪傑必因風嚮起沉溺之民欣於來蘇
也掃灑中原清復寰宇此千載之一時願大王圖之中宗
於是始欲疆理神州
又曰劉牢之屯洌州桓玄至于湖執遣牢之族舅何睦説曰
覽四百六十二　二　東定
今君戰敗則傾宗戰勝亦覆族欲以是安歸乎孰若翻然
改圖唯理是宅則與金石等固名與天壤俱窮哉牢之得
説詣玄請降也
范亨燕書曰晉室大亂高祖方經略江東高翔説高祖曰
自王公政錯士人失望繈負歸公者動有萬數今王氏敗
没而福宿見尾箕其兆可見也今晉室雖衰人心未變宜
遣貢使江東亦有所尊然後仗義聲以掃不庭可以有辭
於天下高祖深納焉
宋書曰二凶構逆王僧達迴惑不知所從有客説之曰爲
君計莫若承義師之檄移告傍郡使工言之士明示禍福
也
唐書曰李懷光屯軍咸陽反狀始萌李景畧時説懷光請
復宮闕迎大駕懷光不從景畧出軍門慟哭曰誰知此軍

一日陷於不義軍士相顧其義之因退歸私家
又曰柏耆者將軍良器之子素負志畧學縱横家流會王
承宗以常山叛朝廷厭兵欲以恩澤撫之耆於蔡州行營
以畫干裴度請以朝旨奉使鎮州乃自處士受左拾遺旣
見承宗以大義陳説承宗泣下請質二男獻兩郡由是知
名
韋昭吳書曰將軍曹仁在公安拒守呂蒙令虞翻説之翻
至城門仁不肯相見乃爲書曰將軍獨守縈帶之城而不
降死戰則毀宗滅祀爲天下笑幸熟思焉仁得書流涕而
降之
太公六韜曰文王齋戒三日乘田車田馬田于渭之陽呂
尚以竿以漁曰今臣言至情不諱君其惡之乎緡微餌明
小魚食之緡調餌多大魚食之夫魚食於餌乃牽於緡人
食其禄而服於君故以餌取魚魚可殺以禄取人人可竭

也
春秋後傳曰梁以張儀爲齊相楚怒約而攻梁雍沮曰請
令解攻雍沮謂齊楚之王曰王亦聞張儀之約秦王乎曰
王若相儀於梁齊楚惡儀必攻魏魏戰而勝是齊楚之兵
折而儀固得梁矣若不勝梁必事秦以持其國必割地以
賂王若欲復攻其弊不足以應秦此儀之所以與秦王陰
相約也齊楚王曰善乃遽解兵
又曰魏加問春申君聞欲將臨武君有之乎曰有矣加曰
臣少之時好射臣願以射譬可乎春申君曰可曰更嬴與
魏王處廩下更嬴謂魏王曰臣能爲王虛發而下鳥有間
鴈來更嬴虛發而鳥下魏王曰然則射可至此乎更嬴曰
此孼也王曰何以知之對曰其飛徐而鳴悲者故創痛也

鳴悲者久失羣也今臨武君嘗爲秦孼不可爲距秦之將
也
又曰皇甫嵩旣破黃巾威震天下故信都令漢陽閻忠説
嵩曰難得易失者時也時至不旋踵者機也故聖人常順
時而動智者必因機以發今將軍遭難得之時蹈機而不
發將何以權大名乎
又曰劉備救徐州刺史陶謙會謙病死伏波將軍陳登説
備曰今欲爲使君合衆十萬上可以匡主濟人成五覇之
業下可以割地守境書名竹帛若使君不聽登亦未聽使
君得發備遂領徐州
孔演漢魏春秋曰興平元年曹公復征陶謙陳宫説張邈
曰雄傑並起君以千里之衆當四戰之地撫劍顧眄亦足
以爲人豪而反制於人不以鄙乎
魏氏春秋曰鍾會陰懷異圖姜維見而知其心謂可構成

擾亂以圖克復乃詭説之曰君自淮南已來筭無遺策晉
道克昌皆君爲之今復定蜀威德大震其民高其功而主
畏其謀欲以此安歸乎夫韓信不背漢於擾攘而見疑於旣
平大夫種不從范蠡於五湖卒伏劍而士彼豈闇主愚臣
哉利害使之然也今君大功旣立大德已著何不法陶朱
公汎舟絶迹全功保身登峨嵋之嶺而從赤松遊乎會曰
君言遠我不能行且爲全身之道或未盡於此也維曰其
他則君智力之所能無煩於老夫矣由是情好欣甚
周載曰薄疑者衛之居士也疑進説衛嗣君以王道嗣君
悦延之以相辭曰疑之毋以疑爲賢然與疑議家事旣定
則又決之所牽蔡嫗故事多不就毋子之間猶不免乎蔡
嫗之議今人主皆有蔡嫗而於臣非骨肉之親安得不取

君曰寡人聞命迷相之委以從事
江表傳曰曹公聞周瑜年少有俊才謂可遊說動也密下
楊州遣九江蔣幹有儀容以才辯見稱獨步江淮之間莫
與爲對乃布衣葛巾自託私行詣瑜瑜出迎之立謂幹曰
子翼卿苦遠江湖爲曹氏作說客耶幹曰吾與足下州里
中間別隔遙聞芳烈故來叙闊并觀雅頌而云說客無乃
逆詐乎瑜曰吾雖不及夔曠聞弦賞音足知曲也因延幹
入爲設酒食後三日瑜請幹與周觀營中行視倉庫軍資
器仗言訖還飲宴示之侍者服飾珍玩之物因謂幹曰丈
夫處世一遇知己外守君臣之義內結骨肉之恩言行計
從禍福共之假使蘇張更生酈叟復在吾猶拊其背而折
其辭豈足下幼生所能移乎幹但笑終無所言幹還稱瑜
雅量非言辭所間中州之士亦此多之

王充論衡曰傳稱蘇秦張儀縱横之術於鬼谷先生掘地
爲坎曰能下說令我泣出則能分人主之地蘇秦說鬼谷
先生泣沾衿張儀下說鬼谷先生泣亦沾衿
劉向說苑曰孫卿曰夫談說之術端盛以處之堅強以持
之
莊子曰昔趙文王喜劒劒士日夜相擊於前太子悝患之
乃使以千金奉莊子莊子不受請持劒服劒服成乃見王
曰臣有三劒有天子劒有諸侯劒有庶人劒天子之劒包
以四夷裹以四時一用天下服此天子之劒於是文王不
出宮三月劒士皆伏弊之也
列子曰鄧析操兩可之說設無窮之辯
韓子說難篇曰不可不察愛增之主而後說焉
又說難篇曰九事以密成亦以洩禍未必其身洩也而語
及所匿之事如此者身危矣
又說難篇曰龍喉下有逆鱗有嬰之則必煞人人主亦有
逆鱗說者能無嬰人主之逆鱗則幾死矣
又說難篇曰大意無所拂悟辭言無所擊排然後極騁智
辯焉
又說難篇曰略事陳意則曰怯懦而不盡慮事廣肆則曰
草野而倨侮此說之難也
又說難篇曰凡說得親近不疑而得盡其辭也
鬼谷子曰抵巇音羲篇云巇者始有朕可抵而塞可抵而却
聖人知之獨保其用因作說事
又曰量權篇云與智者言依於博與博者言依於辯與辯
者言依於要此其說也
又曰午合篇云伊尹五就桀五就湯然後合於湯呂尚三

入殷朝三就文王然後合於文王此天知之至歸之不疑
注云伊尹呂尚各以至知說聖王因澤釣行其術策
又曰摩意篇云摩者揣之也說莫難於悉行事莫難於必
成注曰摩不失其情故能建功
又曰量權篇云言有通者從其所長言有塞者避其所短
注曰人辭說條通理達即叙述從其長者以昭其德人言
壅滯即避其短稱宣其善以顯其行言說之樞機事物之
志務者也
又曰反覆篇云其和也若比目魚其司言也若聲與響注
曰和荅問也因問而言申叙其解如比目魚相須而行候
察言辭往來若影隨形響之應聲
又曰量權篇云介虫之捍必以甲而後動螫虫之動必先
螫毒故禽獸知其所長而談者不知用也注云虫以甲自

獲鄣而言說者不知其長
又曰揣情篇云說王公君長則審情以說王公避所短從
所長
又曰謀慮篇云乃立三儀曰上中下曰參以立焉變生事
事生謀謀生計計生儀儀生說說生進注曰三儀有上有
下有中會同異曰儀决是非曰說
呂氏春秋曰伍子胥將見吳王而不得客有言之於王子
光者王子光見之而惡其皃不聽其說而辭之客請之王
子光曰其皃吾所甚惡也客以告子胥子胥曰此易改也
願令王子光居於堂上重帷而見其衣子光許之胥說之
半王子光舉帷摶其手而與之坐說畢王子光大悅子胥
以為有吳國者必王子光也退而耕于野十年子光為王
任子胥子胥為法制下賢良選陣士習戰鬪六年然後大

勝楚于栢舉九戰九勝逐北千里昭王出奔
又曰韓氏城新城期十五日而成段橋為司空有一縣後
二日段橋執其吏而囚之囚者之子走告封人子高曰唯
先生能活臣父封人子高曰諾乃見段橋自扶而上城封
人子高左右望曰美哉城壹大功矣子必有厚賞矣自古
及今功若此其大也而能無有罪戮者未曾有也封人子
高出段橋使人夜解其吏之束縛之者而出之說之行若
此其精也封人子高可謂善說矣
又曰孟嘗君為從公孫弘謂孟嘗曰不若西觀秦王之意
弘見昭王曰薛之地小大弘曰百里昭王曰寡人之國地
數千里猶未敢以有難也今薛百里之地而欲難寡人乎
公孫弘曰孟嘗君好士大王不好士昭王笑而謝之
又曰善說者若巧士因人之力以自為力因其來而與來
因其往而與往所因便也
尸子曰公輸般為蒙天之階階成將以攻宋墨子聞之赴
於楚行十日十夜而至於郢見王曰今有人於此舍其文
軒鄰有弊輿而欲竊之舍其錦繡鄰有短褐而欲竊之舍
其粱肉鄰有糟糠而欲竊之此為何若人王曰必竊疾矣
墨子曰荊之地方五千里宋方五百里此猶文軒之與弊
輿也荊有雲夢犀兕麋鹿盈溢江漢之魚鼈黿鼉為天下
饒宋所謂無雉兎鮒魚者也猶粱肉之與糠糟也荊有長
松文梓楩柟豫章宋無長木猶錦繡之與短褐也臣以王
之攻宋也為與此同類王曰善哉請無攻宋
孔藂曰齊攻趙國稟立趙使孔青擊之克齊軍尸三萬趙
王詔勿歸其尸將以困之子慎聘齊曰以臣愚計貧齊之
術乃宜歸尸使其家遠來迎尸不得事農一費歸而葬之

二費也一年之中喪三萬費欲無困貧弗可得也王曰善
又曰五國約而誅秦未入秦境而留兵於成皐子慎謂市
丘君曰此師楚為之主今兵不散殆有異意君其備之市
丘君曰先生幸而教之子慎許諾遂見楚王曰王約五國
而伐秦事既不集王胡不卜交乎楚王曰柰何子慎曰王
今出令使五國勿攻市丘五國重王則聽王之令矣不重
王且反王令而攻市丘以此卜為國交王之輕重必明矣
楚王敬諾而五國散
楊雄解嘲曰婁敬委輅脫輓掉三寸之舌案漢書曰婁敬
說高祖西都
又曰上說人主下談公卿一從一横論者莫當
班固荅賓戲曰遊說之徒風颺電激
太平御覽卷第四百六十二

太平御覽卷第四百六十三

人事部一百四

辯上

說文曰辯治也（音薮免切）

尚書曰君罔以辯言亂舊政

爾雅曰諸諸便便辯也

論語曰便便言惟謹爾（鄭玄曰便便辯貌）

又曰孔子曰惡利口之覆邦家者

又曰禦人以口給

家語曰子夏問子貢何人子曰辯人丘弗及也

又曰宰予魯人也有口才以言語著名

又曰孔子登農山謂二三子各言爾志子貢進曰賜願使齊楚合戰於莽瀁之野兩壘相當旗鼓相望埃塵相接挺刃交兵賜着縞衣白冠陳說其間推論利害二國釋患唯賜能之矣夫子曰辯哉

史記曰子貢利口巧辭孔子常絀其辯田常欲爲亂於齊移兵欲伐魯孔子謂弟子曰夫魯墳墓所處父母之國國危二三子何爲莫出子貢請出孔子許之遂行子貢壹出存魯亂齊破吳強晉霸越

又曰漢遣陸賈說項王請太公項王弗聽漢王復使侯公往說項王乃與漢約中分天下割鴻溝以西者爲漢鴻溝以東者爲楚項王即歸漢王父母妻子軍皆呼萬歲漢王乃封公爲平國君曰此天下辯士所居號爲平國

又曰范睢欲事魏王家貧無自資乃先事魏中大夫須賈爲魏使齊齊襄王聞睢辯有口賜金印及牛酒

又曰上問上林諸尉禽獸十餘左右視不能對虎圈嗇夫

從旁代尉對上所問禽獸簿甚悉次觀其口對響應無窮乃拜嗇夫爲上林令

又曰秦蔡澤遊學干諸侯大小甚衆而不遇因從唐舉相曰聞子相李兌百日之內持國柄有之乎曰有之澤曰今若臣者何如唐舉孰視而笑曰先生曷鼻戾肩魋顏蹙齃吾聞聖人不相殆先生乎蔡澤彼唐舉之戲乃曰富貴吾所自有吾不知者壽也願聞之舉曰先生從今已往四十三歲澤笑謝去謂其御者曰吾躍馬食肉富貴四十三年亦足矣乃來入秦使人宣言以感怒應侯范睢曰燕客蔡澤天下俊雄辯智士也彼一見秦王必奪君位應侯使人召澤澤入揖應侯應侯固不快矣及見又倨應侯因讓之曰子嘗宣言欲代吾相秦豈有之乎對曰然應侯曰請聞其說澤曰吁君何見之晚耶夫四時之序功成者去未成者來君祿位貴盛私家之富皆已極矣不退將危臣之代君不亦宜乎應侯善之乃延入坐爲上客後數日入朝言於王曰客有新從山東來蔡澤其人辯士臣見人衆莫能及之臣不如也王召見與語大悅之拜爲客卿應侯因謝病請歸相印昭王許之以澤爲相終如其志

又曰蘇秦初與張儀俱事鬼谷先生十一年皆通六藝經營百家之言鬼谷先生弟子五百餘人爲之土窟深二丈先生曰有能獨下說窖中使我泣出者則能分人主之地矣蘇秦下說窖中鬼谷先生泣下沾衿次張儀下說窖中亦泣先生曰蘇秦詞說與張儀一體也

又曰楚陳軫詞辯之士也初與張儀俱事秦惠王惠王皆重之儀惡軫於王曰陳軫重幣輕信秦使之楚將爲交也今楚不善於秦而善於軫王以儀言召軫問之軫曰然王

聞楚有兩妻者乎王曰不聞軫曰楚有兩妻者人挑其長
者長者罵之挑其少者少者復挑之居無何有兩妻者死
客謂挑者曰謂汝娶長者乎少者乎挑者曰娶長者客曰
長者罵汝少者復挑汝何故娶長者對曰居人之所則欲
其挑我爲妻則欲其罵人今楚王明主昭陽賢相使軫爲
臣常以國情輸楚楚王將不留臣昭陽將不與臣從事矣
臣必之楚足以明臣爲楚與不也軫出張儀入問王曰軫
果欲之楚不王曰然軫天下之辯士寡人遂無柰何也惠
王終相張儀軫遂奔楚楚用爲上卿後軫爲楚使之秦惠
王見之謂曰子去寡人之楚寡人甚思子子思寡人乎軫
曰王聞越人莊舄乎王曰不聞軫曰越人莊舄仕楚執珪
有頃而病楚王曰舄越之鄙人凡人之思固在其病也思
越則越聲不思越則楚聲使人聽之猶尚越聲今臣弃逐
之楚能無秦聲哉

漢書曰酈食其有詞辯年六十身長八尺鬚髮皓然請見
高祖謁者曰上好嫚罵人不喜儒生有客冠而來者輒解
其冠而溺其中食其作色叱之曰我高陽酒徒何儒生之
有謁者股慄而見之高祖乃踞床使兩女子洗足食其入
長揖不拜曰欲助秦攻諸侯乎將欲率諸侯攻秦乎高祖
罵曰豎儒夫天下同苦秦久矣故諸侯相率攻秦汝奚爲
助秦耶食其曰必欲聚合義兵誅無道秦不宜踞見長者
高祖懍然而起拔足揮洗攝衣延食其坐而謝之食其因
言六國縱橫王霸之道高祖大悅問其計食其曰足下起
烏合之衆收散亂之兵不滿二旅而欲鼓行入秦所謂探
虎口而餵餓狼也夫陳留者當天下之衝四通五達之郊
城堅粟多可以少留臣知其令請使命下之如不聽可舉

兵攻之臣爲內應不崇朝而拔之矣於是高祖乃遣食其
說陳留令高祖引兵隨之遂下陳留
又曰少府五鹿充宗貴幸善梁丘氏易元帝好之欲考其
異同令與諸家論易充宗貴辯口諸儒莫能與抗皆稱疾
不敢會有薦朱雲者召入攝齊登臺抗首而請音動左右
既論難連拄五鹿君故諸儒爲之語曰五鹿嶽嶽朱雲折
其角
又曰婁護爲人短小精辯論議常依名節聽之者竦然與
谷永俱爲五侯上客長安號曰谷子雲之筆札婁君卿之
脣舌言其見信用也
又曰晁錯潁川人也爲太子家令以其辯得幸太子太子
家號曰智囊
又曰田蚡貴幸爲中大夫辯有口學盤盂諸書應劭曰黃帝史孔甲

所作名也孔甲盤盂二十六篇
又曰東方朔自公卿在坐朔皆傲弄無所屈上以朔口諧
給嘗問先生視朕何如主也朔對曰自唐虞之隆成康之
際未足諭當世臣朔伏觀陛下功德陳五帝之上在三王
之右非若此而已誠得天下賢士公卿在位咸得其人譬
若以周邵爲丞相孔丘爲御史大夫太公爲將軍下莊子
爲衛尉臯陶爲大理后稷爲司農伊尹爲少府應劭曰伊尹善烹割
太官屬少府故令作子貢使外國顏閔爲博士子夏爲太常孟子爲
右扶風季路爲執金吾契爲鴻臚龍逢爲宗正伯夷爲京
兆管仲爲馮翊魯般爲將作山甫爲光祿申伯爲大僕延
陵季子爲水衡百里奚爲典屬國曉其風俗故令爲之柳下惠爲大
長秋史魚爲司直蘧伯玉爲太傅如淳曰太傅傅人主使無過伯玉欲寡其過也
孔父爲詹事叔敖爲諸侯相子產爲郡守王子慶忌爲期

門夏育爲鼎官羿爲旌頭宋萬爲式道候上乃大笑也
又曰終軍字子雲濟南人少好學以辯博能屬文聞於郡
年十八選爲博士弟子至府太守聞其有異才召見軍甚
奇之及至長安上書言事武帝異其文拜軍爲謁者給事
中
又曰蒯通知天下權在於韓信令背漢乃先微感信曰僕
嘗受相人之術相君之面不過封侯又危而不安相君之
背貴而不可言信曰何謂也通曰天下初作難也俊雄豪
傑建號壹呼天下之士雲合霧集魚鱗雜襲飈至風起當
此之時憂在亡秦而已今劉項分爭使人肝腦塗地流離
中野不可勝數今時兩主懸命足下足下爲漢則漢勝與
楚則楚勝臣願披心腹肝膽効愚忠恐足下能用也方今
爲足下計莫若兩利而俱存之三分天下鼎足而立天下

孰不聽足下顧圖之信曰漢王遇我厚吾豈可見利而背
恩乎通曰臣聞勇畧震主者身危功蓋天下者不賞今足
下挾不賞之功載震主之威歸楚楚人不信歸漢漢人震
恐足下欲將安歸乎故猛虎猶預不如蜂蠆之致螫孟賁
狐疑不如童子之必至信不忍背漢遂謝通通說不聽
惶恐乃佯狂爲巫天下既定後信以罪廢爲淮陰侯謀反
誅臨死歎曰悔不用蒯通之言高帝曰是齊辯士蒯通迺
詔齊召蒯通至上欲烹之曰若教韓信反何也曰狗各
吠非其主當彼時臣獨知韓信非知陛下也且秦失其鹿
天下共逐之高材者得天下洶洶爭欲爲陛下所爲顧力
不能何憚誅耶上迺赦之
又曰淮南王黥布反朱建諫之不聽漢既誅布聞建諫之
高祖賜建號平原君家徙長安爲人辯有口刻廉剛直行

不苟合義不取容
又曰辯士曹丘生數招權顧金錢孟康曰招金錢事權貴而求事也事貴人
趙談竇長君等善季布聞寄書諫長君曰吾聞曹丘非長
者勿與通及曹丘歸欲得書請布竇長君曰季將軍不說
足下足下無往固請遂使書人先發書布大怒曹至則揖
布曰楚人諺曰得黃金百鎰不如得季布一諾足下何以
得此聲梁楚之閒哉且僕與足下俱楚人使僕游揚足下
名於天下顧不美乎何足下之距僕深也布乃大悅引入
留數日爲上客厚送之布名所以益聞者曹丘揚之也
范曄後漢書曰黃琬字子琰瓊之孫早而辯慧祖父瓊爲
魏郡太守建和元年正月日蝕京師不見而瓊以狀聞梁
太后太后詔問所蝕多少瓊思其對而未知所况時琬年
七歲在旁云何不言日蝕之餘如月之初瓊大驚即以其
言應詔

又曰孔融字文擧孔子　世孫也李膺爲河南尹恃才倨
傲誡守門者非吾通家子孫不得輒通融年十二入洛欲以
觀其人乃謂守門者曰吾與李君通家子孫耳守門者告
膺膺呼召問曰卿與吾有何所故融曰臣先君孔子與公
老君同德比義則臣與公累代通家也膺大悅引坐謂曰
卿欲食乎融曰須食膺曰教卿爲客之禮主人問食但讓
不須融曰不然教君爲主之禮但置於食不須問客膺慙
乃歎曰吾將老死不見卿富貴也融曰公殊未死膺曰如
何融曰烏之將死其鳴也哀人之將死其言也善向來公
言未有善也故知未死膺甚奇之後與膺談論百家經史
應荅如流膺不能下之
又曰劉祐字伯祖中山安國人也祐初察孝廉補尚書侍

侍郎閑惡故事文札強辯每有奏議對應爲儕類所歸
謝承後漢書曰郭宏爲郡上計吏正月朝覲宏進殿下謝祖宗受恩言辭辯麗專對移時天子曰潁川乃有此辨士邪子貢晏嬰何以加之羣公屬目卿士歎伏
又曰郭宏爲郡上計吏朝廷問宏潁川風俗所尚土地所出先賢將相儒林文學之士宏援經以對陳事荅問出言如浮引義如流
東觀漢記曰班超字仲叔扶風平陵人徐令彪之子也爲人大志不脩細節然内孝謹居家常執勤苦不耻勞辱有口辯而涉獵書傳
魏志曰黄初元年郭淮奉使賀文帝踐祚而道路疾瞀留帝正色責之曰昔禹會諸侯於塗山防風後至使行顯戮今溥天同慶而最留遲何也淮對曰臣聞五帝先教道人

以德夏后政衰始用刑辟今臣遭唐虞之代是以自知免於防風之誅也帝悦之擢領雍州刺史
魏典畧曰邯鄲之北有蘇大侯者蘇秦徃説之蘇大侯送以百金家丞問其故蘇大侯曰客辯士也立談之間再奪吾地而復歸之吾地雖小豈直百金耶
又曰韓宣字景然渤海人爲人短小建安中丞相召署軍謀掾冗散在鄴嘗於鄴步行入宫於東掖門内與臨淄侯植相遇時天新雨地有泥潦宣欲避之閡潦不得去乃以扇自鄣住於道邊植嫌既不去又不爲禮乃駐車使其常從問宣何官宣云丞相軍謀掾也植又問曰應得唐突列侯不宣曰春秋之義王人雖微列于諸侯之上未聞宰士而爲下士諸侯之禮植又曰即如所言爲人父吏見其子應有禮不宣又曰於禮臣子一例也植知其難窮乃釋去去以爲辯也
梁祚魏國統曰黄權來降文帝從容謂權曰君舍逆効順欲進蹤陳韓邪對曰臣過受劉氏殊遇降呉不可歸蜀無路是以歸命且敗君之將免死爲幸何古人之敢慕也帝善之
呉志曰孫權問諸葛恪曰卿父與叔父孰賢對曰臣父爲優權問其故對曰父知所事叔父不知以是爲優權又大噱命恪行酒至張昭前先有酒色不肯復飲曰此非養老之禮也權曰卿其能令公辭屈乃當飲之耳恪難昭曰師尚父九十秉旄仗鉞猶未告老也今軍旅之事將軍在後酒食之事將軍在先何謂不養老也昭卒無辭遂爲盡爵
又曰孫權遣都尉趙咨使魏帝問曰呉王何等主趙咨對曰聰明仁智雄畧之主也帝問其狀荅曰納魯肅於凡品

是其聰也拔吕蒙於行軍是其明也獲于禁而不害是其仁也取荆州兵不血刃是其智也據三州虎視於天下是其雄也屈身於陛下是其畧也
又曰薛綜字仲文沛郡人其先田文封薛因以氏焉避地交州士燮召爲交阯太守及還都蜀使張奉於權前嘲尚書闞澤澤不能荅綜曰有犬爲獨無犬爲蜀横目苟身虫入其腹奉曰不當復别呉耶綜應聲曰無口爲天有口爲呉君臨萬邦天子之都奉無以對焉
韋昭呉書曰呉使郎中令陳化使魏魏文帝因酒酣問化曰呉魏峙立誰將平壹海内者乎化曰易稱帝出乎震化聞先哲知命舊説紫盖黄旗運於東南帝曰昔文王以西伯天下豈復在東乎化曰周之初基大伯在東是以文王能興於西帝笑奇其辭

又曰沈珩字仲山孫權以珩有智謀能專對乃使至魏魏文帝問曰吳嫌魏東向乎珩曰不嫌也曰何以言之曰恃舊盟言歸于好是以不嫌又問太子當來寧然乎珩曰臣在東朝不坐宴不與若此之議無所聞也文帝善之乃引珩自近談語終日珩隨事響應無所屈服

張勃吳錄曰吳興沈友字子正善屬文有口辯每所至衆人皆默因號曰諡衆咸言其筆之妙舌之妙皆絶於人也

蜀志曰先是應閭送張裔於孫權諸葛亮遣鄧芝使吳亮令芝言次從權請裔裔自至吳數年流徙伏匿權未知也許之遣裔臨發乃引見問裔曰蜀卓氏寡女亡奔司馬相如貴土風俗何以乃爾裔對曰愚以爲卓氏之女猶賢於買臣之妻權又謂裔君還必用事西朝終必不作田父於

閭里也將何以報我對曰裔負罪而歸將委命有司若蒙僥倖得全首領五十以前父母之年自此以後大王之賜也

又曰伊籍字幾伯陽人隨先主入益州東使吳孫權聞其才辯欲逆折以辭籍適入拜權曰勞事無道之君籍即對曰一拜一起未足爲勞

又曰吳遣使張温來聘百官皆往餞焉温問秦宓曰天有頭乎宓曰詩云乃眷西顧以此推之頭在西方温曰天有耳乎宓曰詩云鶴鳴于九皐聲聞于天若其無耳何以聽之温曰天有姓乎宓曰姓劉曰何以知之宓曰天子姓劉故以此知之温曰日生於東乎宓曰雖生於東而没於西荅問如響温服宓之文辯九如此類也

太平御覽卷第四百六十三

人事部一百五

辯下

辯下　訥

晉書曰王衍妙善玄理唯談莊老為事每捉玉柄麈尾與手同色義理有所不安隨即改更世號口中雌黃朝野翕然謂之一世龍門矣

又曰謝安常賞袁宏機對辯速安為楊州刺史宏自吏部郎出為東陽郡及祖道於冶亭時賢皆集安欲以卒迫試之臨別執宏手顧左右取一扇而授之曰聊以贈行宏應聲荅曰輒當奉揚仁風慰彼黎庶

又曰華譚或問曰諺云人之相去如九牛毛寧有此理乎譚對曰昔許由讓天子之貴市道小人爭半錢之利此相去何啻九牛毛也聞者稱善

又曰呂珩問袁甫曰卿名能辯豈知壽陽已東何以恒水甫曰壽陽已東皆是吳人夫亡國之音哀以思鼎足彊邦一朝失職憤歎甚積積憂成雨雨久成水故其城恒澇也

又曰祖納謂梅陶及鍾雅曰君汝潁之士利如錐我幽冀之士鈍如椎持鈍椎橋君利錐皆當摧矣陶雅並稱有神錐不可得摧納曰假有神錐必有神椎陶雅無以對

又曰武帝始登祚探策得一王者世數繫此多少帝既不怡群臣失色莫能有言者侍中裴楷正容儀進曰臣聞天得一以清地得一以寧侯王得一以為天下貞帝意悅群臣歎服

又曰李密字令伯犍為武陽人蜀朝舊臣數使於吳應機當義吳人稱其才辯蜀平以太子洗馬召張華問曰安樂公何如密曰可次齊桓華問其事密曰齊桓得管仲而霸得豎刀而流亡安樂公得諸葛亮而抗魏後任黃皓而喪國成敗一也

又曰釋道安俊辯有高才自北至荊州與習鑿齒初相見道安曰彌天釋道安鑿齒曰四海習鑿齒

宋紀曰孝武常賜謝莊寶劍莊以與豫州刺史魯爽後反叛孝武因宴集問劍所在荅曰昔以與魯爽別竊為陛下杜郵之賜上甚悅當時以為知言

蕭子顯齊書曰張融字思光吳郡人也玄義無師法而神王過人白黑談論鮮能抗拒

又曰周顒字彥倫汝南人音辭雅麗出言不窮商較朱紫發口成句每賓友會同顒虛席晤語聲如流聽者忘倦

蕭方等三十國春秋曰劉裕為太尉中書監裕既拜朝賢畢至僕射謝混後來衣冠傾縱頗有傲慢之容裕甚不平乃謂之曰何謂旁若無人混對曰明公將隆伊周之化方使四海解衿謝混何人而敢獨異乎乃以手板拔撥其衿領悉皆解散裕大悅

魏收魏書曰李諧字虔和博學才辯天平中以諧兼散騎常侍為聘梁主衍遣主客郎范胥當接胥曰黃旗紫蓋本出東南君臨萬拜故宜在此諧荅帝王符命豈得與中國比隆紫蓋黃旗終於入洛無乃自害邪

陳書曰簡文在東宮召戚袞講論又嘗置宴集玄儒之士先命道學玄相質難次令中庶子徐摛馳騁大義間以劇談摛辭辯縱橫難以荅抗諸人懾氣皆失次序袞時騁義摛與往復袞精采自若對荅如流簡文深加歎賞

隋書曰吳興沈重名為碩學高祖嘗令辛彥之與重論議

重不能抗於是避席而謝之曰辛所謂金城湯池無可攻
之勢高祖大悅
又曰蘇夔字伯尼少聰敏有口辯煬帝嘗從容謂宇文述
虞世基等曰四夷率服觀禮華夏鴻臚之職須歸令望寧
有多乎多藝美容儀可以接對賓客者爲之乎咸以夔對
是日拜鴻臚少卿
又曰柳䛒爲東宮學士每召入卧内與之宴謔䛒尤俊辯
多在侍從有所顧問應荅如響
唐書曰薛收歸國秦府記室房玄齡薦之於太宗即日召
見問以經略收辯對縱橫皆合旨要授秦王府主簿
又曰文宗嘗於誕節召白居易與僧惟澄道士趙常盈對
御講論於麟德殿居易論難鋒起辭辯泉注上疑宿構深
嗟挹之

列子云子夏問於孔子孔子對曰賜辯賢於丘賜也能辯
不能訥吾兼有之所以事吾也矣
莊子曰孔子舍於沙丘見主人曰辯士也子路曰夫子何
以識之曰其口窮蹻其鼻空大其服博戲其睫流擒其舉
足也高其蹊地也深鹿與而牛舍
又曰公孫龍辯者之徒飾人之心易人之意能勝人之口
不能服人之心辯者之囿也
又曰古者王天下者智雖絡天地不自慮也辯雖彫萬物
不自說也
魯連子曰齊之辯者田巴辯於狙丘議於稷下毁五帝罪
三王訾五伯離堅白合同異一日而服千人有徐劫者其
弟子曰魯連謂劫曰臣願得當田子使之不敢復談可乎
徐劫言之田巴曰劫弟子年十二耳然千里之駒也願得

侍議於前田巴曰可魯連曰臣聞堂上之糞不除郊草不
芸白刃交前不救流矢何則急者不救則緩者非務楚軍
南陽趙氏伐高唐燕人十萬之衆在聊城而不去國亡在旦
暮耳先王將柰何田巴曰無柰何魯連曰夫危不能爲安
亡不能爲存則無爲貴學士矣今臣將罷南陽之師還高
唐之兵却聊城之衆爲所貴談談者其若此也先生之言
有似梟鳴出聲而人惡之願先生之勿復談也田巴曰謹
聞教明日見徐劫曰先生之駒乃非兎驃褭也豈特千里
哉於是杜口易業終身不復談
淮南子曰智絡天地明照日月辯解連環澤潤玉石
抱朴子曰飛清機之英麗言約暢而判滯辯人也
太公六韜曰辯言巧辭善毁譽者曰飛言之士
皇甫謐高士傳曰趙惠文王好劒士夾門而客三千人太

子悝患之募有能止王者與千金左右曰莊子必能太子
使人奉周周見王曰臣有三劒唯所用焉天子之劒賓諸
侯正天下諸侯之劒如雷霆之威震四封之内無不賓服
庶人之劒上絶頸領下䏓肺肝而此無異於鬬雞而爭一
旦之命也今大王有天子之位而好庶人之業臣竊爲大
王薄之王不出宫三月劒客皆伏
韓詩外傳曰鳥之美羽勾喙者鳥共畏之人之利口巧辯
者人共畏之是以君子避三端文士筆端辯士舌端武士
鋒端
又曰子貢曰兩國構難壯士列陳塵埃張天錫不持尺兵
斗粮解兩國之難用賜者存不用賜者亡孔子曰辯士哉
語林曰諸葛靚字仲思在吳於朝堂大會孫皓問曰卿字
仲思爲欲何思之曰在家思孝事君思忠朋友思信如斯

而已

王子年拾遺錄曰張儀蘇秦二人遞剪髮以相活或傭力寫書行遇聖人之文無以題記則以墨書於掌中及股裏夜還折竹寫之二人假食於路剝樹皮爲囊以盛天下良書每息大樹之下假息而寐有一先生問曰二子何勤苦若是而儀秦共與言論曰子是何人答曰吾死生歸於山谷世論謂余歸谷子也秦儀後遊學復逢歸谷子乃請其學術則教以干世俗之辯乃探胷中韋袟三卷書言輔時之事故儀秦學之以終身也古史考云儀秦受術鬼谷先生歸之聲與鬼相亂故也

桓譚新論曰公孫龍六國時辯士也爲堅白之論假物取譬謂白馬爲非馬非馬者言白所以名色馬所以名形也色非形形非色

世說曰郭象議如懸河瀉水注而不竭

劉向別錄曰鄒奭者頗采鄒衍之術迂大而閎辯文具難勝齊人美之頌曰談天鄒

說苑曰林既衣韋而朝齊景公景公曰君子之服也小人之服也林既作色曰夫服何足以揣士行乎昔荆爲長劒危冠令尹子西出焉齊短衣而筐仲隰朋出焉越文身剪髮而范蠡大夫種出焉如君言衣狗裘者當犬號衣羊裘者當羊鳴今君衣狐裘而朝得無爲變乎

文士傳曰劉禎字公幹年八歲能誦論及賦數萬言性辯捷文帝嘗請同好爲主人使甄夫人出拜坐者皆伏而禎獨平視如故武帝使人覩之見禎大怒命收之主者案禎大不恭應死減一等輸作部使磨石武帝嘗輦至尚方觀作者見禎故環坐正色磨石不仰武帝問曰石何如禎因得喻已自理跪對曰石出自荆山玄巖之下外有五色之章內含卞氏之珎磨之不加瑩彫之不增文稟氣堅貞受兹自然顧理枉屈紆繞猶不得申武帝顧左右大笑即日還宮赦禎復署吏

又曰華譚字令思年十四舉秀才入洛會宣武場座有下者嘲南人諸君楚人亡國之餘有何秀異忽應斯舉衆無荅譚在下行遙曰當今六合齊軌異人並出吾聞大禹出於東夷文王生於西羌賢聖之所在豈常之有昔武王伐紂遷商頑民於洛邑得無吾子是其苗裔時咸改視辯者無以應也

王瑱之童子傳曰孔林魯國人年十歲詣臺魯相劉公客有獻鴈者歎曰天之於人生五穀以爲之食有魚鳥以爲之肴衆賓咸曰誠如公旨林曰不然夫萬物所生各稟天氣事不必爲人人徒以智得之故蚊蚋食人蚓虫噉土非天爲蚊蚋生人爲蚓生土公曰童子辯焉

郭子曰梁國楊氏子年九歲甚聰慧孔君平詣其父父不在乃呼兒出爲設菓有楊梅孔指示兒此君家果兒應聲荅曰未聞孔雀是夫子家禽

王弼別傳曰弼年十餘歲好老莊通辯能言者

列女傳曰袁次陽妻者扶風馬季長之女也下車禮畢次陽問曰爲婦之道貞順而已何輜軿僮婢數十黼黻玄黃珠璣之飾耶夫人荅曰女有三從之義在家係於父母情愛無已欲其豐麗故不敢逆命今君欲擬鮑子都之風不受婦家之送此乃清高異行也妾亦欲察君志（恐）還所有以成君之高不亦可乎次陽又問曰弟先兄舉猶以爲鄙高士不爲也賢姊未嫁而新婦先行有何汲汲乎荅曰

家姊有宋伯姬之風梁高之行節操槩於青雲貞介皦於
白日家君無堯之配舜孔子妻公冶之義世乏此賢故且
躊躇妾固陋不才遭人則可次陽嘿然悵恨外聽者曰使
君努力何爲新婦所困之有
傳玄七禮曰辯論鋒起探虎摩龍。徐幹七喩曰戰國之際
秦儀之徒智略兼人辯利軼軌倜儻挾義觀釁相時圖辭
位則佩六紱謀貨財則輸海內一怒而諸侯懼安居而天
下熄人主見弄於股掌之上而莫之知惡也
班固荅賓戲曰子雖馳辯如濤波摛藻如春華猶無益於
殿最
劉邵趙都賦曰辯論之士則智凌俎兵材過東里分摘滯
義割辯纖理論折堅白辯藏三耳
張衡西京賦曰其都遊說辯論之士街談巷議彈射臧否

剖析豪釐擘肌分理
張華縱橫篇曰蘇秦始爲交同學鬼谷先生辯說剖毫釐
變詐入無形巧言惑正理人主莫不傾聽
王褒子貢畫讚曰端木英辯才清吐口敷華發音揚馨

訥

說文曰訥言難也
易曰吉人之辭寡
禮記曰趙文子其言內內若不出諸其口
論語曰君子欲訥其言而敏於行
又曰剛毅木訥近仁矣
史記曰周勃爲人木強少文然可屬大事
又曰司馬相如口吃而善著書
漢書曰曹參爲相遵蕭何之約擇郡國長史訥於文辭
謹厚長者即召除爲丞相史
又曰李廣訥口少與人言居則畫地以爲陣
東觀漢記曰吳漢爲人質厚少文造次不能以辭語自達
鄧禹及諸將多所薦舉
又曰楊雄好著書而口吃不能劇談
范曄後漢書曰吳漢自建武時常居上公之位終始親愛
諒猶質簡而強力也子曰剛毅木訥近仁斯豈漢之方乎
又曰劉昆字桓公陳留人建武五年舉孝廉除江陵令時
縣連火昆輒向火叩頭多能降雨止風遷弘農太守虎皆
負子渡河徵爲光祿勳詔問前在江陵何德而政致是耶
對曰偶然耳左右皆笑其質訥帝曰此長者之言顧命書
諸策
又曰高彪字義方吳郡無錫人也家本單寒至彪爲諸生

游太學有雅才而訥於言
續漢書曰何休任城樊人朴訥而精研六經世儒無及者
魏畧曰嚴翰善春秋公羊司隸鍾繇不好公羊而好左氏
謂左氏爲太官而謂公羊爲賣餅家故常數與翰辯短長
繇爲人機捷善持論而翰訥臨時屈無以應
晉書曰郭林宗謂劉儒口訥心辯有珪璋之質
張詮南燕書曰慕容納沉靜深邃外訥內敏
北史牛恒訥於言而敏於行上嘗令其宣勑至陛下不能
言退還拜謝云並忘之上曰傳語小辯故非宰臣任也愈
稱其質直
隋書范陽祖君彥齊尚書僕射孝徵之子也容貌短小言
訥澀有才學大業末官至東平郡書佐
老子曰大辯若訥

管子曰吾畏事不敢事畏言不爲言行年六十如老吃耳

張隱文士傳曰左思字太沖貌醜不揚口訥不能給談默而心解

又曰成公綏口訥不能談論嘿而內朗人有劇問以筆墨荅之

裴啓語林曰鄧艾口吃常云艾艾宣王曰爲云艾艾終是幾艾荅曰譬如鳳兮鳳兮故作一鳳耳

玄晏春秋曰予朴訥不好戲弄口又不能戲談

崔琰述初賦序云琰性頑口訥年十八不能會問好擊劒尚武事

紀隲表孫皓曰臣稟氣淺薄體不及衆形容短陋訥口弱顔

太平御覽卷第四百六十四

太平御覽卷第四百六十五

人事部一百六

謳　歌　謠

謳

說文曰謳齊歌也

左傳曰宋華元爲植巡功城者謳曰睅其目皤其腹棄甲而復于思于思棄甲復來

又曰宋皇國父爲太宰爲平公築臺妨於農收子罕請俟農功之畢公不許築者謳曰澤門之皙實興我役邑中之黔實慰我心

漢書曰漢王既至南鄭諸將及士卒皆謌謳思東歸（師古曰謳齊歌也）多道亡還者（未至南鄭在道聊止）

歌

釋名曰歌柯也所歌之聲是其質也以聲吟詠有上下如草木之有柯葉也

說文曰歌詠也

詩曰心之憂矣我歌且謠

家語曰孔子相魯齊人歸女樂魯君淫荒孔子遂行師已送曰夫子則非罪也孔子曰欲歌可乎歌曰彼婦人之口可以出走彼婦人之請可以敗死優哉游哉聊以卒歲

史記曰曹參爲漢相國三年百姓歌之曰蕭何爲法講若畫一曹參代之守而勿失載其清靜人以寧一

又曰衛子夫爲皇后弟青貴震天下天下歌之生男無喜生女無怒獨不見衛子夫霸天下

漢書曰石顯與中僕射牢梁少府五鹿充宗結（爲友）黨諸附倚者得寵位民歌之曰牢耶石耶五鹿耶印何累累耶綬何若若耶言其兼官據勢也

又曰太始二年趙中大夫白公（白姓公爵也爲騶子之也）復奏穿渠引涇水首起谷口尾入櫟陽注渭中延袤二百里溉田四千五百餘頃因名白渠民甚饒歌之曰田於何所池陽谷口鄭國在前白渠起後舉插爲雲決渠爲雨涇水一石其泥數斗且糞且溉長我禾黍衣食京師億萬之口

又曰馮立字聖通爲西河上郡與兄野王相代政行相似吏人嘉之乃歌曰大馮君小馮君兄弟繼踵相因循聰明聖智惠吏人政如魯衛德化鈞周公康叔猶二君

又曰王氏五侯爭爲奢侈大起第宅百姓歌曰五侯初起曲陽最怒壞決高都連境外杜土山漸臺象西白武（白虎殿名）

後漢書曰皇甫嵩討平黃巾請冀州一年田租以贍飢民百姓歌曰天下亂兮市爲墟母不保子妻失夫賴得皇甫復汝居

又曰劉陶縣除順陽長以病免吏民思而歌之曰邑然不樂思我劉君何時復來安此下民

又曰郭賀字喬卿爲荊州刺史到官有殊政百姓歌之曰厥德仁明郭喬卿忠正朝廷上下平

謝承後漢書曰岑晊遷魏郡太守民歌之曰我有枳棘岑君伐之我有蟊賊岑君遏之狗吠不驚足下生氂含哺鼓腹焉知凶災我嘉我生獨丁斯時美矣岑君於戲在茲

又曰陳臨字子然爲蒼梧太守人遺腹子報父怨捕得繫獄傷其無子令其妻入獄遂產得男人歌曰蒼梧陳君恩廣大令死罪囚有後代德參古賢天報施

司馬彪續漢書曰賈琮爲交州刺史歲間清平百姓安土爲之歌曰賈父來晚使我先反今見清平吏不敢飯

又曰李燮拜京兆尹詔發西園錢燮上一封事遂止不發吏民愛仰乃歌曰我府君道教舉恩如春威如虎剛不吐弱不茹愛如母訓如父

東觀漢記曰廉范字叔度爲蜀郡太守削火令但嚴使儲水而已百姓歌之曰廉叔度來何暮不禁火人安堵平生無襦今五袴

又曰范丹字史雲爲萊蕪長遭黨錮事推鹿車載妻子捃拾自資有時絶粮丹言貌無改閭里歌之曰甑中生塵范史雲釜中生魚范萊蕪

又曰朱暉爲臨淮太守抑強絶雅歲常豐熟人爲之歌曰強直自遂南陽朱季吏畏其威人懷其惠

又曰張堪爲漁陽太守勸人耕種以致豐富百姓歌曰桑無附枝麥秀兩歧張君爲政樂不可支

吳録曰彭循字子陽毗陵人建國二年海賊丁儀等萬人據吳太守秋君聞循勇謀以守令循與儀相見陳說利害應時散降民歌之曰時歲倉卒賊縱橫大戟強弩不可當賴遇賢令彭子陽

又曰王譚字世容爲成武令民服德化宿惡奔迸父老歌之曰王世容治無雙省徭役盜賊空

晉書東皙傳太康中郡界大旱皙爲邑人請雨三日而雨注衆謂皙誠感爲作歌曰東先生通神明請天三日甘雨零零我黍以育我稷以成何以疇之報東先生

又曰鄧攸爲吳郡守刑政清明百姓歡悅爲中興良守後稱疾去職郡常有送迎錢數百萬攸去郡不受一錢百姓數千人留牽攸舡不得進攸乃少停夜中發去吳人歌之曰紞如打五皷雞鳴天欲曙鄧侯挽不留謝令推不去

又曰徐州刺史呂虔檄王祥爲別駕祥年垂耳順固辭不受爲具車牛祥乃應召虔委以州事于時寇盜充斥祥率勵兵士頻討破之州界清靜政化大行時人歌之曰海沂之康實賴王祥邦國不空別駕之功

又曰諸葛恢字道明荀闓字道明蔡謨字道明皆有名譽號曰中興三明時人歌之曰京師三明各有名蔡氏儒雅荀葛廉清

王隱晉書曰應詹爲南平郡郡人歌之曰亂離既著殆爲灰朽僥倖之運賴茲應后蔭我塗炭恵隆丘阜潤曰江海恩猶父母

崔鴻前秦録曰王猛化洽六州人移風變百姓歌之曰長安大街夾樹楊槐下走朱輪上有鸞栖英彥雲集誨我人黎

又曰符堅時鳳皇集于東闕歌之曰鳳皇于飛其羽翼翼淵哉聖后饗齡萬億

崔鴻崔氏家傳曰崔瑗爲汲令開溝澮興造稻田長老歌之曰上天降神明錫我慈仁父臨人布德澤恩惠施以序

唐書顏師古叔父遊秦武德初累遷廉州刺史封臨沂縣男時劉黑闥初平人多以強暴寡禮風俗未安遊秦撫恤境内禮讓大行邑人歌之曰廉州顏有道性行同莊老愛人如赤子不煞非時草高祖璽書勞勉之

韓子曰齊桓公飲酒醉遺其冠恥之管仲曰公胡不雪之以政公曰善因發囷倉賜貧窮論囹圄三日而人歌之曰公胡不復遺其冠乎

呂氏春秋曰魏襄王使吳起爲鄴令引漳水灌田民大得利相與歌曰鄴有吳聖令爲公決漳水灌鄴旁終古斥鹵

生稻稞
世說曰郗超王珣並以儁才為桓溫大司馬所眷珣為主簿超為記室參軍超多鬚珣形狀短小時人為之歌曰髯參軍短主簿能令公喜能令公怒
常璩華陽國志曰吳資字元約為巴郡太守屢獲豐年人歌之曰習習晨風動澍雨潤乎苗我后恤時務我人以優饒
劉向新序曰季子以劍帶徐君墓樹徐人嘉而歌之曰延陵季子不忘舊故千金之劍以帶丘墓
陳留耆舊傳曰爰珍除六令吏人訟息教誨其子弟歌之曰我有田疇爰父殖置我有子弟爰父教誨
襄陽耆舊傳曰山季倫每臨習池未嘗不大醉而還曰我高陽池也襄陵城中小兒歌之曰山公出何去往至高陽池日夕倒載歸酩酊無所知時時能騎馬到着白接䍦舉鞭向葛強何如并州兒

又曰襄陽太守胡烈有惠化百姓歌曰美哉明后雋哲惟嶷陶冶乾坤周孔是則文武播暢威振遐域

謠

爾雅曰徒歌曰謠
漢書曰石顯失權數月丞相條奏顯舊惡及其黨牢梁陳順皆免官顯與妻子徙歸故郡憂懣不食道病死諸所交結以顯為官廢罷少府五鹿充宗左遷玄菟太守御史中丞伊嘉為鴈門都尉長安謠曰伊徙鴈鹿菟去牢與陳石無徒
袁山松後漢書曰桓帝時朝廷日亂李膺風格秀整高自標尚後進之士升其堂者以為登龍門太學生三萬餘人牓天下士上稱三君次八俊次八顧次八及次八廚猶右之八元八凱也因為七言謠曰不畏強禦陳仲舉九卿直言有陳蕃天下模楷李元禮天下好交荀伯脩天下英秀王叔茂天下冰楞王秀陵天下忠平魏少英天下稽古劉伯祖天下良輔杜周甫天下才英趙仲經
司馬彪續漢書曰張霸為會稽太守越賊束手歸附童謠曰弃我戟捐我矛盜賊盡吏皆休
又曰蜀童謠曰黃牛白腹五銖當復時公孫述僭號於蜀時人竊言王莽稱黃述欲繼之故稱漢家貨泉當復也
又曰桓帝時汝南太守宗資任用功曹范滂中人以下共嫉之作七言謠曰汝南太守范孟博南陽宗資主畫諾
東觀漢記曰王渙除河內溫令商賈露宿人開門臥人為作謠曰王稚子代未有平徭役百姓喜

吳志曰周瑜少精意於音樂三爵之後其有闕誤瑜必知之知之必顧時人謠曰曲有誤周郎顧
晉書曰羊祜以伐吳必藉上流之勢又時吳有童謠曰阿童復阿童銜刀浮渡江不畏岸上獸但畏水中龍祜聞之曰此必水軍有功但當思應其名者耳
又曰杜預遣周旨伍巢等伏兵樂鄉城外孫歆遣軍出拒王濬大敗而還旨等發伏兵隨歆軍而入直至帳下虜歆而還故軍中為之謠曰以計代戰一當萬於是進逼江陵
又曰太始中為賈充等謠曰賈裴王乱紀綱王裴賈濟天下言士魏而成晉也
王隱晉書曰裴秀纔十餘歲叔父徽有聲名賓客詣徽出則過秀時人謠曰後進領袖有裴秀
又曰杜預開楊口起夏口水道洪洞達巴陵經千餘里內

寫長江之險外通零桂之漕南土美而謡之曰後世無叛
由杜翁孰識智名與勇功
又曰潘岳字安仁清辯能屬文早辟賈充府太子舍人出
爲河陽令以仕次宜爲郎不得意時僕射山濤領選岳内
非之密作謡曰閣道東有大牛王濟鞅裴楷鞦和嶠刺促
不得休
崔鴻後趙録曰張樓爲臨水長嚴政酷刑殘忍無惠人謡
之曰陽平張樓頭如箱見人切齒剌虎狼
崔鴻前秦録曰符洪母姜氏因寢産洪驚悸而寤先是隴
右大霖雨百姓苦之謡曰雨若不止洪水必起故名之曰
洪
又曰初符生夢大魚食蒲又長安謡曰東海大魚化爲龍
男便爲王女爲公問在何所洛門東海堅將也時爲龍驤
將軍第在洛門之東是月生以謡夢之故誅侍中魚遵
趙書曰劉曜討陳安於隴城安下小將劉牙趙牢路松多
堅戍不下城内得安死力謡曰隴上健兒曰陳安軀幹雖
小腹中寬愛養將士同心肝騄驄駮馬鐵瑕鞍七尺大刀
配齊鏍文八蛇矛左右盤十盪十决無當前百騎俱出如
雲浮追者千萬騎悠悠戰始三交失蛇矛十騎俱盪九騎
留弃我騄驄攀巖悲天降雨追者休阿呵嗚乎奈子乎嗚
呼阿呵奈子何
又曰汲桑六月盛暑而重裘累茵使人扇之患不清凉斬
扇者時軍中爲之謡曰士爲將軍何可羞六月重茵被納
裘不識寒暑斷他頭
又曰燕人龐世爲光禄動奏案豪強苛尅人物咸懼疾之
及卒門無弔客時人爲之謡曰龐家之巷車馬鞭鞭泥丸

之曰無弔賓弔賓不來何所因由性苛尅寡所親
隋書曰韓擒虎先是江東有謡曰黄斑青驄馬發自壽陽
溪來時冬氣末去日春風始皆不知所謂擒虎本名豹平
陳之際又乘青驄馬往反時節與謡相應至時是方悟
列子曰堯微服遊於康衢聞童謡曰立我蒸民莫匪尒極
不識不知順帝之則
抱朴子曰童謡猶助聖人之耳目豈況墳素之宏慱哉
益部耆舊傳曰王忳字少林詣京師於客見諸生病甚困
生謂忳曰腰下有金十斤願以相與乞收藏尸骸未問姓
名呼吸因絶忳賣金一斤以給棺絮九斤置生腰下後署
大度亭長到亭日有馬一疋到亭中其日大風有一繡被
隨風以來後忳騎馬突入金彦父見曰真得盜矣忳説馬
狀又取被示之彦父悵然曰被馬俱止卿有何陰德忳具
説葬諸生事彦父曰此吾子也遣迎彦喪金具存民謡之
曰信哉少林世爲遇飛被走馬與鬼語
陳留耆舊傳曰吳祐爲恒農令勸善懲姦貪濁出境甘露
降年穀豐童謡曰君不我憂人何以休不行界署焉知人
處
商氏世傳曰商亮字子華舉孝廉到陽城遇兩虎爭一羊
亮案劒直前斬羊虎乃各以其半去時人爲之謡曰石里
之勇商子華暴虎見之藏爪牙
常璩華陽國志曰閻憲字孟度爲綿竹令以禮讓爲本童
謡曰閻君賦政明且昶蠲苛去碎以禮讓
劉恭叔異苑曰晉時長安謡曰秦川中血没踠唯有涼州
倚柱看及惠愍之間關内殲破浮血丹漂張軌擁衆一方
威恩共著

太平御覽卷第四百六十五

太平御覽卷第四百六十六

人事部一百七

嘲戲　罵詈

嘲戲

說文曰嘲相調戲相弄也
又曰戲弄也
毛詩曰善戲謔兮不爲虐兮
又曰伊其相謔贈之以芍藥
又曰謔浪笑傲中心是悼
左傳曰宋萬歸宋宋公靳之曰始吾愛子今子魯囚也吾
不愛子矣萬病之遂殺宋公（戲而相抑曰靳）
論語曰子之武城聞絃歌之聲莞尔而笑曰割鷄焉用牛
刀子游對曰昔者偃也聞諸夫子曰君子學道則愛人小人

學道則易使夫子曰偃之言是也前言戲之耳
漢書曰上以東方朔爲常侍伏日詔賜從官肉朔獨拔劒
割謂其同官曰伏日當早歸即懷肉去上問朔賜肉不待
詔割肉而去何也先生自責朔曰不待詔何無禮也拔劒
割肉一何壯也割之不多又何廉也歸遺細君又何仁也
上笑曰令生自責反自譽復賜酒一石肉一百斤使遺細
君
東觀漢記曰光武令王霸至薊市中募人將以擊王郎市
中人皆大笑舉手邪揄之霸慙懡而還
後漢書曰邊韶字孝先陳留浚儀人以文學教授數百人
曾晝卧弟子嘲之曰邊孝先腹便便嬾讀書但欲眠韶潜
聞之應時對曰邊爲姓先爲字腹便便五經笥但欲眠思
經事寐與周公通情夢與孔子同意師而可嘲出何典記

嘲者大慙
吳志曰諸葛瑾字子瑜面長似驢吳王使優人牽驢入題
其上曰諸葛子瑜瑾子恪請筆益兩字曰之驢人伏其敏
權即以驢賜恪
蜀志曰先主與劉璋會涪時張裕爲璋從事侍坐其人饒
鬚先主嘲之曰昔吾居涿縣時多毛姓東西南北皆諸毛
也裕即荅曰昔有士作上黨潞長遷爲涿郡令者去官還
家時人與書欲署潞則失涿欲署涿則失潞乃署曰潞涿
君先主無鬚故裕以此及之
晉書曰范甯嘗患目痛就中書侍郎張湛求方湛因嘲之
曰右方宋陽里子少得其術以授魯東門伯東門伯以授
左丘明遂世世相傳及漢杜子春鄭康成魏高堂隆晉左
大沖九此諸賢並有目疾得此方云用損讀書一減思慮

二專內視三簡外觀四旦晚起五夜早眠六九六物熬以
神火下以氣篩蘊於胷中七日然後納諸方寸脩之一時
近能數其目睫遠視尺捶之餘長服不已洞見牆壁之外
非惟明目乃亦延年
又曰謝敷傳初月犯少微一名處士星占者以隱士當之
譙國戴逵有美才時人憂之俄而敷死故會稽人士以嘲
吳人云吳中高士便是求死不得死
又曰謝万有才名爲會稽王道子驃騎長史嘗因侍坐于
時月夜明淨道子歎以爲佳万率尔曰意謂不如微雲點
綴道子因戲萬曰卿居心不淨乃復彊欲滓穢太清耶
又曰何充性好釋典崇修佛寺供給沙門縻費巨億而不
恤親友貧乏無所施遺以此獲譏於世阮裕常戲之曰卿
志大宇宙勇邁終古充問其故裕曰我圖數千户郡尚不

能得卿圖作佛不亦大乎
又曰陸雲與荀隱素未相識嘗會張華坐華曰今日相遇
可勿爲常談雲因撫手曰雲間陸士龍隱曰日下荀鳴鶴
鳴鶴隱字也雲又曰既開青雲覩白雉何不張尔弓挾尔
矢隱曰本謂是雲龍騤騤乃是山鹿野麋獸微弩彊是以
發遲華撫手大笑
又曰袁山松欲以女妻謝混王珣曰卿莫近禁臠初元帝
始鎮建業公私窘罄每得一㹠以爲珎膳項下一臠尤美
輒以薦帝羣下未嘗敢食于時呼爲禁臠故珣以爲戲混
果尚主
又曰郄詵遷雍州刺史東堂會送武帝問詵卿自以爲何
如詵對曰臣舉賢良對策爲天下第一猶桂林一枝崑山
之片玉帝笑侍中奏免詵詔曰與戲耳不足罪

又曰張憑字長宗祖鎮蒼梧太守憑年數歲鎮謂其父曰
我不如汝有佳兒憑曰阿翁詎宜以子戲父耶
又曰郄超爲桓溫參軍時王珣爲溫主簿亦爲所重府中
語曰髯參軍短主簿能令公喜能令公怒超髯珣短故也
又曰潘京爲州所辟因謁見問策探得不孝字刺史戲京
曰辟士爲不孝耶京舉荅板曰今爲忠臣不得復爲孝子
沈約宋書曰何承天除著作郎時年已老諸佐郎並名家
少年荀伯子嘲之曰呼爲㜷母承天曰卿當云鳳凰將九
子㜷母何言耶
又曰袁淑喜爲誹誕每爲時人所嘲始興王濬嘗送錢三
萬餉淑一宿復遣追取謂使人謬誤欲以戲淑
齊書曰陸澄當世稱爲碩學讀易三年不解義欲撰宋書
終不就王儉戲之曰陸公書厨也

又曰庾杲之清貧自業食唯有韭葅瀹韭生韭雜菜或戲
之曰誰謂庾郎貧食常有二十七種言三九也
又曰謝超宗送湘州刺史王僧虔閣道壞墜水僕射王儉
嘗牛驚跣下車超宗撫掌笑戲曰落水三公墮車僕射
梁書曰朱异遍治五經涉獵文史愽弈書筭皆其所長年
二十詣尚書令沈約試之因戲异曰卿年少何乃不廉异
逡巡未達約乃曰天下唯有文義棊書卿一時將去可謂
不廉也
陳書曰徐陵使魏魏人授館宴賓是日甚熱其主客魏收
嘲陵曰今日之熱當因徐常侍來陵即荅曰昔王肅至此
爲魏始制禮儀今我來聘使卿復知寒暑收大慙
隋書曰何妥少機警八歲遊國學助教顧良戲之曰汝姓
何是荷葉之荷是河水之河妥應聲荅曰先生姓顧是眷

顧之顧是新故之故衆咸異之
隋書曰麥鐵杖考功郎竇威嘲之曰麥是何姓鐵杖應聲
對曰麥豆不殊那忽相怪竇赧然無以應之時人以爲敏
惠
又曰鄭譯少爲太祖所親恒令與諸子遊集年十餘歲嘗
詣相府司録李長宗於衆中戲之譯斂容謂長宗曰明公
位望不輕瞻仰斯屬輒相玩狎無乃喪德也長宗甚異之
唐書曰蘇世長高祖嘗嘲之曰名長意短口正心邪弃忠
貞於鄭國忘信義於吾家世長對曰名長意短寔如聖旨
口正心邪未敢奉詔昔竇融以河西降漢漢十世封侯臣
以山南歸國唯蒙屯監即日擢拜諫議大夫
晏子春秋曰晏子短小使楚楚人爲小門於大門側而延
晏子晏子不入曰使狗國者從狗門入今日臣使楚不當

從狗門入王曰齊無人耶對曰齊之臨淄張袂成帷揮汗成雨何爲齊無人使賢者使賢王不肖者使不肖王嬰不肖故使耳

莊子曰惠子始與莊子相見而問乎莊子曰今日自以爲見鳳凰而徒遭鷰雀耳坐者俱笑

孔叢子曰平原君與子高飲強子高酒曰昔有遺諺堯舜千鍾孔子百觚子路嗑嗑尚飲百榼古之聖賢無不能飲也吾子何辭焉子高曰以穿所聞賢聖以道德爲人未聞以飲也平原君曰即如先生言則此言何生子高曰生於嗜酒者蓋其勸勵釆戲之辭非實然也平原欣然曰吾弗戲子無所聞此雅言也

呂氏春秋曰成王與唐叔虞燕居援梧葉以爲珪授虞曰此封汝虞喜以告周公公請曰天子封耶成王曰余一人與虞戲尒周公曰臣聞之天子無戲言天子言則史書之工誦之士稱之於是遂封虞于唐

裴啓語林曰劉道眞遭亂於河側自牽船見一老嫗採櫓劉謂之曰女子何不調機利杼而採櫓共荅曰丈夫何不跨馬揮鞭而牽舡

又曰祖士言與鍾雅相調鍾語祖曰我汝潁之士利如錐卿燕代之士鈍如槌祖曰以我鈍槌打尒利錐鍾曰自有神錐不可得打祖曰既有神錐亦有神槌鍾遂屈

劉義慶世說曰謝太傅始有東山之志祖公見藥中有遠志公問謝此藥又曰小草何以一物二稱謝未即荅郝叅軍荅曰處則爲遠志出則爲小草謝公殊有愧色

又曰鄧艾口吃語艾艾晉文王戲之曰爲云艾艾故是幾艾鄧荅曰鳳兮鳳兮故是一鳳

諸葛恪別傳曰孫權嘗宴見蜀使費禕逆勑羣臣使至伏勿起禕至權輟食而羣下不起禕嘲之曰鳳凰來翔騏驎吐哺驢騾無知伏食如故恪荅曰爰植梧桐以待鳳凰是何燕雀自稱來翔何不彈射使還故鄉

劉昭幼童傳曰張玄字祖希年八歲齔齒先達知其不常故戲之君口復何爲開狗竇玄荅云正使君輩從中入

罵詈

釋名曰罵迫也以惡言被迫人也

又曰詈歷也以惡言相弥歷（音力智反）

左傳曰冉豎射陳武子中手失弓而罵

戰國策曰宋康王時有雀生鸇於城之陬使史占之曰小而生巨必霸天下王大喜於是滅滕伐薛取淮北之地逾自信欲霸之亟成故射天笞地斬社稷而焚滅之曰威服天下鬼神罵國老諫者爲無頭之冠以示勇國人大駭

齊聞而伐之

史記曰陳豨將趙利守東垣高祖攻之月餘不下卒衆罵高祖高祖怒城降令出罵者斬不罵者原之

漢書曰項羽拔滎陽城生得周苛羽謂苛爲我將以公爲上將軍苛罵曰若不趍降漢今爲虜矣

又曰陳豨反上自至邯鄲令周昌選趙壯士可令將者昌見四人上嫚罵曰豎子能爲將乎四人慙伏地上以爲將

又曰張湯以更定律令爲廷尉汲黯於上前憤發罵曰天下刀筆吏不可以爲公卿果然

又曰王莽自立使安陽侯王舜素傳國璽太后知爲莽求怒罵之曰我漢家老寡婦旦暮且死欲與此璽俱葬終不可得

又曰魏豹叛漢王謂酈生曰緩頰往說之豹曰人生一世間若白駒過隙今漢王嫚侮人罵詈諸侯群臣如奴耳吾不忍復見

又曰張敖爲趙王高祖從平城過趙王旦暮自上食高祖箕踞罵詈甚慢之趙相貫高等怒說敖曰今王事皇帝甚恭而皇帝無禮請爲王殺之

又曰韓信平齊使人請自立爲假王漢王大怒詈曰吾困於此望若來佐我乃欲自立爲王張良陳平附耳語之漢王寤因復罵曰大丈夫即爲真王耳何以假爲

又曰田蚡取燕王女爲夫人太后詔召列侯宗室皆往賀灌夫行酒次至臨汝侯灌賢方與程不識耳語又不避席夫乃罵曰賢平生毀程不直一錢今長者爲壽乃効女兒曹呫囁耳語耶

又曰黥布反上自征謂布何苦而反布曰欲爲帝耳上怒罵之遂戰破布陣

又曰呂后召趙王周昌令王稱疾不行呂后大罵昌曰尔不知我之怨戚氏乎而不遣趙王也

又曰上擊黥布時流矢所中行道疾甚呂后迎良醫入見問醫疾可治不醫曰可治上嫚罵之曰吾以布衣提三尺劒取天下此非天命乎命乃在天雖扁鵲何益

又曰陸賈時時前說稱詩書高帝罵曰我乃馬上得之安事詩書乎賈曰馬上得之寧可馬上治之乎

范曄後漢書曰王允與呂布謀令騎都尉李肅并勇士千餘人於掖門内以待董卓卓將出馬驚不行肅以戟刺之墜車顧大呼曰呂布何在布曰有詔討賊卓大罵曰庸狗敢如是耶

又曰李傕等共追乘輿大戰怕農東澗射聲校尉祖儁被瘡墮馬李傕謂左右曰尚可活不儁罵之曰汝等凶逆逼迫天子亂臣賊子未有如汝者傕使殺之

續漢書曰董卓爲司空辟蔡邕稱疾不就卓大怒詈曰我力能族人邕不得已及到署祭酒

東觀漢記曰劉寬嘗坐客遣蒼頭市酒迂久大醉而還詈曰畜生寬遣人視奴疑必自殺

魏志曰諸葛恪圍合肥新城中遣士劉整出圍傳消息爲賊所得拷問所傳語整罵曰死狗此何言也我當必死爲魏國鬼不苟求活逐汝去

又曰龐德與曹仁討關羽爲羽所得羽謂曰我欲以卿爲將何不早降德罵羽曰豎子何謂降也遂爲羽所殺

又曰劉備爲豫州舉袁渙爲茂才後復爲呂布所拘布欲使渙作書詈辱備渙不可再三強之不許布大怒以兵脅渙曰爲之則生不爲則死渙顏色不變笑而應之曰渙聞唯德可以辱人不聞以罵且他日之事劉將軍猶今日之事將軍也將軍一旦去此復罵將軍可乎布慙而止

吳志曰孫峻誅諸葛恪臨淮臧均表乞收葬曰今恪父子三首懸示積日觀者數萬罵聲成風國之大刑無所不震

又曰孫堅至南陽太守張咨不給軍粮又不見堅堅詐得急病欲以兵付咨咨心利其兵則將騎五六百人營省堅堅卧與相見無何卒然而起按劒罵咨遂執斬之

王隱晉書曰段疋磾弟文鴦與石勒戰所乘馬乏勒呼曰大兄父望共同天不違願今日相見何復戰請釋仗語鴦罵曰汝爲虐父應死吾兄不能用吾計故令汝得至此吾寧死不忍爲汝所擒遂下馬與戰

山海經曰若山有獸焉名曰山膏其狀如豚赤若丹火善罵好罵也

賈誼新書曰紂自謂天王而桀自謂天父已滅之後民以相罵

祢衡別傳曰祢衡着寬布單衣練巾坐曹操大營門下以杖捶地數罵責操及其先祖無所不至營令史入啓言外有狂生祢衡言語悖逆請案科治操聞之嘿然良久乃勑外具上廐馬三疋并騎二人挾將送置荆州黄祖遂令殺之

吳質別傳曰魏文帝詔上將軍及特進以下皆會質所上將軍曹真肥領軍朱鑠瘦質召優使説肥瘦真扣刀瞋目曰言俳敢説吾斬尒遂罵質案劒曰曹子丹吳質吞尒不搖喉何敢恃勢驕耶

揚雄方言曰荆淮海岱雜齊之間罵奴曰臧罵婢曰獲

桓譚新論曰哀帝時有老人范蘭言年三百歲初與人相見則喜而相應和再三則罵而逐入

列女傳曰安定皇甫規妻年盛色美董卓娉以輜軿百乘乃輕服詣卓門跪自陳請卓使侍者悉杖刀圍之妻知不免乃立罵卓曰君羌胡之種毒害天下猶未足耶敢欲行非禮於尒君夫人乎卓乃以其頭懸車軛鞭撲交至遂死車下

太平御覽卷第四百六十六

太平御覽卷第四百六十七

人事部一百八

喜

說文曰喜不言而悅曰喜從壴口壴音知句切

易曰上九傾否先否後喜

尚書曰股肱喜哉元首起哉

毛詩曰風雨如晦鷄鳴不已既見君子云胡不喜

又曰我有嘉賓中心喜之

又曰菁菁者莪樂育才也君子能長育人才則天下喜樂之也

禮記曰樂者音之所由生也其本在人心之感於物是故其喜心感者其聲發以散

又曰人喜則斯陶陶欝陶也陶斯詠詠斯摇

又曰何謂人情喜怒哀樂愛惡欲七者弗學而能也

又曰武王承命興師誅商萬國咸喜軍發盟津前歌後舞

又曰文王朝夕至于大寢之門外問於內竪曰今日安否何如內竪曰今日安太子乃有喜色

左傳曰城濮之役晉師三日穀文公猶有憂色左右曰有喜而憂如有憂而喜乎公曰得臣猶在憂未艾也困獸猶鬬況國相乎及楚殺子玉子玉得臣公喜而後可知也

又曰子産始知然明問為政焉對曰視民如子見不仁者誅之如鷹鸇之逐鳥雀子産喜以語子太叔曰他日吾見蔑之面蔑然明名今吾見其心矣

又曰公賜公衍羔裘使獻龍輔於齊侯齊侯喜與之陽穀

又曰吳將伐齊越子率其衆以朝焉吳人皆喜唯子胥懼曰是豢吳也吳王聞之使賜之屬鏤以死

又曰鄭六卿餞韓宣子於郊宣子曰二三君子請賦起亦以知鄭志子 賦野有蔓草宣子曰孺子善哉吾有望矣子柳賦蘀兮宣子喜曰鄭其庶幾乎

公羊傳曰九月丁卯子同生子同者孰謂謂莊公何言乎子同生喜有正也此言喜有正何久無正子也

又曰齊高子來盟高子者何齊大夫也何以不稱使我無君也然則何以不名喜之也

爾雅曰坎坎僔僔喜也

論語曰父母之年不可不知也一則以喜一則以懼

又曰上失其道民散久矣如得其情則哀矜而勿喜

又曰子曰道不行乘桴浮于海從我者其由也與子路聞之喜

尚書中候曰維王既誅崇侯虎諸侯貢萬民咸喜鄭玄曰王文王也貢貢国異物色也

尚書大傳曰惟丙午王還師師乃鼓譟師乃慆前歌後舞鄭玄曰慆喜也衆大喜前歌後舞也

春秋元命包曰兩口銜士為喜喜得明心喜者為喜意天心宋均曰心為天王布政之宮万物須之乃盛所以為喜也今於口間土移一畫之者於字體安也是為兩口土也喜得明明得所喜也

春秋繁露曰春之言猶蠢也蠢蠢者喜樂之皃

國語曰伯宗朝以喜歸其妻曰子皃有喜何也曰吾言於朝諸大夫皆謂我似陽子知有似也陽子陽處父也對曰陽子華而不實言而無謀是以難及於身子何喜焉

戰國策曰呂他亡西周之東周盡輸西周之情於東周東周大喜

又曰孟嘗君出行至楚楚獻象牀郢之登徒直送之不欲

徃見孟嘗門人公孫戍曰臣郢之登徒直送象牀象牀之直千金傷此若髮標賣妻息不足以償足下能使僕無行先人有寶劍願獻之戍曰諾入見孟嘗曰五國所以皆致相印於君以國事累君者誠悅君之義慕君之廉今君至楚而受象牀所未至國將何以待君孟嘗曰善戍趍而出孟嘗君曰今子舉足高志之揚何也戍曰臣有大喜三重之以寶劍一孟嘗曰何謂也戍曰門下百數莫敢入諫臣入諫一喜諫而聽臣二喜諫而止君之過三喜

史記曰趙使藺相如賫璧西入秦秦王坐章臺見相如相如奉璧奏秦王大喜傳璧以示美人及左右左右皆呼萬歲

又曰孔子由大司寇攝行相事有喜色門人恠之孔子曰非樂其貴然喜下人得吾也

又曰龍且與韓信夾濰水陣信乃夜令人為萬餘囊滿盛

平四百六十七　三

沙水壅上流引軍半渡擊龍且佯不勝還走龍且果喜曰固知韓信怯也追信渡水信使人決壅囊水大至擊殺龍且

又曰慶雲喜氣也

又曰呂后謂高祖曰季所居之上常有雲氣故從性常得季高祖心喜

又曰邑中人民嘗俱出獵任安為人分麋鹿雉兎衆人皆喜曰無傷也任少卿分則平也

漢書曰朱博為左馮翊長陵大姓尚方禁少時盜人妻見斫創着頰博聞以它事召視其面果瘢博辟左右問方禁是何創禁自知情得叩頭服狀博笑曰大丈夫固時有是博欲洒鄉耻能自効不方禁且喜且懼對曰必死博因親信以為耳目

又曰高祖入關與父老約法三章民大喜也

又曰英布間行與隋何俱歸漢王方踞床洗召布入見布大怒悔來欲自死就舍張御食飯從官如漢王居布又大喜

又曰韓信投漢蕭何等已數言上不用即亡何聞信亡不及以聞自追之人有言上曰丞相何亡上怒如失左右手居一二日何來謁上且怒且喜

又曰呂須嘗以陳平前為高帝謀執樊噲數讒平於呂后曰為丞相不治事日飲醇酒戲婦人平聞日益甚太后聞之私喜

又曰翟方進隨父至汝南蔡父奇方進形皃有封侯骨方進既厭為小吏聞蔡父言心喜

又曰匈奴單于言願壻漢氏以自親元帝以後宮良家子

平四百六十七　四　李頂

王嬙字昭君賜單于單于忻喜

謝承後漢書曰廬江毛義家貧以孝行稱南陽張奉慕其名往候之坐定而府檄適至以義守令義捧檄而入喜動顏色

續漢書曰荀爽嘗謁李膺因為其御既還喜曰今日乃得御李君矣見慕如此

東觀漢記曰上謂鮑永曰我攻懷三日兵不下關東畏卿且將故人往即拜永諫大夫至懷謂太守曰足下所以堅不下者未知孰是也今聖主即位天下以定不降何待即開城降上大喜與永對食

又曰賈復北與五校戰於真定大破之復傷瘡甚上驚復病尋愈追及上上見大喜

又曰梁鴻妻椎髻着布衣操作具而前鴻大喜曰此真梁

鴻之妻也字之曰德曜孟光
又曰上幸長祠高廟十一陵歷覽宮館舊處會郡縣吏勞賜作樂者有縣三老大言陛下入東都臣望顏色容儀類似先帝臣一驩喜百官嚴設如舊時臣二驩喜見吏賞賜識先帝時事臣三驩喜陛下聽用直諫默然受之臣四驩喜陛下至明懲乂酷吏視人如赤子臣五驩喜進賢用能各得其所臣六驩喜天下太平德合於堯舜臣七驩喜
又曰上以馮異爲孟津將軍屯河上擊走朱鮪追至雒陽城門環城一匝乃還上聞之大喜諸將皆賀
又曰郭伋字細侯河南人在并州素結恩德行部到西河美稷有童兒數百各騎竹馬於道次迎拜伋問曰兒曹何自遠來對曰聞使君到喜故來奉迎
魏志曰潁川戲志才籌畫士也太祖甚器之早卒太祖與

荀彧書曰自志才亡後莫可與計事者汝潁固多奇士誰可以繼之彧薦郭嘉召見論天下事太祖曰使孤成大業者必此人也嘉出亦喜曰真吾主矣表爲司空軍謀
吳志曰曹公破走魯肅先還權大喜肅將入閤拜權起禮之因謂曰孤持鞌下馬相迎足以顯卿未肅趍進曰未也衆人聞之無不愕然就坐徐舉鞭曰願至尊威德加乎四海揔括九州克成帝業更以安車蒲輪徵肅始當顯耳權拊掌歡笑
王隱晉書曰石珩問表甫壽春以西何以常旱東何以恒水甫曰東是吳人新附積憂成陰西是中國新平吳珎寶美人皆入志盈心滿長歡故旱
孫嚴宋書曰劉宣字方壽彭城人也素曉天文知晉室當復又夢九土服之覺而喜曰九者桓也桓既吞矣吾當復本土乎
齊書曰謝超宗詣東府門自通其日風㥘太祖謂四座曰此客至使人不衣自暖矣超宗既坐飲酒數巡辭氣橫出太祖對之甚歡
崔鴻後秦録曰秦末祆星見于東井尹緯知秦將滅心喜踴躍向天再拜
唐書陸贄從幸山南道途艱險扈從不及與帝相失一夕不至上喻軍士曰得贄者賞千金翌日贄謁見上喜形於顏色其寵待如此
周書曰人有五氣喜氣內畜雖欲隱之陽喜必見喜色油然以出
又曰師曠見太子晉曰願聞一言王子應之曰吾聞太師將來吾心甚喜既已見子喜而又懼吾年甚少見子而慴盡忘吾度

韓詩外傳曰曾子曰吾嘗仕爲吏祿不過鍾釜尚猶欣欣而喜者非以爲多也樂其逮親也
張勃吳録曰長沙桓王在歷陽遣書呼周瑜瑜將兵五百人舡粮器仗星夜馳赴王大喜執瑜手曰卿至諧矣
又曰吳王之女有所怨王者遂自殺王痛之葬於昌門外文石爲槨高墳深池珎玩人馬以徇葬國人哀之湛盧之劒夜飛去楚楚昭王覺劒在其床首昭王召風胡子而問焉對曰越獻劒於吳名曰湛盧人君有過則去適他國聞吳王葬女奢侈以人從死其必是也昭王大喜
胡冲吳曆曰太史慈字子義於神亭戰敗爲孫策所執策素聞其名即解縛諮問進取之術慈曰州郡新破士卒離心若儻分散難復合聚欲出宣恩安集恐不合尊旨策長

跪合曰誠本心所望也明日日中望君來還諸將皆疑策
曰太史子義青州名士以信義爲先終不欺策明日大會諸
將預設酒食立竿視中而慈至策大懽喜常與衆論軍事
司馬彪九州春秋曰曹公與袁紹相距遣人招張繡繡欲
歸紹賈詡勸繡歸曹公繡曰紹強又曹公與吾有讎不可
詡曰此乃所以宜從之也夫有霸王之志者固將釋大怨
明德於四海也繡從之歸曹公曹公見之喜執詡手曰使
我信重於天下者君也
檀道鸞續晉陽秋曰初苻堅南寇京師大震謝玄入問計
禦之方謝安夷然無懼色玄等既破賊有驛書至安方對
客圍棊看書既畢攝放牀上了無喜色還棊如故客問之
安徐荅云小兒輩遂已破賊客罷還內過戶安心喜甚不
覺屐齒之折其矯情鎮物如此也

太公六韜曰因其所喜以順其志
又曰文王拘羑里求天下珎怪而獻之紂貪其幣大喜殺
牛而賜之
曹操別傳曰拜操典軍都尉還譙沛士卒共叛襲擊之操
得脫身亡走竄平河亭長舍稱曹濟南處士臥養足創八
九日謂亭長曰曹濟南雖敗存亡未可知公幸能以車牛
相送往還四五日吾厚報公亭長乃以車牛送操未至譙
數十里騎求操者多操開帷示之皆大喜始寤是操
雷煥別傳曰張華以煥爲豐城令得雙寶劒乃送一劒與
華自留一劒華得劒甚喜曰此干將也
邴原別傳曰魏太祖爲司空辟原署東閤祭酒太祖北伐
三郡克單于還太祖曰孤返鄴守諸君必將來迎其不來
者獨邴祭酒耳言訖未久而原先至門下通謁太祖大喜

攬履而起遠出迎原曰賢者誠難則度孤謂君將不能來
而遠自屈誠副飢虛之心
零陵先賢傳曰劉巴入益益州牧劉璋見而敬焉喜每有事
咨問璋遣法正迎劉備巴諫曰備雄人入必有爲不可內
也既入巴復諫曰若使備討張魯是放虎於山林璋不聽
巴閉門稱疾備攻成都令軍中曰其有害巴者誅及三族
及得巴甚喜
列異記曰華子魚爲諸生寄宿入門外主人婦夜生頃兩
吏詣門便辟易却相謂曰公在此躊躇良久一吏曰籍當
定奈何住乃前向子魚拜相將入入出並行共語曰當與
幾歲一人曰當三歲子魚後故往視之兒果已死子魚喜
曰我固當公後果爲太尉
西京雜記曰樊將軍噲問陸賈曰自古人君皆云受命於

天云有瑞應豈有是乎賈應之曰有之夫目瞤得酒食火
花得錢財鳱鵲噪則行人至蜘蛛集而百事喜也
晉朝雜事曰明帝入幘不正元帝自爲正之明帝大喜
莊子曰凡交近則靡以信遠則必忠之言以言必或傳之
失傳兩喜兩怒之言天下之難者也夫兩喜必多溢美之
言兩怒必多溢惡之言凡溢之類妄則信之
列子曰鄭人有薪於野者遇駭鹿從而擊之斃恐人之見
也遽藏諸隍中覆之以蕉不勝其喜俄而遺其所藏之處
遂以爲夢焉
又曰堯微服遊於康衢聞兒童謠曰立我蒸民莫匪爾極
不識不知順帝之則堯喜曰疇教爾爲此言童兒曰我聞
之大夫問大夫曰古詩也
孟子曰魯欲使樂正子爲政孟子聞之喜而不寐公孫丑

曰奚爲善曰其爲人也好善

又曰子路人告其過則喜

抱朴子曰人主有道國無粃政則四七從度五星不逆日不蝕朔月不薄望霜不夏繁雷不冬洩嘉瑞並臻災厲寢滅此則天喜也

吕氏春秋曰湯聞伊尹使人請之有侁氏有侁氏不可伊尹亦欲歸湯湯於是請取婦爲婚有侁氏喜以伊尹爲媵送女

顧子曰夫哀樂喜怒愛憎欲懼人之情也當其哀也則欲哭泣擗踴遇其樂也則欲懽笑鼓舞

公孫尼子曰君子怒則自說以和喜則收之以正

楚辭曰師望在肆昌何識鼓刀揚聲后乃喜王逸曰師謂太公也昌文王也后亦文王也

曹植禮上表曰臣得去幽屏之城獲覲百官之美此一喜也背茅茨之陋登閶闔之闥此二喜也必以有醜之容瞻見穆穆之顏此三喜也將以擣扤之質稟受崇聖之訓也此四喜也

太平御覽卷第四百六十七

太平御覽卷第四百六十八

人事部一百九

樂　　憂上

樂

說文曰樂極也歡也

易曰樂天知命故不憂

毛詩曰王在在鎬凱樂飲酒

禮記曰傲不可長欲不可從志不可滿樂不可極

又曰樂者樂也君子樂得其道小人樂得其欲

又曰子貢觀於蜡孔子曰賜也樂乎對曰一國之人皆若狂賜未知其樂也子曰百日之蜡一日之澤非尒所知也

左傳曰公入而賦大隧之中其樂也融融姜氏出而賦大隧之外其樂也洩洩

論語曰有朋自遠方來不亦樂乎

又曰飯蔬食飲水曲肱而枕之樂亦在其中矣

又曰樂然後笑人不厭其笑

又曰在陋巷人不堪其憂回也不改其樂

又曰不仁者不可以長處樂

戰國策曰魏文侯與虞人期獵是日飲酒樂天雨文侯出左右曰飲酒樂天又雨君將焉之文侯曰吾與虞人期獵雖樂豈可不一會期哉乃往身自罷之魏於是始強

又曰梁王魏嬰會諸侯於蘭臺酒酣請魯君舉觴魯君避席曰昔楚王登強臺而望崇山左江右湖以臨方皇其樂忘死曰後代必有以高臺陂池亡國者今君前夾林後蘭臺強臺之樂可無誡乎

東觀漢記曰光武發薊還士衆喜樂師行鼓舞歌詠雷聲

又曰東平王張蒼曰爲善最樂

袁宏後漢紀曰光武嘗聽朝至于日側講經至於夜半皇太子從容曰陛下有禹湯之明而失黃老養性之道今天下又安願省思慮養精神優遊以自寬上荅曰吾以爲樂也

王沈魏書曰太祖告歸鄉里築室城外習讀書傳秋冬弋獵以自娛樂

裴子野宋畧曰廢帝於華林園爲列肆親自酤賣又開瀆與左右引舡唱呼以爲歡樂

管子曰桀放虎入市樂人之驚

晏子春秋曰景公飲酒數日去冠破裳自鼓盆問左右曰仁人者亦樂此乎晏子曰人所以貴於禽獸者以有禮也君無禮何以臨下景公請易衣冠也

又曰景公飲酒移於晏子晏子前駈欵門曰君至晏子立於門曰國家得微有故乎君何爲非時而夜辱公曰酒醴之味金石之聲願與夫子樂之晏子曰夫鋪薦席陳簠簋者有人臣不敢預焉又移司馬穰苴穰苴介胄操戟立門曰鋪薦席陳簠簋者有人臣不敢預焉又移於梁丘據據左援琴右挈竽行歌而至公曰樂哉今夕吾飲微二子何以治吾國微此一臣何以樂吾身也

文子曰秦楚燕魏之歌異傳而皆樂也

列子曰仲尼閒居子貢入侍而有憂色子貢不敢問出告顏回回援琴而歌孔子問曰若奚敢獨樂回曰吾昔聞諸夫子樂天知命故不憂回所以樂也

又曰孔子遊太山見榮啓期行乎郕之野鹿裘帶索鼓琴而歌孔子曰先生所爲樂何也對曰吾樂甚多天生萬物

人爲貴吾旣得爲人一樂也男女之別男尊女卑吾旣得爲男二樂也人生有不見日月不免襁褓吾行年九十是三樂也貧者人之常死者命之終處常待終當何憂哉孔子曰自寬者也

又曰林類年且百歲底春被裘拾遺穗於故畦並歌並進孔子適衛望之謂子貢曰彼叟可與言子貢逆之壠端面之歎曰先生曾不悔乎乃仰而應曰吾何悔邪吾所以爲樂人皆有之而反以爲憂少不勤行長不競時故能壽若此老無妻子死期將至故能樂若此

莊子曰古之得道者窮亦樂通亦樂所樂非窮通也道德於此則窮通爲寒暑風雨之序矣

又曰與人和者謂之人樂與天和者謂之天樂

又曰莊子與惠子遊濠梁水上莊子曰儵魚出遊從容是

魚樂也惠子曰子非魚安知魚之樂也莊子曰子非我安知我不知魚之樂

又曰孔子謂顏回曰回來家貧居卑不仕乎對曰不願仕回有郭外之田五十畝足以給饘粥郭內之田十畝足以爲絲麻以道自樂回不願仕也

孟子曰君子有三樂父母俱存兄弟無故一樂也仰不愧天俯不怍人二樂也得天下英才而教育之三樂也

又曰樂人之樂人亦樂其樂憂人之憂人亦憂其憂從獸無厭謂之荒樂酒無厭謂之亡

又曰梁惠王立沼上顧鴻鴈麋鹿曰賢者亦樂此乎孟子曰賢者而後樂此不賢者雖有此不樂

荀子曰子路問於孔子曰君子亦有憂乎孔子曰君子其未得也則樂其意旣已得之又樂其治是以有終身之樂無一日之憂小人其未得則憂不得之旣得之又恐失之是以有終身之憂而無一日之樂

又曰鳳鳥啾啾其翼若竽其聲若簫有皇有鳳樂帝之心

淮南子曰令尹子佩請飲莊王莊王許諾子佩之於京臺莊王不往明日子佩跣揖北面立於殿下曰昔君王許之今不果往意者臣有罪乎莊王曰吾聞子具於京臺京臺者南望獵山以臨方皇左江而右淮其樂忘歸若薄德之人不可以當此樂也恐流不能反

又曰吾所謂樂者人得其得者也夫得其得者不以奢爲樂不以慊爲悲與陰俱閉與陽俱開與子夏心戰而臞道勝而肥聖人不以身徇物不欲人爲之而以自樂也

顧子曰遇其樂也則欲荒淫流湎逮其喜也則欲歡笑鼓舞荒流則傷義鼓舞則[illegible]風

又曰子謂子華曰尒有四樂頗知之乎子華曰未之知也子曰二親具存是尒一樂兄弟無故是尒二樂夫和妻柔是尒三樂披褐懷玉是尒四樂子華曰華乃有五遇千載之會而登夫子之堂則華之五樂也

又曰或曰夫人三墳五典八索九丘蓋聖人之陳迹耳子何好焉子曰上紀五帝之盛下述百王之義粲粲如列宿落落如連珠雖復退居窮處簞食瓢飲未始失其樂矣子可得無好乎

賈誼書曰宓子治單父於是齊人攻魯道自單父始父老謂曰麥已熟矣今迫齊寇民不及刈穫請令民人自刈刈傳郭者歸可以益食不資寇三請宓子不聽俄而麥畢資乎齊寇季孫聞之怒使人讓宓子宓子曰今年失麥明年可樹令不耕者得穫是樂有寇也且一歲之麥於魯不加

強喪之不加弱令民有自取之心必數年不息季孫聞之懟曰使穴可入乎吾豈忍見寃子哉

楊雄連珠曰臣聞天下三樂焉陰陽和調四時不忒年豐物遂無有夭折灾害不生兵戎不作天下之樂也聖明在上祿不遺賢罰不偏罪君子小人各處其位衆人之樂也吏不苟暴役賦不重財力不傷安土樂業民之樂也

劉向說苑曰楚昭王欲之荊臺遊司馬子綦進諫曰荊臺之遊左洞庭之陂右彭蠡之水南望獵山下臨方淮其樂使人遺老而忘死人君遊者盡以亡其國願大王勿往遊焉

又曰齊景公遊海上樂之六月不歸令左右敢言歸者死顏蠋諫曰君樂治海不樂治國彼至有治國者且安得樂此海也

譙周法訓曰或曰君子處陋巷之中奚樂也曰樂得其親樂得其友樂聖人之道也

劉向列女傳曰楚昭越姬者越王勾踐之女也昭王燕遊蔡姬在左越姬驂乘駟以馳逐登附莊之臺以望雲夢之囿乃顧謂二姬曰樂乎吾願與子生死若此蔡姬曰故願生俱樂死同時顧謂史書之

楚辭曰樂莫樂於新相知

劉伶酒德頌曰先生乃捧甖承槽銜杯漱醪無思無慮其樂陶陶

曹子建箜篌引曰樂飲過三爵緩帶傾庶羞主稱千金壽賓奉萬年酬

憂上

說文曰憂愁也

易曰作易者其有憂患乎

又曰當其憂悔吝之時纖介不可慢也

毛詩曰踧踧周道鞫爲茂草我心憂傷怒焉如擣假寐永歎惟憂用老

又曰知我者謂我心憂不知我者謂我何求

又曰未見君子我心則憂

左傳曰有喜而憂如有憂而喜乎

又曰吳公子札來聘請觀周樂爲之歌邶鄘衛曰美哉淵乎憂而不困

史記曰秦昭王臨朝歎息應侯進曰臣聞主憂臣辱主辱臣死今大王中朝而憂臣敢請其罪昭王曰吾聞楚之鐵劍利則士勇倡優拙則思慮遠矣以遠思慮而御勇士恐楚之圖秦也今武安君死鄭安平叛內無良將外多敵國吾

是以憂

又曰懷王使屈原造爲憲令草藁未定尚上官大夫見而欲奪之不與因讒之曰王使平爲令衆莫不知每一令出平伐其功王怒而疏平平疾讒諂蔽明也邪曲之害公也方正之不容也故憂愁幽思而作離騷

蜀志曰曹公征孫權呼先主自救先主遣使告劉璋曰曹公征吳吳憂危急孫氏與孤本爲脣齒

又曰進在青泥與關羽相距今不往救進必尅轉侵州界其憂有甚於魯自守之賊不足慮

沈約宋書曰武帝起桓玄聞便憂懼無復計或曰劉裕等衆力甚弱豈能有成陛下何慮之玄曰劉裕自足爲一世之雄劉毅家無擔石之儲樗蒲一擲百萬何無忌劉牢之之甥酷似其舅共舉大事何謂無成

吳越春秋曰越王欲復怨於吳冬寒則抱氷夏熱則握火憂苦其志懸膽於户出入嘗之不絕於口

華陽國志曰蜀中傳相告曰井中有人學士靳普言客星入東井益州之分憂刺客入耳

山海經曰牛首山有草名曰鬼目其葉如柔而莖赤其秀如禾服之不憂

又曰霍山有獸如狸而白尾有鬣名曰朏朏可以亡憂

又曰𣧑湖之水其中多儵音[illegible]魚其狀如鷄而赤毛白尾六足四首其音如鵲食之亡憂

又曰顏淵東之齊孔子有憂色子貢下席問曰小子回東之齊夫子憂色何耶孔子曰善哉汝問昔管子有言丘甚善之曰褚小者不可以懷大綆短者不可以汲深是爲命有所成而形有所適不可損益也吾恐回與齊侯言堯舜

黃帝之道而重以燧人神農之言彼將內求於已而不得則惑也

列子曰孔子謂顏回汝徒知樂天知命之無憂未知樂天知命之有憂之大也吾始知詩書禮樂無救於治亂而未知所以革之方此樂天知命者之所憂也

孟子曰憂以天下

太平御覽卷第四百六十八

人事部一百一十

憂下　懼

憂下

韓詩曰黍離伯封作也彼黍離離彼稷之苗離離黍貌也詩人求士不得憂懣不識於物視彼黍離離然憂甚之時反以爲稷之苗乃自知憂之甚也

韓詩外傳曰魯監門之女嬰相從績之中夜而泣涕其偶曰子何爲泣嬰曰吾聞衛世子不肖是以泣也偶曰衛世子不肖諸侯之憂也子獨奚爲得嬰曰禍相及也今衛世子甚不肖好兵吾男弟三人能無憂之

毛詩節小弁曰踧踧周道鞫爲茂草踧踧平易皃也我心憂傷怒焉如擣假寐永歎惟憂用老怒思也擣心疾

毛詩栢舟北門曰北門刺仕不得志也言衛之忠臣不得其志爾出自北門憂心殷殷殷與也北門背明嚮陰箋云自從興者諭己仕於闇君猶行而出北門也心爲殷殷然也

左傳僖上曰秦伯獲晉侯以歸秦穆夫人與太子罃弘與女簡璧登臺之靈臺荐之以棘在京北鄠縣周之故臺也大夫請入公曰晉人戚憂以重我天地以要我不圖晉憂重其怒也

左傳宣曰荀林父請死晉侯欲許士貞子諫曰不可城濮之役晉師三日穀文公猶有憂色左右曰有喜而憂如有憂而喜乎公曰得臣猶在憂未歇也困獸猶鬬況國相乎

左傳襄六年曰吳公子札來聘請觀周樂爲之歌邶鄘衛曰美哉淵乎憂而不困爲之歌王曰美哉思而不懼其周之東乎

左傳昭元年晉盟楚公子圍設服離衛叔孫穆子曰楚公子美矣哉楚伯州犁曰此行也辭而假之寡君鄭行人揮曰假不反矣伯州犁曰子姑憂子晳之欲背誕也子羽曰當璧猶在假而不反子其無憂乎當璧謂棄疾事在昭十三年棄疾有當璧之命

史記曰應侯任鄭安平使將擊趙安平爲趙所困急以兵二萬人降趙應侯席藁請罪秦法任人而所任不善各以其罪之應侯當收三族王稽爲河東太守與諸侯通坐誅應侯日以不懌昭王臨朝歎息應侯進曰臣聞主辱臣死今大王中朝而憂臣敢請其罪昭王曰吾聞楚之鐵劒利則士勇倡優拙則思慮遠夫以遠思慮而御勇士恐楚之圖秦也今武安君死鄭安平叛内無良將而外多敵國吾是以憂

會稽典錄曰越王近侵於強吳遠愧於諸侯乃脅諸臣而欲與之盟吾欲伐吳柰何而有功群臣未對王曰夫主憂

臣辱主辱臣死何大夫而見而難使者計倪官卑年少其居在後舉手而趨曰殆哉非大夫易見難使是大夫不能也王曰何謂也倪曰夫官位財幣王之所輕死者士之所重也王愛所輕責士所重也王豈難哉

辛氏三秦記曰大秦國隔海心無憂患遇善風二十日得過心憂數年不得渡諺曰心無憂患不經二旬心若憂患遠離三春土人質直男女皆長一丈端正國主風雨不和則讓賢而治

燕書曰慕容恪之威聲震於外敵初列祖崩晉人喜曰中原可圖矣桓溫曰慕容恪尚存所憂方重耳

列子曰杞國有人憂天地崩墜身無所寄廢寢與食

列子曰仲尼閒居子貢入侍而有憂色子貢不敢問出告顏回顏回援琴而歌孔子聞曰若奚敢獨樂回曰吾昔聞

之夫子曰樂天知命故不憂回所以樂也
孟子曰樂人之樂人亦樂其樂憂人之憂人亦憂其憂從下忘反謂之流從上忘反謂之連從獸無厭謂之荒樂酒無厭謂之忘先王無流連之樂荒忘之行也
王孫子曰趙簡子獵於晉陽撫轡而歎董安于曰今遊獵樂也而主君歎敢問何也簡子曰汝不知也吾廄養食穀之馬以千數今官奉多力之士日數百欲以獵戰也憂隣國養賢以獵吾也孔子聞之曰簡子知所歎矣
孫卿子曰子路問於孔子曰君子亦有憂乎孔子曰君子其未得也則樂其意既得巳又樂其治是以有終身之樂無一日之憂小人未得也則憂不得既得之又恐失之是以有終身之憂而無一日之樂也
淮南子曰楚王亡其猨而林木爲之殘(楚莊王猨也接擿蹤依木而處故殘林以求)宋王亡其珠池魚爲之殫故澤火而林木憂(憂見及也)
淮南子曰夫捧爵酒不知於邑(言其輕也)挈石之樽則白汗交流(言其重也)又況羸天下之憂而任海內之事者乎
又曰數匝之壽憂天下之亂猶憂河水少泣而益之也(匝猶至也或作卒卒盡也言壽盡之年不足以憂天下之亂使水之多也)龜三千歲蜉蝣過三日以蜉蝣而爲龜憂養生之具人必笑之故不憂天下之亂而樂其身之治者可與言道矣
說苑曰智伯欲襲衛故遺之乘馬先之以璧衛君大說酌酒諸大夫皆喜南文子獨有憂色曰無方之禮無功之賞禍之先也
又曰魯有賢女次室之子年適二十明曉經書常侍立而吟涕泣如雨有識謂之曰汝欲嫁耶何悲之甚對曰魯君年老太子尚小憂其姦臣起矣

郭子曰王東海初過(王承字安期東海內史)登琅山歎曰我由來不愁今日直欲愁太傅云當爾時形神俱往
又曰初熒惑入太微尋廢海西簡文既登祚復入太微帝惡之時郗超爲中書郎在直引超入曰天命脩短故非所計當無復近日事不超曰大司馬方將外固封疆內鎮社稷必無若斯之慮臣爲陛下保之簡文因頌庾仲初詩曰士痛朝危臣哀主辱臣聲甚悽愴郗受假還東帝曰致意尊公(超父愔字方回)家國之事遂至於此由身不能以道匡衛思患豫防愧歎之深言何能譬因泣下
語林曰陸士衡爲河北都督已被間構內懷憂懣聞衆軍警角鼓吹謂其司馬孫拯曰我聞此不如華亭鶴鳴
俗說曰王孝伯起事王東亭殊憂懼時住在募士橋下持藥酒置左側誡其所念小人俞翼令在門前若見人騎儐從來汝便可取酒藥與我俄有行人乘過馬翼便進酒王語翼汝更看定非官人王語翼汝幾誤殺我
楚辭曰心不怡之且久(怡樂)憂與憂其相接(接續)惟郢路之遼遠兮江與憂之不可涉
又曰望孟夏之短夜何晦明其若歲惟郢路之遠兮魂一夕而九逝
又曰屈原放逐憂心愁悴防徨山澤仰天歎息楚有先王之廟及公卿祠堂見圖畫天地山川神靈琦瑋及古賢聖怪物行事因書其壁呵而問之以洩情懣舒寫愁思
又曰漁父者屈原所作也屈原放逐江湘之間憂愁歎吟漁父避世隱身釣魚欣然樂時遇屈原川澤之域怪而問之遂相應答楚人思念屈原叙其辭以相傳焉
揚雄連珠曰臣聞天下有三樂有三憂焉陰陽和調四時

不忒年穀豐遂無有夭折灾害不生兵戎不作天下之樂也聖明在上禄不遺賢罰不偏罪君子小人各處其位衆臣之樂也吏不苟暴役賦不重財力不傷安土樂業民之樂也亂則反焉故有三憂

山海經讚曰焉得鬼草是樹是蓺服之不憂樂天傲世如彼浪舟任波流滯

懼

東觀漢記曰王莽前隊大夫誅謀反者李次元聞事發覺被馬欲出馬駕在轅中惶遽著鞍上馬出門顧見車方自覺乃止

又曰寵萌還攻蓋延延與戰破之詔書勞延曰寵萌一夜反叛相去不遠營壁不堅殆令人齒相擊而將軍聞之夜告臨淮楚國有不可動之節吾甚美之夜聞急少能若是

蜀志曰初孫權以妹妻先主妹才捷剛猛有諸兄風侍婢百餘人皆親執刀侍立先主每入心常懔懔

國語曰驪姬告優施曰君既許我殺太子立奚齊吾懼里克柰何優施曰爲我具特羊從之飲酒中飲優施起舞謂里克妻曰主盍啗我（大夫稱主妻亦如之盍啗我者內也）我教茲暇豫事君（言我教里克暇安樂事君）乃歌曰暇豫之俉俉不若鳥烏（俉俉踈遠之歟言其智魯不如鳥烏）人皆集於蔚已獨集於枯（蔚喻茂盛枯喻衰落）里克笑曰何謂蔚何謂枯對曰其母爲夫人其子爲君可不謂蔚乎其母既死其子又謗可不謂枯乎（言申生無母又被謗可不謂之枯乎）

吳志曰劉備詣京口見孫權求都荊州權借之共拒曹公（漢晉春秋曰呂範勸孫權曰將軍雖神武命世然操食有威力初併荊州恩信未著宜以借備使撫安之多操之敵而爲樹黨計之上也權從之也）曹公聞以土地借備方作書落筆於地

石勒別傳曰勒治門閣至峻時有醉胡乘馬徑入府門勒問門吏馮翥門閤有限走向馬入門爲是何人而不彈白時號胡曰國人翥見問懼設對忘諱稱向有醉胡乘馬馳來向即呵制不可與語胡人難與言非小吏所制勒歎曰故正自難與言恕翥不問鞭犯門者没所乘

新序曰白公之難楚人有莊善者辭其母將往死之其母曰弃其親而死其君可謂義乎莊善曰吾聞事君者内其禄而外其身今所以養母臣之禄也身安得無死遂辭而行比至公門三廢車中其僕曰子懼矣曰懼則何不反乎莊善曰懼者吾私也死君公義也吾聞君子不以私害公遂至公門刎頸而死

幽明録曰吳末中書郎失其姓名夜讀書家有重門忽聞外西門皆開恐有急詔戶復開一人有八尺許烏衣帽持杖坐牀下與之熟相視吐舌至膝於是大怖裂書爲火至

曉雞鳴便去門戶閉如故其人平安

太平御覽卷第四百六十九

貴盛

釋名曰貴歸也物所歸仰也汝潁言貴聲如歸晦之歸也

易曰貴而無位

孝經曰高而不危所以長守貴也

史記曰李斯長男由爲三川守諸男皆尚秦公主女悉嫁秦諸公子李由告歸咸陽李斯置酒於家百官長令皆斯前爲壽門庭車騎以千數李斯慨然而歎曰嗟乎吾聞之荀卿曰物禁太盛斯乃上蔡布衣閭巷之黔首上不知其駑駕困遂擢至此當今人臣之位無居臣上者可謂富貴極矣物極則衰吾未知所稅駕者也

又曰衛子夫立爲皇后弟衛青封爲長平侯三弟皆封爲侯貴震天下天下歌之曰生男無喜生女無怨獨不見衛子夫

又曰蘇秦師於鬼谷先生後得周書陰符讀之以揣摩因說六國以拒秦爲從約并六國各佩其印行過洛陽車騎輜重諸侯各使送之甚衆擬於王者周王聞恐懼除道使人郊勞於是散千金以賜宗族

漢書曰帝舅王譚爲平阿侯商爲成都侯立爲江陽侯逢爲高平侯根爲曲陽侯五人同日封謂之五侯榮貴絕代

又曰金日磾勤功上將傳國後嗣七葉內侍何其盛也功臣之家唯有金氏親近貴寵比於外戚

又曰楊僕宜陽人也稍遷至主爵都尉南越反拜樓船將軍有功封梁侯因歸家懷銀黃秉三組以誇鄉里

又曰楊惲曰吾家方全盛乘珠輪者十人

又曰項羽屠咸陽殺子嬰收貨賂婦女而東秦民失望於是韓生說羽曰關中阻山河四塞地肥饒可都以伯羽曰富貴不歸故鄉如衣錦夜行

又曰萬石君石奮長子建次甲次乙次慶皆以馴行孝謹官至二千石於是景帝曰石君及四子皆二千石號奮爲萬石君

又曰主父偃曰臣結髮遊學四十餘年身不得遂親不以爲子昆弟不收賓客弃我我厄日久矣丈夫生不五鼎食死則五鼎烹耳吾日暮途遠故倒行逆施之偃爲齊相至齊遍召昆弟賓客散五百金與之曰始貧時昆弟不我內今吾相齊諸君迎我或千里吾與諸君絕矣無復入偃之門

又曰張安世以父子封侯在任太盛乃辭不受祿詔都內別藏張氏無名錢以五百萬數文穎曰都內主藏官也張晏曰安世以選官官不薄

又曰田蚡召客飲坐其兄蓋侯北嚮自坐東向以爲漢相尊不可以兄故私撓由此滋驕治。諸第田園極膏腴市買郡國市物相屬於道前堂羅鼓鍾立曲旃如淳曰旌旗之名也通帛曰旃也

又曰孝元王皇后成帝母也家凡十侯五大司馬外戚莫比

又曰史丹男九人皆以丹任爲侍中自宣元成哀外戚興者許史三王丁傅之家皆重侯累將窮富極貴

又曰劉向上封事曰今王氏一姓乘朱輪華轂者二十三人青紫貂蟬充盈幄內大將軍執事用權五侯驕奢並作威福

又曰天子見欒大說乃拜爲五利將軍居月餘得四印天

士將軍地士將軍大通將軍印賜列侯甲第僮千人乘輿車馬帷帳又以衛長公主妻之賚金十萬斤數月佩六印貴震天下

范曄後漢書曰楊震傳曰自震至彪四葉太尉德業相繼與袁氏俱爲東京名族

司馬彪續漢書曰袁安字召公桓帝初遷太尉有子逢成隗字周陽靈帝時爲司空隗字〇陽亦至司徒太傅封都鄉侯四葉五公

謝承後漢書曰梁不疑爲潁陰侯胤子爲城父侯冀一門前後七封三皇后六貴人二大將軍夫人女侯邑稱君七人尚公主三人其餘卿將尹校五十七人梁氏在位二十餘年窮極滿盛威行內外百寮側目莫敢違命

東觀漢記曰馮異潁川人建武中征賊還過陽翟詔異上家別下潁川太守都尉及三百里內長吏皆會使中大夫致牛酒宗族會郡縣給費

又曰中元年以竇固爲中郎將監羽林左騎破西羌還是時竇氏公侯二千石並在朝廷門內尚三公主賞賜恩寵榮於當世親戚功臣無與爲等也

又曰鄧訓五子及女弟爲貴人立爲皇后騭三遷虎賁中郎將車騎將軍儀同三司同三封始自騭也鄧氏自中興後累世寵貴凡侯者二十九人公二人大將軍以下十三人中二千石十四人州牧郡守四十八人其餘侍中大夫郎謁者不可勝數東京莫與爲比

又曰耿氏自中興以後訖建安之末大將軍九人卿十三人尚公主三人列侯十九人郎將護羌校尉及刺史二千石數十百人遂與漢興衰

又曰章帝崩竇太后臨政竇憲爲大將軍食邑二萬戶弟景執金吾懷將作大匠光祿勳

又曰馬防車騎將軍城門校尉加置掾令史位在九卿上絕席詔封防兄弟三人各二千戶防爲潁陽侯身帶三綬防子鉅爲黃門侍郎肅宗親御章臺下殿陳鼎俎自臨冠之兄弟奴婢各千人已上

又曰竇融嗣子穆尚內黃公主而融弟顯親侯竇友嗣子固尚涅陽公主穆長子勳尚東海恭王女竇氏一公二侯三公主四千石自祖至孫官府邸苐相埒奴婢千數於親戚功臣莫與爲比

吳志曰士燮兄弟並爲列郡雄長一州偏在萬里威尊無上出入鳴鍾鼓備威儀笳簫鼓吹車騎滿道胡人夾轂焚香者常有數十妻妾乘輜軿子弟從兵騎當時貴重震服百蠻

又曰孫權拜諸葛恪撫越將軍領丹陽太守授棨戟武騎三百拜畢令恪備威儀作鼓吹導引歸家時年三十二

何法盛晉中興書曰諸葛氏之先出自葛國漢司隸校尉諸葛豊以忠強立名子孫代居二千石三國之興蜀有丞相亮吳有大將軍瑾魏有司空誕名並蓋海內爲天下盛族

又曰何比干字長卿武帝時爲丹陽都尉有陰德嘗獨坐天大雨有一老母詣比干而衣不濡比干怪而敬焉臨去懷中出金冊九百九十枚以授比干曰尔子孫當佩印綬如此冊數

陳書曰征南將軍歐陽頠時頠弟盛爲交州刺史次弟邃爲衡州刺史合門顯貴威振南土又多致銅鼓生口獻珎

異前後委積頗有功於軍國焉
隋書曰觀德王雄傳或奏高熲朋黨者上次。詰日之於朝
雄對曰臣忝衛宮闈朝夕左右若有朋附豈容不知至尊
欽明眷哲萬機親覽熲用心平允奉法而行此乃愛憎之
理惟陛下察之高祖深然其言雄時貴寵冠絶一時與高
熲虞慶則蘇威稱爲四貴
又曰楊素貴寵日隆其弟約從父文思弟紀及族父异並
尚書列卿諸子無汗馬之勞位至柱國刺史家僮千數後
庭炊妾曳綺羅者以千數第宅華侈制擬宮禁有鮑享者
善屬文謝冑者工草隷並江南士人因高智慧沒爲家奴
親戚故吏布列清顯素之貴盛近古未聞
唐書曰竇威拜内史令威奏議雍容多引古爲證高祖甚
親重之或引入卧内帝爲前席又嘗謂曰昔周朝有八柱

國之貴吾與公家咸登此職今我爲天子公爲内史令本
同末異乃不平矣威謝曰臣家昔在漢朝内爲外戚至於
後魏三處外家陛下龍興復出皇后臣又階緣戚里位忝
鳳池自惟叨濫曉夕兢懼高祖笑曰比見關中人與崔盧
爲婚猶自矜伐公代爲帝戚不以貴乎
又曰竇氏自武德至今再爲外戚一品三人三品已上三
十餘人尚主者八人女爲王妃六人唐世貴盛莫與爲比
又曰姜皎長安中累遷尚衣奉御時玄宗在藩見而悅之
皎察玄宗有非常之度尤委心焉尋出爲潤州長史玄宗
即位召拜殿中少監召入卧内命之捨敬曲侍宴私以后
妃連榻以擊毬鬪雞常呼之爲姜七而不名也兼賜以宮
女名馬及諸珎物不可勝數玄宗又嘗與皎在殿庭翫一
嘉樹皎稱其美玄宗令徙植於其家

又曰崔神慶子琳等皆至大官郡群從數十趍奏省闥每
歳時家宴組珮輝映以一榻置笏疊於其上開元天寶間
中外族屬無緦麻之喪其福履昌盛如此東都私第門琳
與弟太子詹事珪光禄卿瑤俱列棨戟時号三戟崔家
又曰楊汝士有時名遂歴清貴其後諸子皆至卿鬱爲皇
族所居靜恭里知温兄弟並列門戟咸通中昆仲子孫在
朝行方鎮者十餘人
劉義慶世説曰孫皓問丞相陸凱曰卿一宗在朝有幾人
荅曰三相五侯將軍十餘人皓曰盛哉陸曰臣聞君賢臣忠
國之盛父慈子孝家之盛也當今政荒人弊臣何敢家言
盛也
荆州記曰自峴山南至宜城百餘里舊説其間雕墻峻宇
閭閻塡列漢靈帝末其中有卿士及刺史二千石數十人

朱軒駢耀華蓋接陰荆州刺史行部見之雅歎其盛勅縣
刻石銘之
雜鬼神志曰昔周時尹氏貴盛數代不別食口數千常遭
飢荒羅鼎鑊作糜啜糜之聲聞數十里中臨食失三十人
入鑊中壍取鑊底糜鑊深大故人不見也
荀氏家傳曰惟我之先生于有晉人物盈朝衮衣韡曄六
世九公不亦偉乎磊落瓌奇光昭合同巳獨步於古今拊
萬姓而騃之矣中興丞相王公歎曰自八龍以後榮寵莫
二爲天下之盛也
蘇子曰夫帶方寸之印拖丈八之組戴貂鶡之尾建千丈
之城遊五里之衢走卒警蹕叫呼而行此諸侯之所謂榮
華時俗之所謂富貴也
左思詠史詩曰金章籍舊業七葉珥漢貂　御覽第四百七十

按本卷有錯簡四處玆據日本學訓堂倣宋聚珍版曁鮑崇城本訂正並於銜接處加○爲識其原式如左

今第二葉後三行田比滋驕治下原接今第四葉前十三行常有數十

今第三葉前七行靈帝時爲司空隗字下原接今第五葉前二行詰日之於朝

今第四葉前十三行胡人夾轂焚香者下原接今第二葉後三行諸第田圃極膏腴

今第五葉前二行或奏高頌朋黨者上次下原接今第三葉前七行陽亦至司徒太傅

但今第二葉後三行治諸第句聚珍版作治宅甲諸弟鮑刻

作治諸弟上文田比滋驕二本均作由此滋驕今第三葉前七行隗字陽句二本陽上均有次字又前六行還太尉下均有弟湯字仲和累還司徒湯十字又前七行第一字隗下有成左中郎逢五字今第五葉前二行上次詰日之於朝句詰日二字二本均乙轉附識於此

太平御覽卷第四百七十二

人事部一百一十二

富上

周易曰富有之謂大業兼濟萬物故有曰富有

尚書曰五福二曰富

毛詩曰瞻烏爰止于誰之屋富人之屋烏所集

禮記曰儒有不保金玉而忠信以爲寶不祈土地立義以爲土地不祈多積多文以爲富也

又曰富潤屋德潤身

又曰問國君之富數地以對山澤所出問大夫之富曰有宰食力祭器衣服不假問士之富以車對問庶人之富數畜以對

周禮曰太宰掌建邦之六典以佐王平邦國六曰事典以富邦國

左傳曰秦后子有寵於桓后子秦桓公子也景公之母弟公子鍼如二君於景其母曰不去懼選選數也君子者富弗去君將數其罪而加也

又曰齊慶氏亡分其邑與晏子晏子不受人問曰富者人之所欲也何爲不受對曰我非惡富恐失富也

又曰初衛公叔文子朝而請享靈公退見史鰌而告之史鰌曰子必禍矣子富君貪罪其及子乎文子曰君既許我矣其若之何史鰌曰無害也子臣可以免子雖富禮恭不驕臣禮富而能臣必免於難戍也驕戍子之才公叔戍也其亡乎

又曰鄭駟秦富而侈嬖大夫也而常陳卿之車服於其庭鄭人惡而殺之

論語曰孔子曰富而可求也雖執鞭之士吾亦爲之如不可求從吾所好

又曰季氏富於周公而求也爲之聚斂而附益之子曰非吾徒也小子鳴鼓而攻之可也求冉有名也季氏富矣而求聚民財以增之

又曰富與貴是人之所欲不以其道得之不處也

又曰不義而富且貴於我如浮雲

又曰富而無驕易

又曰富而好禮

史記曰孔氏用鐵冶爲業秦伐魏遷孔氏南陽大鼓鑄規陂池連車騎遊諸侯因賈之利有游閒公子賜與名然其贏得過當愈於纖嗇家致富數千金故南陽行賈盡法孔氏之雍容

又曰計然曰貴出如糞土賤取如珠玉財幣欲其行如流水脩之十年國富

又曰蘇秦說齊王曰臨淄富而實其人無不鬬雞走狗六

博蹹踘者

又曰范蠡之陶乃營生積居與時逐十九年之中三致千金

又曰君子富好行其德小人富以適其力

又曰白圭曰吾營生猶伊尹呂尚之謀

又曰穰侯魏冉之富富於王家出關輜車千乘有餘

又曰白圭樂觀時變歲熟取穀與之絲漆繭出取帛絮與之食趍時若猛獸鷙鳥之發

又曰卓氏用鐵冶富又曰程鄭富埒卓氏

又曰吳楚七國兵起時長安中列侯封軍從軍旅齎貸子錢子家以爲侯邑國在關東成敗未决莫肯與唯無鹽氏捐千金貸息什之三月吳楚平一歲中則無鹽氏息十倍用此富埒關中

又曰關中富商大賈盡諸田田懶韋家栗氏安陵杜氏亦巨萬此其章章尤異者也皆非有爵邑奉祿弄法犯姦而富也盡推理去就與時俯仰獲其贏利以來致財用也

又曰呂不韋往來販賤賣貴家累千金

又曰齊俗賤奴虜而刀閒獨貴之桀黠奴人所患也惟刀閒收使之逐漁鹽商賈之利或連騎交守相然愈益任終得其力起富數千萬

又曰范蠡浮海出齊變名姓自謂鴟夷子及耕於海畔苦身務力父子治生無幾何致錢數千萬齊人聞賢以爲相范蠡嘆曰居致千金官則至卿相此布衣極又受尊名不祥乃歸相印盡散財以分于知交鄉黨懷其重寶閒行以去止于陶以爲此天下之中交易有無之路通爲生可致富矣於是自謂陶朱公復約身又耕畜勞居候時轉物逐什一之利居無何則致貲累巨萬天下稱陶朱公也

又曰子貢既學於仲尼退而仕於衛廢著鬻財曹魯之門徐廣曰子貢傳云廢居著猶居也讀音如貯七十子徒賜最爲饒原憲不厭糟糠匿於窮巷子貢結駟連騎束帛之幣以聘諸侯所至國君無不界迎與抗禮者夫使孔子名布揚於天下者子貢先後之也

又曰猗頓用鹽起而邯鄲郭縱以鑄冶成業與王者埒富烏氏倮韋昭曰烏氏縣名屬安定倮名也畜牧及衆賣求繒物閒遺戎王戎王倍與之畜至用谷量牛馬秦始皇令倮比封君寡婦清其先得丹穴而擅其利數世家足不貲清寡婦也能守其業用財自衛不見犯秦皇帝以爲貞婦而客之爲築女懷清臺夫倮鄙人牧長清窮鄉寡婦禮抗萬乘君顯天下豈非以富耶

又曰夫用貧求富農不如工二不如商刺繡文不如倚市門此言末業貧者之資也富者人之情性所不學而俱顯也今有無秩祿之俸爵邑之人而與之比者命曰素封

又曰蜀卓氏之先趙人用鐵冶富秦破趙遷卓氏見虜略獨夫妻推輦行諸遷虜少有餘財爭于吏求近下處葭萌唯卓氏曰此地狹薄吾聞岷山之下沃野下有蹲鴟至死不飢民工於市亦乃求遠遷致之臨邛大喜即鐵山鼓鑄運籌策漢蜀之民富至僮千人田池射獵之樂擬於人君程鄭山東遷虜也亦冶鑄賈椎結之民富埒卓氏俱居臨邛也

漢書曰寧成既被刑乃詐刻傳出關歸家曰仕不至二千石賈不至千萬安可比人乎乃廣貸陂曲千餘頃假貧人役使數千家致產數千萬爲任俠

又曰張耳大梁人少時魏公子毋忌爲客嘗亡命遊外黃富人女甚美庸奴其夫亡邸父客如淳曰父時賓客也謂曰求賢夫從張耳女聽爲請決嫁之女家厚奉給耳以故致千里客官爲外黃令陳餘亦大梁人好儒術遊趙苦陘富人公乘氏以妻之餘年少父事耳相與爲刎頸交

又曰梁孝王未死財以巨萬計不可勝數及死藏府餘黃金尚四十萬斤他財物稱是也

又曰張安世尊爲公侯食邑萬戶然身衣弋綈夫人自紡績家僮七百人皆有手伎作事內治產業累積纖微是以能植其貨富於大將軍光也

又曰卓氏女文君亡奔司馬相如相如與歸成都家徒四壁立相如與俱之臨邛盡賣車騎買酒舍乃令文君當壚相如身自著犢鼻褌與傭保雜作滌器於市中卓王孫耻之

爲杜門不出昆弟諸公謂王孫曰有一男兩女所乏者非財令文君既失身於司馬長卿長卿故倦遊雖貧其人才足依也且又令客奈何相辱如此王孫不得已分與文君僮百人錢百萬及其嫁時衣被財物文君乃與相如歸成都買田宅爲富人居

又曰鮑宣上書哀帝曰奈何獨私養外親與幸臣董賢多賞賜以萬數奴從賓客漿酒藿肉蒼頭廬兒比日用致富非天意也

又曰上使善相人相鄧通曰當貧餓死上曰然富通者在我何謂貧於是賜通蜀嚴道銅山得自鑄錢鄧氏錢布天下其富如此（鐵部中亦出）

又曰原涉父哀帝時南陽太守時天下郡富大郡二千石死官賦斂送喪皆千萬以上妻子通共受之以定產業時

又少行三年喪者及涉父死讓還南陽賻送行喪冢廬三年由是顯名京師（遊使部中亦出）

又曰故秦陽以田農而甲一州（以田地過限從而富貴爲一州第一）翁伯以脂而傾縣濁氏以賣脯而連騎張里以馬醫而擊鍾

又曰宣曲任氏之先爲督道倉吏秦之敗豪桀皆爭金玉任氏獨窖倉粟楚漢相距滎陽人不得耕種米石至萬四豪桀金玉盡歸任氏以此起富

又曰安邑千樹棗燕秦千樹栗此其人皆與千户侯等

又曰劉德寬厚好施家產過百萬則以賑昆弟賓客

又曰史丹盡得父財身又食大國邑數見褒賞賜累千金僮奴以百數後房妻數十人內奢淫好飲食極滋味聲色之樂

又曰富者土木被文錦犬馬餘肉粟

又曰中大夫張匡上書言王商宗族權勢合貲巨萬計私奴以千數

又曰郡國富人兼利顓業以貨賂自行取重於鄉里者不可勝數

又曰師史轉轂百數賈郡國無所不至能致千萬

又曰京師富人杜楊樊嘉茂陵勢綱爲天下高貲

又曰所忠言貴家子弟富人或鬭雞走狗馬弋獵博戲亂齊人

又曰成都羅裒貲至鉅萬

又曰郭況遷大鴻臚上數幸其宅賞金帛甚盛京師號況家爲金穴言其富貴也

又曰樊重字君雲世善農稼好貨殖性溫厚有法度三世共財子孫朝夕禮敬常若父家其營理產業物無所棄課

役童隸各得其宜故能上下戮力財利歲倍至及廣開田土三百餘頃其所起廬舍皆有重堂高閣陂渠灌注池魚畜牧有求必給貲至巨萬而賑贍宗族恩加鄉閭

又曰宣帝時陰子方者至孝有仁恩當臘日晨炊而竈神形見子方再拜受福家有黃羊因以祠之自是以後暴至巨富有田七百餘頃輿馬僕隸比於封君方常言我子孫必將強大至識三世而遂繁昌故後常以臘日祠竈而以黃羊

又曰王丹字仲因京兆人哀平時仕州郡家累千金隱居養志好施周給每歲農時輒載酒肴於田間候勤勞者而勞之其墮孏者恥不致丹皆兼功自厲邑長相師以致富郡其輕黠游蕩廢業爲患者輒曉其父兄使黜責之沒則賻給親自將護其有遭喪憂者輒待丹爲辦也

又曰馬防以病乞骸骨詔賜故中山王田廬以特進就第防弟貴盛奴婢各千人已上賓貨巨億皆買京師膏腴美業又大起第複觀連閣臨道弥貨曰街路多聚聲樂曲度比諸郊廟賓容畢至京兆杜篤之徒數百人常爲食客居門下刺史守令多出其家

謝承後漢書曰戴遵字子高富於貲產輕財好義賓客常三四百人時人名之關東大豪戴子高

魏典畧曰公沙穆字文人北海膠東人也體履清直兼學多文隱居東萊山中桓帝時有富人王仲者謂穆曰今多以貨仕吾奉子以百萬唯子所用穆荅曰斯意厚矣夫富貴在天得之有命以賄求爵姦莫大焉郡舉孝廉除郎中以高第爲光禄主事

吳書曰劉表亡曹公向荆州表子琮降以節迎曹公諸將皆疑其詐曹公以問婁子伯子伯曰天下擾攘各貪王命以自重今以節來是必至誠曹公大喜遂進近寵袟子伯家累千金公曰婁子伯富樂於孤但勢不如孤耳從破馬超等子伯功爲多曹公常歎曰子伯之計孤不及也

蜀志曰董和字幼宰南郡人益州牧劉璋以爲牛鞞江原長成都令蜀土富貴時俗奢侈貨殖之家侯服玉食婚姻葬送傾家竭產和躬率之以儉惡之䟽防過踰僣爲之軌制所在皆移風變善

又曰麋竺字仲祖業貨殖僮客萬人貲產巨億

王隱晉書曰石崇雖有人財而性麄强貪而好利富擬王者有司簿閱崇田宅財物及水碓有三十餘區倉頭八百人他珍寶竒異不可稱數

又曰何曾遒豪累世人有小紙爲書者曾勑記室勿報也蒸餅上不坼作十字不食食日膳萬錢猶曰無下筯處

又曰刁達字伯道弟暢字仲遠次弘字叔仁各歷職州刺史兄弟子姪並不治名行競脩貨殖有田萬頃奴婢數千人義旗初建弘將謀起兵宋王遣劉毅誅之刁氏既富奴客從横上山固澤爲京口之蠧宋既誅暢散其穀帛金錢牛羊令民稱力取之弥日不盡時天下飢儉編户萊色及刁氏之破百姓充足

徐廣晉記曰石季倫甚富侈衣服妓樂㝍於許史有妓人曰緑珠美孫秀欲之使人求焉崇盡出其婢妾數十人皆縕蘭麝而被羅縠

晉諸公讃和嶠字長輿逌之子也少知名以雅重稱常慕其舅夏侯玄之爲人厚自封植嶷然不群拜黄門郎遷中書令轉尚書愍懷太子初立以嶠爲少保加散騎常侍家產豐富擬王公而性至儉悋

宋書曰沈攸之少貧及貴在荆州富擬王侯夜中諸廂廊然燭達曉皀珠玉者數百人皆一時絶妙

孫嚴宋書曰徐堪之產業豐富室宇園池貴遊莫及門生千餘皆三吳富人子每出入行遊塗巷盈滿

唐書郝處俊侍中平恩公許圉師即處俊之舅早同州里俱宜達於時又其鄉人田氏彭氏以殖貨見稱有彭志筠顯慶中上表請以家財絹布二萬段助軍詔授其絹萬疋特授奉議郎仍布告天下故江淮間語曰貴如許郝富若田彭

太平御覽卷第四百七十一

人事部一百一十三

富下

家語曰魯哀公問政於孔子孔子對曰政之急莫大乎使人富且壽也公曰爲之柰何孔子曰省力役薄賦歛則民富矣公曰寡人欲行夫子之言恐吾國貧矣孔子曰詩云愷悌君子民之父母未有子富而父母貧者

又曰南宮敬叔富得罪於定公而奔衛朞年衛侯請復之載其寶以朝夫子聞之曰富而不好禮殃也敬叔以之喪矣而又弗改吾懼其將有患也敬叔聞之驟如孔氏而後備禮散焉

又曰以富貴而下人何人不與以富貴而敬人何人不親

國語曰鬬且曰（鬬且楚大夫）昔鬬子文三舍令尹無一日之積

恤民故也成王每出子文之祿必逃王止而復人謂子文曰人生求富而子逃之何也對曰夫從政者以庇民也民多曠（曠空）者而我取富是不勤民以自封也（封厚）死無日矣我逃死非逃富也

太公六韜曰文王問守土柰何對曰人君必從事於富弗富不足爲人弗與無以合親疏其親則困失其衆則敗也

太史公素王妙論曰諸稱富者非貴其身得志也乃貴恩覆子孫而澤及鄉里也

又曰黃帝設五法布之天下用之無窮蓋世有能知者莫不尊榮如范子可謂曉之矣子貢呂不韋之徒頗預焉自是以後無其人曠絕一百有餘年管子設輕重九府行伊尹之術則桓公以霸九合諸侯一匡天下范蠡爲越相三江五湖之間民富國強卒以擒吴功成而弗居變名易姓之陶自謂朱公行十術之計二十一年之間三致千萬再散與貧

桓寬鹽鐵論曰古者盂樽杯飲蓋無爵無觴今富者銀釦黃耳罍樽玉鋪

又曰人太富則不可以祿使也

又曰古者庶賤騎繩校草鞮皮薦而已今富者黃金銀鑣罽繡掩汗

又曰燕之涿薊趙之邯鄲魏之溫軹韓之滎陽齊之臨淄楚之宛陳鄭之陽翟富冠海內皆爲天下名都也

魏文帝典論曰雒陽郭珍居財巨億每暑夏召客侍婢數十盛裝飾披羅縠使之進酒

劉義慶記曰王武子移第北芒下于時人多地貴濟好馬射買地作埒編錢布地竟埒時人號曰金埒

又幽明錄曰餘杭人沈縱家素貧與父同入山得一玉豚從此所向如意田蠶並收家富

又曰海陵人黃尋先居家單貧常因大風雨散錢飛至其家錢來觸籬援誤落在餘處皆拾而得之尋巨富錢至數千萬

異苑曰晉陵曲阿湯䝟財數千萬三吴人多取其直爲商賈治生輒得倍直或行長江卒暴風及刼盜者若投錢多獲免濟䝟死後先所埋金皆移去隣人嘗晨起見門外忽有百許萬錢封題是湯䝟姓字然後知財物聚散必由天運也

又曰張永家地有泉出小龍在焉從此遂爲富室踰年因雨騰躍而去於是生貲日不暇給俗訛云與龍共居不知龍神効矣

說苑曰楚王問莊辛曰君子之富奈何對曰君子之富假
貸人不買也飲食人不使不役也親戚愛之衆人善之不
尚者事之皆欲其壽樂不傷於患此君子之富也
論衡曰楊子雲作法言蜀富賈人齎錢十萬願載書子雲
不能曰夫富無仁義猶圈中之羊安得妄載
三輔決録曰平陵士孫奮字景卿少爲郡五官掾起宅得
錢貲至一億七千萬富聞京師而性儉恡客舍崖錢甚少
主人曰君士大夫惜錢如此欲作孫景卿耶不知實是景
卿從子端梁冀掾奮送縑五疋食以干魚冀問奮何以相
送端以實對冀素聞奮富且恡乃以一鑊安革遺奮從貸
錢五千萬奮知冀貪暴畏之以三千萬與冀大怒乃告郡
詐認奮母爲守官藏婢云盜白珠十斛紫金千萬收考奮
兄弟死獄中財貲盡没

越絶書曰富中大塘者勾踐治以爲義肥饒謂之富中
王子年拾遺記曰郭況累金數億庭中起高閣磨衡石於
其上以稱量珠玉也謂爲瓊廚金窟
張淵廣州記曰豪富子女以金銀爲大釵執以叩銅鼓與
主人名爲銅鼓釵
西京雜記曰茂陵富人袁廣漢藏鏹萬億八九百人於芒
山下築園東西四里南北五里百步激流注其内構石爲
山高十餘丈連延數里養白鸚鵡紫鴛鴦犛牛青兕奇禽
怪獸委積其間也
劉道真錢塘記曰防海塘去邑一里郡議曹華信家富立
此塘以防海水始開募有能致土一石即與錢一外旬日
之間來者雲集塘未成而譎不復取皆弃置而去塘以之
成於是改爲錢塘

羅浮山記曰牛潭深洞無極北岸有石周負三丈討魚人
見金牛自水而出盤于此石義興周靈甫嘗見此牛寢伏
石上旁有金鏁如索繩焉周甫素鋭勇往掩此牛掣斷其
鏁得二丈許遂以財雄
于寶搜神記曰魏郡張巨本富忽衰死散賣宅與程應舉
家疾病賣與何文文先獨持大刀暮入北堂梁上至一更見
人丈餘高冠赤幘呼曰細腰細腰應喏何以有人氣荅
無便去文往向呼處因問向赤衣冠誰荅是金也在屋西
壁下問君誰荅云我杵也今在竈下文掘得金三百斤燒
去杵由此大富宅清寧
又曰元康中婁縣瑶懷家忽聞地中有犬聲視之得犬子
雌雄各一長老云此名犀犬得之者富
又曰有周擥嘖者貧而好道夫婦夜耕困卧夢天公過而

哀之勑外有以給與司禄案云此人相貧限不過此唯有
張車子應賜錢千萬車子未生請以借之公曰善曙覺言
之於是夫妻戮力晝夜以治生所爲輒得貲至千萬先時
有嫗者常往擥嘖傭賃野舍有身月滿孕使遣出駐車屋
下産得兒主人往視哀其孤寒作糜粥以食之問當名汝兒
作何嫗曰在車下生夢天告之名爲車子擥嘖乃悟曰吾
昔夢從天換錢外白以張車子錢貸我必是子也財當歸
之矣自是居日衰減車子長富於周家
又曰京兆長安有張氏者獨處室有鳩自外入于室止于
對床張氏惡之披懷而祝曰爲我禍耶飛上承塵爲我福
耶來入我懷鳩飜入懷以手探之則不知鳩之所在而得
一金帶鉤焉遂寶之自是後子孫昌盛貲財萬倍故關西
稱張氏鈎

又曰河間管弼僑居臨水北岸田作商賈往往如意嘗載兩舫米下都糶埀行忽於庵中見一物形似鼉而長大行還輙大得利如此一家遂巨富二十年恒有萬斛米

續搜神記曰廬陵巴丘人夕晃者世以田作爲業年市田數十頃家漸富晉太元初秋收已過獲刈都畢明旦至田禾悉復滿欝然如先即便更獲於是遂巨富

列女傳曰陶荅子妻者陶大夫荅子之妻也子治陶三年名譽不興家富三倍其妻數荅子怒曰非汝所知居五年從車百乗歸休宗人牽牛酒而賀之其妻抱兒而泣姑怒其不祥也婦曰夫子能薄而官大是謂嬰害無功而家昌是謂積殃昔楚令尹之治國家貧而國富君敬之民戴之故福禄結於子孫名垂於後世今夫子貪富務大不顧後害妾聞南山有玄豹霧雨七日不下食何也飽其志飢其

腹將欲以澤其毛衣而成其文章也故藏而遠害豕不擇食以肥身坐而須死今夫子治陶家日益富而國日益貧君不敬人不戴也夫子之逢禍必矣請去願與少子俱脫於是遂弃之出其年荅子之家果以盜誅母老而免婦乃與少子歸養終姑天年

録異傳曰昔廬陵邑子甌明者從容賈道經彭澤湖每輙以舡中所有多少投湖中云以爲禮積數年後過見湖中有大道道上多風塵有數吏乗車馬來候云是青洪君使要明知是神然不敢不往甚怖問吏恐不得還吏曰無可怖青洪君以君前後有禮故要君必重送君者皆勿收獨求如願尒云果以繒帛送明辭之乃求如願神大怪明知之意甚惜不得已呼如願使隨去如願者青洪婢也常使之取物明將如願歸所欲輙得之數年大成富人意漸驕盈不復愛如願歲朝鷄一鳴呼如願如願不起明大怒欲捶之如願乃走明逐之於糞上糞上有昨日故歲掃除聚薪如願乃於此得去明不知謂逃在積薪糞中乃以杖捶使出乆無出者乃知不能因曰汝但使我富不復捶汝今世人歲朝鷄鳴時轉往捶糞云使人富也

韓詩外傳曰陳之富人有厲師氏者校車百乗觴於韞兵之止

風俗通曰河南平陰龐儉本魏郡鄴人遭倉卒之世失其父時儉三歲弟纔襁抱耳流傳客居廬里中鑿井得錢千餘萬遂温富儉作府吏躬親家事行求老倉頭謹信屬任者年六十餘直二萬錢使主牛馬耕種有賓婚大會母在堂上酒酣陳樂歌笑奴在竈下助厨竊言堂上母我婦也客罷婢語次説老奴無狀爲妄語所説不可道也窮詰具

白母謂婢試問其形狀奴曰家居鄴時在富樂里宛西婦艾氏女字阿横大兒字阿嶷小兒曰越子時爲縣吏爲人所畧賣向横右足下有黒子右腋下亦誌如半櫛母曰是汝公也因下堂相對啼泣兒婦前爲汝公拜即洗浴身見衣被遂爲夫婦如初時人爲之語曰廬里諸龐鑿井得銅買奴得公子孫着之言我先人初居廬里者兄弟二人家買奴得公尒

世説曰司徒王戎既貴且富區宅僮役膏腴水碓之屬洛下莫有比契疏鞅掌夜與夫人燭下散籌筭計

又曰武帝嘗降王武子家武子供饌並不用盤悉用琉璃器婢子百餘人皆綾羅袴褶以手擎飲食蒸豘肥美於常味武帝怪問何由得尒云以人乳飲之武帝色甚不平所下飲食未畢便去

又曰王君夫以粭糒澳釜石季倫以蠟炊君夫作絲布步障四十里崇作錦步障五十里石以椒爲泥泥屏王以赤石脂泥壁

新序曰魯孟獻子聘於晉韓宣子觴之飲三徙鍾石之懸不移而具獻子曰富哉宣子曰子之家孰與我富獻子曰吾家甚貧我有二士曰顔回茲無靈此二士者使吾邦家安平百姓和協客出宣子曰彼君子也以畜賢爲富我鄙人也以鍾石金玉爲富孔子曰孟獻子之富也可著於春秋也

歸藏曰上有高臺下有雝池以此事君其貴若化若以賈市其富如河漢

列子曰虞氏者梁之富人也家既完盛錢金無量財貨無比登高樓臨大路設樂陳酒擊博樓上

管子曰凡爲國之道必富人人富則易理者也七十九代之君法制不一號令不同然而俱有天下何也必國富而粟衆也

又曰天下有義則富無則貧

文子曰帝王富其民霸王富其地危國富其吏治國若不足亂國若有餘存國囷倉實亡國囷倉虛

孟子曰陽虎云爲富不仁爲仁不富

荀卿子曰循禮者王爲政者強節民者安聚斂者亡故王者富民霸者富士

又曰仁義禮善之於人譬之若貨財米粟之於家也多有之者富少有者貧至無有者窮

韓子曰輿人成輿則願人富貴也非輿人仁不富不貴則輿不集也

又曰人有福則富貴至富貴則衣食美衣食美則驕心生驕心生則行僻邪而動棄理也行僻邪　則身夭死動棄理則無成功

尸子曰家有千金之玉而不知猶謂之貧也良功治之則富弇二國身有至貴而不知猶謂之賤也聖人告之則貴最天下

孔叢子曰子思曰吾不取於人謂之富不屈於人謂之貴也

又曰猗頓魯之窮士也耕則常飢桑則常寒聞陶朱公富往問術焉朱公告之子欲速富當畜五牸於是乃適西河大畜牛羊于猗氏之南十年之間其孳息不可計貲擬王公馳名天下以興富於猗氏故曰猗頓也

淮南子曰天下有至富而非金玉也至壽而非千歲也適

情知足則富矣明死生之分則壽矣

又曰富貴而之不道適足以爲患出車入輦務以自供命之曰蹷身之機肥肉厚酒務以相強命之曰爛腸之食靡曼皓齒鄭衛之音命之曰伐性之斧三患者富貴之所致

又曰隨侯之珠和氏之璧得之而富失之而貧也

劉邵趙都賦曰爰及富人郭侯之倫貲衍陶衛參溢無垠金碧其輿朱丹其輪會遇燕好其從如雲

太平御覽卷第四百七十二

太平御覽卷第四百七十三

人事部一百七十三

遊俠

漢書曰意氣高作威於世謂之遊俠

又曰背公死黨之義成守節奉上之義廢

又曰朱家魯人魯皆儒教而朱家用俠聞諸所嘗施唯恐見之賑人不贍先從貧賤專趍人之急自關而東莫不延頸願交焉

又曰楚田仲以俠聞父事朱家田仲死而有雒陽劇孟以任俠顯吳楚反時條侯為太尉乘傳東至河南得劇喜曰吳楚舉大事而不求孟吾知其無能為也天下騷動宰相得之若一敵國而劇孟行大類朱家孟母死自遠方送喪車蓋千乘

又曰郭解河内軹人字伯翁善相者許負外孫也解父以任俠孝文時誅死解為人短小精悍不飲酒少時陰賊感槩不快意身所役甚衆以軀借友報仇藏亡令作姦剽刼不休及鑄錢掘冢不可勝數年長更折節為儉以德報怨厚施薄望然其自喜為俠益甚解姊子負解之勢與人飲之嚼（徐廣曰盡酒也音子妙反）非其任強灌之人怒拔刀刺殺解使人徼之賊窘自歸具以實告解解曰公殺人當吾兒不直遂去諸公聞之皆多解之義益隱焉

戰國策曰韓傀相韓嚴遂重於君二人相害也嚴遂正議直指舉韓傀之過韓吒之於朝嚴遂拔劍趍之於是懼亡去求人可以報韓傀者至齊人言聶政勇敢士也避仇隱於屠肆之間嚴遂陰交於政以意厚之政毋死既喪除政曰嗟乎政乃市井之人鼓刀以屠而嚴仲子乃諸侯之卿相也不遠千里枉車騎而交臣舉百金為親壽我雖不受然是深知政也至濮陽見嚴仲子曰前日所以不許子曰徒以親也親今不幸死仲子所欲報者為誰仲子具告之政獨行拔劍至韓韓適有東孟之會韓王及相皆在焉持兵戟而衛者甚衆政直入上階刺韓傀傀走而抱哀侯聶政刺之兼中哀侯左右大亂

又曰大史公曰吾嘗過薛其俗閭里多暴桀子弟與鄒魯殊問其政曰孟嘗君招致天下任俠姦人薛中蓋六萬家矣

又曰鄭衛俗與趙伯類濮上之邑徙衛野王縣世王好氣任俠衛之風也

又曰甯成抵罪得脫乃詐刻傳出關歸家稱曰仕不至二千石賈不至千萬安可比人乎乃貰貸買陂田千餘頃役

使數千家數年産至千金為任俠其役民重於郡守

又曰列國時魏有信陵趙有平原齊有孟嘗楚有春申皆藉王公之勢競為遊俠鷄鳴狗盜無不賓禮而趙相虞卿弃國捐君以周窮交魏齊之厄信陵無忌竊符矯命殺將專師以赴平原之急皆以取重諸侯顯名天下搤腕而遊談者以四豪為稱首

又曰季布為人任俠有名項籍滅高祖購求布千金敢舍匿罪三族布匿濮陽周氏周氏曰漢求將軍急且至能聽臣敢進計布許之迺髠鉗布衣褐置廣柳車中而共其家僮數十人之魯朱家所賣之朱家心知其季布也置田舍乃之雒陽見汝陰侯滕公說曰季布何罪臣各為其主項氏臣豈可盡誅耶今上始得天下而以私怨求一人何示不廣且以季布之賢漢求之急如此不北走胡則南走越耳夫

忌壯士資敵國此伍子胥所以鞭平王之墓也君何不從
容爲上言之滕公心知朱家大俠意布匿其所迺許諾侍
閒果言如朱家指上乃赦布
又曰布弟季心氣盖關中遇人恭謹爲任俠方數千里士
爭爲死
又曰孝文時鄭當時以任俠自喜孝景時爲太子舍人每
五日洗沐常置驛馬長安郊請謝賓客夜以繼日常恐不
遍當時好黄老其知友皆天下有名之士
又曰袁盎爲楚相免家居與閭里鬬雞走狗雒陽劇孟嘗
過盎盎善待之安陵富人有謂盎曰吾聞劇孟博徒將軍
何自通之盎曰孟雖博徒然母死客送喪車千餘乘崇有
過人者
又曰灌夫爲人剛直使酒不好面諛貴戚權勢在巳之右

欲必凌之在巳之左尤益禮待稠人廣衆薦寵下士士亦以
此多之不好文學喜任俠重然諾所與交通無非豪傑大
猾也
又曰公孫賀子聲以皇后姊子驕奢不奉法征和中擅用
北軍錢千九百萬發覺下獄是時捕陽陵朱安世不能得
求之賀請逐捕安世以贖聲罪上許之安世者京師大俠
也聞賀欲以贖子笑曰丞相禍及宗矣從獄中上書告聲
與陽石公主私通及使巫祭祠上幸甘泉當馳道埋偶人
祝詛有惡言下有司案驗賀窮所犯遂父子死獄中
又曰眭弘字孟嘗國番人少時遊俠鬬鷄走狗長乃變節
從嬴公受春秋嬴公姓字以明經爲議郎至符節令
又曰朱博字子元杜陵人家貧少時給事縣爲亭長稍遷
功曹任俠好交從士大夫不避風雨

又曰萬章字子夏長安熾盛街閭各有豪俠章在城西柳
京號曰城西萬子夏爲京兆尹門下督從至殿中諸侯貴
人爭欲揖章莫與京兆言者
又曰婁護字君卿是時王氏方盛賓客滿門兄弟爭其客
各有所厚唯護盡入其門咸得其懽心結士大夫無不傾
心交長者尤見親禮爲人短小精辯論議常依名節聽之
者皆竦會母死送葬致車千兩
又曰陳遵字孟公杜陵人身長八尺餘容皃甚偉性善書
與人尺牘主皆藏去以爲榮時列侯有子與遵同姓字者
每至人門曰陳孟公坐中莫不震動既至而非因號曰陳
驚坐
又曰原涉爲谷口令時年二十餘谷口聞其名不言而治人
甞置酒請涉入里門客有道涉所知母病避疾在里宅者

涉即往候叩門哭因問以喪事家無所有涉乃削牘爲疏
具記衣被飯含之物分付市買日昳皆會其周急待人如
此後人有毀涉者乃斫人之雄喪家子即時刺殺
又曰邛成太后外家王氏貴而侍中王林卿通輕俠傾京
師後坐法免賓客愈盛
又曰漢興禁網踈闊外戚大臣魏其武安之屬競逐於京
師遊俠劇孟郭解之徒馳騖於閭閻
荀悅漢記曰立氣勢作威福結私交以力強於時者謂之
遊俠
又曰俗有三遊德之賊也一曰遊俠二曰遊說三曰遊行
亂之所由生也傷道害德敗法惑時先王之所慎也
東觀漢記曰郅惲之友董子張父及叔爲鄉里盛氏一時
所殘害子張病困將終惲往候張張視惲歔欷惲曰吾知

子不悲天命長短而痛二父讎不復也惲即將客遮仇人
取其頭以示張張憙氣因絶惲見令以狀首令應之遲趍
出詣獄令跣追之不及即自入獄謝惲拔刃自嚮以要惲
曰子不從我出敢不以死明心乎惲遂出

魏志曰典韋陳留人也皃魁梧膂力過人好豪俠襄邑劉氏
與睢陽李禮爲讎韋報之禮故富春長備怨其謹韋乘車
載雞酒僞候者開懷匕首入殺禮并妻徐出取車上刀戟
步去禮居近市一市盡追莫敢近者

又曰楊阿若後名豐字伯陽少遊俠常以報仇解怨爲事
故時人爲之號曰東市相斫楊阿若西市相斫楊阿若

魚豢典略曰徐福字元直好任俠擊劒　未嘗爲人報
讎爲吏所得問其姓字閉口不言

吳志曰甘寧字興霸少有氣力好遊俠招合輕薄少年爲

之渠帥群聚相挾持弓弩負毦帶鈴聲即知是寧

裴子野宋略曰寧朔將軍何邁素豪俠好聚歛士出入遊
從者塞路

孫盛晉陽秋曰祖逖字士稚好俠每之田舍輒稱兄命散
穀帛以贈貧者

唐書丘和河南洛陽人也父壽魏鎮東將軍和少便弓馬
重氣任俠及長始折節與物無忤無貴賤皆愛之

列子曰虞氏者梁之富人也家既充盛錢金無量財貨無
訾登高樓臨大路設樂陳酒擊博樓上俠客相隨而行樓
上博者大笑飛鳶適墜其腐鼠而中之俠客曰虞氏富樂
之日久矣常有輕易人之志乃辱我以腐鼠率徒屬而滅
其家

韓子曰儒以文亂法而俠以武犯禁

裴啓語林曰李陽大俠士庶無不傾心爲幽州刺史當之
職盛暑一日詣數百家別賓客常填門

張衡西京賦曰都邑游俠張趙之倫輕死重氣結黨連群
寔蕃有徒其從如雲

劉邵趙都賦曰遊俠之徒晞風擬類貴交尚信輕命重氣
義激毫毛節成感槩

張華博陵王宮俠曲曰俠客樂幽險築室窮山陰獠獵野
獸盡施綱川無禽

又曰雄兒任氣俠聲蓋少年塲借友行報怨殺人都市旁
腰間叉素戟手持白頭鑲

古詩曰失意杯酒間白刃起相讎

曹子建詩曰借問誰家子幽并遊俠兒

太平御覽卷第四百七十三

人事部一百一十五

禮賢

易曰賁于丘園束帛戔戔

又曰康侯用錫馬蕃庶晝日三接

尚書曰所寶惟賢則邇人安

又曰釋箕子囚封比干墓式商容閭

毛詩曰鹿鳴燕群臣嘉賓也既飲食之又實幣帛筐篚以將厚意我有嘉賓鼓瑟吹笙吹笙鼓簧承筐是將

又曰南山有臺樂得賢也得賢則能爲邦家立太平之基

周禮曰三年則大比考其德行道藝而興賢者以禮賓之

禮記曰賢者狎而敬之

又曰天子二代之後尊賢也尊賢不過二代

又曰孔子曰吾食於少施氏而飽少施氏食我以禮

左傳曰晉伐魯范文子謂欒武子曰季孫於魯相二君矣妾不衣帛馬不食粟可不謂忠乎信讒慝而弃忠良若諸侯何

家語曰孔子之郯遇程子於途傾蓋與語盡日而別

國語曰勾踐滅吳反至五湖范蠡辭於王曰君王勉之臣不復入於越國矣遂乘輕舟以浮五湖莫知所終極王命工以良金寫蠡之狀而朝禮之又令大夫朝之環會稽三百里爲蠡地

史記曰周公戒伯禽曰我一沐三握髮一飯三起以待士猶恐失天下之賢人

又曰子貢所至國君無不分庭與之抗禮

又曰鄒奭者齊諸鄒亦頗采鄒衍之術以紀文於是齊王嘉之自淳于髡以下皆命曰列大夫爲開第臨康莊之衢

又曰魏有隱士曰侯嬴爲大梁夷門監者公子聞之於是置酒大會賓客坐定公子從車騎虛左自往迎侯生侯生攝弊衣冠直上上坐公子執轡愈恭

又曰戎王使由余於秦繆公示以宮室積聚由余曰使鬼爲之則勞神矣使人爲之亦苦人矣繆公於是與由余曲席而坐傳器而食

又曰百里奚曰臣友蹇叔賢而時莫知繆公使人厚幣迎蹇叔以爲上大夫

又曰伊尹名阿衡或云處士湯使聘迎之五反然後肯往

又曰騶子如燕昭王擁彗先驅請列弟子之坐而受業

又曰越石父賢在於縲紲之中晏子出遇之途解左驂贖之載歸弗謝入門久之越石父請絕晏子懼然攝衣冠謝

又曰楚威王聞莊周賢使使厚幣迎之許以爲相

又曰趙良說商君曰夫五羖大夫荊之鄙人也聞穆公好賢願見披褐食牛朞年穆公知之舉之牛口之下而加百姓之上秦國莫敢毀也

又曰四皓隱商洛山惠帝爲太子爲書卑辭安車迎以爲客乃出

漢書曰曹叅之相齊七十城天下初定悼惠王富於春秋叅盡召長老諸先生問所以治諸儒以百數叅未知所定聞膠西有蓋公善治黃老言使人厚幣請之既見蓋公蓋公爲言治道貴清靜而民自定推此類言之叅於是避正堂舍公焉

又初楚元王交禮待申公等穆生不嗜酒元王每置酒常

爲穆生設醴及王戊即位常醴忘設焉穆生退曰可以逝矣

又曰雋不疑字曼倩渤海人治春秋爲郡文學進退必以禮名聞州郡武帝末郡國賊盜群起暴勝之爲直指使者衣繡持斧逐捕盜賊東至渤海素聞不疑賢遣吏請與相見不疑冠進賢冠帶櫑具劒佩環玦褒衣博帶盛服至門門下使解劒不疑叱曰劒者君子武備所以衛身不可解請退勝之望見不疑容皃衣冠甚偉躧履起迎

又曰高祖詔曰賢士大夫有肯從我遊者吾能尊顯之布告天下有意稱明德者必身勸爲之駕遣詣相國府

又曰武帝初即位王臧迺上書請立明堂以朝諸侯不能就其事乃言師申公於是上使使束帛加璧安車以蒲裹車輪駕四馬迎申公弟子二人乘軺傳從至見上問治亂

之事申公時已八十餘對曰爲治者不至多言顧力行何如耳以爲太中大夫舍魯邸議明堂事

又曰御史大夫朱博奏王莽爲庶人莽就國南陽太守以莽貴重選門下掾孔休守新都相休謁莽莽盡禮自納休亦聞其名與相荅後莽疾休候之莽緣恩意進其玉具寶劒欲以爲好休不肯受莽曰誠見君面有瘢美玉可以滅瘢欲獻其瑑耳解其瑑休復辭莽曰君嫌其價耶遂推碎之自裹以進休休乃受莽徵去欲見休休稱疾不見莽

又曰大將軍旣益尊然汲黯與亢禮或說黯曰天子欲羣臣下大將軍尊貴誠重君不可不拜黯曰夫以大將軍有揖客反不重耶大將軍聞愈賢黯

又曰梁孝王大營宮室爲複道自宮連屬於平臺招延四方豪傑自山東遊士莫不至

又曰光武側席以求幽人

又曰沛公至高陽見酈食其沛公方踞使兩女子洗足食其入即長揖不拜曰足下必欲聚徒合兵誅無道秦不宜踞見長者於是沛公輟洗起衣延食其上坐

又曰趙壹字元淑舉郡上計到京師司徒袁逢受計吏皆拜伏庭中莫敢仰視壹獨長揖而已逢令讓之曰計吏而揖三公何也對曰酈食其長揖漢王今揖三公何遽訝哉逢即斂衽下堂執其手延置上坐

又曰井太春名丹少通五經善談難故京師爲之語曰五經紛綸井太春守靜不交勢利建武中帝子沛獻王輔等五人皆好賓客請丹不能致信陽侯陰就光烈皇后弟也以外戚使人要劫之丹不得已既至就故爲設麥飯葱菜之食丹推去曰以君侯能供養故來何爲如此就便設

饌就欲起左右進輦丹曰昔桀駕人輦者是耶坐上失色就去輦談終日乃去

謝承後漢書曰帝東巡過任城乃幸鄭均舍勑賜尚書祿以終其壽故人號爲白衣尚書

又曰包咸字子良永平五年遷大鴻臚每進見錫以机杖入屏不趍贊事不名經傳有疑輙遣小黄門就舍即問顯宗以咸有師傅恩而素清苦常時賞賜珍玩束帛俸祿增於諸卿

又曰徐穉字孺子豫章人家貧常自耕稼恭儉義讓所居服其德屢辟公府不起時陳蕃爲太守以禮請署功曹穉不免之旣謁而退蕃在郡不接賓客唯穉來特設一榻去則懸之後舉有道拜太原太守皆不就

袁山松後漢書曰周璆字孟玉爲樂城令逍遥無事縣中

大治去官徵聘不至陳蕃爲太守穉來置榻去懸之

續漢書曰皇甫規安定人有以貨買鴈門太守還家書刺謁規規臥不迎既入而問曰卿前在郡食鴈美乎有頃白王符在門規素聞符名乃遽起衣不及帶屣履出迎援符手而還與同坐極忻時人爲之語曰徒見二千石不如一縫腋言書生道義之爲貴

東觀漢記曰顯宗以張酺授皇太子經爲東郡太守元和二年東巡狩幸東郡引酺及門生并郡縣掾吏並會庭中帝先備弟子之儀使酺講尚書一篇然後脩君臣之禮賞賜殊特

又曰和帝永元三年詔曰高祖功臣蕭曹爲首有傳世不絕之義曹相國容城侯無嗣朕甚閔焉望長陵東門見二臣之墓生既有節終不遠身可遣使者以中牢祠大鴻臚

悉求近宜爲嗣者

又曰永平中江革爲五官中郎將朝會帝詔使虎賁迎扶脤革每進拜上輙自禮之小有疾輙太官送食寵遇甚厚京師貴戚衛尉順陽侯馬廖侍中竇憲等各奉書致禮遺革終不發書無所當受上以此重之

又曰東平憲王蒼上書表薦名士左馮翊桓虞等虛已禮下與參政事

又曰上還幸祭遵營時遵病上爲重茵席覆以御蓋

又曰東平憲王蒼開東閣延英雄

袁宏後漢記曰崔駰詣竇憲憲始及門憲倒屣迎之曰吾受詔交公公何得薄哉

魏志曰文帝引故漢太尉楊彪待以客禮詔曰乃祖以來世著名節年過七十行不踰矩可謂老成人矣所宜寵異以彰舊德其賜公延年杖

又曰太祖北征烏丸未至先遣使辟田疇又命田豫喻指疇戒其門下趍治裝門人謂曰昔袁公慕君禮命五至君義不屈今曹公使一來而君若恐弗及者何也疇笑而應之曰此非君所識遂隨使者到軍署司空戶曹掾引見諮談明日出令曰田子泰非吾所宜吏者即舉茂才隨軍

又曰管寧遇天下亂往遼東投公孫度度虛館以待之

又曰鉅鹿張範字子明養志不仕廣平太守盧毓到官三日綱紀白承前致板謁致毓教曰張先生所謂上不事天子下不友諸侯豈此板謁所可光飾哉但主簿奉書致羊酒之禮

又曰太祖北征柳城過涿郡令曰北中郎將盧植名著海內學爲儒宗乃國之楨幹也孤到此州嘉其餘風春秋之

義賢者之後有異於人亟遣丞掾修飾墳墓并致薄酹以彰厥德

又曰王粲徙長安左中郎將蔡邕見而奇之時邕才學顯著貴重朝廷常車騎填巷賓客盈坐聞粲在門倒屣迎之粲至年既幼弱容狀短小一坐盡驚邕曰此王公孫有異才吾不如也吾家書籍文章盡當與

吳志曰孫策得張昭甚悅謂曰吾方有事於四方待子不得輕矣乃上爲校尉待以師友之禮

又曰顧邵年二十起家爲豫章太守下車禮先賢徐孺子之墓優待其後

又曰呂蒙疾發孫權迎置內殿欲數見又恐其勞動常穿壁瞻之

又曰太守王明以虞翻爲功曹孫策征會稽復命爲功曹

待以交友之禮
蜀志曰先主得諸葛亮情好日密關羽張飛不悅先主解之曰孤之有孔明猶魚之有水也
又曰諸葛亮表曰先帝不以臣卑鄙猥自枉屈三顧臣於草廬之中諮臣以當世之務
蕭子雲晉書曰明帝以太常桓榮爲五更躬式其閭親行養老之禮
崔鴻北凉錄曰且渠蒙遜令曰秘書郎中燉煌劉彥明學冠當時道先區內可授玄虛先生拜以三老之禮起陸沉觀於東苑以處之
崔鴻前凉錄曰宋纖字令文不應州郡辟命唯與陰顒齊好友善太守楊宣畫其象於閤出入視之
崔鴻前秦錄曰符堅要結英豪王景畧呂婆樓強汪梁平

等皆有王佐之才堅並傾身禮之以爲股肱羽翼
管子曰桓公在位管仲隰朋侍立有間二鴻飛而過桓公歎曰仲父今彼鴻鵠有時而南有時而北有時而往有時而來寡人之有仲父猶飛鴻之有羽翼
孔叢子曰子魚居衛與張耳陳餘相善會陳勝吳廣自立爲王耳餘並爲之將遂言之陳王大悅遣使者齎千金加束帛以車三乘迎之子魚遂往陳王郊迎而執其手議時務
孟子曰舜見帝帝館於貳室迭爲賓主是天子而交疋夫用下敬上謂之貴貴用上敬下謂之尊賢其義一也
韓子曰文王伐崇與大夫謀襪係解視左
又曰齊桓公時有處士小臣稷桓公三往見之不得見公曰吾聞布衣之士而輕爵祿雖萬乘無以異萬乘之主不好仁義亦無以下布衣之士於是五往乃得見
董子曰禹見耕者五耦而式過十室之邑而下見山仰之見谷俯之避有道德之人避俗之士也
淮南子曰淮南王安養士數千人其中高才八人
又曰一目之羅不可以得鳥無餌之鈎不可以得魚遇士無禮不可以得賢
呂氏春秋曰魏文侯見段干木立倦而不敢息及見翟黃踞於堂而與之言翟黃不悅文侯曰段干木官之則不肯祿之則不受今汝欲官則相至欲祿則上卿既受吾爵又責吾禮無乃難乎
韓詩外傳曰周公攝天子位七年布衣之士執贄所師見者十人所友見者十二人窮巷白屋所先見者四十九人時進善者百人教士者千人官朝者萬人當此之時誠使

周公驕而且吝則天下賢士至者寡矣
又曰楚襄王遣使者持金千斤白璧百雙聘莊子欲以爲相莊子曰獨不見未入廟之牲乎衣以文繡食以芻豢出則清道而行止則居帳之內此豈不貴乎及其不免於死宰執旌居前或持在後當此之時雖欲爲孤犢從雞鼠遊豈可得乎僕聞之左手據天下之國右手刎其吭愚者不爲也
環濟吳記曰皇太子登字子高上爲選置師傅妙簡俊秀於是諸葛恪張休顧譚陳表等以選入侍誦講詩書其待接僚屬以布衣之禮與恪休譚等或同輿而載或共床而寢
劉縚先聖本紀曰伊尹耕於有莘之野王馳往見之彭氏子諫曰伊尹賤人可徒致之君無辱車乘王曰夫一草之

本可已天子病者天子難欣喜食之子誠不欲樂人病也遂黜彭氏之子

皇甫士安高士傳曰老萊子楚人耕於蒙山之陽莞葭爲牆蓬蒿爲屋板木爲床蓍艾爲席或言楚王楚王遂至老萊子之門曰寡人愚陋獨守宗廟先生幸臨之老萊子曰僕山野之人不足以守政

又曰亥唐者晉人也晉平公時朝多賢臣祁奚趙武師曠叔向皆爲卿大夫名顯諸侯唐獨守道不官隱於窮巷平公聞其賢致禮與相見而請事焉平公待於門唐曰入公乃入唐曰坐公乃坐唐曰食公乃食唐之食公也雖蔬食菜羹公不敢不飽

又曰朝福也者涿郡人以行義脩潔著名昭帝時大將軍霍光秉政表顯義士詔郡國條奏行狀天下得福等五人福治義最高以德行徵至京兆病不進

會稽典略曰范蠡字少伯越之上將軍也本楚宛三户人被髮佯狂倜儻負俗文種爲宛令遣吏奉謁吏還白范蠡本國狂人生有此病種笑曰吾聞士有賢聖之資必有佯狂之譏內有獨見之明外有不知之毀此固非二三子知之所知也駕車而往蠡知種之必來謂兄嫂曰今日有客願假衣冠有頃種至抵掌而談旁人觀者聳聽

說苑曰鄒子說梁王曰伊尹有莘氏之媵臣湯立以爲三公管仲城陰之狗盜齊桓以爲仲父百里奚乞食於路穆公委之以政寧戚叩轅行歌桓公任之以國太公望出夫朝歌之屠年七十而相周九十而封齊故詩云綿綿之葛在于曠野良工得之以爲絺紘良工不得枯死於地

又曰齊桓公設庭燎爲士之欲造者朞年而士不至東野鄙人有以九九之術見者桓公曰九九足以見乎對曰臣非以九九爲足以見也臣聞主君設庭燎以待士朞年而士不至夫士之所以不至者君天下賢君也四方之士皆自論不及君故不至也夫九九薄能耳而君猶禮之況賢於九九者乎桓公曰善乃因禮之朞月四方之士相携而至矣

又曰齊桓公使管仲治國管仲對曰賤不能臨貴公以爲上卿而國不治桓公曰何故管仲對曰貧不能御富桓公賜之齊市租一年而國不治桓公曰何故曰疏不能制近桓公立以爲仲父齊國大安而遂霸天下孔子曰管仲之賢而不得此三權者亦不能使其君南面而伯

又曰燕昭王問於郭隗曰寡人地狹民寡齊人削取八城匈奴驅樓煩之下以孤之不肖得承宗廟恐危社稷存之有道乎郭隗對曰帝者之臣其名臣其實師也王者之臣

其名臣其實友也霸者之臣其名臣其實僕也亡國之臣其名臣其實虜也今王將東面目指氣使以求臣則厮役之才至矣北面等禮不乘之以勢求臣則朋友之才至矣西面逡巡以求臣則師傅之才至矣誠欲興道隗請爲天下之士開路於是燕王置郭隗爲上客

又曰宋司城子罕之貴子韋也入與共養出與同衣司城子罕亡子韋不從復召子韋而貴之左右曰君善子韋也亡不後來貴之君獨不愧於君之忠臣乎子罕曰吾唯不用子韋故至於亡今吾之得復尚是子韋之遺德餘教也

又曰楊囬北見趙簡子曰臣居鄉三逐事君五去聞君好士故走來見簡子聞之絕食而歎左右進諫曰居鄉三逐是不容衆也事君五去是不忠上也簡子曰子不知也夫

美女醜婦之仇盛德君子亂世所疏也正直之行邪枉所
憎也遂出見之因授以爲相而國大治
又曰朝無人猶鴻鵠之無羽翼也
劉向新序曰魏文侯過段干木之閭而軾其僕曰君何爲
軾曰段干木盖賢者安敢不軾且吾聞段干木未肯以己
易寡人之貴也段干木光乎德寡人光於地干木富於義
寡人富乎財地不如德財不如義寡人當事之
世說曰陳仲舉爲豫章太守至便問徐孺子所在欲先省
之主簿曰群情欲府君先入廨陳曰武王軾商容之閭席
不暇暖吾之禮賢有何不可
又曰何晏爲吏部尚書有位望時談客盈坐王弼未弱冠
往見之聞弼來乃到屣迎之
邴原別傳曰原字根矩上北伐單于還住昌國原至門下

通謁上甚喜覽履而起遂出迎原曰誠副飢虛之心
虞老牧高士傳曰宋少文博學善屬文清心簡務宋高
祖領荆州辟爲主簿少文不應高祖乃徹衛率尒從之遊
延登第樹聽其高談歎曰不知禮乃覺心明
張璠漢記曰荀爽兄弟八人時人謂之八龍舊居亳里縣
令苑康曰昔高陽氏有才子八人署其里曰高陽里
葛洪西京雜記曰公孫弘自以布衣爲宰相乃開東閤營
客館以招天下之士
阮籍秦記曰昔子夏處西河之上而文侯擁篲鄒子居黍谷
之陰而昭王陪乘夫布衣窮居韋帶之士王公大人所以
屈體而下之者爲道存也
葛洪西京雜記曰公孫弘營客館以招天下之士其名曰欽
賢之館以待大賢次曰翹材之館以待其材次接士之館以
待國士
又曰文帝爲太子立思賢苑以招賓客
虞預會稽典録曰陳囂山陰人宗正劉向黄門侍郎揚雄
薦囂德義可厲薄俗孝成皇帝特以公車徵囂時已年七
十每朝請常待以師傅之禮
又曰光武嘗出南郊嚴遵曳長裾持麈扇住立不動天子
下車揖而別
曹植公讌詩曰公子敬愛客終宴不知疲清夜遊西園飛蓋
相追隨

太平御覽卷第四百七十四

人事部一百一十六

待士

毛詩曰鹿鳴燕群臣嘉賓也既飲食之又實幣帛筐篚以將其厚意然後忠臣嘉賓得盡其心矣

家語曰孔子喟然歎曰向使銅鞮伯華無死天下其定矣子路曰由願聞其人子曰其幼也敏而好學其壯也有勇而不屈其老也有道而能下人有此三者以定天下何難乎子路曰幼而好學壯而有勇則其可也若夫有道誰下哉子曰由汝不知也吾聞以衆攻寡無不克也以貴下賤無不得也昔者周公居冢宰之尊制天下之政猶下白屋之士（白屋草舍）日見百七十人斯豈以無道也欲得士之用也惡有有道而無天下君子者乎

戰國策曰管燕得罪齊王謂其左右曰子孰能與我赴諸侯乎左右莫對管燕漣然流涕曰悲夫士何爲其易得而難用也田需對曰士三食不得饜而君鵝鶩有餘食下宫蹈羅紈曳綺縠而士不得以爲緣且財者君之所輕死者士之所重君不肯以所輕與士而責士以所重事君非士易得而難用也

又曰孟嘗君舍人有與君夫人相愛者或以聞孟嘗君曰覩皃相説者人之情也勿言君朞年乃召愛夫人者而謂曰之子與文遊久矣大官未可得小官公不欲衛君與文布衣之交請具車馬皮幣願公以此從衛君遊衛君欲約兵攻齊是以謂衛君曰孟嘗君不知臣不肖以臣欺君今君約天下之兵攻齊是足下欺孟嘗君也願君勿以齊爲心如不聽臣臣血湔足下衿衛君乃止

又曰中山之君所傾蓋輿車而朝窮閭隘巷之士者七十家

史記曰西伯敬老慈少禮下賢者日中不暇食以待士伯夷叔齊太顛閎夭　宜生之徒皆歸之

又曰齊宣王喜文學遊説之士　如鄒衍淳于髡之徒七十六人皆賜第上大夫是以齊稷下學士復盛

又曰帝召田横乃與其客二人乘傳詣雒陽未至戶鄉廄置横謝使者遂自刎令客奉其頭從使者奏之高帝拜二客爲都尉以王禮葬横二客穿其冢旁孔自刎下從之海中五百人聞横死皆自殺於是乃知田横兄弟能待士也

又曰孟嘗君在薛招致諸侯賓客及亡人有罪者皆歸孟嘗君孟嘗君舍業厚遇之以故傾天下之士食客數千人無貴賤一與之等孟嘗君待客夜食有人蔽火光客怒以飯不等輟辭去孟嘗起自取其飯比之客慙自剄

又曰信陵君爲人仁而下士士無賢不肖皆謙而禮交之不敢以其富貴驕士士以此方數千里爭歸之

又曰鄒陽上書梁王曰蘇秦相燕燕人惡之於王按劒而怒食以駃騠白圭顯於中山人惡之魏文侯投以夜光之璧何則兩主二臣剖心折肝相信豈移於浮辭哉

又曰周公曰我一沐三握髮一飯三起以待士猶恐失天下之賢人也

漢書曰司馬遷云愚以爲李陵素與士大夫絕甘分少能得士死力雖古名將不能過也

又曰班伯爲定襄太守至請問耆老父母故人有舊恩者迎延滿座晝日爲供具執子孫禮

又曰朱博好樂士大夫爲郡守九卿賓客滿門欲仕宦者舉薦之欲報仇怨者解劒以帶之其趨待士如是博以此

自立然終用敗
又曰鄭當時爲太子舍人每五日洗沐常置驛馬長安諸
郊請謁賓客夜以繼日已具遊俠部
又曰鄭當時遷大司農戒門下客至無貴賤無留門者執
賓主之禮以其貴下人
東觀漢記曰竇固爲奉車都尉與附馬都尉耿秉等北征
匈奴遂滅西城開通三十六國在邊數年羌胡親愛之炙肉
未熟人長跪前割血流指間進之於固固輒爲噉不穢
賤也是以親之如父
謝承後漢書曰皇甫嵩爲三公以身起於汗馬常折節下
士也
魏書曰劉平結交刺備備不知而待客甚厚客以狀語之
而去是時人民飢饉屯聚抄略備外禦寇難內豐財施士

之下者必與同席而坐同簋而食無所簡擇衆多歸焉
蜀志曰曹公還許先主爲左將軍禮之逾重出同輿坐同
席又曰董允嘗與尚書令費禕中典軍胡濟等期遊宴嚴
駕已辦而郎中董恢詣允修敬恢年少官微見允停出逡巡
求去允不許曰本所以出者欲與同好遊談也今君已自
屈方展闊舍此之談就彼之宴非所謂也乃命解褘等罷
駕不行其守正下士凡此類也
吴志曰顧邵當之豫章發在近路會張景病時送者百數
邵辭賓客曰張仲節有疾若不能來別恨不見之暫還與
訣諸君小相待其留心下士唯善所在皆此類也
王隱晉書曰王渾字玄仲平吳後據兩州吳人新附皆有
畏懼之心渾撫循羈旅勞謙接納坐無空席門不停賓於
是江東諸士莫不敬愛

宋書羊欣嘗詣領軍將軍謝混混拂席改服然後見之時
混族子靈運在坐退告族兄瞻曰將軍見羊欣遂易衣改
席欣由此益知名
王智深宋紀曰謝景仁嘗請高祖高祖乃命召景仁弟述
時爲豫州主簿不從高祖遂輟箸不食須述至乃飡其見
重如此
後魏書曰陸馥爲相州刺史假長廣公爲政清平抑強扶
弱州中有德宿老名望素重者以禮待之詢之政事責
以方畧如此者十人号曰十善又簡取縣強明百餘人以
爲假子誘接慇懃賜以衣服令各歸爲耳目於外於是發
姦擿伏事無驗百姓以爲神明
又曰賈思伯性謙和傾身禮士雖在街途停車下馬接誘
恂恂曾無倦色客有謂思伯曰公今貴重寧能不驕伯曰

衰至便驕何常之有當時以爲雅言
唐書李勉禮賢下士終始盡心以名士李巡張參爲判官
卒於幕三歲之內每遇宴飲必設虛位於筵次陳膳執酹
辭色悽惻論者美之
又曰裴度以平賊報國爲已任自德宗朝宰相歸私第百
官不敢及門度以方討不庭宰臣宜日接多士冀有所得
因奏請私家通賓客上方屬意遂許之四方布衣盡得以
策畫干丞相至今宰臣私接士因度之請也
又曰楊炎樂賢下士以汲引爲已任天下士子翕嚮風從
皇甫謐逸士傳曰公儀潛魯人也少而厲行樂道不事諸
侯與子思友魯穆公聞其賢因子思而致命欲以爲相謂
子思曰公儀子必輔寡人寡人將三分魯國而與之
晉諸公讚曰張華博識多聞無物不知盧浮高朗經傳有

美於華起家爲太子舍人病疽截手遂廢朝廷重之就以
爲國子博士
高閭燕志曰李陵君長谷之東先主與高雲遊讌往來每
憇其家陵與其妻王氏每夜自齎酒饌而至
晏子春秋曰晏子之晉至中牟覩弊冠衣裘負芻息於途
側晏子問曰何者對曰我越石父也不免飢凍爲人臣僕
晏子解左驂贖之載以俱歸
崔鴻國春秋後秦録曰太尉文成公姚顯字于章興之弟
也清秀明發文武兼才爲令録十餘年無愆攺機務之暇
賓客如雲謙虚傳受待士以布衣之禮或昏夜靜處與賢
士談論政事
王孫子新書曰楚莊王攻宋廚有臭肉罇有敗酒將軍子
重諫曰今君廚有肉臭而不可食罇有酒敗而不可飲三

軍之士皆飢色欲以勝敵不亦難乎
說苑曰趙簡子遊於西河而樂之歎曰安得賢士而與處
焉舟人古桑對曰鴻鵠高飛遠翔其所恃六翮也背上有
毛腹下有毳無尺寸之數去之滿把飛不能爲之高不知門
下左右客千人者亦有六翮之用乎將盡毛毳新序同而稱晉平公
又云三千余人矣
又曰周公日見白屋之士所下者凡七十一而天下之士
皆至晏子所與同衣食者百人而天下之士亦至
又曰周威王問於甯子曰取士有道乎對曰有窮者達之
亡者存之癈者起之士則四方而至矣故士存則國存士
亡則國亡子胥怒而亡之包胥怒而存之胡可不貴乎
俗說曰謝萬詣簡文萬來無衣幘可前簡文曰但前不須
衣幘即呼使入萬着白綸巾鶴氅裘履板而前既見共談

移日大器之
漢雜事曰于定國謙遜下士士雖貧徒步往過皆與均禮
又曰公孫弘爲丞相起客館開閤延賢人與參謀議身自
食脫粟飯一器盡以俸祿與故人賓客
又曰倪寬爲人卑體下士務在得人心擇用仁孝推誠與
下不求名譽
英雄記曰袁紹有姿皃威容愛士養名既累世台司賓客
所歸加以傾心折節莫不爭赴其庭士無貴賤與之抗禮
環濟吳記曰孟仁少以敏達知名從南陽李肅學其母賢
而有智爲作大被或問其故母曰小兒無德以致客學者
多貧故爲大被庶可得氣類相接也
黄石公記曰黄梁昔將用兵人有饋一簞醪者使投之於
河令將士迎而飲之夫一簞醪不能味一河水三軍思爲

之死非滋味及之也
劉向新序曰燕相得罪於君將出亡召門下諸大夫曰能
從我出乎三問莫對燕相曰士之不足養也有進者曰飢
年惡歲士糟糠不足而君之犬馬有餘穀隆冬洌寒士短
褐不完而君之臺觀帷幭錦繡自若財者君之所輕死者
士之所重也君不能施君之所輕而求得士之所重難焉
鬻子曰吾不恐四海之士留於道路也吾恐其留門庭是
以四海之士皆至
莊子曰子張見魯哀公不禮士也託僕夫而去曰臣聞君好士
故不遠千里以見君之禮士也有似葉公子高之好龍室
彫文盡寫以龍於是天龍而下之窺頭於牖拖尾於堂葉
公見之弃而還走失其魂魄五色無主是葉公非不好龍
也好夫似龍而非龍也今君非不好士也好夫似士而非

士者也（新序同）

呂氏春秋曰張儀將西遊於秦過東周客有語之於昭文君者曰張儀壯士也將西遊於秦願君之禮貌之昭文君見謂之曰寡人國雖小請與客共之張儀還北面再拜

淮南子曰楚時子發好求伎道之士（士有術者無不養）楚有善爲偷者往見曰臣楚市偷也願以伎該一卒（該備也卒一人）後無幾何齊興兵伐楚於是市偷進請曰臣有薄伎願爲君行之子發曰諾不問其辭而遣之偷則夜出解齊將軍之帷而獻之子發因使人歸之曰卒有出採薪者得將軍之帷謹歸之於執事明夕復往取其枕子發又使歸之明夕復因取簪又使歸之於是齊師大駭將軍與軍吏謀之曰今夕不去楚軍恐取吾首即還師而去故伎無細薄在人君用之

又曰淮南王安養士數千人其中高才八人蘇非李尚左吳陳田伍被雷被毛被晉昌号爲八公

燕丹子曰荆軻之燕太子自御虛左荆軻援綏不讓後日與軻之東宮臨池而觀軻拾瓦投鼉太子令人奉槃金軻用抵鼉盡而復進軻曰非爲太子愛金也臂痛耳後共乘千里馬軻曰聞千里馬肝美太子即殺馬進肝暨樊將軍得罪於秦秦求之急乃來歸太子爲置酒陽華之臺酒中太子出美人能琴者軻曰好手琴者即進之軻曰但愛其手太子即斷其手盛以玉盤奉之太子常與軻等案而食同床而寢

呂氏春秋曰勾踐苦會稽之耻欲深得民心以致必死於吳有甘肥不足分弗敢食有酒流之江與民同之

韓子曰吳起出遇故人而止之食故人曰諾故人至暮不來吳起至暮不食而待之

孫子曰楚莊王攻宋有酒投之水有食饋之賢行軍中之有飢色者加賜之

太平御覽卷第四百七十五

太平御覽卷第四百七十六

人事部一百一十七

施恩上

周易曰見龍在田德施普也雲行雨施天下治也

周禮曰小司徒以歲時巡國野而賙萬人之艱阨以王命施惠

左傳曰冬晉荐饑使乞糴于秦秦伯謂子桑曰與諸乎對曰重施而不報其民必攜攜而討焉無衆必敗謂百里曰與諸乎對曰天災流行國家代有救災恤鄰道也行道有福是以輸粟于晉自雍及絳相繼命之曰汎舟之役

傳曰晉侯逆秦師使韓簡視師復曰師少於我鬬士倍我公曰何故對曰出因其資入用其寵飢食其粟三施無報是以來也

傳曰宋公子鮑禮於國人宋飢竭其粟而貸之年七十以上無不饋詒也時加羞珍異無日不數於六卿之門國之賢人無不事也親自桓以下無不卹也公子鮑美而艷襄夫人欲通之(鮑嫡祖母)而不可乃助之施

傳曰鄭子皮即位於是鄭飢而未及麥民病子皮以子展之命餼國人粟戶一鍾是以得鄭國之民故罕氏常掌國政以爲上卿

傳曰楚子伐蕭申公巫臣曰師人多寒王巡三軍拊而勉之三軍之士皆如挾纊

傳曰晉公子重耳及曹僖負羈之妻曰吾觀晉公子從者皆足以相公子必反其國若反其國必得志於諸侯而誅無禮曹其首也子盍早自貳焉乃饋盤飧置璧焉公子受飧反璧

傳曰子西曰昔闔廬有國天有災癘親巡孤寡而供其乏困在軍熟食者分而後敢食

語曰子華使於齊冉子爲其母請粟子曰與之釜請益曰與之庾冉子與之粟五秉子曰赤之適齊也乘肥馬衣輕裘吾聞之君子周急不繼富

史記曰范蠡之陶修産積居十九年中三致千金再散分與貧交友兄弟此謂富好行其德者也

又曰田常以大斗出貸以小斗收齊人歌之曰嫗乎採芑歸乎田成子

又曰蘇秦爲從約長并相六國北報趙王乃行過雒陽周顯王使人郊勞於是蘇秦散千金以賜宗族貧友

漢書曰韓信釣於城下諸母漂(漂水擊絮爲漂)有一母見信飢飯信竟漂數十日信謂漂母曰吾必重報母母怒曰大夫不能自食吾哀王孫而進食(蘇林曰如言公子也)豈望報乎

前列曰吳楚反竇嬰爲大將軍賜金千斤嬰言袁盎欒布諸名賢士在家進之所賜金陳廊廡下軍吏過輒令財取爲用(蘇林曰自令取爲用)金無入家者

又曰李廣歷七郡太守前後四十年得賞賜輒分其麾下飲食與士卒共之家無餘財終不言生産事

前列曰婁護字君卿爲諫議大夫使郡國護假貸多持幣帛至齊上書求上先人冢因會宗族故人各以親疏與束帛一日散百金之費使還奏事稱旨擢天水太守

前列曰韋玄成字少翁以父任爲郎少好學脩父業尤謙遜下士出遇相識步行輒下從者與載送之以爲常其接人貧賤者益加由是名譽日廣以明經擢爲諫議大夫遷大河都尉

前列曰張臨安世曾孫亦謙儉每登閣殿常歎曰桑霍爲我戒豈不厚且死分施宗族故舊薄葬不起墳

又曰蘇武爲右曹典屬國所得賞賜盡以施與昆弟故人

又曰朱邑爲人惇篤於故舊以愛和爲行居處儉節賜以供九族鄉黨家無餘財

後漢書曰趙典兄子温字子恭初爲京兆郡丞歎曰丈夫當雄飛安能雌伏遂弃官去遭歲大飢散家粮以賑窮餓所活萬餘人

後列曰劉翊字子相潁川人家世豐産常能周施而有不其惠嘗行於汝南界中有陳國張季禮遠赴師喪遇寒冰車毀頓滯道路翊見而下車與之不告姓名自策馬去季禮意其子相也後故到潁陰還所假乘翊閉門辭行不與相見後黃巾賊起郡縣飢荒翊救給之絶資粮者數百人

又逢知故困餒於路不忍委去因殺所駕牛以救之衆人止之翊曰視没不救非志也遂俱餓

後列曰折像字伯式廣漢雒人父國有資財二億家僮八伯人像幼有仁心不殺昆虫不折萌牙能通京氏易好黃老言及國卒感多藏厚亡之義乃散金帛資産周施親踈自知亡日召賓客飲食辭訣忽然而終

又曰廖扶逆知歲荒乃聚穀數千斛悉用周給宗族姻親又斂葬遭疫死亡不能自收者常居先人冢側未曾入城市人因號爲北郭

袁宏後漢書曰种暠字景伯父爲定陶令有財三千萬父卒暠皆以賑鄉里貧賤者其進趣名利者皆不與交通

東觀漢記曰鄧弘收恤故舊無所失父所厚同郡郎中王臨年老貧乏弘常居業給足乞與衣裘輿馬施之終竟

後列曰馬援少年處處田牧至有牛馬羊數千頭穀萬斛既而歎曰凡殖貨財産貴其能施賑也否則守錢虜耳乃盡散以班昆弟故舊

又曰崔駰學於太學而粮盡鄧衛尉欲餓焉而未果季彦九歲以其父命往見衛尉曰施不必豐期於救乏崔生臣父之執也不幸而貧公許賑之有日矣嘉貺未至或欲豐之然後乃致之乎昝曰家物少須租入曰是猶古人欲決江海以救牛蹄之類也鄧公曰諾

又曰鄧琳字叔孫西羌反破郡縣上乃拜琳謁者屯田三輔琳臨發之日散千金之産分與兄弟甥舅親族各有差品

又曰朱暉建初四年南陽大飢米石千錢初同縣張堪有名德每與相見常接以友道暉以堪宿望成名未敢安也

堪至把暉臂曰欲妻子託朱生暉舉手不敢荅後堪仕至蜀郡漁陽太守物故暉自爲臨淮太守後遂絶不復相聞南陽飢時聞堪妻子貧窮暉乃自往候視困厄分所有以賑之

又曰王丹字仲回京兆人王莽時連徵不至家累千金隱居養志好施周急鄙賻

後列曰寇恂經明行脩名重朝廷所得秩俸盡施朋友故人及所從吏士常曰吾因士大夫以致此其獨享之乎時人稱其長者後爲宰相

又曰竇固久歷大位甚見尊貴而性謙儉愛人好施士以此稱之

又曰梁商飢年穀貴民餒輒遣蒼頭去幘着巾車載米鹽菜錢於四城門與貧乏不語主人知其陰德伏恩絶不望

報匿名隱譽皆此類也
司馬彪續漢書曰郭伋字細侯并州牧徵爲太中大夫賜宅一區及帷帳錢穀伋輒散與宗親九族無遺餘
又曰張純字奮少好學節儉行義常分損租奉贍卹宗親雖至傾匱而施與不怠
又曰伏湛字惠公更始元年拜爲平原太守遭倉卒兵起莫不驚擾而湛獨安然教授謂妻子曰一穀不外國君徵膳今人皆飢柰何獨飽具食麤糲盡分奉祿以賑活鄉里來客者百餘家
司馬彪續漢書曰獻帝初百姓飢荒張儉資計差溫傾竭財產與邑里共之賴其差溫故存者以百數
又曰肅宗崩廉范奔赴敬陵時廬江郡掾嚴麟奉章俱會於路麟乘小車塗深馬死不能自進范見而愍然命從騎下馬與之不告而去麟事畢不知馬所歸乃公路訪之或謂麟曰故蜀郡太守廉叔度好周人窮今奔國喪獨當是耳麟亦素聞范名以爲然即牽馬造門謝而歸之世伏其義
魏志曰楊俊字秀才以兵亂方起而河內處四達之衢必爲戰場乃扶老弱去詣京密問同行者百餘家俊賑濟貧乏通共有無宗族如故爲人所略作奴僕者九六家俊皆傾財贖之
魚豢魏略曰趙憙字伯陽爲平原太守百官大食光武問憙在郡何如咸稱憙政有跡時親家諸夫人皆會會龍諸大夫言憙篤義多恩從長安還收護妻等衣食生活使得蒙今日之富貴非獨能臨人也
吳志曰魯肅字子敬大散財貨摽賣地以賑窮人結士爲務甚得鄉邑忻心周瑜爲居巢長將數百人故過候肅并

求資糧肅家有兩囷米各三千斛肅乃指一囷與瑜瑜益其奇也遂相親結定僑札之分
又曰朱據字子範吳郡人有姿皃膂力絕人又能論難黃武初徵拜五官中郎權遷建業據尚公拜左將軍封雲陽侯謙虛接士輕財好施
吳志曰駱公緒時年八歲與親客歸會稽事嫡母甚謹時飢荒多有困乏公緒爲之飲食衰少其姊仁愛有行寡歸無子見甚哀之數問其故公緒曰丈夫糟糠不足我亦何必獨飽姊曰誠如是何不告我而自苦若此乃自以私粟與公緒又以告母亦覺之遂使分施由是顯名
晉書曰郗鑒時所在饑荒州中之士素有感其恩義者相與資贍鑒復分所得以恤宗族鄉曲孤老賴而全濟者甚多
又曰紀瞻少與陸機兄弟親善及機被誅瞻卹其家周至及嫁女資送同於所生
王隱晉書曰潘勗字元茂值年荒部曲之家徒兒渠帥皆素服重名共相率送迎道路所在爲儲以供行資勗隨主人多少口率均分無有尊卑優劣若所賦已盡偶有不足則推已之分以周未遍父老有頌之曰且貴且富有南山之壽吾仍得與潘元茂又曰恩不可忘無如我潘郎
晉中興書曰應詹以孝稱年拾餘歲祖父母云家富於財而詹年稚弱乃請宗中單貧者與共爲居弱冠知名太宰何邵見而稱之曰質文之士也
晉紀曰祖逖梗槩有大志年十五不知書輕財好施每至諸田舍輒稱兄意散帛以是嘉焉

太平御覽卷第四百七十六

太平御覽卷第四百七十七

人事部一百一十八

施惠下

宋書曰范叔孫少而仁厚周窮濟急鄉曲貴其義行無有呼其名者

又曰劉凝之傳衡陽王義季荆州年飢義季慮凝之餒餉錢十萬凝之大喜將錢至市門觀其飢色者悉分與之俄頃立盡

又曰張進之少有志歷郡五官主簿永寧安固二縣領校尉家世富足經荒無年散其財救贍鄉里遂以貧罄全濟者甚多

又曰嚴世期會稽山陰人也好施慕善出自天然同里張邁三人妻子各産子時歲飢儉慮不相存欲弃而不舉世期聞之馳往拯救分食解衣以贍其乏三子並得成長

又曰蕭惠開爲益州牧太始四年還至京師初惠開府録事叅軍劉希微負蜀人債將百萬爲債主所制未得俱還惠開甚耻之輙之厩中九有馬六十疋悉以與希微償債其意趣不常皆如此

齊書曰劉善明平原人懷珍族弟但徐州刺史鎮北將軍父懷民宋世爲齊北海二郡太守元嘉末青州飢荒人相食善明家有積粟躬食饘粥開倉以救鄉里多獲全濟百姓呼其家田爲續命田

崔鴻前涼録曰張冲字長思燉煌人散家財巨萬施之鄉閭時人爲之謡曰推財不疑張長思

又曰後燕録曰趙秋字子武汲郡朝歌人少而輕財好施隣人李玄度母死家貧無以葬秋謂其兄曰起死生救不足人之本也家有二牛以一與之玄度得以葬亡年秋夜行見一老母遺金一餅曰子能葬我是以相報子五十已後當富貴不可言勿忘玄度也

後魏書曰祖巖字洪山於固安縣世有積粟至數萬石自延昌已來北州頻經災儉巖兄弟傾家贍遺嘗見州郡徵租甚急巖遂以家粟萬斛代輸聞者莫不嗟歎

又曰張普惠不營財業好有進舉敦於故舊冀州人侯堅固少時與其遊學卓終其子長瑜普惠每於四時請禄無不減贍其衣食

隋書郭衍授瀛州刺史遇秋霖大水其屬縣多漂没民皆上高樹依大冢衍親備舡栰并賫粮拯救之民多獲濟衍先開倉賑邮後始聞奏上大善之

唐書曰孟簡性俊拔尚義早歲交友先殁者視其孤每厚

於周邺議者以爲有前輩風

又曰李藩少恬淡修撿雅容儀好學父卒家富於財親族弔者有挈去不禁愈務散施不數年而貧年四十餘未仕讀書楊州困於自給妻子怨尤之晏如也

又曰盧鈞爲嶺南節度使自貞元已來衣冠得罪流放嶺表者因物故子孫貧悴雖遇赦不能自還凡在封境者鈞減俸錢爲營槥櫝其家疾病死喪則爲之醫藥殯歛孤兒稚女爲之婚嫁凡數百家李皐貶温州長史無幾攝行州事歲儉州有官粟數十萬斛欲行賑救掾吏叩頭乞候上旨皐曰夫人一日不再食當死安暇禀命若殺我一身活數千命利莫大焉於是開倉盡散之以擅貸之罪飛章自劾天子聞而嘉之荅以優詔

崔氏家傳座右銘曰無論人之短無道已之長施人慎勿

念受施愼勿忘隱心而後動謗議庸何傷虛譽不足慕古
誡不可抗
家語曰子游問於孔子曰夫子亟言子產之惠也可得聞
乎孔子曰夫子產者猶衆人之母也能食之不能教以其乘
車濟冬涉者盡愛而無教也
又曰孔子曰好學則智恤孤則惠恭則近禮勤則有繼
尚書大傳曰老而無妻謂之鰥老而無夫謂之寡幼而無
父謂之孤老而無子謂之獨行而無資謂之乏居而無食謂
之困此皆天民之至悲哀而無告者故聖人在上君子在位
能者任職必先施此無使失職
戰國策曰襄王立田單相之過淄有老人涉淄而寒出不
能行坐涉中田單見其寒也解裘而衣之王乃賜田單牛
酒召單而揖於庭勞之乃布令求百姓之飢寒者收穀之
乃使人聽於閭里聞大夫相與語曰單之愛人乃王之教
也

江表傳曰全琮罷東安郡還錢唐修祭墳墓麾幢節蓋曜
於舊里請會邑人平生知舊宗族六親施散惠與千有餘
萬本土以爲榮　司馬徽字德操人有臨蠶求
簇者徽便與之自弃其蠶或有難之者曰凡人有損已以贍
人謂彼事急已事緩耳今彼此正等何爲急之　以與人
邪徽曰人不當求耳人已求拒之將懟何有以財貨令人
懟者也
董卓別傳曰太常張奐將師北征表卓爲軍司馬從軍行
卓手斬購募羌酋拜五官中郎賜縑九十疋卓歎曰爲者
則已有者則士悉以縑分與兵吏
葛洪神仙傳曰焦先日日入山伐薪以布施從西村頭一
家起周而復始
秦書曰尚書令符雅爲人樂施乞人填門嘗曰天下物何
常吾今日富後日貧耳忽一日不施則意不泰時人爲之
語曰不爲權異富寧作符雅貧
賈誼新書曰楚昭王當房而立愀然有寒色是日也出府
之裘以衣寒者出倉之粟以賑飢者二年吳襲郢當房賜
者請還戰死闔閭曰昔吾徒當房之德也
三輔決録曰摯茂字子華以茂才爲郡去治財致大富悉
散以分宗人先從貧始以壽終
虞預會稽典録曰駱俊字遠孝靈皇帝擢拜陳相汝南葛
陂盜賊並起與接境四面受敵俊整厲吏人爲之保鄣出
倉見穀以贍貧乏
劉邵人物志曰中材之人財隨損益是故籍富貴則貨財
充於內施惠周於外見贍者求可稱而譽之見援者闡小
美而大之雖無異材猶行成而名立也
英雄記曰王匡字公節泰山人輕財好施以任俠聞辟大
將軍何進府使匡於徐州發強弩五百詣京師會進敗匡
還鄉里
劉義慶世說曰顧榮在洛嘗應人請覺行炙人有欲炙之
色因輟已施焉後遭亂渡江每經危急常有一小人左右
問其故乃受炙人也
顏延之庭誥曰善施者豈唯發自人心乃出天財
裴啓語林曰大將軍王敦尚武帝女此主特所重愛遣送十
倍諸主主既亡人就王乞始猶分物與之後乞者多遂指
庫屋間數以施
孔叢子曰衞公子友饋馬四乘於子思爲賓主之饗焉子

思曰伋寄命以來度身以服衛之衣量腹以食衛之粟且
又朝夕受酒脯及祭膰之賜衣食已優意氣已足以無行
志未敢當車馬既禮雖有爵賜人不踰父兄今重違公子
之盛指則有陷禮之愆焉若何公子曰友已言於君矣
又曰季桓子以粟千鍾餼夫子受之而不辭既而以班門
人之無者子貢進曰季孫以夫子貧故致粟夫子受之而
以施人無乃非季孫之意乎子曰受人財不以成富與季
孫之惠於一人豈若惠數百之人哉
列子曰衛端木叔者子貢之世父也藉其先貲家累萬金
奉養之餘先散之宗族次散之邑里乃散一國行年六十
氣幹衰棄其家事都散其庫藏珍寶車服妾媵一年之中
盡焉及其病也無藥石之儲及其死也無瘞葬之資一國
之人受其施者相與賦而藏之及其子孫之財焉金屈犛
聞之曰端木叔狂人也辱其祖矣段干生聞之曰端木叔
達人也德過其祖矣
莊子曰青青之麥生於陵陂生不布施死何含珠為
孟子曰子產聽鄭國之政以其乘輿濟人於溱洧
孟子曰惠而不知為政歲十一月徒杠成十二月輿梁成
民未病涉
韓子曰吳起為魏將而攻中山軍人有病疽者吳起跪而
自吮其膿傷者母立而泣人曰將軍於若子如是何為泣
對曰昔吳子吮其父傷而殺之涇水之上今又將安知
不殺是乎
呂氏春秋曰秦繆公乘馬車敗右服失公自往求馬見野
人方將食之於岐山之陽繆公笑曰食馬肉而不飲酒余
恐其傷生也遍飲而去居一年為韓原之戰晉人以環繆

公之車矣嘗食馬肉者三百餘人疾鬬車下遂大尅晉反
獲晉公以歸
呂覽曰魯國之法魯人為人臣妾於諸侯有能贖之者取
其金於府子貢贖魯人於諸侯來辭不受其金孔子曰賜
失之矣自今以往魯人不贖人也
淮南子曰為魚德者非挈而入淵也為猨賜者非負於緣
木也縱其所之利之而已矣

太平御覽卷第四百七十七

太平御覽卷第四百七十八

人事部一百一十九

贈遺

毛詩曰雞鳴刺不說德也知子之來之雜佩以贈之知子之順之雜佩以問之

又曰唯士與女伊其相謔贈之以芍藥

又曰渭陽康公念母也康公之母晉獻公之女文公遭驪姬之難未返而秦姬卒穆公納文公康公時爲太子贈送文公於渭之陽念母之不見也我見舅氏如母存焉我送舅氏曰至渭陽（渭水名秦時都雍至渭陽者蓋東行送舅氏於咸陽之地）何以贈之路車乘黃我送舅氏悠悠我思何以贈之瓊瑰玉佩

禮記曰孔子之衛遇舊館人之喪入而哭之哀出使子貢脫驂而賻之子貢曰無乃已重乎夫子曰余鄉者入而哭之遇於一哀而出涕余惡夫涕之無從也小子行之

左傳曰鄢陵之戰郤至三遇楚子之卒必下免冑而趨風楚子使工尹襄問之以弓曰方事之殷有韎韋之跗注君子也適見不穀而趨無乃傷乎郤至見客免冑承命

又曰越圍吳趙孟使楚隆使於吳王曰黃池之役君之先臣志父得承齊盟曰好惡同之今君在難無恤不敢憚勞非晉國之所能及也使陪臣敢展布之王拜稽首曰寡人不佞不能事越以爲大夫憂拜命之辱與之一簞珠

又曰吳公子札聘於鄭見子產如舊相識與之縞帶（縞帶大帶也）子產獻紵衣焉（襯衣）謂子產曰鄭之執政侈難將至矣政必及子子爲政慎之以禮不然鄭國將敗

又曰叔鮒欲求貨於衛淫芻蕘者（淫放也使欲衛懼之而致貨焉）衛人使屠伯饋叔向羹與一篋錦（屠伯衛大夫）曰諸侯事晉未敢携貳況衛在君之宇下（宇之下謂近）而敢有異志芻蕘者異於它日敢請之（請正之意）叔向受羹反錦（受羹示不逆其意且非貨賂也）

論語鄉黨曰康子饋藥拜而受之曰丘未達不敢嘗（饋遺也拜受敬也曰丘未達言不服之意藥從中制外故當慎也）

又微子曰齊人饋女樂季桓子受之三日不朝孔子行

漢書曰文帝賜趙它書上褚五十衣中褚三十衣遺王（上褚下褚謂之多少厚薄袷複之名）

范曄後漢書曰李恂徵拜謁者領西域副校尉西域殷富多珍寶諸國侍子及督使賈胡數遺恂奴婢宛馬金銀香罽之屬一無所受

東觀漢記曰陳遵爲大司農護軍嘗使匈奴過辭於王丹丹謂遵曰俱遭時反覆唯我二人爲天地所遺今子當之絕域無以相贈贈子以不拜遂揖而別遵甚悅

後列曰王丹字仲回資性清白少脩節義時京師大豪陳遵朋友喪親遵爲護喪事縑賻數百疋丹懷縑一疋至喪主前出縑授之謂曰如丹是縑出自機杼遵有慙色

閔仲叔太原人好黃老清志潔行不仕王莽之世恬靜養神弗役於物與周黨相友黨過叔含菽飲水無菜茹黨嘗遺其生麻叔歎曰我欲省煩耳受而不食

後列曰光祿勳杜林與馬援鄉里親厚援南方還時林馬適死援遣子將馬一疋遺林曰朋友有車馬之饋可以備之居數月林還之

後漢書曰或問第五倫曰公有私乎對曰昔人有與吾千里馬者雖不受每三公有所選舉心不能忘而亦終不用也吾兄子嘗病一夜十往退而安寢吾子有病雖不省視而竟夕不眠若是者豈謂無私乎

又曰張奐少立志節常與士友言曰大丈夫處世當爲國家立功邊境及爲將帥果有勲名董卓慕之使其兄遺縑百疋奐惡卓爲人絶而不受

吳志曰太史慈字子義曹公聞其名遺慈書以篋封之發省無所道而但貯當歸

蜀志曰宗預東聘吳孫權捉預手涕泣而別曰君每銜命結二國之好今君年長孤亦衰老恐不復相見遺預大珠一斛

宋書曰王弘之徴爲通直散騎常侍不就從兄敬弘常解貂裘與之即着以採藥

又曰王弘之隱居性好釣日夕載魚入徃上虞郭經親故門各以一兩頭置門内而去

又曰陶潛傳顔延之爲始安郡經過日日造潛每往必酣飲致醉臨去留二萬錢與潛潛悉送酒家稍就取酒飲

宋書曰郭原平高陽許謠之居在永興罷建安郡丞還家以綿一斤遺原平不受送而復反者前後數十孫之乃自往曰今歳過寒而建安綿好以此奉尊上耳原平乃拜而受之

齊書庾易徴辟不就以文義自樂安西長史袁彖欽其風通書致遺易以連理机竹翹書格報之

又曰張融字思光吳郡吳人也祖禕晉琅邪王國郎中令父暢宋會稽太守融年弱冠道士同郡陸脩靜以白鷺羽尾扇遺融曰此既異物以奉異人

又曰何點隱居不仕豫章王命駕造門點從後門逃去竟陵王子良聞之曰豫章王尚不屈非吾所議遺點嵇叔夜酒杯徐景山酒鎗以通意

范亨燕書曰高祖少有大度雄畧傑出晉安北將軍張華鎮薊怨御諸部高祖童冠往見華甚異之謂高祖曰君必爲命時之器匡時濟難者也脫所着幘簪以遺高祖結殷勤而別

崔鴻後燕録曰王猛伐洛陽將發謂慕容垂曰吾將遂清東夏或爲東山之別見物思人卿將何以爲信垂以佩刀遺之

崔鴻前秦録曰慕容冲進逼長安苻堅遣使送錦袍一遺冲使者稱有詔古人兵交使在其間卿遠來草創得無勞乎今送一袍以明本懷朕於卿恩分如何而於一朝忽爲此變

後魏書曰西域厭達波斯諸國各因公使並遺任城王澄駿馬一疋請付太僕以充國閑詔曰王廉貞之行有過楚相可勅付廐以成君子大哉之美

陳書賀德基少遊學於京邑積年不歸衣資罄乏又恥衣服故弊盛冬止衣裌襦袴嘗於白馬寺前逢一婦人容服甚盛呼德基入寺門脫白綸巾以贈之仍謂德基曰君方爲重器不久貧寒故以此相遺耳德基問嫗姓名不荅而去

唐書陸贄以博學宏詞登科授華州鄭縣尉罷秩東歸省母路由壽州刺史張鎰有時名贄往謁之鎰初不甚知留三日再見與語遂大稱賞請結忘年之契及辭遺贄錢百萬曰願備太夫人一日之膳贄不納唯受新茶一串而已曰敢不承君厚意

又曰陸贄丁母憂東歸洛陽寓居嵩山豊樂寺藩鎮賻贈乃別陳餉遺一無所取與韋皐布衣時相善唯西川致遺

奏而受之
家語曰子路將行辭於孔子子曰贈汝以車乎贈汝以言
乎對曰請以言孔子曰不彊不達不勞無功不忠無親不
信無復不恭失禮慎此五者而已矣子路曰由請終身奉
之
戰國策曰蘇秦說李兌抵掌而談李兌送蘇秦以明月之
珠和氏之璧黑貂之裘黃金百鎰蘇秦得以爲用西入於
秦
又曰張儀爲秦破從連横說楚王遺車百乘獻駭雞之犀
夜光之璧於秦王
梁祚魏國統曰初太祖過故人呂伯奢也遂行日暮道逢
二人容貌威武太祖避之路二人笑曰觀君有奔懼之色
何也太祖始覺其異乃悉告之臨別太祖解佩刀與之曰

以此表吾丹心願二賢慎勿言
劉向說苑曰田子方使人遺子思狐白之裘恐其不受因
謂之曰吾與人也如弃之子思辭曰伋聞妄與不如遺弃
於溝壑伋雖貧不忍以身爲溝壑也
說苑曰孔子之楚有漁者獻魚孔子不受獻漁者曰天暑
市遠賣之不售思慮欲弃之不若獻之君子孔子再拜受
謂弟子曰掃除將祭之弟子曰夫人將弃之今夫子將祭
之何也孔子曰吾聞之務施而不腐餘財者聖人也今受
聖人之賜可無祭乎
劉向列仙傳曰安期先生者時人皆言千歲公秦始皇請
與語三日三夜賜金璧數十萬出於阜鄉亭皆置去留書
以赤玉舃一量爲報曰後千歲求我於蓬萊山下
費禕別傳曰孫權以手中常所執寶刀贈禕荅曰臣不才
何以堪明令然刀所以討不庭禁暴亂者也但願大王勉
建功業同奬漢室臣雖闇弱不負采顧
蜀王本紀曰蜀王獵於褒谷見秦王以金一笥遺蜀王報
以禮物盡化爲土秦王大怒臣下拜賀曰土者地也
葛洪西京雜記曰朱買臣爲會稽太守懷章綬至金亭而
國人未知也所知錢勃見其暴露乃勞之曰得無罷乎遺
以紈扇買臣至郡引爲上客
雜記曰公孫弘爲國士所推上爲賢良國人鄒長贈以生
芻一束素絲一緵撲王一枚
孟儀周載曰悼公時晉智伯爲政強暴好侵伐欲謀襲衛乃
遺衛君野馬四白璧一以結好
韓子曰仲尼爲政於魯齊景公患之梨鉏謂景公遺哀公
女樂景公曰善乃以女樂二八遺哀公哀公果怠於政仲

尼諫不聽去而之齊
又曰晉獻公欲伐虞虢乃遺之屈產之乘垂棘之璧女樂
二八以榮其心而亂其政
孔叢子曰子思居貧其友有饋之粟者受二車焉或獻罇
酒束脩子思弗爲當或曰子取人粟而辭吾酒是辭少取
多也子思曰伋不幸而貧於財至乃困乏將絶先人祀夫
所以受粟爲周乏也酒脯則飲讌方乏於食而乃飲讌非義
也吾豈以爲介哉
又曰孔子使宰予於楚楚昭王以安車蒙飾因宰予遺孔
子焉宰予曰夫子無以此爲也臣竊見其行不離道動不違
仁貴義尚德清素好儉仕而有祿不以爲貴不合則去退
無憾心妻不服綵妾不衣帛車器不彫馬不食粟道行則
樂其治不行則樂其身臣知夫子之不用此車也

古詩曰客從遠方來贈我一端綺文作雙鴛鴦裁為合歡被

謝惠連詩曰客從遠方來贈我鶴文綾裁為親身服著以便寢興

古詩曰客從遠方來贈我一端綺相去萬餘里故人心尚尒

張衡四愁詩曰美人贈我金錯刀何以報之英瓊瑤

又云美人贈我翠琅玕何以報之雙玉盤

又云美人贈我錦繡段何以報之青玉案

又云美人贈我貂襜褕何以報之明月珠

傳云四愁詩曰美人贈我明月珠何以報之比目魚

又云美人贈我蘇合香何以要之翠鴛鴦

張載擬四愁詩曰美人遺我綠綺琴何以贈之雙南金

琴操曰許由無有杯器手掬水人見由無器以瓠瓢遺之由操飲飲訖掛以樹枝風吹樹動有歷歷聲由以為煩擾取損之

楚辭曰折疏麻兮瑤華（疏麻神麻也瑤玉華也）將以遺兮離居（離居隱者也）

皇甫規與劉司空牋曰明公至德佐國憂世雖贈兩梁冠及鮎魚一雙服厚尊貺榮施其弘

班固集曰竇憲餉身所服物虎頭繡盤囊一雙又遺身所服韈三具錯鏤鐵一

魏武帝與楊彪書曰今贈足下青氈床褥三具八

慕容晃與顧和書曰今致繡鞋一緉

張敞集敞荅朱登書曰登為東海相遺敞蟹醬敞荅曰蘧伯玉受孔子之賜必以及其鄉人敞謹分斯貺于三老尊行者曷敢獨享之

太平御覽卷第四百七十八

人事部一百二十

報恩

毛詩曰投我以木瓜報之以瓊琚匪報也永以爲好也

又曰無言不詶無德不報

左傳曰靈公將殺趙盾伏甲而饗之初宣子田於首山舍翳桑見靈輒餓問其病曰不食三日矣食之既而爲公介倒戟以御公徒而免之問何故曰翳桑之餓人也

又曰晉大夫魏武子有寵妾無子武子疾命其子顆曰我死必嫁之及其疾困曰以殉武子卒顆嫁之曰疾困則亂吾從其治也其後及秦戰於輔氏大敗秦師獲杜回方戰見一老父結草以抗杜回杜回秦之力士杜回躓而顛故獲之夜夢一老人謂巳曰予汝嫁妾之父也尔用先人治命故以是報

戰國策曰中山君饗都大夫司馬子期在焉羊羮不偏子期怒而走於楚説楚以伐中山中山君亡走有二人挈戈隨其後者君顧二子奚爲對曰臣父嘗餓且死君下壺飱餔臣父且死言曰中山有事汝必死之故來死爲君也中山君慨然曰吾以一杯羮亡國以一壺飱得二人

史記曰王稽載范睢入秦爲相睢乃入言之王曰非王稽之忠莫能内臣於函谷關非大王之賢聖莫能貴臣今臣官至於相爵在列侯王稽之官尚止於謁者非所以内臣之意也王召稽拜以爲河東太守

又曰袁盎自爲吳相時有從吏嘗盜盎侍兒文類云婢盎知之不泄遇之如初人有告從吏言君知尔與侍者通乃亡歸盎自追還遂以侍者賜之及袁盎使吳見守從吏適爲守盎校尉司馬乃悉以其齎裝置二石醇醪會天寒士卒飢渴飲酒醉西南陬卒皆卧司馬夜引袁盎起曰君可以去矣吳王期旦日斬君盎不信曰公何爲者司馬曰臣故爲從吏盜君侍兒者盎乃驚謝之而去

又曰蘇秦既貴乃遍報諸所嘗見德者其從者有一人獨未得報乃前自言蘇秦曰我非忘子子之至燕再三欲去我易水上方是時我困故望子深是以後子子今亦得矣

又曰項王使召韓信信謝曰臣事項王官不過郎中位不過執戟言不聽畫不用故去而歸漢漢王授我上將軍印與我數萬衆解衣衣我推食食我言聽計用故吾得以至於此夫人深親信我我背之不祥雖死不易

漢書曰高祖爲亭長送徒咸陽諸吏皆送錢三百蕭何獨以五百上定天下益何封二千户以荅其二

又曰欒布彭越嘗與遊窮困賃傭爲酒家保彭越贖布爲梁大夫使于齊未反漢召彭越責以反夷三族梟首雒陽下詔有收視者輒捕之布還奏事彭頭下祠而哭之

又曰高祖奪韓信齊轉爲楚王都下邳信至國召所從食漂母賜千金及其下鄉亭長錢百曰公小人爲德不竟史記云爲惠不終也

又曰張蒼陽武人有罪當斬解衣伏鑕身長大肥白如瓠時王陵見而怪其美士乃言沛公赦勿斬以爲常山相蒼德王陵及貴父事陵陵死蒼爲丞相洗沐常先朝陵夫人上食然後敢歸

前列曰蓋寬饒左遷爲衛司馬未出殿門斷其單衣令短離地冠大冠帶長劍躬按行士卒廬室視飲食居處有疾病者身自臨問加致醫藥遇之甚有恩及歲交代上臨饗

羅衛卒數十人皆叩頭自請復留更一年以報寬饒厚德
宣帝嘉之拜寬饒爲太中大夫
又曰朱買臣爲會稽太守悉召見故人與飲食諸嘗有恩
者皆報復焉
又曰宣帝在長安獄中邴吉保護養視上知吉有舊恩而
終不言時賢之詔曰御史大夫與朕有舊恩厥德茂焉詩不
云乎無德不報其封吉爲博陽侯食邑千三百户
又曰陳平旣貴寵封侯乃詔高祖曰臣不因魏無知無以
得見陛下請分報
又曰張賀幸於衛太子太子敗賀下蠶室後爲掖庭令而
宣帝收養掖庭賀拊循恩甚密及宣帝即位而賀已死上
追思德賀一子早死子孺小男彭祖指欲封之先賜爵關
内侯

東觀漢記曰建武二十六年上延集内戚讌會諸夫人各
前言爲趙熹所濟活帝甚嘉之後徵熹入爲太僕引見謂
曰卿非但爲英雄所保也婦人亦懷卿之恩厚加賞賜
袁宏後漢書曰鄭弘字巨君少事博士焦貺貺門徒數百
人當舉明經其妻勸貺曰鄭生有卿相才應此舉者也從
父楚王英之謀反逼誣天下知名者貺以楚徵疾病道死
妻子閉詔獄考掠連年諸生故人皆易姓名以避其禍弘
獨髡首負鑕爲貺訟罪明帝感悟乃免貺家屬
魏志曰太祖平幽州召孫禮爲司空軍謀掾初荒亂時禮
與母相失同郡馬台求得禮母禮推家財盡以與台
又曰楊沛字孔渠爲新鄭長謂民益蓄桑椹勞豆積浸得
千餘斛後爲鄴令賜其生口十人絹百疋
又曰曹真字子丹沛郡人本姓秦養曹氏或云其父伯南

宿與太祖善興平末袁術部黨與太祖相攻劫太祖出爲寇
所追走入秦氏伯南開門受寇問所在荅云我是寇遂害
之由此太祖思其功遂變其姓
又曰郭援捕得賈逵逵不肯拜謂援曰王府君臨郡積年
不知足下曷爲者也援曰捉斬之諸將覆護乃囚之閉着
土窖中以車輪蓋上使人圍守方且殺之逵從窖中謂守
者此間無健兒也而當使義士死時祝公道與逵非故而
適聞其言憐其守正乃夜盜引出折械遣去不語其姓名
援破後逵知前出己者是祝公道河南人後坐它事當伏
法逵救不能解爲之改服
吳錄曰孫權旣斬黃祖作二函欲以盛祖及都督蘇飛首
甘寧之在祖軍也獨飛厚之寧爲請叩頭流血主曰爲君
置之若走如何對曰飛受更生之恩豈圖去若有萬一寧
頭當代入函也乃舍之

蜀志曰法正爲蜀郡太守楊武將軍外統都督内爲謀主
一飡之德睚眦之怨無不報復或謂諸葛亮曰法蜀郡太
縱横將軍宜啓主公抑其威福亮荅曰主公之在公安也
北畏曹操之强東憚孫權之逼近則懼孫夫人生變於肘
腋之下當斯之時進退狼跋法孝直爲之傅翼令翻翔不
可復制如何禁法使不得行其意耶
晉書顧榮與同寮宴飲見執炙者皃狀不凡有欲炙之色
榮割炙啗之坐者問其故榮曰豈有終日執之而不知其味
及倫敗榮被執將誅而執炙者爲督救免之
干寶晉紀曰王濬在巴郡兵民苦役生男多不舉濬乃嚴
其殺子之防而厚卹之所育者數千人於此能稱兵矣父
母戒之曰王府君生尔必勉之無愛死

宋書王鎮惡嘗寄食澠池人李方家善遇之謂方曰若遭
遇英雄主要取萬户侯當厚相報方荅曰君丞相孫人才
如此何患不富貴
陳書曰陰鏗釋褐梁湘東王法曹叅軍天寒鏗嘗預賓友
宴飲見行觴者因廻酒炙以授之衆坐皆笑鏗曰吾儕終
日酣飲而執爵者不知其味非人情也及侯景之亂鏗嘗
爲賊所擒或救之獲免鏗問其故乃前所行觴者
唐書曰李晟嘗有恩者厚報之初譚元澄爲嵐州刺史有
恩於晟後坐貶於岳州比晟貴上疏理之詔贈元澄寧州
刺史元澄三子晟撫待勤至皆爲成就官學人皆義之
吴越春秋曰吴師入郢引軍擊鄭定公前既殺楚太子建
而困子胥故怨鄭兵將入境定公大懼乃令於鄭邦中
曰有能還吴軍者吾與之分邦而治漁者子聞而進之曰
臣能還之不用兵戈升粮得一橈行歌道中即還矣定公

大悦乃與一橈子胥軍將至漁者子當路叩橈行歌辭曰
蘆中人蘆中人子胥聞之大驚曰何等人者即請與語曰
吾是漁者子吾國君怖懼令於國中有能還吴軍吾與之
分國而治臣念先人與君相遭於途今從君乞鄭之罪也
子胥曰吾蒙子先人之恩自致於此上天蒼蒼豈敢忘子
之功乎於是乃釋鄭不伐
又曰伍子胥伐楚還溧陽瀨水之上長嘆曰吾嘗飢於此
乞食而殺一婦人將欲報之金不知其家遂投金瀨水之
中而去有頃一嫗行哭而來問曰嫗何哭之悲也嫗曰吾
有女守吾年三十不嫁往年擊漂於此遇人窮飯之而
恐泄事自投於瀨水中而死今聞伍君來不得其家自
傷空而無爲報者故行哭之悲也人曰子胥欲報嫗以百金

不知嫗所在投金水中而去嫗乃取金以歸也
劉向說苑曰吴赤布使於智氏假道於衛甯文子具紵絺
三百製送之將歸吴智伯命造舟爲梁赤布曰吾聞天子
濟於水造舟爲梁諸侯方舟大夫維舟臣之職也且敬大
其必有故使人視之則用兵在後赤布曰衛假吾道而厚
贈我我見難不告是與爲謀也稱疾而留使人告衛衛人
警戒智伯乃止
又曰楚莊王賜群官酒日暮燈燭滅有引妾衣者妾得其
冠纓持之趍火來上視絕纓者王曰賜人酒使醉失禮柰
何欲顯婦人節而辱士乎乃令曰夜飲不絕纓者不歡群
臣百餘人皆絕纓乃大醉盡忻居二十年晉與楚戰有一臣
常在前五合五獲甲首却敵卒勝怪而問之對曰臣當死
往醉失禮王隱不誅也終不敢以陰蔽之德而不顯報常
願肝膽塗地用頸血湔敵人矣臣乃絕纓者也遂平晉軍

楚得以強
又曰陽虎得罪於衛北見簡子曰自今以來不復樹人矣
簡子曰唯賢者爲能報恩不肖者不能夫春樹桃李者夏
得休息秋得食焉樹蒺藜者夏不得休息秋得其刺焉今
所樹者蒺藜也
異苑曰景平中東陽大水永康人蔡嘉夫避住南壟夜有
大鼠形如浮水而來徑伏嘉夫床角奴愍而不犯每食轉以
餘飴與之水勢退嘉夫得反居鼠以前脚捧青紙褁三
斤許珠着奴前啾啾狀如欲語從此去來不絕也
又曰始興楊山縣人行田忽遇一象以鼻卷之遥入深山
見一象脚有巨刺此人牽挽得出病者即起相與蹋陸狀
若懽喜前象復載就一汙濕地以鼻掘出數枝長牙送還

本處彼境苗稼常爲象所困其象俗呼大客因語云我田稼在此恒爲大客所犯若念我者勿見侵便覺躑躅如相訓解於是一家業絶無其患

三秦記曰白鹿原人釣魚於原綸絶而去夢於漢武求去其鉤明日戲於池見大白魚銜索帝曰豈非昨所夢取而去之間三日帝復遊池濵得明珠一雙武帝曰豈非昔魚之報

桓冲之述異記曰陳留周氏婢名與進入山取樵夢見一女語之曰近在汝頭前目中有刺煩爲拔之當有厚報婢見一朽棺頭穿壞髑髏墮地草生目中便爲拔草內着棺中以甓塞穿即於髑髏處得一雙金指環

吳均續齊諧記曰弘農楊寶見一黃雀爲鴟梟所搏取之以歸置巾箱中養之百餘日毛羽成朝去暮還後寶夕讀

書未卧有黃衣童子向寶再拜曰我王母使臣昔使蓬萊不愼爲鴟梟所搏蒙君仁愛救拯今當受使南海不得奉侍以白環四枚與寶令君子孫潔白且位登三事當如此環矣

東陽元凝齊諧記曰富陽董昭之嘗乘舡過錢塘江中央見有一蟻着一短蘆甚迫遽昭之曰此畏死也便以繩繫此蘆着舡頭蟻緣繩出中夜夢一人烏衣從百許人來謝云僕不愼墮江慙君濟活僕是蟻中王君若急難之日當見告後昭遇事繫獄蟻穴獄昭遂得脫

盛弘之荆州記曰隨侯曾得大蛇不殺而遣之蛇後銜明月珠以報隨侯一名隨侯珠

孔靈符會稽記曰射的山南有白鶴山此鶴爲仙人取箭漢太尉鄭弘嘗採薪得一遺箭頃有人覓弘還之問何所欲弘曰常患若耶溪載薪爲難願旦南風夕北風後果然

劉義慶幽明録曰項縣人姚牛年十餘歲父爲鄉人所殺牛手刃之於衆中吏捕得官長深矜孝節爲推遷其事會赦得免令後出獵逐鹿入草中有古深穽數處馬將趣之忽見一公舉杖擊馬馬驚避不得及鹿令怒引弓將射之公曰此中有穽恐君墮耳令曰汝爲何人翁跪曰姚牛父也感君活牛故來謝恩遂滅不見

又曰符堅時有射師經嵩山望見松上有一雙白鳥似鵠而大至樹下又見一蛇長五丈許上樹取鳥鳥欲飛蛇張口翕之鳥不去繽紛一飡頃射師轂弩射三矢蛇落鳥得去樹百餘步山邊整理毛羽須臾雲雷發射師懾不得旋踵見向鳥徘徊其上毛落紛紛似如相援如此數陣雲息電滅射師得免鳥亦高飛

三輔決録曰高陵龐智伯名勃爲郡小吏東平衡農字剽卿爲書生窮乏客鍛於勃家勃知其賢禮待願眷常去送十里過舅家復貸錢贈之農受曰爲馮翊乃相報別七八年果爲馮翊勃爲門下書佐忘之矣農召問乃辟舉孝廉爲尚書郎左右丞魏郡太守河內太守

又曰趙岐避難於四方江海岱霍無所不到自匿姓名布衣巾絮賣餅北海市安丘孫嵩年二十餘遊市見趙歸微察知非常人駐車呼與共載曰我北海孫賓碩終不相負岐聞嵩即以實告遂與俱歸嵩先入白母曰今日出得死友在外岐即匿嵩家積年乃出後説劉表時北海孫嵩流離在劉表末座不爲表所識岐遥識之　表説嵩表甚重之同共表嵩爲青州刺史

于寶搜神記曰噲叅寓居河內虔恭父母忽有單鶴趣之

尒撫視箭創甚重於是以膏藥摩之月餘漸愈放而飛去數十日間夜鶴雌雄二頭各銜一珠吐之而去

搜神記曰羊公雍伯本以儈賣爲業性篤孝父母終葬南山遂家焉山高無水公汲水作義漿於坂頭行者皆飲之三年有一人就飲以一升石子與之使至高平好地有石處種之得五雙白璧名玉田玉田起於此也

續搜神記曰晉咸康中豫州刺史毛寶戍邾城有一軍人於武昌市見人賣一白龜子長四五寸色白可愛其人買取持歸着瓮中養之日漸大近及尺許其人憐之持至江邊放於水中視其遊去後邾城遭石虎敗毛豫州旣赴江莫不沉溺所養龜人于時被鎧持刀亦同自投入水中覺如墮一石上水裁至腰須臾浮去中流視之乃是先養白龜甲已長六七尺旣送至東岸出頭視之徐游而去中江猶顧者數四焉

陳壽益部耆舊傳曰王忳嘗詣京師於空舍中有一書生病困愍而視之書生謂忳曰我當到洛陽而病要下有金十斤願以相贈死後乞藏骸骨未及問姓名而絕忳即鬻金營葬餘金悉置棺下後數年縣署大度亭長初到日有馬馳入亭而止其日大風飄一繡被復墮忳前

張氏家傳曰禧字彥祥除効穀令嘗有鶴貪矢集禧庭以甘草湯洗之傅藥留養十餘日瘡愈飛去月餘銜赤玉珠二枚置禧廳事

晏子春秋曰北郭騷見晏子曰竊說先生之義願乞以養母晏子使人分粟府金以遺之辭金受粟有間晏子見疑景公乃出奔北郭子曰養及親者身更其難遂告公庭曰晏子天下之賢也去齊齊國必侵不若先死乃自殺公自追及郊而反晏子曰士以身明人者哉

呂氏春秋曰秦繆公敗失右服馬公自往求見野人方食之於岐山之陽繆公笑曰食駿肉不飲酒余恐傷汝也遍飲而去居一年爲韓原之戰晉人已環繆公之車晉梁由靡已扣繆公嘗食馬肉三百餘人疾鬭車下遂大克晉反獲晉惠公以歸

又曰趙簡子有兩白騾甚愛之陽城胥渠處陽城姓胥渠名處猶病也廣門之官夜欸門而謁曰主君之臣胥渠有疾醫教曰得白騾之肝則止不得則死請入通董安于御於側簡子曰殺白騾取其肝以予陽城胥渠無幾何趙興兵而攻翟廣之門官七百人皆先登而獲甲首

太平御覽卷第四百七十九

人事部一百二十一

盟誓

盟誓

質

說文曰誓約束也

尚書甘誓曰大戰于甘乃召六卿王曰嗟六事之人予誓告汝有扈氏威侮五行怠棄三正天用勦絶其命今予惟龔行天之罰左弗攻于左汝弗龔命右弗攻于右汝弗龔命御非其馬之正汝弗龔命左軍左之主射攻治之其職也三者有失皆不奉我命也用命賞于祖弗用命戮于社天子親又載社主謂之社士不用命則戮于社也予則孥戮汝

又泰誓曰王乃徇師而誓曰嗚呼西土有衆咸聽朕言予有亂臣十人同心同德雖有周親不如仁人

周禮司盟曰掌盟載之法載盟辭也凡邦有疑會同則掌其盟約之載及其禮儀北面詔明神旣盟則貳之貳之者冩副當之授六官之也盟萬民之犯命者詛其不信者亦如之

左傳曰陳五父如鄭莅盟歃如忘薛伯曰五父必不免不賴盟矣

又曰莊公許孟任以爲夫人割臂以盟

又曰子犯以璧授公子曰臣負羈紲從君巡於天下臣之罪多矣請由此亡公子曰所不與舅氏同心者有如白水子犯重耳舅氏言與舅氏同心之盟如此白水也投其璧於河

又曰王子虎盟諸侯于王庭要言曰皆奬王室無相害也有渝此盟明神殛之俾墜其師無克祚國

又曰甯武子與衛人盟于宛濮曰天禍衛國君臣不協以及此憂今天誘其衷使皆降心以相從也不有居者誰守社稷不有行者誰扞牧圉有渝此盟以相及者明神先君是糾是殛國人聞此盟也而後不貳

又曰楚師將去宋申犀稽首於王之馬前曰無畏知死而不敢廢王命王棄言焉王不能荅申叔僕曰築室反耕者宋必命從人宋之懼使華元夜入楚師登子反之牀而起之曰寡君使元以病告曰弊邑易子而食折骸以爨雖然城下之盟有以國斃不能從也去我三十里唯命是聽子反懼與之盟而告王退三十里宋及楚平華元爲質盟曰我無爾詐爾無我虞楚不詐宋宋不備楚也

又曰晉士燮會楚公子罷許偃盟于宋西門之外曰凡晉楚無相加戎好惡同之同恤災危備救凶患交贄往來道路無壅謀其不協而討不庭也

又曰秋七月盟于亳范宣子曰不愼必失諸侯乃盟載曰凡我同盟無蘊年蘊積年穀而不分定無壅利無姦保藏罪人也無留慝救災患恤禍亂同好惡奬王室也

又曰鄭大夫盟于伯有氏禆諶曰是盟也其與幾何言其不能久也禆諶鄭大夫也詩曰君子屢盟亂是用長

又曰小邾射以句繹來奔曰使季路要我吾無盟矣以子路信誠故得與相要誓而不須盟也子路卽季路使子路子路辭季康子使冉有謂之曰千乘之國不信其盟而信子之言子何辱焉

公羊傳曰莊公會齊侯盟于柯曹子進曰君之意何如莊公曰寡人之生則不若死曹子曰然則君請當其君臣請當其臣莊公曰諾於是會桓公莊公升壇曹子手劒而從之管子進曰君何求曹子曰城壞壓境齊數侵取魯邑以讓侵近君不圖歟願請汶陽之田管仲顧曰君其許諾桓公曰諾已盟曹子擲劒而去之要盟可犯而桓公不欺曹氏可讎而桓

公不怨桓公之信著乎天下自柯之盟始也
穀梁傳僖公曰葵丘之盟陳牲而不殺讀書加於牲上曰
母權水母訖糴訖止母以妾爲妻使婦人與國事
又成公曰溴梁之會諸侯失政諸侯會而曰大夫盟政在
大夫也諸侯在而不曰諸侯之大夫大夫不臣也
三禮圖曰方盟木方四尺設六色東青西白南赤北黑上
玄下黃設六玉上圭下璧南方璋西方琥北方璜東方圭
方盟者上下四方之神明天之司盟
史記曰吳起東出衞郭門與其母別齧指而盟起不爲卿相
不復入衞也
又曰秦之圍邯鄲趙使平原君求救於楚門下有毛遂者
前自贊於平原君曰遂願備員而行平原君曰夫賢士之
處世也若錐處囊中其末立見今先生處勝之門下三年
於此矣左右未有所稱遂曰臣乃今日請處囊中尒使早
處囊必穎脫而出非特其末見而已平原君與楚合從言
其利害日出而言日中不決遂按劒而前曰從之利害兩
言而決耳今日出而言日中不決何也楚王叱曰胡不下
遂按劒而前曰今十步之中王不得恃楚國之衆王之命
懸於遂今楚地五千里持戟百萬此霸王資白起小竪子
耳率數百萬之衆一戰而舉鄢郢再戰而燒夷陵三戰而
辱王之先人此百世之怨也楚王曰謹奉社稷以從遂奉
銅盤北面跪進之定於殿上遂招堂下十九人曰公等碌
碌因人成事者也
漢書曰王陵爲右丞相惠帝崩高后欲立諸呂爲王問陵
陵曰高皇帝刑白馬而盟曰非劉氏而王者天下共擊之
今王諸呂非約也

東觀漢記曰隗囂字季孟天水人也以王莽篡盜逆復漢之
祚乃立高祖太宗之廟稱臣執事史奉璧而告祝畢有司
穿坎於庭割牲而盟
魏志曰臧洪字子原廣陵射陽人也張邈起兵請洪與計
事又致之於劉兖州公山孔豫州公緒乃設壇場方共盟
誓諸州郡相讓乃共推洪洪乃升壇操盤血而盟
晉中興書曰符洪第三子健陰圖關中陽使其徒種麥示
無西意有微知其計不肯耕種者健殺之後十餘日師衆
西行到孟津作浮橋渡河使弟雄步騎五千人入潼關兄子
青軹關入河東誓曰若事不捷汝死河北我死河南爲鬼
無相見也
王羲之爲會稽內史慨然稱疾去郡於父母墓前自誓曰
維永和十一年二月九日小子羲之敢昭告尊靈羲之不
天夙遭閔凶不遂過庭之訓母兄鞠育得漸庶幾遂因人
之力蒙國寵榮進無忠孝之節退違聖賢量力之義將憂
及宗祀豈在微身是用寤寐永歎若墜淵谷羲
之既去官與東土人士盡山水之遊弋釣爲娛與道士許
玄度共脩服食採求藥石不遠千里朝廷以其誓苦亦不
徵
又曰祖逖謚中宗以掃平中原於是以逖爲前鋒都督奮
威將軍豫州刺史給布三千疋逖乃還北渡江中流誓曰
祖逖不清中原而復濟者如此江
蕭子顯齊書曰王敬則爲暨陽令縣有一部劫逃紫山中
爲民患敬則遣人致意劫師悉可出首當先申論治下廟
神甚酷烈百姓畏之敬則引神爲誓必不相負劫師既
出敬則於廟中設酒會於坐收縛之曰吾先啓神若負誓

還神十牛今不得　違誓即殺十牛幷斬諸賊百姓悅之

漢書春秋曰梁皇后崩桓帝獨呼小黃門唐衡至共户如厠問左右梁冀不相得者皆誰衡對曰單超左悺前詣河南尹不疑禮敬小簡不疑收其兄弟送雒陽獄於是帝與入室定謀齧超臂出血以爲盟乃誅梁冀

高士傳曰胡昭初晉宣帝爲布衣時與昭有舊昭同郡周士等謀害帝昭聞而步險邀士於濟澠之間止士士不肯昭泣以示誠士感義乃止昭斫棗樹共士盟而別昭雖有陰德於帝口終不言時人莫知

華陽國志曰昭王時有一虎傷害千餘人昭王乃募有能殺虎者賞時巴夷廖仲作白竹之弩乃射殺虎昭王刻石盟要曰秦犯夷輸黃龍一雙夷犯秦輸清酒一鍾夷人安之

平四百八十　五　徐壬

晏子春秋曰崔杼殺莊公盟於國者戟鉤其頸劒承其心晏子不與盟而出上車其僕將馳晏子撫其手曰麋生於山命懸於厨命有所懸矣成節而去

黃庭經曰黃庭爲不死之道受者齋九日或七日或三日然後授之者爲師受者奉馬結盟立誓期以勿泄古者盟用玄雲之錦九十尺金簡鳳文之羅四十尺

竹林七賢論曰劉伶常病酒渴求酒於其妻妻捐酒毀器泣而諫曰君酒過非攝生之道也必宜斷之伶曰善吾不能自禁唯酒當禮鬼神自誓以斷之耳便可具酒肉妻敬聞命供酒肉於前請伶祝誓伶跪而祝曰天生劉伶以酒爲名一飲一斛五斗解酲婦人之言愼不可聽仍引酒御肉隗然而已復醉矣

孫卿子曰盟詛不及五帝誓誥不及三王交質不及五伯（穀梁二傳交質不及二伯）

淮南子曰胡人彈骨（胡人之盟約置酒人頭骨中飲以相詛也）越人剺臂中國唼盟所由名異其於信一也

質

左傳曰鄭武公莊公爲平王卿士（賈逵曰卿士也有事者六卿也）王貳于虢鄭伯怨王王曰無之故周鄭交質王子狐爲質於鄭鄭公子忽爲質於周（王子狐周平王之子鄭子忽鄭莊公太子忽也）王崩周人將畀虢公政夏鄭祭仲帥師取溫之麥（溫周地也蘇氏邑也）秋又取成周之禾周鄭交惡君子曰信不由中質無益也

又曰楚子圍鄭旬有七日鄭人卜行成不吉卜臨于大宮且巷出車吉（賈逵曰臨哭也巷出車陳於街示雖困不降必欲戰也）國人大臨守陴者皆哭（陴城堞也）楚子退師鄭人脩城進復圍之三月克之入自皇門至於逵路（皇門鄭城門也）鄭伯肉袒牽羊以逆曰孤不天（不爲天所佑也）不能事君使君懷怒以及敝邑孤之罪也敢不唯命是聽其俘諸江南以實海濱亦唯命其翦以賜諸侯使臣妾之亦唯命若不泯其社稷使改事君君之惠也孤之願也非所敢望也敢布腹心左右曰不可得國無赦王曰其君能下人必能信用其人矣庸可冀乎退三十里而許之平潘尫入盟子良出質（潘尫楚大夫師叔守也子良鄭公子也）

穀梁曰晉大夫敗齊師于鞌郤克曰與我紀侯之甗（甗齊襲滅紀所得邑）且以蕭同叔子爲質

史記曰越王勾踐欲使范蠡治國政對曰兵甲之事種不如蠡鎭撫國家親百姓蠡不如種於是舉政屬種而使蠡與大夫柘稽行成爲質於吳也

又曰蔡昭侯十年朝楚昭王持善裘二獻其一於昭王而自衣其一楚相子常欲之弗與子常讒蔡侯留之於楚三

覽四百八十　六　徐壬

年蔡侯知之獻其裘子常受之乃言歸蔡侯蔡侯歸而之晉請與晉伐楚夏晉滅沈楚怒攻蔡昭侯使其子爲質於吳謀共伐楚後與吳王闔閭遂破楚入郢

又曰張儀說楚王曰大王誠能聽臣臣請使秦太子入質於楚秦女爲大王箕箒之妾効萬里之都以爲湯沐之邑

戰國策曰濮陽人呂不韋賈於邯鄲見秦質子異人謂其父曰耕田之利幾倍曰十倍珠玉之贏幾倍曰百倍立主定國之贏幾倍曰無數曰今力田疾作不得煖衣餘食今建國立君澤可以遺後願往事之太子異人質於趙處於聊城故往說之

又曰楚相王太子之時爲質王崩太子辭歸齊王曰與我東地五百里則子得歸太子入致命曰敬獻地五百里齊王歸楚太子太子歸即位爲王齊使車五十乘來取東地於楚王朝群臣曰寡人之得來及主墳墓復群臣歸社稷以東地五百里許齊今求地爲之奈何上柱國子良曰王不可不與也王身出玉聲許強萬乘之齊而弗與則不復信不可以約結諸侯

又曰楚王死太子在齊質蘇秦謂薛公曰君不如留楚太子以市其下東國薛公曰君不如不我留太子郢中立王君因謂其新王曰與我下東國吾爲王殺太子不然則吾將與三國共立之然則下東國必可得矣

又曰趙太后新用事秦急攻之趙氏求救於齊齊曰必以長安君爲質兵乃出太后不肯大臣強諫太后謂左右言有復令長安君爲質老婦必唾其面左師觸龍言曰今媼尊長安君之位而封之以膏腴之地與之重器不令有功於國若山陵崩長安君何以自託於趙老臣以媼爲長安君計

短也太后曰諾於是爲長安君約車百乘質於齊齊兵乃出也

東觀漢記曰隗囂負隴城之固納王元之說雖遣子春卿入質猶持兩端世祖於是稍黜其禮正君臣之義

晉中興書曰諸葛誕叛遣子靚入質於吳吳亡入洛自以父誕爲太祖所斬誓不見太祖叔母琅耶武王妃靚之姊也帝後因靚在姊間往就見焉靚逃于廁帝又逼之靚流涕曰臣不能漆身吞炭復覩聖顏

燕丹子曰太子丹質於秦秦王遇之無禮不得意欲歸秦王不聽謬言曰令烏白頭馬生角乃可丹仰天而歎烏即白頭馬爲生角秦王不得已而造機發之橋欲陷丹丹過之橋爲不發也

太平御覽卷第四百八十

人事部一百二十二
仇讎上
周禮地官調人曰調人掌司萬民之難而諧和之（馬融曰難謂相
與爲仇也）凡和難父之讎避諸海外兄弟之讎避諸千里之外
從父兄弟之讎不同國君之讎視父師長之讎視兄弟交
友之讎視從父兄弟
禮記曰子夏問於孔子曰居父母之仇如之何夫子曰寢
苫枕干不仕弗與共天下也遇諸市朝不反兵而鬭曰請
問居昆弟之仇如之何曰仕弗與共國銜君命而使雖遇
之不鬭曰請問居從父昆弟之仇如之何曰不爲魁主人
能則執兵而陪其後
又曰祁奚請老晉侯問嗣焉稱解狐其讎也將立之而卒

（事具薦舉部）
又曰齊高發帥師伐莒（莒不仕齊故也）莒子奔紀鄣（紀鄣莒邑）使孫書
伐之（孫書陳無宇子占也）初莒有婦人莒子殺其夫已爲嫠婦及老
託於紀鄣紡焉以度而去之（日紡纑連所以度城而藏之）以待外攻者
及師至則投諸外（投繩城外隨之而出）或獻諸子占子占使師夜縋
而登（縋繩登城也）登者六十人縋絕師鼓譟城上之人亦譟莒
共公懼啓西門而出齊入紀（傳言怨不在天）
又曰吳伐越越子勾踐禦之陳于檇李靈姑浮以戈擊闔
廬傷將指取其一屨（其大足指見斬遂失屨姑浮取之也）還卒於陘去檇李
七里夫差使人立於庭苟出入必謂已曰夫差而忘越王
之殺汝父乎則對曰唯不敢忘三年乃報越也
又曰五年春晉圍栢人士吉射奔齊初范氏之臣王生惡
張柳朔言諸昭子使爲栢人（令柳朔爲栢人宰也昭子范吉射也）昭子曰夫
非而讎乎對曰私讎不及公好不廢過惡不去善義之經
也臣敢違之及范氏出（栢人奔齊）張柳朔謂其子尒從主免之
我將止死王生授我矣（授我以死節也）
公羊傳曰齊哀公亨乎周紀侯譖之襄公將復讎乎紀遠
祖九世矣九世猶可以復讎乎雖百代可也家亦可乎曰
不可國何以可國君一體也先君之耻猶今君之耻也
戰國策曰晉畢陽之孫豫讓始事范中行氏不說去而就
知伯知伯寵之及三晉分知氏趙襄子最怨知伯而將其
頭以爲飲器豫讓遁逃山中曰嗟乎士爲知已者死女爲悅
已者容吾其報知氏之讎矣乃變姓名爲刑人入宮塗廁
欲以刺襄子襄子如廁心動執問塗者豫讓刃其扞曰欲爲
知伯報讎左右欲殺之襄子曰彼義士也吾謹避之耳知
伯已死無後而其臣報讎此天下之賢人也卒釋之讓又

漆身爲癩滅鬚去眉自刑以變其容爲乞人而往乞其妻
不識曰狀貌不似吾夫其音何類吾夫之甚也又吞炭爲
啞變其音有謂之曰子之道甚難而無功謂子有志則然
矣謂子智則否以子之才而善事襄子襄子必近子子之
得近而行所欲此甚易而功必成讓乃笑而應之曰是爲
先知報後知爲故君賊新君大亂君臣之義者無此矣凡
吾所謂此者以明君臣之義非從易也且夫委質而事人
而求弑之懷二心以事君也吾所爲難亦將以愧天下後
世人臣懷二心者頃之襄子當出讓伏所當過橋下襄子
至橋而馬驚襄子曰此必豫讓也使人問之果讓於是襄子數
讓曰子不嘗事范中行氏乎知伯滅范中行氏而子不
爲報讎反委質事知伯知伯已死子獨何爲報之深也讓
曰臣事范中行氏中行氏以衆人遇我我故衆人報之知

伯以國士遇我我故國士報之襄子乃喟然泣曰嗟乎豫
子豫子爲知伯名既成矣寡人舍子亦以足矣子自爲計
使兵環之讓曰臣聞明主不掩人之義忠臣以死爲名君
前以寬舍臣天下莫不稱君之賢今日之事臣故伏誅然
願請君之衣而擊之則死不恨非所望也敢布腹心於是
襄子義之乃使使者持衣與讓讓拔劍三躍擊之曰可以
報知伯矣遂伏劍而死死之日趙國之士聞者皆爲涕泣
史記曰秦昭王聞魏齊在平原君所欲爲范雎必報其仇
乃佯爲好書遺平原君曰願與君爲布衣之交十日飲也
又曰項梁殺人與項籍避仇吳中吳中賢大夫皆出項梁
下
又曰留侯張良者其先韓人也秦滅韓良家僮三百人弟
死不葬悉以家財求客刺秦王爲韓報仇以大父五代相

韓故乃變姓名之東海得力士以鐵椎椎秦始皇中其副
車　又曰河東李文故嘗與張湯有隙已而爲御史中丞
湯有所愛史會謁居知文與湯弗平使人上飛變告文姦
事事下湯湯治論殺文
袁山松後漢書曰蘇謙字仲讓爲郡督郵李暠爲美陽令
貪暴謙案得其臧謙遷金城太守治有異跡延熙九年至
京師暠時爲司隸收謙誣陷之死獄中謙子不韋字公先
變名姓以家財求劍客邀暠不得暠之大司農乃於司農
府旁買舍夜爲地突入暠室中暠適出不值殺其卧具暠
大怖棘屋上以板棧地而卧一宿數徙不韋乃至魏郡掘
暠父冢斬級以祭父墓級首
又曰樂府左延年秦女休行曰始出上西門遥望秦氏家
秦氏有好女自名曰女休女休年十五爲宗行報讎左執

白陽刀右據宛景矛讎家東南僵女休西上山上山四五
里關吏不得休女休前置辭生爲燕王婦今爲詔獄囚刀
矛未及下攏幢擊鼓赦書下
東觀漢記曰海曲有呂毋者子爲縣吏犯小罪宰論殺之
呂毋怨宰密聚客規以報仇毋家素豐貲産數百萬乃益
釀醇酒買刀劍衣服少年來沽者皆貰與之視其乏者輒
假衣裘不問多少少年欲相與償之呂毋泣曰縣宰枉殺
吾子欲爲報怨耳諸君寧肯哀之乎少年許諾相聚得數
十百人因與呂毋入海自稱將軍遂破海曲執縣宰殺之
以祭其子冢也
又曰趙熹字伯陽南宛人也少有節操從兄爲人所殺無
子熹十五常思欲報之乃挾兵結客後遂往復仇而仇家
皆疾病無相拒者熹以因疾報殺非仁者心且釋之而去

顧謂仇曰尔曹若健遠相避也後病愈悉自縛詣熹不與
相見後竟殺之
又曰周黨字伯况太原人至長安遊學初鄉佐嘗衆中辱
黨父黨懷之後讀春秋聞復讎之義更輟講而還與鄉佐
剋日交刃黨爲其所傷困頓鄉佐服義輿歸養之數月方
蘇既悟而去整身修志州里稱其高也
又曰申屠蟠同郡緱氏女玉爲父報讎殺夫氏之黨吏執
玉以告外黄令梁配欲論殺玉蟠時年十五爲書生進諫
曰玉之節義足以感無耻之孫激忍辱之子不遭明時當
表旌廬墓况在清聽而不加哀矜配善其言乃爲讞得減
死論鄉人稱美之
又曰酒泉龐淯母者趙氏之女字娥父爲同縣人所殺而
娥兄弟三人俱疾物故讎乃喜而自賀以爲莫已報也娥

陰懷感憤乃潛備刀兵常推車以候讎家十餘年不能得
後遇於都亭刺殺之因詣縣自首曰父仇已報請就刑戮
福昌長尹嘉義之解印綬欲與俱亡娥不肯去曰怨塞身
死妾之明分結罪治獄君之常理何敢苟生以枉公法後
遇赦得免州郡表其閭太常張奐嘉歎以束帛禮之
又曰彭寵故舊渤海趙寬妻子家屬依託寵居寬仇家趙
伯有好奴以賕寵寵貪之爲盡殺寬家屬寵之勃德不仁
貪狼如此
又曰郅惲友人董子張病將終惲候之子張視惲歔欷不
能言惲曰吾知子不悲天命痛讎不復也惲即起將客遮
仇人取其頭以示子張子張見而氣絶惲即詣縣以狀自
首
漢書曰原涉與新豐富人祁大伯友大伯同母弟王游公

素嫉涉時爲縣門下掾說尹公曰君以守令辱原涉如是
一旦眞令至君復單車歸爲府史涉刺客如雲殺人皆不
知主民可爲寒心今爲君計莫若條奏其舊惡君必得真
令如此涉亦不敢怨矣尹公如其計王莽果以尹公爲真
令涉繇此怨王游公遂殺游公及子斷兩頭去
謝承後漢書曰橋玄遷齊國相郡有孝子爲父報讎繫臨
淄獄玄愍其至孝欲上讞減罪縣令路芝酷烈苛暴因殺
之懼玄收録佩印綬欲走玄自以爲深負孝子捕得芝束
縛藉械以還笞殺以謝孝子冤魂
范曄後漢書曰劉鯉更始子也得幸於劉輔鯉怨劉盆子害
其父因輔結客殺盆子兄故式侯恭輔坐繫詔獄三日乃
得釋
魏志曰楊阿若後名豐字伯陽少遊俠常以報仇解怨

爲事至建安中太守徐揖誅郡中强族黄氏時黄昂得
脱在外乃募衆得千餘以攻揖揖城守豐時在外以昂爲
不義乃捐妻子入南羌中合衆得千餘騎昂獨走出羌捕
得之豐遂殺之
又曰韓暨字公至同縣豪右陳茂譖暨父兄幾致大辟暨
陽不以爲言庸賃積資陰結死士遂追尋擒茂以首祭父
墓由是顯名
又曰典韋形貌魁梧膂力過人好節俠襄邑劉氏與睢陽
李禮爲讎韋爲報之禮故富春長備怨甚謹韋乘車載雞
酒僞爲候者門開懷匕首入殺禮并殺其妻徐出取車
吳志曰孫翊之妻徐氏甚美賊嬀覽殺翊悉取其嬪妾而
復欲逼徐氏恐違之見害時月垂竟乃使人謂覽乞至晦
日設祭除服覽許之徐氏遂潛使親信者語翊舊所委任

將孫高傅嬰二人具白逼已之狀欲徼立計以求助焉高
嬰等聞之涕泣言舊蒙翊恩許之乃密結翊平時所侍養
二十餘人以徐氏之言語之仍皆盟誓合謀至晦日徐氏
遂設祭除服薰衣沐浴内施帷帳以候覽焉大小怪其如
此無不悽愴覽密遣偵之無復疑慮徐氏乃命高嬰輩羅
住户外使人報覽言已除凶畢矣覽遂盛飾而入徐氏出
拜戶外覽纔下拜徐氏即呼二郡可起高嬰等齊出即時
殺覽徐氏却服縗絰使持覽首以祭墓舉軍震駭以爲神
韋昭吳書曰凌統怨甘寧殺其父操寧常避統不與相見
孫權亦命統不得讎之嘗於呂蒙舍酒酣統乃以刀舞寧
起曰寧能雙戟舞蒙曰寧雖能未若蒙之功也因操刀楯
以身分之
王隱晉書曰趙誘爲杜曾所害誘子胤斬曾食其肝肺

又曰桓温父被害之時温年十五枕戈泣血志欲報仇經年方知乃提刀直進手刃仇人由是名重當時

又曰龔壯字子偉值惠懷末天下大亂李特爲寇壯父叔並爲特所害壯欲報仇會李壽鎮漢中壽時與李期有嫌壯因說壽討期壽然之遂帥衆還討期特孫也故壯假以復讎壽既捷因欲官壯誓不仕

又曰沈充敗于呉興呉興人呉儒充之將也充亡失道誤入儒家誘内充重壁因笑謂充曰三千户侯也充曰封侯不足貪也爾大義全我我宗族必厚報若必殺我汝族滅矣儒遂殺之充子勁字世堅即潛報仇族滅呉氏

沈約宋書曰沈林子以仇讎未復從高祖赴京城進平都邑時年十八身長七尺五寸仇沈預慮林子爲害常被甲持戈至是林子與兄田子還東報讎五月夏節直入預男

女無長幼悉屠之以預首祭父祖墓

孫嚴宋書曰宋越父爲蠻所殺其讎嘗出郡越白日於市口刺殺之太守夏侯穆嘉之擢爲隊主

後魏書曰淳于誕字靈遠年十二隨父向楊州父於路爲盗所害誕雖童稚而哀感奮發傾資結客旬朔之内遂得復讎由是州里歎異之

又曰孫益德其母爲人所害益德童幼爲母復仇還家哭於殯以待縣官高祖文明太后以其幼而孝決又不逃罪特免之

梁書曰張景仁廣平人也父天監初爲同縣韋法所殺景仁時年八歲及長志在復讎普通七年遇法公田渚手斬其首以祭父墓事竟詣郡自縛乞依刑法太守蔡天起上言乃下教褒美之原其罪下屬長蠲其一户租調以旌孝

行

唐書曰絳州孝女衛氏字無忌夏縣人也初其父爲鄉人衛長則所殺無忌時年六歲母又嫁更無弟兄及長常思復讎無忌從伯嘗設宴爲樂長則時亦預坐無忌以塼擊殺之既而詣吏稱父讎既報請就刑戮巡察大使黄門侍郎褚遂良以聞太宗嘉其孝烈特令免罪給傳乘徙於雍州并給田宅仍令州縣以禮嫁之

太平御覽卷第四百八十一

人事部一百二十三

仇讎下

太公六韜云武王伐紂乗舟濟河兵車出壞舡於河中太公曰太子爲父報仇令死無生所過津梁皆悉燒之

列子曰魏黑卯以暱嫌殺丘邴章其子來丹謀復讎丹氣甚猛形甚露計粒而食之順風而趨雖怒不能稱兵耻假力於人誓手劒以屠黑卯黑卯悍志絶衆力抗百夫筋骨皮肉非人類也延頸承刃披胷受矢鋩鍔摧屈而體無痕負材力視來丹猶鶵鷇也來丹之友申抱曰子怨黑卯至矣黑卯之易子過矣將奚謀焉丹垂涕曰願爲我謀申抱曰吾聞衛孔周其祖得殷帝之寶劒童子服之却三軍之衆奚不請焉巳下具劒部

淮南子曰魯人有爲其父報讎於齊者刳其腹而見其心坐而拭冠起而更衣徐出門上車而步顔色不變其御欲驅撫而止之曰爲父報讎以出死非爲生也今事已成矣有何去之追者曰此有節行之士不可殺也解圍而去之

琴操曰犢里牧恭爲父報怨而亡林岳之下有馬夜降圍其室而鳴於是覺而聞走馬聲以爲吏追之乃奔而亡明視天馬迹也乃曰吾以義殺人而天馬來降以驚動吾處不安以告吾耶乃感懼入沂澤之中作走馬引後果讎家候之不得也

又曰聶政父爲韓王治劒過期不成王殺之時政未生及壯問毋知之乃入山遇仙人學鼓琴漆身吞炭七年琴成入韓逢妻從買櫛對而笑妻泣曰君似政齒政曰天下人齒盡相似耳乃入山援石擊落其齒以刀内琴中刺韓王

國語曰吳敗越於會稽勾踐説國人曰寡人不知其力之不足也與大國報仇以暴露百姓之骨於中原此則寡人之罪也親爲夫差洗馬而歸乃致其衆而誓之寡人聞古之賢君不患其衆之不足也而患其志行不之少耻今夫差衣水犀之甲者億有三千人水犀如牛其甲有朱鑿以爲甲士不患其志行之少耻而患其衆之不足也

韓詩外傳曰魏文侯問解狐曰寡人將定西河之守誰可用對曰荆伯柳賢人殆可文侯曰是非子之讎也對曰君問可非問讎也於是將以伯柳爲西河守伯柳見解狐而謝之解狐曰言子者公也怨子者私也

虞溥江表傳曰孫策殺許貢貢客爲貢報讎射策中頰

陸胤廣州先賢傳曰尹牙字猛德太守南陽寵下車牙以德進幹任喉舌寵雖當國厚禄而懷愧慼見於顔色牙常

用怍焉曰伏見明府四節悲歎有慘瘁之思何也寵謂牙曰父爲豪家周張所害重仇未報並與戴天非孝子雖官尊禄重而塵耻未判是以長愧而無耻也聞好馬牙與校圉交通遂充騶馬之職乃先醉張近侍以夜解縱諸馬令之亂駭知張必將驚起伏側階下張果出問其故牙因手刃張首而還

孝子傳曰魏湯少失其母獨與父居邑養蒸蒸盡於孝道父有所服刀戟市南少年欲得之湯曰此老父所愛不敢相許於是少年毆檛湯父湯叩頭拜謝之不止行路書生牽止之僅而得免後父壽終湯乃殺少年斷其頭以謝父墓焉

師覺授孝子傳曰仲子崔者仲由之子也初子路仕衛赴蒯聵之亂衛人狐黶時守門殺子路子崔既長告孔子欲

報父讎夫子曰行矣子崔即行黶知之於城西決戰其日
黶持蒲弓木戟與子崔戰而死
皇甫謐列女後傳曰衛義姬者其夫有先人之讎讎家來
報壻避之仇家得義姬問壻所在乃積薪燎之遂不言而
燒死
又曰郃陽友娣者郃陽邑任延壽之妻也字季兒有三子
季兒兄弟季宗與延壽爭葬父之事延壽與其友陰殺季
宗季兒曰殺夫不義事兄之讎亦不義何面目以生而戴
天履地乎遂以繩自縊死馮翊王讓聞之大其義令縣復
其三子而表其墓也
又曰京師節女者長安大昌里人之妻也其夫有仇仇家
欲報夫而無道聞其妻孝義乃刼其妻父使要其女爲中
間父呼其女而告之計念不聽則殺父不孝聽之則殺夫

不義不孝不義雖生不可以行於代欲以身當之且曰諾
夜在樓上新沐頭東首卧則是矣妾請開户而夜半仇家
果至斷頭持去明視之乃其妻之頭也仇家痛以爲義遂
釋不殺其父
越絶書曰伍子胥入呉居三年闔閭將爲之報讎子胥曰
不可臣聞諸侯不爲匹夫興師於是止其後荆將伐蔡子
胥言之闔閭即使子胥救蔡而伐荆十五戰十五勝荆平
王已死子胥捶笞平王之墓而數之曰昔者吾先人無罪
而子殺之今以此報子也
趙曄呉越春秋曰越王念呉欲復怨非一旦也冬寒則抱
氷夏熱則握火愁心苦思懸膽於户出入嘗之不絶於口
乃中夜抱柱而哭訖復承之以嘯於是群臣聞之咸曰夫
復讎謀敵非君王之憂自臣下之急務也二十一年興師

滅呉
檀道鸞續晉陽春秋曰王談年十許歲父爲隣人竇度所
殺談陰有復讎之志年十八密買市利插刃陽若以耕耘
者度常乘舡出入經一橋下談伺度行還於橋上以插斬
之應手而死既而歸罪有司太守孔巖義其孝勇列上宥
之
搜神記曰丁蘭河内野王人年十五喪母乃刻木作母事
之供養如生隣人有所借木母顔和則與不和不與後隣
人忿蘭盜斫木母應刀血出蘭乃殯殮報讎漢宣帝嘉之
拜中大夫
幽明録曰項縣民姚牛年十餘父爲鄉人所殺牛常賣衣
物市刀戟圖欲報讎後在縣署前手刃之於衆中吏捕得
官長深矜孝節爲推遷其事會赦得免後令出獵逐鹿入

草草有古深穽數處馬將趍之忽見一公舉杖擊馬馬驚
僻不得及鹿令怒引弓將射之曰此中有穽恐君墮耳令
曰汝爲何人公爲跪曰民姚牛父也感君活牛故來謝恩
因滅不見令身感其事在官數年多惠於民
會稽典録曰魏朗字少英上虞人少爲縣吏兄爲鄉人所
殺朗白日操刀報讎於縣中遂亡命到陳國從博士郄仲
信學春秋圖緯又詣太學受五經京師長者李膺之徒爭
從之
解系傳曰張華裴頠之被誅也趙王倫孫秀以宿讎收系
兄弟將殺之梁王彤救之倫等怒曰我見水中蟹尚欲殺
之況此人兄弟輕我也遂并戮其妻子
崔鴻前燕録曰吐谷渾子吐延年少有大志身長七尺八
寸雄姿魁桀羌虜憚之號曰項羽性倣儻不群慷慨謂群

下曰大丈夫生不在中國當高皇光武之代與韓彭吳鄧並驅中原定天下决雌雄使名垂竹帛而潛竄窮山隅閑殊俗不聞聖教於上宗不得策名於天府生與麋鹿同群死作氈裘之鬼雖偷觀日月獨不愧於心乎負其智勇猜忍不恤下爲帛城羌酋姜聰所刺殺長子業年十歲常縛草人號曰姜聰哭而射之大號而泣不中瞋目大呼要中乃止其母謂之曰姜聰諸將已屠膾之矣汝何如此業泣曰誠知射草人無益於先公所以申罔極之心耳

陳留志曰韓卓父嘗爲吏所辱卓執兵伏道欲　候殺之而長子暴病將死卓乃歎曰道家有信報讎不欲過今長子病豈爲是乎於是乃投刃援杖復耻而止

常璩華陽國志曰陳綱字仲卿少與同郡張宗受學南陽以母喪歸宗爲安衆至元所殺綱終喪往復之自拘有司會赦免

應劭風俗通曰汝南陳公思爲五官掾王子祐爲兵曹行會食下亭子祐曾以縣官事考殺公思叔父斌斌無子父思欲爲報仇不能得卒見子祐不勝憤怒便格殺之還府歸死時大守太傅胡廣以爲公思追念叔父仁勇憤發手刃仇敵自歸司敗便原遣之

梁祚魏國統曰崔周平者漢太尉烈之孫也兄曰元平爲議郎以忠直稱董卓之亂烈爲卓所害元平常思有報復之心會病卒

魏文帝雜詔曰喪亂以來兵革從橫天下之人多相殺害昔賈復寇恂私相怨憾至懷手劒之忿光武召而和之卒共同輿而載

崔鴻後燕録曰秦滅燕慕容桓阻兵遼東爲秦所殺子鳳泣血不言年十一告其母曰昔張良養士以擊秦王復君之仇也先王之事豈可一日忘之

虞預會稽典録曰朱朗字恭明父爲道士淫祀不法游在諸縣爲烏傷長陳頵所殺朗陰圖報怨而未有便會頵以病亡朗乃刺殺頵子事發亡命奔魏魏聞其孝勇擢以爲將

又曰董黯字孝治家貧採薪供養母甚肥悅鄰人家富有子不孝母甚瘦不孝子疾黯母肥嘗苦之黯不報及母終負土成墳竟殺不孝子置冢前以祭詣獄自繫會赦免

廣德神異録曰賈氏女不知何許人年十五父爲宗人所害其弟強仁年幼賈氏撫育之及強仁長乃共殺讎者自列其罪高祖嘉之

又曰王君操父大業中爲鄉人李君則毆死貞觀初君則以運代遷革不懼憲網又以君操孤微謂無復讎之志遂仕州府操密袖白刃刺殺之剖其心肝咀食立盡詣州自陳刺史以其擅殺問之曰殺人當死律有明文何方自理以求生路君操對曰亡父被殺二十餘載聞諸典禮父讎不可同天早願圖之久而未遂常懼滅亡不展寃情今大耻既雪甘從刑憲太宗特原之

又曰張琇蒲州解縣人父審素爲巂州都督在邊累載有糺其軍中贓罪勑監察御史楊汪馳傳就軍按之汪在路爲審素黨與所刼對汪殺告事者脅汪令審素無罪俄曰州人翻殺審素之黨汪始得還至益州奏稱審素謀反因深按審素構成其罪斬之籍沒其家琇與兄瑝以年幼坐從嶺外尋各逃歸累年隱匿汪後累遷殿中侍御史改名萬頃是年瑝琇候萬頃於東都城挺刀殺之瑝雖年長其

發意及手刃皆琇爲之既殺萬頃繫表於斧刃自言報讎之狀便逃奔就江外殺萬頃同謀搆父罪者行至汜水爲捕者所獲時都城士女皆矜琇等幼稚義烈能復父讎多言其合矜恕者中書令張九齡又欲活之裴耀卿李林甫固言國法不可縱讎上以爲然因謂九齡等曰復讎雖禮法所許殺人亦格律具存孝子之情義不顧命國家設法焉得容斯殺人成復讎之志赦之虧格律之條然道路諠議故須告示乃下敕曰張琇等兄弟同殺推問疑承律有正條須合至死近聞士庶頗有諠詞矜其爲父報讎或言本罪寃濫但國家設法事存經久蓋以濟人期於止殺各申爲子之志誰非徇孝之夫展轉相讎殺傷何限咎陶作士法在必行曾參殺人亦不可恕不能加以刑戮肆諸市朝宜付河南府決殺瑝琇既死士庶咸傷憫之爲作哀誄

牓於衢路中市人斂錢於死所造義井并葬瑝琇於北邙又恐萬頃家人發之并作疑冢數所其爲時人所傷如此

唐新語曰杜并父審言善五言尤攻書翰恃才謇傲深爲時輩所嫉自洛陽丞貶吉州司户又與群寮不叶司馬周季重與司户郭若訥共構之審言繫獄將因事殺之并年十三伺季重等酣醼密刃刺季仲而死并亦見害季重臨死歎曰吾不料審言有此孝子邪若訥誤我至此審言由是免官歸東都自爲祭文以祭并士友咸哀并孝烈蘇頲爲墓誌劉充濟爲祭文則天召見審言甚嘉歎之

又曰衢州人余長安父與叔共二人爲同郡衣金所殺長安八歲自誓十七乃復讎大理斷死刺史元錫奏言臣見余氏一家横遭死者實二平人蒙顯戮者乃一孝子引公羊傳父不受誅子復讎之義請下百僚集議時裴垍當國李鄘爲有司事竟不行老儒薛伯臯與錫書曰大司寇是俗吏執人柄老小生余氏子宜其死矣

太平御覽卷第四百八十二

太平御覽卷第四百八十三

人事部一百二十四

怒　怨

怒

說文曰怒恚也
易曰君子懲忿窒慾
尚書曰今商王受弗敬上天降災下民皇天震怒命我文
考肅將天威
毛詩曰君子如怒亂庶遄沮
又曰王赫斯怒爰整其旅
又曰薄言往愬逢彼之怒
又曰如震如怒闞如虓虎
禮記曰父母怒不悅而撻之流血不敢疾怨起敬起孝

左傳曰公孫閼與潁考叔爭車潁考叔挾輈以走(輈車轅也)子
都拔棘以逐之(子都公孫閼也)及大逵弗及子都怒
又曰齊侯遊于姑棼遂田于貝丘(姑棼貝丘皆齊地也)見大豕從者
曰公子彭生也怒曰彭生敢見射之豕人立而啼公懼墜
于車傷足喪屨
又曰齊侯蔡姬乘舟于囿蕩公公懼變色禁之不可公怒
歸之未之絕也蔡人嫁之齊侯以諸侯之師侵蔡蔡潰
又曰先軫朝問秦囚公曰夫人請之吾舍之矣先軫怒曰
武夫力而拘諸原婦人暫而免諸國墮軍實而長寇讎亡
無日矣不顧而唾公使陽處父追之及諸河則在舟中矣
又曰楚子使申舟聘于齊曰無假道於宋及宋華元曰過我
而不假道鄙我也鄙我亡也殺其使者必伐我伐我必亡
亡一也乃殺之楚子聞之投袂而起屨及於窒皇劍及於
寢門之外車及於蒲胥之市秋九月楚子圍宋
又曰衆怒不可犯
又曰衛獻公戒孫文子甯惠子食皆服而朝日旰不召而
射鴻於囿二子從之不釋皮冠而與之言二子怒而遂獻
公
又曰邾莊公與夷射姑飲酒私出閽乞肉焉奪之杖以敲
之公在門臺臨庭閽以缾水沃庭邾子望見之怒閽曰夷
射姑旋焉(旋小便也)命執之弗得滋怒自投于牀
論語曰哀公問弟子孰為好學孔子對曰有顏回者好學
不遷怒不貳過不幸短命死矣今也則亡
國語曰晉郤獻子如齊聘齊頃公使婦人觀而笑之獻子
怒歸請伐齊范武子退自朝曰郤子之怒甚矣不逞於齊
必發諸晉國(逞解也)不得政何以逞怒余將致政焉以成其怒

也
史記曰孟嘗君客于趙平原君趙人聞孟嘗賢出觀皆笑
曰始以薛公為魁梧也今視之乃眇小丈夫耳孟嘗聞之
怒客與俱者下斫擊數百人遂滅一縣以去
又曰韓信使人言漢王曰齊反覆之國南邊吳楚不為假
王鎮之其勢不定漢王大怒罵曰吾困於此旦暮望君佐
我張良陳平躡漢王足因附耳曰漢方不利寧能禁信乎
不如因而立之漢王復罵曰大丈夫定諸侯即為真王何
以假為
又曰趙使藺相如賚璧西入秦秦王坐章臺見相如相如
奉璧秦王大喜傳璧以示美人及左右左右皆呼萬歲相
如視秦王無意償趙城乃前曰璧有瑕請指示王王授璧
相如因持璧却立倚柱怒髮衝冠謂秦王曰趙王齋戒五

曰使臣奉璧拜送於庭何者嚴大國之威以脩好也今臣
至大王見臣列觀禮節甚倨得璧傳之以示美人以戲弄
臣臣觀大王無償城意故臣復取璧大王必擊臣臣頭今
與璧俱碎於柱矣持璧睨柱秦王恐其破乃辭謝固請
又曰鄒陽上書於梁王曰蘇秦相燕燕人惡之於王王按
劒而怒食以駃騠（漢書音義曰駃騠馬也生七日而超其母）
漢書曰項羽令壯士出挑戰漢有善騎射曰樓煩（應劭曰樓煩胡
也今有樓煩縣）楚戰三合樓煩輙射殺之羽大怒自被甲持戟挑
戰樓煩欲射羽羽瞋目叱之樓煩目不能視手不能發走
還壁中不敢復出
又曰沛公從百餘騎見項羽於鴻門沛公起如厠招樊噲
出獨騎噲與靳強滕公紀成（晉灼曰紀通父）步從間道赴軍使良
留謝羽羽問沛公安在良曰聞將軍有意督過之脫身去

至軍矣故使臣獻璧羽受又獻玉斗於范增范增怒撞其
斗起曰吾屬今為沛公虜矣
又曰黥布反上自征望布軍置陣如項籍軍上惡之與布
相見謂布何苦而反曰欲為帝耳怒罵之遂戰破布軍
又曰文帝曰吾獨不得廉頗李牧為將豈憂匈奴哉馮唐
曰陛下雖得廉頗李牧不能用也上怒起入禁中
又曰上獵上林中車駕未行先使韓嫣乘副車從數百騎
馳視獸江都王望見以為天子辟從者伏謁道旁嫣驅而
不見既過江都王怒為皇太后泣請得歸國入宿衛比韓
嫣太后比銜嫣嫣侍出入永巷不禁以姦聞皇太后怒使
使賜嫣死上為謝終不得嫣遂死
東觀漢記曰更始韓夫人尤嗜酒每侍飲見常侍奏事輙
怒曰帝方對我用此時事來耶起手抵破書案

又曰龐萌為平狄將軍與蓋延共擊董憲昭詔書獨下延
而不及萌萌以為延譖已自疑遂反上聞之大怒乃自將
兵討萌與諸將書曰吾常以龐萌為社稷臣將軍得無笑
其言乎
又曰鄧晨南陽人與上起兵新野吏乃燒晨先祖祠堂汙
池室宅焚其冢墓宗族皆怒曰家自富足何故隨婦家入
湯鑊中晨終無恨色
又曰有詔會議靈臺所上謂桓譚曰天下事吾欲讖決之
何如譚默然良久曰臣不讀讖上問其故譚復極言讖之
非經上大怒曰桓譚非聖無法將下斬之譚叩頭流血良
久得解出為六安郡丞
又曰戴憑為侍中數進見門得失上謂憑曰侍中當輔國
政勿有隱情憑曰太尉西曹掾蔣遵清亮忠孝學通古今

陛下納膚受之譖遂禁錮世以是為嚴上怒曰子復欲黨
乎憑出自繫廷尉詔出引見憑謝曰臣無謇諤之節而有
狂瞽之言上即勑尚書解遵禁錮
又曰韓歆字翁君南陽人以從征伐有功封扶陽侯好直
言為司徒嘗因朝會帝讀隗囂公孫述相與書歆曰亡國
之君皆有才桀紂亦有才上大怒以為激發免歸田里上
猶不釋復詔就責歆及子嬰皆自殺
又曰竇憲恃宮掖聲勢遂以賤直奪沁園公主不敢訴後
肅宗駕出過園指以問憲憲陰嗚不得對發覺帝大怒召
憲切責曰今貴主尚見枉奪何況小臣乎
又曰杜根和熹鄧后臨朝根以安帝年長宜親政事乃上
書直諫太后大怒收根囊盛撲殺之執法者私語行事人
使不加力既而載出城外根詐死三日目中生蛆因逃竄

及鄧氏誅根方歸徵拜侍御史

魏志曰太祖討張魯東還時有將軍許遊擁部曲不附太祖大怒先欲討之羣臣多諫可招懷遊共討強敵太祖横刀於膝作色不聽綏襲欲諫太祖逆謂之曰吾計已定卿勿復言襲曰若殿下計是耶臣方助殿下成之若殿下計非耶雖成宜敗之殿下逆令臣勿言何待下之不闡乎方今豺狼當路而狐狸是先人將謂殿下避強攻弱進不爲勇退不爲仁臣聞千石之弩不爲鼷鼠發機萬鈞之鍾不以莛撞起音今區區之遊何足以勞神哉太祖曰善遂厚撫遊遊即歸服

又曰夏侯惇從征呂布爲流矢所中傷左目時夏侯淵與惇倶爲將軍軍中號惇爲盲夏侯惇惡之每覽照恚怒輒撲照着地

又曰諸葛亮既屢遣使交書於司馬宣王又致巾幗婦人之飾以怒宣王將出戰辛毗仗節勒軍吏以下乃止

吳志曰呂蒙字子明少依姊夫鄧當當爲孫策將數討山越蒙年十五六隨當擊賊顧見呵不能禁歸告其母恚怒欲罰之蒙曰貧賤難居設有功富貴可致且不探虎穴安得虎子母哀而舍之

又曰孫權爲吳王忻宴之末自起酒虞翻伏地佯醉不持權去翻起坐權大怒手劒欲擊之侍坐者莫不惶遽惟大農劉基起抱權諫曰大王以三爵後殺善士翻雖有罪天下孰知之權曰曹孟德殺孔文舉孤於虞翻何有哉

蜀志曰姜維爲鄧艾所摧還陰平尋被後主勑命乃投甲詣會於涪軍將士咸怒拔刀斫石

晉書曰王導妻曹氏妒導憚之乃密營別館以處衆妾曹氏知而將往焉導恐遲之以所執麈尾柄驅牛而進司徒蔡謨聞之戲導曰朝廷欲加公九錫導弗之覺但謙退而已謨曰不聞餘物唯有短轅犢車長柄麈尾導大怒謂人曰吾往與群賢共遊洛邑日何曾聞有蔡克死

又曰郗超實黨桓氏以父愔忠於王室不令知之將亡出一箱書付門生曰本欲焚之恐公年尊必以傷愍爲弊我亡後可呈此箱不爾便燒之愔後果哀悼成疾門生依旨呈之則悉與温往反密計愔於是大怒曰小子死恨晚矣

又曰周訪爲荆州王敦以訪名將勳業隆重有疑色其從事中郎郭舒說敦曰荆州雖遇寇難荒弊實爲用武之國若以假人將有尾大之患公宜自領以爲梁州足矣敦從之訪大怒敦手書譬釋并遺玉環玉椀以申厚意訪投椀於地曰吾豈賈豎可以寶悅乎

又曰陶侃嘗出遊見人持一把未熟稻問用此何爲人云行道所見聊取之耳侃大怒曰汝既不佃而戲賊人稻執而鞭之

齊書曰袁彖性剛嘗以微言忤世祖又與王晏不恊世祖在便殿用金柄刀子治瓜晏在側曰外間有金刀之言恐不宜用此物世祖愕然窮問所以晏曰袁彖爲臣說之上銜怒良久彖到郡坐逆用禄錢免官

崔鴻後趙録曰冉閔爲慕容恪所擒慕容儁立問閔曰汝奴僕下才何自妄稱天子閔曰尒曹人面獸心欲篡逆我一時英雄何爲不作帝王耶儁怒鞭之三百

後魏書曰李彪之入京也孤微寡援而自立不群以李沖好士傾心宗附沖亦重其器學禮而納焉每言之高祖公私共相援益及彪爲中尉兼尚書爲高祖知待便謂非復

籍冲而更相輕背唯公斂衽而已冲時震怒數責虎前懲
瞋目大呼投折几案罵辱肆口冲素溫柔而一旦暴急遂
發病荒悖言語亂錯猶扼腕叫罵稱李虨小人然醫藥所
不能療或謂肝藏傷裂旬有餘日而卒
列子曰宋有蘭子能以伎干宋元君雙枝屬其腦弄七劒
而躡之元君立賜金帛又有蘭子能鷰戲聞之復以干元
君元君大怒曰昔有異伎適值寡人有忻心故賜金帛彼
必聞此復望吾賜拘而戮之
莊子曰孔子往見盗跖下車而前謁者通之盗跖聞之忿
怒目如明星髮上指冠孔子趨而進避席反走再拜盗跖
大怒而展其足按劒瞋目其聲如乳虎
韓子曰孟孫獵得麑使秦巴持之其母隨而呼秦巴不忍
而與其母孟孫適至求麑不得大怒逐之居三月復召使

爲子傅
燕丹子曰田光答太子曰竊觀太子客皆無可用者夏扶
血勇之人怒而面赤宋意脉勇之人怒而色青武陽骨勇
之人怒而色白荊軻神勇之人怒而色不變
吳越春秋曰吳王伐齊請公孫聖告之聖諫願大王勿伐
齊王大怒曰吾天之所生神之所助使力士石番擊以鐵
槌身絶爲五
吳越春秋曰子胥諫吳王王怒賜以屬鏤之劒盛以鴟夷
之器投之于江
說苑曰秦王以五十里封鄢陵君鄢陵君辭不受使唐且
謝秦王秦王怒曰嘗見天子之怒乎一怒伏尸百萬流血
千里唐且曰大王嘗聞布衣韋帶之士怒乎伏尸二人流
血五步即按其匕首起視秦王曰今將是矣王變色長跪

曰先生就坐寡人諭矣
列士傳曰秦召魏公子無忌無忌不行使朱亥奉璧一雙
秦王大怒將朱亥著虎圈中亥瞋目視虎眥裂血出濺虎
虎不敢動

怨

尚書曰商王受自絶于天結怨于民崇信姦回放黜師保
又曰怨豈在明不見是圖
毛詩曰亂世之音怨以怒其政乖
又曰角弓父兄刺幽王也不親九族而好讒佞骨肉相怨
故作是詩
又曰民之無良相怨一方
左傳曰宋華元將與楚戰殺羊食士其御羊斟不與及戰
曰疇昔之羊子爲政今日之事我爲政與入鄭師故敗君

子謂羊斟非人也以其私怨敗國殄民
又曰晉侯賞從亡者介之推不言祿祿亦弗及其母曰盍
亦求之以死誰懟對曰尤而効之罪又甚焉且出怨言不
食其食
又曰季郈之雞鬭（季平子郈昭伯）季氏芥其雞郈氏爲之金距平
子怒益室於郈且讓之故郈昭伯怨平子
又曰晉郤至獻楚捷于周與單襄公語驟稱其伐單子語
諸大夫曰溫季其亡乎位於七人之下而求掩其上怨之
所聚亂之本也多怨而階亂何以在位
又曰吳公子札來聘請觀於周樂爲歌周南召南曰美哉
始基之矣猶未也然勤而不怨矣爲之歌小雅曰美哉思
而不貳怨而不言其周德之衰乎
又曰子產曰我聞忠怒以損怨不聞作威以防怨

又曰君子之言信而有徵故怨遠於其身小人之言僭而無徵故怨咎及之

論語曰放於利而行多怨

又曰貧而無怨難富而無驕易

國語曰夫事君者險而不懟怨而不怒

戰國策曰趙襄子怨智伯漆其頭爲飲器

漢書曰汲黯列九卿而公孫洪張湯爲小吏及弘湯稍與黯同位而尊用過之黯心褊不能無怨望見上言曰陛下用群臣如積薪耳後來者居上

東觀漢記曰長水校尉耿恭坐將兵不憂軍事肆心縱欲飛鷹走狗遊戲道上虜至不敢出得詔書怨懟徵下獄

續漢祭祀志曰建武二十年二月群臣上言即位三十年宜封禪太山詔書曰即位三十年百姓怨氣滿腹吾誰敢

欺欺天乎

晉書曰趙王倫諂事賈后裴頠甚惡之倫數求官頠與張華復固執不許由是深爲倫所怨

王韶之晉紀曰桓玄問衆曰朕其敗乎曹靖之對曰神怒民怨臣實憂懼玄曰民怨有之神何爲怒對曰移晉宗廟所以怒也

管子曰凡禍亂之所生各在於非理故曰開禍在除怨

晏子春秋曰景公籍重而獄多拘者滿圄怨者滿朝

文子曰人有三怨爵高者人妬之官大者主惡之祿厚者怨處之夫爵益高者意益下官益大者心益小祿益厚者意益薄

淮南子曰和氏之璧夏氏之璜揖讓而進之則忻暮夜以投人則爲怨時與不時也

楚辭曰怨靈脩之浩蕩兮終不察夫民心衆女嫉余之蛾眉兮謠諑謂余善淫（謠毀也諑譖也）

琴操曰王昭君者齊國襄王之女也昭君年十七時顏色皎潔聞於國中襄王見昭君端正閑麗於孝元帝既不幸納備後宮積五六年王昭君心有怨曠不飾其形容元帝每歷後宮疏略不過其處後單于遣使者朝賀元帝陳設倡樂乃令後宮莊出昭君怨恚久不得侍列乃更脩飾盛服形容光輝帝令後宮欲至單于者起於是昭君喟然越席而前曰妾幸得備在後宮麁醜卑陋不合陛下之心誠願得元帝見昭君便驚悔不得復止遂以與之王昭君雖去漢至單于心思不樂乃作怨曠思惟歌曰秋木萋萋其葉萎黃我獨伊何改往變常翩翩之燕遠集西羌高山峨峨河水泱泱父母妻子道里悠長嗚呼哀哉憂心惻傷

太平御覽卷第四百八十三

人事部一百二十五

貧上

說文曰貧財分少也

尚書六極四曰貧

毛詩曰出自北門憂心殷殷終窶且貧莫知我艱窶者無禮也貧者困於財

又曰自我徂爾三歲食貧

又曰大東小東杼軸其空

禮記曰君子雖貧不粥祭器雖寒不衣祭服

又曰子路曰傷哉貧也生無以養死無以爲禮子曰啜菽飲水盡其歡斯之爲孝斂手足形還葬而無槨稱其財斯之謂禮還猶疾謂不及其日月也

又曰君子辭貴不辭賤辭富不辭貧

又曰儒有一畝之宮環堵之室蓽門圭窬蓬戶甕牖易衣而出併日而食不隕穫於貧賤不充詘於富貴

左傳曰室如懸罄

論語曰貧而無諂

又曰貧與賤是人之所惡也不以其道得之不去也

又曰衣敝縕袍與衣狐貉者立而不耻者其由也與縕枲也

又曰賢哉回也一簞食一瓢飲在陋巷人不堪其憂回也不改其樂

又曰邦有道貧且賤焉耻也

又曰君子憂道不憂貧

家語曰端木賜駟馬連騎以從原憲居蓬蒿之中并日而食子貢曰甚矣子之病矣

國語曰叔向見韓宣子宣子憂貧叔向賀之宣子曰吾有卿名而無其實無以從二三子家貧則不及人也吾是以憂子賀我何故對曰昔欒武子無一卒之田武子晉正卿欒書也大夫一卒無者不及上大夫其官不備其宗器祭器也宣其德行慎其憲則諸侯親之戎翟懷之今吾子有欒武子之貧吾亦爲能其德也是以賀若憂德之不脩而患貨之不足將弔不暇何賀之有也

史記曰叔孫敖知優孟之賢病且死謂其子曰我死汝必貧困其子無立錐之地

又曰甯戚衞人也欲仕齊家貧無以自資乃賃爲人推車至齊國桓公出戚望見車駕乃於車下飯牛扣牛角而歌桓公聞之撫手曰異哉此人乃非常人也命管仲迎之以爲上卿

又曰馮驩齊人貧乏不能自存使人屬齊相孟嘗君願寄

食門下孟嘗君曰客何能也對曰無能孟嘗君笑而受之左右皆知君賤之食以草具居有頃驩倚柱彈其劒鋏而歌曰長鋏歸來乎食無魚左右以告孟嘗君食之乃比門下諸客居有頃復歌曰長鋏歸來乎出無車左右以告孟嘗君爲之駕比門下客後有頃復歌曰長鋏歸來乎無以爲家左右皆惡之以其貪不知足也孟嘗君問驩曰公有親乎對曰有母孟嘗君令人給其食用無使乏驩乃不復歌後孟嘗君出記事問門下諸客有能習計會能爲吾收債於薛乎驩獨署曰臣能孟嘗君怪曰此誰乎左右曰歌夫長鋏歸來者也孟嘗君笑曰客果有能吾負之未之見也請而見之謝曰文倦於事憒於憂久闞罷於先生先生不羞乃有意欲爲收債乎驩對曰願之於是約車治裝載券契將行驩問曰收債畢市何物而返也孟嘗君曰視吾

家之寡有者驩遂驅而之薛使吏召諸民當償債者悉來合劵劵既合驩乃矯君命以所債賜諸民因燒其劵民皆呼萬歲驩遂長驅而還見孟嘗君君怪其疾也衣冠而見之曰債畢乎對曰畢何市而返對曰臣竊計宮中珍寶盈室車馬實於外廐美人充下陳君家所寡有者義耳竊為君市義孟嘗君曰市義若何對曰今君有區區之薛不附愛子其民因而賈利之臣竊矯君命盡以賜之而燒其劵民時稱萬歲此臣為君市義也孟嘗君不悅曰先生休矣於是朞年人或毀孟嘗君於湣王曰孟嘗君將亂及王出畋忽有刼王者意甚疑之孟嘗君將出奔其舍人魏子初為君收邑三返而不敢入君問之對曰有賢者竊為君教與之以故無入至是魏子所與賢者聞孟嘗君出上書言其不亂請以身盟遂自刎於宮門湣王大驚乃復召孟嘗君孟嘗君謝病歸老於薛未至百里民扶老携幼迎於道傍孟嘗君顧謂驩曰先生所為文市義者乃今見之矣驩對曰狡兎有三窟僅得免於死矣今君止有一窟未得高枕而卧也請為君復鑿二窟孟嘗君與車五十乘金百斤西遊於梁説魏王曰齊放其大臣孟嘗諸侯先迎之者國富兵強於是魏昭王以其故相為上將軍而虛相位遣謁者賫黃金千斤車乘往聘孟嘗君固辭不往魏使三返湣王聞之君臣恐懼遣太傅賫黃金千斤文馬二駟以謝孟嘗君使返國驩又請曰願得先生祭器立宗廟於薛廟既成還報曰三窟以就君可高會而樂矣孟嘗君乃還為齊相

又曰顔無繇字路顔淵父也回死顔路貧請孔子車以葬孔安國曰賣車以作槨也孔子曰才不才亦各言其子鯉也死有棺而無槨吾不徒行以為之槨以吾從大夫之後不可徒行也

又曰魏悖少時欲求見齊相曹參家貧無以自通乃常獨早夜掃齊相舍人門外舍人怪之以為物而伺之獨得勃勃曰願見相君無因故為子掃欲以求見於是舍人見之曹參因以為舍人

又曰東郭先生拜為都尉先生久待詔公車貧困飢寒衣弊履不完行雪中履有上無下足盡踐地道人笑之

又曰甘茂亡秦奔齊逢蘇代為齊使於秦茂曰臣得罪於秦懼而逃無所容跡臣聞富人女會績貧人女曰我無以置燭而子之火光有餘子可分我餘光無損子明今臣困願以餘光振之

漢書曰司馬相如字長卿成都人家貧嘗於臨卭市與人沽酒傭為洒掃身着犢鼻布裩於市中然少好讀書學擊劒小名犬子慕藺相如之為人更名曰相如後遊梁數年歸素與臨卭令王吉善臨卭多富人有卓王孫程鄭相謂曰今有貴客為具召之并召令令既至請長卿長卿謝不能臨臨卭令不敢嘗食乃自起迎相如相如不得已而強往一坐盡歡酒酣令前奏琴曰竊聞長卿好之願以自娯相如為鼓一弄卓王孫有女文君新寡好音竊窺之相如乃挑之文君夜奔相如相如與馳歸成都家徒四壁立卓王孫大怒女不才我不忍殺一錢不分文君久之與相如俱至臨卭買酒舍乃令文君當壚相如與傭保雜作於市卓王孫耻之昆弟諸公謂王孫曰一女所不足者非財也今文君失身於相如相如雖貧其人才足依也柰何相辱如此王孫不得已分與僮僕百人錢百萬文君與相如乃歸成都武帝立蜀人楊德意為狗監侍上讀子虛賦而善

之曰朕獨不得與此人同時意曰此臣之邑人司馬相如
爲此賦上驚乃召問相如相如曰然此乃諸侯之事未足
可觀乃作上林賦賦成奏之帝大悅以相如爲郎後拜中
郎將建節使至蜀蜀太守郊迎縣令負弩先驅於是鄉閭
故人及卓王孫諸公因門下獻牛酒以交歡王孫於是喟
然歎曰老人所恨得使女事相如乃晚耳
又曰鼂錯奏曰古者稅民不過什一秦則不然用商鞅之
法改帝王之制除井田民得賣買富者連阡陌貧者亡立
錐之地故貧民常衣馬牛之衣而食犬彘之食
又曰陳平陽武戶牖鄉人少時家貧有田三十畝與兄伯
居常耕田縱平使遊學平爲人長大美色人或謂平貧何
食而肥若是其嫂疾平之不親家事曰食糠籺耳有叔如
此不如無平好讀詩書家貧居窮巷以席爲戶然門外多

長者車轍
又曰酈食其陳留高陽人好讀書家貧落魄無衣食業爲
里監門吏然縣中賢豪不敢役皆謂之狂生
又曰韓信淮陰人家貧無行不得推擇爲吏不能治生爲
商賈從常人寄食其母死無以葬乃行營高燥地令傍可
置萬家者
又曰倪寬千乘人治尚書歐陽生貧無貲用帶經而鋤休
息輒誦讀
又曰嚴助侍讌從容上問所欲對曰家貧爲友壻富人所
辱願爲會稽太守於是拜之
又曰王章字仲卿太山鉅平人爲諸生學長安獨與妻居
章疾病無被臥牛衣中與妻決涕泣其妻呵怒曰仲卿京
師尊貴在朝廷人誰踰仲卿者今疾病困厄不自激卬迺

反涕泣何鄙也
又曰朱買臣字翁子吳人也家貧好書不治產業常刈薪
樵以自責給食擔束薪行且誦書其妻亦負載相隨數止
買臣無歌謳道中買臣愈益疾歌妻羞之求去買臣笑曰
我年五十當富貴今已四十餘矣汝苦日久待我富貴報汝
功力妻恚曰如公等終餓死溝中耳何能富貴買臣不能
留即聽去
又曰蔡義河內溫人以明經給事大將軍幕府家貧常步
行資禮不逮衆門下好事者相合爲義買犢車令乘之
又曰主父偃齊國臨淄人學長短縱橫術晚迺學易春秋
百家言遊齊諸子閒諸儒生相與排擯不容齊家貧假貸
無所得北遊燕趙中皆莫能厚遇
又曰陳湯字子公山陽瑕丘人少好學書博達善屬文家

貧取貸無節不爲州里所稱
又曰貢禹上書曰臣禹年老貧窮家貲不滿萬錢妻子糠
豆不贍短褐不完有田百三十畝
又曰楊雄以病免復召爲大夫家素貧嗜酒人希至其門
下有好事者載肴從遊學
又曰張竦居貧無賓客時有好事者從之質疑問事論道
經書而已
又曰匡衡字稚圭東海承人父世農夫至衡好學家貧傭
作以供資用尤精力過人
范曄後漢書曰孫期字仲式濟陰人也少爲諸生家貧事
母至孝牧豕於大澤中以奉爲遠人從其學者皆執經壟
畔以追之里落化其讓
又曰申屠蟠字子龍陳留外黃人也家貧傭爲漆工郭林

宗見而奇之
又曰李充字大遜陳留人家貧兄弟六人同衣遞食妻竊
爲充曰今貧若此難以久留妾有私財願思分異充僞許
之曰當醞酒會內外共議既而致酒宴客充前跪白毋此
婦無狀教充離間毋兄今遣斥便叱去之
謝承後漢書曰王充字仲任上虞人少孤鄉里稱孝到京
師受業太學博覽而不守章句家貧無書常遊洛陽市肆
閱所賣書目一見輒能誦憶遂博通衆流
又曰張楷字公超治嚴氏春秋古文尚書門徒皆造門爲
車馬填門貴戚之家皆起舍巷以候過客之利楷疾其如
此輒徙避家貧無爲業常乘驢車至縣賣藥足給食輒還
鄉里
東觀漢記曰符融妻亡貧無殯斂鄉人欲爲具棺服融不

肯受曰古之亡者弃之中野唯妻子可以行志但土埋藏
而已
又曰桓榮字春卿沛郡龍亢人也少學長安治歐陽尚書
事博士朱普貧窶無資常客傭以自給精力不倦十五年不
闚家
又曰閔仲叔居安邑老病家貧不能買肉日買一片猪肝
屠者或不肯爲斷安邑令候之問諸子何飯食對曰但食
猪肝屠或不肯與之令出勑市吏後買輒得仲叔怪問其
子道狀乃歎曰閔仲叔豈以口腹累安邑耶遂去之沛
又曰周紆爲渤海太守赦令詔書到門不出夜遣吏到屬
縣盡決罪行刑坐徵詣廷尉繫獄數曰免歸家貧無以自
賑贍身築墼以給食章帝知憐之復以爲郎
華嶠後漢書曰范式爲荊州刺史友人南陽孔嵩家貧親

老乃變名姓傭爲新野河里街卒式行部到新野而縣選
嵩爲導騶迎式式見而識之呼嵩把臂曰子非孔仲山耶
對之歎息語及平生曰共與俱曳長裾遊集帝學吾蒙國
恩致位牧伯而子懷道隱身處於卒伍不亦惜乎嵩曰昔
侯嬴長守於賤業晨掃門肆志於抱關子居九夷不患其
陋貧者士之宜豈爲鄙哉式勑縣代嵩嵩以爲先傭未竟
不肯去
續漢書曰范丹桓帝時以丹爲萊蕪長不到官後辟太尉
府自以狷急不能從俗常佩韋於朝徒行斃服賣卜於市
遭黨人禁錮遂推鹿車載妻子捃拾自資或依宿樹蔭如
此十餘年乃結草室內居焉閭里歌曰甑中生塵范史雲
釜裏生魚范萊蕪
又曰吳祐年二十喪父居無擔石而不受贍遺常牧豕於

長垣澤中行吟經書遇父故人謂之曰卿二千石子而自
業賤事縱子無耻奈先君何祐辭謝而已守志如初也
又曰王苑字仲安貧賤茅屋蓬戶藜藿
謝承後漢書曰施延字君子沛人家貧毋老常躬力供養
種瓜自給位至太尉
又曰永平五年班超兄固被召詣校書超與毋隨至洛陽
家貧常爲傭書以供養久傭嘗苦輟業投筆歎曰大丈夫
無它志略猶當効傅介子張騫立功異域以取封侯安能
久事筆硯乎
魏略曰常林少單貧雖貧自非手力不取之於人性好學
漢末爲諸生帶經耕鋤其妻自擔餉饋之林雖在田野其
相敬如賓
又曰黃初中儒雅並進而揚沛本以事服能見遂以議郎

冗散里巷沛前後宰歷城守不以私計意故身退之後家無餘積治疾於家荒田二頃起蝸牛廬居止其中也

典略曰程堅字謀甫南陽舞陰人仁孝清絜居貧無資磨鏡自給不受人施諸嫗共漂更相呼食有或不食也相謂曰非程謀甫何爲不食人食耶

又曰劉陶字子奇川人世祖十八年徙六郡大族陶曾祖自齊來世以儒學安貧樂道故仕不過孝廉

又曰裴潛每之官不將妻子妻子貧乏織荆芘以自供群弟之田廬常步行家人小大或并日而食

晉中興書曰王猛北海人居魏土少貧賤鬻畚爲業嘗至洛陽貨畚有一人於市貴買畚而無直曰可隨我去取直猛隨行不覺遠忽至深山語猛且住樹下當先啓道君來須臾猛進見一公踞胡牀頭鬢悉白從十許人一人引猛

六大司馬公可進猛因拜公公曰王公何緣拜即十倍酬畚直遣人送猛出顧視乃嵩山

又曰劉寔字子真平原高唐人少貧共糠飯繩索作衣賣手繩口誦

又曰淳于智字叔平濟北人上黨鮑瑗家少喪疾貧苦謂曰淳于叔平神人也何不試就卜瑗乃令智作卦卦成曰君謂宅東北有大桑樹君徑至市入門數十步當有一人將新馬鞭者就請還買以懸此桑樹三年當暴得財也瑗承其言詣市果得馬鞭懸之正三年後浚井得錢千萬銅鐵雜器復可二十餘萬於是家業用展病者亦愈

太平御覽卷第四百八十四

太平御覽卷第四百八十五

人事部一百二十六

貧下

魏志曰崔林字德清河東武城人也幼時宗族莫知從兄琰異之太祖定冀州召除鄔長貧無車馬單步之官太祖征壺關擢為冀州主簿

又曰華歆素清貧祿以賑親戚故家無擔石之儲

又曰鄧艾字士載義陽人以口吃不得作幹佐為稻田守草吏同郡吏憐其貧資給甚厚艾初不稍謝每見高山大澤輒窺度指畫軍營處所時人多笑焉

吳志曰呂範字子衡汝南人有容觀姿皃邑人劉氏家富女美範求之母嫌欲勿與劉氏曰呂子衡寧當久貧者遂與之婚

又曰潘璋字文珪東郡人性嗜酒其家甚貧性好賖貸輒言豪富必相還孫權甚奇之魏將夏侯尚南郡作浮橋渡百里洲璋於上流伐葦作葦欲順風放火葦成尚使引退璋遂為平北將軍

晉書阮咸字仲容陳留人時俗七月七日曬衣裳或宗族於庭羅列衣服咸貧無物乃脫犢鼻布裩以竹竿頭挂之人問故荅曰不能免俗

宋書曰武帝劉裕少時其家大貧與人傭賃及登帝位耕具猶存并衲布襖並令收掌以示子孫令為規戒

又曰江湛家貧約不營財利餉饋盈門一無所受無兼衣餘食嘗為上所召值澣衣稱疾經日衣成然後赴牛餓馭人求草湛良久曰可與飲

又曰陶潛嗜酒而家貧不能恒得親舊知其如此或置酒招之造飲輒盡期在必醉既辭而退曾不吝情去留環堵蕭然不蔽風日短褐穿結簞瓢屢空晏如也

又曰顏延之屏居里巷不預人間者七載中書令王球名公子延之居常罄貧球輒分財贍之

齊書曰王延之清貧居宇穿漏褚淵往候之見其如此具啓明帝帝即敕材官為起三間齋屋

又曰虞玩之太祖鎮東府朝野致敬玩之猶躡屐造席太祖取屐視之曰卿此屐已幾載玩之曰着此屐已二十年貧竟不辦易太祖善之

又曰庾杲字景行新野人初為駕部郎清貧自業食唯有韭葅生菜任彥昇嘗戲曰誰謂庾郎貧食鮭常有二十七種菜王儉用為長史安陸侯蕭緬與儉書曰盛府元僚實難其選庾景行泛淥水依芙蓉何其麗也時人以儉府為蓮花池故緬書言之官至御史中丞

梁書曰阮孝緒家貧無以爨僮妾竊鄰人樵以繼火孝緒知之乃不食更令撤屋而炊所居室唯有一林竹樹環繞

後魏書曰胡叟居家蓬室草户唯以酒自適常謂人曰我此生活似勝焦光不治產業飢貧不以為耻養子字蝢蛉以自給養每至貴勝之門恒乘一牸牛布囊容三四外飲噉醉飽便盛餘肉餅以付蝢蛉見車馬榮華視之蔑如也

隋書曰張仁詡州縣以其貧素將加賑恤輒辭不受每閑居從容長歎曰老冉冉而將至恐脩名之不立以如意擊几皆有處所人方之閔子騫原憲

又曰虞世基陳滅歸國為通直郎直內省無產業每傭書養親怏怏不平嘗為五言以見意情理悽切世以為工作者莫不吟詠

又曰房彥謙居官所得俸祿皆以周恤親友家無餘財車服器用務存素儉自少及長一言一行未嘗涉私雖致屢空怡然自得嘗從容獨笑顧謂其子玄齡曰人皆因祿富我獨以官貧所遺子孫在於清白

又曰許康佐擢進士第以家貧母老求爲知院官人或輕怪笑而不荅及母亡服除不就侯府之辟君子知其不擇祿養親之志也故名益重

又曰李建守杓直家素清貧無舊業與兄造遜於荆南躬耕致養嗜學力文

六韜曰武王問太公曰貧富豈有命乎太公曰爲之不密密而不富者盗在其室武王曰何謂盗也公曰計之不熟一盗也收種不時二盗也取婦無能三盗也養女太多四盗也棄事就酒五盗也衣服過度六盗也封藏不謹七盗

也井竈不利八盗也舉息就禮九盗也無事燃燈十盗也取之安得富哉武王曰善 說苑同

列女傳曰黔婁妻者魯黔婁先生之妻也先生死曾子與門人往弔之見先生尸在牖下覆以布被手足不盡斂覆頭則足見覆足則頭見曾子曰衺其被則斂矣妻曰衺之有餘不如正之不足且先生以不衺故至於此

又曰齊女徐吾者在海上貧婦人與隣婦人李吾之屬合燭相從績徐吾最貧而燭數不屬李吾謂曰徐吾燭數不屬請無與夜徐吾曰是何言歟今一室之中益一人燭不爲益明去一人燭不爲益闇何愛東壁餘光貧妾不蒙見愛之恩長爲妾不亦可乎莫之能應遂復與夜

高士傳曰老萊子楚人耕蒙山之陽以藿葭爲牆蓬蒿爲室枝木爲床蓍艾爲席

東方朔別傳曰朔書與公孫弘借書曰朔當從甘泉願借外廐之後乘木槿夕死而朝生者士亦不必長貧也

李郃別傳曰公居貧而不好治產有稻田三十畝弟宅一區至京學問常以賃書自給爲人沉深弘雅有大度

郭林宗別傳曰林宗家貧初欲遊學無資就姉夫貸五千錢乃遠至成皐從師受業併日而食衣不蔽形常以盞幅自鄣出入入則户前出則掩後

邴原別傳曰原字根矩年十一喪父家貧早孤隣有書舍原過其傍而泣師問曰童子何悲原曰孤者易傷貧者易感夫書者必有其父兄一則願其不孤二則羨其得學心中惻然而爲涕零也師亦哀原之言而爲泣曰欲書可書耳

桓階別傳曰階貧儉文帝嘗幸其第見諸子無褌文帝撫

手笑曰長者子無褌乃抱與同乘是日拜二子爲郎使黃門賫衣三十囊賜曰御兒能趍可以褌矣

文士傳曰劉梁字曼山一名岑漢宗室子孫少有清才以文學見貴梁貧恒賣書以供衣食

汝南先賢行狀曰胡定字元安潁川人至行絕人在喪雉兎遊其庭雪覆其室縣令遣户曹掾排雪問定定已絕穀妻子皆卧在床令遣以乾糗就遺之定乃受半

三輔決録曰第五頡字子陵倫小子以清正爲郡功曹至州從事公府辟舉高第侍御史南頓令皆稱病免洛陽無主人鄉里無田宅寄止靈臺中或十日不炊

又曰孫晨字允公家貧不仕居杜城中織箕爲業明詩書爲郡功曹冬月無被有一束藁暮卧中旦燒之

華陽國志曰朱良字雲卿什仿人少受學於蜀郡張寧食

豆屑飲水以諷誦同業憐其貧給米肉不受家貧恒以步行爲郡功曹

世說曰李弘度常歎不被遇殷揚州知其家貧問君能屈志百里不李荅曰北門之歎久已上聞窮猿奔林豈暇擇木遂作剡縣

俗說曰謝僕射太常詣吳領軍坐久吳留客作食日已中方使婢賣狗供客比得食無氣力可語

又曰劉眞長少時居丹徒家至貧織芒屩以養母

說苑曰子思居於衛縕袍無裏二旬九食

西京雜記曰司馬相如初與卓文君至成都文君貧愁懣以所服鷫鸘裘就市人楊昌貰酒遂相與謀還於成都賣酒相如親着犢鼻褌滌器以耻王孫

墨子曰天下有義則富無義則貧

列子曰管仲之相齊君淫亦淫君奢亦奢志合言從道行國霸其後田氏相齊君盈則已降君斂則已施民皆歸之因有齊國若實名貧僞名富也

又曰齊有貧者乞於城市患其亟也衆莫之與遂適田氏之廐從馬醫作役而假食郭中人戲之曰從馬醫而食不以辱乎乞兒曰天下之辱莫過於乞乞猶不辱豈辱馬醫哉

又曰齊之國氏大富宋之向氏大貧自宋之齊請術國氏告之曰吾善爲盜始吾爲盜也一年而給二年而足三年大穰自此往施及州閭向氏大喜喻其爲盜之言而不喻其爲盜之道遂踰垣鑿室手目所及亡不探也未及時以贓罪沒其先君之財向氏以國氏之謬已也往而怨之國氏曰嘻若失爲盜之道天有時地有利吾盜天地之利雲雨之潤吾陸盜禽獸水盜龜鱉亡非盜也夫金玉珍寶穀帛財貨人之所聚豈天之所與若盜之而獲罪孰怨哉

又曰凡爲名者必廉廉斯貧爲名者必讓讓斯賤

莊子曰原憲處魯居環堵之室蓬戶不完桑木爲樞而甕牖上漏下濕匡坐而弦歌子貢乘大馬中紺而表素軒車不容巷往見原憲原憲杖藜而應門子貢曰先生何病也原憲應之曰憲聞無財之謂貧學道不能行之謂病今憲貧也非病也子貢逡巡而退有愧色

又曰孔子謂顏淵曰家貧居卑胡不仕乎對曰不願仕回有郭外之田五十畝足以給饘粥郭內之田五十畝足以爲絲麻鼓琴足以自娛所學於夫子者足以自樂也回不願仕孔子愀然變色曰美哉

又曰莊周家貧故往貸粟於監河侯曰我將得邑貸子三

百金周忿作色曰周昨來有中道而呼者顧視車轍有鮒魚焉問之曰子何爲者耶對曰我東海之波臣也君豈有斗升之水而活我哉周曰諾我將南遊吳越之王激西江之水而迎子可乎鮒魚忿然作色曰吾得斗升之水然活耳君乃言此曾不如早索我於枯魚之肆

又曰曾子居衛捉衿而肘見納履而踵決

又曰河上有家貧窮恃緯蕭而食者其子沒淵得千金珠謂其子取石來鍛之夫千金之珠必在九重之淵而驪龍之頷下汝得之必遭其睡若龍寤子尚奚珠之有哉

呂氏春秋曰世皆以珠玉爲寶寶愈多而民愈貧失其所寶也

荀卿子曰仁義禮善於人譬若貨財粟米之於家也多有之者富少有之者貧至無有者窮也

又曰子夏貧衣若懸絲人曰子何不仕曰諸侯驕我者吾不爲臣丈夫之驕我者吾不復見也

抱朴子曰洪亶體尫羸兼之多疾貧無車馬不堪徒行荆棘叢於庭宇蒿莠塞乎階霤披榛出門排草入室

淮南子曰貧人夏則披褐帶索哈菽飲水以支暑熱冬則羊裘鮮札短褐不掩形而煬竈口焉（爲裘如鎧甲之札言其破壞也煬炙也向竈口之自溫湯讀高尚之尚也）故其爲編戶齊民無以異然貧富之相去也猶人君之與僕虜不足以喻之（喻猶方也）

又曰人有盜而富者未必富盜有廉而貧者未必廉也

符子曰楚之交子魯之周子齊之狂子三子和與居乎太山之陽處乎環堵之室蓽門不扇蓋茨不翳而弦不輟

鶡冠子曰家富疎族聚居貧兄弟離

漢揚雄逐貧賦曰揚子遁居離俗獨處左鄰崇山右接曠

野鄰垣乞兒終貧且窶禮薄義弊相與羣聚惆悵失志呼貧與語汝在六極投弃荒遐好爲庸卒刑戮如是匪惟幼稚嬉戲土沙居非近鄰接屋連家恩輕毛羽義薄輕羅進不由人退不受呵久爲滯客其意謂何人皆文繡余褐不完人皆稻粱我獨藜飧貧無寶玩何以接歡宗室之宴爲樂不槃徒行負賃出處易衣身服百役手足胼胝或耘或耔霑體露肌朋友道絕進宦凌遲厥咎安在職汝爲之舍爾遠竄崑崙之顛爾復我隨翰飛戾天舍爾登山巖穴隱藏爾復我隨陟彼高岡舍爾入海汎彼柏舟爾復我隨載沉載浮我行爾動我靜爾休豈無他人從我何求今汝去矣勿復久留貧曰唯唯主人見逐多言益蚩心有所懷願得盡辭昔我乃祖宣其明德克佐帝堯誓爲典則土階茅茨匪彫匪飾爰及季世縱其昬忒饕餮食群貪富苟得鄙我先人乃傲乃驕瑤臺瓊室華屋嵩高流酒爲池積肉爲崤是用鵠逝不踐其朝三省吾身謂予無諐處君之家福祿如山忘我大德思我小怨堪寒能暑少而習焉寒暑不忒等壽神仙桀跖不顧貪類不干人皆重蔽子獨露居人皆怵惕子獨無虞言辭既罄色厲目張攝齊而興降階下堂誓將去女適彼首陽孤竹之子與我連行金乃避席辭謝不直請不貳過聞義則服長與爾居終無猒極貧遂不去與我遊息

太平御覽卷第四百八十五

窮 凍 餓

窮

說文曰窮極也

韓詩外傳曰田子方出見老馬於道曰何馬也御曰公家畜罷而不爲用故放之田子方曰少盡其力老弃其身仁者不爲也束帛贖之窮士聞之知所歸心矣

論語曰君子固窮小人窮斯濫矣

家語曰楚昭王聘孔子孔子往拜禮焉路出乎陳蔡大夫相與謀曰孔子賢聖其所刺譏皆中諸侯之病若用於楚則陳蔡危矣遂使徒兵距孔子孔子不得行絶糧七日無所通藜羮不充從者皆病

史記曰范雎說秦昭王曰伍子胥橐載而出昭關夜行而晝伏至於陵水無以餬其口膝行匍匐拜稽首肉袒鼓腹吹簫乞於吳市卒興吳國闔廬爲伯使臣得進謀如子胥加之以幽囚終身不復見是臣之說行也

又曰管仲曰吾嘗爲鮑叔謀事而更窮困鮑叔不以我爲愚知時有利不利也

漢書蘇武傳曰單于弟於靬王弋射海上武能結網紡繳檠弓弩於靬王愛之給其衣食三歲餘王病賜武馬畜服匿穹廬（穹廬旃廬也）王死後人衆徙去其冬丁零盜武牛羊武復大窮

漢獻帝春秋曰王朗降孫策策令使者詰朗曰問逆賊王朗朗受國恩當亡何報德朗對曰身輕罪重死有餘辜申脰就羈蹴足入絆叱咤聽聲東西唯命

魏氏春秋曰初宣王使何晏治曹爽等獄宣王曰凡有八族晏疏丁鄧等七姓宣王曰未也晏窮急乃曰豈謂晏乎宣王曰是也乃收晏

魏末傳曰曹爽兄弟歸家勑洛陽縣發民八百人使尉部圍爽第四角作高樓令人在上望視爽兄弟舉動爽計窮愁悶持彈到後園中樓上人便唱故大將軍東行爽還廳事上

蜀志曰先主伐吳先主敗引退道隔黄權不得還降魏魏文帝謂權曰君捨逆歸順欲追蹤陳韓耶權對曰臣過受劉氏厚遇降吳不可還蜀無路是以歸命敗軍之將免死爲幸何古人之可慕文帝善之

蜀志曰許靖爲許邵排擯不得齒叙以馬磨自給

王隱晉書曰上攻張方决千金堨水碓不作發王公家奴婢手舂給兵男子自十三以上皆從役於是公私窮踧米石萬錢

晉中興書曰桓玄聞義軍起斬其二將志慮窘塞日與道士推筭數厭勝之術

皇甫士安高士傳曰陳仲字子終齊人適楚居於陵自謂於陵子仲窮不苟求非義之食不食

吳越春秋曰越伐吳吳王率其賢良投於胥山越兵大至圍吳三重大夫文種相拜范蠡左手提鼓右手操桴而鼓之於是吳王書其弓矢而射種蠡之軍其辭曰臣聞狡兎已死良犬烹敵國已滅謀臣士令吳已病也子大夫何不虞之

墨子曰孔子窮陳蔡之閒藜羮不糂子路烹豚孔丘不問肉所從來而食之也

荀卿子曰鳥窮則啄獸窮則攫人窮則詐
又曰孔子適楚遊陳蔡之間七日不食子路曰由聞善者天報之福不善者天報之禍今夫子積德義奚居之隱孔子曰由芳蘭生於深林非以無人而不芳君子之學非爲同也居不隱者思不生身不佚者志不廣
莊子曰泉涸魚相與處於陸相呴以濕相濡以沫不若相忘乎江湖
又曰孔子窮於陳蔡之間七日不火良藜羹不糝顔回擇菜子貢相與言曰夫子載逐於魯削迹於衛伐樹於宋窮於陳蔡君子之無耻也若此乎顔回無以應入告孔子孔子推琴喟然而歎曰由與賜細人也召而語之今丘也抱仁義之道以遭世之暴其何窮之爲也
尸子曰湯復於湯丘文王幽於羑里武王羈於王門越王

棲於會稽秦繆公敗於殽塞齊桓公遇賊晉文公出走故三王資於辱而五伯得於困也
韓子曰魯人身善織屨妻善織縞而徙於越或謂之曰子必窮矣屨爲人履之也而越人乘舟縞爲人冠之也而越人被髮欲無窮可得乎
燕丹子曰樊將軍以窮歸我而丹賣之心不忍也
淮南子曰今夫窮鄙之社也叩盆拊瓴相和而歌自以爲樂矣（窮鄙之社窮巷之小社也）嘗試爲之擊建鼓撞巨鍾乃始知其瓴之足羞矣
新序曰甯戚欲干齊桓公窮困無以自進於是爲商歌宿於郭門之外擊牛角而歌桓公聞之曰異哉之歌非常人也
雜道書曰地肺之山其下生草名曰救窮如竹冬夏不枯取而食之可絶穀不食令人長生服之三十日行及走馬
趙壹窮鳥賦曰有一窮鳥戢翼原野罼網加上機穽在下前見蒼隼後逼驅者繳彈張右羿弓彀左飛丸激矢交集於我思飛不得欲鳴不可舉頭畏觸摇足恐墮内獨怖急乍冰乍火
琴操曰孔子使顔淵執轡到匡郭外孔子既似陽虎以爲今復來至乃相率圍孔子數日不解弟子皆有飢色於是孔子仰天而嘆曰君子固亦窮乎子路聞孔子之言悲感勃然大怒張目奮劒聲如鍾鼓顧謂二三子曰使吾有此戹也
司馬彪與山巨源書曰根拔失據託命此別告求矜愍許見賑恤窮人易感悲喜兼懷承命之後情過挾纊
孔舒元在窮記曰遣信與義陽太守孫仲開相聞告其困乏得絹二疋壞車一乘賣得絹三疋以糴得米一石橡三

斛食口三十五人百日之中以此自活人皆鵠節無復血色

凍

左傳襄三年曰楚師伐鄭涉於魚齒之下（魚齒山之下有水故言涉也）甚雨楚師多凍役徒幾盡
漢書曰韓王信降匈奴上自將擊之連戰乘勝北至樓煩會寒大雨士卒飢凍
又曰王莽天鳳四年八月莽親之南郊鑄作威斗威斗者以五石銅爲之（五色石銅合冶爲威斗也）若北斗長二尺五寸欲以厭勝衆兵既成令司命負之莽出則在前入則御旁鑄斗日大寒百官人馬有凍死者
三輔決録曰鮑恢父爲縣吏有罪令欲殺之恢年十三常

伏門外凍地晝夜號泣令感而赦之
晉元嘉起居注曰徐州刺史王仲德上言下邳僮令那道益十一月冒寒出郡侯淡冰雪主簿王黒等三人脚悉凍斷
晏子春秋曰景公出遊於寒塗覩死瘠者嘿然不問晏子曰昔吾先君桓公出遊覩飢者與食病者與財今君遊寒塗飢寒凍餒死瘠相望而君不問失君道矣公於是斂死瘠發粟賑貧三月不出遊
呂氏春秋曰戎夷違齊如魯天大寒而後門與弟子宿於郭外寒愈甚謂弟子曰子與我衣我活我與子衣子活我國士也爲天下惜死子不肖人不足愛也子與我衣弟子曰夫不肖人惡能與國士衣哉戎夷解衣與弟子夜半而死弟子遂活

琴操曰曾子幼少慈仁質孝耕於太山之下遭天霖澤雨雪寒旬月不得歸乃作憂思之歌

餓

禮記檀弓曰齊大饑黔敖爲食於路以待餓者而食之有餓者蒙袂戢屨貿貿然來黔敖左奉食右執飲曰嗟來食揚其目而視之曰予唯不食嗟來之食以致於斯也（嗟來食雖憫而呼之非敬辭也）從而謝焉終不食而死
左傳宣上曰晉侯飲趙盾酒伏甲將攻之初宣子田於首山舍於翳桑（田獵也翳桑桑之多陰翳者也）見靈輒餓問其病（靈輒晉人）曰不食三日矣食之舍其半問之曰宦三年矣未知母之存否今近焉請以遺之使盡之而爲之簞食與肉寘諸橐以與之既而輒爲公介（靈輒爲公甲士）倒戟以禦公徒而免之問其何故曰翳桑之餓人也問其名居不告而退

論語季氏曰齊景公有馬千駟死之日民無德而稱焉伯夷叔齊餓于首陽之下民到于今稱之
史記曰趙主父遊沙丘公子章作亂李兊起兵敗之章往走主父兊因圍主父宮令宮人後出者夷主父不得出探雀鷇而食之三月遂餓死沙丘營
又曰上使善相人相鄧通曰當貧餓死文帝曰能富通者在我何謂貧於是賜鄧通蜀嚴道銅山得自鑄錢景帝立有告鄧通盜出徼外鑄錢下吏驗問頗有遂案盡沒入一簪不得着身遂餓死
又曰條侯周亞夫爲河内守時許負相之曰後三歲而侯八歲爲將相持國柄貴矣於人臣無兩其後九歲而君餓死負指其口有從理入口曰此餓死法也三歲其兄絳侯有罪文帝擇絳侯子賢者皆推亞夫乃封亞夫爲條侯卒

餓死

又曰趙王友以諸呂女爲后弗愛太后怒召趙王置邸弗與食趙王餓遂幽死
戰國策曰楚伐中山中山君亡走有二人挈戈隨其後曰臣父嘗餓且死君下壺飱餔臣父臣父曰中山有事女必死之故來死君也
漢書曰朱買臣獨行歌道中負薪墓間故妻與夫家俱上塚見買臣飢寒呼飯食之
又曰蘇武字子卿杜陵人使匈奴匈奴必欲降之乃出置大窖中絶不與飲食天雨雪武齧雪與氈毛并咽之數日不死匈奴以爲神乃徙武北海上無人之處使牧羝羊粟食不至掘野鼠草實而食之
又曰元帝即位天下大水關東郡十一尤甚二年齊地飢

穀石三十餘萬民多飢死琅琊郡人相食
又曰王莽末赤眉遂燒長安宮室市里害更始民飢餓相
食死者數十萬長安爲虛城中無行人宗廟園林皆發掘
唯霸陵完
東觀漢記曰王莽末南方枯旱民多飢餓群盜入野澤掘
鳧茨食之
又曰建武九年正月隗囂餓出城飡糗腹脹死
又曰朱勃上書理馬援曰八年車駕討隗囂唯獨狄道爲
國堅守然民飢饉啖弩煮履寄命漏刻
又曰上問第五倫曰聞卿爲吏撾妻父不過從兄飯寧有
之也倫對曰臣三娶妻皆無父臣生遭饑擾攘米石萬錢
不敢妄過人飯
又曰王郎起上自薊東南馳晨夜草舍至饒陽無蔞亭時

天寒冽衆皆飢疲馮異上豆粥明旦上謂諸將曰昨得公
孫豆粥飢寒俱解
又曰鄧禹與赤眉戰赤眉佯敗棄輜重走皆載土以豆覆
其上兵士飢爭取之赤眉引還擊之軍潰亂時百姓饑人
相食黃金一斤易豆五升道路斷隔委輸不至軍士悉以
菓實爲粮
又曰耿恭在疏勒城救兵不至數月食盡窮困乃煮鎧弩
食其筋革
謝承後漢書曰天下亂人相食趙孝弟禮爲餓賊所得孝
聞之即自縛詣賊曰禮久餓羸瘦不如孝肥飽賊大驚並
放之
泰山松後漢書曰赤眉入長安掖庭中有數百千人自更
始敗閉殿門不出掘庭中蘆菔根捕池中魚食之死因埋

宮中有故祠甘泉樂人尚共擊鼓歌儛衣服鮮明見盆子
叩頭言飢盆子使中黃門廩之粟數斗後盆子去皆餓死
范曄後漢書曰鄧禹威稍損又乏食歸附者離散而赤眉
復還入長安禹與戰敗走至高陵軍士飢餓皆食棗菜
漢獻帝傳曰車駕至洛陽是時宮室燒盡百官披荊棘依
丘牆間州郡各擁強兵而委輸不至羣僚飢乏尚書郎以
下自出採稆或餓死牆壁間
吳志曰袁術在壽春穀石百餘萬載金錢之市求糴市無
米而棄錢去百姓飢寒以桑椹蝗蟲爲乾飯
王隱晉書曰永嘉五年洛中大飢五月摯虞餓死
又曰劉琨與王丞相牋曰不得進軍者實困無食殘民鳥散
擁髮徒跣木弓一張荊矢十發編草盛粮不盈二日夏即
桑椹冬則營豆視此哀歎使人氣索恐吳孫韓白猶或難

之况以琨怯弱凡才而當率此以殄強寇
晉中興書曰王尼字季孫洛陽覆沒避亂江夏王澄時爲
荊州刺史見之欣喜厚供給之尼早喪婦止有一息不用
居宅唯畜露車牛一乘每行輙使兒御暮則宿車上無有
定處澄卒荊州飢荒尼殺牛壞車煮之遂父子餓死
晏子春秋曰越石父凍餓爲人臣僕三年矣晏子解左驂
贖之
文子曰神農之法大夫丁壯不耕天下有受其饑者
孟子曰陳仲居於陵三日不食耳目無聞見井上有李螬
食實者過半矣匍匐往將食之三咽而後耳目有聞見
韓子曰秦大饑應侯謂王曰吾苑之草蔬橡菓棗栗足以
活民請發之王曰今發吾苑以活民是使有功與無功爭
取也人生而亂不如死而治

賈誼新書曰虢君驕恣晉伐之出走逃於山中遂餓死爲
禽獸食之
風俗通曰俗說大餓不在一車飯謂正得一車飯不復活
也
符子曰惠子家窮餓數日不舉火乃見梁王王曰夏麥方
熟請以割子可乎惠子曰施方來遇睪川之水長有一人
溺流而下呼施救之施應曰吾不善游方將爲子告急於
東越之王簡其善游者以救子可乎溺人曰我得一瓢之
力則活矣子方告急於東越之王簡其善游者以救我是
不如求我於重淵之下魚龍之腹矣
世說曰郗公遭永嘉喪亂窮餒鄉人共食之公常攜兄子
外甥二小兒往食鄉人曰各自窮餒以君之賢共欲存君
耳恐不能兼食公於是獨往食訖輙含飯着頰還吐與二

兒後並得存
幽明錄曰樂安縣故市經荒亂人民餓死枯骸填地每至
天陰將雨輙聞吟嘯呻歎聲聒於耳
古艷歌曰行不隨道經歷山陂馬啖栢葉人啖栢脂不可
當飽聊可過飢
傅玄詩曰炎旱歷三時天運失其道河中飛塵起野田無
生草一飡重丘山哀之以終老君無半粒儲形影不相保

太平御覽卷第四百八十六

太平御覽卷第四百八十七

人事部一百二十八

哭

禮記曰孔子哭子路於中庭有人弔者而夫子拜之既哭進使者而問故使者曰醢之矣遂命覆醢

又曰伯高死於衛赴於孔子孔子曰吾惡乎哭諸兄弟吾哭諸廟父之友吾哭諸廟門之外師吾哭諸寢朋友吾哭諸寢門之外所知吾哭諸野於野則已踈於寢則已重夫由賜也見我吾哭諸賜氏遂命子貢爲之主曰爲爾哭也來者拜之

又曰子夏喪其子而喪其明曾子弔之曰吾聞之也朋友喪明則哭之

又曰哭有二道有愛而哭之有畏而哭之

又曰孔子惡野哭者（謂其變衆）

又曰穆伯之喪敬姜晝哭文伯之喪晝夜哭孔子曰知禮矣（喪夫不夜哭嫌思情性也）文伯之喪敬姜據其牀而不哭曰昔者吾有斯子也吾將以爲賢人也吾未嘗以就公室今及其死也朋友諸臣未有出涕者而內人皆行哭失聲 斯子也必多曠於禮矣夫

又曰孔子過泰山側有婦人哭於墓者而哀夫子式而聽之使子貢問之曰子之哭一似重有憂者曰然昔吾舅死於虎吾夫又死焉今吾子又死焉夫子曰何爲不去曰無苛政夫子曰小子識之苛政猛於虎

又曰陽門之介夫死司城子罕入而哭之哀晉人之覘宋者反報於晉侯曰陽門之介夫死子罕哭之哀而民說殆未可伐也孔子聞之曰善哉覘國者乎

又曰朋友之墓有宿草而不哭焉（宿草陳根也謂朞年）

又曰曾申問於曾子曰哭父母有常聲乎曾子曰中路嬰兒失其母焉何常聲之有（言其若小兒亡母啼號安得常聲乎）

又曰斬衰之哭若往而不反齊縗之哭若往而反大功之哭三曲而偯小功緦麻哀容可也

左傳曰衛叔武將沐聞君至喜捉髮走出前驅射而殺之公知其無罪也枕其股而哭之

又曰孟明西乞白乙使出師于東門之外蹇叔哭之曰孟子吾見師之出而不見其入

又曰秦伯素服郊次嚮師而哭曰孤違蹇叔以辱二三子孤之罪也

又曰子產歸未至聞子皮卒哭且曰吾已無爲爲善矣唯夫子知我

又曰昭二十一年七月日蝕大夫叔輒莅事而哭昭子曰叔輒將死矣非所哭也八月叔輒卒

又曰申包胥如秦乞師秦伯使辭焉曰寡人聞命矣子姑就館將圖而告對曰寡君對越在草莽未獲所伏下臣何敢即安立依於庭牆而哭日夜不絕聲勺飲不入口七日秦師乃出

論語曰顏淵死子哭之慟從者曰子慟矣曰有慟乎非夫人之爲慟而誰爲

家語曰公父文伯卒其妻妾皆行哭失聲敬姜戒之曰吾聞好外者士死之好內者女死之今吾子早夭吾惡其以好內聞也

史記曰高祖夜經澤中前有大蛇當逕拔劒斬蛇後人來至蛇所有一老嫗夜哭人問何哭嫗曰人殺吾子吾子白

帝子也化爲蛇當道今者赤帝子斬之故哭人以嫗爲不
誠欲以苦之因忽不見
又曰鄭相子產卒鄭人皆哭泣悲之如亡親戚孔子與子
產如兄弟及聞死爲泣曰古之遺愛也
漢書曰何並字子廉爲潁川太守代陵陽嚴詡官屬祖道
詡據地哭曰吾哀潁川士我以柔弱徵必選剛猛代代到
將有僵仆者故相弔耳並至果大殺戮
又曰王莽末兵起莽憂不知所出崔發言周禮及春秋左
氏國有大灾則哭以厭之故易稱先號咷而後笑宜呼嗟
告天莽自知敗乃率群臣南郊陳符命本末仰天撫心大
哭諸生小民會旦夕哭爲設飱粥甚悲哀及能誦策文者
除以爲郎至五千餘人
謝承後漢書曰許慶字子伯家貧爲郡督郵乘牛車鄉里

號曰軺車督郵慶嘗與友人談論漢無統嗣幸臣專勢世
俗衰薄賢者放退慨然據地悲哭時稱許子伯哭世
華嶠後漢書曰趙一造河南尹羊陟不得見一以公卿中
非陟無足與託名日往其門尋陟自強通陟卧未起一徑
上堂臨之曰竊伏西州抱高風舊矣乃今方遇而便忽然
柰何命也因舉聲哭堂下大驚陟延與語大奇之明往詣
一柴車草屛露宿其傍左右皆驚愕
東觀漢記曰逢萌素明陰陽知莽將敗携家屬於遼東乃
首戴盆盎哭於市言曰新乎新乎遂潛藏
漢名臣奏曰漢得陰山匈奴長老過之未嘗不哭
魏志曰太祖擊黃巾濟北相鮑信鬬死購求信喪不得乃
刻木如信形狀祭而哭焉
又曰初蘇則及臨淄侯植聞魏氏代漢皆發憤悲哭文帝

聞植如此而不聞則也嘗從容曰吾應天受禪而聞有哭
者則謂爲見問騶騎悉張欲正論以對侍中傅巽掐則諳
(苦洽)曰不謂卿也乃止
吳志曰孫策薨以事授權權哭未及息策長史張昭謂權
曰孝廉此寧哭時耶乃改易權服扶令上馬
晉書曰顧榮素好琴及卒家人常置琴於靈座吳郡張翰
哭之慟既而上牀鼓琴數曲撫琴而歎曰顧彥先復能賞
此不因又慟哭不弔喪主而去
又曰顧愷之桓温引爲大司馬參軍甚見親昵温薨後愷
之拜温墓賦詩云山崩溟海竭魚鳥將何依或問之曰卿
重桓公乃爾哭狀其可見乎荅曰聲如振雷破山淚如傾
河注海
又曰阮籍居喪骨立幾致滅性裴楷往弔之籍散髮箕踞

醉而直視楷弔哭畢便去或問楷凡弔者主哭客乃爲禮
籍既不哭君何爲哭楷曰阮方外之士故不崇禮典我俗
中之士故以軌儀自居
又曰秦秀性忌讒佞疾之如讎素輕鄙賈充及伐吳之役
聞其爲大都督謂所親曰充文案小才乃居伐國大任吾
將哭以送師或止秀曰昔蹇叔知秦軍必敗故哭送其子
耳今吳君無道國有自亡之形群卒踐境將不戰而潰子
之哭也既爲不知乃有不救之罪於是乃止
又曰魏舒子混字延廣清慧有才行爲太子舍人年二十
七先舒卒朝野咸爲舒悲舒每哀慟退而歎曰吾不及莊
生遠矣豈以無益自損乎遂不復哭
又曰王敦起郭璞爲記室參軍是時潁川陳述爲大將軍
掾有美名爲敦所重未幾而沒璞哭之哀甚呼曰嗣祖嗣

祖焉知非福未幾而敦作難
又曰阮籍時率意獨駕不由徑路車迹所窮輙慟哭而返
又曰衛玠卒謝琨哭之慟曰棟梁折不覺哀也
王隱晉書曰愍懷太子爲賈后所害詔立臧爲太孫趙王行太傅趙王與太孫俱之東宮車服侍從皆愍懷之舊也列銅駝街宮人哭侍從者皆哽咽路人泣焉
又曰阮籍隣家處女有才色女未嫁而死籍不識其父兄徑往哭之盡哀而去
晉安帝紀曰廣州刺史吴隱之字處默少有孝行遭毋憂哀毁過禮太常韓康伯隣居康伯之母楊州刺史殷浩之妹聰明婦人也隱之每哭康母輙輟事流涕悲不自勝既而語康伯曰汝後若居銓衡當用如此輩人及康伯爲吏部尚書追隱之

晉中興書曰征北大將軍褚裒遣督護王堪迎流民軍次岱陂爲石遵所破死傷過半裒還京聞哭聲甚衆問何哭之多左右曰岱陂之役也裒恥恨發疾而薨
沈約宋書曰劉愼字德願爲秦郡太守德願爲性麤率世祖所狎侮上寵姬殷氏葬畢至墓謂德願曰卿哭貴妃若悲者當加厚賞德願應聲便號慟撫膺擗踊涕泗交横上甚悦以爲豫州刺史上又令醫術人羊志哭殷氏志亦嗚咽他日有問志者卿那得此副急淚志時新喪愛姬答曰我爾日哭亡妾耳
崔鴻前燕録曰高商渤海人也剛毅嚴重好學有事幹爲范陽太守聞兄開戰没悲哭歐血病不能起扶杖乃行慕容儁召見商泣謂左右曰自古友于之篤未有如商者也拜昌黎太守商泣曰臣兄亡於此郡臣故不忍爲之儁愍而授遼西
陳書曰張昭有至性及父卒兄弟並不衣錦帛不食鹽醋日唯食一升麥屑粥而已每一感慟必致歐血隣里聞其哭聲皆爲之涕泣
隋書曰周羅睺進授大將軍其年冬帝幸雒陽陳主卒羅睺請一臨哭帝許之縗絰送至墓所葬還釋服而後入朝帝甚嘉尚世論稱其有禮
唐書曰有鄭人唐衢者應進士乆而不第能爲歌詩意多感發見人文章有所傷歎者讀訖必哭涕泗不能已每與人言論旣相别發聲一號音詞哀切聞之者莫不悽然泣下甞客遊太原屬戎帥軍宴衢得預會酒酣言事抗音而哭一席不樂爲之罷會故世稱唐衢善哭爲名流稱重若此終不登一命而卒

又曰李光弼兼范陽長史河北節度使拔趙郡自禄山反常山爲戰場死人蔽野光弼酹其冡而哭之
又曰韋昭度知政事與李磎並命時宰相崔昭緯專政惡李磎之爲人降制之日令知制誥劉崇魯哭麻以沮之
晏子春秋曰景公游臨淄聞晏子卒公乘而驅之自以爲遟下車而趍知不若車之速又乘比至國四下而趍行哭至伏尸號曰今天降禍齊國不加寡人加於夫子社稷危矣百姓誰告
文子曰九夷八狄之哭異聲而皆哀
列子曰季梁之死楊朱望其門而不哭（盡生性之道以至於亡故無所哀）隨梧之死楊朱撫其尸而哭（生不幸而死故可哀也）
又曰將陰夢火將病夢食飲酒者憂歌儛者哭
又曰韓娥東之齊過逆旅旅人辱之韓娥因曼聲哭（曼聲長引）

一里老幼悲愁垂涕相對
孟子曰華周杞梁之妻善哭其夫而變國俗
韓子曰子產晨出聞婦人哭撫其御手而聽之有間使執而問焉則手殺其夫者異日御問夫子何以知之曰凡人之於其所親愛也始疾而憂臨死而懼已死而哀今夫已死不哀而懼是以知其姧也
淮南子曰故哭之發於口涕之出於鼻此皆憤於中而形於外也
又曰楊子見衢而哭之爲其可以南可以北
韓詩外傳曰孔子行聞哭聲甚悲孔子曰驅之前有賢者至則皐魚也被褐擁鎌哭於道傍孔子避車而與之言曰子非有喪何哭悲也皐魚曰吾失之三少而好學周流諸侯以後吾親失之一也高吾志簡吾事不事庸君失之二也少擇交遊寡於親友老而無託失之三也樹欲靜而風不止子欲養而親不待往而不可追者年也去而不可得見者親也吾請從此辭矣立槁而死
又曰孔子出遊少原之野有婦人中澤而哭其音甚哀孔子使弟子問焉婦人曰嚮者刈蓍薪亡吾簪吾是以哀弟子曰刈蓍薪而亡簪有何悲焉婦人曰非悲傷亡簪也哀其亡故
賈誼新書曰鄒穆公死鄒之百姓若失慈父行吟三月四境之鄰於鄒者士民嚮方道而哭沽家不售其酒屠者罷刑而歸遨童不謳歌舂者不相杵
博物志曰文王以周公爲灌壇令朞年風不鳴條文王夢見一婦人甚美當道哭曰我東太山女嫁爲西海婦而灌壇令當路有道德吾不敢以風雨過

列女傳曰齊人杞梁襲莒戰而死其妻乃就夫尸於城下哭之七日而城崩妻遂投淄水而死
車頻秦書曰苻登率萬人直到姚萇營下同聲向哭哀號動地萇怨惡之與其衆議亦哭相應
說苑曰孔子晨立堂前聞哭者聲音甚悲孔子援琴鼓之其音同也孔子出顏回曰今者有哭其音甚悲非獨哭死哭生離也孔子曰何以知之回曰以九山之鳥知之孔子使人問之曰今者父死家貧賣子以葬
又曰季康子謂子游曰仁人者愛人乎曰然人亦愛之乎曰然康子曰子產死鄭人丈夫捨玦婦人捨珠珥夫婦巷哭之三月不聞竽瑟
又曰鮑叔死管仲哭之泣下如雨從者曰非君臣 父子也管仲曰生我者父母知我者鮑子士爲知已者死而況爲之哀乎
劉向說苑曰晉文公入國至於河令棄籩豆茵席顏色黎黑手足胼胝者在後咎犯聞之中夜而哭文公曰吾亡也十有九年矣今將還國夫人不喜哭何對曰籩豆茵席所資者也而棄之顏色黎黑手足胼胝所以執勞苦者也而皆後之不勝其哀故哭也文公曰禍福利害有不與舅氏共之者有如河水
魏文典論曰上洛都尉王琰獲高幹以封侯其妻哭於內爲琰富貴更取妾故也
語林曰王武子葬夕孫子荊哭之甚悲賓客莫不爲垂涕哭畢向靈座曰卿常好驢鳴今爲君作驢鳴既作聲似眞賓客大笑孫聞笑顧謂曰諸君不死令王武子死乎賓客莫不皆怒須更之間或悲或笑或怒古詩曰嗁呼哭泣如吹胡笳
太平御覽卷第四百八十七

人事部一百二十九

泣　悲　啼　涕

泣

說文曰泣無聲出涕也

易曰乘馬班如泣血漣如

詩曰瞻望弗及佇立以泣

又曰不見復關泣涕漣漣

禮記曰高子羔執親之喪泣血三年未嘗見齒君子以爲難

又曰弁人有其母死而孺子泣者孔子曰哀則哀矣而難爲繼也

左傳曰楚令尹子元欲蠱文夫人爲館於其宮側而振萬焉夫人聞之泣曰先君以是舞也習戎備也今令尹不尋

諸仇讎而置館於未亡人之側不亦異乎

又曰叔孫婼聘于宋宋公與之宴飲酒樂宋公使昭子右坐右相泣樂祁佐退而告人曰今玆君與叔孫其皆死乎吾聞之哀樂而樂哀皆喪心也何以能久

又曰宋公子地有白馬四公嬖向魋魋欲之公取而朱其尾鬣以與之地怒使其徒奪之魋懼將走公閉門而泣之目盡腫

國語曰叔向見司馬侯之子撫之而泣曰自其父死也吾蔑與比而事君也昔者其父始之我終之我始之夫子終之

史記曰荆軻與高漸離飲於燕市酒酣漸離擊筑軻和而歌之於市中相樂已而相泣傍若無人

又曰戚姬愛幸生趙王如意嘗從高祖於關東日夜啼泣欲立如意爲太子

又曰竇皇后兄長君弟曰竇廣國字少君年五歲時家貧爲人所略賣之長安聞皇后新立廣國上書自陳后言之文帝召見具言其故於是后持之而涕泣交橫下侍御左右皆伏地泣助皇后悲哀

又曰漢高帝欲自擊陳豨蒯成侯周緤泣曰始滅秦定天下未嘗自行是爲無人可使者乎

漢書曰上朝東宮趙談參乘爰盎伏車前曰聞天子所共六尺輿皆天下豪英今漢雖乏人陛下獨柰何與刀鋸之餘載於是上遣下談泣下車

又曰李陵與蘇武別置酒起舞歌曰萬里兮度沙漠爲君將兮奮匈奴路窮絕兮矢刃摧士衆滅兮名已穨老母已

死雖欲報恩將安歸陵泣下數行因與武決

又曰高祖破黥布軍還過沛置酒沛宮酒酣上慷慨傷懷泣下數行

東觀漢記曰更始害齊武王光武飲食語笑如平常獨居輒不御酒肉枕席有涕泣處

又曰來歙與蓋延攻公孫述將王元破之蜀人大懼使刺歙歙未死馳告蓋延延見歙伏悲不能仰視歙叱曰故呼卿欲屬以軍事而返効兒女子泣涕乎延收淚強起受所誡歙自書表投筆抽刃而死

又曰章帝東巡狩祠泰山還幸東平王宮涕泣沾襟

楚漢春秋曰惠帝崩呂太后欲爲高墳使從未央宮坐而見之諸將諫不許東陽侯垂泣曰陛下日夜見惠帝塚悲哀流涕無已是傷生也臣竊哀之於是太后乃止

吳志曰孟宗爲驃騎朱據軍吏將母在營旣不得志又夜雨屋漏因起涕泣以謝母母曰但當自勉之何足泣也

晉書曰羊祜卒南州人罷市哭聲相接吳守邊將士亦爲之泣

隋書曰李穆從太祖擊齊師於邙山太祖臨陣墮馬穆突圍而進以馬策擊太祖而詈之授以從騎潰圍俱出賊見其輕侮謂太祖非貴人遂緩之以故免旣而與穆相對泣顧謂左右曰成我事者其此人乎

又曰李崇守永隆英果有籌筭膽力過人初以父賢勳封迴樂縣侯時年尚小拜爵之日親族相賀崇獨泣賢怪而問之對曰無勳於國而幼少封侯當報主恩不得終於孝養是以悲耳賢由此大奇之

孔叢子曰費子陽謂子思曰吾念周室將滅涕泣不可禁也子思曰然今以一人之身憂世之不治而涕泣不禁是憂河水之濁而以泣清之也其爲無益莫大焉

又曰子高曰泣有二焉大姦之人以泣自信婦人懦夫以泣著愛

尸子曰曾子每讀喪禮泣沾襟

呂氏春秋曰吳起治西河之外王錯譖於魏武侯使人召之吳起至於岸門（岸門邑名）止車而望西河泣數行而下其僕謂吳起曰竊觀公之意釋天下若釋躧今去西河而泣何也吳起曰今君聽讒人之言而不知我西河之爲秦不乆矣魏國從此削乎起果去入楚有間西河入秦

說苑曰聖人於天下也譬猶一堂之上今滿堂飲酒有一人向隅而泣則一堂之人皆不樂矣

又曰禹出見辜人問而泣之左右問其故禹曰堯舜之民

皆以堯舜之心爲心今吾爲君百姓皆以其心爲心是以痛之

又曰蔡威公閉門而哭三日泣盡繼以血其隣窺牆問曰何故哭悲荅曰吾國且亡吾聞病之將死不可爲良醫國之將亡不可爲計謀吾數諫吾君不用是知將亡

續晉陽秋曰司馬文王問劉禪曰頗思蜀不禪曰此間樂不思蜀也郤正見禪曰若王後問宜泣有以荅會王復問禪曰先人墳墓遠在隴蜀乃心西望無日不思因閉眼王曰何乃似郤正語耶禪驚視曰如尊命

汝南先賢傳曰蔡順母畏雷後卒每有雷震順輙環冢泣曰順在此

王充論衡曰昔周人有仕不遇年老白首涕泣於塗者人或問何爲泣乎對曰吾仕數不遇自傷年老失時是以泣

又曰蘇秦張儀學從横之術於鬼谷先生先生曰能說我泣出則能分人主之地矣秦說鬼谷先生泣沾襟

劉向新序曰周舍事趙簡子居無幾舍死簡子與諸大夫飲酒酣泣曰百羊之皮不如一狐之腋衆人之唯唯不如周舍之諤諤自舍死未嘗聞吾非也吾國幾亡乎是以垂泣也

文士傳曰張叔序字彥眞遇黨錮去官道逢其友人相與語天下云嫉害忠良豈但道之不行恐將不免二人相向而泣有老人過嗟曰二大夫何泣之悲哉龍不隱鱗鳳不藏羽羅網高懸憂在機後泣將何及二人欲與之語不顧而去

梁江淹泣賦曰秋日之光流兮以傷露離披而殺草風清冷而繞堂慮尺折而寸斷魂一逝而九傷欷潺湲兮沐袖

泣嗚咽今涕棠尋夫景君齊山荆公燕市孟嘗聞琴馬遷
廢史少卿悼躬夷甫傷子皆泣緒如絲詎能仰視
後漢張奐與張公超書曰下筆愴悢泣先言流

悲

毛詩曰春日遲遲采蘩祁祁女心傷悲
家語曰閔子三年之喪畢見孔子孔子與之琴撫弦切切
而悲
史記曰項王軍垓下兵少食盡漢四面皆楚歌項王乃大
驚曰漢已盡得楚矣乃悲歌慷慨
范曄後漢書曰明帝嘗謁原陵夜夢先帝太后如平生忻
對既寤悲不能寐明旦遂率百官上陵帝徒步前伏御牀
視太后鏡奩中物感慟悲泣左右皆泣莫能仰視也
吳録曰張武父業爲郡門下掾還家遇賊鬬死武時幼不

識父每至節日輒持父遺劍到亡處設祭悲動路人
吳志曰顧雍爲相十九年年七十六卒初疾微時權令醫
趙泉視之拜其少子濟爲騎都尉雍聞悲曰泉善別死生
吾必不起故上欲及吾自見濟拜也
晉書曰羊祜樂山水每因風景必造峴山置酒言詠終日
不倦嘗慨然歎息顧謂從事中郎鄒湛等曰自有宇宙便
有此山由來賢達勝士登此遠望如我與卿者多矣皆湮
滅無聞使人悲傷如歲後有知魂魄猶應登此也湛曰公
德冠四海道嗣前哲令望必與此山俱傳至若湛輩乃當
如此公言耳
莊子曰宋桓侯築蘇宮使蔡謳（爲士唱也）觀者數百倍去之無
有悲色君乃賞蔡
呂氏春秋曰周有申喜亡其母聞乞人歌於門下而悲之
動於顏色謂門者內乞人歌者自見而問焉與之語是其
母也
淮南子曰木葉落而長年悲
列女傳曰魯七室邑之四者（一邑七宮也）過時未適人當穆公
之時君老太子幼女倚柱而嘯傍人聞之心莫不爲之慘
慘者隣人婦謂曰何嘯之悲欲嫁乎吾爲子求偶七室女
曰豈爲嫁之故不樂而悲哉吾憂魯君老而太子少也
秦州記曰隴西郡東一百六十里得隴山山東人西役升
此而顧瞻者莫不悲思
楚辭曰悲哉秋之爲氣兮草木搖落而變衰
漢李陵與蘇武書曰胡地玄冰邊土慘烈但聞悲風蕭條
之聲耳胡笳互動牧馬悲鳴吟嘯成羣邊聲四起晨坐聽之
不覺淚下嗟吁子卿陵獨何心能不悲哉

梁庾信哀江南賦序曰不無危苦之辭唯以悲哀爲主

啼

爾雅曰猩猩小而好啼（郭璞云聲似小兒啼）
左傳曰齊襄公田于貝丘見豕從者曰公子彭生也公怒
曰彭生敢見射之豕人立而啼
漢書曰王莽避火宣室前殿火輒隨之宮人婦女啼呼曰
當柰何
東觀漢記曰劉盆子字季十五被髮徒跣卒見衆拜恐
怖啼泣
又曰樂恢字伯奇父親爲縣吏有罪令欲殺之恢年十一
常伏寺東門外凍地晝夜啼泣令乃出親
魏略曰張遼爲孫權所圍遼潰圍出復入權衆破走由
是威震江東兒啼不肯止者其父母以遼恐之

晉書曰桓温字元子宣城太守彝之子也生未朞而太原温嶠見之曰此兒有奇骨可試使啼及聞其聲曰眞英物也

蔡琰別傳曰琰在胡中十二年有二男捨之而歸作詩云家既迎兮當歸寧兒呼母兮啼失聲我掩耳兮不忍聽

風俗通曰桓帝元嘉中婦人作啼粧者薄拭目下作啼處起梁冀家天下皆效之天戒若曰冀婦女將收啼也

語林曰董昭爲魏武帝重目後失勢文明世入爲衛尉昭乃厚加意於侏儒正朝大會侏儒作董衛尉啼面言昔太祖時事舉坐大笑明帝悵然不怡月中爲司徒

又曰胡廣本姓黄五月生父母置諸甕中投之于江胡翁見甕流下聞有小兒啼聲往取因以爲子遂登三司

涕

說文曰涕鼻液也

易曰齎咨涕洟無咎

毛詩曰眷言顧之潸焉出涕

又曰之子于歸遠送于野瞻望弗及泣涕如雨

禮記曰孔子合葬於防封之崇四尺雨甚至孔子問門人曰爾來何遲曰防墓崩孔子泫然流涕曰古者不修墓

又曰孔子之衛遇舊館人之喪入而哭之哀出使子貢說驂而賻之子貢曰無乃已重乎夫子曰予鄕者哭之遇一哀而出涕予惡夫涕之無從也小子行之

又曰將軍文子既除喪而後越人來弔主人深衣練冠待于廟垂涕洟

公羊傳曰西狩獲麟非中國獸孔子曰孰爲來哉反袂拭面涕沾袍也

國語曰公父文伯卒其母戒其妾曰無洵涕（無聲涕出爲洵涕）

漢書曰李將軍恂恂如鄙人口不能出辭及死之日天下知與弗知皆爲流涕彼其忠誠信於士大夫也

又曰楊雄怪屈原不容於世作離騷自投江而死悲其文讀之未嘗不流涕

吳志曰凌統病卒時年二十九權聞之拊牀而起哀不能自止數日減膳言及流涕使張承爲作銘誄

晉書曰桓温自江陵北伐經金城見少爲瑯琊時所種柳皆已十圍慨然曰樹猶如此人何以堪攀枝執條泫然流涕

春秋後語曰荆軻將行太子及賓客知其事者二十餘人皆白衣冠以送之至易水之上既祖取道高漸離擊筑荆軻和歌爲濮上聲士皆流涕

說苑曰雍門周以琴見孟嘗君孟嘗君曰先生鼓琴亦能令文悲乎周曰夫千秋萬世之後高臺既已壞曲池既已毁墳墓既已下嬰兒豎子樵採者躑躅其足而歌其上夫以孟嘗君尊貴乃若是乎於是孟嘗君泫然涕流曰令文立若破國亡邑之人

太平御覽卷第四百八十八

太平御覽卷第四百八十九

人事部一百三十

別離

毛詩曰出宿于濟飲餞于禰

又曰申伯言邁王餞于郿

又曰挑兮撻兮在城闕兮一日不見如三月兮

又曰燕燕于飛差池其羽之子于歸遠送于野瞻望弗及泣涕如雨

又曰送子涉淇至于頓丘

又曰我送舅氏曰至渭陽

又曰出宿于浦飲餞于祢

又曰顯父餞之清酒百壺

又曰有女仳離慨其歎矣

禮記曰嫁女之家三夜不息燭思相離也

左傳昭四年鄭六卿餞宣子於郊宣子曰二三子請賦詩起亦以知鄭志子齹賦野有蔓草子產賦羔裘子太叔賦褰裳子游賦風雨子旗賦有女同車子柳賦蘀兮宣子喜曰二三子以命貺起賦不出鄭志二三君子皆數世之主也

家語曰孔子去周而老子送之曰吾聞富貴送人以金仁者送人以言吾雖不能富貴而竊仁者之號請送子以言凡當世之聰明深察而近於死者好議人者也博辨宏大而危其身者好發人之惡者也孔子曰敬奉教

又曰孔子在衛晨興顔淵侍有哭者甚哀回曰此哭非獨哀死又悲生離也孔子曰何以知之對曰回聞恒山之鳥生四子焉羽翼既成將分離悲鳴以相送哀有類於此矣

史記曰魯人或惡吳起曰起之爲人猜忍人也其少時家累千金將仕不遂遂破其家鄉黨笑之起殺其謗已者三十餘人而東出衛郭門外與其母訣齧臂而盟曰起不爲卿相不復入衛

又曰貳師將軍李廣利將兵擊匈奴丞相劉屈氂爲祖道送渭橋與廣利別

又曰踈廣踈受父子並爲皇太子師傅朝廷以爲榮在位歲久廣謂受曰吾聞知足不辱知止不殆功遂身退天之道也今仕官至二千石宦成名立如此不去懼有後悔即日父子俱稱病乞骸骨上以其年篤老皆許之加賜黃金二十斤皇太子賜以五十斤公卿大夫故人邑子爲設祖道供帳東都門外蘇林注曰長安東郭門也送者車數百兩辭訣而去及道路觀者皆曰賢哉二大夫或歎息爲之下泣

又曰肅宗遣諸王歸國帝特留東平王蒼賜以秘書列仙圖道術秘方至八月飲酎畢有司復奏遣蒼乃許之手詔賜蒼曰骨肉天性誠不以遠近親踈然數見顔色情重昔時中心戀戀惻然不能言於是車駕祖送流涕而訣復賜乘輿服御珎寶與馬錢布以億萬計

又曰赤眉兵盛乃拜鄧禹前將軍持節西征自選可與俱者於是凡將六將軍吏二萬人禹辭訣上自從輕騎數百送至野鄧禹不能定赤眉乃遣馮異代禹討之車駕送至河南賜以乘輿七尺劍勑異曰諸將非不能健鬬然好虜掠卿本能御吏念自修飭無爲郡縣所苦異頓首受命

又曰東平王蒼朝京師月餘還國帝臨送歸宮悽然懷思乃詔遣使諭國辭別之後獨坐不樂因就車歸伏軾而吟誦及採菽以增歎息

又曰第五倫年少諸家惟令詣鄂尹鮮于裒見而異之署爲吏後裒坐事徵臨去握倫臂訣曰恨相知之晚

又曰申徒蟠爲太尉黄瓊所辟不就及瓊卒歸葬江東四方名豪會帳下六七千人談論莫有及蟠者唯南郡一生與相酬對既別執蟠手曰君非聘則徵如是相見於上京矣蟠勃然作色曰始吾以子爲可與言何乃相教榮貴之徒耶因振手而去

魏志曰夏侯惇薨以曹休爲鎭南將軍假節都督諸軍事車駕臨送下輿執手而別

吳志曰魯肅代周瑜過呂蒙酒酣蒙問肅曰君受重任與關羽爲隣將何計略以備不虞肅應曰臨時施宜蒙因爲畫五策肅於是越席就之拊其背曰呂子明吾不知卿才略所及至於此也遂拜蒙母結友而別

又曰劉繇亡於豫章孫策命太史慈往撫安之左右皆曰慈必北去不還策曰子義舍我尚復與誰餞送昌門把腕別曰何時能還荅曰不過六十日果如期而反

晉中興書曰王澄嘗之荆州送者傾邑所別處樹上有鵲巢登便脫衣着犢鼻上樹探鵲鷇而弄之傍若無人

晉中興書曰衛玠兄璪時爲散騎侍郎內侍懷帝玠以天下將亂移家南行母曰我不能捨仲寶而去也玠啓喻深至爲門戶大計母涕泣從之臨別玠謂璪曰在三之義人之所重今可謂致身命之日兄其勉之乃扶將老母轉至豫章而洛城失守璪沒焉

沈約宋書曰王弘字方平家貧而性好山水求爲烏傷令尋以病歸桓謙以爲衛軍參軍時郗仲文還姑孰祖送傾朝謙要弘之同行荅曰凡祖離送別必在有情下官與郗風馬不接無緣陪從謙貴其言

又曰張敷音儀詳緩與人別執手曰念相聞

後魏書曰南安王楨復封南安王後爲鎭北大將軍相州刺史帝餞楨華林都亭詔左右賦詩不能者並可騁射當使武士彎弓文人下筆帝送楨下皆流涕而別

續齊諧記曰京兆田眞兄弟三人分財堂前有紫荆花葉茂異共議破爲三分明截之爾夕樹即枯死眞見之驚謂弟曰花本同株當分析枯悴況人兄弟孔懷而少離異是不如樹也兄弟相感更合

吳錄曰朱桓還屯濡須權祖之桓奉觴曰臣當遠去願一捋陛下鬚無所復恨權憑几前席桓進持鬚曰臣今日眞可謂捋虎鬚者權大笑

吳越春秋曰越王句踐伐吳將與大夫范蠡入臣於吳群

臣皆送浙江大夫文種前爲祝其辭曰皇天祐助先沉後揚禍爲德根憂爲福堂

許邁別傳曰邁好養生遣妻歸家東遊採藥於桐廬山欲斷穀以山近人不得專一移入臨安自以無復反期乃改名遠遊書與婦別

管輅別傳曰諸葛樂與輅別戒以二言卿性樂酒雖溫克然不可保寧當節卿相有水鏡之才所見者妙福如膏火不可不愼持節散才遊於雲漢之間不受富貴也輅言酒不可極才不可盡吾欲持酒以禮持才以愚何患之有耶

穆天子傳曰天子觴西王母瑤池之上王母謠曰白雲在天山川間之

荆府圖曰襄陽縣南陸道六里有林館是餞行送歸之所

水經曰壽春縣故城東爲長瀨津之側有射堂北亭迎送

之所

江表傳曰孫權乘飛雲大舡與張昭秦松魯肅十餘人共送周瑜大宴會叙別昭等皆出權獨與劉備留語因言次嘆瑜曰公瑾文武籌略萬人之英顧其器量廣大恐不久爲人臣耳

李陵別傳曰陵與蘇武書曰男兒生不成名死必葬蠻夷中耳誰復能屈伸稽顙還向北闕使刀筆吏弄其文墨邪願足下勿復望陵嗟乎子卿知復何言相去萬里人絶路殊生爲離別之人死爲異域之鬼

文士傳曰張翰到京師時齊王冏擅權翰謂同郡人顧榮曰天下紛紛未已夫有四海之名者求退難吾本山林間人無望於時去矣子善以明防前以智慮後榮捉其手愴然嘆曰吾亦思汝採南山蕨飲三江水耳翰遂稱疾徑歸

府以翰輙去除吏名

世說曰杜預屯荊州頓七里橋朝士悉祖之

又曰阮籍嫂嘗歸家籍相見與別人或譏之曰禮豈爲我輩設耶

裴淵廣州記曰尉佗築臺以朔望外拜號爲朝臺即岡傍江搆起華館以送陸賈因稱朝亭

語林曰桓公北征朝士出送之軍容甚盛儀止可觀陳說經略攻取之宜衆皆謂必能平中原將別忽逞才自矜焉遂墮地士以是知其必敗

又曰有人詣謝公別謝公流涕人了不悲既去左右曰向客殊自密雲謝公曰非徒密雲乃自旱雷

呂氏春秋曰吳起行魏武侯自送之西河而與起辭武侯曰先生將何以治西河對曰以忠以信以仁以義武侯曰四者足矣

郭子曰周叔治爲晉陵（謨子叔治光祿大夫西平貞侯顗弟）周侯仲智送之（周侯名顗字伯仁仲智名嵩次弟也）叔治將泣涕不止仲智恚之曰困人及婦人別惟知啼便捨去周侯獨留與飲酒言語臨別流涕撫其背曰阿奴自愛

孔叢子曰子高遊趙平原君客有鄒文李節者與相友善及將還魯諸故人訣既畢文節送行三宿臨別文節流涕交頤子高徒揖手而已分背就路其徒問先生與彼二子善彼有戀戀之心而先生厲聲高揖無乃非親之謂乎高曰始吾謂此二子丈夫耳乃今知其婦人人生其有四方之志豈鹿豕哉而常羣聚乎其徒曰若此二子泣非耶吾荅曰斯二子良人也有不忍之心其於斷必不足矣

又曰竇皇后弟廣國曰姊去我西時與我訣於傳舍中沐

我而去

又曰成帝遣定陶王之國王辭去上與相對涕泣而訣

琴操曰商陵牧子娶妻五年無子父兄將欲與改娶妻聞中夜驚起倚戶悲嘯牧子聞援琴鼓之痛恩愛永離歎別鶴以舒情故曰別鶴操

古詩曰行行重行行與君生別離相去萬餘里各在天一涯道路阻且長會面安可期胡馬嘶北風越鳥巢南枝相去日已遠衣帶日已緩棄捐勿復道努力加飡飯

李陵贈蘇武詩曰携手上河梁遊子暮何之徘徊岐路間悢悢不能辭行人難久留客言長相思安知非日月弦望自有時努力崇明德皓首以爲期又曰仰視浮雲馳奄忽互相踰風波一失路各在天一涯

又曰昔爲鴛與鴦今爲參與商

又曰二鳧俱北飛一鳧獨南翔子當留斯土我獨歸故鄉

蘇武贈李陵詩云黄鵠一遠別千里影徘徊

古詩曰客從遠方來遺我一書劄上有長相思下言久離別置書懷袖中三歲字不滅

江淹別賦曰黯然消䰟者唯別而已矣

楚辭序曰離別也騷愁也經徑也言已放逐離別中心愁思猶陳道徑以諷諫君

又曰草木揺落而變衰憭栗兮若在遠行登山臨水送將歸

又曰悲莫悲兮生別離

太平御覽卷第四百八十九

人事部一百三十一

僭　驕慢　怠惰　迷忘　癡

僭

禮記雜記曰孔子曰管仲鏤簋而朱紘旅樹而反坫山節而藻梲賢大夫也而難為上也

又郊特牲曰庭燎之有百也由齊桓公始也（僭天子也）大夫之奏肆夏也由趙文子始也諸侯之宮縣擊玉磬朱干設錫冕而舞大武乘大輅諸侯之僭禮也（言此皆天子之禮也）臺門旅樹反坫繡黼丹朱中衣大夫之僭禮也（言此皆諸侯之禮也）

論語曰孔子謂季氏八佾舞於庭是可忍也孰不可忍也

漢書曰燕剌王旦招來郡國姦人賦歛銅鐵甲兵數閱其車騎材官卒建旌旗鼓車旄頭先驅郎中侍從著貂羽黃金附蟬皆號侍中

又曰韓延壽在東郡試騎士治飾兵車畫龍虎朱爵延壽衣黃紈方領（晉灼曰以黃色紈作直領）駕四馬傅總建幢棨植羽葆持幢旁轂歌者先居射堂望見延壽車噭咷楚歌又取官銅物候月蝕鑄作刀劍鉤鐔放尚方治飾車甲三百萬已上於是望之劾奏延壽上僭不道棄市

又曰初成都侯商嘗病欲避暑從上借明光宮又穿長安城引內渭水注第中大陂以行舡立羽蓋上聞之大怒遣責問司隸校尉京兆尹知成都侯商擅穿帝城曲陽侯根驕奢僭上赤墀青鎖司隸京兆尹皆爲以縱不舉奏正法二人頓首省戶下

梁冀別傳曰梁冀奢僭四方調發歲時貢獻皆先輸上第於冀乘輿乃其次焉又廣開園囿採土築山十里九坂以象二崤深林邃澗有若自然奇禽馴獸飛走其間妻共冀乘輦張羽蓋飾以金銀遊第內

董卓別傳曰卓遂僭擬車服乘金華青蓋車畫兩輪時號竿摩車言其服飾近天子也

驕慢

左傳成下曰晉范文子反自鄢陵使其祝宗祈死（祈請也）曰君驕侈而克敵是天益其疾也難將作矣愛我者唯祝我使速死無及於難范氏之福也

漢書曰淮南王長早失母常附呂后孝惠孝文帝初即位自以為最親驕蹇數不奉法上寬赦之三年入朝甚橫上入苑獵與同輦常謂上為大兄文帝賜玉帛以賜吏卒勞苦者長不欲受慢曰無勞苦者

又曰上官安還車騎將軍日以驕淫受賜殿中出對賓客言與我壻飲大樂見其服飾使人歸欲自燒物子病死仰而罵天

王隱晉書曰楊駿漸驕傲石奮語之曰卿恃女更豪耶與天家婚未有不滅門者駿曰卿女復不在天家耶奮曰我女與卿女作婢耳何能增損

後魏書曰宜都王穆壽與崔浩等輔政人皆敬浩壽獨淩之又自恃任位以為人莫已及謂其子師曰但令吾兒及我亦足勝人不須苦之遇諸父兄弟有如僕隸夫妻並坐共食而令諸父餕餘其自矜無禮如此為時人所鄙笑

蕭子顯齊書曰司徒褚淵送湘州刺史王僧虔閣道壞墜水僕射王常牛驚跣下車謝超宗拊掌笑戲曰落水三公墜車僕射

賈誼新書曰虢君驕恣伐之不守出走逃於山遂餓死為

禽獸食
語林曰晉王武子與武帝圍碁孫皓看王問孫歸命何以好剝人面皮皓曰見無禮於君者即剝其面皮乃舉碁局武子伸脚在局下

怠惰

禮記玉藻曰垂緌五寸惰遊之士也

左傳僖上曰天王使召武公內史過賜晉侯命受玉惰過歸告王曰晉侯其無後乎王賜之命而惰於受瑞先自棄也已其何繼之有

又成下曰晉侯使郤錡來乞師將事不敬孟獻子曰郤氏其亡乎禮身之幹也敬身之基也郤子無基且先君之嗣卿也受命以求師將社稷是衛而惰棄君命也不亡何為

蜀志曰楊戲性簡惰省略未嘗以言加人遇情接物書符指事希有盈紙

孟子曰世俗所謂不孝者五惰其四支不顧父母之養一不孝也

蔡邕勸學曰瞻彼頑薄執性不固心遊目蕩意與手互

嵇康與山濤書曰吾每讀尚子平臺孝威傳慨然慕之想其為人如少孤露母兄見驕性復疏懶筋駑肉緩頭面常一月十五日不洗非大悶癢不能梳也每當小便而忍起令胞中略轉乃起耳又縱逸來久情志傲散簡與禮相背懶與慢相成而為儕類見寬不攻其過又讀老莊重增其放故使榮進之心日頹任實之情轉篤又人倫有禮朝廷有法自惟有不堪者七也

迷志

說文曰迷惑也志不識也

易坤卦曰先迷後得君子有攸往

又復卦曰迷復之凶反君道也

國語曰仲尼謂桓子曰丘聞之木石之怪夔魍魎（魍魎山精好學迷惑人也）

史記曰漢敗楚於垓下項王乃上馬麾下壯士騎從八百餘人夜潰圍南出馳平明漢軍乃覺之令將灌嬰以五千騎追項王度淮騎能屬者百餘人耳項王至陰陵迷失道問一田父田父紿曰左乃陷大澤中以故漢追及之

漢書曰元帝為太子體不安忽忽善忘不樂詔使王褒等皆之太子宮娛侍太子朝夕誦讀奇文及所自造作疾復廼歸太子喜褒所為甘泉及洞簫頌令後宮貴人左右皆誦之

又曰李廣隨大將軍擊匈奴語其麾下曰廣結髮與匈奴

大小七十餘戰今幸從大將人迷失道豈非天哉遂自刎

魏志曰夏侯霸聞曹爽被誅而征西將軍夏侯玄又徵以為禍必將轉相及心既內恐又霸先與雍州刺史郭淮不和而淮代玄為征西霸尤不安故遂奔蜀趍陰平而失道入窮谷中粮盡殺馬步行足破卧岩石下使人求道未知所之蜀聞之乃使人迎霸

晉中興徵祥說曰海西公即位忘設豹尾夫豹尾儀服之主大人所以豹變也而海西公非可宜忘之天若曰海西凡庸不可以主社稷故忘其豹尾示不能終也

山海經曰招搖之山有木焉其狀如穀而黑理（穀楮也皮中作紙也）其華四照名曰迷穀佩之不迷

又曰歷小之山其山多櫑是木也方莖圓葉黃華而毛其實如楝（亦木名子如指頭白而黏可浣衣音楝也）服之不忘

搜神記曰蜀中西南高山之上有物與猴相類長七尺能作人行善走名猳一名馬化或曰玃伺行道人有後者輒盜取以去人不得知此物能別男女氣臭故取女而男不知也取去而共為家室其無子者終身不得還十年之後形皆類之意亦迷惑不復思歸產子者輒抱送還其家產子皆如人有不養者母輒死也

廣州記曰盧山有山桃大如檳榔形亦似之色黑而味甘酢人時登山採拾正得於上飽噉不得持下輒迷不得返

述異記曰南康南野有東望山民三人上山頂有湖清深又有果林周四里許衆果畢植間無雜木行列整齊如人功也甘子正熟三人共食致飽訖懷三枚欲以示外人迴旋迷不能得路即聞空中語云速放雙甘乃聽汝去投所懷甘於地轉盼即見歸途

新序曰晉文公出田逐獸入大澤迷不知所出有漁者文公謂曰我若君也出我且厚賜於是遂出漁者曰臣願有獻文公曰子之所欲教寡人者何等也漁者曰鴻鵠保河海之中厭而從之小澤必有丸矰之憂黿魚保於淵厭而出之淺渚則必有羅網之憂今君逐獸至此何行之大遠也文公曰善哉

鬻子曰文王問曰人有大忘乎對曰大忘知其身之惡而不改也以賊其身乃喪其軀有行如此之謂大忘

列子曰禹治水土也迷而失塗謬之一國當國之中有山山名壺嶺有口名滋穴有水涌出名曰神瀵山頂之泉曰瀵臭過蘭椒味過醪醴其人性婉而從物不競不爭柔心而弱骨不驕不妄長幼儕居不君不民男女雜遊不媒不娉緣水而居不耕不稼土氣溫適不織不衣百年而死不夭不病

又曰宋陽里華子中年病忘朝取而夕忘夕與而朝忘在途則忘行在室則忘坐

又曰秦人逢有氏子少而慧及壯而有迷罔之疾聞歌以為哭視白以為黑饗香以為臭嘗甘以為苦行非以為是揚氏告其父曰魯之君子多術藝汝奚不訪焉其父之魯遇老聃因告其子之證老聃曰汝庸知汝子之迷乎今天下之人皆惑莫有覺者且一身之迷不足傾一家一家之迷不足傾一鄉一鄉之迷不足傾一國一國之迷不足傾天下天下盡迷孰正之哉嚮使天下之人其心盡如汝子汝則反迷矣哀樂聲色臭味是非孰能正之且吾之此言未必非迷況魯之君子迷之郵者

莊子曰顏淵曰回益矣仲尼曰何謂也回忘仁義矣曰可矣猶未也他日復見曰回坐忘矣仲尼蹴然曰何謂坐忘曰墮支體黜聰明離形去智同於大道此謂坐忘

又曰黃帝將見大隗于具茨之山具茨山在滎陽縣今名大隗山方明為御昌寓驂乘張若謵朋前馬前馬言二人先道馬昆閽滑稽後車言二人從後車也至於襄城之野七聖皆迷無所問塗適遇牧馬小童而問塗焉

尸子曰魯哀公問孔子曰魯有大忘徙而忘其妻有諸孔子曰此忘之小者也昔商紂有臣曰王子須務為諂使其君樂須臾之樂而忘終身之憂家語同

韓子曰管仲隰朋從桓公伐孤竹春往而冬返迷失惑道管仲曰老馬之智可用也乃放老馬遂得道

楚辭曰入溆浦予邅迴兮迷不知其所如

劉謐之迷賦曰寵郎居山中稀行出朝市數來到豫章因便造人士東西二城門赫弈正相似向風徑東征直去不

轉耳

癡

周書曰太公望忽然曰不癡不狂其名不彰不狂不癡大事不成

左傳成下曰晉周子有兄而無慧不能辨菽麥（杜預注曰蓋所謂白癡也）

魏志曰許褚字仲康長八尺餘大十圍勇力絶人褚後事太祖以褚力如虎而癡號曰癡虎

又曰明悼毛皇后父嘉本典虞車工卒暴富貴帝令朝臣會其家飲宴其容止舉動甚蚩騃語輒自謂侯身時人以爲笑

後魏書曰太祖謂尚書崔玄伯曰蠕蠕（而蝡）蠢之民昔來號爲頑嚚每來抄掠駕牸牛奔遁驅犍牛隨之牸牛不能前異部人教其以犍牛易之者蠕蠕曰其母尚不能行而況其子終於不易遂爲敵所虜

北史曰齊皇甫亮所居宅洿下標牓賣之將買者或問其故亮每荅云爲宅中水淹不泄雨即流入牀下由是宅終不售其淳實如此

隋書曰楊玄感司徒素之子也體貌雄偉美鬚髯少時晚成人多謂之癡其父每謂所親曰此兒不癡也及長好讀書便騎射以父軍功位至柱國

唐書曰竇威家世勳貴諸昆弟並尚武藝而威躭翫文史介然自守諸兄哂之謂爲書癡

又曰雜端御史㝡爲雄劇食坐之南設一橫榻謂之南床殿中監察不得坐注云亦謂之癡床言處其上者皆驕傲自得使人如癡故謂之癡床也

又曰李益與李賀齊名然少有癡病而多猜忌防閑妻妾過爲苛酷而有散灰扃戶之譚時謂妬癡

風俗通曰夜糴俗說市買者當清旦而行日中交易所有夕時便罷今乃夜糴明其癡騃不足也

郭子曰王長史求東陽（王濛字仲祖）撫軍不肯用（晉太宗簡文帝先爲撫軍大將軍）王後疾篤臨終撫軍哀嘆曰吾將負仲祖於此乃命用之長史人言會稽王癡（會稽王簡文先封也）

又曰王汝南少無婚處自求郝普女（郝氏襄城人父臣字仲時一名普洛陽太守）司空以爲癡（司空昶也）會無往婚對其音樂便許之

世說曰任育長年少甚有令名自過江便失志下飲問人云此爲茶爲茗覺有恠色乃自申明云問飲爲熱爲冷嘗行從棺邸下度流涕而悲王丞相聞之曰此是有情癡

語林曰王藍田少有癡稱丞相以地辟之既見無他問問來時東米幾價藍田不荅直張目晛王公云王掾不痴何以云癡

應璩新詩曰漢末桓帝時郎有馬子侯自謂識音律請客鳴笙竽爲作陌上桑反言鳳將雛左右僞稱善亦復自摇頭（馬子侯爲人頗癡自謂曉音律黄門樂人更往嗤誚子侯不知名陌上桑反言鳳將雛輒摇頭欣喜多賜左右錢帛無復慙也）

虞翻書曰此中小兒年四歲矣似欲聰哲雖蝦不生鯉子此子似人欲爲求婦不知所向君爲訪之物怪老癡譽此兒也

太平御覽卷第四百九十

人事部一百三十二

慙愧

尚書仲虺之誥曰成湯放桀于南巢惟有慙德

又曰五子之歌曰萬姓仇予予將疇依鬱陶乎予心顏厚有忸怩（鬱陶言哀思也顏厚色愧忸怩心慙也慙愧於仁人賢士也）

左傳曰吳公子札請觀周樂見舞韶濩者（殷湯樂也）曰聖人之弘也而猶有慙色聖人之難也

家語曰孔子適衛顏刻衛靈公夫人南子同車出而令宦者雍渠驂乘使孔子次車遊過市孔子恥之顏刻曰夫子何恥子曰詩云覯爾新婚以慰我心乃嘆曰吾未見好德如好色者也

漢書曰項羽至烏江亭長檥舡待羽（應劭曰檥止也孟康曰檥音蟻附舡著岸如淳曰南方謂整舡向岸曰檥）謂羽曰江東雖小地方千里衆數十萬亦足王也願大王急渡今臣有舩漢軍至亡以渡羽歎曰迺天亡我何渡爲且籍與江東子弟八千人渡而西今亡一人還縱江東父兄憐而王我我何面目見之哉縱彼不言籍獨不愧於心乎

又曰文帝嘗病癰鄧通爲上嗽吮之上不樂從容問曰天下誰最愛我者乎通曰莫若太子太子入問疾上使太子齰癰而難之已而聞通嘗爲上齰之太子慙由是心恨通

又曰直不疑南陽人也爲郎事文帝其同舍有告歸誤持其同舍郎金去已而同舍郎覺亡金意不疑不疑曰有之買金償後告歸者至而歸金亡金郎大慙

又曰朱買臣字翁子會稽人家貧好讀書不治產業常刈薪樵負戴相隨婦數止買臣無歌謳道中買臣逾益疾歌

妻羞之求去

又曰建始三年秋京師民無故相驚言大水至百姓奔走相蹂躪（韋昭曰蹂踐躪轢也）老弱號呼長安中大亂天子親御前殿召公卿議大將軍鳳以爲太后與上及後宮可御舟船令吏民上長安城以避水群臣皆從鳳議左將軍王商獨曰自古無道之國水猶不冒城郭今政治平世無兵革上下相安何因當有大水一日暴至此必訛言也不宜令上城重驚百姓上乃止有頃長安中稍定問之果訛言上於是美壯商之固守數稱其議而鳳大慙自恨失言

東觀漢記曰王郎起上在薊郎移購上令王霸至市中募人將以擊郎市人皆大笑舉手邪揄之霸慙而去

又曰汝南薛苞字孟嘗喪母以至孝聞父娶後妻而憎苞分出日夜號泣不能去至被毆杖不得已廬於舍外旦入而洒掃父怒又逐之乃廬於里門晨昏不廢積歲餘父母慙而還之

又曰王丹字仲回京兆人也時河南太守同郡陳遵關西之大俠也其友人喪親遵爲護喪事賻助甚厚丹乃懷縑一疋陳之於主人前曰如丹此縑出自機杼遵聞而有慙色

又曰樊重外孫何氏兄弟爭財重恥之以田二頃解其忿訟縣中稱美推爲三老年八十餘臨終其素所假貸人間數百萬遺令焚削文契債家聞者皆慙爭往償之諸子從勑竟不肯受

又曰魏霸字延年仕爲光祿大夫霸妻死長兄伯爲霸取妻送至官舍霸笑曰年老兒子備具矣何空養他家老爲即自入辭其妻奉案前因跪曰夫人視老夫復何中而遂

失計義不敢强即拜而出妻慙求去
又曰卓茂爲丞相史嘗出道中人有認茂馬者茂問亡馬
幾時乎曰月餘矣茂自知畜馬數年解馬與之挽車而去
後日馬主自得其馬慙愧詣府叩頭謝歸焉
又曰淳于恭字孟孫北海人以謙儉雅讓爲節家有山田
橡樹有盜取之恭助爲收拾載之歸乃知其所盜載橡還
之恭不受人有盜刈恭禾者恭見之念其愧自伏草中至
去乃起
謝承後漢書曰梁輿奏誅李固固臨命與胡廣趙戒書
曰梁氏迷謬公等曲從以吉爲凶成事爲敗漢家衰微
從此始矣公等受主厚祿傾覆大事後之良史豈有所
私固身已矣於義得矣夫復何言廣戒得書悲慙皆長
歎

袁山松後漢書曰皇甫嵩字義安定朝那人善用兵飲食
舍止必先將士然後乃安兵曹有受賂者嵩曰公素廉清
必貧用乏乃出錢賜之吏羞慙而自殺由是衆皆樂爲致
死
魏志曰曹仁討關羽於樊于禁助仁秋大霖雨漢水溢禁
等七軍沒禁遂降吴文帝踐祚權遣禁還引見禁鬚皓白
形容憔悴欲遣使吴先令謁高陵帝豫於陵圖畫禁降服
之狀禁見慙恚發病薨
又曰陳矯爲尚書令明帝即位車駕常卒至尚書省門矯
跪問曰陛下欲何之帝曰欲案行文書耳矯曰此自臣職
分非陛下所宜臨也若臣不稱其職則請就黜退陛下宜
還帝慙迴車而返
晉書曰朱冲字巨容南安人也少有志行閑靜寡欲好學

而貧常以耕藝爲事鄰人失犢乃認冲犢以歸後得犢於
林下大慙以犢還冲
又曰王羲之傳時劉惔之爲丹陽尹許詢嘗就惔之宿牀
帷新麗飲食豐甘詢曰若此保全殊勝東山劉曰卿若知
吉凶由人吾安得保此羲之在坐曰令巢許遇稷契當必
無此言二人並有愧色
又曰嵇紹嘗詣齊王冏咨事遇冏讌會召董艾葛旟等共
論時政艾言於冏曰嵇侍中善於絲竹公可令操之左右
進琴紹推不受冏曰今日爲歡卿何吝此耶紹對曰公匡
復社稷當軌物作則垂之於後紹虛鄙忝備常伯腰紱冠
冕鳴玉殿省豈有操執絲竹以爲伶人之事若釋公服從
私宴所不敢辭也冏大慙
又曰庾亮傳 初亮所乘馬有的顱殷浩以爲不利於主勸

亮賣之亮曰曷有己之不安而移之於人浩慙而退
又曰王羲之傳素與王述不協先是王羲之常謂賓友曰
懷祖正當作尚書耳投老可得僕射更求會稽便自邈然
及述蒙顯授羲之恥爲其下遣使詣朝廷求分會稽爲越
州行人失辭大爲時賢所笑既而內懷愧歎謂其諸子曰
吾不減懷祖而位遇懸邈當由汝等不及坦之
晉中興書曰王恭嘗宴于司馬道子室尚書謝石爲吴歌
恭曰居端右之重集宰相之座而放妖俗之音乎並有慙
色
又曰熒惑守南斗經旬王導謂陶回曰南斗揚州分而熒
惑守之吾當遜位以厭此譴回荅曰公以明德作相輔弼
聖主宜親忠貞遠邪佞而與桓景造膝熒惑何由退舍導
深愧之

宋書曰王惠陳郡謝瞻才辯有風氣甞與兄弟群從造惠談論鋒起文史間發惠時相酬應言清理遠瞻等慙而退

又曰謝晦爲荆州都督甚有自矜之色將之鎮詣從叔光禄大夫瞻別問晦年荅曰三十五瞻笑曰昔荀中郎年二十七爲北府都督卿比之已爲老矣晦有慙色

又曰何尚之在家常着鹿皮帽及拜開府天子臨軒百僚陪位沈慶之於殿廷戲之曰今何不着鹿皮冠慶之累辞爵命朝廷敦勸甚切尚之謂曰主上虛懷側席詎宜固辭慶之曰沈公不效何公去而復還也尚之有愧色

又曰顧凱之爲尚書吏部郎甞於太祖坐論江左人言顧榮袁淑謂凱之曰卿南人性怯懦豈作賊凱之正色曰卿反以忠義笑人淑有慙色

唐書婁師德初狄仁傑未爲宰相時師德甞薦之及爲宰相不知師德薦已數排師德令充外使則天甞出師德書表示之仁傑大慙謂人曰吾爲婁公所含如此方知不逮婁公遠矣

晏子春秋曰景公置酒太山之陽酒酣公四面望喟然嘆泣數行曰寡人將去此堂堂國死耶左右泣者三人曰吾細人也猶將難死而況公乎晏子搏髀仰天而大笑曰樂哉今日之飲也公懟曰子何笑也對曰怯君一諛臣三是以大笑公慙而更辭

吳越春秋曰季札去徐而歸行於道逢男子五月被裘採薪於道傍有委金一器季札見之怒不入意顧爲薪者曰來取此金薪者曰君舉止何高視何下也五月被裘採薪寧是拾金者乎扎慚於斯言下車禮之曰何子衣之鄙而言之雅也子姓爲何薪者曰君皮相之士何足以告姓字乎季扎有慚色

又曰吳師入郢闔閭既妻昭王夫人又及於伯嬴伯嬴秦康公之女平王之夫人昭王之母也伯嬴操刃曰妾聞天子天下之表也公侯一國之儀也天子失制則天下亂諸侯失節則國危今夫婦之道固人倫之始王教之端也今吳去儀表之行從亂亡之欲犯誅絶之事何以行訓民乎妾聞生以辱者不如死以榮者使吳王弃儀表則無以生存一舉而兩儀辱妾以死守之不敢命也且九欲近妾者爲樂也近妾而死何樂之有先殺妾又何益於君王於是吳王慙耻遂退還舍

愽物志曰宋國有田夫謂其妻曰負日之暄人莫知者以獻吾君將有重賞里之富室告之曰昔人有美戎菽甘枲莖芹子者對鄉豪稱之鄉豪取而甞之哲於口慘於腹衆哂而怨之其人大慙而止

列女傳曰河南羊子妻不知何氏女羊子甞行路得遺金一餅還以與妻妻曰妾聞志士不飲盜泉之水廉者不受嗟來之食況拾遺求利以汙其行乎羊子大慙

鄭玄傳曰玄在袁紹坐汝南應劭因自贊曰故太山太守應仲遠北面稱弟子何如玄笑曰仲尼之門考以四科回賜之徒不稱官閥劭有慙色

江表傳曰孫權既即尊位請會百官歸功周瑜張昭舉笏欲襃讚功德未及言權曰如公計今已乞食矣昭大慙伏地流汗

會稽典録曰邵貞字德方餘姚人與同縣虞俊鄰居貞先不知俊十餘年俊至吳與張溫朱據等會清談于雲溫等敬服於是吳中盛爲俊談貞聞而愧曰吾與仲明遊居此

屋曾不能甄其英秀播其風烈而令他邦稱我之傑
又曰鄭弘守陽美郡鄉民有弟用兄錢者為嫂所責未還之嫂詬弘弘為叔還錢兄聞之慙愧自繫於獄遂遣其婦賫錢還引弘不受也
又曰洗勲身自耕耘以供衣食人有盜獲其禾勲見而避之明日更收拾送致其盜者愧懼賫還不受
又曰陳囂與民紀伯為鄰伯夜竊藩囂地自益囂見之伺伯去後密拔其藩一丈以益伯伯覺之慙懼既還所侵又却一丈
桓子新論曰昔宣帝時公卿大夫朝會庭中丞相語次言聞梟生子子長食其母乃能飛寧然耶有德賢者應曰但聞烏子反哺耳丞相太尉自悔其言之非也群士皆少丞相而多彼賢人之言有益於德化是故君子掩惡揚善焉獸尚為之諱而況於人乎
風俗通曰陳國有張伯階弟仲婦炊於竈下至井上謂伯階我今日粧寧好不曰我伯階婦大慙愧其夕時伯階到更衣婦復逐牽其背曰今且大誤謂伯階為卿荅曰故伯階
語林曰明帝函封與王公關詔未去勿使冶城公知既視表荅曰伏讀明詔似不在臣臣關臣閉無有見者明帝甚愧數月不欲見王公
孔叢子曰陳勝既立為王其妻之父兄往焉勝以衆賓待之長揖不拜無加禮其妻之父怒曰怙亂僭號而傲長者不能久矣不辭而去陳王跪送不顧王心慚焉
吳王春秋曰管仲病桓公問惡乎屬國管仲曰使隰朋可盡逐易牙豎刁等管仲死盡逐之而食不甘宮不治朝不

肅三年公皆召而返之公病常之巫從中出曰公將以某日薨易牙豎刁相與作亂塞宮門築高墻不通人有婦人踰垣入而至公所公曰我欲食婦人曰吾無所得曰何對曰帝之巫相與作亂塞宮門築高墻不通人故無所得公慨然出涕曰嗟乎聖人所見豈不遠哉死者有知我將何面目見仲父乎蒙衣袂而絕乎壽宮

太平御覽卷第四百九十一

人事部一百三十三

貪　虐

貪

釋名曰貪探也探取他人分也
說文曰貪欲物也
毛詩曰碩鼠國人刺其君重斂蠶食於民不修其政貪而
畏人若大鼠也
又曰伐檀刺貪也在位貪鄙無功而受祿君子不得進仕
又曰大風有隧貪人敗類
禮曰用人之仁去其貪
左傳曰楚莊王欲納夏姬巫臣曰不可君召諸侯以討罪
今納夏姬貪其色也貪色為淫淫為大罰

又曰穆叔見孟孝伯語之曰趙孟將死矣其語偷大夫多
貪求欲無厭齊楚不足與也
又曰楚子在申召蔡靈侯靈侯往蔡大夫曰貪而無信唯
蔡是憾今幣重而言甘誘我也
又曰楚文王謂申侯曰貪利而無厭予取予求不汝疵瑕
又曰昔有仍氏生女甚美樂正后夔取之生伯封實有豕
心貪惏無厭忿纇無期謂之封豕
論語曰季氏富於周公求也為之聚斂而附益之子曰非
吾徒也小子鳴鼓而攻之可也
周書曰清明之日田鼠化為鴽不化國貪殘
又曰今尔執政小子惟以貪諛事王不勤德以備難
史記曰宋義令於軍中曰很如羊貪如狼強不可使者皆
斬之

又曰范增說項羽曰沛公居山東貪於財貨好美姬今入
關無所取志大不在小也
又曰魏文侯問吳起何如人李克曰吳起貪而好色然用
兵司馬穰苴弗能過也
東觀漢記曰馬援平交趾上言太守蘇定張眼視錢瞸瞸呼
切目計賊怯於戰功宜加切勑後定果下獄
續漢書曰侯參為益州刺史有豐富者輒誣以大逆皆誅
滅之沒入財物太尉袁奏參檻車徵於道自殺京兆尹袁
逢於旅舍閱參輜重三萬餘斤兩皆金銀珍玩不可勝數
又曰陽仁字文義關中人後辟司徒桓虞府掾有宋章者
貪而不法仁終不與交言同席時人畏其節
魏略曰丁斐字文侯初隨太祖太祖以斐鄉里特饒愛之
斐性好貨數犯法輒得原宥為典軍校尉太祖征吳斐隨

行以家牛羸私易官牛太祖謂左右曰我非不知斐如人
家有盜狗而善捕鼠盜狗雖有小損而鼠不切我囊貯遂
復斐官
晉書曰琅邪內史孫無終貪擯忍虐妓妾有忤意者輒彈
其面
晉中興書曰謝萬安石之弟也為尚書令薨博士議謚曰
萬無他才望直以宰相弟遂居清顯妄自夸擬曾無勲德
案謚法因事有功曰襄貪以敗官曰墨宜謚曰襄墨公朝
議直曰襄公
又曰廣州北界有一水名曰貪水父老云飲此水者皆使
廉士變貪
吳書曰薛綜上疏曰交州刺史米符多以鄉人虞稟劉彥
之徒分作長史侵虐百姓強賦於民黃魚一頭收稻一秤

百姓怨叛山賊並起
燕書曰章該字宣恒爲左長史太祖會群寮以該性貪故
賜布百餘疋負而歸重不能勝乃至僵頓以媿辱之
後魏書曰元脩義爲吏部尚書唯事貨賄官之大小皆有
定價中散大夫高居呼爲京師白刼
又曰元誕爲齊州刺史在州貪暴大爲民患馬牛無不逼
奪有沙門爲誕採藥還誕曰師從外來有何得對曰唯聞
王貪願王早代誕曰齊州七萬家吾每家未得三外錢何
得言貪
隋書曰張威在青州頗治産業遣家奴於民間鬻蘆菔根
其奴緣此侵擾百姓上深加譴責坐廢於家後從上祠太
山至洛陽上謂威曰自朕之有天下每委公以重鎮可謂
推赤心矣何乃不脩名行唯利是視豈直孤負朕心亦且

累卿名德因問威曰公所執笏今安在威頓首曰臣負罪
虧憲無顏復執謹藏於家上曰可持來威明日奉笏以見
上曰雖不遵法度功効實多朕不忘之今還公笏於是復
拜洛州刺史
又曰宇文述貪鄙知人有珎異之物必求取之富商大賈
及隴右諸胡子弟述皆恩接呼之爲兒由是爭餽金寶
晏子春秋曰景公與晏子登路寢而望國公愀然而歎曰
使後嗣代代有此豈不可哉晏子曰服牛死夫婦共哭非
骨肉之親也爲其利之大也今公之酒醴酸酢不勝飲也
菽粟鬱積不勝食也又厚籍斂於百姓而不以分餧人也
欲代之延不亦難乎
莊子曰專知擅事侵人自用謂之貪
孔叢子曰衛人有釣於河得鰥魚其大盈車子思問之鰥

難得乎如何得之對曰吾下釣垂鲂之餌過而不視之更
以豚之半體則呑之子思喟然曰鰥雖難得貪以死餌士
雖懷道貪以死祿
孫卿子曰勇而不見憚者貪也信而不見敬者好專行也
此小人之所務而君子之所不爲
淮南子曰琬琰之玉在汙泥之中雖廉者不釋也弊箄甑
瓾在旃茵之上雖貪者不搏也瓾甑帶也美之所在雖汙辱世
不能賤惡之所在雖高隆世不能貴
譙子法訓曰貪者難爲惠苛煩者難爲恭君子以禮而已
矣
郭子曰王夷甫雅尚玄遠又疾其婦貪濁口未嘗言錢婦
欲試之夜令婢以錢繞床不得行夷甫晨起見錢閡之令
婢舉阿堵物婦郭太寧女才拙性剛聚斂無厭夷甫患之

又曰王含爲盧江含字處弘征東將軍敦之兄貪濁狼籍王敦欲護其
兄故於衆中稱家兄在郡盧江人咸稱之時何充爲主簿
在坐正色曰充盧江人所聞異於此敦默然傍人爲之反
側充晏然神意自若
魯國先賢志東門奂歷吳郡濟陰太守所在貪濁謡曰東
門奂取吳半吳不足濟陰續
華陽國志曰李盛爲太守貪財重賦國人詈之曰盧鵲何
諠諠有吏來在門披衣出門應府縣欲得錢語窮乞請期
吏怒反見尤
南州異物志曰俚人不愛骨肉而貪寶貨見賈人財物牛
犢便以子易之
襄陽耆舊記曰羅尚貪而不斷付任失所故遂至大敗蜀
人不堪其徵求數萬人共連名詣太傅東海王言之曰尚

之所愛非邪則佞尚之所憎非忠則直富擬魯衛家成市
鄽貪如虎狼無復巳極
又曰黄穆字伯開博學養門徒爲山陽太守有德政致甘
露白兎神雀白鳩之瑞弟奐字仲開爲武陵太守貪穢無
行武陵人謌曰天有冬夏人有兩黄言不同也
桓譚新論曰鄙人有得脠（音擅生肉醬也）醬而美之及歠惡與人
共食即小唾其中而共者因涕其醬遂棄而俱不得食焉
彼王公利欲取天下時乃樂與人分之及巳得而重愛
不肯予是皆唾脠之類
竹林七賢論曰萬令袁毅爲政貪濁饋遺朝廷以營虛譽
嘗遺山濤絲百斤濤不欲異衆受之命懸之梁後毅事露
案驗衆官吏至濤於梁上得絲巳數年塵埃封印如初
會稽典録曰周規字公圖太守唐鳳命爲功曹鳳中常侍

衡之從兄悱中官專行貪暴規諫曰明府以負薪之才受剖
符之任所謂力弱載重不惟顛蹶方今聖治在上不容紂
政明府以教人之職行桀紂之暴鳳怒縛規棰於閤内鳳
後果以檻車徵

虐

釋名曰虐焅也九疾或寒或熱先寒後熱兩疾似焅虐也
說文曰虐殘也
尚書曰無若丹朱傲虐是作
又曰今商王受弗恭上天降災下民沈湎冒色敢行暴虐
毛詩北風刺虐也衛國並爲威虐百姓不親莫不相携持
而去焉
左傳曰隱公問於衆仲曰衛州吁其濟乎對曰臣聞以德
和民不聞以亂夫州吁弑其君而虐用其民不務令德而
欲以亂成必不免矣
又曰莒犁比公生去疾及展輿既立展輿又廢之犁比公
虐國人患之十一月展輿因國人以攻莒子殺之乃自立
又曰楚公子圍殺大司馬蔿掩而取其室申無宇曰王子
必不免善人國之主也王子相楚國將善是封植而虐之
是禍國也
又曰莒子展輿虐而好劒苟鑄劒必試諸人
又曰楚使椒舉如晉求諸侯晉侯欲勿許司馬侯曰不可
楚王方侈天其或者欲盈其心以厚其毒而降之罰未可
知也其使能終亦未可知也若歸於德吾猶將事之況諸
侯乎若適淫虐楚將弃之吾又誰與爭
論語曰慢令致期謂之虐
戰國策曰宋康王爲無頭之冠以示勇剖傴者之背鍥朝

涉之脛國人大駭齊聞而伐之
史記曰白起一日坑趙降卒四十二萬
又曰呂后斷戚夫人手足居厠中命曰人彘召惠帝觀之
孝惠問乃知大呼哭因病歲餘不能起使人謂太后曰此
非人所爲臣爲太后子終不能治天下以此日飲爲淫樂
不聽政
又曰懷王諸老將皆曰項羽爲人慓悍禍虐嘗攻襄城襄
城無噍類（如淳曰噍音作笑反）所過無不殘滅
漢書曰江都建遊章臺宮人乘小舡以足蹈覆舡四人溺
三人死後遊雷陂大風建使郎二人乘小舡入陂舡覆兩
郎溺舡乍見乍没建臨觀大笑宮人有過輙令倮擊鼓居
樹上乂者三十日乃衣或髠鉗以鉛杵舂不中程輙縱狼
嚙殺之專爲淫虐

又曰周由武帝即位吏治尚脩謹然由居二千石中最爲
暴虐驕恣所愛者撓法活之所憎者曲法滅之
又曰翟義起兵王莽發義父方進及先祖塚燒其棺槨夷
滅三族及種嗣至皆同坑以棘五毒并葬之
又曰翟義黨王孫慶至莽使太醫尚方與巧屠共刳剥之
量度五臟以竹莛導脉知所終始去可治病
魏略曰高陽劉類歷位宰守苛虐尤甚爲弘農太守吏二
百餘人不與休假專使爲不急事過無輕重輒捽其頭亂
杖撾之牽出復入也
吴志曰孫皓愛妾或使人至市賊奪百姓財物司市中郎
將陳聲素皓幸臣也恃皓寵遇繩之以法妾以愬之皓大
怒假它事燒鋸斷聲頭投身於四望山
又曰初孫皓每宴會群臣無不咸令沉醉置黄門郎十人

侍立爲伺過之吏宴罷奏其闕失大者即加刑小者縛爲
罪激水入宫宫人不合意者輒殺流之或剥人之面或鑿
人之眼
江表傳曰孫皓用巫史之言謂建業宫不利乃西巡武昌
乃有遷都之意恐群臣不從乃大會將吏問王蕃射不主
皮爲力不同科其義云何蕃思惟未荅即於殿上斬蕃出
登來山使親近將蕃首作虎跳狼争咋齧之頭皆碎壞欲
以示威使衆不敢犯
王隱晉書曰荀晞字道將領兖州牧暴虐殺人流血號曰
屠伯人皆怖悚流入他州其弟純領青州刑殺尤甚於晞
百姓號小荀酷於大荀也
又曰劉淵殘虐所在城邑無不傾敗流離死散殆無孑遺
漢晉春秋曰初甄后之誅由郭后之寵及殯令被髮覆面
以糠塞口遂立郭后使養明帝帝知之心常懷忿數泣問
甄后死狀郭后曰先帝自殺何以請問我且汝爲人子可
追讎死父爲前母枉殺後兒耶明帝怒遂逼殺之勑殯者
如甄后故事
晉中興書曰符健凶淫暴虐露刃張弓椎鉗鋸鑿殺人之
具備左右
又曰石虎有所平克不復料其善惡或盡坑斬使無孑遺
宋書曰竟陵王誕據廣陵反及城陷士庶皆裸身鞭面然
後加刑聚所殺人首於石頭南岸謂之髑髏山
又曰宋越御衆嚴酷好行刑誅睚眦之間動用軍法時王
玄謨御下亦少恩將士爲之語曰寧作五年徒不逐王玄
謨玄謨尚可宋越殺我
又曰奚顯度者東海郯人也官至員外散騎郎世祖常使

主領人而苛虐無道動加捶撲暑雨雪寒不聽暫休人不
堪命或有自經死者人役聞配顯度加就刑戮
又曰文帝元嘉起居注曰汝陽太守王道摽下縣作木人
二枚高八尺竪着郡門有犯事者使拳擊木人令倒倒者
免罪力弱者手拳傷剥
齊書曰江謐字合和濟陽考城人也爲長沙内史行湘州
事政治苛刻僧道人與謐情款隨謐部犯小事餓繫獄裂
二衣食之
後魏書曰汝南王悦孝昌中除司州牧爲大剉碓置於州
門盜者斬其手姦偷畏之慙息
隋書魚贇性暴虐令部下炙肉少不中意以籤盲其目有
温酒不適者斷其舌
又曰崔恒度性嚴酷時有屈突盖爲武侯驃騎亦嚴刻長

安爲之語曰寧飲三升酢不見崔恒度寧茹三升艾不逢屈突蓋

唐書曰索元禮爲遊擊將軍尋以酷毒轉甚則天收人望而殺之天下之人謂之來索言酷毒之極

又曰韓滉在浙右也政令明察末年傷於嚴急巡内有犯令誅及隣伍死者數百人又俾推覆官分察情涉疑似必寘極法雖令行禁止而冤濫相尋議者以滉幼立貞廉晚途苛慘身未達則飾情以進得其志則本質遂彰

又曰竇軌每臨戎對冦經旬月身不解甲其部衆無貴賤少長不恭命即立斬鞭吏士流血滿庭初入蜀將其甥以爲心腹常夜出呼之不以時至怒而斬之誡家僮不得出嘗遣奴就官厨取漿而悔之謂奴曰我誠使汝借汝頭以明法耳遣收奴斬之奴稱冤監刑者猶豫未决軌怒俱斬之

梁冀別傳曰冀爲河南尹居職恣暴多爲非法遼東太守侯猛初拜不謁冀託以它事乃晝斬之郎中汝南袁著年十九見冀凶縱不勝其憤乃詣闕上書冀聞而密遣掩捕得笞殺之

董卓別傳曰卓知所爲不得遠近意欲以力服之遣兵到陽城時適二月社民皆各在其社下祈祀悉就斷頭駕其家車牛載其婦女財物以斷頭繫車轅云大獲賊

文子曰令採萬民之力反爲殘賊是爲虎翼何爲不除

孫卿子曰不教而責成功虐也

韓子曰梁車爲鄴令其婦往見之暮而門閉因踰郭而入車刖其足趙成侯以爲不慈奪之璽而免令

會稽典録曰吳王使王孫雄謂范蠡曰子先人有言曰無助天爲虐助天虐者不祥今吾稻蟹無遺種子將助天爲虐不忘其不祥乎

吳越春秋曰子胥諫吳王怒子胥伏劍而死王乃取子胥尸盛以鴟夷投之于江斷其頭置百尺之上謂曰日月炙汝肉熛風飄汝眼炎火燒汝骨盡成灰土何有所見

涼州記曰郭麐（奴艮切）略地之際王孫八人年幼悉隨乳母先在東苑麐遂盡投王孫於鋒刃之上或枝分節解飲血盟衆覩者無不掩目寒心而麐意氣脩然

趙書曰汲桑清河貝丘人六月盛暑而桑重裘累茵使十餘人扇之悉不清涼斬扇者時軍中爲之謡曰士爲將軍何可羞六月重茵被狐裘不識寒暑斷人頭

鄧析書曰栗陸氏殺東里子宿沙君戮箕文桀誅龍逢紂刳比干此四者常彎弓露刃以見朝臣鉗鍾鋸鑿所可爲害之具備置左右即位未幾后公卿已下至于僕隷殺五

百餘人

崔鴻前秦録曰左光禄大夫強平諫苻生曰元正盛旦日有蝕之正陽神昏風灾水旱於時未息此皆由陛下不免強於政治乖和氣所致也生怒以爲妖言鑿其頂而殺之

崔鴻夏録曰赫連勃勃徵隱士京兆韋恩恩至而恭懼追禍勃怒曰吾以國士徵汝汝柰何以非類處吾汝昔不拜姚興何獨拜我我今未死汝猶不以我爲帝王吾死之後汝輩弄筆當置我何處遂殺之

又曰赫連勃勃凶殘好殺常居城上置弓劍於側有所嫌忿手自戮之群臣忤視者毀目笑者决脣諫者截其舌而斬之

太平御覽卷第四百九十二

太平御覽卷第四百九十三

人事部一百三十四

奢

說文曰奢張也反儉曰奢從大者言誇大於人也

毛詩曹蜉蝣刺奢也昭公國小而迫好奢而任小人將無所依焉蜉蝣之羽衣裳楚楚蜉蝣之翼采采衣服

左傳曰丹桓公之楹刻其桷皆非禮也御孫諫曰臣聞之儉德之恭也侈惡之大也先君有恭德而君納諸大惡無乃不可乎

又曰襄公五年齊慶封來聘其車美叔孫曰豹聞之服美不稱必以惡終美車何為

又曰吳師在陳楚大夫皆懼子西曰今聞夫差次有臺榭陂池焉宿有妃嬙嬪御焉一日之行所欲必成玩好必從珍異是聚觀樂是務視民如讎而用之日新夫差先自敗也已安能敗我

禮記曰管仲鏤簋而朱紘旅樹而反坫山節而藻梲賢大夫而難為上也（得天子之禮）

論語曰孔子謂季氏八佾舞於庭是可忍也孰不可忍也

又曰子曰相維辟公天子穆穆奚取於三家之堂子曰人而不仁如禮何人而不仁如樂何

又曰邦君樹塞門管氏亦樹塞門邦君為兩君之好有反坫管氏亦有反坫管氏而知禮孰不知禮

又曰臧文仲山節藻梲何如其智也（魯大夫臧孫辰）

又曰孔子曰奢則不遜儉則固與其不遜也寧固

史記曰趙平原君使春申君趙使欲誇楚為瑇瑁簪刀劍悉以珠飾之春申君客三千餘人上客皆躡珠履以見趙使大慚

又曰尹吉甫仕至上卿其家大富食口數百人時歲大飢曾鼎鑊作粥啜之聲聞數里食訖失三十人覔之乃在鑊中斷取燋粥而已

漢書曰鮑宣上書柰何獨私養外親與幸臣董賢賢使奴從賓客漿酒藿肉（視酒如漿視肉如藿）蒼頭廬兒皆用致富非天意也（漢名奴蒼頭非純黑以別良人諸給殿中省所居蒼頭侍從也）

又曰陳咸為治倣嚴延年其廉不如所居調發屬縣所出食物以自奉養奢侈玉食

又曰陳遵為公府掾公府掾中率皆羸車小馬不上鮮明而遵獨極輿馬衣服之好門外車騎交錯又日出醉歸曹事數廢西曹白請斥遵大司徒馬宮大儒優士謂西曹此人大度士柰何以小文責之

又曰王鳳為大將軍郡國守相刺史皆出其門又以太僕王音為御史大夫羣弟爭為奢侈賂遺珍寶四面而至後庭姬妾各千人僮奴以千百數

又曰張禹為人謹厚內殖貨財家以田為業及富貴多買田至四百頃涇渭溉灌極膏腴上價他財稱是禹性習知音聲內奢淫身居大第後堂作理絲竹管絃

又曰自王吉至崇世名清廉然材器名稱稍不能及父而祿位弥隆皆好車馬衣服其自奉養極鮮明而金銀錦繡之物及遷徙去處所載不過囊衣不畜餘財家居亦布衣蔬食天下服其廉而怪其奢故傳能作黃金

又曰哀帝幸舍人董賢寵之累遷為太尉前後所賜不可勝計哀帝崩群臣白太后收賢斬之時年二十二其家奢侈過於國耳於是乃收董氏財物估價九四十二億萬貫

皆帝所賜之物
後漢書曰梁兾爲大司馬行大將軍事害太尉李固及內外忠臣皆兾爲之於是權震中外四方調發歲計先輸於兾然後入國吏人輸金懷璧求官請罪者道路相望兾又遣客出塞外國大壯棟宇加以丹漆圖以雲氣仙靈臺榭交通相望駭雞犀夜光璧充實帑藏鳴驅龍馬秣於內廄兾將妻孫氏乘輦青蓋車張羽葆飾以金玉琥珀每遊觀池亭及第內多從倡優鳴鍾鼓吹竽酣樂竟路日夜相繼及桓帝誅兾收其貲產以實國庫詔減天下一歲租稅之半
又曰桓帝時誅梁兾封單超徐璜具瑗左悺唐衡五人超薨後四侯轉橫天下爲之語曰左迴天具獨坐徐卧虎唐兩墮皆競起第宅樓觀壯麗窮極技巧金銀罽毦施於犬馬取良民美女以爲妃妾皆珍飾華侈擬則宮人其僕從皆乘車而從列騎
東觀漢記曰馬融才高博洽爲通儒教養諸生常有千數涿郡盧植北海鄭玄皆其徒也善鼓琴好吹笛達生任性不拘儒者之節居宇器服多存侈飾常坐高堂施絳紗帳前授生徒後列女樂弟子以次相傳鮮有入其室者
吳志曰甘寧好遊俠水行則連軒侍從被文錦繡常以繒帛維舟去或割弃之以示奢侈也
又曰將軍賀齊性奢好軍事所乘船彫刻丹鏤青蓋絳襜蒙衝鬪艦望之若山
蜀志曰先主定益州以劉琰爲涪陵太守後主立封都鄉侯服御飲食侈靡侍婢數十人皆爲聲樂又悉教讀誦魯靈光殿賦

又曰麋竺字子真東海人世殖貨財僮僕萬人貲產巨億徐州牧陶謙辟爲別駕謙卒竺奉謙命迎先主牧之及呂布襲破先主虜其妻子竺於是進妹爲夫人乃以二千人金帛貨幣以助軍實先主賴竺之資復振軍威先主後定益州即帝位拜竺爲安漢將軍弟芳爲南郡太守携貳迎孫權敗關羽於是竺乃請罪先主以兄弟罪不相及待之如初
晉書曰何曾字穎孝陽夏人其家大富魏明帝時爲文學武帝踐祚累遷爲太傅性甚奢豪每赴宴不食太官所設帝命取其食蒸餅上不拆作十字不食日食萬錢猶云無下筯之處人以小紙書者勑記室勿報
又曰石崇字季倫累遷荊州刺史崇好俠無賴遣吏刼遠使商客致家大富有別館在河陽之金谷財產盈積室宇宏麗後房百數皆曳綺紈絲竹之妙皆盡一時之選與貴戚惠帝舅王愷奢靡相尚愷以飴澳釜崇以蠟代薪愷作紫絲步障四十里崇作錦步障五十里愷以赤石脂塗屋崇以椒塗之武帝助愷珊瑚樹一株高二尺愷以示崇崇以鐵如意擊破愷不悅崇曰無恨令取六七株還之惠帝知富無以誇之時外國進火浣布天下更無帝爲衫來幸崇家崇奴僕五十人皆衣火浣布衫祇承帝大慙崇廁屋內置侍婢衣以紈素並以香囊錦袋崇大會賓客侍中劉寔往廁見廁內燦爛便出謂崇曰幾悞入公室矣崇曰廁也寔更往見侍婢所逼便迴後趙王倫誅崇兄弟妻子無少長悉皆遇害初崇家稻米屬地化爲螺人以爲族滅之應也
又曰和嶠字長輿汝南西平人中郎將庚凱見嶠歎曰森

森若千丈松雖磥砢多節目施之大厦有棟梁之用武帝
重之爲黃門侍郎嶠家產豐富擬於王者杜預封帝以爲
和嶠有錢癖
又曰王濟性豪侈麗服玉食時洛京地甚貴濟買地爲馬
埒編錢滿之時人謂金埒
又曰任愷初何邵以公子奢侈每食必盡四方珍饌愷乃
踰之一食萬錢猶云無可下筯處
又曰石崇財產豐積室宇宏麗後房百數皆曳紈繡珥金
翠絲竹盡當時之選庖廚窮水陸之珍
又曰何劭驕奢簡貴亦有父風衣裘服翫新故巨積食必
盡四方珍異一日之供以錢二萬爲限時論以爲太官御
膳無以加之
又曰羊稚舒冬、月釀令人抱甕須臾復易人酒速成而味

好
又曰愷失政遂縱酒極滋味初何邵一身一日任之供必
錢二萬爲限及愷有踰於邵
宋書曰徐湛之善於尺牘音辭流暢貴戚豪家產業甚厚
室宇園池貴遊莫及伎樂之妙冠絕一時門生千餘人皆三
吳富人之子姿質端妍衣服鮮麗每出入行遊塗巷盈滿
泥雨日悉以後車載之太祖嫌其侈縱每以爲言
又曰謝靈運性奢豪車服鮮麗衣裳器物多改舊制世共
宗之咸稱謝康樂也
又曰劉穆之性奢豪食必方丈旦輒爲十人饌穆之既好
賓客未嘗獨食每至食時客止十人以還者帳下依常下
食以爲常白高祖曰穆之家本貧賤贍生有闕自叨忝以
來雖每存約損而朝夕所須微爲過豐自此以外一毫不

以負公
又曰阮佃夫通貨賄凡事非賂不行宅舍園池諸王邸第
莫及女伎數十藝色冠絕當時金玉錦繡之飾宮掖不逮
也每製一衣造一物京邑莫不法效焉於宅內開瀆東出
十許里塘岸整潔泛輕舟奏女樂
齊書曰劉悛既藉舊恩尤能悅附人主承迎權貴賓客閨
房供費奢廣罷廣司二州悉傾資獻家無留儲在蜀作金
浴盆餘金物稱是
又曰劉攜彭城人其祖彥之父仲度俱仕明帝時爲戶部
郎中太子洗馬其家豪富資財宅宇山池妓妾姿藝皆窮
上品有愛妓陳玉明珠明帝求不與逼奪之攜有怨詞帝
令有司誣奏將殺之入獄數宿鬚毛皆白免死爲司徒長
史明帝射雉郊野渴倦攜得青早瓜進帝帝對割甚嘉之

入齊三遷爲御史中丞五爲兵部尚書
後魏書曰夏侯道遷譙國人封濮陽侯除兗州大中正不
拜好奢侈宴飲京師珍羞罔不畢備嘗於京城西水次大
起園池植列花果延招儁彥日往遊適妓妾十餘人當自
娛與國秩俸歲入三千疋專供酒饌不營家產每誦孔融
詩曰座上客恒滿罇中酒不空餘非吾之事也識者多之
道遷不娉正室
又曰郢州刺史韓務獻七寶牀象牙席詔曰晉武帝焚
雉頭裘朕常嘉之今務所獻亦此之流也奇麗之物有乖
素風可付其、家
隋書曰裴矩爲給事郎煬帝至東都矩以蠻夷朝貢者多
諷帝令都下大戲徵四方奇異陳於端門街衣錦珥金翠
店肆悉設帷帳盛酒食遣蠻夷見者嘆其中國以爲神仙

唐書曰元載於城中開南北二甲第室宇宏麗冠絶當時又於近郊起亭榭所至之處帷帳什器皆如宿設儲不改供城南膏腴別墅連疆接畛凡數十所婢僕曳羅綺亦百餘人恣爲不法侈僭無度

又曰裴冕爲宰相性本侈靡好尚車服及營珍饌名馬在櫪直數百金者常十數每會賓友滋味品數坐客有昧於名者自劚巾子其狀新奇市肆因而効之呼爲僕射様

漢武帝故事曰又起建章宮爲千門萬户其東鳳闕高二十丈其北太液池池中漸臺高二十丈池中又爲三山以象蓬萊方丈瀛州削金石爲魚龍禽獸之屬其南有玉臺玉堂基與中央前殿等去地十二門階陛皆用玉璧又作神明臺井幹樓高五十餘丈皆懸閣輦道相屬焉其後又爲酒池肉林聚天下四方奇異鳥獸於其中鳥獸能言能

歌舞或奇形異態不可稱載傍別造華殿四夷珍寶充之琉璃珠玉火浣布切玉刀不可稱數巨象大雀師子駿馬充塞苑廐自古已來所未見者必備

三輔故事曰秦時奢汰有天下以來不復是過渭水貫都以像天河横橋南渡以像牽牛中外殿觀百四十五後宮列女萬有餘人

鹽鐵論曰今民文杯畫案婢妾衣羅紈履絲所以亂治漢末一筆之押雕以黄金飾以和璧綴以隋珠發以翡翠此筆非文犀之楨必象齒之管豐狐之柱秋兔之翰用之者必被珠繡之衣踐雕玉之履矣

晉朝雜記曰洛下少林木炭正如粟狀羊琇驕豪乃擣小炭爲屑以物和之作獸形後何石之徒共集乃以温酒火勢既猛獸皆開口向人赫赫然諸豪相矜皆服而效之

管子曰昔者桀之時女樂三萬人晨譟於端門樂聞於三衢無不服文繡衣裳者

晏子春秋曰寸之管無當天下不能足之粟今齊國丈夫耕女子織夜以接日不足以奉上而君側雕文刻鏤之觀此無當之管也

又曰古者聖人製衣服冬輕而暖夏輕而清今金玉之履重不可節是過任也

列子曰衛端木叔者子貢之世也藉其先貲家累萬金意所欲者無不爲奉養之餘先散之宗族次散之邑里及一國行年六十氣幹將衰棄其家事散其庫藏珍寶車服妾媵一年之中盡焉及其病也無藥石儲及其死也無瘞埋之資一國之受其施者相與賦而藏之禽屈釐聞之曰端木叔狂人也辱其祖矣段干木聞之曰端木叔達人也過

其祖矣

韓子曰禹作祭器黒漆其外朱畫其内觴酌有采樽俎有飾此弥侈矣而國之不服者三十二殷作大輅建九旒輅食器彫琢觴酌刻鏤此弥侈矣而國之不服者五十三

淮南子曰夏屋綿聯彫琢刻鏤其剞劂然猶未能贍人主之欲也

太平御覽卷第四百九十三

人事部一百三十五

詭詐

說文曰詭責也又撗射物爲詭詐欺也

詩曰無縱詭隨以謹無良

禮曰用人之智去其詐

論語曰古之愚也直今之愚也詐

戰國策曰楚懷王拘張儀將殺之靳尚爲請王之幸夫人鄭袖曰子亦自知且賤於王乎鄭袖曰何尚曰張儀者秦王之忠信有功臣也今楚拘之秦王欲出之秦王有愛女美又簡擇宮中佳麗習音者以從之資以金玉寶器以上庸六縣爲湯沐邑欲因張儀內之楚王必受之而忘子子疎必矣鄭袖遽說王出張子

又曰張丑爲質於燕燕王欲殺之走且出境境吏得之丑曰燕王所爲將殺我者人有言我有寶珠也今我已亡矣而燕王不我信今子致我我且言子之奪我珠而吞之燕王必且殺子刳子之腹君不可說吏恐而赦之

史記曰趙武靈王立吳娃子何爲惠文王自號爲主父令何主治國而自胡服將士大夫西北略胡地而欲從雲中九原直南襲秦於是詐自爲使者入秦秦昭王不知而怪其狀甚偉非人臣之量使人逐之而主父馳已脫門矣秦人大驚主父所以入秦者欲自略地因觀秦王爲人也

又曰張儀說楚王曰大王誠能聽臣閉關絕約於齊臣請獻商於之地六百里使秦女得爲大王箕箒之國楚王大悅而許之遂閉關絕約於齊使一將軍隨儀儀至秦陽失綏墮車不朝三日楚王聞曰以寡人絕齊未甚邪乃使勇士至宋借宋之符北罵齊王齊王大怒折節下秦秦齊之交合儀乃朝謂楚使曰臣有奉邑六里願獻大王左右使者曰臣受命於王以商於之地六百里不聞六里還報楚王大怒

又曰新垣平使人持玉杯上書闕下去有寶玉氣來者臣已視之果有獻玉杯者刻曰人主延壽平又言臣候日再中於是始更以十七年爲元年令天下大酺平言曰臣望汾陰有金寶氣意周鼎其出乎其見不迎則不至於是上使治廟汾陰南臨河欲祠出周鼎人有上書告新垣平所言皆詐也

漢書曰陳勝吳廣起兵乃丹書帛曰大楚興陳勝王置人所罾魚腹中卒買魚烹食得而怪之又令廣隱社作狐鳴曰陳勝王吳廣相

又曰韓信與家臣謀欲發兵攻呂后其舍人得罪信囚欲殺之舍人弟上書告信欲反狀於呂后后乃與蕭何謀詐令人從上所來言陳豨已死羣臣皆賀相國紿信曰雖病強入賀呂后使武士縛信斬之長樂鍾室信方斬曰吾不用蒯通之計反爲女子所詐豈非天哉

又曰孝惠張皇后宣平侯敖女也呂太后欲爲重親以公主女配帝欲其生子時方無子迺使佯爲有身取後宮美人子名之殺其母立所名子爲太子

又曰人不患其不知患其爲詐也

又曰宣帝始元五年有男子來乘黃犢車衣黃襜褕着黃帽詣北闕自稱衛太子京兆尹雋不疑收縛之廷尉驗治卒得姧詐

又曰傅介子與士卒俱賫金幣揚言以賜外國爲名至樓

蘭王意不信介子佯引去至其西界使譯謂曰漢使者持
黄金錦繡行賜諸國王不來受我去之西國矣即出金幣
以示譯譯報王王貪漢物來見使者介子與坐飲陳物示
之飲酒皆醉介子謂王曰天子使私報王王起隨介子入
帳中屛語壯士二人從後刺之刃交胷立死
又曰李廣以衛尉爲將軍出鴈門擊匈奴匈奴兵多破廣
軍單于素聞廣賢令曰得李廣必生致之胡騎得廣佯死
得脫匈奴騎數百追之廣行取弓射殺追騎
又曰梓潼人哀章學問長安素無行見王莽居攝即位作
銅匱爲兩檢書言王莽爲行天子即日昏時衣黄衣持匱
至高廟莽至廟拜受金匱
又曰匈奴寇邊甚王莽乃大募天下有奇伎術可以攻匈
奴者將待以不次之位言便宜者以萬數或言能渡水不

用舟楫或云不持斗糧服食藥物三軍不飢或言能飛一
日千里可窺匈奴輒試之取大鳥翮爲兩翼頭與身皆着
毛通引環紐飛百步墮莽知其不可用苟欲獲其名皆拜
爲將軍賜以車馬
范曄後漢書曰王郎起北州擾惑吴漢素聞世祖長者獨
欲歸心乃說太守彭寵出止外亭念所以譎衆未知所出
望見道中有一人似儒生者漢使人召入爲具食問以所
聞生因言劉公所過爲郡縣所歸邯鄲舉尊號者實非劉
氏漢大喜即詐爲世祖書移檄漢陽使生齎以詣寵令具
以所聞說之漢復隨後入寵甚然之於是遣漢將兵擊王
郎
又曰王莽時尚書鈌詔將大夫六百石以上試對政事天
文道術以高第者補之翟酺自恃能高而忌太史令孫懿

恐其先用乃往候懿旣坐言無所及唯涕泣流連懿怪而
問之酺曰圖書有漢孫登以才智爲中官所害觀君表相
似當應之酺受恩接愴君之禍耳懿憂懼移病不試由是
酺對第一拜尚書
又曰靈帝時宦官得志並起第擬則宮室帝嘗登永安候
臺宦官恐其望見居處乃使中大夫尚但諫曰天子不當
登高登高則百姓虛散自是不敢升高
東觀漢記曰和熹鄧后臨朝權在外戚杜根以安帝年長
宜親政事乃與同時郎上書直諫太后大怒收執根等令
盛以縑囊於殿上撲殺之執法者以根知名語行事人使
不加力旣而載出城外根得蘇太后使人檢視遂詐死三
日目中生蛆因得逃竄也
又曰隗囂敗公孫述懼欲安其衆成都郭外有秦時舊倉

改名白帝倉自王莽以來常空述詐使人言白帝倉出穀
如山陵百姓空市里往觀之述乃大會群臣問曰白帝倉
出穀乎皆對言無述曰訛言不可信道隗王破者復如此
矣
又曰臧宮將兵至中盧屯駱越是時公孫述將田戎任滿
與征南大將軍岑彭相拒於荆門彭等戰數不利越人謀
叛從蜀宮兵少力不能制會屬縣送委輸車數百宮夜使
鋸斷城門限令車周轉出入至旦越人候伺者聞車聲不
絶而門限斷相告以漢兵大至其帥乃奉牛酒以勞軍
魏志曰司馬宣王稱病因李勝出爲荆州刺史曹爽等令
勝辭宣王自陳無宅功効撲蒙時恩當爲本州宣王令兩
婢侍邊持衣衣落復上指口言渴主飲婢進粥宣王持杯
飲粥皆流出沾胷勝愍然爲之涕泣曰今主上尚幼天下

賴明公然衆情謂公舊風病發何意尊體乃尒宣王徐吏
言年老沉疾死在旦夕君當屈爲并州并州近胡好善爲
之恐不復相見如何勝曰當還本州非并州宣王仍復陽
爲惛謬曰君方到并州努力自愛錯亂其辭狀如荒語勝
復曰當忝本州非并州也宣王乃若微悟者謂勝曰懿年
老意荒不解君言今當與君別自顧氣力轉微後必不更
會同欲自力設薄主人生死共别令師昭兄弟結君爲友
因流涕哽咽勝亦長歎
吳志曰孫峻謀置酒誅諸葛恪恪將見駐車宮門峻已伏
兵於帷中恐恪不時入事洩自出見恪曰使君若尊體不
安自可須後當具白主上欲以嘗知恪意荅曰當力入散
騎常侍張約朱恩密書與恪曰今日張設非常疑有佗故
恪省書而去未出門逢太常滕胤恪曰卒腹痛不任入胤

不知峻計謂恪曰君自行旋未見令上置酒請君已至門
宜當力進恪踟蹰而還劒履上殿謝亮還坐設酒峻因曰
使君疾未善平當有常服藥酒自可取之恪意乃安別飲
所賫酒數行亮還入內峻起如廁著短服出曰詔收諸葛
恪恪驚起杖劒未殊而峻刃交下
晉書曰謝玄等既破苻堅有驛書至謝安安方對客圍碁
看書既竟便攝放牀上了無喜色碁如故客問之徐荅云
小兒輩遂已破賊既罷還內過戶限心喜甚不覺屐齒之
折其矯情鎮物如此
又曰桓玄以歷代咸有肥遁之士而已世獨無乃徵皇甫
謐六世孫希之爲著作并給其資用皆令讓而不受号曰
高士時人名爲充隱
又曰紀瞻爲會稽內史時有詐作大將軍府符收諸吏瞻

令令已受拘瞻覺其詐便破檻出之詰問使者果伏詐妄
又曰崔洪口不言貨財手不執珠玉汝南王亮嘗讌公卿
以琉璃鍾行酒酒及洪洪不執亮問其故對曰慮有執玉
不趍之義故尒然實乖其常性故爲詭也
晉中興書曰晉元帝叔父東安王繇爲成都王穎所害懼
禍及謀出奔其夜月明禁衛甚嚴不能得去有頃天暴風
雨晦冥邀者散帝乘間得脫至河陽爲津吏所止從者宗
典後至以馬鞭拂之謂曰舍長官禁貴人而汝被駐耶因
大笑由是被釋
又曰温嶠知王敦不可復諫乃潛謀滅之先夙夜綜其府
事而附其欲錢鳳敦所信也嶠謂人曰錢世儀精神滿腹
嶠素有知人之稱鳳聞而悅之深結好於嶠會丹陽尹缺
嶠說敦曰京尹輦轂喉舌宜得文武兼之公宜自選其才

敦然之問嶠誰可作者嶠曰愚謂錢鳳可用然裁之在公
敦思惟良久曰無復勝君嶠即苦辭敦不從表補丹陽尹
猶懼錢鳳爲之姦因敦置酒與嶠別嶠曰違離宇下情戀
不已願自起行酒以展歧路之心行酒至鳳未飲嶠因僞
醉以手板擊鳳幘爲之墜作色曰錢鳳何人温太真行酒
而敢不飲鳳不悅敦以爲醉兩釋之明日鳳曰嶠與朝廷
甚密必未可信或懷反噬宜更思之敦曰太真昨醉小加
聲色豈得以此相讒貳由是鳳謀不行而得還都
又曰王允之年在總角敦深知之謂爲似己入則共寢嘗
夜飲辭曰醉先眠敦將錢鳳討逆允之悉聞慮敦或疑於
眠處大吐敦果照視見眠吐中不復疑之
唐書曰李義府擢拜中書侍郎同中書門下三品監修國
史賜爵廣平縣男義府貌狀温恭與人語必嬉怡微笑而

褊忌陰賊既處權要欲人附已微忤意者輙加傾陷故時
人言義府笑中有刀又以其柔而害物亦謂之李猫

尹文子曰虎求百獸食之得狐狐曰子無食我也天帝令
我長百獸今子食我是逆天帝命也子以我言不信吾為
子先行子隨我後觀百獸之見我不走乎虎以為然故遂
與行獸見之皆走虎不知獸之畏已而走以為畏狐也

韓子曰司城子罕謂宋君曰慶賞賜予者民之所好也君
自行之誅罰殺戮者民之所惡也臣請當之於是戮細民
而誅大臣君曰與子罕議之居朞年民知死生命制於子
罕故一國歸焉子罕親刼奪宋之政

淮南子曰夫狐之搏雉也卑體弭毛以待其來也雉見而
信之故可得而禽也使狐瞋目見其必殺之勢雉亦知懼
驚遠飛以避其怒矣夫人偽詐以相欺非直禽獸詐也

吴越春秋曰要離為王殺慶忌曰請以罪出走殺臣之妻
子焚之吴市飛揚其灰購臣千金與百里之邑詐往慶忌必
信臣也王曰諾要離以罪出走王殺其妻子焚之吴市飛
揚其灰購之千金與百里之邑

呂氏春秋曰趙簡子病召太子告曰我則死已葬上夏屋
之山以望代簡子死已葬襄子上夏屋以望代曰先君必以
此殺之也反歸慮所以取代乃先善之代君好色請以其
弟妻之襄子謂代君而請觴之先令舞者置兵羽中數百
人又先具大金斗代君至酒酣舉斗而擊之腦塗地舞者
操兵以闘盡殺其從者

陸賈新語曰秦二世之時趙高駕鹿而從行王曰丞相何
為駕鹿高曰馬也王曰丞相誤耶以鹿為馬也高曰乃為
也陛下以臣之言為不然願問群臣於是乃問群臣群臣
半言馬半言鹿當此之時秦王不敢信其目而從邪臣之
言鹿與馬之異形乃衆人之所知也然不能别其是非況
於闇昧之事乎

王符潛夫論曰昔紂好色九侯聞之乃獻厥女紂則大喜
以為天下之麗莫若此也以問妲已妲已懼進御而奪已
愛也乃為俯而泣曰君王年既老耶明既衰耶何貌惡之
若此而覆謂之好也紂於是渝而以為惡妲已恐天下之
愈進美女因曰九侯之無道也乃欲以此惑君王也而弗
誅何以華後紂則大怒遂脯淑女而烹九侯

論衡曰儒書稱武王伐紂太公陰謀食小兒以丹令身絶
赤長大教言商亡商民見身赤以為天神及言商亡皆謂
商滅

世說曰鍾會密白鄧艾有反狀會善効人書於劒閣要艾

章表白事皆易其言令辭指倨傲多自矜伐

葛仙公别傳曰時有一老人頗能治病從中國來其人言
年已數百歲後他坐仙公欲知此公定年俄一人從天下
擧坐瞻目良久集地着朱衣進賢冠即問此公曰天遣我
來問君定年幾何故欺詐民人速以實對公大怖下地長
跪言曰無狀實九十三仙公因撫手大笑忽然失朱衣人
所在

太平御覽卷第四百九十四

太平御覽卷第四百九十五

人事部一百三十六

諺上

說文曰諺傳言也俗言曰諺

禮記大學曰故諺有之人莫知其子之惡莫知其苗之碩此謂身不脩不可以齊其家

左傳隱公曰滕侯薛侯來朝爭長公使羽父請於薛侯曰周諺有之山有木工則度之賓有禮主則擇之周之宗盟異姓爲後寡人若朝于薛不敢與諸任齒

又曰虞叔有玉虞公求旃弗獻既而悔之曰周諺有之疋夫無罪懷璧其罪吾焉用此其以賈禍也乃獻之

又曰楚子爲陳夏氏亂故伐陳殺夏徵舒滅陳爲縣申叔時使於齊復命不賀王使讓之對曰人有言曰牽牛以蹊

人之田而奪之牛牽牛以蹊者信有罪矣而奪之牛罰已重矣

又曰公孫歸父會楚子于宋宋人使樂嬰齊告急于晉晉侯欲救之伯宗曰不可古人有言曰雖鞭之長不及馬腹天方授楚未可與爭雖晉之強能違天乎諺曰高下在心（高下猶屈申也）川澤納汙山藪藏疾瑾瑜匿瑕國君含垢（含垢忍恥也）天之道也

又曰韓厥曰古人有言曰殺老牛莫之敢尸而況君乎

又曰梗陽人有獄魏戊不能斷以獄上其大宗賂以女樂魏子將受之閻没女寬退朝待於庭饋入召之比置三歎魏子曰吾聞諸諺曰唯食忘憂吾子置食之間三歎何也同辭而對曰食畢願以小人之腹而爲君子之心屬厭而已

又曰晉侯假道於虞以伐虢宮之奇諫曰虢虞之表也虢亡虞必從之諺所謂輔車相依脣亡齒寒者其虞虢之謂乎

論語曰孔子曰周任有言曰陳力就列不能者止

家語孔子曰里語去相馬以車相士以君弗可廢也

國語曰晉重耳過鄭鄭文公無禮叔詹曰若不禮則殺之諺曰黍稷無成不能爲榮黍不能蕃蕪稷不能蕃殖所生不疑維德之基公不聽

又曰景王將鑄無射之大林（無射鍾名也律中林鍾也）其鍾成伶人告和景王謂泠州鳩曰鍾果和矣對曰未可知也諺曰衆心成城衆口鑠金

戰國策曰昔者萊莒好謀陳蔡好詐莒恃越而滅蔡信晉而亡語曰騏驥之衰也駑馬先之孟賁之倦也女子勝之

又曰莊辛謂楚王曰鄙諺云見兎而顧犬未爲晚也亡羊

而補牢未爲遲也

史記曰鄙諺曰寧爲雞口無爲牛後

又曰李將軍悛悛如鄙人口不能道辭及死知與不知皆爲盡哀彼其忠實心誠信於士大夫也諺曰桃李不言下自成蹊此言雖小可以諭大

又曰諺曰千金之子不死於市非空言也

又曰樗里子滑稽多智號曰智囊秦人諺云力則任鄙智則樗里

又曰司馬相如諫武帝故鄙諺曰家累千金者坐不垂堂此言雖小可以喻大

漢書曰季布爲任俠有名楚人諺曰得黃金百斤不如季布一諾

又曰韋賢少子玄成復以明經歷位至丞相故鄒魯諺曰

遺子黄金滿籝不如一經
又曰于定國決疑平法罪疑從輕加審慎之心朝廷稱之曰張釋之爲廷尉天下無寃人于定國爲廷尉人自以不寃
又曰王莽篡立後復上符命者莽盡誅之時楊雄校書天祿閣使者欲收雄雄恐乃從閣自投幾死京師爲之語曰惟寂惟寞自投于閣爰清爰靜無作符命
又曰范增往說項梁曰夫秦滅六國楚最無罪自懷王入秦不反楚人憐之至今故南公稱楚雖三户亡秦必楚
又曰樓護字君卿與谷永俱爲五侯上客長安號之曰谷子雲筆扎樓君卿脣舌
又曰成帝時王吉子駿爲京兆尹試以政事先是京兆有趙廣漢張敞王尊王章至駿皆有能名故京師稱曰前有

趙張後有三王
又曰匡衡好學諸儒爲之語曰無說詩匡鼎來匡說詩解人頤
又曰少府五鹿充宗貴幸爲梁丘易元帝好之欲考其異同令與諸易家論充宗辯口諸儒莫能抗有薦朱雲者召入攝齋登堂抗首而請音動左右故諸儒爲之語曰五鹿嶽嶽朱雲折其角
又曰文帝從霸陵欲馳下峻阪袁盎攬轡上曰將軍怯耶盎曰臣聞千金子不垂堂百金子不倚衡（服虔曰借身不倚衡也如淳曰衡樓殿邊欄楯）
又曰杜欽字子夏少好經書家富而目偏盲故不好爲吏茂陵杜鄴與欽同姓字俱以才能稱於京師故衣冠謂欽爲盲杜子夏以相别欽惡以疾見詆爲小冠高廣材二寸由是京師更謂欽爲小冠杜子夏而鄴爲大冠杜子夏
又曰劉輔諫成帝立趙后曰里語云腐木不以爲柱卑人不可以爲主
又曰蕭育少與陳咸朱博爲友著聞當世往者有王陽貢公故長安語云蕭朱結綬王貢彈冠言其相薦達也育與博後有隙不能終世以友爲難
又曰成帝爲太子及即位以張禹論語爲師以上難數對已問經爲論語章句獻之諸儒爲之語曰不欲爲論念張文由是學者多從張氏餘家浸微
又曰諸葛豐元帝擢爲司隷校尉刺舉無所避京師語曰間何闊逢諸葛
又曰王吉少時居長安其東家有棗樹臨吉庭中吉婦取以啖之吉知而去婦東家聞而欲伐樹隣里止之因請吉還

婦爲之語曰東家有樹王陽婦去東家棗完去婦復還
東觀漢記曰陳忠上疏稱語曰迎新千里送故不出門
又曰更始在長安中爲之語曰竈下養中郎將爛羊胃騎都尉爛羊頭關内侯
又曰楊震少學受歐陽尚書於太常桓郁經明博覽無不窮究諸儒爲之語曰關西孔子楊伯起
又曰明德馬后時上欲封諸舅外間白太后曰吾自念親屬皆無柱石之功俗語曰時無赭澆黄土
又曰黄香字文彊京師号曰天下無雙江夏黄童
又曰戴馮爲侍中京師語曰說不窮戴侍中
續漢書曰皇甫規歸安定鄉人有以貨買鴈門太守者亦還家書刺謁規規卧不迎有頃曰王符在門規驚遽而起屣履出迎時人爲之語曰徒見二千石不如一縫掖

又曰荀爽字慈明幼而好學躭思經書慶弔不行徵命不
應潁川爲之語曰荀氏八龍慈明無雙
又曰陳蕃字仲舉諫桓帝曰鄙諺言盜不過五女門以貧
家也今後宮之女豈不貧國乎
又曰楊政字子行少好學京師語曰說經鏗鏗楊子行
范曄後漢書曰井丹字大春通五經善談論京師語曰五
經紛綸井大春
又曰李固遺黃瓊書曰自生人以來平代少而亂俗多必
待堯舜之君此爲治終無時矣常聞語曰嶢嶢者易缺皦
皦者易汙陽春之曲和者必寡
謝承後漢書曰宋弘宴見上令主坐屏風後上謂弘曰諺
言貴易交富易妻人情乎弘曰臣聞貧賤之知不可忘糟
糠之妻不下堂上顧謂主曰事不諧矣

又曰許慎字叔重性淳篤少博學經籍馬融常推敬之時
人爲之語曰五經無雙許叔重
又曰馬后履行節儉事從簡約馬廖慮以美業難終上疏
長樂宮以勸成德政長安語曰城中好高髻四方且一尺
城中好廣眉四方畫半額城中好大袖四方全疋帛斯言
如戲有切事實
又曰胡廣字伯始一爲司空再作司徒三在太尉京師諺
曰萬事不理詣胡伯始
袁山松後漢書曰桓帝時京師稱曰李元禮巖巖如玉山
陳仲舉軒軒如千里驥
又曰桓帝時南陽語曰朱公叔肅肅如松柏下風
又曰公沙穆有六子時人號曰公沙六龍天下無雙
蜀志曰馬良字季常襄陽宜城人兄弟五人並有才名鄉

里爲之諺曰馬氏五常白眉最良良眉中有白毛故以稱
之
晉書曰歐陽建字堅石世爲冀方碩族雅有理思才藻美
贍擅名北州人爲之語曰渤海赫赫歐陽堅石
又曰王珉字季琰少有才藝善行書名出其兄時人爲之
語曰法護非不佳僧珎難爲兄僧珎珉小字也
又曰石苞字仲容渤海南皮人也雅曠有智局容儀偉麗
不脩小節故時人爲之語曰石仲容姣無雙
又曰衛玠瑯邪王澄有高名少所推服每聞玠言輒歎息
絕倒故時人爲之語曰衛玠談道平子絕倒
又曰阮瞻見司徒王戎戎問曰聖人貴名教老莊明自然
其旨同異瞻曰將無同戎咨嗟良久　即命辟之時人謂
之三語掾

又曰劉惔字真長沛國相人也祖宏字終嘏光祿勳宏兄
粹字純嘏侍中弟潢字冲嘏吏部尚書並有名中朝時人
語曰洛中雅雅有三嘏
又曰劉輿字慶孫俊朗有才局與琨並尚書郎弈之甥名
著當時京師爲之語曰洛中弈弈慶孫越石
又曰裴秀少好學有風操時人語曰後進領袖有裴秀
又曰荀闓字道明亦有名稱京都爲之語曰洛中英英荀
道明
又曰羊祜傳曰王衍嘗詣祜陳事辭甚俊辯祜不然之衍
拂衣而起祜顧謂賓客曰王夷甫方以盛名處大位然敗
俗傷化必此人也步闡之役祜以軍法將斬王戎故戎衍
並憾之每言論多毀祜時人爲之語曰二王當國羊公無
德

又曰趙王倫傳曰張林等諸黨皆登卿將並列大封其餘同謀者咸超階越次不可勝紀至於奴卒厮役亦加以爵位每朝會貂蟬盈坐時爲之諺曰貂不足狗尾續

又曰王坦之字文度弱冠與郗超俱有重名時人爲之語曰盛德絶倫郗嘉賓江東獨步王文度嘉賓超小字也

魏書曰夏侯淵爲將赴急疾常出敵不意故軍中語曰典軍校尉夏侯淵三日五百六十千

魏略曰韓暨韓宣爲大鴻臚稱職語曰大鴻臚小鴻臚前後覆行相屬如

又曰賈洪字叔業好學有材特精於春秋左傳與馮翊嚴苞材學最高故衆人爲之語曰州中曄曄賈叔業辯論洶洶嚴文通

又曰成都王穎伐長沙王乂募免奴爲軍自稱四部司馬市郭人素謠語奴爲尚故里語曰三部司馬階下兵四部司馬尚長明欲知太平須石鼈鳴

又曰太祖使盧洪趙達撫軍主刺舉軍中語曰不畏曹公但畏盧洪曹公尚可趙達殺我

晉中興書曰褚裒字季野桓彝目之季野皮裏陽秋

又曰薛兼紀瞻閔鴻顧榮賀循同志友善号曰五儁

又曰中宗渡江王導群從同心翼戴時人語曰王與馬共天下

又曰杜預在内七年損益不可勝數朝野稱之号曰杜武庫言無所不有

宋書曰顏竣字士遜爲吏部尚書賓客喧訴常懽笑荅之時人爲之語曰顏竣瞋而與人官謝莊笑而不與人官

又曰高祖壯士丁旿有氣力時人語曰勿跋扈付丁旿

又曰王玄謨御下少恩將士爲之語曰寧作五年徒不逐玄謨

齊書曰長沙威王晃代兄映爲寧朔將軍淮南宣成二郡太守初沈攸之事起晃便弓馬多從武容煒赫都街時人爲之語曰煥煥蕭四繖

崔鴻前秦録曰梁讜字伯言博學有儁才與弟熙俱以文藻清麗見重一時時人爲之語曰關東堂堂二申兩房未若二梁瓌文綺章

崔鴻前涼録曰辛攀字懷遠隴西狄道人父奭尚書郎兄鑒曠弟寶迅皆以才識知名秦雄爲之語曰五龍一門金友王昆

後魏書曰濟南王元或與從兄安豐王中山王齊名時人爲之語曰三王楚楚盡琳瑯未若濟南備圓方

又曰靈太后幸左藏賜諸臣儀同陳留公李崇章武王融並以所負多顛仆於地崇乃傷腰融至損脚時人爲人語曰陳留章武傷腰折股貪人敗類穢我明主矣

又曰初廣平人李波爲逋逃之藪公私咸患百姓爲之語曰李波小妹字雍容褰裙逐馬如卷蓬左射右射必疊雙婦女尚如此男子那可逢刺史李安世設方略誘波諸子姪三十餘人斬于鄴市

又曰祖瑩與陳郡袁翻齊名秀出時人爲之語曰京師楚楚袁與祖洛中翩翩祖與袁

又曰李謐字永和初師事小學博士孔璠數年之後璠還就謐請業同門生爲之語曰青青成藍藍謝青師何常在明經

陳書張種少恬靜居處雅正不妄交遊傍無造請時人爲

之語曰宋稱數演梁則卷充清虛學尚種有其風

隋書崔儦與頓丘李若俱見稱重時人爲之語曰京師灼灼崔儦李若齊士歸鄉里仕郡爲功曹

又曰何妥少聰明時蘭陵蕭眘亦儁才住青陽巷妥住白楊頭時人爲之語曰世有兩儁白楊何妥青陽蕭眘其見美如此

太平御覽卷第四百九十五

人事部一百三十七

諺下　鬪爭

諺下

漢晉春秋曰諸葛亮卒楊儀整軍而出宣王不逼百姓諺曰死諸葛走生仲達

梁祚魏國統曰王昶字文舒戒兄子云諺曰救寒無若重裘止謗莫若自脩斯言信矣

張勃吳録曰陸稠字伯嬴爲廣陵太守姦吏歛手廣陵諺曰解結理煩我國陸君

韓詩外傳曰夫知惡往古之所以危亡而不知積其所以安存則無以異乎却行而求逮於前人也鄙語曰不知爲吏視已成事或曰前車覆後車戒

江表傳曰諸葛亮表都護李嚴嚴少爲郡職吏用性深尅苟利其身鄉里爲嚴諺曰難可狎李鱗甲

又曰典韋容貌魁傑名冠三軍其所持手戟長幾一尋軍中爲之語曰帳下壯士有典軍手提雙戟八十斤

又曰郭典字君業爲鉅鹿太守與中郎將董卓攻黃巾賊張寶於曲陽典作圍壍卓不肯典獨於西當賊之衝晝夜進攻寶由是城守不敢出時人爲語曰郭君圍壍董將不許幾令狐狸化爲豺虎賴我郭君不畏強禦轉機之間敵爲窮虜猗猗惠君保完疆土

又曰柳琮字伯騫所拔進皆爲時所稱致位牧守鄉里爲諺曰得黃金一笥不如爲柳伯騫所識

皇甫謐達士傳曰繆斐字文雅代脩儒學繼踵六博士以經行脩明學士稱之故時人謂之語曰素車白馬繆文雅

王祥別傳曰晉受禪時廊廟之士莫不懽容而祥色不加怡時人爲之語曰王公悢悢有送故之情也

張方賢楚國先賢傳曰諺曰黃尚爲司隸茲麗自弭左雄爲尚書令天下愼選舉

荀氏家傳曰荀邃夫人有至行時歲荒每來糴者夫人恒叩其斛糴者歸量輙過其本時人號曰掾斛夫人

陳留風俗傳曰許晏守偉君授魯詩於琅邪王敀學白許氏章句列在儒林故諺曰殿上成群許偉君

曹操別傳曰呂布梟勇且有駿馬時人爲之語曰人中有呂布馬中有赤兎

文士傳曰江應元時人諺曰嶷然希言江應元

又曰留侯七世孫張讚字子卿初居吳縣相人里時人諺曰相里張多賢良積善應子孫昌

習鑿齒襄陽記曰黃承彥謂諸葛亮曰身有醜女才堪相配即載送之鄉里語曰孔明擇婦正得外醜也

和苞漢趙記曰陳安奮刀左右俱發隴上語曰隴上壯士有陳安丈八蛇矛左右槃

西京雜記曰韓嫣好彈以金爲丸一日所失者十餘長安爲之語曰若飢寒逐彈丸京師兒童每聞嫣出彈輙隨之望丸所落便拾取焉

英雄記曰袁紹父成字文開貴盛自梁冀以下皆與交言無不從京師諺曰事不諧詣文開

三輔決録曰馮豹字仲文後毋遇之甚酷豹事之愈謹時人爲之語曰道德彬彬馮仲文

又曰五門子孫凡民之伍門今在河南西四十里澗穀洛三水之交傳聞馬氏兄弟五人共居此地作五門客舍因

以爲名主養猪賣豚故民爲之語曰苑中三公館下二卿五門嚾嚾但聞豚聲
又曰賈彪兄弟三人並有高名彪最優故天下稱曰賈氏三虎偉節最怒
又曰游殷字幼齊爲胡軫所害月餘軫得病但言伏伏游幼齊將鬼來於是遂死關中諺曰生有知人之明死有貴神之靈
臨海異物志曰安家夷皆好噉猴頭羹諺言寧負人千石之粟不願負人猴頭羹臛
又曰鰲魚肥炙食甚美諺曰寧去累世田宅不去鰲魚額
風俗通曰趙王好大眉人間半額楚王好廣領國人沒頸齊王好細腰後宫有餓死者
又曰延熹中常侍單超左琯徐璜具瑗唐衡在帝左右縱

其姦逸時人爲之語曰左迴天徐轉日具獨坐唐應聲言信用甚於轉圓也
又曰里語曰縣官漫漫怨死者半
六韜曰天下攘攘皆爲利往天下熙熙皆爲利來
列子曰周諺曰田父可坐殺晨出夜入自以性之恒啜菽茹藿自以味之極一朝處以軟毛綈薦以梁肉蘭味心痟體煩內熱生病矣
又曰揚朱曰古語有之生相怜死相捐此語至矣
又曰趙子文曰國諺有言察見淵魚者不祥智料隱逸者殃且君欲無盜莫若舉賢而任之
孟子曰齊人有言雖有智慧不如乘勢雖有鎡基不如待時（齊人之諺語也乘勢居富貴之勢也鎡錤田器耒耜之屬也）
孔叢子曰平原君與子高飲強子高酒曰昔有遺諺堯舜千鍾孔子百觚子路嗑嗑尚飲百榼古之賢聖無不能飲也吾子何辭焉
韓子曰鄙諺曰長袖善舞多錢善賈此言多資之易爲工
又曰古有諺曰爲政猶沐也雖有棄髮之廢而有長髮之利也
愼子曰諺云不聰不明不能爲王不瞽不聾不能爲公
蔣子萬機論曰學者如牛毛成者如麟角
又曰猛虎不處卑勢勁鷹不立垂枝
抱朴子曰桓靈曰舉秀才不知書察孝廉父別居寒素清白濁如泥高第良將怯如蠅
又曰古人欲達勤誦經今世圖官勉治生
商君書曰公孫鞅謂秦孝公曰臣聞之疑行無名疑事無功君亟定變法之慮殆猶天下之議語曰愚者暗於成事

智者見於未萌
邯鄲氏笑林曰桓帝時有人辟公府掾者倩人作奏記文人不能爲作因語曰梁國葛龔先善爲記文自可寫用不煩更作遂從人言寫記文不去龔名姓府公大驚不荅而罷歸故時人語曰作奏雖工宜去葛龔
賈誼新書鄙諺曰欲投鼠而忌器此善喻也鼠近於器尚憚而弗投恐傷器也况貴大之臣近於主帝乎
桓子新論曰關東諺語曰人聞長安樂則出門而西向笑知肉味美則對屠門而大嚼又諺曰侏儒見一節而長短可知孔子言舉一隅足以三隅反觀吾小時二賦亦足以揆其能否
崔寔政論曰每詔書所欲禁絶雖重懇惻罵詈極筆由復廢捨終無悛意故里語曰州郡記如霹靂得詔書但掛壁

又曰一歲再赦奴兒噫嗜況不軌之民孰不肆意
應劭漢官儀曰里語云仕官不止車生耳
蔡邕獨斷曰古幘無巾王莽頭禿乃始施巾故語曰莽頭
禿幘如屋
王劭貧宴語曰諺曰魯班雖巧不能為乞丐者顏
魏武選令曰諺曰失晨之雞思補更鳴昔李闡在白馬有
受金取婢之罪棄而弗問後以為濟北相以其能故
曹植令曰諺云相門有相將門有將夫相者文德昭將者
武功烈

鬬爭

左傳隱公曰鄭伯將伐許授兵於太宮公孫閼與潁考叔
爭車潁考叔挾輈以走（輈車轅也）子都拔戟以逐之
又襄五年曰秦伯之弟鍼如晉脩成叔向命召行人子員
（欲使答秦）行人子朱曰朱也當御（御進也言當次行）三云叔向不應子
朱怒曰班爵同（同為大夫）何以黜朱於朝無劒從之叔向曰秦
晉不和久矣今日之事幸而集晉國賴之不集三軍暴骨
子員道二國之言無私子常易之姦以事君者吾所能御
也拂衣從之人救之平公曰晉其庶乎（庶幾於治）吾臣之所爭
者大師曠曰公室懼卑臣不心競而力爭不務德而爭善
私欲巳侈能無卑乎
又襄五年曰楚伐鄭至于城麇鄭皇頡戍之出與楚師戰
敗穿封戌囚皇頡公子圍與之爭之正於伯州犁（正曲直也）伯
州犁曰請問於囚乃立囚伯州犁曰所爭君子也其何不
知上其手曰夫子為王子圍寡君之貴介弟也下其手曰
此子為穿封戌方城外之縣尹也誰獲子（上下手以道囚意）囚曰
頡遇王子弱焉（弱敗也言為王子所得）戌怒抽戈逐王子圍

史記曰藺相如功大拜為上卿位在廉頗右頗曰我為趙
將有攻城野戰之功相如徒以口舌為勞位居我上吾不
忍為之下必辱之相如聞之不肯與會每朝常稱病不欲
與頗爭列於是舍人請辭去相如曰強秦不敢加兵於趙
者徒以吾兩人在也今兩虎共鬬勢不俱全所以先國家
之急而後私讎也
又曰彭越字仲常漁鉅野中為群盜　陳勝項梁起少年
或謂越曰豪傑相立叛秦仲可　效之越曰兩龍方鬬且
待之
又曰婁敬說上曰天與人鬬不搤其亢（張晏曰亢嚨喉）拊其背未
能全其勝也今陛下入關而都案秦之故此亦搤天下亢
而拊其背也
又曰孔子去陳過蒲會公叔氏以蒲叛蒲人止孔子弟子
公良孺者有勇力謂曰昔從夫子遇難於匡今遇難於此
命也吾寧鬬而死鬬甚疾蒲人懼謂曰無適衛吾出子也
漢書曰項羽謂漢王曰天下匈匈以吾兩人願與王挑戰
決雌雄漢王笑曰吾寧鬬智不能鬬力也
又曰大將軍霍光秉政諸霍在平陽奴客持刀兵入市吏
不能禁及尹翁歸為市吏莫敢犯者
又曰郱吉常出逢群鬬者死傷橫道吉過之不問掾史獨
怪之吉曰民鬬相殺傷長安令京兆尹職所當禁也宰相
不親小事
又曰原涉遣奴至市買肉奴乘涉氣與屠者爭言斫傷屠
者
又漢書張耳贊曰張耳陳餘世所稱賢始居約時相然信
死豈顧問哉及據國爭權卒相滅亡勢利之交古人羞之

續漢書曰孝靈皇帝於後宮人爲列肆販賣使相偷盜爭鬬上臨視之以爲樂

東觀漢記曰執金吾賈復在汝南部將殺人潁川捕得寇恂乃戮之於市復以爲恥過潁川謂左右曰吾今見恂必手劒之恂知其謀不欲與相見恂曰昔藺相如屈於廉頗者爲國也乃勑屬縣盛供具一人皆兼二人之饌恂乃出迎於道稱疾還賈復勒兵欲追之而吏士皆醉遂過去恂以狀聞上乃徵恂恂至引見時復先在座欲起相避上曰天下未定兩虎安得私鬬

又曰周黨字伯況太原人鄉佐發黨徭道於人中辱之黨學春秋長安聞復讎之義輟講下辭歸到與鄉佐相聞期鬬日鄉佐多從兵往使鄉佐先拔刀然後與相擊鄉佐服其義勇

袁崧後漢書曰劉盆子居長樂宮赤眉諸將日會論功名自言欲爲某王欲得某官爭言號呼拔劒相擊

英雄記曰呂布字奉先劉備屯小沛袁術遣將紀靈步士三萬攻備備求救於布布率騎千餘馳赴之遣人招備幷請靈等饗因謂靈曰布性不喜合鬬但喜解鬬耳

蜀志曰劉封與孟達忿爭不和封奪達鼓吹達遂降魏

山海經曰刑天與帝爭神帝斷其首葬之常羊之山

神異經曰東北荒中有獸焉其狀如羊一角毛青四足似熊性忠而直見人鬬則觸不直聞人論咋不正名曰獬豸一名任法今御史用法冠俗曰獬豸冠也

續搜神記曰晉太原中北地人陳良與沛郡民李焉共爲賈後大得利焉殺良取物死十許日良忽蘇活得歸家說死時見周旋人劉舒舒久已亡謂良曰去年春社日祠祀家中鬬爭吾實忿之作一兕於庭前良故往報舒家其怪亦絶

皇甫士安逸士傳曰高鳳鄰里有爭財鬬者兵刃相加鳳脫衣巾爲叩頭曰仁義遜讓不可廢也爭財者投兵謝之而罷（東觀漢記又載）

又曰管寧所居屯落會有汲者或男女雜錯或爭井鬬鬩寧患之乃買器分置井傍汲以待之各自相責不復鬬也

會稽典錄曰夏香字曼卿門側有大井上有瓦盆里中兒童各競飲牛爭水共鬬香豫爲汲多置盆器由是無爭

費褘別傳曰魏延與楊儀並坐爭論延或舉刃擬儀儀涕泣橫集褘常入坐其間諫喻分別

石勒別傳曰勒微時居與邑人李陽相近陽性剛愎每輕勒與爭漚麻池共相打搩互有勝負

吳越春秋曰伍子胥始吳時遇專諸於涂專諸方與人鬬將就之適其怒有萬人之氣其妻一呼即還子胥怪而問其狀專諸曰夫屈一人之下必伸萬人之上

列子曰昔共工與顓頊爭爲帝怒觸不周之山折天柱絶地維

胡非子曰胡非子脩墨子教有屈將子恃勇聞墨者非鬬帶劒危冠往見胡非子刼而問之曰將聞先生非鬬而好勇有說則可無說則死胡非子爲言五勇屈將子悅服

尸子曰魯人有孝者三爲母北魯人稱之彼其鬬則害親不鬬則辱羸矣不若兩降之

韓子曰鄭人有相與爭年者一人曰吾與堯同年一人曰吾與黃帝兄同年訟此不決以後息爲勝

呂氏春秋曰楚之邊邑名曰卑梁其處女爭桑於境上戲

而傷卑梁之女卑梁人以讓吴人吴人應不恭怒而殺之
吴人往報之盡屠其家於是吴楚大爭
淮南子曰佐祭者得嘗救鬬者得傷
又曰三人同舍二人相與爭爭者各自以爲直不能相聽
一人雖愚必從而決之非以智也以不爭也
説苑曰秦始皇太后不謹幸郎嫪毐封爲長信侯專國事
與侍中左右貴臣俱博飲酒醉爭言而鬬瞋目大呼
桓子新論曰余前爲典樂大夫有鳥鳴於庭樹上而府中
門下皆爲憂懼後余與典樂謝侯爭鬬俱坐免去
風俗通曰臨淮有一人持一疋縑到市賣之道遇雨披戴
後人求共庇廕授與一頭雨霽當別因共爭各云我縑詣
府自言丞相薛宣呼騎吏中斷縑各與半後人濫受因前
撮之縑主稱怨宣然後知責之具服

又曰俗説二人共澡手令人鬬爭良無異器當共澡者其
祝曰人相愛狗相嚙言狗鬬時灑之以水便自解也
又曰坐不移罇俗説移罇令人鬬爭
典論曰汝南許劭與族兄靖俱避地江東保吴郡爭論於
太守許貢座至於手足相及
郭璞易洞林曰殷鴻喬令吾作卦得大壯之夬語之云慎
勿與許姓者共事田作也必鬬相傷殷還宣成遂與許姓
共田田熟有所爭此人舉杖欲撞之喬退思中間之戒辭
謝僅乃得休
夢書曰鵜鶘爲鬬夢見鵜鶘憂閧鬬也
嵇康太師箴曰若會酒坐見人爭語其形勢似欲轉盛便
當捨去此鬬之兆也
太平御覽卷第四百九十六

太平御覽卷第四百九十七

人事部一百三十八

酣醉

說文曰酣樂酒也

又曰酒卒曰醉各卒其度量不至於亂也一曰潰也

易未濟曰有孚于飲酒無咎濡其首有孚失是（飲酒有思信而無深言尤濡其首有孚失是況酒無節至濡首雖有飲酒之信失是不醉之節明飲酒不節濡首不可不戒也）象曰飲酒濡首亦不知節也

毛詩曰既醉告太平也既醉以酒既飽以德

又曰幽王荒廢褻近小人飲酒無度沉湎淫泆是曰既醉不知其尤醉而既出並受其福醉而不出是謂伐德

左傳曰重耳及齊齊桓公妻之公子安之姜曰行也公子不可姜與子犯醉而遣之醒以戈逐子犯

史記曰范睢事魏中大夫須賈使齊睢從齊襄王聞睢辯乃使人賜睢牛酒須賈以爲睢持軍事告齊故得此饋還以告魏相魏齊大怒使舍人笞睢折脅拉齒睢佯死既卷簀置厠中賓客飲酒醉更溺睢睢從簀中謂守者曰既出我我厚謝公守者乃請棄簀中死人齊醉曰可矣

又曰齊威王置酒後宮召淳于髡賜酒問先生能飲幾許而醉髡曰飲一斗亦醉飲一石亦醉王曰先生飲一斗而醉洒能飲一石哉髡曰賜酒大王之前執法在傍御史在後髡恐懼俯伏而飲一斗徑醉若州閭之會男女雜坐前有墮珥後有遺簪髡竊樂此飲可八斗堂上燭滅主人留髡而送客羅襦衿解微聞香澤當此之時髡心最欣能飲一石

又曰曹參爲漢相國無所變更一遵蕭何日飲淳酒卿大夫以下皆欲言來者參輒飲酒醉而後去終莫得開說

又曰景帝召程姬姬有所避而飾侍者唐兒使夜進上醉不知以爲程姬而幸之遂有娠及生子命曰發爲長沙王

漢書曰漢高祖爲泗上亭長亭中吏無所不狎侮好酒及色常從王媼武負貰飲酒醉卧武負王媼見其上常有怪此兩家常折券棄債

又曰高祖被酒夜經澤中令一人前前者還報曰前有大虵當徑高祖醉曰壯士何畏乃前拔劒斬虵分爲兩道開行數里醉因卧

又曰萬石君徙居陵里內史慶醉歸入外門不下車萬石君聞之不食慶恐肉袒請罪不許舉宗及兄建肉袒萬石君讓曰內史貴人入閭里中長老皆走匿而內史坐車中如故乃謝罷慶慶及諸子入里門趨至家

又曰衛青伐匈奴右賢王當青等以爲漢兵不能至飲醉漢兵夜至圍右賢王驚而夜逃

又曰李廣當斬贖爲庶人與故潁陰侯屏居藍田南山射獵嘗夜從一騎出從人田間飲還至亭灞陵尉醉呵止廣廣騎曰故李將軍尉曰今將軍尚不得夜行何故也宿廣亭下

又曰陳遵爲京兆尹嗜酒每大飲賓客滿堂輒閉門取車轄投井中雖有急終不得去有部刺史奏事過遵值其方飲刺史候遵宿醉時突入見遵母乃叩頭白當對尚書有期會乃令從後閤出去遵雖常醉然事亦不廢

又曰邴吉始於官屬掾史務掩過揚善吉馭吏嗜酒數逋蕩嘗從吉出醉嘔丞相車下茵西曹主吏白欲斥之吉以醉飽之失去士使此人將復何所容西曹忍之此不過汙

丞相車茵耳遂不去也
東觀漢記曰更始納趙萌女爲夫人有寵遂委政於萌日夜與婦人飲讌後庭群臣欲言事輒醉不能見乃令侍中坐帳內與語諸將識非更始聲出皆怨
謝承後漢書曰劉寬爲太尉嘗朝見寬被酒沉醉伏地睡詔問太尉醉耶寬仰對曰臣不敢醉但任重責大憂心如醉
魏志曰徐邈字景山魏國初建爲尚書郎時科禁酒而邈私飲沉醉校事趙達問以曹事邈曰中聖人達白太祖甚怒渡遼將軍鮮于輔平曰醉客謂清酒爲聖人濁酒爲賢者邈性脩慎偶醉言耳後文帝踐祚問邈曰頗復中聖人不對曰宿瘤以醜見知微臣以醉見識帝大笑顧左右曰名不虛也

又曰曹仁爲關羽所圍太祖以曹植行征虜將軍欲令救仁植醉不能受命於是罷之
蜀志曰蔣琬字公琰除廣都長先主嘗因遊觀奄至廣都衆事不理時又沉醉先主大怒將加罪戮諸葛亮請曰蔣琬社稷之器非百里之才也願主公重加察之乃不加罪
吴志曰孫權爲吴王遊宴之後起自行酒虞翻伏地陽醉不持權去翻起坐權於是大怒欲手擊之大司農劉基起抱權諫曰大王以三爵後殺善士雖翻有罪天下孰知之權曰曹孟德尚殺孔文舉孤於虞翻何有哉基曰孟德輕害名士天下非之今大王躬行仁德欲與堯舜比隆由是得免權因勅左右自今酒後言殺皆悉不得殺也
又曰孫皓大會群臣王蕃沉醉頓伏皓疑而不悅蕃轝出以頃之請還酒亦小解蕃性有威嚴行止自若皓大怒呵左右於殿下斬之
魏典略曰董卓雖親愛呂布然時醉酒則罵之以刀劍擊之不中布恐終被害乃先畜死士以戟刺卓卓曰布何在布曰有詔遂殺之
又曰時苗字德胄出爲壽春令楊州治在其縣時蔣濟爲治中苗以初至往欲謁濟濟素嗜酒適會其醉不能見恚恨還刻木爲人署曰酒徒蔣濟竪之於牆下旦夕射之
又曰丁沖爲司隸校尉後數歲過諸將飲酒美不能止醉爛腸死也
晉書曰羊曇者太山人知名士也少爲謝安所愛重安薨後輟樂弥年行不由西路州嘗因石頭大醉扶路唱樂不覺至州門也左右白曰此西州門曇悲感不已以馬策扣扉誦曾子詩曰生存華屋處零落歸山丘因慟哭而去

又曰王恭傳會稽王道子置酒於東府尚書令謝石因醉爲委巷之歌恭正色曰居端右之重集藩王之第而肆淫聲欲令群下何所取則石深銜之
又曰王蘊素嗜酒末年尤甚及在會稽略少醒日然猶以和簡爲百姓所悅
又曰顧榮傳齊王冏召爲大司馬主簿冏擅權驕恣榮懼及禍終日昏酣不綜府事以情告友人長樂馮熊熊謂冏長史葛旟曰以顧榮爲主簿所以甄拔才望委以事機不復計南北親疎欲平海內之心也今府大事殷非酒客之政旟曰榮江南望士且居職日淺不宜輕代易之熊曰可轉爲中書侍郎榮不失清顯而府更收實才旟然之白冏以爲中書侍郎在職不復飲酒人或問之曰何前醉而後醒耶榮懼乃復更飲

晉中興書曰畢卓字茂世爲吏部郎比舍郎釀熟卓因醉
夜至其甕間取酒飲之掌酒者縛卓郎往視之釋縛宴於
甕側取醉而去
又曰周顗代戴淵爲護軍尚書紀瞻置酒請顗及王導等
二十人顗荒醉失儀復爲有司所奏
檀道鸞晉書曰桓玄詣會稽王道子道子已醉對玄張目
矚四座云桓温作賊玄見此醉勢難測伏地流汗
宋書曰荆州刺史王忱范太外弟也忱嗜酒醉輙累旬及
醒則儼然端肅太謂忱曰酒雖會性亦所以傷生也
又曰孔顗使酒仗氣每醉輙弥日不醒僚類之間多所凌
忽尤不能曲意權倖莫不畏而疾之
又曰陶潜嘗九月九日無酒出宅邊菊藂中坐久之值王
弘送酒至便酌大醉而歸

平四百九七　五　太和一

崔鴻後趙録曰石勒制法甚嚴兼諱胡尤峻有醉胡乗馬
突入止車勒大怒謂宫門小執法馮翥曰夫人君爲令將
使下之無犯吾尚望威行天下况於宫闕之間向馳馬入
門爲是何人而不彈白䊸之耶翥惶懼忘諱對曰向醉胡
乗馬馳入甚呵衛之而不可與語所謂互鄉難與言小人
所不能制勒笑曰胡正自難與言恕而不罪
崔鴻前秦録曰建武十四年堅宴群臣於釣臺以祕書監
朱彤爲酒正堅曰今日之飲當以落池爲限
史典論曰荆州牧劉表跨有南土子弟驕貴並好酒爲三
爵大曰伯雅次曰仲雅小曰季雅伯受七外仲受六外季
受五外又設大鍼於坐端客有醉酒寢地輙以劉諂諛刺驗
其醒醉是醜於趙敬侯以筩酒灌人也大駕都許使光禄
大夫劉松北鎮袁紹軍與紹子弟宴飲松嘗以盛夏三伏
之際晝夜酣飲二方化之故南荆有三雅之爵河朔有避
暑之飲
又曰中常侍張讓子奉爲太醫令與人飲酒輙掣引衣裳
發露形體以爲戲樂將罷又亂其履舄使小大差踦音綺無
不傾倒僵仆踒跌手足因隨而笑之蹊於卧交
襄陽耆舊記曰襄陽城南有池山季倫每臨此池未曾不
大醉而還恒曰此我高陽池也襄陽城中兒歌之曰山公
出何許往至高陽池日夕倒載歸酩酊無所知時時能騎
馬到著白接離舉鞭問葛强何如并州兒
韓詩外傳曰趙簡子與諸大夫飲於洪波之臺酒酣簡子
涕諸大夫皆出走曰臣有罪而不自知也簡子曰大夫無
罪昔女周舍有言曰千羊之皮不若一狐之腋衆人之唯
唯不若直士之諤諤

覽四百九十七　六　太和二

費禕別傳曰孫權每別置好酒以酌禕視其已醉然後問
以國事并論世務辭難累至禕輙辭以醉退而撰次所問
事條荅無所遺矣
呂氏春秋曰秦繆公之時西戎強大繆公遺女樂戎王大
喜以其故數飲食日夜不休左右有言秦寇之至因按弓
而射之秦寇果至戎王醉而卧於樽下卒生縛而擒之
博物志曰人中酒醉不解浴之以湯自漬則愈湯亦作酒
氣味
又曰昔有人名玄石從中山酒家酤酒酒家與之千日酒
不語其節度至家而醉家以爲死而葬之酒家計滿千日
乃憶之往索玄石玄石家云亡來三年服已闋矣乃至家
掘而問之玄石起於棺中
說苑曰楚莊王賜群臣酒日暮燭滅有引美人衣者美人

援絕其冠纓告王王曰賜人酒使醉失禮柰何欲顯婦人之節而辱士乎乃命左右　曰與寡人飲不絕冠纓者不歡群臣皆絕其冠纓乃止

世說曰周伯仁有德量深達危亂過江積年恒大飲酒嘗經三日醒時人謂三日僕射

又曰張華既貴有少時知識來候之華屏官事與共飲九醖酒爲酣暢其夜醉眠張華嘗飲此酒醉眠輒使左右轉側至覺左右依常爲張公轉側其友無轉側者至明起友人猶不寤張公曰咄此必死矣使就視之酒果穿腹流牀下滂沲

又曰山公曰嵇叔夜之爲人也巖然若孤松之獨立及其醉也嵬峩若玉山之將頹

又曰杜預爲荊州刺史鎮襄陽時有讌集大醉閉齋獨眠

或見一大虵垂頭牀邊吐

語林曰周伯仁過江恒醉止有姊喪三日醒姑喪三日醒也

又曰周伯仁在中朝能飲一斛酒過江雖日醉然未嘗飲一斛以無其對也後有舊對忽從北來相得欣然乃出二斛酒共飲之既醉伯仁得眠眠覺問共飲者何在曰西廂問得轉不荅不得轉伯仁曰異事使視之脅腐而死

十洲記曰瀛州者玉膏如酒味名曰玉酒飲數外輒醉令人長生

俗記曰宋禕死後葬在金城南山對琅琊郡門袁崧爲琅琊太守每醉輒乘輿上宋禕冢作行路難歌

列子曰子產相鄭有兄曰公孫朝好酒朝之室聚酒千鍾積麴成封糟糠之氣逆於人鼻方其荒醉不知世道之安危

魯連子曰楚王成章華臺酌諸侯酒魯君先至悅之故醉與之大曲之弓不琢之璧已而悔之魯君懼乃歸之

莊子曰醉者之墜車也希死形體與人同其啎物與人異則其神者全也

尸子曰赤縣洲者寔爲崑崙之墟其東則滷水島山左右蓬萊玉紅之草生焉食其一實醉臥三百歲而寤

韓子曰楚共王與晉厲公戰於鄢陵楚師敗績共王傷目司馬子反渴而求飲穀陽樹操觴而進子反王欲復戰召子反議子反醉乃辭以疾王入其幕酒臭旋師而斬

韓子曰紹緇昧醉而忘其裘梁君曰醉足以亡裘乎荅曰紂以酒亡天下而況裘亡乎

又曰紂爲長夜而失日問於左右盡弗知曰使人問箕子

謂其從曰爲天下王而一國皆失日天下其危矣一國皆不知而我獨知之我其危矣辭以醉而不知也

又曰齊桓公飲酒醉遺其冠耻之三日不朝管仲曰此非有國者之耻也公胡不雪之以政公曰善因發囷倉賜貧窮論囹圄出薄罪處三日而民歌之曰公乎不復遺其冠乎

淮南子曰夫醉者俛入城門以爲七尺之閨超江淮以爲尋常之溝酒濁其神也

陶淵明詩序曰余偶有名酒無日不飲顧影獨盡忽焉復醉

諸葛亮集曰亮戒子曰夫酒之設合禮致情適體歸性禮終而退此和之至也主意未殫賓有餘倦可以至醉無致迷亂

太平御覽卷第四百九十七

人事部一百三十九

簡傲　耶歈

簡傲

詩曰兕觵其觩旨酒思柔彼交匪傲萬福來求

禮曰傲不可長欲不可縱樂不可極

春秋曰衛侯饗苦成叔甯惠子相苦成叔傲甯子曰苦成家其亡乎古之爲享食也以觀威儀省禍福也

論語曰居簡而行簡無乃太簡乎

韓詩外傳曰田子方之魏魏太子從車百乘迎之於郊太子再拜謁子方不下車太子不悦曰敢問何如則以驕人矣子方曰吾聞以天下驕人而亡者有矣以一國驕人而亡者有矣由此觀之則貧賤可驕人矣士志不得則授履

之秦楚耳安往而不得貧賤乎於是太子再拜而後退子方遂不下車

孔藂子曰子思居衛曾子謂子思曰昔吾從夫子巡於諸侯未嘗失其人臣之禮而猶聖道不行今吾觀子有傲世之心無乃不容乎子思曰時移勢異各有宜也當吾先君周制雖毀君臣固位上下相持欲行其道不勞以求之則不能入也今天下諸侯方欲力爭競招英雄以自輔翼此得士則昌失士則亡之秋也不自高人將下吾不自貴人將賤吾舜禹揖讓湯武用師非故相詭乃時也耳

華嶠後漢書曰趙壹字元淑恃才倨傲爲鄉里所擯

東觀漢記曰博士范外奏曰伏見太原周黨解履外華轂陛下見帝庭偃蹇傲慢逡巡進退臣願與並論靈臺之下

魏略曰丁謐少不肯交遊但博觀書傳爲人亢毅頗有才略太和中常於鄴借人空屋其中而諸王亦欲借之不知謐已得直開門入謐望見王交脚卧不起而呼其奴客曰此等人促呵使去王怒其無禮還具上聞之明帝收繫鄴獄以其功臣子原之

蜀志簡雍字憲和涿郡人與先主有舊性簡傲跌蕩在先主座席猶箕倨傾倚威儀不肅自從適諸葛亮已下則獨擅一榻傾枕卧語無所爲屈

蜀志曰彭羕字永年廣漢人身長八尺容貌甚偉姿性驕傲多所輕忽唯敬同郡秦子整

王隱晉書曰魏末阮籍有才而嗜酒荒放露頭散髮裸袒箕踞作二千石不治官事日與鈴下共飲酒歌呼時人或以籍生在魏之交欲佯狂避時不知籍本性自然也

干寶晉記曰呂安友嵇康相思則命駕千里從之或遇其

行康兄喜位至方伯拭席而待弗之顧也獨宿車中康母設酒求康兒共戲則去

鄧粲晉記曰劉伶常着袒服而乘鹿車客有詣伶值其裸袒責伶伶笑曰吾以天爲屋以屋爲褌諸君不當入中又何怨乎其自任若此

又曰胡毋輔之過河南門下將飲酒河南卒王子博倨坐其傍輔之叱使取火子博曰我卒也唯不乏吾事安能爲人使輔之與語歎曰吾弗及也因言河南尹以爲功曹

習鑿齒漢晉陽春秋曰陳蹇兄丕有名於世與夏侯玄親交玄拜其母蹇時爲中領軍聞玄會於其家悦而歸既入户玄曰相與未至於此蹇當户立良久曰如君言乃趨而出意氣自若玄大以此知之

後魏書曰李粟鴈門人也性簡慢務寵不率禮度每在太

祖前舒放倨傲不自祗肅笑唾任情太祖積其宿過天興
三年遂誅之於是威嚴始厲制勒群下盡卑謙之禮自栗
始也
後魏書曰元順字子和起家爲給事中時尚書令高肇帝
舅權重天下人士望塵拜伏順曾懷刺詣肇門門者以其
年少荅云在坐大有賓客不肯爲通順叱之曰任城王兒
可是賤也及見直往登牀捧手抗禮王公先達莫不怪懼
而順辭吐傲然若無所覩謂衆曰此兒豪氣尚尒況其父耶
澄聞之大怒杖之數十
晉中興書曰蔡謨讓司徒李宗臨軒遣侍中璩黄門郎丁
纂徵謨謨陳疾篤使主簿謝攸對自平旦至日中使者十
餘反而謨不至孝宗時年八歲甚怪之極問左右曰所召
何人何以至今不來軒臨何當竟會稽王曰蔡公傲違上

命無人臣之禮若人主卑屈於上大義不行於下亦不知
復所以爲治於是奏送謨廷尉以正刑書謨懼率子弟素
服詣闕稽顙到廷尉待罪皇太后詔可依舊制免爲庶人
沈約宋書曰會稽太守孟顗事佛精懇而爲謝靈運所輕
甞謂顗曰得道應須慧業丈人生天當在靈運前成佛必
在靈運後顗深恨此言
禰衡傳曰衡字正平建安初自荆州北遊許都恃才傲逸
臧否過差見不如已者不肯與言語人皆以是憎之
文士傳曰阮籍從容曰平生曾遊東平縣樂其土風願得
爲東平太守文帝大悅即從之籍便騎驢徑到郡至皆壞
壁障内外相望教令清當十餘日便騎驢歸
淮南子曰賓有見人於季子者賓出季子曰子之賓獨有
三過望我而笑是慢也談語而不稱師是叛也交淺而言

深是亂也賓曰望君而笑是公也談語不稱師是通也交
淺而言深是忠也故賓之賓客一體也或以爲小人或以
爲君子視之異也
物理論曰今有吕子義清賢仕爲率更令有人就之宿非
其度數之内子義燃燭危坐通曉目不轉睛膝不移處
會稽典録曰嚴光一名遵帝引入論故舊累日因共卧光
以足加帝腹上明日太史奏客星犯帝坐甚急帝曰朕故
人嚴子陵共卧耳
語林曰羅含在宣武坐人介與他人相識含正容曰所識
已多不煩復尒
世説曰王子猷作桓温車騎參軍桓謂王曰卿在府久當
相斷理王初不荅直高視手板拄頰云西山朝來致有爽
氣

應璩與崔元書曰豈有亂首抗巾以入都城衣不在體而
以適人乎昔戴叔鸞箕坐見邊文祖此皆衰世之慢行也
晉書曰何綏性既輕物翰札簡傲城陽王尼見綏書疏謂
人曰伯蔚居亂而矜豪乃尒豈其免乎
晉書曰謝弈與桓温善温辟爲安西司馬猶推布衣好在
温坐岸幘嘯詠無異常日温指曰我方外司馬
又曰王獻之甞經吴郡聞顧辟疆有名園先不相識乘平
肩輿逕入時辟疆方集賓友而獻之遊歷既畢傍若無人
辟疆勃然數之曰傲主人非禮也以貴驕士非道也失是
二者不足齒之傖耳便驅出門
又曰王導子恬性傲誕不拘禮法謝萬甞造恬既坐少頃
恬便入内萬以爲必厚待已殊有喜色恬久之乃沐頭髮
而出據胡床於庭中曬髮神氣傲邁竟無賓主之意萬悵

然而還
又曰王徽之字子猷性卓犖不羈大司馬桓溫參軍蓬首
散帶不綜府事又爲車騎桓沖騎兵問卿署何曹對曰似
是馬曹又問管幾馬曰不知由馬何知數又問馬比死多
少曰未知生焉知死甞從冲行值暴雨徽之因下馬排入
車中謂曰公豈得獨擅一車
又曰劉伶常着袒服乘車客有詣伶值其裸袒責伶伶曰
吾以天爲屋以屋爲褌諸君不當入中
又曰謝萬旣受任北征矜豪傲物常以嘯詠自高未甞撫
衆兄安深憂之自隊主將帥已下安無不慰勉謂萬曰汝
爲元帥諸將宜數接對以悅其心豈有傲誕若斯而能濟
事也萬乃召集諸將都無所說直以如意指四座云諸將
皆勁卒諸將益恨之

又曰周顗王導甚重之甞枕顗膝而指其腹曰卿此中何
所有也荅曰此中空洞無物然足容卿輩數百人導亦不
以爲忤又於導座傲然嘯詠導云卿欲希嵆阮耶顗曰何
敢近捨明公遠希嵆阮
又曰王澄爲荊州刺史澄將之鎭送者傾朝澄見樹上鵲
巢便脫衣上樹探鷇而弄之神氣蕭然傍若無人劉琨謂
澄曰卿形雖散朗而內實動俠以此處世難得其死澄默
然不荅
宋書曰張敷遷中書舍人與狄當周赳並管要務以敷同
省名家欲詣之赳曰彼若不相容便不如不往詎可輕往
耶當曰吾等並已員外郎何憂不得共坐敷先設二牀去
壁三四尺二客就席酬接甚歡旣而呼左右曰移我遠客
赳等失色而去

又曰陶潛有造之者設酒潛若先醉便語客曰我醉欲眠
卿可去
宋書曰張敷永興初遷祕書郎甞在省直中書令傳亮
聞其好學過候之敷卧不即起亮怪而去
齊書曰張欣泰領羽林監欣泰通涉雅俗交結多是名素
下直輒遊園池着鹿皮冠納衣錫杖挾素琴有以啓世祖
曰將家兒何敢作此舉止
齊書丘靈鞠好飲酒臧否人物在沈淵座見王儉詩淵曰
王令文章大進靈鞠曰何如我未進此言達儉靈鞠宋世
文名甚盛入齊頗減蓬鬢弛縱無形儀不治家業王儉謂
人曰丘公仕官不進才亦退矣
梁書曰何點雖不入城府而遨遊人世不簪不帶或駕柴
車躡草屩恣心所適致醉而歸士大夫多慕從之時人號

爲通隱
隋書曰崔儦每以讀書爲務負恃才地忽略世人大署其
户曰不讀五千卷書者無得入此室數年之間遂博覽群
言多所通涉
唐書曰鄭仁表泊之子也文章尤稱俊拔然恃才傲物人
士薄之自謂門地人物文章具美甞曰天瑞有五色雲人
瑞有鄭仁表劉鄴少時投文於泊仁表兄弟嗤鄙之咸通
末鄴爲宰相仁表竟貶死南荒
又曰崔元翰入朝爲太常博士禮部員外郎竇參輔政用
爲知制誥詔令溫雅合於典謨然性太剛褊簡傲不能取
容於時每發言論略無阿徇忤執政旨故掌誥二年而官
不遷
又曰李白甞醉令高力士脫靴由是斥去乃浪迹江湖終

日飲沉時侍御史崔宗之謫官金陵與白詩酒唱和嘗月夜乘舟自採石達金陵着白衣宮錦袍於舟中顧瞻笑傲傍若無人初賀知章見白賞之曰此天上謫仙人也

耶歈

說文曰人相笑相耶歈也

東觀漢記曰光武令王霸至市中募人將以擊王郎市人皆大笑舉手耶歈之霸慙而返

續晉陽秋曰襄陽羅友家貧嗜酒伺人祠祀往乞餘在桓溫府屢以貧乞祿溫以其誕肆許而不用同府人有得郡者溫爲坐別友亦被命至尤晚溫問之荅曰友欽道嗜味昨奉教乃守旦出門於中路遇一鬼大見耶歈曰見汝送人作郡不見人送汝作郡友始怖終慙不覺淹緩溫笑用之爲郡也

太平御覽卷第四百九十八

太平御覽卷第四百九十九

人事部一百四十

真愚　如愚　愚怯

智怯　盜竊

真愚

毛詩鴻鴈曰惟彼愚人謂我宣驕

韓詩外傳曰惟盤石千里不爲有地愚人不爲有民

論語曰上智與下愚不移

又曰柴也愚參也魯

又曰孔子謂仲由曰汝聞六言六蔽矣乎對曰未也居吾語汝好仁不好學其蔽也愚

家語曰孔子曰勇而好同必勝智而好謀必成愚者反是是以非其人告之弗聽非其地樹之弗生得其人如聚沙而雨之（言立入也）非其人如會聾而鼓之處重擅寵專事如賢愚者之情也

東觀漢記曰上破賊入漁陽諸將上尊號上不許議曹掾張祉言俗以爲燕人愚方定大事反與愚人相守非計也上大笑

漢晉陽秋曰司馬文王問劉禪曰頗思蜀不禪曰此間樂不思蜀也郤正聞之求見禪曰若王後問宜泣而後荅會王復問禪曰先人墳墓遠在隴蜀乃心西望無日不思因閉其眼王曰何以似郤正語耶禪驚視曰如尊命左右皆大笑

王隱晉書曰讖書有蝦蟇當貴惠帝在宮時出聞左右此鳴是官蝦蟇爲私乎賈胤對曰在官地中爲官蝦蟇在私地中爲私蝦蟇於是世間遂傳此語

後魏書曰宋弁弟族鴻貴爲定州北平府參軍送戍兵於荆州坐取兵絹四百疋兵欲告之乃斬兵十人又疎凢不達律令見律有梟首之罪乃生斷其手以水澆之然後斬決尋坐伏法時人哀兵之苦笑鴻貴之愚

續晉陽秋曰顧愷之夜於月下長詠自云得先賢風製謝瞻遥稱讚之愷之得此弥自力忘倦瞻將眠語搥脚人令代焉愷之不覺其異遂幾旦而後止

沈約宋書曰劉義綦封營道縣侯凢鄙無識知每爲始興王濬兄弟所戲濬常謂義綦曰陸士衡詩曰營道無烈心其何意苦阿父如此義綦曰下官初不識士衡何忽見苦

廣陵列士傳曰吴武字季濟篤學好古師事陳仲考子外性頑愚考曰父子情重不忍戮之卿爲吾教也

趙書曰石肇前石之昆弟也前石既貴肇在軍中不能自達人送詣前石前石哀之拜建威將軍以肇無才力每高選參佐輔之爲娉廣川劉典兄女肇甚懼之拜長樂太守治官每入門動稱阿劉教可尔不可尔時人以爲嗤謡

鬻子曰愚者不自謂愚而愚見於言愚者雖自謂智人皆謂之愚也

列子曰宋人有於道得人遺契者歸而藏之密數其齒告鄰人曰吾富可待矣

又曰杞國有人憂天崩地墜身無所寄廢寢與食又有憂彼所憂往曉之曰天積氣耳其人曰天果積氣日月星宿不當墜耶對曰日月星宿亦積氣中之有光耀者只使墜亦不能中傷其人曰柰地壞何對曰地積塊耳充塞四虚何憂其壞其人大喜

荀卿子曰宋之愚人得燕石於梧臺之東歸而藏之以爲

大寶周客觀之掩口而笑曰此燕石也其與瓦甓不差主人大怒曰商賈之言醫匠之口藏之愈固守之弥謹
莊子曰人有畏影惡迹而去之走者舉足愈數而迹愈多走疾而影不離自以爲尚遲疾走不休絶力而死
韓子曰燕李季好遠出其妻有士李季至士在内中妻患之乃令士裸而解髮直出門吾屬陽不見也於是士從其計疾走出門季曰是何人也家室皆曰無有季曰吾見鬼也季婦曰爲之柰何然取五牲之矢浴之季曰諾乃浴矢
又曰鄭有人身買履者先自度其足而買之及至市得履乃曰吾忘度乃歸取之頃返市罷遂不得履人曰何不試以足曰寧信度數無自信也
又曰宋人有耕者田中有株兎走抵株折頸而死因釋耕而守株爲宋國笑今欲以先王之政治當世民皆守株之

心也
呂氏春秋曰范氏之亡也百姓有得鍾者欲負之則鍾大不可負以椎毁之恐人聞而奪已也遽掩其耳惡人聞也
又曰楚人有涉江者其劒自舟中墜於水遽刻其舟曰是吾劒之所從墜處舟止從其所刻入水求之
淮南子曰楚人有東家母死其子哭而不悲西家子見之歸謂其母曰社何愛速死吾必悲哭社（淮南閒謂母爲社）
又曰故聖人同死生愚人亦同死生聖人同死生通於分理也愚人之同死生不知利害之所在也
符子曰鄭人有逃暑於孤林之下者日流影移而徙衽以從陰及至暮反席於樹下及月流影移復徙衽以從陰而患露之濡於身其陰逾去而其身逾濕是巧於用晝而拙於用夕矣不處曜而辭陰反林息露此亦愚之至也

笑林曰漢司徒崔烈辟上黨鮑堅爲掾將謁見自慮不過問先到者儀適有答曰隨典儀口唱既謁讃曰可拜堅亦曰可拜讃者曰就位堅亦曰就位因復着履上座將離席不知履所在讃者曰履着脚堅亦曰履着脚也
又曰平原陶丘氏取渤海墨台氏女女色甚美才甚令復相敬已生一男而歸母丁氏年老進見女聟女聟既歸而遣婦婦臨去請罪夫曰曩見夫人年德已衰非昔日比亦恐新婦老後必復如此是以遣實無他故
崔駰與竇憲牋曰文淺而言深者愚也在賤而望貴者惑也

如愚

論語爲政曰吾與回言終日不違如愚退而省其私亦足以發回也不愚

又公冶長曰甯武子邦有道則智邦無道則愚其智可及其愚不可及也
華陽國志曰王長文字德儁天姿聰警察孝廉不就遂陽愚嘗着絳衣帽牽猪過市中乞人與語僞不聞常騎牛周遊
說苑曰齊桓公獵逐鹿入谷中見一老公問是爲何谷對曰爲愚公之谷以臣名之臣故畜牸牛生子大賣之而買馬少年曰牛不能生馬遂持駒去家隣以臣爲愚故名愚公之谷

愚怯

釋名曰怯脅也見敵恐脅也
崔贛易林曰任將力薄鴑孱恩怯如蝟見鵲不敢拒格
韓詩外傳曰崔杼殺莊公陳不占東觀漁者聞君有難將

往死之飡則失哺上車失軾僕曰敵在數百里外今食則
失哺上車失軾雖往其有益乎陳不占曰死君義也無勇
私也遂驅車比至門聞鍾鼓之音鬬戰之聲遂駭而死君
子聞之曰陳不占可謂志士矣無勇而能行義天下鮮矣
東觀漢記曰杜篤仕郡文學掾以目疾二十餘年不窺京
師篤外高祖破羌將軍辛武賢以武略稱篤常歎曰杜氏
文明善政而篤不任爲吏辛氏秉義經武而篤又怯於事
外內五世至篤衰矣
沈約宋書曰周朗兄嶠爲吳興太守賊劭弑立隨王誕舉
義於會稽劭加嶠冠軍將軍誕檄又至嶠素恇怯迴惑不
知所從爲府司馬丘珍孫所殺
又曰劉彥節少以宗室清謹見知齊高帝輔政彥節知運
祚將遷密懷異圖及沈攸之舉兵齊高帝入屯朝堂袁粲

鎮石頭潛與彥節及諸大將黃回等謀夜會石頭詰旦乃
發彥節素怯騷擾不自安再晡後便自丹楊郡車載婦女
盡室奔石頭臨去婦蕭氏強勸令食彥節歡羹寫胷中手
振不自禁事敗被殺
趙書曰石勒屯葛陂值天雨不息勒長史刁膺勸勒降晉
勒啾然而嘯張賓勸勒還北勒欣然曰賓計是也膺宜斬
明其性怯可退爲將軍
孫卿子曰夏首之南有人曰涓蜀梁其爲人愚善畏明月
而宵行俯見其影以爲伏鬼仰見其髮以爲伏魅甬踣而
走比至其家失氣而死愼子曰有勇不以怒反與怯均也
呂氏春秋曰夫民無常怯有義則實實則勇無氣則虛虛
則怯怯勇虛實其所由甚微不可不知
淮南子曰怯者夜見立表以爲鬼見寢石以爲兕懼揜其

氣也 也揜奪
抱朴子曰拙人得工輸之斤斧不能以成雲梯怯者得馮
婦之刀戟不能以格兕虎也

智怯

韓詩外傳曰楚白公之難有杜之善者辭其母將死君其
母曰死君可乎杜之善曰聞事君者內其祿而外其身今
所養母者君之祿也請往死之比至朝三廢車中其僕曰
子懼何不返也杜之善曰懼吾私也死君公也吾聞君子
不以私害公遂往死也
家語曰或問孔子曰顏淵何人曰仁人也丘弗如也子貢
何人曰辯人也丘弗如也子路何人曰勇人也丘弗如也
客曰三子者皆賢於夫子而服役何也孔子曰丘能仁且
忍辯且訥勇且怯以三子之能易丘之道弗如也

史記曰管仲曰吾嘗三戰三走鮑叔不以我爲怯知我有
老母也
又曰淮陰屠中少年有侮韓信者曰若雖長大好帶劍中
情怯耳衆辱之曰能死刺我不能出我跨下信視之俛出
跨下匍匐一市人皆笑信怯也
尸子曰聖人畜仁而不主仁畜智而不主智畜勇而不主
勇昔齊桓公脅於魯君而獻地勾踐脅於會稽而身官之
趙襄子脅於智伯而以顏爲愧其卒桓公臣魯君勾踐滅
吳襄子以智伯爲戮此謂勇而能怯者也

盜竊

易繫辭曰慢藏誨盜冶容誨淫
又曰負且乘致寇至盜之招也
禮記月令曰季秋行冬令則國多盜賊

左傳僖中曰介之推曰竊人之財猶謂之盜況貪天之功以爲己力乎

又昭五年曰鄭子產有疾謂子太叔曰我死子必爲政唯有德者能以寬服民其次莫如猛太叔爲政不忍猛而寬鄭國多盜取人於萑蒲之澤太叔悔之曰吾早從夫子之言不及於此興徒兵以攻萑蒲之盜盡殺之盜少止

論語顏淵曰季康子患盜問於孔子孔子對曰苟子之不欲雖賞之不竊

家語曰子貢爲信陽宰將行辭於孔子孔子曰勤之慎之奉天之時無奪無伐無暴無盜子貢曰賜也少事君子豈以盜爲累哉孔子曰爾未之詳夫以賢代不賢是之謂奪以不肖代賢是之謂伐緩令急誅是之謂暴取善自與是之謂盜非竊財之謂也

史記曰秦昭王囚孟嘗君謀欲殺之孟嘗使人抵昭王幸姬求解姬曰妾願得君狐白裘此孟嘗有一狐白裘直千金天下無雙入獻昭王無他裘孟嘗患之偏問客莫能對最下坐爲狗盜者曰臣能得乃夜爲狗以入秦宮藏中取所獻狐白裘至以獻秦幸姬幸姬爲言昭王釋孟嘗君

又曰有盜高廟坐前玉環捕得文帝怒下廷尉治之張釋之案律盜宗廟服御物者奏當弃市耳

漢書曰彭越字仲昌邑人常漁鉅野澤中爲盜

又曰龔遂字少卿山陽人恭帝時渤海左郡歲飢盜賊並起二千石不能擒制上選能治者御史舉遂可用上以爲渤海太守問曰渤海發亂君欲何以息盜賊對曰海濱遐遠不沾聖化其民困於飢寒而吏不恤故使弄陛下之兵於潢池中耳今欲使臣勝之耶將安之也臣聞理亂民如理亂繩唯緩之而後可

吳志曰孫堅與父之錢塘會海賊胡王等取賈人財物岸上分之堅追斬一級

晉書曰蔡裔有勇氣嘗二盜入室裔不知拊床一呼二盜俱殞

又曰王獻之夜卧齋中而有偷入其室盜物獻之徐曰偷兒青氊我家舊物可特置之羣偷驚走

崔鴻十六國春秋後趙錄曰徐龕勇果薄行舊爲刼盜者無不歸之公行掠抄迅如風雲

北齊書曰宋世良字元友爲清河太守郡東有南曲隄成公一姓阻而居之羣盜多萃於此人爲之語曰寧使東吳會稽不歷成公曲隄世良施八條以制盜盜奔他境人又謠曰曲隄之險賊何益但有宋公自屛跡

呂氏春秋曰秦繆公乘馬車敗右服失而野人取之繆公自往求馬見野人方將食之於岐山之陽繆公笑曰食駿馬之肉不飲酒余恐其傷汝也遍飲而去處一年韓原之戰晉人已環繆公之車矣嘗食馬肉三百餘人畢力爲繆公疾鬬大尅晉軍反獲惠公以歸

莊子曰將爲胠篋探囊發匱之盜爲守備則必攝緘縢固扃鐍此世俗所謂智也巨盜至則負揭篋擔囊而趍唯恐緘縢扃鐍之不固然向所謂智者不乃爲大盜積者乎

又曰絶聖棄智大盜乃止擿玉毀珠小盜不起也

列子曰晉國苦盜有郄雍者能視盜之皃察其眉睫之間而得其情晉侯使視千里無遺一焉晉侯大喜告趙文子曰吾得一人而一國盜爲之盡矣文子曰君司察而得盜盜不盡矣且郄雍必不得其死俄群盜謀曰吾所以窮者

郗雍也遂殺之晉侯聞大駭召文子曰果如子言然取盜何方文子曰君欲無盜舉賢而任之遂取隨會爲政而君盜奔秦焉

又曰牛缺者上地之大儒之邯鄲遇盜於耦沙之中盡取其衣車牛步而去視之欣然無憂怯之色盜追而問其故曰君子不以所養害其所以養盜曰嘻賢矣往彼見趙君以我爲事必困乃相與追而殺之

又曰東方有人曰爰旌目將有所適而餓於道狐父之盜曰丘見而下壺飡以餔之爰旌目三餔而後能視曰子能何爲者也曰我狐父之人丘也爰旌目曰嘻女非盜耶胡爲而食我吾義不食子之食也兩手據地而歐之不出喀喀然而死

淮南子曰楚將子發好求伎道之士有善爲偷者往見曰

聞君求伎道之士臣楚市偷也願以伎該一卒子發見而禮之無幾何齊興師伐楚子發將師以當之兵三却於是市偷請曰臣有薄伎願君行之子發曰諾偷則夜出解齊將軍之綢帷而獻之子發使歸之明夕復往取其枕又使歸之明夕復往取其簪又使歸之於是齊師大駭將軍與軍吏謀曰今夕不去楚軍恐取吾首即還

秦子曰孔文舉爲北海相有母病差者思食新麥家無乃盜隣熟麥而進之文舉聞之特賞盜而不罪

抱朴子曰夷吾奪田不可以薄蕭何竊妻不可以廢也

郭子曰王安期爲東海太守小吏盜池中魚綱紀推之王曰與衆共之魚何足惜

皇甫士安高士傳曰孔嵩字仲山辟公府之京師道宿下亭盜共竊其馬尋問知是嵩也乃相責讓曰孔仲山善士豈宜侵盜乎於是遂以馬還之

先賢行狀曰王烈字彥考通識達道時國中有盜牛者先主得之盜曰邂逅迷惑從今已後將改過子既已赦宥幸勿使王烈知之

海內先賢傳曰姜肱字伯淮嘗與弟季江遇盜將奪其衣人問不言盜聞叩頭謝罪還肱衣肱不受

陳寔別傳曰有盜夜入其室止於梁上寔陰見之乃起呼命子孫正色訓之曰夫人不可不勉不善之人未必本惡習與性成遂至於此如梁上君子是矣盜大驚自投于地稽顙歸罪寔徐譬之曰視君狀貌不是惡人宜深克己反善當由困貧令遺絹二疋自是一縣無復盜竊

劉欣期交州記曰趙嫗者乳長數尺不嫁入山聚羣盜遂北郡常着金蹋踶戰退輒張帷幕與少男通數十侍側刺史陸胤平之

太平御覽卷第四百九十九

太平御覽卷第五百

人事部一百四十一

傭保　奴婢

傭保

史記曰荊軻死高漸離乃變名姓爲人傭保作於宋子（徐廣曰宋子縣名也今屬鉅鹿）久之作苦聞其家堂上客擊筑彷徨不能去每出言曰彼有善不善從者以告其主曰彼傭乃知音召使擊筑一座稱善

又曰欒布始與彭越爲家人時窮困賣傭於齊爲人酒保

後漢書曰公沙穆來遊太學無資粮乃變服客傭爲吴祐賃舂祐與語大驚遂共定交於杵臼之間

又曰杜根字伯堅永初元年舉孝廉爲郎中時和熹鄧后臨朝權在外戚根以帝年長宜親政事乃與同時郎上書直諫太后大怒收執根等令盛以縑囊於殿上撲殺之執法者以根知名私語行事人使不加力既而載出城外根得蘇因得逃竄爲宜城山中酒家保（保使也言爲人傭力保任而使也）積十五年酒家知其賢厚敬待之

神仙傳曰仙人李八伯者欲授唐公房仙術乃爲作傭客身作惡瘡膿潰臭惡使公房夫人舐之瘡愈乃授以丹經一卷

奴婢

說文曰奴婢皆古之罪人也

方言曰荊淮海岱雜齊之間（俗不純爲雜）罵奴曰臧罵婢曰獲齊之北鄙燕之北郊凡民男而婿婢謂之臧女而婦奴謂之獲亡奴謂之臧亡婢謂之獲皆異方罵奴婢之醜稱也

周禮天官上酒人職曰女酒三十人奚三百人（女酒女奴曉酒者古者從男女沒入縣官曰奴其少才智者以爲奚今之侍史官奴是也）

又秋官上司厲職曰其奴男子入於罪隸女子入于舂槀（鄭司農云謂坐爲盜賊而爲奴者輸於罪隸舂人槀人之官也由是觀之今之奴婢古之爲罪人也）凡有爵者與七十者與未齓者皆不爲奴（有爵謂命士以上也齓毀齒也男年八歲女七歲而毀齒）

左傳襄四年曰斐豹隸也著於丹書（隸罪隸斐豹有罪沒官爲奴丹書罪約也）

論語微子曰殷有三仁焉微子去之箕子爲之奴比干諫而死

史記曰季布者楚人也項籍使將兵數窘漢王及項羽滅季布匿濮陽周氏周氏曰漢求將軍急且至臣家能聽臣臣敢進計季布許之乃髡鉗季布賣之朱家朱家心知是季布乃買而置之因誡其子曰田事聽此奴必與同食

又曰欒布爲人所略賣爲奴於燕燕將臧荼舉以爲都尉

又曰衛青爲侯家人少時歸其父使牧羊先母之子皆畜奴之不以爲兄弟有鉗徒相青官至封侯青笑曰人奴之生得無笞罵即足矣安得封侯

又曰漢武帝時東置滄海郡人徙之費府庫並虛募民能入奴婢得以終身爲郎增秩

又曰霍光愛幸監奴馮子都常與計事

又曰薛宣奏張放驕縱奴者並乘勢爲暴至求吏妻不得殺其夫

又曰原涉遣奴至市買肉奴秉涉氣與屠爭言斫傷屠者亡是時茂陵令尹翁歸新視事知涉名豪欲以厲俗遣兩使脅守涉至日中奴不出吏欲殺涉涉肉袒自縛箭貫耳詣廷尉門謝罪

又曰張安世家僮七百人皆有手技
又曰齊俗賤奴虜而刀間獨愛貴之桀黠奴人之所患唯
刀間收取使之終得其力
又曰王鳳群弟爭爲驕侈奴僮以千數
又曰孝宣皇帝詔曰夫褒有德賞元功古今通議也大司
馬大將軍霍光宿衛忠正宣德明恩守節秉義以安宗廟
賞賜前後奴婢百七十人
又曰王丹盡得父財家累千金奴僮數百
又曰傅太后使謁者置諸官婢賤取之復取執金吾官婢
八人
東觀漢記曰彭寵奴子密等三人共謀劫寵寵時齋獨在
便坐室中晝夜卧子密等三奴縛寵著床板告外吏大王
解齋吏皆便休又用寵聲呼其妻入室見寵寵曰趍爲諸

將軍辦裝兩奴將妻入取寵物一奴守寵寵謂奴曰若小
兒我素所愛今解我縛當以女珠妻若小奴見子密聽其
語遂不得解子密收金玉衣物使寵妻縫兩縑囊夜解寵
手令作記告城門將軍云今遣子密等詣蘭卿子右所其
開出勿稽留書成即斷寵及妻頭置縑囊中西入上告
又曰劉寬嘗有客遣蒼頭市酒迂久大醉而還駡曰畜生
遣人視奴疑必自殺寬嘗朝會莊嚴已訖妻使婢奉羹翻
汙朝衣婢遽收之寬徐曰羹爛汝手
又曰司隸校尉梁松奏特進馬防兄廖廖子孫三家奴婢
千人
又曰鄧弘字叔紀奴醉擊長壽亭長亭長將詣第白之弘
即見亭長賞錢五千異日奴復與宮中衛士忿爭衛士毆
箠奴引問復賞五千

又曰朱暉爲郡督郵太守阮况當嫁女欲買暉婢不與及
况卒暉送金三斤人問其故暉曰前不與婢者恐以財貨
汙府君耳今重送者以明已心也
又曰祝良爲洛陽令常侍樊豐妻殺侍婢置井中良收其
妻殺之
又曰韓卓臘日奴竊食祭其母卓義其心即日勉之
魏志曰晉室踐祚下詔曰故司空王基著德立勳不營産
業其以官奴二人賜其家
又曰陳泰護匈奴中郎京邑貴人多寄寶貨因泰市奴婢
泰皆挂之於壁不發其封及徵爲尚書悉以還之
蜀志曰劉琰侈靡侍婢能爲聲樂又教誦靈光殿賦
又曰初孫權以妹妻先主妹才捷剛猛有諸兄風侍婢百
餘人執刀立先主每入心常懔懔

晉書曰石崇有蒼頭八百餘又崇有婢緑珠美而艶善吹
笛孫秀使人求之崇時在金谷別舘方登凉臺臨清流婦
人侍側使者以告崇盡出婢妾數十人以示之皆緼蘭麝
被羅縠曰在所擇使者曰君侯服御麗矣然本受命止索
緑珠不識孰是崇勃然曰緑珠吾所愛不可得也秀遂誅
崇
又曰郭璞愛主人婢無由而得乃取小豆三斗繞主人宅
散之主人晨起見赤衣人數千圍其家就視則滅甚惡之
請璞爲卦璞曰君家不宜畜此婢可於東南二十里賣之
慎勿爭價則此祓可除也主人從之璞陰令人賤買此婢
復爲符投井中數千赤衣人皆反縛一一自投于井主人
大悅璞携婢去
又曰祖納少孤貧自炊爨以養母平北將軍王敦聞之遺

其二婢辟爲從事中郎有戲之曰奴價倍婢納曰百里奚何必輕於五羖皮

又曰劉惔性簡貴與王羲之雅相友善郗愔有傖奴善知文章羲之愛之每稱奴于惔惔問何如方回耶羲之曰小人耳何比郗公惔曰若不如方回故常奴耳

又曰桓溫自以雄姿風氣是宣帝劉琨之儔有以比王敦者意甚不平及是征還於北方得一巧作老婢訪之乃琨妓女也一見溫便潸然而泣溫問其故荅曰公甚似劉司空溫大悅出外整理衣冠又呼婢問之婢云脣甚似恨薄眼甚似恨小鬚甚似恨赤形甚似恨短聲甚似恨雌溫於是褫冠解帶昏然而睡不怡者數日

又曰幸靈周旋江州閭謂其士人曰天地之於人物一也咸欲不失其性柰何制服人以爲奴婢乎諸君若欲享多

福以保姓命可悉免遣之

又曰干寶父先有所寵侍婢母甚妬忌及父亡母乃生推婢於墓中寶兄弟年小不審之也後十餘年母喪開墓而婢伏棺如生載還經日乃蘇言其父常取飲食與之恩情如生家中吉凶輙語之考校悉驗地中亦不覺爲惡旣而嫁又生子

又曰桓伊傳晉孝武帝召伊飲帝命伊吹笛伊即吹爲一弄乃放笛云臣於箏分乃不及笛然自足以韻合歌管請以箏歌并請一吹笛人帝善其調達乃勑御妓奏笛伊又云御府人於臣自不合臣有一奴善相便串帝弥賞其放率乃許召之奴旣吹笛伊便撫箏而歌

晉中興書曰祖約爲丞相從事中郎於府內爲婢所傷司直劉隗奏約患生婢僕身被刑傷約甚慙恥遂解職還家

齊書曰虞悰治家富殖奴婢無游手雖在南土而會稽海味無不畢致焉

又曰陸澄弟鮮揚州主簿顧測以两奴就鮮質錢鮮死子晫誣爲買券澄爲中丞測與書相往反後又牋與太守蕭緬云澄欲成子弟之非未近義方之訓此趍販所不爲況搢紳領袖儒宗勝達乎

崔鴻十六國春秋前秦録曰慕容冲進逼長安堅登城觀之歎曰此虜何從出也其強若斯大言責冲曰尒輩群奴正可牧牛羊何爲送死冲曰奴則奴矣旣猒奴苦復欲取尒見代

唐書曰哥舒翰有家奴曰左車年十五六亦有膂力翰善使槍追賊及之以槍搭其肩而喝之賊驚顧翰從而刺其喉皆剔高三丈而墮無不死者左車輙下馬斬首率以爲

常

又曰德宗初即位詔曰邕府歲貢奴婢使其離父母之鄉絕骨肉之戀非仁也罷之

又曰羅讓累遷至福建觀察使兼御史中丞甚著仁惠有以女奴遺讓者讓訪其所自曰本某寺家人兄姊九人皆爲官所鬻其留者唯老母耳讓慘然焚其丹書以歸其母

又曰李文道累遷給事中封姑臧縣男時王君廓爲幽州都督朝廷以其武將不習時事拜文道幽州長史以維持府事廓在郡屢爲非法文道數正議裁之甞又遺文道一婢文道問婢所由云本良家子爲君廓所掠文道因放遣之

管子曰齊桓公使管仲求甯戚應之曰浩浩乎管仲不能知婢子問之仲曰非婢子所知也婢子曰詩有之浩浩之

水游游之魚未有室家我將安居寗子其欲室乎仲以言
告桓公

風俗通曰南陽龐儉少失其父後居閭里鑿井得錢千餘萬行求老蒼頭使主牛馬耕種直錢二萬有賓婚大會奴在竈下竊言堂上毋我婦也婢即白其母母使驗問曰是我公也因下堂抱其頭啼泣遂爲夫婦儉及子歷二千石刺史七八人時人爲之語曰廬里龐公鑿井得銅買奴得公

又曰將作大匠陳國公孫志節有蒼頭地餘年十七情性聦惠儀狀端正工書跡志節爲户曹史令地餘歸取資用因持車馬亡去到丹陽自云姓王名斌字文高遂留爲諸曹史志節拜揚州刺史郡選曹史衣冠子弟皆出斌下乃用之斌乞屏左右叩頭涕淚曰斌即明使君地餘也斌後爲蒼梧太守

三輔决録曰平陵孟他盡以家財賂張讓監奴奴慙問所欲他曰欲得卿曹拜時賓客求見讓者車常數百乘累日不得通他後至諸奴迎拜逕將他車獨入衆謂他與讓善爭以物賂他他得以賂讓

魏武遺令吾婢皆勤苦使着銅雀臺善待之

石虎鄴中記曰石勒字世龍上黨郭季子奴也勒未生之前襄國有讖曰古在左月在右讓言退或入口襄國字也遂治襄國

新序曰昌邑王治側鑄冠十枚以冠賜之師及儒者後以冠冠奴龔遂免冠歸之曰王賜儒者冠下至臣今以餘冠冠奴是大王奴虜畜臣也

郭子曰賈公閭女悅韓壽問婢識不一婢云是其故主女內懷存想婢後往壽家說如此壽乃令婢通己意女大喜遂與通

世說曰鄭玄家奴婢皆讀書玄嘗使一婢不稱旨將撻之方自陳說玄怒使人曳著泥中須臾復一婢來問曰胡爲乎泥中荅曰薄言往訴逢彼之怒

語林曰裴秀年十八有令望毋是婢而嫡母妬猶令秀毋親役後大集客秀毋下食衆賓見並起拜之荅曰微賤豈宜如此當爲小兒故耳於是大毋乃不敢復使之

又曰石崇厠有十餘婢侍列莫不畢備又與新衣出客多羞不能如厠王敦大將軍往脫故衣着新衣意慠然群婢謂曰此客必能作賊

又曰宗岱爲青州刺史禁淫祀著無鬼論甚精莫能屈後有書生詣岱岱與談論書生乃振衣而去曰絕我輩血食

二十餘年君有青牛髯奴所以未得相困耳奴已叛牛已死今日得相制矣言絕而失明日而岱亡

搜神記曰諸葛恪已被殺其妻在室問婢曰汝何故血臭婢蹷然起躍至于棟攘臂切齒而言曰諸葛恪公乃爲孫峻所殺

又曰晉杜世緞家葬而婢誤不得出十餘年開墓而婢尚生云其始如眠有頃漸覺自謂一再宿初婢之埋年十五六及開冢更生猶十五六也嫁之有子

續搜神記曰勾章張然滯役在都有少婦遂與奴通然養一狗甚快後還奴欲謀殺然張弓拔刀當户然大喚曰烏龍狗遂咋奴頭然因取刀殺奴以婦付官

梁冀別傳曰梁冀愛監奴秦宮官至太倉令得出入妻所每見輙屏御者託以言事因通焉內外兼寵刺史二千石

皆謁拜之扶風人士孫奮居富奭從貸錢五千萬奮以三
千萬與之奭大怒乃告郡縣認奮母爲守臧婢云盜白珠
十斛紫磨金千斤以叛遂牧考奮兄弟死於獄中悉没貲
財
顧譚別傳曰譚爲太常録尚書事從交州家無私積奴婢
不滿十人
杜蘭香傳曰晉太康中蘭香降張碩爲詩贈碩云縱轡
代摩奴須臾就尹喜摩奴是香御車奴曾忤其旨是以
自御碩說如此
異録傳曰盧陵歐明商行經彭澤湖每以物投湖中爲禮
後見湖中有吏着單衣乘馬云青洪君使要明過至一府
舍吏曰青洪感君以禮必有重送者皆勿取但求如願明
從之青洪君不得已呼如願送明去如願者神婢也所願

輒得數年大富
列女傳曰周室大夫仕於周妻婬於隣人恐主父還覺之
爲毒藥使媵婢進之婢恐進之則殺主父言之則殺主母
因僵仆覆酒主父怒而笞之妻恐婢言之因他過欲殺婢
婢就杖將死而不言主父之弟聞之具以告主人殺其妻
將納婢以爲妻婢辭欲自殺主父乃厚幣嫁之
列女後傳曰會稽翟素者翟氏之女受娉未及配適遭賊
欲犯之臨以刃曰不從者今即死矣素曰我可得而殺不
可得而辱素婢名青青乞代素賊遂殺素復欲犯青青曰
向欲代素者恐彼恥獲害耳今素已死我豈有欲哉賊復
殺之
漢王褒僮約曰蜀郡王褒以事止寡婦楊惠舍有一奴名
便倩行酤酒便曰大夫買便時但要守家不約爲他家男

子酤酒也褒大怒曰寧欲賣耶奴復曰欲使便皆當上券
不上券便不能爲也褒乃爲券曰奴百役不得有二言晨
起早掃飲食洗滌居當穿臼縛帚裁盂鑿斗出入不得騎
馬載車踑坐大呶下床振頭垂鈎刈芻織履作麤黏雀張
烏結網捕魚繳鴈彈鳧登山射鹿入水捕龜後園縱魚鴈
鶩百餘驅逐鴟烏持梢牧猪種薑養羊長育豚駒糞除堂
廡飲馬食牛鼓四起坐夜半益芻舍中有客提壺行酤汲
水作餔滌杯整案奴但當飯豆飲水不得嗜酒欲飲美酒
唯得染脣口不得傾盂覆斗不得晨出夜入交關伴偶多
取蒲茅益作繩索雨墮無所爲當編蔣織植種桃李梨柿
柘桑三丈一樹八尺爲行菓類相從縱橫相當果熟收斂
不得吮嘗犬吠當起驚告隣里槍門柱户上樓擊柝持楯
曳矛還落三周勤心疾作不得遨遊奴老力索種莞織席

事訖欲休當舂一石夜半無事浣衣當白若有私錢主給
賓客奴不得有姧私事當關白奴不聽教當笞一百讀券
文訖辭窮咋索仡仡叩頭兩手自搏目淚下落鼻涕長尺
審如王大夫言不如早歸黄土陌丘蚓鑽額早知當尒爲
王大夫酤酒真不敢作惡

太平御覽卷第五百

太平御覽卷第五百一

逸民部一

敘逸民一

易曰上九不事王侯高尚其事最處事上而不累於位不事王侯高尚其事也象曰不事王侯志可則也蠱卦

又曰六五賁于丘園束帛戔戔施飾丘園盛莫大焉故賁于束帛丘園乃落賁于丘園帛乃戔戔

又曰天下有山遯君子以遠小人不惡而嚴九四好遯君子吉小人否馬融曰好遯君子吉言雖身在外乃心在王室此之謂也小人則不然身在外心必怨恚

九五嘉遯貞吉象曰嘉遯貞吉以正志也

詩曰考盤刺莊公也不能修先公之業使賢者退而窮處也考盤在澗碩人之寬獨寐寤言永矢弗諼考成盤樂也箋云有窮處成樂在此澗者

又曰白駒大夫刺宣王也刺其不能留賢也皎皎白駒食我場苗縶之維之以永今朝宣王之末不能用賢賢者乘白駒而去者乘白駒而來食我場中苗我縶之縶之也

禮曰季春之月聘名士禮賢者

又曰儒有上不臣天子下不事諸侯慎靜而尚寬強毅以與人博學以知服近文章砥礪廉隅雖分國如錙銖不臣不仕其規爲有如此者

論語曰子曰賢者避世其次避地其次避色其次避言子曰作者七人矣七人謂長沮桀溺丈人石門荷蕢儀封人楚狂接輿

又曰子路曰不仕無義長幼之節不可廢也君臣之義如之何其廢之欲潔其身而亂大倫君子之仕也行其義也道之不行已知之矣逸民伯夷叔齊虞仲夷逸朱張柳下惠少連子曰不降其志不辱其身伯夷叔齊與謂柳下惠少連降志辱身矣言中倫行中慮其斯而已矣謂虞仲夷逸隱居放言身中清廢中權我則異於是無可無不可

漢書曰薛方字子容王莽以安車迎方因使者辭謝曰堯舜在上下有巢許今明王方崇唐虞之德亦猶小臣欲使箕山之節也使者以聞莽說方言不強致也

後漢書曰或問汝南范滂曰郭林宗何如人滂曰隱不違親貞不絕俗天子不得臣諸侯不得友吾不知其他

又曰隗囂素聞杜林志節深相敬待以爲治書後因疾告去囂復欲留強起遂稱疾篤囂意雖相望且欲復容之乃出命曰杜伯山伯山林之字也天子所不能臣諸侯所不能友蓋伯夷叔齊不食周粟今且從師友之位林雖拘於囂終不屈節

又曰趙岐初名嘉年四十有重疾卧蓐七年慮奄然乃遺令勅兄子曰大丈夫遁無箕山之操仕無伊尹之勳天不我與復何言哉可立一圓石於吾墓側前刻之曰漢有逸人姓趙名嘉有志無時命也奈何

又曰樊曄字子黜有俊才好黃老不肯爲吏

又逢萌字子康北海都昌人也家貧給事縣爲亭長時尉行過亭萌候迎拜謁既而擲楯歎曰大丈夫安能爲人役哉遂去之長安學通春秋時王莽殺其子宇萌謂友人曰三綱絕矣不去禍將及人即解冠挂東都城門歸將家屬浮海客於遼東萌素明陰陽知莽將敗有頃乃首戴瓦盆哭於市曰新乎新乎因遂潛藏及光武即位乃之琅邪勞山養志修道人皆化其德北海太守素聞其高遣吏奉謁致禮萌不荅後詔書徵萌託以老耄迷路東西詔使者云朝廷所以徵我者以其有益於政尚不知方面所在安能

濟時乎即便駕歸連徵不起以壽終
又曰井丹字大春扶風郿人也少受業太學通五經善談論
故京師爲之語曰五經紛紛井大春性清高未嘗修刺侯
能致信陽侯陰就光烈皇后弟也以外戚貴盛乃詭說五
王求錢千萬約能致丹而別使人要劫之丹不得已既至
就故爲設麥飯葱菜之食丹推去之曰以君侯能供甘旨
故來相過何其薄乎更置盛饌乃食及就左右進輦丹笑
曰吾聞紂駕人車豈此耶坐中皆失色就不得已而令去
輦自是隱閉不關人事以壽終
又曰高鳳字文通南陽葉人也少爲書生家以農畝爲業
而專精誦讀晝夜不息妻常之田曝麥於庭令鳳護雞時
天暴雨而鳳持竿誦經不覺潦水流麥妻還怪問鳳方悟

之其後遂爲名儒鄉里有爭財者持其兵而鬬鳳往解之
不已乃脫巾叩頭固請曰仁義遜讓柰何弃之於是爭者
懷感投兵謝罪鳳年老執志不倦名聲著聞太守連召請
恐不得免自言本巫家不應爲吏又詐與寡嫂訟田遂不
仕
又曰臺佟字孝威魏郡鄴人也隱於武安山鑿穴爲居
採藥自建業初中州辟不就刺史行部乃使從事致謁佟
病往謝刺史曰孝威居身如是甚苦如何佟曰佟幸得保
終性命存神養和如明使君奉宣詔書夕惕庶事反不苦
耶遂去隱逸終不見
又曰韓康字伯林京兆霸陵人常採藥名山賣於長安市
口不二價三十餘年時有女子從康買藥守藥價不移女
子怒曰公是韓伯林耶乃不二價乎康歎曰我本欲避名

今女子皆知有我遂遁入霸陵山中博士公車連徵不至
桓帝乃備玄纁之禮以安車聘之使者奉詔造康不得已
乃許諾辭安車自乘柴車冒晨先使者發至亭亭長以韓
徵君當過方發人牛修道橋及見康柴車幅巾公爲田叟
也使奪其牛康即釋駕與之有頃使者至奪牛翁乃徵君
也使者欲奏殺亭長康曰此自老子與之亭長何罪康因
中道逃遁以壽終
又曰矯慎字仲彥扶風茂陵人也少好黃老隱遁山谷因
穴爲屋仰慕松喬導引之術汝南吳蒼甚重之遺書以觀
其志慎不荅年七十餘竟不肯娶後忽歸家自言死日及
期果卒
又曰馬瑶矯慎同郡人也隱於汧山以兔罝爲事所居俗
化百姓号之爲馬牧先生

又曰陳留老父不知何許人也桓帝代黨錮事起守外黃
令陳留張升去官歸鄉里道逢友人共班荊而言升曰吾
聞趙殺鳴犢仲尼臨河而返覆巢竭淵龍鳳逝而不至今
宦豎日亂陷害忠良賢人君子其去朝乎夫德之不建人
之無援將性命之不免柰何因相抱而泣老父趍而過之
植杖太息而言曰吁二丈夫何泣之悲也龍不隱鱗鳳不
藏羽網羅高懸去將安所雖泣何及乎二人欲與之語不
顧而去莫知所終
又曰龐公者南郡襄陽人也居峴山之南未嘗入城府夫
妻相敬如賓荊州劉表數延請不能屈乃就候之謂曰夫
保全一身孰若保全天下乎公笑曰鴻鵠巢於高林之上暮
而得所栖黿鼉穴於深淵之下夕而得所宿夫趍舍行止
亦人之巢穴也且各得其栖宿而已天下非所保也因釋

耕於壠上而妻子耘於前表指而問曰先生苦居畎畝而不肯官祿後代何以遺子孫乎公曰伐人皆遺之以危今獨遺之以安雖所遺不同未為無所遺也表歎息而去後携其妻子而登鹿門山因采藥不返

又曰向長字子平（高士傳向字作尚）河內朝歌人也隱居不仕性尚中和好通易老貧無資食好事者更饋焉受之取足而反其餘王莽大司空王邑辟連年乃至欲薦於莽固辭乃止遂求退讀易至於損益卦喟然歎曰吾已知富不如貧貴不如賤未知死何如生耳建武中男女嫁娶既畢勑斷家事勿相關當如我死也於是遂肆意與同好北海禽慶俱遊五嶽名山不知所在

又曰王霸字孺仲太原人少有清節及王莽篡位棄冠帯絶交宦建武中徵到尚書拜稱名不稱臣有司問其故霸

曰天子有所不臣諸侯有所不友司徒侯霸讓位於霸閻陽毀之遂止以病歸隱居守志連徵不至

又曰閔叔仲代稱節士雖周黨之潔清自以弗及也黨見其含菽飲水遺之以生蒜受而不食建武中應司徒侯霸之辟既而投劾而去復徵博士不至客居安邑老病家貧不能得肉日買猪肝一斤屠者或不肯與安邑令聞勑市吏常給焉仲叔恠而問之知乃歎曰閔叔仲豈以口腹累安邑乎遂去客沛以壽卒

又曰野王二老不知何許人也初世祖貳於更始會關中擾亂遣鄧禹西征送之於道既反因於野王獵路見二老即禽世祖問曰禽何向舉手西指言此中多虎臣每即禽虎亦即臣大王勿往也世祖曰苟有其備虎亦何患二老曰何大王之謬耶昔湯即桀於鳴條而大城於亳武王即紂於牧野而大城於郟鄏彼二王者備非不深也是以即人者人亦即之雖有其備庸可忽乎世祖悟其旨謂左右曰此隱者也將用之辭去莫知所在

又曰嚴光字子陵會稽餘姚人少有高名與世祖同遊學及世祖即位光乃變姓名隱身不見帝思其賢乃令以物色訪之齊國上言有一男子披羊裘釣澤中乃備安車玄纁聘之三反而後至車駕即幸其館至光卧所撫光腹曰咄咄子陵何不出相助為治耶光曰昔唐虞著德巢父洗耳士故有志何至相逼後引光入共偃卧光以足加帝腹上明日太史奏客星犯御座帝笑曰朕故人嚴子陵耳除諫議不屈耕富春山後名其釣處為嚴陵瀨

范曄後漢書逸民傳序曰易稱遯之時義大矣哉是以堯稱則天不屈穎陽之高武盡美矣終全孤竹之潔自茲以

降風流彌繁長往之軌未殊而感致之數匪一或隱居以求其志或迴避以全其道或靜己以鎮其躁或去危以圖其安或垢俗以動其槩或疵物以激其清然觀其甘心畎畝之中憔悴江海之上豈必親魚鳥樂林草哉亦云性所至而已

京房易飛候曰以知賢人隱視四方常有火雲五色具而不雨其下賢人隱

莊子曰古之所謂隱士者非伏其身而弗見也非閉其言而不出也非藏其智而不發也時命大謬也

又曰刻意尚行離世異俗此山谷之士誹世之人也就藪澤處閒曠釣漁閒處無為而已矣此江海之士避世之人閑暇者之所好也

皇甫士安高士傳序曰孔子稱舉逸民天下之人歸心焉

是以鴻崖先生創高於上皇之世許由善卷不降於唐虞之朝自三代秦漢逵乎魏興受命中賢之主未嘗不聘岩穴之隱追遯世之民是以易著束帛之義禮有玄纁之制詩人發白駒之歌春秋顯子臧之節故明堂月令以季春之月聘名士禮賢者然則高讓之士王政所先

太平御覽卷第五百一

逸民部二

逸民二

後漢書曰王符字節信安定臨涇人好學有志隱居著書度遼將軍皇甫規官歸安定鄉人有貨買鴈門太守者還家謁規規卧不迎既入而問卿在郡食鴈美乎有頃王符在門規素聞符名乃驚遽而起衣不及帶屣履出迎援符手而還與同坐極歡時人爲之語曰徒見二千石不如一逢掖言書生道義之爲貴也

又曰向栩字甫興河內朝歌人常讀老子狀如學道常坐竈北板床上積久板乃有膝踝足指之處時賓客就之輒伏不起時人莫能測後徵拜侍中依然正色百官憚之

又曰梁鴻字伯鸞扶風平陵人同縣孟氏有女狀肥醜甚黑力舉石臼擇對不嫁至年三十父母問其故女曰欲得賢如梁鴻者鴻聞娉之入門七日而鴻不荅妻乃跪床下請曰竊聞夫子高義簡斥數婦妾偃蹇數夫今而見擇敢不請罪鴻曰吾欲裘褐之人可以俱隱今乃衣綺縞傅粉墨豈鴻所願哉妻曰以觀夫子之志耳妾自有隱居之服乃爲椎髻布衣操作具而前鴻大喜曰此真梁鴻妻也字曰德曜孟光因共入霸陵山後至吳爲人賃舂每歸妻爲具食舉按齊眉

又曰戴良字叔鸞汝南慎陽人母卒兄伯鸞居廬啜粥非禮不行良獨食肉飲酒哀至乃哭二人俱有毀容或問良曰子之居喪禮乎對曰然禮所以制情佚也情苟不佚何禮之所論哉豈若乎食旨不甘故毀容之實若味不存故口食之可也

又曰法真字高卿扶風郿人博通內外圖典爲關西大儒弟子自遠方至者數百人性恬靜寡欲不交人間事太守見之曰欲以功曹相屈光贊本朝如何真曰以明府見待有禮故敢自同賓來若欲吏之真將在北山之北南山之南者矣太守瞿然不敢復言

又曰漢賓老父不知何許人也桓帝幸竟陵過雲夢臨沔水百姓莫不觀者老父獨耕不輟尚書郎張温異之使問曰人皆觀老父獨不觀何也父曰我野人耳不達斯語請問天下亂而立天子耶治而立天子耶立天子以父天下耶役天下以奉天子耶昔聖王宰世茅茨采椽而萬民以寧今子之君勞民自縱逸遊無忌吾爲子羞之又何忍與人觀之乎温大慙問其姓名不告而去

謝沈後漢書曰龍丘萇吳郡人篤志好學王莽篡位隱居太山以耕稼爲業公車徵不應更始時任延年十九爲郡東部尉折節下士鍾離意爲主簿自請萇爲門下祭酒延教曰龍丘先生倩過夷齊志慕原憲都尉洒埽其門猶懼辱之何召之有

又曰鄭敬字次卿汝南人閑居不修人倫都尉逼爲功曹廳事前樹時有清汁以爲甘露敬曰明府政未能致甘露此木汁耳辭病去隱處精學同郡鄧敬公爲督郵過存敬敬方釣魚於大澤因折芰爲坐以荷薦肉瓠瓢盈酒言談彌日蓬廬蓽門琴書自娛世祖公車徵不行

又曰楊后字仲桓廣漢人潛身藪澤耦耕誦經司徒楊震表薦其高操公車特徵不就益州刺史焦參行部致謁后惡其苛暴時耕於大澤即委鉏疾逝參志恚之收其妻子錄繫欲以致后遂不知后所在乃出其妻子

又曰張奉字公先弟表字公儀河内人兄弟少有高節立
精舍教授惡衣麄食大傅袁隗以女妻奉送女奢靡奴婢
百人皆被羅縠輜軿光路婦入門數年奉住精舍有如路
人其妻待奉入朝乃徑前跪曰家公年老不以妾頑陋使
侍君巾櫛自知不副雅操君如欲執梁鴻之高節妾欲懷
孟光之徽志奉無以荅妻悉徹玩飾被服奴婢着縵帛
執紡績具奉然後納之諸公連徵不就謂之張氏兩
賢
又曰符融字偉明少爲都官郎耻之委去私事少府李膺
膺常貴融融幅巾褐衣振袖清談膺捧手高聽歎息不暇
郭林宗始入京師詣融融一見與定至交海内服融高識
公府連徵不就
魏志曰張臶在甸切字子明少遊太學後遁常山并州牧高
幹辟不至表安樂令不就後遷居任縣廣平太守盧毓到
官二日綱紀白承前致版謁臶毓教曰張先生所謂上不
事天子下不友諸侯豈此版所可光飾哉但遣主簿奉書
致羊酒之禮
王隱晉書曰魏末有孫登字公和汲郡人無家屬時人於
汲郡北山上土窟中得之夏則編草爲裳冬則被髮覆面
對人無言好讀易鼓琴初宜陽山中作炭者忽見有人不語
精神不似常人帝使阮籍往視與語亦不應籍因大嘯野
人乃笑曰爾復作向聲籍又爲嘯籍將求出野人不聽而
去登岸嘯如簫韶笙簧之音聲震山谷而還問炭人曰故
是向人耳尋知求不知所止推問乆之乃知姓名孫登別傳
又又載
又曰庾袞字叔褒潁川人與弟子治藩必跪而授條麥執

穫者雖畢而多捃者袞退待閒乃方自捃不曲行旁掇跪
而把之每飢率其邑人入于山林拾橡爲郡功曹舉清白
異行皆不就值亂攜妻子入林慮民歸之葆於大頭山而
田其下有終焉之心咳發柱杖將起杖跌墜岸而死
又曰董京字威輦不知何許人太始初值魏禪晉遂被髮
佯狂常宿白社中時乞於市得殘碎繒絮結以自覆全帛
佳綿則不肯受著作孫楚就社中與語遂載與歸終不肯
坐後數年去莫知其所其寢處得一石子及詩曰未世流
奔以文代質逝將抱此玄虛歸我寂寞之室
又曰夏統字仲御會稽人常學戲舡其母疾市藥于洛陽
賈充聞而訪之問曰卿居海濱作何戲習仲御曰能戲舡
耳充因命焉仲御即登舟鼓枻爲鯆音甫䱐音浮之歌學鯆䱐
之狀俄然雲霧杳冥白魚跳入其舡充甚異之因就與語
仲御不對充整服謝之仲御引棹而去弗之見也充乃歎
曰可謂木人石心哉初仲御在鄉也人或說之使仕仲御
敎然作色謂之曰我安能隨俗低眉下意乎聞君之言不
覺寒毛競竪白汗四匝顏如渥丹心如火炙舌不住齒口
不能張兩耳閉塞雙眸俱瞑也遂竟不仕
又曰董養字仲道惠帝時遷楊后于金墉有侍婢十餘人
賈后奪之然後絕膳八日而崩仲道喟然嘆曰天人既滅
大亂將至傾危宗廟在其日矣顧謂謝鯤阮千里等曰時
既如斯難可保也不如深居岩洞耳乃自荷檐妻子推鹿
車入于蜀山莫知所止
又曰郭文字文舉河内人隱居不仕常居臨安及吳興餘
杭依山結廬臨清澗植穀種麻以供衣食常着葛巾披鹿
皮其山多虎豹文獨無藩籬格障然虎豹並不至太興中

楊州刺史王導聞其名乃自迎與相見尋而逃去莫知所在

又曰郭瑀字元瑜燉煌人也避世不仕凉州牧張天錫遣使者孟公明備禮徵瑀乃指翔鴻以示之曰此鳥也飛青雲之外翔深谷之中自東自西安可籠也遂逃入山公明乃拘其門人瑀嘆曰吾入山逃祿避罪豈謂隱其行義翻乃害平人乎乃出就徵及至姑臧值天錫毋卒括髮入弔三踊而出還入其山天錫弗能強之後莫知所在

又曰霍原字休明燕國廣陽人也少有志力叔父坐法當死原入獄訟之楚毒備加終免叔父年十八觀太學行禮因留貴遊子弟聞而重之元康末原以賢良徵累下州郡以禮遣皆不到也

又曰郭琦轄字公偉太原晉陽人也少方直有雅重博學

武帝欲以琦爲著作郎問琦族人尚書郎郭彰彰素疾琦荅去不識帝曰若如卿言即堪郎矣遂決意用之及趙王倫篡位又欲用琦琦曰我已爲武帝吏不容復爲今世吏終身勅於家

又曰魯褒字元道南陽人也好學多聞以貧素自立元康之後綱紀大壞褒傷時之貪鄙乃隱姓名而著錢神論以刺之褒不仕莫知所終

又曰任旭字次龍臨海章安人也幼孤兒童時勤於學及長立操清脩不染流俗鄉曲推而愛之永康初惠帝博求清節儁異之士太守仇馥薦旭清貞潔素學識通博詔下以禮發遣旭以朝廷多故志尚隱遁辭疾不行元帝初鎮江東聞其名辟爲祭酒並不就咸和二年卒

魏氏春秋曰阮籍少時常遊蘇門山山有隱者莫知其姓有竹實數斛臼杵而已籍從之與談太古無爲之道五帝三王之義蕭然曾不經聽乃對之長嘯其音響亮蘇門生逌尒而笑籍既降蘇門生亦嘯若鸞鳳之音焉

太平御覽卷第五百二

逸民部三

逸民三

王隱晉書曰龔壯字子偉巴西人也潔己自守與鄉人譙秀齊名父叔爲李特所害壯積年不除喪力弱不能復讎及李壽戍漢中與李期有嫌期特孫也壯欲假壽以報乃說壽曰節下若能并有西土稱藩於晉人必樂從且捨小就大以危易安莫大之策也壽然之遂率衆討期果克之壽猶襲僞號欲官之壯誓不仕賂遺一無所受壯書說壽以歸順允天心應人望永爲國藩福流子孫壽不納壯謂曰百行之本莫先忠孝既假壽殺期私仇已雪又欲使其歸朝以明臣節壽既不從壯遂稱耳聾又云手不制物終身不復至成都下帷研考經典覃思文章至李勢時卒

又曰韓績字興齊廣陵人也先避世居于吳之嘉興父建仕吳至大鴻臚績少好文學以潛退爲操布衣蔬食不交當世由是東土並宗敬焉司徒王導聞其名辟以爲掾不就咸康末會稽內史孔愉上疏薦之詔以安車束帛徵之稱老病卒于家

又曰譙秀字元彥巴西人也少而靜默不交於世知天下將亂預絕人事雖內外宗親不相見郡察孝廉州舉秀才皆不就及李雄據巴蜀慕秀名具束帛安車徵皆不應常冠皮弁弊衣躬耕山藪後避難宕渠鄉里宗族依憑之者以百數秀年出八十衆代之負檐秀曰各有老弱當先營護吾氣力猶足自堪豈以垂朽之年累諸君也年九十餘卒

又曰辛謐字叔重隴西狄道人也少有志尚博學善屬文恬靜不接交遊召拜太子舍人諸王文學累徵不起永嘉末沒于劉聰拜太中大夫固辭不受又歷石季龍之世並不應辟命雖處喪亂之中頽然高邁視榮利蔑如也及冉閔僭亂復備禮徵爲太常謚遺閑書因不食而卒

又曰索襲字偉祖燉煌人也虛靜好學不應州郡之命舉孝廉賢良方正皆以病辭遊思於陰陽之術著天文地理十餘篇多所啓發不與當世交通或獨語獨笑長歎涕泣或請問不言敦煌太守陰澹奇而造焉經日忘返而歎曰索先生碩德名儒眞可以諮大義澹欲行鄉射之禮請爲三老會病卒時年七十九

又曰楊軻天水人也少好易長而不娶學業精微養徒數百常食麄飯飲水衣短褐人不堪其憂而軻悠然自得踈賓異客音旨未嘗交也雖受業門徒非入室弟子莫得親

言欲所論授入室弟子令相與宣授劉曜僭號徵拜太常軻固辭不赴曜亦敬而不逼遂隱於隴山及曜爲石勒所擒秦人東徙軻留長安石季龍嗣位備玄纁束帛安車徵之軻以疾辭迫之乃發既見季龍不拜與語不言有司以軻倨傲請從大不敬論季龍弗從下詔任軻所尚常臥土床覆以布被倮寢其中下無茵褥潁川荀輔好奇之士也造而談經軻瞑目不荅輔發軻被露其形大笑之軻神體頽然無驚怒之狀于時咸以爲焦先之徒未有能量其深淺也後上疏陳思鄉求還季龍送以安車蒲輪自歸秦州仍教授不絕

又曰公孫鳳字子鸞上谷人也隱于昌黎之九城山冬衣單布寢土床彈琴吟咏陶然自得人咸異之莫能測也慕容暐以安車徵至鄴及見暐不言不拜衣食舉止如在九城賓客造請

鮮得與言數年病卒

又曰公孫永字子陽襄平人也少而好學恬虛隱於平郭南山不娶妻妾非所墾植不衣不食吟咏巖間忻然自得年逾九十操尚不虧與公孫鳳俱被慕容暐徵至鄴王公已下造之不與言雖經隆寒盛暑端然自若一歲餘詐狂暐送之平郭後苻堅又將備禮徵之難其年耆路遠乃遣使致問未至卒堅深悼之

又曰張忠字巨和中山人也永嘉之難隱於太山恬靜寡欲清虛服氣餐芝餌石修導養之法冬無縕袍夏則帶索端拱尸居無琴書之適不修經典勸教但以至道虛無爲宗其居依崇巖幽谷鑿地爲窟居去忠六十餘步五日一朝其教以形不以言弟子授業觀形而退立道壇于窟上每旦朝拜之食用瓦器鑿而爲谷左右居人饋之衣食一無所受年在期頤而視聽無爽苻堅遣使徵之乃至長安堅賜以衣冠辭曰年朽髮落不堪衣冠請以野服入謁從之後堅以安車送之行達華山歎曰我東岳士歿於西岳命也柰何行五十里及關而死堅謚安道先生

又曰石垣字洪孫自去北海劇人居無定處不娶妻妾不營產業食不求美衣必麤弊或有遺其衣服受而施人人有喪葬輒杖策弔之路無遠近時有寒暑必在其中或同日共時咸皆見之姚萇之亂莫知所終

又曰郭荷字承休洛陽人也六世祖整漢安順之世公府八辟公車五徵皆不就自整及荷世以經學荷明究群籍特善史書不應州郡之命張祚遣使者以束帛安車徵爲博士祭酒後上疏乞還祚以安車蒲輪送還張掖東山年八十卒謚曰玄德先生

又曰祁嘉字孔賓酒泉人也少清貧好學年二十餘夜忽窗中有聲呼曰祁孔賓隱去來脩飾人間甚苦不可諧所得未毛銖所喪如山崖旦而逃去至燉煌依學官誦書貧無衣食爲儒生都養以自給遂博通經傳精究大義而教授門生百餘人張重華徵爲儒林祭酒常謂爲先生而不名之以壽終

又曰瞿硎先生者不得姓名亦不知何許人也泰和末常居宣城郡界山中有瞿硎因以名焉大司馬桓溫常往造之既至見先生被鹿裘坐于石室神無忤色溫及僚佐數十人皆莫測之乃命伏滔爲之銘贊竟卒於山中

又曰宋纖字令文燉煌人也少有遠操沉靜不與世交隱於酒泉南山酒泉太守馬岌高尚之士也具威儀鳴鍾鼓造纖纖高樓重閣拒而不見岌歎曰名可聞而身不可見德可仰而形不可覩吾乃今而後知先生人中之龍也題詩於石壁曰丹崖百丈青壁萬尋奇木蓊鬱蔚若鄧林其人如玉維國之琛室邇人遐實勞我心纖注論語及爲詩頌數萬言年八十篤學不倦張祚後遣使者備禮徵爲太子友逼喻甚切纖喟然歎曰德非干木何敢稽停明命遂至姑臧祚遣其太子太和以執友禮造纖稱疾不見贈遺一皆不受後卒謚曰玄虛先生

又曰鄧粲長沙人也少以高絜著名與南陽劉驎之南郡劉尚公同志友善並不應州郡辟命荊州刺史桓公卑辭厚禮請粲爲別駕粲嘉其好賢乃起應召驎之尚公謂粲曰卿道學深衆所推懷忽然改節誠失所望粲答曰足下可謂有志於隱而未知隱夫隱之爲道朝亦可隱市亦可隱隱初在我不在於物公等無以難之

又曰氾騰字無忌燉煌人舉孝廉除郎中天下兵亂去官還家太守張閟造之閉門不見禮遺一無所受歎曰吾聞亂世貴而能貧乃可以免散家財五十萬以施宗族柴門灌園琴書自適刺史張軌徵之爲府司騰曰門一杜其可開乎固辭病卒

又曰王長文字德𨛦廣漢人少以才學知名放蕩不羈州郡辟爲别駕乃微服竊出舉州莫知所之後於成都市中蹲踞而坐齧胡餅食之刺史知其不出乃禮遣之於是閉門自守不交人事著通玄經四卷文言卦象可用以爲卜筮

晉中興書曰虞喜字仲寧好學博古中宗初鎮江左上疏薦喜公車徵不至司空賀循每一詣喜輙經信宿云不能測也康帝以爲散騎常侍又不起永和初將禘太廟應有

遞毀尚書郎徐禪詣喜諮焉喜所著數十萬言

又曰高陽許詢字玄度丹陽許玄字遠遊並洽高不仕詢有才藻能清言玄山居服食志求仙道遊會稽臨海山誓不歸家乃與婦書令改適後入剡深山莫知所止或以爲昇仙

又曰翟陽字長淵尋陽人耕而後食凡有饋贈一無所受庾亮薦湯以國子博士徵不起湯子莊字祖休遵湯之操雅好弋釣及長不復獵人或問莊曰同是害生之道而先生止去其一何也莊曰獵自我釣自物故先節其甚者且貪餌吞釣豈我哉時人以爲知言晚節亦不復釣端坐蓽門啜菽飲水徵辟皆不就莊子矯矯子法賜並徵不至世有隱行

又曰郭翻字長翔不交世事家于臨川唯以漁獵爲娛常以車獵道逢病人以車送之徒步而返庾亮薦公車徵不就乘小舡歸武昌庾翼躬往造之以翻船狹小欲引入大船翻曰使君不以名鄙賤而辱臨之此固野人之舟也遂不肯翼便俯屈入其船中終日而去

又曰孫略字文度吳人少佃於野人有刈其稻者略避之既而刈一擔自送與之鄉人感愧終日屢空怡然自足辟命皆不就妻虞預女也少禀伯喜風共安儉約

又曰何琦奇音字萬倫養志衡門不交人事豊約與隣鄉共之頻徵不起桓温登琦縣界山喟然歎曰此山南有人焉何某真正是也

又曰陶淡字處靜侃之孫雅好仙道年十五六便服食於山中立小草屋設小床獨坐故舊入山候者輙移渡澗莫得近本州舉秀才淡聞遂逃羅縣山中終身不返莫知所終

又曰范宣少尚隱遁博綜衆書徵辟並不應雖閑居屢空常研講爲業諷誦之聲有若齊魯

太平御覽卷第五百三

太平御覽卷第五百四

逸民部四

逸民四

晉中興書曰孟陋字少孤少而貞潔清操絶倫口不言世事時或漁弋雖家人亦不知所之太宗輔政以爲叅軍不起桓温躬往造焉或謂温宜引在府温歎曰會稽王不能屈非敢擬議也陋聞之曰億兆之人無官者十居其九豈皆高士哉我病疾不堪恭相王之命非敢爲高也

又曰劉驎之字子驥一字道民好遊于山澤志在存道常採藥至名山深入忘返見有一澗水南有二石囷一囷閉一囷開或説囷中皆仙方秘藥驎之欲更尋索終不能知桓冲請爲長史固辭居于陽岐人士往來無不投止驎之自供給人人豐足凡人致贈一無所受

覽五百四　一　張瑞

又曰龔玄之字道玄潜處陋巷未常出入公門人有致餉一無所受武陵太守孫放薦玄之詔以爲散騎常侍郡縣逼苦辭不行前後四徵一皆不降

又曰戴逵字安道少傳學能鼓琴總角時以雞子汁溲瓦屑作鄭玄碑又爲碑文文既綺藻器亦妙絶武陵王晞聞其善琴使人召之逵於使者前打破琴曰戴安道不能爲王門伶人累徵散騎常侍郡縣逼乃逃去吴國内史王珣有别館在虎丘山乃潜往珣山中謝玄王珣並表逵烈宗備禮徵不至

沈約宋書曰陶潜字淵明或云淵明字元亮曾祖侃晉大司馬潜少有高趣常著五柳先生傳以自况曰先生不知何許人不詳姓字宅邊有五柳樹因以爲號焉閑靜少言不慕榮利好讀書不求甚解性嗜酒而家貧不能恒得親舊知其如此或置酒招之造飲輙盡期在必醉常著文自娱頗示已志忘懷得失以此自終其自序如此時人謂之實録

又曰孔淳之字彦深魯郡魯人茅室蓬户庭草無徑唯牀上有數帙書元嘉初徵爲散騎常侍乃逃于上虞縣界家人莫知所之

又曰周續之字道祖鴈門廣武人也終身不娶妻布衣蔬食常以嵇康高士傳得山林之義因爲之注高祖北討世子居守迎續之館于安樂寺延入講禮月餘復還山

又曰朱百年會稽山陰人以伐樵採箬爲業每以樵箬置道頭輙爲行人所取明旦已復如此人稍怪之積久方知是朱隱士所賣須臾行者隨其所堪多少留錢取樵而去

又曰王素字休業琅邪人也少有志行乃往東陽隱居不仕屢被徵辟聲譽甚高山中有蚿虫聲清長而形醜素乃爲蚿賦以自况

覽五百四　二　張瑞

又曰戴顒字仲若譙郡銍人也父逵兄勃並隱遁有高名顒年六十遭父憂幾於毁滅因此長抱羸患又不仕復修其業父善琴書顒並傳之凡諸音律皆能揮手會稽剡縣多名山故世居剡下顒及兄教並受琴於父父没所傳之聲不忍復奏各造新弄桐廬縣又多名山兄弟復共遊之因留居止以桐廬僻遠難以養疾乃出居吴下吴下士人共爲築室乃述莊周大旨著逍遥論太祖元嘉初徵散騎常侍並不就太祖每欲見之常謂黄門侍郎張敷曰吾東巡之日當讌戴公山也以其好音長給正聲伎一部卒年六十四後景陽山成上歎曰恨不使戴顒觀

又曰宗炳字少文南陽人高祖領荊州辟爲主簿不起問

其故荅曰栖丘飲谷三十餘年豈可於王門折腰爲趍走吏乎高祖善其對妙善琴書精於言理每遊山水往輒忘歸征西長史王弘每從之遊未常不彌日也乃下入廬山就釋惠遠考尋文義兄臧爲南平太守逼與俱還乃於江陵三湖立宅閑居無事高祖召爲太尉參軍不就二兄早卒孤累甚多家貧無以相贍頗營稼穡高祖數致餼賚宋受禪徵爲太子舍人元嘉初又數徵庶子並不應衡陽王在荆州親至炳室與之歡讌命爲諮議不起好山水愛遠遊西陟荆巫南登衡岳因而結宇衡山欲懷尚平之志有疾還江陵歎曰老疾俱至名山恐難遊遍唯當澄懷觀道卧以遊理皆圖之於室謂人曰撫琴操欲令衆山皆響古有金石弄唯炳傳焉太祖遣樂師就炳受之元嘉二十年炳卒

又曰王弘之字方平琅邪臨沂人家貧而性好山水桓玄輔晉桓謙以爲衛軍參軍時殷仲文還姑孰祖送傾朝謙要弘之同行荅曰凡祖離送別必在有情下官與殷風馬不接無緣扈從謙貴其言隨兄敬弘之安成郡弘之解職同行家在會稽上虞敬弘常解貂裘與之即着以採藥性好釣上虞江有一處名三石頭弘之常垂綸於此經過者不識之或問漁師得魚賣否弘之曰亦自不得得亦不賣日夕載魚入至上虞郭經親故門各以一兩頭置門內而去始寧沈州有佳山水弘之又依巖築室謝靈運顔延之並相欽重

又曰劉凝之字志安小名長年慕老萊嚴子陵爲人推家財與弟及兄子立屋於野外非其力不食州里重其仁德禮辟並不受妻梁州刺史郭銓女也遣送豐麗凝之悉散之親族妻亦能弃榮華共安儉苦徵爲祕書郎不就荆州年飢衡陽王虔凝之餓弊餉錢十萬凝之大喜將錢至市門觀有飢色者悉分與之性好山水一旦攜妻子泛江湖隱居衡山之陽登高山絶人迹爲小屋居之採藥服食妻子皆從其志

又曰龔祈字道孟武陵漢壽人也父黎民及祈並不應徵辟祈風姿端雅容止可觀中書郎范述見而歎曰此荆楚仙人也時或賦詩不言及世事

又曰翟法賜尋陽柴桑人祖湯湯子莊莊子矯並高尚不仕逃避徵辟矯生法賜少守家業立屋於廬山頂居後便不復還家不食五穀以獸皮結草爲辟著作郎不就後家人至石室尋求因復遠徙違避徵聘遁迹幽深後卒於巖石之間

又曰沈道虔吳興武康人少仁愛好老易縣北山石下爲精廬與諸孤兄子共釜庾之資困不改節受琴於戴逵辟府九十二命皆不就太祖聞之遣使存問賜錢累世事佛推父祖舊宅爲寺至四月八日每請像請像之日輒舉家感動爲道虔年老菜食恒無經日之資而琴書爲樂孜孜不倦

又曰雷次宗字仲倫南昌人也少入廬山事沙門釋惠遠篤志好學尤明三禮毛詩隱退不交世務以散騎侍郎徵並不就元嘉十五年徵至京師開館於雞籠山聚徒教授置生百餘人車駕數幸次宗學館資給甚厚又除給事中不就還廬山公卿已下並設祖道後徵詣京邑爲築室於鍾山西巖下謂之招隱館使爲皇太子諸王講喪服經次宗不入公門乃使自華林東門入延賢堂就業後卒於鍾

山
又曰關康之字伯愉河東楊人世居京口寓居南昌少而
篤學筭妙盡其能元嘉中太祖聞康之有學義詔徵之不
赴棄人事守志閑居弟雙之病卒迎喪因得虛勞病寢頓
二十餘年時有間日輒卧論文義昇平初卒
後魏書曰馮亮字靈通南陽人博覽諸書篤好佛理世宗
嘗召以爲羽林監領中書舍人將令侍講十地諸經固辭
不拜父使衣幘入見亮求以幅巾就朝遂不就強逼還山
數年與僧徒禮誦爲業有終焉之志既雅愛山水兼有巧
思結架巖林甚得遊放之適頗以此聞世宗給其功力令
與沙門統僧暹河南尹甄琛等周視嵩山形勝之處遂造
居寺亮卒詔贈帛二百疋以供凶事遺誡兄子綜殮以衣
帢左手持板右手執孝經置屍盤石上積十餘日乃焚於

山以灰燼處起佛塔初亮以冬月亡時連驟雪窮山荒澗
鳥獸飢窘僵屍山野無所防護時有壽春道人惠需每旦
往看其屍拂去塵霰禽虫之迹交横左右而初無侵毀衣
服如本唯風吹帢落耳惠需又以大栗十枚開亮手置把
中經宿乃爲虫鳥盜食皮殼在地亦不傷肌體焚燎之日
有素霧蓊鬱迴繞其傍自地屬天彌朝不絶中山道俗營
助者百餘人莫不異焉
又曰李謐字永和趙郡人少而好學博通諸經周覽百氏
初師事小學博士孔璠數年之後璠還就謐業同門生爲
之語曰青成藍藍謝青師何常在明經謐飲酒好音律愛
樂山水高尚之情長而彌固一遇其賞悠爾忘歸乃作神
士賦
又曰睦夸一名昶趙郡高邑人年二十遭父喪鬚鬢致白

每悲哭聞者爲之流涕高尚不仕寄情丘壑少與崔浩爲
莫逆之交及浩爲司徒奏徵夸爲其中郎辭疾不赴州郡
逼遣不得已及入都與浩相見經留數日惟飲酒敘平生
不及世利浩每欲論屈之意不能發言見敬憚如此浩後
遂投詔書於夸懷夸曰桃簡卿已爲司徒何足以此勞國
士挑簡浩小名浩慮夸即還夸時乘一騾更無兼騎浩乃
以騾内之廐中與相維縶夸遂託鄉人輸租者謬爲御車
乃得出關浩知而歎恨曰睦夸獨行之士本不應以小職
辱之又使其人杖策復路吾當何辭以謝也及浩誅後夸爲之
素服受鄉人弔唁乃歎曰崔公既死誰能更容睦夸年七
十五卒及葬之日赴會者如市
續晉陽秋曰謝惠隱居會稽初月犯少微一名處士星時
戴逵名重於敷時人憂之俄而敷死故會稽士人嘲曰吳
中高士求死不得死

太平御覽卷第五百四

逸民部五

逸民五

蕭子顯齊書曰褚伯玉字元璩吳郡錢塘人也年十八父爲婚婦入前門伯玉從後門出遂往剡居瀑布山時人比之王仲都在山三十餘年隔絕人物王僧達爲吳郡苦禮致之伯玉不得巳停郡信宿才交數言而退寧朔將軍丘彌孫與僧達書曰聞褚先生出居貴館此子滅影雲棲不事王侯抗高木食有年載矣自非折節好士何以致之望其還策之日蹔紆清塵亦願助爲譬說荅曰褚先生從白雲遊舊矣此子索然唯朋松石介於孤峯絕嶺者積數十載近故要其來此冀慰日夜比談討芝桂借訪荔蘿若巳窺煙波臨滄洲矣知君欲見之當爲申譬太祖即位手詔

吳會二郡以禮迎遣又辭疾上不欲違其志勑於剡白石山立太平館居之

又曰明僧紹字承烈平原鬲人也隱長廣郡嶗山詔徵爲正員郎稱疾不就其後上與崔思祖書曰不食周粟而食周薇古猶發議在今寧得息談耶僧紹弟慶符爲青州刺史罷任僧紹隨歸住江乘攝山太祖謂慶符曰卿兄高尚其事亦堯之外臣與朕雖不相接有時通夢乃贈紹竹根如意

南史曰郭希林武昌人也曾祖翻晉世高尚不仕希林少守家業徵召一無所就卒子蒙亦隱居不仕

又曰辛普明字文達少就關康之受業至性過人居貧與兄共處一帳兄亡仍帳施靈蚊甚多通夕不得寢而終不道侵盤儒居會稽會稽士子高其行當葬兄皆送金爲贈後至者不復肯受人問其故荅曰本以兄墓不周故不逆親友之意今實巳足豈可利亡者餘贈耶

又曰杜京產字景齊吳郡錢塘人也父道鞠州從事善彈棊京產少恬靜閑意榮宦頗涉文義專修黃老會稽孔覬清剛有峻節一見而爲交郡命主簿州辟從事皆稱疾去與同郡顧懽同契始寧東山開舍受學齊建元中武陵王曄爲會稽齊高帝遣儒士劉瓛入東爲曄講瓛故往與之遊曰杜生當今之臺尚也永明十年孔珪陸澄沈約表薦京產徵爲奉朝請不至於會稽聚徒教授建武初徵員外散騎常侍郎京產曰莊生持釣豈爲白璧所迴辭疾不就

又曰孔道徽會稽山陰人守志業不仕與杜京產友善道徽父祐至行通神隱於四明山谷中有數百斛錢視之如瓦石太守王僧虔與張緒書曰孔祐敬康曾孫也行動幽

祇德標松桂引爲主簿遂不可屈此古之遺德也道徽少厲高行能世其家風隱居南山終身不窺都邑豫章王嶷爲揚州辟西曹書佐不至鄉宗慕之

又曰臧榮緒東莞莒人也少孤躬自灌園以供祭祀母喪洒掃堂宇置筵席朔望輒拜薦焉甘珍未嘗先食純好學括東西晉爲一紀錄志傳一百一十卷隱居京口教授齊高帝爲揚州刺史徵榮緒爲主簿不到建元中司徒褚彥回啓高帝稱述其美以祕閣榮緒謂人曰昔宮尚奉丹書武王致齋降位李釋教誡並有禮敬之儀因甄明至道乃著拜五經序論常以宣尼庚子日生其日陳五經拜之自號披褐先生又以飲酒亂德言常爲誡永明六年卒初榮緒與關康之俱隱在京口時號爲二隱

又曰吳苞字天蓋濮陽鄄城人也儒學善三禮及老莊宋

泰始中過江聚徒教學冠黃葛巾蔬食二十餘年與劉瓛俱於褚彥回宅講授齊隆昌元年徵爲太學博士不就始安王遥光及江祏徐孝嗣共爲立館於鍾山下教授朝士多到門焉當時稱儒者自劉瓛已後聚徒講授唯苞一人而已以壽終

又曰樓惠明字智遠立性貞固有道術居金華山舊多毒害自惠明居之無復辛螫之苦藏名匿跡人莫之知宋明帝召不至齊高帝徵又不至文惠太子在宮苦延方至仍又辭歸俄自金華輕棹西下及就路迴之豐安旬日閒俄賊起唯豐安獨全時人以爲有先覺齊武帝勑爲立館

又曰漁父者不知姓名亦不知何許人也太康孫緬爲尋陽太守落日逍遥渚際見一輕舟凌波隱顯俄而漁父至神韻蕭灑垂綸長嘯緬甚異之乃問有魚賣乎漁父笑而荅曰其釣非釣寧賣魚者耶緬益恠焉遂褰裳涉水謂曰竊觀先生有道者也終朝鼓枻良足勞止吾聞黃金白璧重利也駟馬高蓋榮勞也方今王道文明守在海外隱鱗之士靡然向風子胡不贊緝熙之美何晦其用若是也漁父曰僕山海狂人不達世務未辨貴賤無論榮貴乃歌曰竹竿籊籊河水悠悠相忘爲樂貪餌吞鉤非夷非惠聊以忘憂於是悠然鼓棹而去

又曰顧歡字景怡吳郡鹽官人也家世寒賤父祖並爲農歡獨好學年六七歲知推六甲家貧父使田中驅雀歡作黃雀賦而歸雀食稻過半父怒欲撻之見賦乃止鄉中有學舍歡貧無以受業於舍壁後倚聽無遺忘者夕則燃松節讀書或燃糠自照及長篤志不倦聞吳興東遷邵玄之傳五經文句假爲書師從之受業同郡顧凱之臨縣見而異之遣諸子與遊從豫章雷次宗諮玄儒諸義母亡水漿不入口廬于墓側遂隱不仕於剡天台山開館聚徒受業

諸生常近百人歡早孤讀詩至哀哀父母生我劬勞輒執書慟哭由是受學者廢蓼莪篇不復講焉

又曰蔡會字休明陳留人清玩不與俗人交李撝謂江斅曰古人稱安貧清白曰夷涅而不緇曰白至如蔡休明者可不謂之夷白乎

又曰徐伯珍字文楚東陽太末人也少孤貧無紙常以竹葉箭若甘蕉及地上學書山水暴出漂溺宅舍村隣皆奔走伯珍累床而坐講書不輟叔父璠之與顏延之友善還祛蒙山立精舍講授伯珍往從學積十年究尋經史遊學者多依之太守琅邪王曇生吳郡張淹並加禮辟伯珍應召便退如此者凡十二焉如釋氏老莊兼明道術歲常旱伯珍筮之如期而雨舉動有禮過曲水之下趍而避早喪妻晚不復重娶自比曾參宅南九里有山伯珎移居之階户之間木生皆連理門前梓樹一年便合抱白雀一雙栖其户牖論者以爲隱德之感也

又曰沈麟士字雲禎吳興武康人也父虔之爲樂安令麟士幼而俊敏年七歲聽叔父岳言玄賓散言無所遺失岳撫其肩曰若斯文不絕其爾乎及長博通經史有高尚之志親亡居喪盡禮服闋忌日輒涕泣彌旬居貧織簾誦書口手不息鄉里號爲織簾先生常行路隣人認其所着屐麟士曰是卿屐耶即跣而返隣人得屐送前者還之麟士笑而受之宋文帝令何尚之抄撰五經訪舉學士縣以麟士應選不得已至都尚之深相接及去尚之謂子偃曰山藪

固多奇士沈麟士黃叔度之流也攻師之麟士常苦無書因遊都下歷觀四部畢乃歎曰古人亦何人哉少時稱疾歸鄉不與人物通或勸之仕荅曰魚懸獸檻天下一契聖人玄悟所以每履吉先吾誠未能景行坐忘何能不希企日損乃作玄散賦以絕世隱居吳差山講經從學之士數百人各營屋宇依止其側時為之語曰吳差山中有賢士開門教授居成市

又曰諸葛璩字幼玟琅邪人也世居京口璩幼事徵士關康之博涉經史復師徵士臧榮緒榮緒著晉書稱璩有發擿之功方之壺壼齊建武初江祀薦璩於明帝言璩安貧守道閱禮敦詩如其簡退可揚清激濁辟為議曹從事帝許之璩辭不赴陳郡謝朓為東海太守下教揚其風槩餉穀百斛梁天監中舉秀才不就璩性勤於誨誘後出就學者日至居宅狹陋無以容之太守張友為起講舍璩處身清正妻子不見喜愠之色旦夕孜孜講誦不輟時人益以此宗之

又曰劉慧斐字宣文彭城人也少博學能屬文起家梁安成王法曹行參軍常還都途經尋陽遊於匡山過處士張孝秀相得甚歡遂有終焉之志因不仕居東林寺又於山北構園一所號曰離垢園時人因謂離垢先生遠近欽慕之簡文遺以机杖論者云自遠法師沒後將二百年始有張劉之盛矣

又曰范元琰字伯珪居父憂時童孺哀慕盡禮親黨異之及長好學博通經史兼精佛義祖母癋癱常自含吮與人言常恐傷物居家不出城市雖獨居如對賓客見者莫不改容憚之家貧唯以園蔬為業常出行見人盜其菘元琰

遽退走母問其故具以實荅問盜者為誰荅曰向所退畏其愧耻今啓其名願不泄也於是母子祕之或有涉溝盜其筍者元琰因伐木為橋以度之自是盜大慙一鄉無復草竊齊建武初為曹武平西參軍不至于時始安王遙光為揚州謂徐孝嗣曰曹武參軍豈是禮賢之職欲以西曹書佐聘之會遙光敗不果時人以為恨

梁書曰阮孝緒字士宗尉氏人父彥之誡曰宜思自勗以庇爾躬荅曰願追赤松子於滄海逐許由於穹谷耳自是屏居一室非晨昏定省未常出戶外兄王晏貴顯緒度必顛覆聞笳聲至門孝緒乃穿籬逃迸及晏誅竟獲免時中丞任昉欲往見之不肯乃歎曰其室雖邇其人何遠自是欽風者莫不斂衽望塵而息也

又曰陶弘景字通明丹陽人生十歲讀葛洪神仙傳曰仰青雲覩白日不覺為遠齊高祖作相引為侍讀永明初脫朝服掛神武門上表辭祿詔乃許之居句容曲山自號華陽隱居武帝即位有吉凶征討大事皆使咨問時人號為山中宰相預知梁祚覆沒乃製詩曰夷甫任散誕平叔坐論空豈悟昭陽殿遂作單于宮及侯景傾陷篡位果在昭陽殿皆如其言大同初卒年八十五顏色不變屋中有異香氣累日盈氳謚貞白先生有肘後方枕中術及本草也

又曰沈顗吳興人也性有至介常慕黃叔度徐孺子之為人每獨處一室罕見其面從叔教貴顯當朝每還吳賓客迎送填咽顗送迎不出域數乃歎曰吾乃今知貴不如賤

又曰何點字士哲盧江人也點雖不出入城府而遨遊于外不簪不帶駕柴車躡草屐恣心所適致醉而歸士大夫

多慕從之時人謂之通隱

後周書曰韋夐字敬遠孝寬之兄也志尚夷簡淡於榮利太祖經略王業仄席求賢備禮辟之終不能起彌加敬重世宗即位禮遇逾厚勅有司日給河東酒一㪷号曰逍遙公年七十而卒

陳書曰馬樞字要理扶風人初爲梁邵陵王綸學士綸舉兵援臺城留書二萬卷寄樞肆意尋覽將遍乃喟然歎曰吾常聞貴爵位者以巢由爲桎梏愛山林者以伊呂爲管庫今乃稽諸史典篤論其義亦各從其所好乃隱於茅山曰精洞

太平御覽卷第五百五

逸民部六

逸民六

隋書隱逸傳曰李士謙字子約趙郡平棘人也髫齓喪父事母以孝聞母曾嘔吐疑爲中毒因跪而嘗之伯父瑒深所嗟尚每稱曰此兒吾家之顏子也後丁母憂居喪骨立服闋舍宅爲伽藍脫身而出詣學請業研精不倦遂博覽群籍兼善天文術數隋有天下畢志不仕自以少孤未嘗飲酒食肉口無殺害之言至於親賓來萃輒陳樽俎對之危坐終日不倦李氏宗黨豪盛每至春秋二社必高會極歡無不沉醉諠亂嘗集士謙所盛饌盈前而先爲設黍謂群從曰孔子稱黍爲五穀之長荀卿亦云食先黍稷古人所尚容可違乎少長肅然不敢弛惰退而相謂曰既見君子方覺吾徒之不德也士謙聞而自責曰何乃爲人所疎頓至於此家富於財躬處節儉每以賑施爲務開皇八年終於家

又曰崔廓字士玄博陵安平人也少孤貧而母賤由是不爲邦族所齒初爲里佐屢逢屈辱於是感激逃入山中遂博覽書籍多所通涉山東學者皆宗之既還鄉里不應辟命與趙郡李士謙爲忘言之友每相往來時稱李崔及士謙死廓哭之慟爲之作傳輸之祕書府士謙妻盧氏寡居每有家事輒令人諮廓取定廓嘗著論言刑名之理其義甚精大業中終于家時年八十

又曰徐則東海郯人也幼沉靜寡嗜欲受業於周弘正善三玄精論議懷栖隱之操杖策入縉雲山後學數百人苦請教授則謝而遣之不娶妻常服巾褐陳太建時應召來憩

於至真觀朞月又辭入天台山因絶粒養性所資唯松水而已雖隆冬沍寒不服綿絮初入縉雲山太極真人徐君降之曰汝年出十八當爲王者師然後得道也晉王諱鎮知其名手書召之遂詣揚州其後夕中命侍者取香火如平常朝禮之儀至五更而卒支體柔弱如生

又曰張文詡河東人也父琚開皇中爲洹水令以清正聞有書千卷教訓子姪皆以明經自達文詡博覽文史特精三禮高祖引致天下名儒碩學之士文詡時遊於太學學内翕然咸共宗仰其門生多詣文詡請質疑滯文詡輒博引證據辨說無窮唯其所擇右僕射蘇威聞其名而召之與語大悅勸令從官文詡意不在仕固辭仁壽末學廢文詡策杖而歸灌園爲州郡頻舉皆不應命事母以孝聞每以德化鄉黨頗移風俗嘗有人夜中竊刈其麥者見而避之盜因感悟棄麥而謝文詡慰諭之自誓不言固令持去經數年盜者向鄉人論之始爲遠近所悉州縣以其貧素將加賑恤輒辭不受每閑居之際從容長歎曰老冉冉而將至恐修名之事不立以如意擊几皆有處所時人方之閔子騫原憲終於家時年四十鄉人爲立碑頌號曰張先生

唐書隱逸傳曰王績字無功絳州龍門人也少學李播呂才爲莫逆之交隋大業中應孝悌廉潔舉揚州六合縣丞非其所好弃官還鄉里績河渚中先有田十數頃隣渚有隱士仲長子先服食養性績重其真素頗與相近乃結廬河渚以琴酒自樂嘗遊北山因爲北山賦以見志績又嘗躬耕於東皋故時人號東皋子或經過酒肆動經數日往往題壁作詩多爲好事者詠諷貞觀十八年卒臨終自剋

死曰遺命薄葬妻預自爲墓誌

又曰田遊岩京兆三原人也初補太學生後罷歸遊於太白山每遇林泉會意輙留連不能去其母及妻子並有方外之志與遊岩同遊山水二十餘年後入箕山就許由廟東築室而居自稱許由東隣調露中高宗幸嵩山遣中書侍郎薛元超就問其母遊岩山衣田冠出拜帝令左右扶止之謂曰先生養道山中比得佳否遊岩曰臣泉石膏肓煙霞痼疾既逢聖代幸得逍遙帝曰朕今得卿何異漢獲四浩乎因將遊岩就行宮授崇文學士令與太子少傅劉仁軌談論帝後將營奉天宮于嵩山遊岩舊宅先在宮側特令不毀仍親書題額懸其門曰隱士田遊岩宅

又曰史德義蘇州崑山人也咸亨初隱居武丘山以琴書自適或騎牛帶瓢出入郊郭東市號爲逸人高宗聞其名徵赴洛陽尋稱疾東歸公卿已下皆赴詩餞別德義亦以詩留贈其文甚美天授初江南道宣勞使周興表薦則天徵赴都詔曰蘇州隱士史德義志尚虛玄素履貞確謙冲彰於里閈孝友表於閨庭固辭徵辟長往嚴陵之瀨多謝磐裾高蹈愚公之谷朕承天革命建極開階寤寐星雲物色林壑順禎期而捐薜帶應休運以解荷裳粤自海隅來遊魏闕行藏之理所得去就之節無違風操可知啓沃攸佇特宜優奬委以諫曹授諫議大夫後放歸丘壑

又曰王友貞懷州河內人也弱冠時毋疾篤醫言惟啖人肉乃差友貞獨念無可求理乃割股肉以飴親毋疾尋差則天聞之令就其家驗問特加旌表友貞素好學讀九經皆百遍訓誨子弟如嚴君焉口不言人過尤好釋典屏絕羶味出言未曾負諾時論以爲眞君子中宗在春宮召爲

司議郎不就神龍初又拜太子中舍人仍令所司以禮徵赴及至固以疾辭玄宗在東宮又表請禮徵之以年老竟辭疾不赴年九十餘開元四年卒特下制贈銀青光祿大夫

又曰盧鴻一字浩然本范陽人也徙家洛陽少有學業頗善籀篆楷隸隱於山開元初遣備禮再徵不至五年下詔徵之至東都謁見不拜宰相問其故奏言臣聞老君言禮者忠信之薄不足可依山臣鴻一敢以忠信奉見上別召昇內殿賜之酒食詔曰盧鴻一應辟而至訪之政道有會淳風爰舉逸人用勸天下特宜授諫議大夫放之還山

又曰王希夷徐州滕人也孤貧好道父母終爲人牧羊取傭以供葬葬畢隱於嵩山師道士黄頤向四十年盡能傳其閉氣道養之術頤卒更居兖州徂徠山中與道士劉玄博爲棲遁之友好易及老子嘗餌松栢葉及雜花散景龍中年七十餘氣益壯刺史盧齊卿就謁致禮因訪以字人之術希夷曰孔子稱己所不欲勿施於人可以終身行之矣及玄宗東巡勑州縣以禮徵召至駕前年已九十六上令中書令說訪以道義宦官扶入宮中與說甚悅詔授朝散大夫守國子博士聽致仕還山

又曰衛大經者篤學善易口無二言則天降詔徵之辭疾不赴與魏州人夏侯乾童有舊聞乾童毋卒徒步往弔之鄉人止之曰當夏溽暑豈可涉千里致書可也大經曰尺書安能盡意遂行至魏州會乾童出行大經造門設席行弔禮不訃其家人而還開元初畢勾爲刺史謂解令孔慎言曰衛生德厚宜有旌異古人式千木之閭禮賢故也愼言造門就謁時大經已年老辭疾不見嘗預筮死日先鑿

墓自爲誌文如筮而終

又曰李元凱者博學善天文律曆然性恭慎口未嘗言之鄉人宋璟年少時師事之及作相使人遺元凱束帛將薦舉之皆拒而不荅景龍中元行冲爲洺州刺史邀元凱至州問以經義因遺之衣服元凱辭曰微軀不宜服新麗但恐不能勝其義以速咎也行冲乃以涅塗汙而與之不獲已而受乃還乃以已之所蚕素絲五兩以酬行冲曰義不受無妄之財年八十餘終

又曰徐仁紀者聖曆中徵拜左拾遺三上書論得失不納謂人曰三諫不聽可去矣遂移病歸鄉里神龍初宣慰使舉仁紀之行可以激俗又徵拜左補闕三上書又不省乃詣執政求出授靈昌令妻子不之官廨舍唯衣履及書疏而已餘無所蓄

又曰孫處玄者長安中徵爲左拾遺頗善屬文常恨天下無書以廣所聞神龍初桓彥範等用事處玄遺彥範書論時事得失彥範竟不用其言乃去官還鄉里以病卒

又曰白履忠陳留浚儀人也博涉文史嘗隱居于古大梁城時號爲梁丘子景雲中徵拜校書郎尋棄官而歸開元十年刑部尚書王志愔表薦履忠隱居讀書身苦守操有古人之風堪代褚無量馬懷素入閤侍讀乃徵赴京師及至辭以老病不任職事詔授朝散大夫停留數月而歸履忠鄉人左庶子吳兢謂履忠曰吾子家室屢空竟不霑斗米疋帛雖得五品何益於實也履忠欣然尋以壽終

又曰崔覲梁州城固人也爲儒不樂仕進以耕稼爲業老而無子乃以田宅家財分給奴婢令各爲生業覲夫妻遂隱於城固南山家事一不問約奴婢遞過其舍至則供給酒食而已夫婦林泉相對以嘯詠自娛山南節度使鄭餘慶高其行辟爲節度參謀累邀方至府第爲吏無方略苦不達人事餘慶以長者優容之太和八年左補闕王直方薦覲有高行詔以起居郎徵之覲辝疾不起卒於山

皇甫士安高士傳曰王倪者堯時賢人也師被衣齧缺又學於王倪問道焉齧缺曰子不知利害則至人固不知利乎倪曰至人神矣大澤焚而不能熱河漢沍而不能寒疾雷破山暴風振海而不能驚若然者乘雲雨騎日月而遊天地之外死生無變於已而況利害之閒乎

又曰善卷者古之賢人也堯聞其得道之士乃北面師之而問道焉及舜受終之後又以天下讓卷卷曰昔唐氏之有天下不教而民從之不賞而民勸之天下均平百姓安靜民不知怨不知喜今子盛爲衣裳之服以觀民目調五音之聲以亂民耳作皇韶之樂以愚民心耳目益榮天下之亂從此始矣吾雖爲之其何益乎予立宇宙之中冬衣皮毛夏衣絺葛春耕種形足以勞秋收斂身足以休日出而作日入而息逍遙於天地之閒而心意自得何以天下爲哉遂不受去入深山莫知所終矣

又曰齧缺堯時人許由師事齧缺堯又師由問曰齧缺可以配天乎旣而齧缺遇由由曰子將何之曰將逃堯曰何謂也曰夫堯知賢人之利天下而不知其賊天下遂逃不見

又曰巢父堯時隱人年老以樹爲巢而寢其上故時人號曰巢父堯之讓許由也由以告巢父巢父曰汝何不隱汝形藏汝光若非吾友也擊其膺而下之由悵然不自得乃過清泠之水洗其耳拭其目曰向者聞言負吾友矣遂去終

身不相見
又曰許由字武仲隱乎沛澤之中堯聞乃致天下而讓焉由乃退而耕於中嶽潁水之陽箕山之下（史記又載）
又曰壤父者堯時人年五十而擊壤於道中觀者曰大哉帝之德也壤父曰吾日出而作日入而息鑿井而飲耕田而食帝何德於我哉
又曰蒲衣者舜時賢人也年八歲而舜師之遂讓以天下蒲衣不受而去莫知所終
又曰老萊子者楚公室亂逃世耕於蒙山之陽蓬蒿為室枝杖於牀飲水食菽墾山播種人或言於楚王王於是駕至萊子之門萊子方織畚王曰守國之政孤願煩先生老萊子曰諾王去其妻樵還曰子許之乎老萊子曰然妻曰妾聞之可食以酒肉者可隨而鞭棰夫可擬以官祿者可隨而鈇鉞妾不能為人所制者妻投其畚而去老萊子亦隨其妻至於河南以萊子為老子人莫知其所終也
又曰顏回字子淵貧而樂道退居陋巷曲肱而寢孔子曰尒家貧居卑何不仕回曰回有郭外田六十畝足以供饘粥有郭內圃六十畝足以供絲麻鼓宮商之音足以自樂習所聞於夫子足以自娛回何仕焉
又曰弦高者鄭人也鄭穆公時高見鄭為秦晉所逼乃隱不仕為商人及晉文公之返國也與秦穆公伐鄭圍其都鄭人私與秦盟而晉師退秦又使大夫杞子等三人戍鄭居三年晉文公卒襄公初立秦穆公方強使百里西乞白乙率師襲鄭過周及滑鄭人不知時高將市於周遇之謂其友蹇他曰師行數千里又數經諸侯之地其勢必襲鄭凡襲國者以無備也示以知其情必不敢進矣於是乃矯鄭

伯之命以十二牛犒秦師且使人告鄭為備杞子三人奔齊孟明等返至殽晉人要擊大破秦師鄭於是賴高而存鄭穆公以存國之賞賞高而高辭曰詐而得賞則鄭國之信廢矣為國而無信是敗俗也賞一人而敗國俗智者不為也遂以其屬徙東夷終身不返

太平御覽卷第五百六

逸民部七

逸民七

皇甫士安高士傳曰荷蕢者衞人也避亂不仕自匿姓名孔子擊磬於衞乃荷蕢而過孔氏之門曰有心哉擊磬乎旣而曰硜硜乎莫巳知斯巳而巳矣深則厲淺則揭孔子子聞之曰果哉蔑之難矣

姓曰石門守者魯人也亦避世不仕自隱又名爲魯守石門主晨夜開閉之子路從孔子入石門而宿問子路曰奚自子路曰自孔氏遂譏孔子曰是知其不可而爲之者與時人賢焉

又曰東郭順子者魏人也脩道守眞田子方師事之而爲魏文侯師友侍坐於文侯數稱谿工文侯曰谿工子師耶

子方曰非也無擇之里人也稱道數當無擇稱之文侯曰然則子無師耶子方曰有文侯曰子師誰子方曰東郭順子也文侯曰然則夫子何故未嘗稱之子方曰其爲人也直情而容物物無道則正容以悟之使人意也消無擇何也以稱之子方出文侯曰遠哉全德之君子始吾以聖智之言仁義之行爲至矣吾聞子方之師形解而不敢動口鉗而不知言語所學眞土梗耳夫魏眞爲居累矣

又曰壺丘子林者鄭人也道德甚優列禦寇師事之

又曰列禦寇者鄭人也隱居不仕鄭穆公時子陽爲相專任刑列禦寇乃絶迹窮巷面有飢色或告子陽曰列禦寇盖有道之士也居君之國而窮君無乃不好士乎子陽聞而悟使官載粟數十乘以與之禦寇出見使再拜而辭之入見其妻妻撫心而怒曰聞爲有道之妻子皆得樂今子之妻子有飢色君遺先生食先生不受豈非命也哉禦寇笑曰君非自知而遺我也以人之言而遺我至於其罪我也又必且以人之言此吾所以不受也居一年鄭人殺子陽其黨皆死禦寇安然獨全終身不仕著書八篇言道家之意号曰列子

又曰段干木者晉人也少貧且賤心志不遂乃治清節遊西河師事卜子夏與田子方李克翟璜吳起等居於魏皆爲將唯干木守道不仕魏文侯就造其門段干木踰墻而避之文侯尊以容禮出過其廬而軾其僕問曰干木布衣也君軾其廬不以甚乎文侯曰段干木不趨勢利隱處乎窮巷聲馳千里敢不軾乎文侯以名過齊桓公者盖能尊段干木敬卜子夏友田子方故也

又曰公儀潛魯人與子思爲友穆公因子思而致命欲以

爲相子思曰公儀子適所以不至也君若飢渴待賢納用其謀雖蔬食飲水伋亦願在下風如以高官厚祿爲釣餌而無信用之心公儀子智若魚者可也不尔則不踰君之庭且臣不佞又不能爲君操竿下釣以傷守節之士潛竟終身不屈

又曰王斗齊人也修道不仕與顏歜並時曾造齊宣王門欲見宣王宣王使謁者延斗入斗曰趍見王爲好勢趍見斗爲好士於王何如謁者還報王曰先生徐之寡人請從王趍而迎之於門曰寡人奉先君之宗廟守社稷願聞先生直言正諫斗曰王之憂國愛民不若王之愛尺之縠王曰何謂斗曰王使爲冠不使左右便辟而使工者何也爲能之也今王治齊國非左右便辟則無使也臣故曰不如愛尺之縠也王乃謝曰寡人有罪於國家矣於是舉士五

人任之以官齊國大治王斗之力也
又曰黔婁先生者齊人也修身清節不求進諸侯魯恭公聞其賢遣使致禮賜粟三十鍾欲以為相辭不受齊王又禮之以黃金百斤聘以為卿又不就著書四篇言道家之務號曰黔婁子終身不屈以壽終
又曰原憲居環堵之室蓬牖桑樞上漏下濕緼衣無表手足胼胝三日不舉火十年不製衣坐而彈琴子貢相衛結駟連騎排藜藿入窮閭巷不容軒來見憲憲韋冠杖藜而出應門正冠則纓絕斂衽則肘見納履則踵決子貢曰嘻先生何病也憲笑曰憲聞之無財謂之貧學道而不能行者謂之病若憲貧也非病也若夫仁義之慝車馬之飾憲不忍為子貢逡巡面有慙色終身恥其言之過也
又曰曾參字子羽魯哀公致邑焉參辭不受曰吾聞受人

者常畏人與人者常驕人縱君不我驕我豈無畏乎
又曰陳仲子齊人其兄載為齊卿食祿萬鍾仲子以為不義將妻子適楚居于於陵自謂於陵子仲窮不苟求不義之食遭歲飢乏糧三日乃匍匐而食井上李實之蟲者三咽而食視身自織屨妻擘纑以易衣食楚王聞其賢欲以為相遣持金百鎰至於陵聘仲子仲子入謂妻曰楚王欲以我為相今日為相明日結駟連騎食方丈於前意可乎妻曰夫子左琴右書樂在其中矣結駟連騎所安不過一肉而懷楚國之憂竟可乎於是謝使者遂相與逃而為人灌園
又曰披裘公者吳人延陵季子出遊見道中有遺金顧而覩公曰取彼金公投鎌瞋目拂手而言曰何子處之高而視之卑五月披裘而負薪豈取金者哉季子大驚既謝而問姓名公曰子皮相之士何足語姓名哉
又曰江上丈人者楚人也楚平王以費無忌之讒殺伍奢奢子員亡將奔吳至江上欲渡無舟而楚人購員甚急自恐不脫見丈人得渡因解所佩劍以與丈人曰此千金之劍也願獻之丈人不受曰楚國之法得伍胥者爵執珪金千鎰吾尚不取何用劍為不受而別莫知其誰員至吳為相求丈人不能得每食輒祭之曰名可得聞而不可得見其唯江上丈人乎
又曰漁父者楚人也見楚亂乃匿名隱釣於江濱楚頃襄王時屈原為三閭大夫名顯於諸侯為上官靳尚所譖王怒遷之江濱被髮行吟於澤畔漁父見而問之曰子非三閭大夫歟何故至斯原曰舉世混濁而我獨清眾人皆醉而我獨醒是以見放漁父曰夫聖人不疑滯於萬物故能與世推移舉世混濁何不隨其流揚其波汩其泥眾人皆

醉何不餔其糟歠其醨何故懷瑾握瑜自令放焉乃歌曰滄浪之水清可以濯吾纓滄浪之水濁可以濯吾足遂去深自閉匿人莫知焉
又曰河上丈人者不知何國人也明老子之術自匿姓名居河之湄著老子章句故世號曰河上丈人當戰國之末諸侯交爭馳說之士咸以權勢相傾唯丈人隱身修道老而不虧專業於安期先生為道家之宗焉
又曰樂臣公者宋人也其先宋公族其後別從趙其族樂毅顯名於諸侯而臣公獨好黃老恬靜不仕及趙為秦昭王滅臣公東之齊以老子顯名齊人尊之號稱賢師趙人田叔等皆師事之
又曰蓋公者齊之膠西人也明老子師事樂臣公楚漢之

起齊人爭往于世主唯蓋公獨遁居不仕及漢定天下曹參爲齊相延問諸儒數百人何以治齊人人各殊參不知所從蓋公善黄老乃使人厚幣聘之公爲言治道貴清淨則民定遂推此爲類爲參言之參悅乃避正堂舍之師事焉齊果大治及參入相漢導蓋公之道故天下歌之蓋公雖爲參師然未嘗仕以終壽

又曰四皓者皆河内軹人也或在汲一曰東園公二曰角里先生三曰綺里季四曰夏黄公皆修道潔己非義不動秦始皇時見秦政虐乃退入藍田山而作歌曰莫莫高山深谷逶迤曄曄紫芝可以療飢唐虞世遠吾將何歸駟馬高蓋其憂甚大富貴之畏人不如貧賤之肆志乃共入商洛隱地肺山以待天下定及秦敗漢高聞之徵之不至深自匿終南山不能屈也

又曰黄石公者下邳人也遭秦亂自隱姓名時人莫能知者初張良易姓爲張自匿下邳步游沂水圯上與黄石公相遇衣褐衣而老墜履圯下顧謂良曰孺子取履良素不知愕然欲毆之爲其老也強忍下取履因跪進焉公笑以足受而去良殊驚公行里許還謂良曰孺子可教也後五日平明與我期此良愈怪之復跪曰諾五日平旦良往公怒曰與老人期何後也後五日早會良雞鳴往公又先在怒曰何後復五日早會良夜半往有頃公亦至喜曰當如是乃出一篇書與良曰讀是則爲王者師後十二年孺子見濟北穀城山下黄石即我遂去不見良旦視其書乃是太公兵法良異之因講習以說他人莫能用後與沛公遇於陳留沛公用其言輒有功後十三年從高祖過濟北穀城山下得黄石公良乃寶祠之及良死與石并葬焉

又曰魯二徵士者皆魯人也高祖定天下即皇帝位博士叔孫通白徵魯諸儒三十餘人欲定漢儀禮二士獨不肯罵通曰天下初定死傷者未起而欲起禮樂禮樂所由起百年之德而後可舉吾不忍爲公所爲也公所爲不合古吾不行也公往矣無汙我通不敢致而去

又曰安期先生者琅琊人受學河上丈人賣藥海邊老而不仕時人謂之千歲公秦始皇東遊請與語三夜賜金璧直數千萬出置阜鄉亭而去赤玉舄爲報留書與始皇曰後數十年求我於蓬萊山下及秦敗安期先生與其友蒯通同往見項羽羽欲封之卒不肯受見列仙傳

又曰東郭先生者與其友梁右君俱修道隱居不仕曹參爲齊相尊禮士范陽人蒯通爲參客入見參曰婦人有夫死三日嫁者有幽居守寡不出門者足下即欲求婦何取

參曰取不嫁者通曰然則求臣亦由是也彼東郭先生梁石君齊之儁士也今隱未嘗卑節下意以求仕願足下禮之參遂致禮聘二人亦終不仕齊人美焉

又曰田何字子子齊人也自孔子受易世傳至何及秦焚學以易爲卜筮之書獨不焚故何傳之不絕漢興何以齊諸田徙杜故号曰杜田生以易受弟子東武王仲洛陽周王孫丁寬齊服生梁項生等皆顯當世惠帝時何年老家貧守道不仕帝親幸其廬以受業終爲易者宗

又曰王生者漢文景時人也善爲黄老退居不仕與南陽張釋之交當時釋之爲公車令太子與梁王共入朝不下司馬門釋之劾奏太子不敬文帝善之遷至庭尉及文帝崩太子代立爲帝是謂景帝釋之懼稱病欲去用王生計乃見上謝之景帝不過也王生平常與釋之及公卿會庭

中立王𧬪解顧謂釋之前跪而繫之旣退或讓生曰獨柰何辱張廷尉使跪繫𧬪乎生曰吾年老老且賤矣自度終無益張廷尉廷尉方爲天下名臣吾豈敢耻廷尉使繫𧬪乎欲重之諸公聞之皆賢王生而重張廷尉

太平御覽卷第五百七

太平御覽卷第五百八

逸民部八

逸民八

皇甫士安高士傳曰摯峻字伯陵京兆長安人少治清節與太史令司馬遷交好峻獨退身修德隱於岍山遷既親貴乃以書勸峻進曰遷聞君子所貴乎道者三太上立德其次立言其次立功伏惟伯陵材能絕人高尚其志以善厥身氷清玉潔不以細行累其名固已貴矣然未盡太上之所由也願先生少致意焉峻報書曰峻聞古之君子料能而行度德而處故悔恡去於身利不可以虛受名不可以苟得漢興已來帝王之道於斯始顯能者見利不肖者自屏亦其時也周易大君有命小人勿用徒欲偃仰從容以送餘齒耳峻之守節不移如此遷居太史官爲李陵游說下腐刑果以悔恡被辱峻遂高尚不仕卒於岍岍人立祠号曰岍君

又曰韓福者涿人也以行義脩絜著名昭帝時將軍霍光秉政表顯義士郡國條奏行狀天子得福等五人行義寂高以德行徵至京兆病不得進元鳳元年詔策曰朕愍勞福以官職之事賜帛五十疋遣歸其務修孝悌以教鄉里福歸終身不仕卒于家

又曰安丘望之京兆長陵人也少治老子經恬靜不求進官號曰安丘丈人成帝聞欲見之望之辭不肯見上以其道德深重常宗師焉望之不以見敬爲高愈自損退爲巫醫於民間著老子章句故老氏有安丘之學扶風耿況王伋等皆師事之從受老子終身不仕道家宗焉

又曰丘訢字季春扶風人也少有大材傲世不能與俗人爲

群郡召始見曰明府欲臣訢耶友訢耶師訢耶明府所以尊寵人者極於功曹所以榮禄人者已於孝廉一極一已皆訢所不用也府君異之遂不敢屈（三輔決錄曰丘訢傲俗自謂無伍）

又曰荀靖字叔慈父淑有名績靖兄弟八人号曰八龍靖至孝闔門悌睦隱身脩道弟爽字慈明亦有材學汝南許章稱二人皆玉也慈明外朗叔慈內潤太尉辟不就及終潁陽令丘禎号靖曰玄行先生潁川太守王懷亦謚曰昭定先生

又曰任棠字季卿以春秋教授隱身不仕龐參爲漢陽太守就家候棠以薤一本水一盆置戶屏前自抱孫兒伏戶下衆曰棠是欲諭太守也水欲太守清也拔一本薤欲太守擊強宗也抱孫兒當戶者欲太守開門恤孤也終參去不言詔徵不至及卒鄉人圖畫其形至今稱任徵君也

又曰張仲蔚平陵人與同郡魏景卿俱修道德隱身不仕明天官博物善屬詩賦所處蓬蒿沒人閉門養性不治榮名時人莫識唯劉龔知之

又曰高恢字伯遠少治老子經恬虛不營世務與梁鴻善隱於華陰山

又曰姜肱字伯淮彭城廣戚人也家世名族肱兄弟三人皆孝行著肱年最長與二弟仲海季江同被而卧甚相親友及長各娶兄弟相愛不能相離習學五經兼明星緯弟子自遠方至者三千餘人聲重於時凡一舉孝廉十辟公府九舉有道至孝賢良公車三徵皆不就仲季亦不應徵辟建寧三年靈帝詔徵爲犍爲太守肱得詔乃告其友曰吾以爲虛獲實遂藉聲價盛明之世尚不委質況今政在私門哉乃隱遯命乘舡浮海使者追之不及再以玄纁聘不就

即拜太中大夫又逃不受詔名振天下年七十卒于家

又曰徐稚字孺子豫章南昌人也少以經行高於南州桓帝時汝南陳蕃爲豫章太守因惟薦稚於朝廷由是三舉孝廉賢良皆不就連辟公府不詣未嘗荅命公薨輒身自赴弔太守黄瓊亦嘗辟稚至瓊薨歸葬江夏稚既聞即負笈徒步豫章三十餘里夏瓊墓前致酹而哭之後公車三徵不就以壽終

又曰夏馥字子治陳留圉人也少爲諸生質直不苟動必依道同縣高儉及蔡氏凡二家豪富郡人畏事之唯馥閉門不與高蔡通桓帝即位災異數發詔百司舉直言之士各一人太尉趙戒舉馥不詣遂隱身久之靈帝即位中常侍曹節等專朝禁錮善士謂之黨人馥雖不交官然聲名爲節等所憚遂以汝南范滂山陽張儉等數百人並爲節

所誣悉在黨中詔下郡縣各捕以爲黨魁馥於是頓足而歎曰孽自已作空汙良善一人逃死禍及百家何以生爲乃剪鬚變服易形改姓入相慮山中爲冶工客作形貌毀悴積傭三年而無知者後詔悉放儉等皆出馥獨歎曰以爲人所棄不宜復齒鄉里矣留賃作不歸家人求不知所處其後人有識其聲者以告同郡上黨太守濮陽濳濳使人以車迎馥馥自匿不肯見潛車三返乃得馥

又曰申屠蟠字子龍陳留外黄人也少有名節同縣大女緱玉爲父報仇外黄令梁醜欲論殺玉蟠時年十五爲書生進諫曰玉之節義足以感無耻之孫激忍辱之子不遭明時尚當追旌廬表況在清聽而不加哀矜醜善其言乃爲讞減死論人稱之及父母卒蟠思慕不飲酒食肉十餘年遂隱居學治京氏易嚴氏春秋小戴禮三業先通因博貫五經兼明圖緯學無常師始與濟陰王子居在太學子居病困以身託蟠蟠即步負其喪至濟陰遇司隸從事於河鞏之間從事義之爲符傳護送蟠蟠不肯投傳於地而去事畢還家前後凡一察蒲車特徵皆不就年七十四以壽終

又曰郭泰字林宗太原人也少事父母以孝聞身長八尺餘家貧郡縣欲以爲吏歎曰大夫何能執鞭斗筲哉乃辭母與同郡宗仲至京師從屈伯彦學春秋傳洽無不通又審於人物由是名著於陳梁之間步行遇雨巾一角墊衆人慕之皆折巾角士争往從之載策盈車凡泰知之於無名之中六十餘人皆先言後驗以母喪歸徐稚來弔以生芻一束頓泰廬前而去泰曰南州高士徐孺子也詩曰生芻一束其人如玉吾不堪此喻後辟司徒府有道徵皆不

就

又曰袁閎字夏甫汝南人也築室於庭中閉門不見客旦於室中向母拜雖子往不得見也子亦向户拜而去首不着巾身無單衣足着木履母死不列服位公車再徵不詣范滂美而稱之曰隱不違親身不絕俗可謂至賢也

又曰牛牢字君直世祖爲布衣時與牢遊夜講説共言讖劉秀當爲天子世祖曰安知非我萬一各言爾志牢獨默然世祖問之牢曰丈夫立義不與帝友衆大笑及世祖即位徵牢稱疾不至詔曰朕幼交牛君直清高士也恒有疾州郡之官者常先到家致意焉刺史郡守是以每輒奉詔就家存問牢恒被髮稱疾不荅詔命

又曰成公者成帝時自隱姓名嘗誦經不交世利時人號曰成公成帝時出遊問之成公不屈節上曰朕能富貴人

能殺人子何逆朕哉成公曰陛下能貴人臣能不受陛下之官陛下能富人臣能不受陛下之祿陛下能殺人臣能不犯陛下之法上不能折使郎二人就受政事十二篇

又曰彭城老父者楚之隱人也見漢室衰乃自隱修道不治名利至年九十餘王莽時徵故光祿大夫龔勝欲爲太子師友祭酒恥事二姓莽迫之勝遂不食而死莽使者及郡守已下會斂者數百人先生痛勝以名致禍乃獨入哭勝甚悲既而曰嗟乎薰以香自燒膏以明自煎龔先生夭天年非吾徒也哭畢而起出衆莫知其誰

又曰宋勝之字卽子南陽安衆人也少孤年十五失父母家于穀城隙中孝慕甚篤隙中化之少長有禮勝之每行見老人擔負輒以身代之獵得禽獸嘗分肉與有親者貧依姊居數歲乃至長安受易通明以信義見稱從兄哀爲

東平內史遣吏召之勝之曰衆人所樂者非勝之願也乃去遊太原從郇越牧羊以琴書自娛丞相孔光聞而就太原辟之不至元始三年病卒于太原

又曰東海隱者漢故司直王良友人建武中良以清節徵用歷位至一年復徵還見友不肯見而讓之曰不有忠信奇謀而取大位自知無德曷爲致此而復遽去何往來屑屑不憚煩也遂距良終不納論者高之

又曰韓順字子良天水成紀人也以經行清白辟州宰不就王莽末隱於南山地黃四年漢兵起於南陽順同縣隗囂等起兵自稱上將軍西州大震唯順脩道山居執操不迴囂以道術深遠使人賫璧帛車辭厚禮聘順欲以爲師順因使謝囂曰禮有來學義無往教卽欲相師但入深山來囂聞矍然不敢強屈其後囂等諸姓皆滅唯順山栖安然以貧窶自終焉

又曰摯恂字季直伯陵之十二世孫也明禮易遂治五經博通百家之言又善屬文詞論清美渭濱弟子扶風馬融沛國桓驎等自遠方至十餘人既通古今而性溫敏不恥下問故學者宗之常慕其先人之高遂隱於南山之陰初馬融始從恂受業恂愛其才因以女妻之融後果爲大儒文冠當世以是服恂之知人永和中和帝博求名儒公卿薦恂行侔曾閔學擬仲舒文參長卿才同賈誼實瑚璉器也宜在宗廟爲國眞輔由是公車徵不詣大將軍竇憲舉賢良不就清名顯於世以壽終三輔稱焉

又曰姜岐字子平漢陽上郡人也少失父獨與母兄居治書易春秋恬居守道名重西州延熹中沛國橋玄爲漢陽太守召岐欲以爲功曹岐稱疾不就玄怒勑督郵尹益收

岐若實不起者欲嫁其母而後殺岐益爭之玄怒益撾之益得杖且諫曰岐少修學孝義栖遲衡廬鄉里歸仁名宣州里實無罪枉益敢以死守之玄心乃止岐於是高名逾廣及母死喪禮畢盡讓平水田與兄岑遂隱以畜蜂豕爲事教授者滿於天下營業者三百餘人辟州從事不詣民從而居之者數千家後舉賢良公府辟以爲茂才爲蒲坂令皆不就以壽終於家

太平御覽卷第五百八

太平御覽卷第五百九

逸民部九

逸民九

皇甫士安高士傳曰嚴遵字君平蜀人常賣卜成都市日得百錢以自給卜訖則閉肆下簾以著書爲事楊雄少從之遊數稱其德李強爲益州牧喜曰吾得君平爲從事足矣雄曰君可備禮與相見其人不可屈也王鳳請交不許歎曰益我貨者損我神生我名者殺我身故不仕時人服之

又曰鄭朴字子真修道靜默世服其清高大將軍王鳳以禮聘之遂不屈楊雄法言盛稱其德曰谷口鄭子真耕於巖石之下名振京師馮翊人刊石祠之至今不絕

又曰李弘字仲元蜀人居城都之圭里里中化之班白不負擔男女不錯行弘嘗爲縣令鄉人共送之元無心就行因共酣飲月餘不去刺史使人喻之仲元曰本不之官惟楊雄重之曰不夷不惠居於可否之間

又曰鄭玄字康成北海高密人也學孝經論語兼通京氏公羊春秋三正曆九章筭術周官禮記左氏春秋大將軍何進辟玄州郡迫脅不得已而詣進設机杖之禮以待玄玄以幅巾見進一宿而逃去公府前後十餘辟並不就

又曰任安字定祖少好學隱山不營名利時人號安曰任孔子連辟不就建安中讀史記魯連傳歎曰性以潔白爲治情以得志爲樂性治情得體道而不憂彼棄我取與時而無爭遂終身不仕號曰任徵君

又曰管寧字幼安靈帝末以中國方亂乃與其友邴原涉海依遼東太守公孫度度虛館禮之其後中國少安人多南歸唯寧不還黃初中華歆薦寧寧知公孫淵必亂乃因徵辭還以爲太中大夫固辭不就寧凡徵命十至輿服四賜常坐一木榻上積五十年未嘗箕踞榻上當膝皆穿常着布裙貉裘唯祠先人乃着舊布單衣加首絮巾遼東郡圖其形於府殿號爲賢者

又曰胡昭字孔明棄妻子不應袁紹之命武帝亦辟昭昭自陳本志帝曰人各有志出處不同勉卒高尚義不相屈昭乃隱陸渾山中

又曰焦先字孝然世莫知其所出或言生漢末及魏受禪常結草爲廬於河之湄獨止其中冬夏袒不着衣卧不設席又無草蓐以身親土其體垢汙皆如泥滓不行人間或數日一食行不由邪徑目不與女子迕視口未嘗言雖有驚急不與人語後野火燒其廬先因露寢遭冬雪大至先袒卧不移人以爲死就視如故後百餘歲卒

嵇康高士傳曰子州友父者堯舜各以天下讓友父友父曰我適有勞憂之病方治之未暇在天下也

又曰石户之農不知何許人與舜爲友舜以天下讓之石户夫負妻戴攜子以入海終身不反

又曰伯成子高不知何許人也唐虞時爲諸侯至禹復去而耕禹往趍而問曰昔堯治天下吾子立爲諸侯堯授舜舜授予吾子去而耕敢問其故何耶子高曰昔堯治天下至公無私不賞而民勸不罰而民畏今子賞而不勸罰而不畏德自此衰刑自此作夫子盍行無留吾事倔倔然遂復耕而不顧

又曰卞隨務光者不知何許人湯將伐桀因卞隨而謀曰非吾事也湯遂伐桀以天下讓隨隨曰后之伐桀謀於我

必以我爲賊也而又讓我必以我爲貪也吾不忍聞乃自投桐水又讓務光光曰廢上非義殺民非仁無道之世不踐其土况於尊我哉乃抱石而沉廬水

又曰小臣稷者齊人抗厲希古桓公三往而不得見公曰吾聞士不輕爵禄無以易萬乘之主萬乘之主不好仁義無以下布衣之士於是五往乃得見焉

又曰亥唐晉人也高恪寡素晉國憚之雖蔬食菜羹平公每爲之欣飽公與亥唐坐有間亥唐出叔向入平公伸一足曰吾向時與亥子坐髀痛足痺不敢伸叔向悖然作色不悦公曰子欲貴乎吾爵子子欲富乎吾禄子夫亥先生乃無欲也吾非正坐無以養之子何不悦哉

又曰涓子齊人餌朮接食其精至三百年後釣於河澤得鯉魚中符後隱於宕石山能致風雨告伯陽九仙法淮南

王少得其文不能解其旨

又曰商容不知何許人也有疾老子曰先生無遺教以告弟子乎容曰將語子過故鄉而下車知之乎老子曰非謂不忘故耶容曰過喬木而趨知之乎老子曰非謂其敬老耶容張口曰吾舌存乎曰存曰吾齒存乎曰亡知之乎老子曰非謂其剛亡而弱存乎容曰嘻天下事盡矣

又曰關令尹喜周大夫也善内學星辰服食老子西遊喜先見氣物色遮之果得老子老子爲著書因與老子俱之流沙西服巨勝實莫知所終

又曰康市子者聖人之無欲者也見人爭財而訟推千金之璧於其旁而訟者息

又曰狂接輿楚人也耕而食楚王聞其賢使使者持金百鎰聘之曰願先生治江南接輿笑而不應使者去妻從市來曰門外車馬迹何深也接輿具告之妻曰許之乎接輿曰富貴人之所欲子何惡之妻曰吾聞至人樂道不以貧易操不爲富改行受人爵禄何以待之接輿曰吾不許也妻曰誠然不如去之夫負釜甑妻戴紝器變姓名莫知所之嘗見仲尼歌而過之曰鳳兮鳳兮何德之衰往者不可諫來者猶可追後更名陸通好養性在蜀峨嵋山上世世見之（皇甫士安高士傳曰陸通字接輿楚昭王政亂乃陽狂不仕故曰接輿也）

又曰榮啓期者不知何許人也披裘帶索鼓琴而歌孔子曰先生何樂也對曰天生萬物唯人爲貴吾得爲人是一樂也以男爲貴吾得爲男二樂也人生有不免於襁褓吾行年九十五矣是三樂也貧者士之常死者民之終居常以待終何不樂也

又曰長沮桀溺者不知何許人也耦而耕孔子遇之使子路

問津焉長沮曰夫執輿者爲誰子路曰是孔子是魯孔丘與曰是也曰是知津矣問於桀溺桀溺曰子爲誰曰仲由孔丘之徒歟對曰然曰與其從避人之士豈若從避世之士哉耰而不輟子路以告孔子孔子憮然曰鳥獸不可與同群吾非斯人之徒歟

又曰荷篠丈人不知何許人也子路從而後問曰子見夫子乎丈人曰四體不勤五穀不分孰爲夫子植其杖而耘子路行以告子曰隱者也使子路反見之至則行矣

又曰顔闔者魯人也魯君聞其賢以幣聘焉闔方服布衣自飲牛使者問曰此顔闔家耶曰然使者致幣闔曰恐聽誤而遺使者羞使者至復來求之闔乃鑿坯而遁

又曰市南宜僚楚人也姓熊白公爲亂使石乞告之不從承之以劒而遼弄丸不輟魯侯問曰吾學先王之道勤而

行之然不免於憂患何也僚曰君今能刳形洒心而遊無人之野則無憂矣

又曰太公任者陳人孔子圍陳七日不火食太公往吊之曰子幾死乎夫直木先伐甘井先竭子其飾智以驚愚修身以明汙昭昭如揭日月而行故汝不免於患也孰能削迹捐勢不爲功名者哉無責於人人亦無責焉孔子曰善辭其交遊逃於大澤入獸不亂群而況人也

又曰漢陰丈人者楚人也子貢適楚見丈人爲圃入井抱甕而灌用力甚多子貢曰有機於此後重前輕名曰桔橰用力寡而見功多丈人作色曰聞之吾師有機事者必有機心機心存於胷則純白不備子貢愕然慙不對有間丈人曰子奚爲曰孔丘之徒也丈人曰子非博學以疑聖智獨絃歌以買聲名於天下者乎方且亡汝神氣墮汝形體

何暇治天下乎子往矣勿妨吾事

又曰延陵季子名札吳王之子寂少而賢使上國還會闔閭使專諸刺殺王僚致國於札札不受去之延陵終身不入吳國初適魯聽樂論衆國之風及過徐徐君欲其劍札心許之及還徐君已死即解劍帶樹而去

又曰范蠡者徐人也相越滅吳去之齊號鴟夷子治產數千萬去止陶爲朱公復累巨萬一日蠡事周師太公服桂飲水去越入海百餘年乃見於陶一旦棄資財賣藥於蘭陵世世見之

又曰屠羊説者楚人也隱於屠肆昭王失國説從王王反國欲將賞説説曰大王失國説失屠羊大王反國説亦屠羊臣之爵禄已復矣又何賞之有王使司馬子綦延之以三珪之位説曰願長反屠羊之肆耳遂不受

又曰閭丘先生齊人也宣王獵於社山社山父老十三人相與勞王王賜父老不租父老皆謝先生獨不拜王曰少也復賜無徭役先生復獨不拜王曰父老幸勞之故荅以二賜先生獨不拜何也閭丘曰聞王之來望得壽得富得貴於大王也王曰死生有命非寡人也倉廩備災無以富先生大官無闕無以貴先生閭丘曰非所敢望願選良吏平法度臣得壽矣賑乏以時臣得富矣令少敬長臣得貴矣

太平御覽卷第五百九

逸民部十

逸民十

嵇康高士傳曰周豐魯人也潛居自貴哀公執贄請見之豐辭使人問曰有虞氏未施信於民而民信夏后氏未施敬於民而民敬何施而得斯於民也對曰墟墓之間未施哀於民而民哀宗廟社稷之中未施敬於民而民敬殷人作誓而民始叛周人作會而民始疑苟無禮義忠信誠慤之心以莅之雖固乘結之民其兩不解乎

又曰顏歜者齊人也宣王見之王曰歜前歜曰王前王不悅歜曰夫歜前爲慕勢王前爲趨士王作色曰貴乎歜曰昔秦攻齊令曰敢近柳下惠壟樵者罪死不赦有能得齊王頭者封萬戶由是觀之生王之頭不如死士之壟齊王

曰願先生與寡人遊食太牢乘安車歜曰願得蔬食以當肉安步以當輿無事以當貴清淨以自娛遂辭而去

又曰魯連者齊人好奇偉俶儻嘗遊趙秦圍邯鄲連却秦軍平原君欲封連連不受平原君又置酒以千金爲壽連笑曰所貴於天下之有者爲人排患釋難而無取也即有取是商販之事不忍爲也遂隱居海上莫知所在

又曰河上公不知何許人也謂之丈人隱德無言無德而稱焉安丘先生等從之修其黃老業

又曰鄭仲虞不知何許人也漢章帝自往終不肯起曰願陛下何惜不爲太上君令臣得爲偃息之民天子以尚書祿終其身世號之白衣尚書

又曰司馬季主者楚人也卜於長安漢文帝時宋忠賈誼爲太中大夫誼曰吾聞聖人不居朝廷必在巫醫試觀卜數中見季主閑坐弟子侍而論陰陽之紀二人曰觀先生之狀聽先生之辭世未嘗見也尊官高位賢者所處何業之卑何行之汙季主笑曰觀大夫類有道術何言之陋夫相引以勢相導以利所謂賢者乃可爲羞耳夫內無飢寒之累外無刼奪之憂處上而有敬居下而無害君子道也卜之爲業所謂上德也鳳凰不與燕雀爲群公等喁喁何知長者二人忽忽不覺自失後遂不知季主所在史記又載

又曰班嗣樓煩人也世在京師家有賜書內足於財好老莊之道不屑榮官桓君山從借莊子報曰若莊子者絕聖棄智修性保身清虛淡泊歸之自然釣漁於一壑則萬物不干其志栖遲於一丘則天下不易其樂今吾子伏孔氏之軌跡馳顏閔之極藝既繫率於世教矣何用大道爲自炫燿也昔有學步邯鄲者失其故步匍匐而歸恐似此類

故不進也其行已持論如此遂終于家

又曰蔣詡字元卿杜陵人爲兗州刺史王莽爲宰衡詡奏事到灞上稱病不進歸杜陵荆棘塞門舍中三徑終身不出時人諺曰楚國二龔不如杜陵蔣翁

又曰王眞字叔平杜陵人李邵公上郡人眞世二千石王莽辟不至嘗爲杜陵門下掾終身不窺長安城但閉門讀書未嘗問政不過農田之事邵公王莽時避地河西違武中竇融欲薦之固辭乃止家累百金優遊自樂

又曰薛方齊人養德不仕王莽安居迎方因謝曰堯舜在上下有巢許今明王方欲隆唐虞之德亦由小臣欲守箕山之志莽悅其言遂終于家

又曰龔勝楚人王莽時遣使徵聘義不事二姓遂不食而死有老父來吊甚哀既而曰嗟乎薰以香自燒膏以明自

消龔先生竟夭天年非吾徒也趍而出終莫知其誰也

張顯逸民傳曰曹子臧者曹宣公之子也宣公卒負芻殺太子留而自立是爲曹成公其後晉執成公將見子臧於周而立之子臧辭曰前志有之聖達節次守節下失節爲君非吾節也遂亡命奔宋晉侯請子臧反國而歸成公子臧以國致成公爲君觀左

又曰周黨字伯況整身清約非法不行建武中徵爲義郎以病去詔曰昔夷齊不食周粟太原周黨不食朕祿後終隱居娛志不營於世

虞般佑高士傳曰皇甫士安少執冲素以耕稼爲業專心好學每改服以行兼日而食得風痺或多勸修名士安答曰居畎畝之中亦可以樂堯舜之道何必崇勢利而後名乎詔以爲太子中庶子著作郎並不應也

又曰朱冲字巨容南安人少有德行閑靜寡欲好學而貧隣牛犯稼擔芻送牛牛主人大慙乃不復暴晉咸寧二年詔曰處士朱冲履行高潔經學修明徵爲博士及太子中庶子冲每聞徵書至輒逃入深山以免居近夷俗羌戎奉事若君也

又曰劉兆字延世公府五辟三徵皆不就安貧樂道潜志述作數十年不出門凡是述十餘萬言

又曰伍朝字世明好學該博顯命屢加不就鎮南將軍劉弘上請補零陵太守主者以非選竟不聽尚書郎胡濟言朝守靜衡門志道日新誠江南之良才丘園之逸老也且白衣爲郡前漢有舊貢于家食近代所崇事可行也朝竟不就後卒於家王隱晉書亦同也

又曰郭文舉河內軹縣人年十三有懷隱志每行山林旬日忘歸父母喪終辭家不娶入陸渾嵩山少室乃隱華陰之崖以觀石室之石函洛下將没步擔入吳與餘杭大辟山窮谷無人之地倚木於樹苫覆其上亦無壁鄣時多虎暴而文獨宿積十餘年恒着鹿皮裘葛巾司徒王公迎置果園中衆人問文曰飢而思食壯而思室自然之性先生安獨無情乎文曰情由意生意息則無情又問先生獨處窮山若疾病遭命終則爲烏鳥所食顧不酷乎文曰藏埋者亦爲螻蟻所食復何異哉又曰狼虎害人先生獨不畏乎文曰人無害獸之心獸亦不害人耳居園七年逃歸餘杭

袁淑真隱傳曰蘇門先生嘗行見採薪於阜者先生嘆曰汝將以是終乎哀哉薪者曰以是終者我也不以是終者我也且聖人無懷何其爲哀聖人以道德爲心不以富貴爲志因歌二章莫知所終

又曰鬼谷先生不知何許人也隱居鬼谷山因以爲稱蘇秦張儀師之遂立功名先生遺書勉之曰二君豈不見河邊之樹乎僕御折其枝風浪盪其根此木豈與天地有仇怨所居然也子見嵩岱之松柏乎上枝干於青雲下根通於三泉千秋萬歲不逢斧斤之患此木豈與天地有骨肉所居然也

又曰鄭長者隱德無名著書一篇言道家事韓非稱之世傳是長者之辭因以爲名

又曰南公者楚人埋名藏用世莫能識居國南鄙因以爲號著書言陰陽事

又曰野老六國時人遊秦楚間年老隱居掌勸爲務著書言農家事因以爲號

又曰鶡冠子或曰楚人隱居幽山衣弊履穿以鶡爲冠莫測其名因服成號著書言道家事馬煖常師事之煖後顯於趙鶡冠子懼其薦己也乃與煖絶

又曰楚人有獻魚于楚王曰今日漁獲食之不盡賣之不售弃之又可惜是故來獻左右曰鄙哉辭也楚王曰漁者仁人將以誨我也乃恤鰥寡而存孤獨出倉粟發幣帛去後宮楚國大治

又曰河上丈人家貧編蕭自給其子沒泉得千金之珠丈人曰取石來鍜之夫千金之珠必在九重之泉驪龍頷下子能得其珠者遇其睡也使龍而寤子其虀粉矣

又曰孫叔敖遇狐丘先生曰僕聞人有三利必有三患子知之乎夫爵高者人妬之官大者主惡之禄厚者怨處之叔敖曰不然吾爵高而志益下官大而志益小禄厚而施益溥丈人曰善哉言乎堯舜其猶病諸（又見列子）

又曰客有候孔子者顏淵問曰客何人也孔子曰宵兮迄兮吾不測也夫良玉徑尺雖有十仞之土不能掩其光明珠度寸雖有函丈之石不能戢其曜苟蘊美自厚容止可知矣

說苑曰衞有丈夫負缶入井灌韭終一日一區鄧析下車教之爲機後重前輕命曰橋終日灌韭百區不倦衞丈夫曰吾師言有機智之心我非不知不欲爲也○雜記事曰徐稚忽榮禄陳蕃欽其高行以禮招請署爲功曹及師友祭酒又特爲設東面之坐重席佩巾几以候之稚辭疾不到王僧虔吳地記曰處士陸著字文伯漢桓靈之間州府交辟並不就唯事棲遁臨卒誡諸子弟云吾少未嘗官勿苟仕濁世子弟遵訓遂二代不仕並有盛名

又曰桐廬縣東有大溪九里注廬溪口南通新安東出富陽青山緑波連霄亘壑昔徵士戴勃遊此自言山水之致極也勃字長雲譙國銍人父散騎常侍逵字安道弟子常侍國子祭酒顒並高蹈俗外三葉肥遁爲海内所稱（梁典曰戴顒字仲若與逵並隱遁有高名顒以父不仕復脩其業辟皆不就）

梁蕭繹孝德傳曰繆斐字文雅東海蘭陵人世亂將家避地海濱不以遯世爲悶不以窮居爲傷浣衣濯冠以俟絶氣

道學傳曰樂鉅公者宋人獨好黄老恬靜不慕榮貴號曰安丘丈人

又曰孔總會稽山陰人逸操不群唯有一奴自隨奴善吹笙總爲洛生詠與之相對而已

世說曰郗超每聞欲高尚隱退者輒爲辦百萬資并爲造立居室在剡爲戴公起宅其精戴始往居與所親書曰近至剡如入官舍

又曰支道林因人就深公買印山深公曰未聞巢由買山而隱

陸機招隱詩曰明發心不怡投袂聊躑躅躑躅欲安之幽人在浚谷朝採南澗藻夕宿西山足輕條象雲構密葉成翠幄

左思招隱詩曰杖策招隱士荒途横古今巖穴無結構丘中有鳴琴

陸雲逸民賦曰古之逸民輕天下輕萬物而欲專一丘之忻擅一壑之美天地不易其樂萬物不干其志然後可以妙有生之極因無疆之休乃爲賦曰相荒土以爲居度山阿而考室層幽騎薈穹谷重深巖木振穎葛藟垂陰潛魚

潦沚嚶鳥來吟顴蔬圃於滋薄即蘭堂於芳林靡飛飄以
赴節揮天籟以興音抱迴流之別沼食秋華於高岑濛三
泉以濯流浚金谷以投簪遵渚龍見在林鳳戢遁綿野而
宅心望巖穴而凱入

太平御覽卷第五百一十

宗親部一

祖父母　父母　繼母

釋曰祖祚也祚先也

禮記曲禮曰逮事父母則諱王父母不逮事父母則不諱王父母

毛詩商頌曰無念爾祖聿脩厥德

漢書曰路温舒字長君從祖父受曆數天文也

後漢書曰虞詡陳國人祖父爲郡縣獄吏務在寬恕常稱曰東海于公高其里門定國卒至丞相吾治獄六十年雖不及于公子孫何得不爲九卿故字詡曰昇卿後遷僕射尚書令

晉書曰何曾侍武帝宴退告其子道曰國家應天受命創業垂統吾每侍宴未嘗聞經國遠圖唯說平生常事非貽厥孫謀之兆也後嗣其殆乎此吾子孫之憂汝等猶可沒指孫曰此輩必遇亂亡及遵之子綏死兄嵩哭之曰吾祖其殆聖乎

又曰李密字令伯父早亡母改醮祖母劉撫養密奉事以孝謹聞有暇則講學亡疲師事譙周門人方之游夏太始初徵爲太子洗馬密以祖母老上表云臣無祖母難以至於今日祖母無以終餘年母孫二人更相爲命臣密今年四十四祖母年九十六是臣盡節於陛下之日長而恭事於劉之日短劉終後復爲太子洗馬

又曰王爽字季明強正有志歷侍中嘗與會稽王道子飲道子醉呼爽爲小子爽曰亡祖長史與簡文帝爲布衣之交亡姑亡姊伉儷二宮何小子之有

又曰符生字長生健第三子幼而無賴祖洪甚惡之生而無一目爲童兒洪戲之曰吾聞瞎兒一淚信乎生怒引佩刀自刺出血曰此亦一淚洪大驚鞭之生曰性耐刀槊不堪杖箠洪曰吾將以爾爲奴生曰可不如石勒也洪懼跣而掩其口

陳留志曰范喬字伯山年二歲祖父馨臨終執其手曰恨不見汝成人因以所用硯與之至五歲祖母以告喬喬便執硯流涕

江甤別傳曰甤年十一始樗蒲祖母責爲說往事有博弈破業廢身於是弃五木終身不以爲戲

父母

爾雅曰父爲考母爲妣

毛詩陟岵曰孝子行役思念父母也陟彼岵兮瞻望父兮陟彼屺兮瞻望母兮

又蓼莪曰蓼蓼者莪匪莪伊蒿哀哀父母生我劬勞蓼蓼者莪匪莪伊蔚哀哀父母生我勞瘁無父何怙無母何恃出則銜恤入則靡至父兮生我母兮鞠我撫我畜我長我育我顧我復我出入腹我欲報之德昊天罔極

禮記曲禮曰生曰父曰母死曰考曰妣

左傳隱公曰鄭莊公母弟共叔段以母之寵請邑居之京段遂以京叛公伐京段出奔遂寘母姜氏於城潁而誓之曰不及黃泉無相見也既而悔之潁考叔曰若闕地及泉隧而相見其誰曰不然公從之遂爲母子如初

又莊公曰宋南宮長萬作亂奔陳以乘車輦其母一日而至

又成上曰晉敗秦師于𩎟齊請平晉人曰必以蕭同叔子
爲質對曰蕭同叔子非他寡君之母也若以疋敵則亦晉
君之母也吾子布大命於諸侯而曰必質其母以爲信其
若王命何且是以不孝令也
又襄三曰晉叔向之母妬叔虎之母美而不使視寢其子皆
諫其母母曰深山大澤實生龍蛇彼美余懼其生龍蛇以
禍汝汝獘族也余何愛焉使往視寢生叔虎美而有勇欒
盈嬖之故羊舌氏之族及於難
公羊傳曰惠公者何隱之考也仲子者何桓之母也
史記曰趙括者之子趙孝成王欲以括爲將母曰不可使
也王曰母何以知之對曰妾事其父時其父爲將王之所
賞賜盡分散與軍吏士大夫受命之日不問家事令括一
朝爲將軍吏不敢仰視王之所賜悉藏於家而視利便田

宅父子異心願王勿遣王曰母致之吾已決矣母曰王必
遣忽有不稱妾乞不坐王許之後果敗爲白起所坑
漢書曰王陵沛人以兵屬漢王項羽得陵母置於軍中以
招陵後漢使至陵母謂使者曰爲老妾語陵漢王長者必
有天下善事之無以老妾在故懷持二心遂伏劒而死羽怒
烹之
又曰陸賈使南越趙他賜陸生橐中裝直千金他送亦千
金呂后時病免歸家有五男乃出所使得越橐中裝賣
千金分與其子各二百金令爲生産賈常乘安車駟馬從
歌舞鼓吹琴瑟侍者十人有寶劒直百金謂其子曰與汝
約過汝給吾人馬酒食極歡十日而更所死家得寶劒及
車騎從者
又曰金日磾字翁叔休屠王太子也父以降漢見殺與母

閼氏弟俱没入宮後拜光禄大夫既親近未嘗有過武帝
甚信愛之日磾母教誨兩子甚有法度上嘉之及死詔圖
形于甘泉宮曰休屠王閼氏也日磾每見畫常拜泣不止
又曰霍去病父仲孺河東人以縣吏給事平陽侯家與侯
侍者衛少兒私通生去病仲孺吏畢歸家娶婦生子不相
聞久之去病爲驃騎將軍擊匈奴道出河東至平陽傳舍
遣迎仲孺趍入拜謁將軍迎拜因跪曰去病不早知爲大人
之遺體也仲孺扶服叩頭曰老臣得託命將軍此天力也
去病大買田宅奴婢而去
又曰嚴延平字次卿東海下邳人爲河南太守冬月行屬
縣刑戮囚徒流血數里河南号屠伯母見責之曰汝宣化
千里不聞仁愛而殺人立威名豈爲人父母哉天道神明
人不可獨殺我不意老見壯子被刑戮也行矣去東歸掃

墓地耳歲餘果敗延年兄弟五人皆有吏才並至大官東
海號爲萬石嚴嫗
又曰雋不疑爲京兆尹每行縣録囚徒還其母輒問有所
平反活幾人即不疑多有平反母喜而爲之食或無所出
母怒而不食故不疑爲吏嚴而不殘
後漢書曰竇武字游平扶風人初武母産武并産一蛇送
之林中後母卒葬有一大蛇自榛草出至擊柩流血若哀
泣之容時人以爲竇氏之祥
又曰楊彪爲太尉子修爲曹操所殺操見彪問曰君何瘦
之甚也彪曰媿無日磾先見之明猶懷老牛舐犢之愛操
爲改容
又曰范滂字孟博汝南征羌人也建寧二年大誅黨人滂
母就與之訣滂白母曰仲博孝敬足以供養（仲博滂弟也）滂從

龍舒君歸之黃泉存亡各得其所惟大人割不可忍之恩勿增感戚毋曰汝今得與李杜齊名死何恨滂跪受教再拜而辭顧謂其子曰吾欲使汝爲惡則惡不可爲使汝爲善則我不爲惡行路聞之莫不流涕

又曰黃憲字叔度汝南人世貧賤父爲牛醫袁閬毋謂閬曰汝從牛醫兒來耶對曰閬不見叔度自以爲及旣覩其人則瞻之在前忽然在後固難測矣

又曰廬江蔡宗字孟承兢廉嚴正其子未嘗見面子爲二千石求謁宗宗下帷不許子伏於庭其毋穿壁使其子窺之乃識儀皃

又曰崔發仕王莽位至大司空毋師氏通百家之言莽以殊禮之号義成夫人金印紫綬乘文軒丹轂

又曰張甫字孟侯汝南人爲太尉雖在公位父常居田里每有遷職輒一詣京師公卿罷朝俱詣甫府奉酒上壽時

人榮之

吳志曰蔣欽毋踈帳縹被妻妾布裙孫權歎其在位能守約儉敕御府爲毋作被乃幃帳

晉書曰劉惔字眞長沛人少清遠有哥才與毋任氏寓居京口家貧織芒屩以爲養雖蓽門圭竇晏如也

又曰伏滔字玄度平昌人甚有才學知名拜著作郎孝武會西堂滔預坐還下車先呼子系曰百人高會天子先問伏滔在坐不此固未易得爲人作父如此如何

又曰氾毓字稚春濟北盧人奕世儒素敦睦九族時人号之兒無常父衣無常主

又曰荀羡字令則清和有準纔年七歲遇蘇峻難隨父在石頭峻甚愛之惜置羡於膝上羡乃陰白其毋曰得一利刀子足以殺賊毋掩其口

又曰虞譚毋孫氏訓子以節義朝廷嘉之拜武昌太守丞相已下皆拜之年九十五譚立養堂於家

又曰郄詵濟陰人對策高第拜議郎毋憂去職毋在日苦病車及亡不欲車載家貧無以市馬乃於住堂北壁外假葬朝夕拜哭養雞種蒜竭其方術喪過三年得馬八疋輿棺至塚負土成墳

又曰韓康伯潁川長社人毋殷氏高明有行家恒貧伯年數歲大寒毋爲作布襦令伯捉熨斗而謂之曰且着布襦尋復作袴伯曰不須毋問故曰火在斗中柄熱今上着襦下亦當暖矣

又曰羊耽妻辛氏隴西人侍中毗之女有才鑒鍾會爲鎮西請其子琇爲叅軍毋曰吾爲國憂今日難至吾家行矣戒之軍旅之閒可以濟者惟仁恕乎古之君子入則致孝

于親出則盡忠於國在職思其所司在義思其所立無貽父毋憂患而已後會至蜀果反琇竟以道全身

又曰桑虞字子深魏郡黎陽人五代義居閨門雍睦青州刺史苻朗甚重之嘗詣虞家昇堂拜毋時以爲榮

又曰周顗毋李氏名洛秀汝南人中興時顗等並列顯位嘗冬至置酒洛秀舉酒賜三子曰吾本渡江託足無所不謂爾等並居貴位在吾目前吾身後何憂嵩起曰恐不如尊旨伯仁志大而才短名重而識闇好因人之弊此非自全之道嵩性抗直亦不容於世唯阿奴碌碌在阿毋前耳後果如其言阿奴即謨小字也

又曰劉琨爲并州刺史毋謂之曰汝能弘濟經略駈駕豪傑專欲除於勝己以自安當何以濟禍必及我也後父毋

並爲劉聰所害
又曰朱序字次倫義陽人鎮襄陽苻堅令苻丕圍序序母
韓氏自登城履行謂西北角必先破受弊遂領百餘婢及
城中女同丁築三十餘丈後賊果從西北角攻衆潰城破
遂固新築丕用引退得免城破襄陽人謂此城爲夫人城
宋書曰張興世字文德竟陵人以平江陵功轉右將軍父
仲字子由興世致位給事中欲徙襄陽又愛戀鄉里不肯
去嘗謂興世曰雖田舍翁樂聞鼓角汝可送一部與吾行
田時吹之興世素儉謹畏去白父曰此乃天子鼓角非田
舍翁所吹乃止興世欲拜墓仲子曰汝衛從甚多恐先人
驚怖興世減撤而行
又曰朱脩之義陽人加建武將軍留戍滑臺爲索虜所攻
母悲憂一旦乳汁驚出因號慟告家人曰我老非有乳汁
之時今忽如此我兒必歿矣後數日凶問至脩之果其日
陷歿
梁書曰王僧孺幼貧其母鬻紗布以自業嘗携孺於市道
途中逢中丞鹵簿驅迫落溝中及孺拜中丞日引孺清道
悲不自勝
劉璠梁典曰張充字延符吳人父緒特進有重名充少不
拘細行肆意敗放時緒請假還吳始入西郭值充正獵左
手臂鷹右手牽犬遥望見父乃脱韝放鷹紲犬向舟而拜
緒曰一身兩役無亦勞乎充跪對曰充聞三十而立今二
十九歲矣請至來歲終身折節緒曰若過而能改乃顏子
矣及明年乃一朝易操尋師就學博覽今古鬱爲名
士
蕭方等三十國春秋曰蘇峻作逆領軍卞壼以王師敗績

遂單騎赴難二子聊盱隨之俱歿母裴氏撫屍而哭之父
爲忠臣子爲孝子夫何恨乎徵士翟陽聞之歎曰父死于前
子歿于後忠孝之道萃于一門可謂賢矣
又曰吳司徒孟宗少從南陽李肅學母爲作厚褥大被或
問其故曰小兒無德可容而學者多貧故爲廣被可得氣類
相接也
列女傳曰鄒氏孟軻之母見孟子少而學歸母方織問之
曰子之廢學若吾斷織孟子懼因更勤不息遂爲大儒
世說曰華歆遇子弟甚整雖閨室之內儼然若朝典也
又曰陳元方遭父憂哭泣哀慟容體骨立其母愍之竊以
錦被蒙之郭林宗弔而見之謂曰卿海內之俊四方是則
如何當喪以錦被焉孔子曰衣夫錦 食夫稻 於汝安
乎吾不取也因奮衣而去自後賓客絶數百日

繼母

儀禮子夏傳曰繼母如母何以如母繼母之配父與因母
同故孝子不敢殊也
東觀漢記曰應慎字仲華爲東平相事後母至孝精誠感
應梓樹生廳前屋上徙置府庭繁茂長大
後漢書曰鮑永字君長上黨人事後母至孝妻于母前叱
狗永遂去之
晉書曰凉武昭王李玄盛后尹氏初適扶風馬元元卒爲
玄繼室以再醮之故三年不言撫前妻子如巳所生
又曰王祥字休徵瑯琊人至孝繼母朱氏不慈由是失愛
於父令掃除牛下祥愈恭謹父母有疾衣不解帶母令守
丹㮈實每風雨則抱而泣母常思黄雀炙忽有黄雀數十
飛入幕遂以供母

三十國春秋曰王延九歲喪母孝行有聞後母卜氏御之無道延恭事彌謹卜常取蒲穰敗麻與之貯衣延知而不言卜冬月杖之流血令求生魚延扣冰慟哭而得與之卜乃心悟撫之如所生也

又曰晉安帝時郭逸妻以大竹杖打逸前妻之子子死妻因棄市如常刑

家語曰曾參武城人志存孝道後母遇之無恩其妻藜蒸不熟出之人曰此非七出也荅曰藜蒸小物不用吾命況大事遂遣之終身不娶其子請焉告之曰高宗以後婦出孝已尹吉甫以後妻嫉伯奇容知其得免非乎

琴操曰尹吉甫周卿也子伯奇母早亡吉甫更娶後妻妻乃譖之於吉甫曰伯奇見妾美欲有邪心吉甫曰伯奇慈仁豈有此也妻曰置妾空房中君登樓察之妻乃取毒蜂綴衣領令伯奇掇之於是吉甫大怒放伯奇於野宣王出遊吉甫從之伯奇作歌以感之宣王聞之曰此放子之辭也吉甫乃求伯奇而感悟遂射殺其妻

搜神記曰衡農字剽卿東平人少孤事繼母至孝常宿于他舍值雷雨頻夢虎嚙其足農呼妻相與出庭叩頭屋忽然而壞壓死者几百餘人唯農夫妻獲免

太平御覽卷第五百一十一

宗親部二

伯叔

釋名曰伯把也把持家政也父弟爲仲仲中也位在中也仲父之弟曰叔父叔少也叔父之弟曰季季癸也甲乙之次癸在下也。說文曰伯長也

爾雅曰父之昆弟先生爲世父後生爲叔父

禮記檀弓曰滕伯文爲孟虎齊衰其叔父也爲孟皮齊衰其叔父也伯文殷時滕君也爵爲伯名文

家語曰孔子兄子有孔蔑者與宓子賤偕仕孔子往過孔蔑而問焉曰自汝之仕何得何亡對曰未有所得而亡者三王事若聾聾宜爲襲前後相積襲也學焉得習言不得習學者是學不得明也俸祿少饘粥不及親戚是骨肉益疎也公事多急不得弔死問疾是朋友道闕也其所亡者三即此謂矣孔子不悅往過子賤問如孔蔑對曰自來仕者無亡而得者三始誦之今得而行之是學益明也俸祿所供被及親戚是骨肉益親也雖也有公事而兼以弔死問疾是朋友信篤也孔子喟然謂子賤曰君子哉若人魯無君子者斯焉取斯也

漢書曰初高祖微時嘗避事時與賓客過其丘嫂食應劭曰丘氏女也孟康曰西方謂亡女壻爲丘壻丘空也兄亡空有嫂也晉灼曰丘大也大嫂爲冢嫂也嫂厭叔與客來陽爲羹盡轢釜客以故去已而視釜中有羹由是怨嫂及立齊代王而伯子獨不得侯太上皇以爲言高祖曰某非敢忘封之也爲其母不長者封其子信爲頡羹侯

又曰疎廣字仲翁東海蘭陵人也宣帝時爲太子太傅兄子受字公子爲少傅太子每朝因進見太傅在前少傅在後叔姪並爲師傅朝廷以爲榮

又曰王莽字巨君孝元皇后之弟子父及兄弟皆以元成世封侯輔政凡九侯五大司馬唯莽父曼早死不侯五侯子爭侈靡莽獨孤貧折節爲儉受禮經勤身博學事母及寡嫂養孤兄子行甚整又外交英俊內事諸父世父鳳病莽侍疾亂鬚垢面鳳且死以託太后及帝拜黃門侍郎

東觀漢記曰鄭均好義篤實事寡嫂收兒恩禮甚至

又曰魏譚有一孤兄子年一二歲常自養視遭饑饉分升合以相生活譚時有一女生裁數月念無穀食終不能兩全棄其女養活兄子州郡高其義

又曰桓榮卒子郁當襲爵讓於兄子顯宗不許不得已受封而悉以租入與之

又曰淳于恭養兄崇孤兒教誨學問時不如意輒干責數以捶自擊其脛欲以感之兒慙負不敢復有過袁子又載

又曰郅惲友董子張叔父及爲鄉里民所害子張病惲往候之氣絕良久復視惲歔欷惲曰知子不悲天命痛讎不復也惲即起將客取仇人頭以示子張見之悲喜因絕

後漢書曰劉平字公子楚郡彭城人也更始時天下亂平弟仲爲賊所殺其後賊復忽然而至平扶持其母奔走逃難仲遺腹女始一歲平抱仲女而棄其子母欲還取之平不聽曰力不能兩活仲不可以絕類遂去不顧

謝承後漢書曰魏霸字喬卿濟陰人爲鉅鹿太守與兄子同苦樂不得自異

又曰許荆兄子世嘗報讎殺人怨家會衆操兵至荆家欲殺世荆始從府休歸與相遇因出門解劒長跪曰前無狀相犯咎皆在荆不能相教旣兄早歿一子爲嗣如今死者

傷其滅絕今願殺身代世塞咎雖死以往猶謂更生怨家扶起荆曰許掾郡中稱爲賢吾何敢相侵因遂委去

華嶠後漢書曰薛苞弟子求出苞不敢止乃中分其財奴婢引其老者曰與我共事久若不能使也田廬取其荒頓曰吾少時所治意所戀也器物取其朽敗曰我服食久身口所安也

袁山松後漢書曰范丹爲萊蕪長去官於市賣卜妻紡績以自給丹弟子憧見丹藩不完載柴將客藩之時丹適行還怒勑子拔柴載以還之

後漢書曰馬援字文淵扶風茂陵人也援兄子嚴敦並喜譏議而通輕俠客援前在交阯還書誡之曰吾欲聞汝曹聞人過失如聞父母之名耳可得聞而口不可得言也好論議人長短妄是非正法此吾所大惡寧死不願聞子孫有此行也汝曹知吾惡之甚矣所以復言者施襟結褵申父母之戒欲使汝曹不忘之耳龍伯高敦厚周慎口無擇言謙約節儉廉公有威吾愛之重之願汝曹効之杜季良豪俠好義憂人之憂樂人之樂清濁無所失父喪致客數郡畢至吾愛之重之不願汝曹効之効伯高不得猶爲謹勑士所謂刻鵠不成尚類鶩也効季良不得陷爲天下輕薄子所謂畫虎不成反類狗也訖今季良尚未可知郡將下車輒切齒州縣以爲言吾常寒心是以不願子孫効也

又曰范遷字子廬沛國人也爲司徒及在公公輔有宅數畝田不過一頃復推與兄子其妻謂曰君有四子而無立錐之地可餘奉祿以爲後世遷曰吾備位大臣而蓄財求利何以示後在位四年薨家無擔石焉

又曰張堪字君遊南陽宛人也堪早孤讓先父餘財數百萬與兄子

又曰第五倫字伯魚京兆長陵人或問倫曰公有私乎對曰吾兄子嘗疾一夜十往退而安寢吾子有疾雖不省視竟夕不眠若是者豈可謂無私乎

又曰張禹字伯達父歆爲淮陽相終於汲令禹性篤節儉父卒汲吏人賻送前後百萬悉無所受又以田宅推與伯父自身寄止

又曰中常侍趙忠言於省內曰袁本初坐作聲價好養死士不知此兒終欲作何叔父太傅隗聞而呼紹以忠言責之紹終不改

又曰戴封遭伯父喪去官

又曰沮授爲曹操所執授曰叔父母弟懸命袁氏若蒙公靈速死爲福操歎曰孤早相得天下不足慮也遂赦而厚遇焉

又曰劉矩字叔方少有高節以叔父遂未得仕進遂絕州郡之命

又曰伏恭字叔齊司徒湛之兄子湛弟黯位至光祿勳無子以恭爲後

魏志曰荀攸字公達祖父曇攸少孤及曇卒故吏張推求守曇墓攸年十三疑之謂叔父衢曰此吏有非常之色殆將姦亂衢悟乃推問果殺人亡命因是異之

又曰盧毓字子家涿郡人也父植有名於世毓十歲而孤遇本州亂二兄死難當袁紹公孫瓚交兵幽冀飢荒養寡嫂孤兄子以學行見稱

又曰王昶字文舒太原人其爲兄子及子作名字皆一依謙實以見其意故兄子默字處靜沉字處道其子渾字玄

冲深字道冲遂書戒之曰夫爲人子之道莫大於寶身全
行以顯父母
又曰毛玠居顯位常布衣蔬食撫育兄孤子甚篤
又曰張範子陵及弟子戩爲山賊所得範直詣賊請二子
賊以陵還範範謝曰諸君相還兒厚矣夫人情雖愛其子
然吾憐戩之小請以陵易之賊義其志悉以還範
又曰王基字伯與東萊曲城人也少孤與叔父翁居撫養
甚篤亦以孝稱
又曰高愼字孝甫敦厚少華有沉深之量撫育孤兄子五
人恩義甚篤琅琊相何英嘉其履行以女妻焉
蜀志曰諸葛亮初未有子求兄子喬爲嗣瑾啓孫權遣喬來
西亮以喬爲嫡子故易其字焉拜爲駙馬都尉
王隱晉書曰庾袞孤兄女曰芳將嫁美服具矣袞刈荊苕

爲箕箒焉召諸子集之于堂男女以班而命芳曰汝芳少
孤今汝適人將事舅姑洒掃庭內婦人之道也故賜汝以
此匪器之美欲汝之温恭朝夕雖休勿休也
又曰魏舒容皃質朴少号遲鈍人莫之知唯叔父衡知其
奇每有賔客造巳常勸使過舒言吾兄子非常人也
臧榮緒晉書曰阮籍隨叔父至東兗州刺史王昶聞籍奇
偉請與相見乃歎息以不能測也
又曰王湛字處冲司徒渾之弟也兄子濟輕之嘗詣湛見
牀頭有周易問曰叔父何用此爲湛曰體中不佳時脫復看
耳濟請言之湛因剖析玄微妙有奇趣皆所未聞也濟才
氣抗邁於湛略無子姪之敬旣聞其言不覺懍然心形俱
肅遂留連彌日累夜自視缺然乃歎曰家有名士三十年
而不知濟之罪也濟有從馬絶難乘濟問湛曰叔頗好騎

不湛曰亦好之因騎此馬姿形既妙迴策如素善騎者無
以過之又濟所乘馬湛愛之湛曰此馬雖快然力薄不堪
苦行近見督郵馬當勝但芻秣不至耳濟試養之而與巳
馬等湛又曰此馬雖快任方知之平路無以别也於是當
蟻封内試之濟馬果躓而郵馬如常濟益歎異還白其父
曰濟始得一叔乃濟以上人也武帝亦以湛爲癡每見濟
輒調之曰卿家癡叔死未濟常無以荅及是帝又問如初
濟曰臣叔殊不癡因稱其美帝曰誰比濟曰山濤不足下
比魏舒有餘湛聞曰欲處我季孟閒乎
又曰殷浩字深源陳郡長平人也叔父融俱好老易融與
浩口談論詞屈著篇則融勝浩由是爲風流談論者所宗
又曰鄧攸逃奔石勒負其妻子而去擔其兒及其弟子綏
度不能兩全遂棄其巳子卒以無嗣綏服攸喪三年

又曰謝安字安石於東山營墅樓館林竹甚盛每攜中外
子姪往來遊集餚饌亦屢費百金世頗以此譏焉安殊不
以屑意
又曰徐苗字叔胄高密淳于人也其兄弟皆早亡撫養孤
遺慈闡州里田宅奴婢盡推與之
又曰謝玄字幼度以勳封康樂縣公陳以先封東興侯賜
兄子玩詔聽之更封玩豫寧伯
又曰羅憲兄子尚字敬之少孤依叔父憲
又曰劉曜逼長安凉州刺史張寔叔父西海太守肅請爲
先鋒擊曜曰狐死首丘心不忘本鍾儀在晉楚弁南音肅
受晉寵剖符列位羯逆滔天朝廷傾覆寔安方裔難至不
奮何以爲人臣寔曰門户受重恩自當闔宗効死但叔父
春秋巳高氣力衰竭軍旅之事非耆耄所堪乃止旣而聞

京師陷沒肅悲憤而卒

又曰慕容超字祖明德之兄北海王納之子也符堅破鄴以納爲廣武太守數歲去官家于張掖德之南征留金刀而去及垂起兵山東符昌收德諸子皆誅之納母公孫氏以耄獲免納妻段氏方娠未決囚之于郡獄掾呼延評德故吏也嘗有死罪德免之至是將公孫及段氏逃于羌中而生超焉年十歲而公孫卒臨終授超以金刀曰若天下太平汝得東歸可以此刀還汝叔也

何法盛晉中興書曰何充字次道道年在童齓伯父邃謂之曰我爲小兒時亡伯車騎 我汝後當與伯父争名 汝今器宇深弘亦當出我右

又曰時氐賊強侵寇無已朝議求文武良將可以鎮遏北方者衛將軍謝安曰唯有兄子玄可堪此任中書郎郄超

聞而歎曰安違衆舉親明也玄必不負舉才也於是徵還拜建武將軍兗州刺史領廣陵相監江北諸軍事

又曰陸納字祖言爲吳興太守衛將軍謝安嘗欲詣納納兄子俶怪納無供辦復不敢問乃密作數十人供安至納設茶果而已俶下精飲食客罷納大怒杖俶四十云既不能光益父叔乃復穢我素業

三十國春秋曰羊祜都督荆州鎮襄陽時祜有平吳之志方樹基址擢王濬爲巴郡太守將委以巴峽之任祜兄子暨謂祜曰觀濬爲人志大者侈不可專任祜曰有大才必可用也識者謂祜可謂能舉善矣知人則哲叔子之謂乎

又曰安帝時以劉鎮之爲散騎常侍光祿大夫不受鎮之毅季父也義熙初謂毅蕃曰汝華才力勢運足以得志當身爭耳我不就汝求位求財又不受汝罪累每見毅等道從吏卒到門輒罵詬之毅甚敬畏每未至宅數百步止輿白衣數人而進儀衛悉不自隨及至毅敗天下服其先見而劉裕甚敬遇之

又曰燕金紫光祿大夫高平公平歆初歆伯父左光祿大夫熙拊歆首而告之曰汝儀容偉茂志節果當有佐命之功顯吾門者必汝也

孫巖宋書曰許昭先義興人也諸父肇坐事繫獄七年不判子姪三十餘人昭先家最貧薄專獨斷訴無日在家餉饋肇莫非珎新家産既盡賣宅以充之肇諸子倦怠唯昭先無有懈息如是七歲尚書沈演之嘉其操行肇事由此得釋

沈休文宋書曰宗慤字元幹徵士柄兄子也年少時炳問慤所志荅曰願乘長風破萬里浪炳曰汝若不富貴必破

我門户

又曰何承天叔肹爲益陽令隨肹之官隆安四年南蠻校尉桓偉命爲參軍時殷仲堪桓玄等互舉兵以向朝廷承天懼禍難未已解職還益陽

又曰劉凝之字志安小名長年南郡人也推家財與弟及兄子立屋於野外非其力不食

典略曰鄭均字仲虞任城人也好黄老兄亡後養嫂兄子思禮甚篤及居併門盡推財産與之由是名稱

風俗通云周玘字孟玉爲右將軍掾弟子使客殺人被罪玘詣府與太守盛亮相見了不論弟子之命遂俱盡於獄弟婦不哭其子但哭孟玉孟玉由此爲高

曹瞞傳曰太祖一名吉利字阿瞞少飛鷹走狗遊蕩無度其叔父數言之於嵩操患之後逢叔父於路乃陽敗面喎口

叔父恠問其故太祖曰卒中惡風叔父以告嵩嵩驚愕呼操操曰貌如故嵩曰叔父言汝中風爲巳差乎操曰初不中風但失愛叔父故見罔耳嵩乃疑焉後叔父有所告嵩終不復信操於是益得肆意

陳留耆舊傳曰高眘字孝甫敦厚少文華有沉深之量撫育孤兄子五人恩義甚篤琅邪相何英嘉其履行以女妻焉

又曰爰彌字伯仁年十歲叔父蘭部濟陰從事與御奉俱獵縣送酒肉彌不肯嘗問其故荅曰聞之於諸侯夫臨其事不食其食蘭然其言還而不受貞潔之質由是以彰也

海內先賢傳曰故南郡太守南陽程堅體履仁孝秉志清潔少讓財兄子仕郡縣居貧無資摩鏡自給

襄陽記曰龐統字士元德公從子也少未有識者唯德公

重之年十八使往見司馬德操與談旣而歎曰德公誠知人此實盛德也

張方賢楚國先賢傳曰陰嵩字文王南陽新野人衛尉興從祖兄也少喪父母與叔父居恭謙婉順溫良節儉王莽末義兵初起乃與叔父避世蒼梧後徵拜謁者以叔父憂棄官

張瑩漢南記曰北海靖王興性敦篤仁厚長有明略兄弟少爲光武所撫育恩愛如子

劉彥明燉煌實錄曰氾固字孔完大將軍掾純之孫也推家財百萬與寡弟婦二百萬與孤兄子於是三府競辟皆不就

張隱文士傳曰桓驎字元鳳伯父焉知名官至太尉精察好學年十三四在焉坐有宿年客焉告之曰吾此弟子頗有異才今巳涉獵書傳殊能作詩賦君試爲口賦試與之客乃爲詩曰甘羅十二楊烏九齡昔有二子今則桓生參差等蹤異世齊名驎卽荅曰邈矣甘羅超等絕倫卓彼楊烏命世稱賢嗟予蠢弱殊才偉年仰慙二子俯愧過言

傅子曰傅燮字南容奉寡嫂甚謹食孤姪如赤子

世說曰郗鑒遭永嘉喪亂窮餒鄉人共飴之公常携兄子外甥周翼二小兒往食鄉人曰各自窮餒以君之賢共欲存君耳恐不能兼飴公於是獨往食輒含飯着兩頰還吐與二兒後鑒亡翼時爲鄮莫候切縣解職歸席苫於公靈心喪三年

又曰謝太傅寒雪日內集與兒女講論文義俄而雪驟公欣然曰白雪紛紛何所似兄子胡兒曰撒鹽空中差可擬兄女曰未若柳絮因風起公大笑樂卽公大兄奕之女左將軍王凝之之婦也

太平御覽卷第五百一十二

太平御覽卷第五百一十三

宗親部三

伯叔母　從伯叔　族父

姑

伯叔母

爾雅曰父之兄妻爲世母父之弟妻爲叔母

禮記曾子問曰婚禮吉旣納幣有吉日女之父母死則如之何孔子曰壻使人弔如壻之父母死則女之家亦使人弔父喪稱母(父母不在)則稱伯父之世母

又雜記曰孔子曰伯母叔母疏衰踊不絕地姑姊妹之大功踊絕於地如知此者由文矣哉

家語曰孔子之舊人曰原壤其叔母死夫子將助之以木子路曰由也昔聞諸夫子毋友不如已者過則勿憚改姑已如何(姑且已止)孔子曰凡人有喪匍匐救之況舊故非友(同志乃爲友故友非舊友)吾其往及之爲椁原壤登木曰久矣予之不託於音也遂歌曰狸首之班然執女手之卷然夫子爲之隱陽不聞以過之子路曰夫子屈節而極於此失其舉矣豈未可已乎孔子曰吾聞之親者未失其爲親也故者未失其故也(禮記亦載稱原壤之母也)

蜀志曰許靖字文休汝南平輿人也靖與曹公書曰世路戚夷禍亂遂爾駑怯偷生自竄蠻貊成闊十年吉凶禮廢涉南海循岸渚五千餘里復遇疫疾伯母殞命并及群從自諸妻子一時略盡復相扶持前到此郡追計爲兵害及病亡者十遺一二生民之艱辛苦之甚

晉書曰羅含字君章桂陽人也含幼孤爲叔母朱氏所養少有志尚晝臥夢一鳥文彩異常飛入口中因驚起說之朱氏曰鳥有文彩汝後必有才章自後藻思日新

又曰餘杭婦人經年荒賣其子以活夫之兄子吳興太守孔褒薦之

又曰皇甫謐字士安幼名靜安定朝那人漢太尉嵩之曾孫也出後叔父徙居新安年二十不好學遊蕩無度嘗得瓜果輒進叔母任氏(任氏曰孝)經云三牲之養猶爲不孝汝今年餘二十目不存教心不入道無以慰我因歎曰昔孟母三徙以成仁曾父烹豕(以存)教豈我居不卜鄰教有所闕何爾魯鈍之甚也修身篤學自汝得之於我何有因對之流涕謐乃感激就鄉人席坦受書勤力不怠居貧躬自稼穡帶經而農遂博綜典籍百家之言自號玄晏先生

又曰羊耽妻辛氏字憲英隴西人鍾會爲鎮西將軍憲英謂從子祜曰鍾士季何故西出祜曰將爲滅蜀也憲英曰會所在縱(恣非)持久處下之道吾畏其他志也會果反祜嘗送錦被憲英嫌其華反而覆之

又曰杜有道妻嚴氏字憲京兆人貞淑有識量生子植植從兄預爲秦州刺史被巫徵還憲與預書戒之曰諺曰忍辱至三公卿今可謂辱矣能忍之三公是卿座預後果爲儀同三司

三十國春秋曰羊祜年十五而孤事伯母蔡氏以孝聞蔡氏每歎曰羊叔子可謂能養也其諸葛孔明之亞乎

宋書曰謝瞻字宣遠陳郡陽夏人衛將軍晦第三兄幼孤叔母劉氏撫育有恩同於至親

從伯叔

爾雅曰父之從父昆弟爲從祖父

吳志曰朱異字季文爲陽武將軍孫權與論攻戰問對稱意權謂異從父驃騎將軍據曰本知季文憎嶋外定見之復過所聞

臧榮緒晉書曰王沉字處道少孤爲從叔司空昶所養沉事昶如父

虞預晉書曰王渾從子浚字彭祖司空王沉賤孽也少時不爲親黨所知渾謂弟深等曰卿等莫輕彭祖此兒平世不減方州牧伯亂世可爲都督三公懷愍之世果爲幽冀都督位至鼎輔如渾所說

晉書曰王彪之字叔虎從伯導曰選曹欲以汝爲尚書郎汝幸可作諸王佐耶彪曰多少既不足計自當任之於時至於超遷是所不願

又曰王羲之字逸少司徒導之從子也深爲伯敦導所器重

又曰魏舒字陽元任城人也身長八尺二寸姿望秀偉飲酒石餘而遲鈍質朴不爲鄉親所重從叔父吏部衡有名當世亦不之知使守水碓每歎曰舒堪數百戶長願畢矣舒亦不介意後遷至司徒 劇陽子

又曰檀憑之字慶子高平人少有志力閨門邕肅爲世所稱孤從兄子歆兄弟五人皆稚弱憑之撫養若已所生

又曰荀崧從弟馗早亡二息序廞墟金年各數歲崧迎與其共居恩同其子太尉臨淮公荀顗 廢絕朝廷以崧屬近欲以崧子襲封崧哀序孤微乃讓封與序論者稱焉

宋書曰謝景仁陳郡陽夏人也衛將軍晦從叔父也祖據太傅安弟父允宣城內史景仁博聞強識玄每與之言不倦也

又曰王誕字茂世琅琊臨沂人也少有才藻晉孝武崩從叔尚書令珣爲哀策文久而未就謂誕曰猶少序節物一句因出本示誕誕攬筆便益之接其冬秋代變後去霜繁廣除風迴高殿珣嗟歎清拔因而用之拜秘書郎

宋齊語錄曰梁特進沈約撰史王希聃嘗問約曰從叔太常何故無傳約戲之曰賢從叔者何可載杏曰從叔唯忠與孝君當不以忠孝爲美約有慙色

博物志曰蔡邕有書近萬卷末年載數車與王粲粲亡後粲子預魏諷反被誅邕所與粲書悉入粲從子景字長緒

崔鴻前涼錄曰范續字弘基續幼有名稱族叔上洛太守毗拊其首曰汝吾宗千里駒也歷仕三朝士友服其清亮舉秀才爲郎中遷中都護者

族父

爾雅曰釋親曰父之從祖昆弟爲族父

後漢書曰侯霸字君房河南密人族父淵以宦官有才辯任職元帝世佐石顯等領中書號曰太常侍

蜀志曰費禕字文偉江下鄳人也鄳音少孤依族父伯仁伯仁姑益州牧劉璋母也

晉書曰顧和字君孝侍中衆族子也曾祖容吳荊州刺史祖相臨海太守和二歲喪父總角便有志操族叔榮雅重之曰此吾家騏驥興吾宗者必此子也時宗人球亦有令問爲州別駕榮謂之曰卿速步君孝超卿矣

陳留志曰阮武字文業魏末爲清河太守族子籍方總角未知名武見而偉之以爲勝已明於知人皆此類也

姑

釋名曰父之姊妹曰姑姑故也言於已爲久故之人也

廣雅曰姑謂之威威故也

說文曰威姑也

爾雅曰父之姊妹爲姑王父之姊妹爲王姑曾祖王父之姊妹爲曾祖王姑高祖王父之姊妹爲高祖王姑父之從父姊妹爲從祖姑父之從祖姊妹爲族祖姑

毛詩曰泉水衛女思歸也問我諸姑遂及伯姊父之姊妹稱姑先生曰姊箋云寧則又問姑及姊親其類也先姑後姊尊姑也

禮記曲禮曰姑姊妹女子子已嫁而返兄弟不與同席而坐不與同器而食

又檀弓曰姑姊妹之薄也蓋有受我而厚之者也

左傳僖上曰初晉獻公筮嫁伯姬於秦遇歸妹之睽史蘇占之曰不吉歸妹睽孤寇張之弧姪其從姑六年其逋逃歸其國而棄其家明年其死於高梁之虛震爲木離爲火火從木生離爲震妹於火爲姑謂我姪者吾謂之姑謂子圉質於秦也

漢書曰成帝班婕妤虎之姑也

後漢書曰栢曄字文林姑爲楊賜夫人父鸞卒姑赴哀將至止於傳舍整飾從者而後入曄心非之及姑勞問終無所言號哭而已賜遣吏祠因縣發取祠具曄拒不受後每至京師未嘗舍楊氏

晉書曰阮孚母祖姑家胡婢也父咸通之生孚咸遺姑書曰不意今日遂生胡兒姑荅曰靈光殿賦云胡人遥集於上楹便可以遥集爲字咸從之

列女傳曰魯義姑者魯野人之婦也齊攻魯至郊遥見一人携一兒抱一兒及軍至乃棄抱者而抱携者將欲射之遂止而問曰所抱者誰之子對曰兄之子所棄者誰之子曰子也妾見大軍至不能兩全遂棄所生之子軍曰子之於母甚痛於心何棄所生而抱兄子對曰子之於母私愛也姪之於姑公義也夫背公而向私者妾不爲也於是齊軍遂止曰魯郊有婦人猶持節行況於朝廷乎遂迴軍不伐魯君聞之賜束帛號曰義姑

又曰梁宣節姑者梁之婦人也其室失火兄子與巳子三人在內入取兄子輙得其子及火盛不復得入婦人將赴火其友曰本取兄子卒誤得巳子至於中心亦已足矣何至赴火婦曰梁國豈可以戶告人曉也被不義之名何面見弟兄吾欲復投吾子又失母子之情誓不生遂赴火而死君子曰可謂節姑也

先賢行狀曰蔡伯喈母袁曜卿之姑也

又曰鍾元皓妻李膺之姑也生子覲與膺齊名

太平御覽卷第五百十三

太平御覽卷第五百一十四

宗親部四

兄弟上

釋名曰兄荒也荒大也故青徐人謂兄曰荒睇第也相次第而生也

說文曰兄長也

周易曰家人卦曰父父子子兄兄弟弟夫夫婦婦而家道正正家而天下定矣

尚書五子之歌曰太康尸位以逸豫滅厥德黎民咸貳乃盤遊無度畋于有洛之表十旬不反有窮后羿因民弗忍距于河厥弟五人御其母以從徯于洛之汭五子咸怨述大禹之戒以作歌

又君陳王若曰君陳惟爾令德孝恭惟孝友于兄弟克施有政

又康誥曰王若曰孟侯朕其弟小子封孔安國曰封康叔名稱小子明當受教訓惟乃丕顯考文王克明德慎罰弗敢侮鰥寡庸庸祗祗威威顯民

爾雅曰男子先生爲兄後生爲弟

又曰張仲孝友善父母爲孝善兄弟爲友

毛詩棠棣曰棠棣燕兄弟也閔管蔡之失道故作棠棣焉棠棣之華蕚不韡韡凡今之人莫如兄弟死喪之威兄弟孔懷原隰裒矣兄弟求矣鶺鴒在原兄弟急難每有良朋況也永歎兄弟鬩于牆外禦其侮每有良朋烝也無戎喪亂既平既安且寧雖有兄弟不如友生儐爾籩豆飲酒之飫兄弟既具和樂且孺

又何人斯曰伯氏吹塤仲氏吹篪土曰塤竹曰篪太伯仲喻兄弟也

又頍弁曰爾酒既旨爾肴既嘉箋云旨嘉皆美也汝猶己美矣汝饌已美矣何已不能同與族人燕也言其知具其禮而弗爲之也豈伊異人兄弟匪他

又氓曰兄弟不知咥其笑矣靜言思之躬自悼矣

又葛藟曰綿綿葛藟在河之漘終遠兄弟謂他人昆謂他人昆亦莫我聞

又曰杕杜刺時也君不能親其宗族骨肉離散獨居而無兄弟將爲沃所并爾有杕之杜其葉湑湑獨行踽踽豈無他人不如我同父嗟行之人胡不比焉人無兄弟胡不佽焉有杕之杜其葉菁菁獨行睘睘豈無他人不如我同姓嗟行之人胡不比焉人無兄弟胡不佽焉

又六月曰四牡廢則君臣缺矣皇皇者華廢則忠信缺矣棠棣廢則兄弟缺矣

又陟岵曰陟彼岡兮瞻望兄兮兄曰嗟予弟行役夙夜必偕上慎旃哉猶來無死

又泉水曰嗟我兄弟邦人諸友莫肯念亂誰無父母

又曰黃鳥刺宣王也刺其以陰禮教親而不至聯兄弟之不固者也黃鳥黃鳥無集于桑無啄我粱此邦之人不可與明言旋言歸復我諸兄

又斯干曰兄及弟矣式相好矣無相猶矣似續妣祖

又行葦曰戚戚兄弟莫遠具爾或肆之筵或授之几

又角弓曰角弓父兄刺幽王也不親九族而信讒佞骨肉相怨故作是詩也騂騂角弓翩其反矣兄弟婚姻無胥遠矣此令兄弟綽綽有裕不令兄弟交相爲瘉

又將仲子曰將仲子刺莊公也不勝其母以害其弟弟叔失道而公不制祭仲諫而公弗聽小不忍而致大亂焉將仲子兮無踰我牆無折我樹桑豈敢愛之畏我諸兄仲可

懷也諸兄之言亦可畏也

又揚之水曰揚之水不流束楚終鮮兄弟維予與汝無信人之言人實廷女揚之水不流束薪終鮮兄弟維予二人無信人之言人莫不信

又皇矣曰維此王季因心則友則友其兄則篤其慶載錫之光

又蓼蕭曰蓼彼蕭斯零露泥泥既見君子孔燕豈弟宜兄宜弟令德壽考（爲兄亦宜爲弟亦宜）

禮記王制曰兄之齒鴈行朋友不相踰

又檀弓曰子柳之母死子碩請具子柳曰何以哉子碩曰請粥庶弟之母子柳曰如之何其粥人之母以葬其母也不可既葬子碩欲以賻布之餘具祭器子柳曰不可吾聞之也君子不家於喪請班諸兄弟之貧者

平五ㄱ古　三　趙祖

周禮春官曰大宗伯之職以脤膰之禮親兄弟之國（脤膰社稷宗廟之肉也賜以同姓之國同福祿也兄弟有共先王者也魯定公十四年天王使石尚來歸脤也）

儀禮醮辭曰旨酒既清嘉薦亶時（亶誠也古文亶爲瘴）始加元服兄弟具來孝友時格永乃保之

左傳桓公曰宋穆公疾召大司馬孔父而屬殤公焉曰先君舍與夷而立寡人寡人不敢忘若以大夫之靈得保首領以沒先君若問與夷其將何辭以對請子奉之以主社稷寡人雖死亦無悔焉對曰羣臣願奉馮也公曰不可先君以寡人爲賢使主社稷若棄德不讓是廢先君之舉也豈曰能賢光昭先君之令德可不務乎吾子其無廢先君之功使公子馮出居于鄭（杜預曰公子馮穆公子也）穆公卒殤公即位

又襄公曰宋向戌來聘且尋盟見孟獻子尤其室曰子有令聞而美其室非所望也對曰我在晉吾兄爲之毁之重勞且不敢間（杜預曰傳言獻子友于兄且不隱其實也）

又曰文上曰穆伯如莒莅盟且爲襄仲逆及鄢登城見之美（鄢城莒邑）自爲娶之仲請攻之文公將許之叔仲惠伯諫（惠伯叔子孫也）曰臣聞之兵作於內爲亂於外爲寇寇猶及人亂自及也今臣作亂而君不禁以啓寇讎若之何公止之惠伯成之（平仁子也）使仲舍之公孫敖反之（還莒女也）復爲兄弟如初

又文下曰齊人歸公孫敖之喪爲孟氏且國故也葬視共仲聲己不視帷堂而哭襄仲欲勿哭惠伯曰喪親之終也（惠伯叔彭生也）雖不能始善終可也史佚有言曰兄弟致美救乏賀善弔災祭敬喪哀情雖不同毋絕其愛親之道也子無失道何怨於人襄仲說帥兄弟以哭之

又昭元曰秦后子有寵於桓如二君於景（后子秦桓公子景公母弟鍼也）（其權寵如兩君也）其母曰弗去懼選鍼適晉其車千乘曰秦伯之弟鍼出奔晉罪秦伯也后子享晉侯造舟于河十里舍車自雍及絳歸取酬幣終事八反司馬侯問曰子之車盡於此而已乎對曰此之謂多矣若能少此吾何以得見焉

平五ㄱ古　四　趙

又隱公曰鄭莊公弟共叔段居京謂之京城太叔祭仲諫曰都城過百雉國之害也無使滋蔓（蔓難圖也蔓草猶）不可除況君之寵弟乎

又襄二曰吳諸樊既除喪將立季札（杜預曰札諸樊弟也）辭曰曹宣公之卒也諸侯與曹人不義曹君將立子臧子臧去之遂弗爲也以成曹君君子曰能守節君義嗣也（諸樊適子故曰義嗣）誰敢干君有國非吾節也札雖不才願附於子臧以無失節固立之棄其室而耕乃舍之（傳言季札之讓且明吳兄弟相傳）

又曰兄弟天倫（兄先弟後天之倫次）

論語曰周有八士伯達伯适仲突仲忽叔夜叔夏季隨季騧（包氏曰周時仲乳生八子皆爲顯士故記之也）

又曰子路問曰何如斯可謂之士矣子曰切切偲偲怡怡如也可謂士矣朋友切切偲偲兄弟怡怡（馬融曰切切偲偲切責之皃也怡怡和順之皃也）

又爲政曰或謂孔子曰子奚不爲政子曰書云孝乎惟孝友于兄弟施於有政是亦爲政奚其爲爲政

又顏淵曰司馬牛憂曰人皆有兄弟（鄭玄曰牛兄桓魋行惡死喪無日我爲無兄弟）我獨亡子夏曰商聞之矣死生有命富貴在天君子敬而無失與人恭而有禮四海之內皆兄弟也君子何患乎無兄弟也（包氏曰君子疏惡而友賢九州之人皆可以禮親之）

史記曰伯夷叔齊孤竹君之二子也父欲立叔齊及卒叔齊讓伯夷伯夷曰父命也遂逃去叔齊亦不肯立而追之國人立其中子於是伯夷叔齊聞西伯昌養老往歸焉

又曰信陵君無忌謂魏王曰秦與戎翟同俗有虎狼之心不顧親戚兄弟禽獸耳故太后母也而以憂死穰侯舅也功莫大焉而竟逐之兩弟無罪而再奪之國此於親戚若此而況於仇讎之國乎

又曰漢五年漢王與項羽相距京索之間數使使勞苦丞相蕭何鮑生謂丞相曰王暴衣露蓋數使勞苦君者有疑君心焉爲君計遣君子孫昆弟能勝兵者悉詣君所上必益信君於是何從其計漢王大說

又曰卜式者河南人也以田畜爲事親死式有少弟弟壯式脫身出分獨取畜羊百餘田宅財物盡與弟式入山牧十餘歲羊致千餘買田宅而其弟盡破其生式輒復分與弟者數矣

又曰周公旦武王弟也及武王即位旦常輔翼武王用事居多

又曰朱公居於陶中男殺人囚於楚朱公告其少子往視之乃裝黃金千鎰置褐器中載以一牛車且遣其少子朱公長男請欲行不聽長男曰家有長子曰家督今弟有罪大人不遣乃遣少弟是吾不肖欲自殺其母爲言公從之長男竟持其弟喪歸至其母及邑人盡哀之唯朱公獨笑曰吾固知必殺其弟也彼非不愛其弟也顧有所不能忘者也是少與我俱見苦爲生難故重棄財至如少弟者生而見我富乘堅驅良逐狡兔豈知財所從來故輕棄之前日吾所以爲欲遣少子固爲其能棄財而長者不能故卒以殺其弟事之理也無足悲者吾日固已望其喪之來也

又曰蒙恬弟毅任至上卿出則參乘入則御前蒙恬任外事而毅常爲內謀名爲忠信故雖諸將相莫敢與之爭焉

又曰漢王滅項籍立爲皇帝田橫懼誅與其徒屬五百餘人入海居島中高帝聞之以爲田橫兄弟本定齊齊人賢者多附焉乃使赦田橫罪而召之田橫與其客二人乘傳詣雒陽謂其客曰橫始與漢王俱南面稱孤今漢王爲天子而橫乃爲亡虜北面事之其恥固已甚矣且吾亨人之兄與其弟併肩而事主縱彼畏天子詔不敢動我獨不愧於心乎遂自剄令客奉其頭從使者馳奏之高帝曰嗟乎有以也匹夫起布衣兄弟三人更王豈不賢哉爲之流涕

又曰季布弟季心氣蓋關中遇人恭謹爲任俠方數千里士皆爭爲之死當是時季布以諾心以勇著聞

又曰衛青爲侯家人少時歸其父父使牧羊先母之子皆

奴畜之不以爲兄弟數青常至甘泉居室有一鉗徒相青曰貴人也官至封侯青笑曰人奴之生得無笞罵即幸矣何得封侯

漢書曰陳平陽武户牖人也少時家貧好讀書有田三十畝與兄伯居伯常耕田縱平游學

又田何武字君公蜀郡郫人武兄弟五人皆爲郡吏郡縣敬憚之

又曰田蚡封武安侯爲丞相召客飲坐其兄蓋侯北鄉自坐東鄉以爲漢相尊不可以兄故私撓由此滋驕

又曰丞相韋賢封扶陽侯長子方山早終次子弘少子玄成初弘爲太常丞職奉宗廟典諸陵邑煩劇多罪過父賢以弘當爲嗣故勑令自免弘懷嫌不去官及賢病篤弘竟坐宗廟事繫獄罪未決室家問賢當爲後者賢恚不肯言

於是賢門生博士等與宗室計議共矯賢令以玄成爲後賢薨玄成在官聞喪又言當爲嗣玄成深知其非賢雅意即陽爲病狂妄笑語士大夫多疑其欲讓爵辟兄者丞相御史劾奏之不得已受侯爵

又曰左馮翊韓延壽行縣至高陵有昆仲相訟田延壽耻不能明教化因入傳舍閉閤思過於是訟者自髡肉袒謝罪

又曰嚴延年兄弟五人有吏才至大官東海號其母曰萬石嚴嫗

又曰金日磾兩子賞建俱爲侍中與昭帝略同年共卧起賞爲奉車建駙馬都尉及賞嗣佩兩綬上謂霍將軍曰金氏兄弟兩人不可使俱兩綬耶霍光對曰賞自嗣父爲侯耳上笑曰侯不在我與將軍乎光曰先帝之約有功迺得封侯

又曰張延壽已歷位九卿既嗣侯國在陳留別邑在魏郡入歲千餘萬延壽自以身無功德何以能久堪先人大國數上書讓減户邑又因弟陽都侯彭祖口陳至誠天子以爲有讓迺從封平原并一國户口如故而租稅減半

又曰王商自子威涿郡蠡吾人商少爲太子中庶子以肅敬敦厚稱父薨商嗣爲侯推財以分異母諸弟身無所受居喪哀戚於是大臣薦商行可以厲群臣義足以厚風俗宜備近臣繇是擢爲諸曹侍郎中郎將

范曄後漢書曰光武郭后諱聖通眞定稾人也爲郡著姓父昌讓田宅財産數萬與毋弟國人義之

又曰馬援字文淵扶風茂陵人也援三兄况余員並有才能援年十二而孤少有大志諸兄奇之嘗受齊詩意不能守

章句迺辭况欲就邊郡田牧况曰汝大才當晚成良工不示人以朴直從所好會况卒援行服朞歲不離墓所

太平御覽卷第五百一十四

太平御覽卷第五百一十五

宗親部五

兄弟中

後漢書曰徐防卒子衡當嗣讓封於其弟崇數歲不得已乃出就爵

又曰封觀者有志節當舉孝廉以兄名位未顯恥先受之遂稱風疾喑不能言火起徐出避之忍而不告後數年兄得舉觀乃稍損而仕州郡

又曰鍾皓字季明潁川長社人皓少以篤行稱公府連辟爲二兄未仕遷隱密山以詩律教授門徒千餘人

又曰袁譚欲更攻弟尚問王脩曰計安出曰兄弟者左右手也譬人將鬭而斷其右手曰我必勝若如是者可乎夫棄兄弟而不親天下其誰親之

又曰許荆字少長會稽人也祖父武太守第五倫舉爲孝廉武以二弟晏普未顯欲令成名乃謂之曰禮有分異之義家有別居之道於是共割財産以爲三分武自取肥細廣宅弟所得並悉劣少鄉人皆稱弟尅讓而鄙武貪婪晏等以此並得選舉武乃會宗親泣曰吾爲兄不肖盜聲竊位二弟年長未預榮祿所以求得分財自取大譏今理産所增三倍於前悉以推二弟一無所留於是郡中翕然

又曰童恢弟翊字漢文名高於恢宰府先辟之翊陽喑不肯仕及恢被命乃就孝廉

又曰繆彤字預公少孤兄弟四人皆同財業及各娶妻諸弟遂求分異又數有計爭之言彤乃掩户自撾曰繆彤汝修身謹行學聖人之法將以齊整風俗奈何不能正其家乎弟及諸婦聞之悉叩頭謝罪遂爲敦睦之行

又曰李充字大遜家貧兄弟六人同衣遞食妻竊謂充曰今貧居如此難以久安願思分異充僞酬之曰當醞酒具會請呼鄉里内外充於坐中前跪白母曰此婦無狀而教充離間母兄罪合遣斥便呵叱其婦遂令出門婦銜涕而去

又曰王莽以崔篆爲建新大尹篆不得已乃歎曰吾生無妄之世值澆五叫切羿之君上有老母下有兄弟安得獨潔己而危所生哉

又曰班固以父彪所續前史未詳乃潛精研思欲就其業既而有人上書顯宗告固私改作國史者有詔下郡收固繫京兆獄盡取其家書固弟超恐固爲郡所覆考不能自明乃馳詣闕上書得召見具言固所著述意而郡亦上其書顯宗甚奇之召詣校書郎除蘭臺令史

又曰顯宗問班固卿弟安在固對爲官寫書受直以養老母帝乃除超爲蘭臺令史

東觀漢記曰丁鴻父綝從征伐鴻獨與弟盛居憐盛幼少而共寒苦及綝卒鴻當襲封上書讓國於盛書不報既葬乃挂衰絰於家廬而去留書與盛曰鴻貧經書不顧恩義弱而隨師生不供養死不飯唅皇天祖禰並不祐助身被大病不任茅土前上疾狀願辭爵章不報迫於當封謹自放棄

又曰趙孝字長平建武初穀食尚少孝得穀炊將熟令弟禮夫妻出比還孝夫妻共蔬食禮夫妻歸輙獨飯之積久禮心怪之疑後掩伺見之亦不肯食遂共蔬食兄弟怡怡鄉里歸德

又曰劉愷字伯豫以當襲父爵讓與其弟憲遁逃避封久

之章和中有司奏請絶國上美其義特優加之
又曰孔奮篤於骨肉弟奇在洛陽爲諸生分祿供給其器用四時送衣下至脂燭每有所食甘美輒分減以遺奇
又曰鄧彪字伯智南陽人也父邯世祖中興從征伐以功封鄳侯彪少修孝行厲志清高與同郡宗武伯翟敬伯陳綏伯張弟伯同志好齊名稱南陽五伯彪以嫡長爲世子邯薨彪當嗣爵讓國與異母弟鳳明帝高其節詔書聽許鳳襲爵彪仕州郡
又曰朱勃字叔陽年十二能誦詩書常候馬援兄況勃衣方領能行步辭言閑雅援裁知書見之自失況知其意酌酒慰援曰朱勃小器速成智盡此耳卒當從汝稟學勿畏也勃未二十右扶風請試守渭城宰及援爲將軍封侯而勃位不過縣令援後雖貴常待以舊恩而卑侮之勃愈自

親及援遇讒唯勃能終焉
又曰梁商字伯夏安定烏氏人常曰多藏厚亡爲子孫累每租奉到及兩宮賞賜便置中門外未嘗入藏悉分與昆弟中外
又曰吳漢嘗出征妻子在後買田業漢還讓之曰軍師在外吏士不足何多買田宅乎遂以分與昆弟外家
又曰劉敞曾祖節侯買以長沙定王子封於陵道之舂陵侯敞父仁嗣侯以舂陵地勢下濕有山林毒氣上書求減邑内徙元帝初平四年徙南陽之白水鄉猶以舂陵爲國名仁卒敞謙儉好義推父時金寶財產與昆弟荆州刺史上其義行拜廬江都尉
又曰郭況爲城門校尉況皇后弟貴重賓客輻湊而況恭儉謙遜遵奉法度不敢驕奢

又曰鄭均字仲虞任城人也治尚書好黃老澹泊無欲清静自守不慕遊宦兄仲爲縣游徼頗受禮遺均數諫止不聽即脫身出歲餘得數萬錢歸以與兄曰錢盡可復得爲坐吏贓終身捐棄兄感其語遂爲廉絜稱清白吏
又曰魯恭字仲康扶風人父爲武陵太守卒官時恭年十二弟平年七歲晝夜號踊不絶聲郡中賻贈無所受及歸服喪禮過成人恭憐平小不欲先就其名託疾不仕郡數以禮請謝不肯應毋強之恭不得已而行因留新豐教授平舉秀才恭乃始爲郡吏
又曰鄧悝字叔昭安帝即位拜悝城門校尉自延平之初以國新遭大憂故悝兄弟率常在中供養兩宮比上疏自陳愚闇顛朽幸得遭值明盛兄弟充列顯位並侍帷幄豫聞政事無拾遺一言之助以補萬分而久在禁省日月益

長罪責日深惟陛下哀憐
又曰魏霸字喬卿爲鉅鹿太守妻子不到官舍常念兄嫂在家勤苦已獨尊樂故常服麤糲不食魚肉之味婦親蠶桑服機杼子躬耕農與兄弟子同苦樂不得有異鄉里慕其行化
又曰馬防兄弟二人皆各六千户
又曰張純封武始侯有子根奮及純病勑家丞翕曰無功於國猥蒙大恩爵不當及于後嗣純薨大行移書問嗣翕上奮中元二年詔書封奮奮上書曰不病哀臣小稱疾令翕立後臣時在河南家盧臣見純前告翕語自以兄弟不當蒙襲爵之恩願下有司詔不聽奮既嗣爵謙儉節約閨門和平
續漢書曰張堪字君游南陽宛人爲郡族姓堪早孤讓先父餘財數百萬與兄弟

又曰姜肱字伯淮兄弟三人皆以孝行著肱年長與二弟仲海季江同被臥甚相親友及長各娶妻兄弟相戀不能相離以繼嗣當立乃更往就室學皆通五經兼明星緯

謝承後漢書曰郭賀字惠公潁川陽翟人也父鎮廷尉以功封定潁侯薨賀當襲爵上書讓與弟時詔書不聽遂竄逃匿三年孝順皇帝下大鴻臚切責州郡求賀強使就封國

魏志曰袁述與紹有隙又與劉表不平而北連公孫瓚紹與瓚不和而南連劉表其兄弟攜貳舍近交遠如此

魏略曰夏侯楙尚太祖女清河公主楙在西征時多畜妓妾公主由此與楙不和其後群弟不遵禮度楙數切責弟懼見治乃共構楙今公主奏之有詔收楙意欲殺之以問長水校尉京兆段默默以為誹謗之言不與實相應此清河公主與楙不睦出於諸構豈不待實耳且伏波與先帝有定天下功宜加三思帝意解曰吾亦以為然乃發詔問本為公主作表者果其群弟子臧子佐欲構疏楙使不見信

又曰大傅司馬宣王父病曹爽攝政李豐依違時有謗書曰曹爽之勢熱如湯太傅父子冷如漿李豐兄弟如游光

吳志曰諸葛瑾字子瑜琅邪陽郡人也為孫權長史建安二十年權遣瑾使蜀與其弟亮但公會相見退無私面

又曰虞翻字仲翔會稽餘姚人也翻少好學有高氣年十二客有候其兄者不過翻翻追書與曰僕聞琥珀不取腐芥磁石不受曲針不亦宜乎客得書奇之由是見稱

蜀志曰糜竺弟芳為南郡太守與關羽共事而私好攜貳叛迎孫權羽用覆敗芳面縛請罪先主慰喻以兄弟罪不相及崇寵如初

晉書曰衛瓘有六男無爵悉讓二弟遠近稱之

又曰劉寔字子真平原高唐人也弟知字子房貞潔有兄風為潁川太守平原管輅嘗謂人曰吾與劉潁川兄弟語使人神思清發昏不假寐自此之外殆白日欲寢矣

又曰何准字幼道穆章皇后父也高尚寡欲弱冠知名州府交辟並不就兄充為驃騎勸其令仕准曰第五之名何減驃騎准兄弟中第五故有此言

又曰周顗字伯仁性寬裕而友愛過人弟嵩嘗飲酒瞋目謂顗曰君才不及弟何橫得重名以所燃蠟燭投之顗神色無忤徐曰阿奴火攻固出下策耳

又曰戴邈字安丘處士逵之弟逵勵操東山而邈以武勇顯謝安嘗謂邈曰卿兄弟志業何殊邈曰下官不堪其憂家兄不改其樂也

又曰王獻之嘗與兄徽之操之俱詣謝安二兄多言俗事獻之寒溫而已既出客問安王氏兄弟優劣安曰小者佳客問其故安曰吉人之辭寡察其言故知之嘗與徽之共在一室忽然火發徽之遽走不遑取履獻之神色恬然徐呼左右扶出

又曰散騎常侍祖納初與弟約不睦中宗甚任約疏納納乃言於中宗曰約為人外有國士之形內懷凌上之性抑而使之可也若假其權必為亂階中宗弗納納遂以兄弟相謗免官及後約為逆論者始知納忠誠

又曰顏含少有操行兄畿停喪在殯忽夢去復活一門咸夢經時不已含時尚少乃慨然判曰今靈異至此豈可孤抑開棺之痛孰與不開乃共發棺果有生驗然氣息甚微存亡不別含於是絕棄人事逢首屏氣以就哈養于時人

士皆歎其至行並饋餉之舍謝而不受經十三年竟不起
疾

太平御覽卷第五百一十五

太平御覽卷第五百一十六

宗親部六

兄弟下

晉書曰王覽字玄通母朱氏遇前妻子祥無道覽年數歲見祥被楚撻輒涕泣抱持至于成童每諫其母母少止凶虐祥漸有譽時朱氏密使鴆祥覽知之徑起取酒祥疑其有毒爭而不與朱氏遽奪反之自後朱氏賜祥饌覽輒先嘗

又曰庾冰字季堅兄亮以名德流訓冰以雅素垂風諸弟相率莫不好禮爲世論所重亮常以爲庾氏之寶

又曰荀組字大章于時天下已亂組兄弟貴盛懼不容於世雖居大官並諷議而已

又曰謝安弟萬爲西中郎將總藩任之重安雖處衡門其名猶出萬之右自然有公輔之望

又曰華恒字道弘少失父事母至孝年十三值年飢穀貴恒蔬食而母甘肥不絕又撫育孤弟友愛甚至稱爲悌兄由是少有聲譽

又曰魏徐州刺史任城呂虔有佩刀工相之以爲必三公可服此刀虔謂別駕王祥曰苟非其人刀或爲害卿有公輔之量故以相與祥始辭之因强乃受及祥死之日以刀授弟覽曰吾兒凡汝後必興足稱此刀故以相與覽則導之祖

王隱晉書曰祖逖字士稚范陽人與弟約將母詣洛交結人流逖舅程玄良良弟衛衛弟並臺郎 有勢於洛更共扶讚兩甥故命並階清塗逖初爲司州主簿舉秀才爲大司馬齊王掾有將帥之風

宋書曰謝弘微少孤事兄如父兄弟友睦之行世莫能及口不言人長短兄曜好臧否人物每言論常以他語亂之

又曰蔡廓奉兄軌如父家事小大皆諮而後行公祿賞賜一皆入軌有所資須悉就典者請焉從高祖在彭城妻郗氏求夏服廓答曰知須夏服計給事自應相供無容別寄軌時爲給事中

又曰謝景仁愛其弟甝胡甘切而憎弟述嘗設饌請高祖命甝預坐而高祖召述述知景仁夙意又慮非高祖命之請急不從高祖馳遣呼述須至乃歡及景仁有疾述盡心視湯藥飲食必嘗而後進不解帶不盥櫛者累旬景仁深懷慙愧也

又曰張暢弟收爲猘犬所傷醫言食蝦蟆膾即愈收甚難之暢含笑先嘗收因啖得差

又曰庾登之字元龍潁川鄢陵人也少以強濟自立爲吳郡太守坐事免官弟炳之爲臨川內史登之隨弟之郡優遊自適

又曰江夷字茂遠濟陽考城人也夷少自操厲爲吳郡太守以兄疾去官後遷右僕射

又曰陶潛與弟子書以言其志并爲訓戒曰汝輩稚小家貧無役柴水之勞何時可免念之在心若何可言然雖不同生當思四海皆兄弟之義鮑叔敬仲分財無猜歸生伍舉班荊道舊遂能以敗爲成因喪立功他人尚爾況共父之人哉潁川韓元長漢末名士身處卿 佐八十而終兄弟同居至于沒齒濟北氾稚春晉時操行人也七世同財家無怨色詩曰高山仰止景行行止汝其慎哉

又曰孔覬字思遠不尚矯飾服用麤敗終不改易時吳郡顧覬之亦尚儉素衣裘器服皆擇其陋者宋世清約稱此

二人顗弟道存從弟微頗營業二弟請假東還輜重十餘舫皆是絹紙席之屬顗見之命上置岸側命左右取火燒之盡乃去道存代顗爲江夏内史時都邑米貴道存慮顗甚乏遣吏載伍百斛米餉之顗呼吏載米還彼吏曰都下米貴乞於此貨之不聽吏乃載米而去

又曰蔡廓罷豫章郡還起二宅先成東宅與弟軌

又曰徐湛之年數歲時與弟淳之共車行牛奔車壞左右人馳來赴之湛之先令取弟衆咸歎其幼而有識

又曰謝弘微寬重有雅量不以喜愠改色有蔡湛之者及見太傅兄弟謂人曰弘微白類中郎而性似文靖

齊書曰衡陽元王道度太祖長兄也與太祖俱受學雷次宗宣帝問二兒學業次宗荅曰其兄外朗其弟内潤皆良璞也

又曰劉璡兄瓛夜隔壁呼璡共語璡不荅方下牀着衣立然後應瓛問其久璡曰向束帶未竟其操如此

又曰張岱少與兄太子中舍人寅新安太守鏡征北將軍弟永廣州刺史辨俱知名謂之張氏五龍

隋書曰盧昌衡小字龍子風神澹雅容止可法博涉經史工草行書從弟思道小字釋奴宗中俱稱英妙故幽州爲之語曰盧家千里釋奴龍子

唐書曰溫大雅歷遷黄門侍郎弟彦博爲中書侍郎對居近侍議者榮之高祖從容謂曰我起義晉陽爲卿一門耳大雅將改葬其祖父筮者曰葬於此地害兄而福弟大雅曰若得家弟永康我將含笑入地葬訖歲餘而卒

又曰張嘉貞爲并州長史爲政嚴肅甚爲人吏所畏開元初因奏事至京師上聞其善政數賞慰嘉貞因奏曰臣少孤兄弟相依以至今日臣弟嘉祐今授鄯州別駕與臣各在一方同心離居塊絶萬里乞移就臣側近臣兄弟盡力報國死無所恨上嘉其友愛特改嘉祐爲忻州刺史

又曰韋述弟逌學業亦亞於述尤精三禮與述對爲學士逌同爲禮官時人榮之

又曰張道源族孫楚金少有志行事親以孝聞初與兄越石同預鄉貢進士州司將罷越石而薦楚金楚金辭曰以順則越石長以才則楚金不如固請俱退時李勣爲都督歎曰貢士本求才行相推如此何嫌雙舉也乃俱薦擢第

又曰李遜幼孤寓居江陵與其弟建皆安貧苦易衣併食講習不倦遜兄造知二弟賢日爲營丐成其志業建先遜一年卒兄弟同致休顯士君子多之

又曰揚汝士爲劍南東川節度使時宗人嗣復鎮西川兄

弟對居節制時人榮之

又曰薛膺友悌弟齊爲李絳山東西道從事絳遇害齊中飛矢墜於城下膺時爲左補闕聞難不及請馳馬以赴齊歿膺與兄弟褒庠處喪過禮朝之卿大夫暨搢紳者往弔繼路聞其哀號弔者悲不能自持膺去左補闕庠去河南縣尉直弘文館與褒皆屏居外野布巾終喪蹈名教者推之

續晉陽秋曰王岷有俊才與兄珣並有名而聲出珣右時人爲之語曰法護非不佳阿彌難爲兄

韋昭吳書曰劉繇長子基遭家多難嬰丁困苦潛處味道不以爲慼與群弟居常夜卧早起妻妾稀見其面諸弟敬憚事之猶父不妄交遊門無雜賓

三十國春秋曰裴楷嘗新爲別宅宅甚美麗楷兄欲之楷便讓之爲性有大度皆斯類也

世說曰諸葛瑾弟亮及從弟誕並有盛名各在一國于時
以爲蜀得其龍吳得其虎魏得其狗誕在魏與夏侯玄齊
名瑾仕吳吳朝服其弘雅
又曰謝弈作剡令有一老翁犯法謝以醇酒罰之乃至醉
而猶未已太傅時年七八歲着青布袴在兄膝邊坐諫曰
阿兄老翁可念何故取作此謝於是改容曰阿奴欲放去
耶即遣之
會稽典錄曰謝淵字休德山陰人其先鉅鹿太守夷吾之
後也世漸微替仕進不繼至淵兄弟一時俱興兄咨字休
度少以質行自立幹局見稱官至海昌都尉淵起於褒末
兄弟脩德貧無慼容歷位建威將軍
又曰鍾牧字子幹牧兄駰計吏少與同郡謝贊吳郡顧譚
齊名牧童齓時號爲遲訥嘗謂人曰牧必勝我不可輕也

時人皆以爲不然
三輔決錄曰張宇穆之第二子也以父功當封自言兩目
失明天子信之乃封弟恭其小弟好戲無度放散家財宇
悉以所得千萬與之天子聞而嘉之又知其讓封徵拜議
郎
說苑曰宋襄公茲父爲桓公太子桓公有後妻子曰公子
目夷公愛之茲父爲公愛之也欲立之請於公曰請使目
夷立臣爲之相以佐之公曰何故也對曰臣自知不足以
處目夷之上公不許強以許公許之將立公子目夷目夷
辭曰兄立而弟在下是其義也今弟立而兄在下不義而
使目夷爲之目夷將逃之衛茲父從之三年桓公有疾使人召茲父
曰若不來是使我以憂死也茲父乃反公復立之以爲太
子然後目夷召茲父歸

楚國先賢傳曰陰興字君陵南陽新野人也拜衛尉薨時
封興長子慶爲鮦陽侯次子傅爲濦強侯傅弟員丹皆爲
郎慶少修儒術推所居第宅奴婢財物悉分與員丹但佩
印綬而已當世稱之上以慶閨門孝悌行義敦察擢顯朝
廷以勵親戚擢爲羽林右監
劉向列女傳曰廣漢汝婦者汝敦之妻也居世殷富兄弟
早孤而嫂貪惏敦以所受田宅奴婢三百餘萬悉讓與兄
裁留園地數十畝起舍耕作土中得金一器敦以示妻妻
曰本言讓先祖所有也此獨非其有耶敦曰固吾意也乃
俱擔金與兄嫂嫂初謂叔窮乏之來欲假貸有不悅之色見
金而喜兄乃惻然感悟弃妻還金
海內先賢傳曰范丹字史雲讓財千萬與三弟
風俗通曰陳留太守泰山吳文章少與兄伯武相失二十

年後相會下邳市中爭計共鬭伯武毆之文章欲報心悽
悵手不能與觀者笑之更相借問乃親兄也相持啼泣觀
者復曰兄得殺弟不得報兄向者所笑乃其義也
典論曰劉表疾病其子琦還省疾琦性慈孝其弟恐琦見表
父子相感更有託後之意謂曰將軍命君撫臨江夏爲國
東藩其任至重今釋衆而歸必見譴怒傷歡以增其疾非
孝敬也遂遏于戶外使不得見琦流涕而去
江微陳留志曰李銓字玄機平丘人也少聰惠有志行銓
兄全前母子後母甚不愛也而衣食皆使下銓銓始年五
歲覺已衣勝兄即脫不着須兄得與已同然後服之其母
遂不得有偏及長銓內匡其母外奉其兄故閨門雍睦爲
邦族所稱
晉諸公讚曰高柔長子雋大將軍掾次誕歷三州刺史放

率不倫使列過人次光字宣茂少習家業明練法治晉武帝世爲廷尉兄誕與光異操謂光小節常輕侮之光事誕愈謹

又曰和嶠爲少保散騎常侍性至儉憸嶠同母弟郁素無名稱嶠輕侮之以此爲損一

太平御覽卷第五百一十六

七

王祖

太平御覽卷第五百一十七

宗親部七

姊妹　舅姑　嫂叔

娣姒

姊妹

爾雅曰女子先生爲姊後生爲妹

毛詩曰泉水曰問我諸姑遂及伯姊

禮記檀弓曰孔子與門人立拱而尚右二三子亦尚右孔子曰二三子之嗜學也我則有姊之喪故也二三子皆尚左

左傳成上曰潞子嬰兒之夫人晉景公之姊也酆舒爲政而殺之又傷潞子之目晉侯欲伐之諸大夫皆曰不可酆舒有三儁才不如待後之人伯宗曰必伐之狄有五罪儁才雖多其何補焉遂滅潞酆舒奔衛衛人歸諸晉晉人殺之

又昭元曰鄭徐吾犯之妹美公孫楚聘之矣公孫黑又使強委禽焉犯懼告子産子産曰是國無政非子之患也惟所欲與犯請于二子使女擇焉子晳盛飾而入布幣而出（子晳公孫黑）子南戎服而入左右射超乘而出女自房觀之曰子晳信美矣抑子南夫也（子南公孫楚字）夫夫婦婦所謂順也適子南氏焉

又定上曰吳伐楚楚昭王取其妹以出涉濉水鍾建負之以從復國王將嫁季芉季芉辭曰所以爲女子遠丈夫也鍾建負我矣王遂使妻鍾建以爲樂尹

春秋感精符曰人主含天地據璣衡齊七政秉八極父天母地兄日姊月

史記曰聶政爲嚴仲子殺韓相俠累因自披面抉眼出腸以死韓取政屍暴於市購之曰有能言殺俠累者與千金政姊嫈聞之乃伏屍哭曰是軹深井里聶政也妾奈何畏殁身之誅滅賢人之名乃大呼天者三遂死於政旁也

又曰萬石君石奮高祖問曰君有何人對曰有姊善鼓琴高祖乃召爲美人

又曰張敖叔姊善鼓琴高祖召爲宫人徙其家就戚里戚里在長安與親戚別居故曰戚里

漢書曰李延年妹絕美延年侍上酒酣歌曰北方有佳人絕世而獨立一顧傾人城再顧傾人國不惜傾城傾國佳人難再得武帝聞之乃召入宫

又曰秦彭字伯平爲山陽太守民江伯欲嫁寡姊姊乃引鎌自割伯因前救姊觸鎌傷姊遂亡縣正論法彭曰救無惡志乃輕罪之

謝承後漢書曰范冉姊病往看之姊爲設餅冉留錢一百

文姊使人追還之冉竟不受

又曰曹壽妻班超之妹也超字仲叔扶風人爲都護在絕域年老思入關妹乃上書曰妾兄超延命沙漠三十餘年骨肉生離不復相識書奏帝乃徵還

又曰宋弘字仲子爲司空帝姊胡陽公主新寡帝與論朝臣美惡以觀其意主曰宋弘容德莫及帝曰方圖之後引弘入令主坐屏風後因謂弘曰貴易交富易妻人情乎弘曰貧賤之交不可忘糟糠之妻不下堂帝謂主曰事不諧矣

又曰汝南袁隗妻馬融之女少有才辯融家世豐豪裝遣甚盛及初成禮隗謂之曰婦奉箕帚而已何乃過珍麗對曰慈親垂愛不敢逆命君欲鮑宣梁鴻之行者妾亦請從紹孟光之事又問曰弟先兄舉世以爲笑今處姊未適人

而君先行可乎對曰妾姊高行殊邈未遇良匹不如鄙薄苟然而已又問南郡學窮道奧文爲辭宗而所在之識輙以資財爲損何耶對曰孔子大聖不免武叔之毀子路至賢猶有伯寮之愬家君固其宜也

蜀志曰初孫權以妹妻蜀先主孫氏性才捷剛猛有諸兄之風侍婢百餘人皆執刀劒而侍立先主心常凛凛然也

晉書曰郭奕字大業太原人遷雍州刺史有寡姊隨其之官姊下僮僕多有對犯而爲人所糺奕按省畢曰丈夫豈當以老姊求名遣而不問

又曰桑虞字子深衞人年十四喪父哀毀過禮以米百粒糝藜藿其姊喩之曰滅性非孝子對曰藜藿雜米足以勝哀

又曰涼州刺史羊欣姊喪未經旬車騎長史韓預強聘其女其妻張酺爲御史中丞貶預以清風俗論者稱之

又曰陳統字元方弟紘字偉方俱清秀知名姊妹四人並有才美姊適東莞徐氏生邈及二姊適同郡劉氏文章最盛

又曰慕容垂妻段氏字元妃光祿大夫段儀女婉惠有志操常謂妹季妃曰我終不作凡人妻季妃曰我亦不作庸夫婦隣人聞笑之後燕王納元妃爲室范陽王德娉季妃並如其言

又曰王凝之妻謝氏名道韞安西將軍弈之女也聰明有才辯同郡張玄妹亦有才質適顧氏謝玄每之以敵道韞有濟尼者遊於二家或問之荅曰謝夫人神情散朗故有林下之風顧家婦清心玉映自是閨房之秀

宋書新野庾彦達爲益州刺史攜姊之官資給中分祿秩西土稱之

齊書曰永興中有王氏女年五歲得毒病兩目皆盲性至孝年二十父亡盲女臨屍一叫眼皆血出小妹娥舐之其左眼即開愈時人皆以爲孝感所致也

梁典曰長廣橋者宋武帝姊昔賣紗糴米還橋小不敢過無舡得渡日晚宋武帝大飢乏方見姊負米還乃謂姊曰若異日富貴當長廣此橋遂爲名也

新子曰梁車新爲鄴令其姊往見之值暮郭門閉遂踰郭而入梁車新因刖其足趙成侯以爲不慈遂奪璽免官

應劭風俗通曰郝廉太原人飢寒不受人衣食曾過姊家飰留五十文置席下而去

世說曰郗嘉賓死婦弟欲迎其姊還姊終不肯歸曰生縱不得與郗郎同室死寧不同穴也

又曰袁彦道有二姊一適殷源一適謝祖嘗語桓宣武切恨不更有一人配卿也

王子年拾遺曰賈逵年六歲其姊聞隣家讀書日日抱逵就籬聽之逵年十歲乃暗誦六經父曰吾未嘗教尒安得三墳五典誦之乎對曰姊嘗抱于籬邊聽隣家讀書因記得而誦之

簫韶太清記曰劉孝儀諸妹文彩艷質甚於神人也

荆州圖南北岸曰屈原之鄉里原既流放忽然歸鄉人喜悅因名南岸曰歸鄉岸原有姊聞原還亦來歸責其矯世鄉人又名其北岸曰姊歸岸

舅姑

釋名曰夫之父曰舅舅言久也久老之稱也夫之母曰姑姑言故也

爾雅曰婦稱夫之父曰舅稱夫之母曰姑姑舅在則曰君舅

君姑沒則曰先舅先姑

禮記檀弓曰婦人不飾不敢見舅姑

又內則曰婦事舅姑如事父母雞初鳴咸盥漱櫛縰笄總衣紳左佩紛帨刀礪小觿金燧右佩箴管線纊施縏袠大觿木燧衿纓綦屨以適舅姑之所及所下氣怡聲問衣燠寒疾痛苛癢而敬抑搔之

又曰婦將有事大小必請於舅姑（不敢專行也）

儀禮婚禮曰舅饗送者以一獻禮酬以束錦姑饗婦人送酬亦如之

左傳襄元曰魯齊姜薨初穆姜使擇美檟以自爲櫬與頌琴季文子取以葬君子曰非禮也禮無所逆婦養姑者也虧姑以成婦逆莫大焉（穆姜成公母齊姜成公婦也）

列女傳曰鄒孟軻既娶將入室其婦袒而內孟子不悅遂

去不入婦辭孟母求去曰妾聞夫婦之道私室不與焉今妾竊惰在室而夫子見妾悖然不悅是客妾也婦人之義蓋不客宿請歸於父母姑召軻而謂之曰夫禮將上堂聲必揚所以戒人也將入戶視必下恐見人過今子不察於禮而責於妻不亦遠乎孟子遂留其婦謝之君子謂孟母知禮而明姑婦之道

嫂叔

釋名曰嫂叟也老稱也叟縮也人及物老皆小縮於舊也叔少也幼者稱也叔亦俶也見嫂俶然却退也

爾雅曰女子謂兄之妻爲嫂弟之妻爲婦

禮記曲禮曰嫂叔不通問

又檀弓曰子思之哭嫂也爲位婦人倡踊

又曰嫂叔之無服也蓋推之遠之也

又雜記曰嫂不撫叔叔不撫嫂

史記曰蘇秦洛陽人從鬼谷歸大困窮困兄嫂姊妹妻皆笑之不爲下機秦乃閉室不出讀周書陰符後合六國從約并力相六國北報趙過洛陽車騎輜重擬於王者乃歸昆弟嫂側目不敢仰視秦謂嫂曰何前踞而後恭嫂匍匐以面伏地謝曰見季子位高金多也

漢書曰高祖長兄伯妻高祖微時嘗避事時與賓友過其丘嫂（丘空也無壻曰丘乃寡嫂也）嫂厭叔引客來食佯爲羹盡轑釜客去高祖視釜尚有羹由是怨之後定天下而伯子獨不得封太上皇爲言之高祖曰非敢忘也但其母不長者耳後七年封爲羹頡侯

又曰陳平兄伯常耕田縱平遊學嫂疾之不親家事或問平食何物而肥對曰食糠籺耳嫂曰有叔如此不如無伯

聞而逐其妻

晉書曰鄭休妻石氏爲九族所重休前妻女既幼又休父布臨終生庶子沈休命棄之石氏曰柰何使舅之胤不存乎遂養沈及前妻女力不兼舉九年之間三不舉子

又曰王渾妻鍾氏字琰生子濟渾嘗共琰坐濟趨庭而過渾欣然曰生子如此足慰人心琰曰若新婦得配參軍（爲渾弟淪也）生子固不啻如此耳

又曰王澄字平子衍季弟也衍妻郭氏性貪鄙令婢於路檐糞澄年十四諫郭郭大怒謂澄曰昔先人臨終之日以小郎囑新婦不以新婦囑小郎因捉其衣裾欲杖之澄懼踰窻而走得脫

又曰王凝之妻謝氏字道韞弈之女也聰識有才辨凝之弟獻之嘗與賓客談議詞理將屈道韞使婢白獻之曰新

婦欲與小郎解圍乃以青綾步障自蔽申獻酬之義客遂不能屈也

又曰晉中書令王珉與嫂婢私通嫂撻甚苦婢素善歌而珉好執白團扇故製白團扇歌

又曰顏含字弘都嫂老而失明含奉養如親束帶躬侍嫂病困須蚺蛇膽求之不獲憂歎盈懷方獨坐愁苦忽有一童子持一青囊授含含開之乃蚺蛇膽也童子出户化爲青鳥飛去含得藥成嫂病遂愈

齊書曰吳達之義與人嫂亡無以具葬乃自賣爲十夫傭以營葬

三十國春秋曰晉吏部郎魏衡謂姪舒曰汝後得爲小縣長舒曰堪八百戶長將老便入官舍即斯願畢矣

孟子曰淳于髡曰男女授受不親禮與孟子曰禮也曰嫂溺則援之以手乎曰嫂溺不援是豺狼也男女授受不親者禮也嫂溺援之以手者權也

逸士傳曰高鳳爲太守所召恐不得免自言不應爲吏乃與寡嫂僞爭田遂免仕

世說曰阮籍嫂甞還家籍見嫂與之別或譏之籍曰禮豈爲我輩設也

常璩華陽國志曰汝敦兄弟共居有父母時財物嫂心欲得之敦妻勸敦盡讓田宅奴婢與兄弟出別居敦後耕田得金器妻勸送與兄夫妻共往嫂性嗇見金器踊躍欲留之兄因感悟即去妻悉讓財物還弟弟又不受相讓積年

鄴洛鼎峙記曰盧道虔後妻元氏升堂講老子道德經虔弟元明隔紗帷以聽之

娣姒

爾雅曰女子同出謂先生爲姒後生爲娣（同出爲俱嫁事一夫）長婦謂稚婦爲娣婦娣婦謂長婦爲姒婦也

左傳成下曰魯聲伯之母不聘（不聘無婦禮）穆姜曰吾不以妾爲姒（兄弟之妻相謂爲姒）

又昭七曰晉叔向欲娶於申公巫臣氏其母不許平公強使取之生伯石伯石始生子容之母走謁諸姑（子容母叔向嫂伯華妻也）姑視之及堂聞其聲而還曰是豺狼之聲也狼子野心非是莫喪羊舌氏矣

晉書曰王渾妻鍾氏名琰太尉之孫也渾弟湛妻郝氏有德行琰雖貴門不陵郝郝亦不下琰時稱鍾夫人之禮郝夫人之法

太平御覽卷第五百一十七

太平御覽卷第五百一十八

宗親部八

子

易蠱卦曰幹父之蠱有子考無咎厲終吉

又家人卦曰家人嗃嗃悔厲吉父子嘻嘻終吝

儀禮曰父爲長子服三年何也正禮乎上又所重也

禮記內則曰由命士以上父子皆異宮

又祭義曰身也者父母之遺體也行父母之遺體敢不敬乎

左傳隱公曰衛莊公之子州吁有寵而好兵公弗禁石碏諫曰臣聞愛子教之以義方不納於邪

又宣上曰楚司馬子良生子越椒子文曰必殺之是子也熊虎之狀而豺狼之聲不殺必滅若敖氏矣

論語曰陳亢問於伯魚曰子亦有異聞乎對曰甞獨立鯉趍而過庭曰學詩乎對曰未也曰不學詩無以言他日又獨立鯉趍而過庭曰學禮乎對曰未也不學禮無以立鯉退而學禮陳亢退而喜曰問一得三聞詩聞禮又聞君子之遠其子也

孝經曰父子之道天性也

周書曰周公三撻伯禽往見商子商子曰南山有橋父道也北山有梓子道也盍往觀之而伯禽往視橋梓明日朝伯禽俯而趍周公迎而撫之曰汝安見君子哉

史記曰吴起衛人好用兵甞學於曾子事魯君出衛郭門與其毋決齧臂而盟曰起不爲卿相不復入衛也

又曰司馬談爲太史天子建漢家之封而太史公留滯周南不得從事發憤而卒子遷適見父於河洛之間太史公執遷手下泣曰其先即周之太史後世中衰絕於余乎汝後爲太史則續吾祖矣

漢書曰張湯杜陵人父爲長安丞父出湯爲兒守舍還鼠盜肉父還怒之笞湯湯掘地薰鼠得餘肉劾鼠掠治訊鞫論報取鼠磔堂下父怨視其文辭如老吏大驚異遂使書獄焉

又曰王遵字子貢涿人遷益州刺史先是王陽爲益州至邛崍九折坂歎曰奉先人遺體奈何數乘此險後以疾去及遵至此坂問吏曰此非王陽所畏道耶吏曰是遵叱其馭曰駈之王陽爲孝子王遵爲忠臣

又曰曹參代蕭何爲相國日夜飲酒子窋爲中大夫惠帝怪之令窋言曰無以請事何以憂天下窋洗沐歸具言參怒之乃笞二百曰趣入侍天下事非汝所當言

又曰路温舒字長君鉅鹿人父爲里門監使温舒牧羊因取澤中蒲截爲牒編之寫書

又曰揚雄蜀人自揚季至雄五代一子也

又曰韋賢字長孺魯人質朴少欲篤志於學通詩書易以教授號鄒魯大儒爲丞相薨少子玄成字少翁以明經歷位丞相故鄒魯諺曰遺子黃金滿籯不如教之一經

又曰張禹字子文河內軹人父徙家蓮勺禹爲小兒數至市卜相者奇其面貌謂禹父曰此兒多智可令經學矣

又曰疏廣字仲翁東海蘭陵人也明春秋爲太子太傅知止足與兄子受上疏乞骸骨上賜黃金二十斤太子贈五十斤歸鄉里請故舊賓客爲樂歲餘子孫竊謂昆弟老人勸説買田宅廣曰吾豈不念子孫哉顧有田廬足供衣食令更增益以爲盈餘教子孫怠惰耳賢而多財損其志愚

而多財益以爲其過富者衆人怨也吾既無教化於子孫
不欲益生於怨也
又曰朱邑字仲卿廬江人少時爲桐鄉嗇夫病且死囑其
子曰我爲桐鄉吏其民愛我死必葬之後世子孫奉祀我
不如桐鄉死且葬之民爲起冢祠
又曰石奮從高祖至景帝時爲九卿子等四人官至二千
石景帝尊寵號爲萬石君以上大夫祿歸老子家子孫有
過不誚讓便對按不食
後漢書曰馮勤字偉伯魏郡人曾祖楊宣帝時爲弘農太
守有子八人皆爲二千石魏趙間號爲萬石君
又曰周華字宣光汝南人子緦字巨勝自曾祖楊至緦孫
恂六代一子皆知名
又曰吳祐字季英陳留人父恢爲南海太守祐年十二隨

父到官恢欲殺青簡以寫書祐諫曰今大人踰越五嶺
遠在海濵其俗誠陋舊多珍怪上爲國家所疑下爲權威
所望此書若成即載之兩歸昔馬援以薏苡興謗王陽以
衣囊徼名嫌疑之間先賢所慎恢奇之乃撫其首曰吳氏
世不乏季子矣
又曰崔烈涿郡人靈帝開鴻都門牓賣官爵烈入錢五百
萬得爲司徒及拜日天子臨軒百寮畢會帝欣謂親幸曰
悔不至三公從聲譽日滅烈不自安問子鈞曰吾爲三公
於議何如鈞曰嫌大人銅臭烈舉杖擊之鈞時爲虎賁中
郎服虎并載鶡尾狼狽而走烈罵曰死卒父撾而走豈孝
乎鈞曰舜之事父也小杖受大杖走此恐陷父於不義非
不孝也烈慙而讓官
魏志曰張廣字嗣宗魯第二子也魯雅爲魏武所寵諸子

未勝纓並遣中使拜授官爵南鄭城碑曰位尊上將體極
人臣五子十室榮並爵均童年嬰稚抱拜王人命婚帝族
或尚或嬪
又曰胡威字伯庸父質操厲清白爲荆州太守威至荆州
省之十餘日歸質賜絹一疋威跪問曰大人清高何得此
物質曰俸祿之餘耳武帝問威曰卿清何如父清威曰臣
不如父遠矣帝曰何對曰父清畏人知臣清畏人不知是
以不如也
又曰賈充字公閭父逵晚生充言充後當有充閭之度故
名充字公閭
又曰羊祜字叔子年數歲令乳母取所弄金鐶乳母曰汝
先無此物祜即指隣人李氏東垣桑樹中探得之主人驚
曰此吾亡兒所失物色時人謂祜前身爲李氏之子

又曰華嶠字叔駿才學深博爲祕書監性嗜酒率常沉醉
撰漢記九十七卷其十典未成而終祕書監何邵奏嶠子
徹爲佐著作續成之亦未竟而卒
又曰王隱字處叔陳人世寒素父銓歷陽令有著述志每
私錄晉事及功臣行狀未就而卒隱儒素自守不交權貴
博學多聞受遺業爲著作郎令撰晉史
又曰孫盛字安國次子放字齊莊幼稱令惠年七八歲在
荆州與父俱從庾亮出獵亮謂曰君亦來耶放應聲荅曰
無小無大從公于邁亮曰欲齊何莊放曰齊莊周亮曰不
慕仲尼耶放曰仲尼生而知之者非所企及亮大奇之曰
王輔嗣不過也
又曰庾翼字稚恭孫盛字安國翼子爰客常候孫盛盛不
在見盛子放謂之曰安國何在放曰往庾稚恭家爰客曰

孫氏大盛有兒如此放曰不如諸庾之翼翼既而語人曰
我固得重呼奴公字
又曰袁宏爲東征賦並列過江諸名德獨不載桓彛其子
溫怒爲宏一時之文宗爲文不欲令人顯問時並游青山
飲歸溫命宏同載因問曰君作東征賦何獨不及家君宏
對曰尊公稱謂非下官敢專既未遑啓不敢顯之溫疑其
不實乃曰欲謂何宏曰風鑒散朗或搜或引身雖可亡道
則不殞宣城之節信而爲允也溫泫然而止又不及陶侃
子胡奴嘗於曲室抽刀逼問宏曰家君勳績如此云何相忘
宏急荅曰精明百鍊在割能斷功以濟時職以靜亂長沙
之勳爲史所讚胡奴乃止
又曰謝尚字祖仁豫章太守鯤之子也八歲神悟夙成鯤
嘗攜之或曰此兒一座顏回也尚應聲曰座無尼父誰識

顏回一席之賓莫不驚異
又曰王述字懷祖遷尚書僕射述每受職不爲虛讓其子
坦之諫曰故事應讓述曰汝爲我不堪也坦之曰非也克
讓自美耳述曰既云堪何爲復讓也坦之爲桓溫府長史
溫子欲求婚于王因坦之言其父坦之乃還家省父而述
愛坦之雖長大猶抱之於膝上坦之乃言婚事於述大怒
遽推坦之於膝下曰汝竟癡也詎可視面以妻兵乃止
又曰阮籍謂王渾曰濬仲清賞非卿倫也共卿言不如共
阿戎談及戎子邁有美名少而肥大戎令食糠轉益肥也
又曰王祥二子烈芬並知名爲祥所重愛同時而病將亡
遺囑烈欲還葬舊土芬欲留葬京邑祥涕泣曰不忘鄉仁
也不戀本達也唯仁與達二子有焉
又曰王衍喪幼子山簡弔之衍悲不自勝簡曰孩抱中物

何至於此衍曰聖人忘情下人不及情情之所鍾正在吾
輩也簡服其言更爲之慟
又曰魏舒字陽元爲司徒子混字延廣有才行爲太子舍
人年二十七卒朝野咸爲舒惜舒每哀慟退而歎曰吾不
及莊生遠矣豈以無益自損更不復哭
又曰胡毋輔之字彥國嗜酒子謙之字子光才學不及父
而傲縱過之至酣醉時嘗自呼其父字輔之不以介意世
以爲狂
又曰石崇字季倫渤海南皮人苞之少子也生於青州故
小名齊奴少敏惠勇而有謀父苞臨終分財與諸子獨不
及倫其母爲言之苞曰此兒雖小後自能致
又曰郗超字景興一字嘉賓父愔爲司徒愔事道超奉佛
愔又好聚積錢數千萬嘗開庫任超所取超性好施一日

之中散與親故都盡桓溫辟爲征西大將軍掾溫懷不軌
超爲之謀轉司徒左長史而卒初雖黨桓氏以愔忠於王
室不軌之事不令愔知將亡出一箱書付門生曰本欲焚
之恐公年老必傷憖爲獘我亡後若大損寢食可呈此
箱不爾即使焚之愔後果哀悼成病門生依旨呈之則悉
與溫往反密計悉見愔於是大怒曰小子死恨晚矣更不
復哭
又曰庾冰字季堅都督江荊七郡軍事子襲常貸官絹一
疋冰怒撻之市絹十疋還官
又曰王濛字仲祖父訥字文開爲淦令美容姿嘗覽鏡自
照稱其父字曰王文開生如此兒
又曰王導字茂弘子悅字長豫弱冠有高名事親色養導
甚愛之常與悅弈碁爭道導笑曰矧與有瓜葛那得爾耶

導性儉帳下甘果爛敗令棄之去勿使大郎知悅爲中書
郎先導卒導先夢人以百萬錢買悅潛爲祈禱者備矣尋
掘地得錢百萬意甚惡之一一皆藏閉及悅疾篤導憂念
時至不食積日忽見一人形狀甚偉被甲持刀導問是何
人曰僕蔣侯也公兒不佳欲爲請命故來耳導因求之食
至數斗食畢謂導曰中書命盡非可救也言訖不見悅亦
殞絶
又曰劉殷字長盛新興人有子七人五人各授一經其一
子授太史公記一子授漢書一門之内七業俱興北州之
學殷㝡爲盛門
又曰索靖子綝字巨秀少有逸群之才靖每曰綝宗廟之
器非簡札之用州縣之任不足汚吾兒也
又曰戴若思廣陵人父昌會稽太守若思往武陵時郡人

潘京素有理筌識鑒父遣若思與語潘稱若思有公輔之
才
又曰王獻之字子敬羲之子也謝安甚欽之請爲長史因
問獻之曰君書何如家君荅曰固不同安曰外論不爾對
曰人那得知獻之甞書羲之自後掣其筆不得歎曰此兒
當有大名又以掃箒霑泥書大字方一丈甚以爲工
宋書曰戴顒字仲若淮南人父逵善琴顒及兄勃並受琴
於父父殁所傳之聲不忍復奏各造新弄五部顒又製長
弄一部並傳於世
齊書曰世祖常問王儉當今誰能作五言詩對曰謝朏得
父之膏腴
梁書曰謝朏祖弘微宋太常卿父莊齊光禄朏十歲能屬
文莊多遊山水賦詩使朏命篇覽筆便就王京文謂莊曰

賢子足稱神童莊笑曰眞吾家千金
又曰王僧孺父延年加爲常侍孺五歲父友饋延年柰者
先與僧孺孺曰大人未見不敢先甞不受之
又曰柳惲字文暢父世隆善彈琴爲士流第一惲每奏其
聲甞感傷憂思後因之變體寫古曲
家語曰吳延陵季子聘于上國其長子死葬於嬴博之間
斂以時服其坎深不至泉其高可隱孔子曰延陵季子之
合於禮者也
列子曰魏人有東門吳者年四十有一子喪之而不憂其
相室曰公之愛子也天下無有今子死不憂何也東門吳
曰吾甞無子之時不憂今子死乃與向無子同又奚憂焉
呂氏春秋曰晉平公問祈黄羊曰國無尉其誰可乃去其
子年君子聞之曰祁黄羊可謂至公矣

三輔要録曰韋康字元將京兆人孔融與康父端書曰前
見元將來淵才亮茂雅度弘毅偉世之器也昨日又見仲
將來懿性貞實文敏志篤誠保家之主也不意雙珠出于
老蚌
郭子曰楊脩字德祖九歲聰惠孔文舉詣其父父不在乃
呼脩脩爲設果果有楊梅融指示兒曰此君之家果耶脩
應聲曰未聞孔雀是夫子之家禽獸
姓氏英賢録曰宋顔竣字士遜少有令名太祖問其父延
之曰諸子誰有卿風延之曰竣得臣筆測得臣文奐得臣
義濯得臣酒
世說曰豫章太守顧邵雍之子也在郡卒雍時盛集賓客
自與客棊而信至無兒書雖神色不變而心了其故以爪
掐掌流血沾襟客散方歎已無延陵之高豈有喪明之痛

於是豁然神氣自若

又曰客有問陳季方曰足下家君有何功德而荷天下重名季方曰吾家君譬如桂樹生於太山之阿上有萬仞之高下有不測之淵上爲甘露所沾下有淵泉所潤當此之時焉知太山之高淵泉之深不知有功德與無也

太平御覽卷第五百一十八

宗親部九

孫　女　子壻

孫

爾雅曰子之子爲孫孫之子爲曾孫曾孫之子爲玄孫玄孫之子爲來孫言有往來之親來孫之子爲昆孫昆後也昆孫之子爲仍孫仍重也仍孫之子爲雲孫言輕遠若浮雲

毛詩文王有聲曰貽厥孫謀以燕翼子

禮記曲記曰君子抱孫不抱子此言孫可以爲王父尸以孫與祖昭穆同也子不可以爲王父尸

又雜記曰祭稱孝子孝孫喪稱哀子哀孫

史記曰張蒼父不滿五尺蒼長八尺蒼子復長八尺餘孫類長六尺

後漢書曰龐叅字仲連緱氏人拜漢陽太守郡民任棠有奇節隱教叅到先候之棠不與言但拔薤一大本水一盆致于屛前自抱孫兒伏于户下見逸民部

又曰虞詡字外卿陳國人孝養祖母縣舉爲順孫

又曰馮氏兄弟形皆偉壯唯馮勤祖父偃長不滿七尺常恥短陋恐子孫似之乃爲子伉娶長妻生勤勤長八尺三寸

魏志曰王粲字仲宣山陽人蔡邕見而奇之時邕顯貴車馬填門粲在門邕倒屣迎之粲年幼皃弱短小 座皆驚邕曰此王公之孫有異才吾不如也吾家所有書籍當悉與之

晉書曰張憑字長宗祖鎮蒼梧太守憑年數歲鎮謂其父曰我不如汝汝有佳兒憑曰阿翁詎宜以子戲父乎

又曰李密字令伯父早亡母改醮祖母劉氏躬撫養密奉事以孝謹聞有暇即講學志疲師事譙周周門人方之游夏太始初徵爲洗馬密以祖母年老上表自陳曰母孫二人更相爲命已具祖門中

又曰李胤字伯祖敏爲公孫度所迫浮海莫知所終子要妻生胤遂絕房內以憂卒胤以祖不知所亡設木主以事之由是顯名

宋齊語錄曰虞愿字士恭會稽人祖爲給事中中庭有橘樹冬熟子孫爭取愿獨不取祖及家人並異之

又曰張元字孝始祖喪明三年元每憂涕讀佛書以求福祐後見藥師經云盲者得視遂請七僧燃燈七日七夜轉藥師經行道每自責曰爲孫不孝使祖喪明今以燈施普照法界願祖目見明元求代暗其夜夢一老人以金鎞治其祖目謂之曰勿悲三日之後必差元于夢中喜躍驚覺

乃遍告家人居三日祖目果漸見明從此遂差

後周書曰薛登字景猷汾陰人早喪父家貧以養祖母暇則覽文籍躬耕以孝見稱

列子曰北山愚公者年且九十面山而居懲山北之塞出入之迂也遂率子孫荷檐叩石墾壤箕畚運於北海之尾河曲智叟笑而止之愚公長息曰雖我之死有子在焉子又生孫孫又生子子又生孫孫孫子子無窮匱也而山不加增何苦不平河曲智叟無以應之

又曰舜問乎丞曰道可得而有夫道性命非汝有也是天地之委順也子孫非汝有也是天地之委蛻也

陳留志曰范喬字伯孫年二歲祖父馨臨終執其手曰恨不見汝成人因以所用硯留與之後家人告喬喬執其硯涕泣

孝子傳曰原穀者不知何許人祖年老父母厭患之意欲棄之穀年十五涕泣苦諫父母不從乃作輿舁棄之穀乃隨收輿歸父謂之曰爾焉用此凶具穀云後父老不能更作得是以取之耳父感悟愧懼乃載祖歸侍養尅巳自責更成純孝穀爲純孫

又曰吳郡陸仲元者晉太尉玩曾孫自玩至仲四世爲侍郎時人方之全張二族

幽明錄曰許遜少孤不識祖墓傾心所感忽見祖語曰我死三十餘年於今得正葬是汝孝悌之至因舉標牓曰可以此下求我於是迎喪葬者曰此墓中當出一侯及小縣長

女

禮記內則曰女子出門必擁蔽其面夜行以燭無燭則止

又曰女子十年不出（恒居內也）姆教婉娩聽從（婉謂言語也娩之言媚也媚謂容貌也）執麻枲治絲繭織紝組紃學女事以共衣服觀於祭祀納酒漿籩豆葅醢禮相助奠（當及女時而知）十有五年而笄二十而嫁凡女拜上右手（右陰也）

左傳襄五曰初宋芮司徒生女子赤而毛棄諸堤下恭姬之妾取以入長而美名之曰棄

穀梁傳曰禮送女父不下堂母不出門父誡之曰謹慎從汝舅之言母誡之曰謹慎從汝姑之言諸母般申誡之曰謹慎從汝父母之言無違宮事

史記曰齊太倉令淳于公有罪當刑詔從繫長安獄公無男有女五人將行罵曰生子不生男緩急非有益小女緹縈隨父至長安上書曰妾父爲吏齊中皆稱其廉平今坐法當刑妾願入官沒爲婢贖父之罪書奏天子悲憐其意

遂爲除肉刑

漢書曰王章爲京兆尹爲大將軍王鳳所陷下廷尉獄妻子皆收章小女年十二夜起號哭曰每旦獄上呼囚常至九今八而止我家君素剛烈先死者必我君也及明問之果章死矣

東觀漢記曰孝女郁字叔異五歲母不能食郁亦不肯食故字曰異也

後漢書曰孔融被誅女年七歲幼弱遂得全寄住佗舍主人有遺肉汁男飲之女曰今日之禍豈得父活何賴肉味乎或有言於曹操收之將殺女謂兄曰若死而有知得見父母豈非志願乃延頸就刑

晉書曰周顗母李氏名絡秀汝南人少時在室顗父浚爲安東將軍時嘗出獵遇雨至絡秀之家會秀父兄不在絡秀見浚至與一婢於內宰豬具數十人饌甚精而不聞人聲浚怪使覘之獨見一女甚美因求爲妾其父兄不許絡秀曰門戶殄瘁何惜一女若連姻貴族將來庶有大益父兄遂許之生顗嵩謨而顗等才長絡秀謂之曰我屈節爲汝家妾門戶計耳汝不與我家爲親吾亦何惜餘年顗等從命由此李氏遂得爲方雅之族

又曰胡奮字玄威安定人爲護軍太始末武帝怠於政事而躭於顏色大採公卿女以爲六宮奮女選爲貴人唯有一男爲南陽王友早亡及聞女爲貴人哭曰老奴不死唯有二子男入九地之下女外九天之上奮謂后父楊駿曰卿恃女更豪耶見前代與帝家婚未有不滅門者見君所措益速禍耳駿曰卿女不在天子家乎奮曰我女爲卿作妾耳

又曰羊耽妻辛氏字憲英魏侍中辛毗之女也聰明有才鑒初文帝爲太子抱毗項曰知我喜否毗以告憲英英曰太子代君主社稷者也代君不可以不慼主國不可以不懼今宜慼而反喜何以能久魏其不昌乎

又曰愍懷太子妃太尉王衍之女字惠風太子廢衍請絶婚而歸惠風號泣行路流涕後劉曜陷洛陽以惠風賜其下將妻之惠風抜劒拒曰吾太尉之女太子之妃誓不爲逆胡所辱遂害之

又曰韋逞母宋氏家世儒學母早喪父躬養之及長授以周官音義謂曰世傳儒業無男可傳汝宜授之勿令絶世

又曰吳隱之字處默濮陽人謝石請爲將軍主簿隱之將嫁女石知其儉素令移　厨帳就其家經營使者至方見賣犬此外蕭然無辦

又曰靳康女不知何許人美姿容有志操劉曜誅靳氏訖將納其女爲妾女曰陛下既誅其父母焉用妾爲妾聞逆人之誅也尚汚宮伐樹况其子女乎號泣請死曜慙乃固免之

晏子春秋曰齊景公有所愛槐樹令吏守之犯槐者刑傷槐者死有不聞令而犯之者吏收之將加罪犯者之女説晏子曰妾聞明君不爲禽獸以殺人今君以樹木之故殺妾父孤妾身恐害明君之政損明君之義晏子早朝而復其言於君公乃令吏罷守槐之役出犯槐之囚

華陽國志曰荀崧小女灌幼有奇節崧爲襄城太守爲杜曾所圍力弱食盡欲投於故吏平南將軍石覽計無所出灌時年十三乃率勇士數十人踰城突圍夜出賊追甚急灌督厲將士且戰且前後得入魯陽山獲免得向覽乞師又爲崧書與南中郎將周訪仍結爲兄弟訪即遣子撫率三千人會石覽俱救崧賊聞兵至散走灌之力也

又曰王廣女美姿容性慷慨有丈夫之節廣仕劉聰爲西楊州刺史蠻梅芳攻陷楊州廣被殺王年十五芳納之於闇室中擊芳不中芳曰何故反王曰蠻畜我誅父賊吾聞之父讐不同天母讐不同地汝逆害人父母復以無禮凌人吾所以不死者欲誅汝爾所恨不得梟汝首於通逵以塞大恥乃自殺

又曰楊姬生自寒素父坐獄楊渙爲尚書郎告歸姬乃邀道扣渙馬訟父罪言詞慷慨涕泣摧感渙愍之語郡縣令爲出其父因奇其才爲子文方以禮聘之

汝南先賢傳曰戴良字叔鸞嫁五女皆布裙無緣

蔡琰別傳曰琰邕之女年六歲邕夜中鼓琴絃絶琰曰第

二絃邕乃故絶一絃琰曰第四絃邕曰汝偶得中之琰曰昔吳季札觀樂知國之興亡師曠吹律識南風之不競由此言之何得不知邕奇之

異苑曰順陽南鄉楊豊爲虎所噬女香年十四手無寸刃直搤虎頭父遂得免

子壻

爾雅曰子之夫爲壻壻之父爲姻兩壻相謂爲亞

儀禮曰壻女子之夫傳曰何以服緦布之也

左傳桓公曰祭仲專使其壻雍糾殺之雍姬知之謂其母曰父與夫孰親其母曰人盡夫也父一而已胡可比焉遂告祭仲曰雍氏舍其室而將享子于郊吾惑之以告祭仲殺雍糾尸諸周氏之汪公載以出曰謀及婦人宜其死也

又文下曰趙穿晉君之壻也

論語曰子謂公冶長可妻也雖在縲紲之中非其罪也以其子妻之南容三復白圭孔子以其兄之子妻之

史記曰陳餘者大梁人好儒術數游趙富人公乘氏以其女妻之知餘非庸人

漢書曰京房字君明東郡人習易淮陽憲王舅張博從京房受學以女妻房房與相親

後漢書曰馬融扶風人為人美辭貌有俊才初京兆摯恂以儒術教授隱于南山不應徵聘從其遊學通經籍恂遂奇融才以女妻之

晉書曰韓謐字長深母賈氏賈充少女也父壽自德真南陽人美貌充辟為司空掾充讌賓僚女從青璅中窺見壽悅焉感想發於寤寐有婢往壽家說其光彩艷逸壽聞動心令通慇懃壽勁捷過人至夕踰垣而入家人莫知唯充覺女悅暢異於常日時西域有貢香每着人衣一月不歇帝甚貴之唯以賜充女密盜以遺壽僚佐與充宴聞香芬馥自此充意女與壽通乃夜半佯有盜驚起行之唯東北角有狐狸行處充考問女左右知之充遂因妻焉

又曰郗鑒使門生求女壻於王導導令自東廂徧觀諸子門生歸謂鑒曰王氏諸少年並佳然聞信至咸自矜待唯一人在東床坦腹食獨若不聞鑒曰此正佳壻也訪之乃羲之也

宋書曰劉秀十餘歲時與諸兄戲忽有一大蛇來勢甚猛莫不驚怖秀知獨不動衆共異焉東海何承天雅相知器以女妻之

齊書曰謝朓為王敬則壻曾告敬則其女常懷刀欲報朓朓不敢相見及當拜吏部謙挹尤甚尚書郎范縝嘲曰卿人才無勳小選但恨不可刑于寡妻朓有愧色及臨誅歎曰天道其不可昧乎我不殺王公因我而死

三十國春秋曰前趙殷州刺史杜廣初為劉景廐卒以馬肥良引為直士侍立通夜未曾休倦景因問之廣流涕申曲有章條景執其手曰吾罪人也以負賢者謂妻曰為女求夫三年不覺廐中有麒麟於是妻之

搜神記曰陽公字雍伯洛陽人至情篤孝父母終殁葬無終山陽公常為人補履終不取價無終山上無水陽公乃行車汲水作義漿居三年有一人就陽公飲出一升石子與之使向有平好地有石處種之玉當生其中并得好婦陽公後種其石數年時往看玉子生焉北平徐氏有女甚有名行人多求不許陽公有佚氣試求焉徐氏以為狂乃戲媒人曰雍伯能得白璧一雙來當聽為婚致命雍伯於種石中索得五雙白璧以至徐氏大驚遂以女妻之

太平御覽卷第五百一十九

宗親部十

夫妻

釋名曰夫妻匹敵之義也

又曰士庶人曰妻妻齊也夫賤不足以尊稱故齊等言也

易家人卦曰夫夫婦婦而家道正

又序卦曰有天地然後有萬物有萬物然後有男女有男女然後有夫婦夫婦之道不可以不久也故受之以恒恒者久也

毛詩衡門曰豈其食魚必河之魴豈其取妻必齊之姜豈其食魚必河之鯉豈其取妻必宋之子何必大國之女然後可妻亦取貞順而已

又草蟲大夫妻能以禮自防也喓喓草蟲趯趯阜螽興也喓喓聲也草蟲常羊也趯趯躍也阜螽蠜也卿大夫之妻待禮而行隨從君子未見君子憂心忡忡忡忡猶衝衝也婦人雖適人有歸宗之義亦既見止亦既覯止我心則降

又采蘋曰采蘋大夫妻能循法度也能循法度則可以承先祖共祭祀矣女子十年不出姆教婉娩聽從執麻枲治絲繭織紝組紃學女事以共衣服觀於祭祀納酒漿籩豆菹醢禮相助奠十有五而笄二十而嫁此言能循法度者今既嫁爲大夫妻能循其爲女人時所學之事以爲法度也于以采蘋南澗之濱于以采藻于彼行潦于以奠之宗室牖下誰其尸之有齊季女尸主也齊敬也季少也

又碩人曰碩人其頎衣錦褧衣齊侯之子衛侯之妻

又氓曰女也不爽士貳其行士也罔極二三其德三歲爲婦靡室勞矣夙興夜寐靡有朝矣

又棠棣曰妻子好合如鼓瑟琴好合志意合也合者如琴瑟之聲相應和也兄弟既翕和樂且湛宜爾家室樂爾妻孥是究是圖亶其然乎

又南山曰藝麻如之何橫縱其畝取妻如之何必告父母取妻之禮議於生者卜於死者此之謂名析薪如之何匪斧不克取妻如之何匪媒不得此言取妻必待媒乃得也

又韓奕曰韓侯取妻汾王之甥蹶父之子韓侯迎止于蹶之里百兩彭彭八鸞鏘鏘不顯其光諸娣從之祁祁如雲韓侯顧之爛其盈門如雲言衆多也諸侯一娶九女三國媵之諸娣衆妾也顧之曲顧道義也

又思齊曰刑于寡妻至于兄弟以御于家邦言文王以禮法接待其妻至於宗族以此又能爲政治於家邦也

禮記曰天子之妃曰后諸侯曰夫人大夫曰孺人士曰婦人婦人言服也庶人曰妻妻之言齊也

又內則曰子甚宜其妻父母不說出宜猶善也子不宜其妻父母曰是善事我子行夫婦之禮焉沒身不衰

又曰女子二十而嫁有故二十三而嫁故謂父母喪聘則爲妻聘問也妻之言齊以禮見問則得與夫敵耻奔則爲妾

又坊記曰取妻不取同姓爲其近禽獸也所以附遠厚別也

左傳隱公曰鄭公子忽如陳逆婦嬀辛亥以嬀氏歸甲寅入於鄭陳鍼子送女先配而後祖鍼子曰是不爲夫婦誣其祖矣非禮也何以能育禮逆婦必先告祖廟而後行鄭忽逆婦而後告廟故曰先配而後祖

又曰桓公曰鄭祭仲專鄭伯患之使其壻雍糾殺之將享諸郊雍姬知之謂其母曰父與夫孰親其母曰人盡夫也父一而已胡可比焉婦人在室則天父出則天夫女以爲疑故母以所生爲本解之遂告祭仲曰雍氏舍其室而將享子于郊吾惑之以告祭仲殺雍糾尸諸周氏之汪公載以出曰謀及婦人宜其死也

又莊公曰初懿氏卜妻敬仲其妻占之曰吉是謂鳳凰于飛和鳴鏘鏘有嬀之後將育于姜五世其昌並爲正卿八

世之後莫之與京
又僖中曰狄人伐廧咎如（赤狄之別種）獲其二女叔隗季隗納諸晉公子公子以叔隗妻趙衰生（盾文公取季隗生伯儵後以妻趙衰生原）同屛括樓嬰（原屛樓三子之邑也）趙姬逆盾與其母（趙姬文公女也盾狄女叔隗之子也）子餘辭（子餘趙衰字也）姬曰得寵而忘舊何以使人必逆之固請許之來以盾爲才固請于公以爲嫡子而使其三子下之以叔隗爲內子而已下之（卿之嫡妻爲內子）
又昭元曰鄭徐吾犯之妹美公孫楚聘之矣（楚子南穆公孫也）公孫黑又強使委禽焉（禽鴈也納采用鴈）犯懼告子產子產曰是國無政非子之患也唯所欲與犯請於二子請使女擇焉皆許之子晳盛飾而入布幣而出（子晳公孫黑也）子南戎服而入左右射超乘而出女自房觀之曰子晳信美矣抑子南夫也夫夫婦婦所謂順也適子南氏

又莊公曰宋華父督見孔父之妻于路目逆而送之曰美而艷
又曰楚子滅息以息嬀歸生堵敖及成王焉未言（未與王言）楚子問之對曰吾一婦人而事二夫縱不能死其又奚言
又成下曰晉三郤害伯宗譖而殺之初伯宗每朝其妻必戒之曰盜憎主人民惡其上子好直言必及於難
又襄四曰齊棠公之妻東郭偃之姊也東郭偃臣崔武子棠公死偃御武子以弔焉見棠姜而美之（美其色也）使偃取之（爲己取也）偃曰男女辨姓今君出自丁臣出自桓不可武子筮之遇困之大過以示陳文子文子曰夫從風風隕妻不可娶也且其繇曰困于石據于蒺蔾入于其宮不見其妻凶崔子曰嫠也何害先夫當之矣遂取之
又僖下曰初臼季使過冀見冀缺耨其妻饁之敬相待如賓與之歸言諸文公曰敬德之聚也能敬必有德德以治民請君用之文公以爲下軍大夫
又昭七曰晉叔向適鄭鬷蔑惡欲觀叔向從使之收器者而往立於堂下一言而善叔向聞之曰必鬷明也下執其手以上曰昔賈大夫惡取妻而美三年不言御以如皐射雉獲之其妻始笑而言賈大夫曰才之不可以已也我不能射汝遂不言不笑也今夫子少不揚子若不言吾幾失子矣
又哀上曰齊侯伐晉夷儀弊無存之父將室之辭以與其弟（無存齊人也室之爲取婦也）曰此役也不死反必娶於高國（高氏國氏齊貴族也無存欲必有功還取卿相之女也）
又成上曰齊晉戰于鞍齊師敗績齊侯見保者曰勉之齊師敗矣避女子女子曰君免乎曰免矣曰銳司徒免乎曰

免矣曰苟君與吾父免矣可若何乃奔齊侯以爲有禮既而問之辟司徒之妻也予之石窌
又成下曰魯聲伯之母不聘穆姜曰吾不以妾爲姒生聲伯而出之嫁于齊管于奚生二子而寡以歸聲伯以其外弟爲大夫而嫁其外妹於施孝叔郤犨來聘求婦於聲伯聲伯奪施氏婦以與之婦人曰鳥獸猶不失伉儷子將若何曰吾不能死亡婦人遂行生二子於郤氏郤氏亡晉人歸之施氏逆諸河沈其二子婦人怒曰已不能庇其伉儷而亡之又不能字人之孤而殺之將何以終
春秋漢含孳曰水火交感陰陽以設夫婦象也（水火則陰陽也陰陽則夫婦也）
又曰妻象太陰且法金位（金陰中之剛故喻且位水能純柔純柔妻象也）
戰國策曰鄒忌長八尺有餘身體逸麗朝服衣冠窺鏡謂

其妻曰我孰與城北徐公徐公齊國之美麗者也妻曰愈窺鏡而自視不如遠矣暮寢而思之吾妻之美我私我也

史記曰晉重耳謂其妻曰待我二十五年不來乃嫁其妻笑曰犂二十五年吾冢上栢大矣雖然妾待子

又曰易基乾坤詩始關雎夫婦之際人道大倫也禮之用唯婚姻爲兢兢

又曰張儀已學而遊說諸侯嘗從楚相飲已而楚相亡璧門下意儀曰儀貧無行資必此人盜相璧共執儀掠笞數百不服釋之其妻曰嘻子無讀書遊說安得此辱乎張儀謂妻曰視吾舌尚在不其妻笑曰舌在也儀曰足矣乃遂入秦秦王以爲客卿

又曰吳起好用兵事魯君齊人攻魯欲將起以起取齊女爲妻而疑之起欲就名遂殺其妻以明不與齊魯卒以爲將攻齊大破之

又曰外黃富人女甚美嫁庸奴其夫（徐廣曰一云其夫亡）云抵父客（如淳曰父時故賓客）父客素知張耳乃卒爲請決嫁張耳張耳是時脫身游女家厚奉給張耳以故致千里客及宦魏爲外黃令名由此益賢

漢書曰楊惲報段會宗去家本秦也能爲秦聲婦趙女也雅善鼓瑟

又曰京兆尹張敞爲婦畫眉長安中傳京兆眉嫵有司以奏敞宣帝問之對曰臣聞閨房之内夫婦之私有過畫眉者

范曄後漢書曰鮑宣妻者桓氏之女也字少君宣帝就少君父奇其清苦故以女妻之裝送甚盛宣不悅謂妻曰少君富驕而吾貧不敢當妻曰大人以生守約故使妾侍巾櫛既承君子惟命是從乃悉歸御服更衣短布裳與宣共挽鹿車歸鄉里拜姑提甕出汲

後漢書曰班昭作女誡馬融善之令妻女習焉

又曰沛周郁妻者字阿開於婦道而郁驕淫輕躁多行無禮郁父偉謂阿曰新婦賢者女當以道正夫郁之不改新婦過也阿拜而受命退謂左右曰我無樊衛二姬之行故君以責我我言而不用君必謂我不奉教令則罪在我矣若言而見用是爲子違父而從婦則罪在彼矣乃自殺

又曰馮良有志行與妻子相遇如君臣

又曰曹操攻呂布布欲降而陳宮等自以負罪於操深沮其計謂布曰曹公遠來勢不能久將軍若以步騎出屯於外宮將餘衆閉守於内若向將軍宮引兵而攻其背若但攻城則將軍救於外可破也布然之布妻曰昔曹氏待公臺如赤子猶舍而歸我今將軍厚公臺不過於曹而欲委全

城捐妻子孤軍遠出乎若一旦有變妾豈得爲將軍妻哉布乃止

又曰酈炎風病恍忽性至孝遭母憂疾甚發動妻始產而驚死妻家訟之收繫獄炎病不能治對遂死獄中尚書盧植爲之誄讚以昭其懿

又曰公孫述連徵任永馮信並託清盲以避世難永妻婬於前匿情無言見子入井忍而不救信侍婢亦對信姦通及聞述誅皆盥洗更視曰世適平目即清婬者皆自殺

又曰周澤爲太守嘗卧疾齋宮其妻哀澤老病闚問所苦澤大怒以妻干犯齋禁遂收送詔獄謝罪世疑其詭激時人爲之語曰生世不諧作太常妻一歲三百六十日三百五十九日齋一日不齋醉如泥

又曰載封字平仲年十五詣太常師事東海申君申君卒
送喪到東海邊嘗經其家父母以封當還豫為娶妻封遂
過拜親不宿而去
又曰河南尹王調洛陽令李阜與竇憲厚善縱舍自由尚
書僕射樂恢劾奏調阜并及司隸校尉諸所刺舉無所迴
避貴戚惡之妻每諫恢曰昔人有容身避害何必以言取
怨恢歎曰吾忍素餐立人之朝乎
又曰更始尚書謝躬初其妻知世祖不平常戒躬曰君與
劉公積不相能而信其虛談不為之備終受制矣躬不納
竟為世祖所擒
又曰河南樂羊子之妻者不知何氏之女也羊子嘗行路
得遺金一鉼還以與妻妻曰妾聞志士不飲盜泉之水廉者
不受嗟來之食況拾遺求利以汙其行乎羊子大慙乃捐
金於野而遠尋師學一年來歸妻跪問其故羊子曰久行
懷思無它異也妻乃引刀趨機而言此織生自蠶繭成於
機杼一絲而累以至於寸累寸不已遂成丈匹今若斷斯
織也則捐失成功稽廢時月夫子積學當日知所亡以就
懿德若中道而歸何異斷斯織乎羊子感其言復還終業
遂七年不返
又曰魏朗字仲英入為尚書舉動皆有禮序室家相待如
賓與子孫如嚴君焉
又曰曹世叔妻班彪之姑名昭字惠召入宮號曰大家每
有貢獻遺大家作賦頌注列女傳著女誡及詩並行於時
魏志曰初司馬宣王勒兵從闕下趣武庫當曹爽門人逼
車住爽妻劉氏怖出至廳事謂帳下守督曰公在外今兵
起如何督曰夫人勿憂乃上門樓引弩注箭欲發將孫謙在

後牽止之曰天下事未可知如此者一二宣王遂過
又曰郭淮字伯濟太原河曲人拜車騎將軍封曲陽侯淮
妻王陵之妹當從坐侍御史往收羌胡渠帥數千人叩頭
請淮表留妻淮不從妻之道莫不流涕人人扼腕欲劫留
之淮五子叩頭流血請淮淮不忍視乃遣妻還淮以書曰
司馬宣王曰五子哀母不惜其身若無其母是無五子亦
無淮也書至宣王亦宥之
魏氏春秋曰許允為吏部郎選郡守明帝疑其所用非次
首召入將加罪允妻阮氏跣出謂曰明主可以理奪難以
情求允之入帝怒詰之對曰某郡太守雖滿文字先至年
限在後日限在前帝取事視乃釋遣出望其衣敗曰清吏
也賜之衣允之出為鎮北也喜謂其妻曰吾知免矣妻曰
禍見於此何免之有
魚豢魏略曰桓範字彥則沛郡人也使持節督青徐諸軍
鎮下邳與徐州刺史鄒岐爭屋引節欲斬岐為岐所奏不
直坐免當轉為冀州刺史統屬鎮北將軍呂昭為其妻仲
長曰我寧作諸卿向公長跪耳不能為呂子展屈也其妻
曰君前在東坐欲擅斬徐州衆人謂君難為作下今羞為
呂屈是復難為作上範怒觸其首乃以刀鐶撞其腹妻其
懷孕遂傷胎死
又曰常林字伯槐河內人也少好學為諸生帶經鋤其妻
常自餉饋雖在田野相敬如賓
晉書曰元康中梁國女子許嫁已授禮聘尋而其夫戍長
安經年不歸女家更以適人女不樂行其母逼強不得已
而去尋復病亡後其夫還逕至女墓不勝哀情便發塚開
棺女遂活因與俱歸後聟聞知詣官爭之所在不能決祕

書郎王導議曰此是非常事不得以常理斷之宜還前夫
朝廷從其議
又曰謝安妻劉琰妹也旣見家門富貴而安獨靜退乃謂
曰丈夫不如此也安掩鼻曰恐不免耳世說又載
又曰吳隱之爲晉陵太守妻負薪冬月無被欲浣衣卽披
絮紡績以供朝夕
又曰王凝之妻謝氏字道韞弈之女也初適凝之還甚不
樂弈曰王郎逸少子不惡汝何恨也荅曰一門叔父則有
阿父中郎群從兄弟則有胡封羯末不意天壤之中乃有
王郎
又曰王導爲丞相妻曹氏性妬導甚憚之乃密營別館以
處衆妾曹氏知而將往焉導恐妾被辱遽命駕猶遲之以
所執麈尾柄驅牛而進司徒蔡謨聞之戲導曰朝廷欲加

公九錫之命弗之覺但謙退而已謨曰不聞餘物唯有短
轅犢車長柄麈尾導大怒謂人曰往與群賢共遊洛中何
曾聞有蔡克兒也
崔鴻前秦録曰秦州刺史竇滔妻彭城令蘇道之女有才
學織錦製廻文詩以贖夫罪
劉向列女傳曰魯有秋胡子旣納妻五日而官於陳五年
乃歸未至其家見路傍有美婦人方採桑葉秋胡子說之
下車謂曰苦暴獨採桑吾行道遠願託桑蔭下一飡於是
下齎休焉婦人採桑不輟秋胡子謂曰力田不如逢年力
桑不如見郎今吾有金願以與夫人婦人曰嘻夫採力作
紡績織紝以供衣食奉二親養夫子而已矣吾不願人之
金所願願鄉事上無有外意妾事夫家亦無滛佚之志子
去矣收子之齎與子笥金秋胡子遂去歸至家奉金遺其
毋毋使人呼其婦至乃向採桑者也胡秋子見之而慙婦
曰子束髮脩身辭親往仕五年乃還當驩喜乍馳乍驟揚
塵疾至思見親今者乃說路旁婦人而下子之裝以金予
之是志毋也志毋不孝好色滛泆是汙行不義夫事親孝
則事君不忠處家不義則治官不理孝義並亡於身必不
遂妾不忍見不孝不義之人子改娶矣妾亦不嫁遂去東
而走自投於河而死
又曰晉宗伯妻者晉大夫伯宗之妻也謂伯宗曰子之性
固不可易也且國家多貳其危可立而待也子何不豫結
賢大夫以託州黎焉伯宗子也伯宗曰諾乃得畢羊而友之及
欒不忌之難三郤害伯宗譖而殺之畢羊乃送州黎于荊
遂得免焉

太平御覽卷第五百二十

宗親部十一

慈母保母

禮記內則曰子生異爲孺子室於宮(特埽一室以處之)擇於諸母與可者必求其寬裕慈惠溫良恭敬慎而寡言者使爲子師其次爲慈母其次爲保母皆居子室(此人君養子之禮也諸母衆妾也可者傳御之屬也子師教示以善道者慈母知其嗜欲者保母安其居處者士妻食乳之而已)

又曾子問曰子游曰喪慈母如母禮與(如母謂父卒三年也)孔子曰非禮也古者男子外有傅內有慈母君命所使教子也何服之有(言無服也)昔者魯昭公少喪其母有慈母良及其死也公弗忍也欲喪之有司以聞曰古之禮慈母無服今也君爲之服是逆古之禮而亂國法也若終行之則有司將書之以遺後世無乃不可乎公曰古者天子練冠以燕居吾弗忍也遂練冠以喪慈母喪慈母自魯昭公始也

左傳襄六曰宋大災宋伯姬卒待姆也(姆女師也)

乳母

史記曰武帝時有所幸倡郭舍人者發言陳辭雖不合道然令人主和悅武帝少時東武侯母嘗養帝帝壯時號曰大乳母率一月再朝朝奏入有詔使幸臣馬游卿以帛五十疋賜乳母有詔得令乳母乘車行馳道中當此之時公卿大臣皆敬重乳母乳母家子孫奴從者橫暴長安中當道掣頓人車馬奪人衣服聞於中不忍致之法有司請徙乳母家室處之於邊奏可乳母當入至前面見辭乳母先見郭舍人爲下泣舍人曰即入見辭去勿疾步數還顧乳母如其言謝去郭舍人疾言罵之曰咄老女子何不疾行陛下已壯矣寧尚須汝乳而活耶於是武帝憐之乃下詔止無徙乳母

後漢書曰安帝時鄧太后臨朝帝不親政事小黃門李閏與帝乳母王聖嘗共譖太后兄執金吾鄧悝等言欲廢帝立平原王德帝每忿懼及太后崩遂誅鄧氏而王聖女伯榮扇動內外競爲侈虐明年帝崩立北鄉侯爲天子王聖及黨與皆見徙

王隱晉書曰賈充子黎民三歲乳母抱向閤充入黎民喜踊充嗚之充夫人郭槐遙望疑充即鞭殺乳母兒思母病死槐又生男向歲乳母抱中庭充過拈兒頰郭又疑之復鞭殺乳母兒又死充遂無嗣

譚藪曰宋何承天爲著作郎時新著作多貴游少年戲承天謂爲妳母承天曰鳳凰將九子妳母何言耶

妾

禮記曲禮曰買妾不知其姓則卜之

又內則曰聘則爲妻奔則爲妾(妾之言接也聞彼有禮走而往馬以得接見於君子)

又曰妾雖老年未滿五十必與五日之御雖婢妾衣服飲食必後長者妻不在妾御莫敢當夕(辟女君之御日也)妾將生子及月辰夫使人日一問之

左傳成上曰魯聲伯之母不聘(不娉無媒禮)穆姜曰吾不以妾爲姒(昆弟之妻相謂爲姒)生聲伯而出之

又昭五晏子對齊景公曰內寵之妾肆奪於市外寵之臣僭令於鄙

又哀下曰魯公子荊之母嬖(荊哀公庶子)將以爲夫人使宗人釁夏獻其禮(宗人禮官)對曰無之公怒曰女爲宗司立夫人國

之大禮也何故無之對曰周公及武公娶於薛孝惠娶於商自桓以下娶於齊此禮也則有若以妾爲夫人則固無其禮也

出婦

禮記檀弓曰子上之母死而不喪（子上孔子曾孫子思之子名白其母出）門人問諸子思曰昔者子之先君子喪出母乎曰然（禮爲出母期父卒爲父後者不服耳）子之不使白也喪之何也子思曰昔者吾先君子無所失道道隆則從而隆道汚則從而汚（汚猶殺也有隆有殺進退如禮）伋則安能（自予不能及）爲伋也妻者是爲白也母不爲伋也妻者是不爲白也母故孔氏之不喪出母自子思始也

又內則曰子甚宜其妻父母不說出（宜猶善也）

漢書曰王吉少時學問居長安其東家有大棗樹垂庭中吉婦取棗以啖吉後知之乃去婦東家聞而伐其樹隣里共止之因固請吉令還婦里中爲之語曰東家有樹王陽去婦東家棗完去婦復還

又曰王禁生元后元后母魏郡李氏女也後以妬去更嫁爲河內苟賓妻

後漢書曰馮衍娶北地女任氏爲妻悍忌不得畜媵妾兒女常自操井臼老竟逐之

又曰黃允濟陰人也以儁才知名郭林宗見而謂曰卿有絕人之才足成偉器然恐守道不篤將失之矣後司徒袁隗欲爲從女求姻見允而歎曰得壻如是足矣允聞而黜遣其妻夏侯氏婦請姑曰今當見棄方與黃氏長辭乞一會宗屬以展離訣之情於是大集賓客二百餘人婦中坐攘袂數允隱慝穢惡十五事言畢登車而去允以此廢於時

又曰李充字大遜家貧兄弟六人同衣遞食妻竊謂充曰今貧居如此難以久安願思分異充僞許之曰當醞酒具會請呼鄉里內外充於坐中前跪白母曰此婦無狀而教充離間母兄罪合遣斥便呵叱其婦逐令出門婦銜涕而去

齊書曰劉瓛母孔氏瓛娶王氏婦壁挂履土落孔氏床上孔氏不悅瓛即出其妻

梁書曰孔謙從兄靈慶嘗病寄於謙謙出行還問起居靈慶曰向飲冷熱不調即時猶渴謙退遣其妻

家語曰婦有七出三不去七出者不順父母無子淫僻嫉妬惡疾多口舌竊盜不順父母者爲其逆德也無子者爲其絕世也淫僻者爲其亂族也嫉妬者爲其亂家也惡疾者爲其不可供粢盛也多口舌者爲其離親也竊盜者爲其反義也三不去者謂有所取無所歸也與共經三年之喪也先貧賤後富貴也凡此皆聖人所以愼男女之際重婚姻之始也

又曰曾子妻以炊蒸藜不熟出之

古樂府詩曰上山採蘼蕪下山逢故夫迴首問故夫新人復何如

舅舅母

釋名曰舅久也

爾雅曰母之昆弟爲舅

毛詩秦風曰渭陽康公念母也康公之母晉獻公之女文公遭麗姬之難未反而秦姬卒穆公納文公康公時爲太子贈送文公于渭之陽念母之不見也我見舅氏如母存焉及其即位思之而作是詩也我送舅氏曰至渭陽何以

贈之路車乘黃我送舅氏悠悠我思何以贈之瓊瑰玉佩
也
儀禮曰舅母之昆弟也傳曰何以服緦從服也言從母服也
禮記檀弓曰從母之夫舅之妻二夫人相爲服君子未之
言也
左傳傳中曰秦伯納晉公子重耳及河子犯以璧授公子
曰臣負羈紲以從君巡於天下臣之過多矣臣猶知之而
況君乎請由此亡公子曰所不與舅氏同心者有如白水
投其璧于河
又曰庾懌嘗以毒酒餉江州刺史王允之允之覺其有毒
飲犬犬斃乃密奏之帝曰大舅已亂天下小舅復欲爾邪
懌聞飲酖而卒
又曰劉輿字慶孫與弟琨字越石並爲尚書郎郭奕之甥

也名著當時京師爲之語曰洛中奕奕慶孫越石
又曰荀勗潁川人少孤貧依於舅氏幼而岐嶷早成十歲
能屬文鍾繇曰此兒當及曾祖爽耳
又曰殷浩坐徙東陽信安縣外甥韓康伯浩素賞愛之隨
至徙所經歲還都浩送至渚側詠曹顏遠詩曰富貴他人
合貧賤親戚離因而下泣
又曰衛玠字叔寶驃騎將軍王濟玠之舅也儁爽風姿每
見玠輒歎曰珠玉在旁覺我形穢
又曰郗愔字方回與姊夫王羲之有邁世之風獻之兄弟
愔子超未亡時獻之兄弟嘗躡履脩甥舅之禮及超死見愔怠慢屣
而候之命席便坐愔慨然曰嘉賓不死鼠子敢爾
又曰武帝楊后諱豔字瓊芝弘農人母天水趙氏早卒依
舅家舅母仁愛親乳之使他人乳巳子

世說曰衛展字道舒爲江州有舊投之都不祗待唯餉王
不留行一斤此人便命駕李弘範聞之曰家舅刻薄乃役
使卉木也
又曰魏明帝爲外祖築館既成謂左右曰當何名之侍中
繆襲曰陛下聖思齊於哲王罔極過於曾閔此館之興情
鍾舅氏宜以渭陽名爲上從之
妬記曰謝太傅劉夫人不令太傅有別房寵公既深好聲
色不能全節遂頗欲立妓妾兄子及外甥等微達其旨乃
共諫劉夫人方便稱關雎螽斯有不妬忌之德夫人知諷
巳乃問誰撰詩荅曰周公夫人曰周公是男子乃相爲耳
若使周姥傳應無此語也
蔡邕進表曰平丘程末年十四時父叔沒末抱屍號泣悲
哀舅哀其羸劣嚼棗肉以哺之末見食歔欷不能吞咽

外甥

釋名曰姊妹之子曰甥出配他男而生也
爾雅曰男子謂姊妹之子爲出謂我舅者吾謂之甥也
儀禮子夏傳曰甥何以緦報之也
左傳莊公曰楚文王伐申過鄧鄧祁侯曰吾甥也止而享
之騅甥聃甥養甥請殺楚子鄧侯不許三甥曰亡鄧國者
必此人也若不早圖後君噬臍其及圖之乎
史記曰汲黯字長孺濮陽人司馬安是其姊子與黯同爲
太子洗馬
漢書曰霍去病衛青姊少兒子也
又曰顏安字文翁孫魯人眭孟姊子也
東觀漢記曰黃香字文強年十二家業虛貧衣食不贍舅
龍鄉侯爲作衣被不受

晉書曰魏舒少爲舅寗氏所養寗氏營宅相者云當出貴甥舒時尚幼自言曰當爲外氏成此宅相

又曰石崇字季倫其甥歐陽建與趙王倫有隙倫僞詔收崇及建建作臨終詩

又曰謝重字景重子約字宣暎曽於公座戲嘲無禮於其舅袁湛湛謂曰汝父昔已輕舅今汝復來加我可謂兩世無渭陽之情約父重即王敬之外孫與舅有不恊之論湛故有此云

又曰范汪少孤年六歲過江依外家庾氏荊州刺史王澄見之曰興范族者必此子也十三喪母居喪盡禮及長好學博識多通善談名理

又曰韓康伯清和有思舅殷浩曰康伯能自標置居然是出群器也

又曰何無忌東海郯人少有大志鎮北將軍劉牢之即其舅也時鎮京口每有大事皆參議之桓玄之簒與劉裕劉毅共興義兵桓玄聞之甚懼其黨曰烏合之衆勢必無成玄曰劉裕勇冠三軍劉毅家無擔石之儲摴蒱一擲百萬何無忌劉牢之甥酷似其舅共舉大事何爲無成

又曰姚興太史令高魯遣其甥王蒙暉隨劉藻送玉璽一鈕并圖讖秘文於慕容德

吴均齊春秋曰劉瓛字珪沛人五歲聞舅孔昭先讀管寧傳欣然請更讀因聽受曰可及此耳

三輔决録曰吉閟幼有美名九歲明尚書舅何邈死家貧子幼閟自造墳塋殯葬之

衛玠别傳曰玠王武子甥也武子常與乗白羊車入市舉市曰誰家璧人曰武子甥也武子常與同遊語曰玠與外甥玠並出同若明珠在側朗然來照人

覽五三廿　七　表𡗗一

姨

爾雅曰母之姊妹爲從母

儀禮子夏傳曰從母丈夫婦人服（從母母之姊妹）傳曰何以小功也以名加也外親之服皆緦之（外親異姓正服不過緦）

晉書曰何充字次道廬江人王導妻姊之子故少與王導善早爲顯官嘗詣舍導以麈尾指床呼充共座曰此是君座也

宋書初高祖産而皇妣殂孝皇貧薄議欲不舉高祖從母生懷敬未朞乃斷乳而養高祖以舊恩之故懷敬累至會稽太守

三輔决録曰周季貢班固姊之子也善屬文喪婦作閒神其姨曹大家難之

覽五三二　八　表𡗗

太平御覽卷第五百二十一

太平御覽卷第五百二十二

禮儀部一

敘禮上

尚書舜典曰咨四嶽有能典朕三禮三禮天神地祇人鬼之禮也

毛詩國風曰相鼠刺無禮也衛文公能正其羣臣而刺在位承先君之化無禮儀也相鼠有皮人而無儀相視無禮儀者雖居尊位猶爲闇昧之行箋云儀威儀也視鼠有皮雖處高顯之處偷食苟得不知廉恥亦與人無威儀者同人而無儀不死何爲箋云人以有威儀爲貴今反無之傷化敗俗不知其死無所害也相鼠有齒人而無止止所止息箋云止容止孝經曰容止可觀人而無止不死何俟俟待也相鼠有體體支體也人而無禮人而無禮胡不遄死遄速也

毛詩國風曰蒹葭刺襄公也未能用周禮將無以固其國焉秦處周之舊土其人被周之德教日久矣今襄公新爲諸侯未習周之禮法故國人未服焉蒹葭蒼蒼白露爲霜興也蒹葭蘆也蒼蒼盛也白露凝戾爲霜然後歲事成國家待禮然後興箋云蒹葭在衆草之中也蒼蒼然彊至白露凝戾爲霜則成而黃興者喻衆者不從襄公政令者得周禮以教之則服所謂伊人在水一方

周禮天官曰太宰之職掌建邦之六典三曰禮典以和邦國以統百官以諧萬民

周禮地官司徒之職掌施十有二教焉一曰以祀禮教敬則民不苟二曰以陽禮教讓則民不爭三曰以陰禮教親則民不怨四曰以禮樂教和則民不乖五曰以儀辯等則民不越六曰以俗教安則民不愉七曰以刑教中則民不虣八曰以誓教恤則民不怠九曰以度教節則民知足十曰以世事教能則民不失職十有一曰以賢制爵則民愼德十有二曰以庸制祿則民興功

周禮地官曰大司徒以五禮防萬民之僞而教之中禮所以節止民之侈僞使其行得中鄭司農云五禮謂吉凶賓軍嘉

周禮春官宗伯曰以嘉禮親萬民嘉善也所以因人心所善者而爲之制嘉禮之別有六以飲食之禮親宗族兄弟親者使之相親人君有食宗族飲酒之禮所以親之也文王世子曰族食世降一等大傳曰繫之以姓而弗別綴之以食而弗殊百世而婚姻不通者周道然也以昏冠之禮親成男女親其恩成其性以賓射之禮親故舊朋友射禮雖王亦立賓主也王者故舊朋友爲世子時共在學者天子時有友諸侯之義武王誓曰我有邦冢君是也司寇職有議故之辟議賓之辟以饗燕之禮親四方之賓客賓客謂朝聘者以脤膰之禮親兄弟之國脤膰社稷宗廟之肉以賜同姓之國同福祿也兄弟有共先王者魯定公十四年天王使石尚來歸脤以賀慶之禮親異姓之國異姓王昏姻甥舅

禮記曲禮曰夫禮者所以定親疎決嫌疑別同異明是非也道德仁義非禮不成教訓正俗非禮不備分爭辯訟非禮不決君臣上下父子兄弟非禮不定宦學事師非禮不親班朝治軍涖官行法非禮威嚴不行禱祠祭祀供給鬼神非禮不誠不莊是以君子恭敬撙節退讓以明禮撙猶趨也

曲禮曰人有禮則安無禮則危故曰禮者不可不學也夫禮者自卑而尊人雖負販者必有尊也而況富貴乎負販者尤輕挑志利宜若無禮然富貴而知好禮則不驕不淫貧賤而知好禮則志不懾懾猶也

又曲禮下曰君子行禮不求變俗求猶務也

又禮運曰孔子曰夫禮先王以承天之道以治人之情故失之者死得之者生詩曰相鼠有體人而無禮人而無禮胡不遄死相視也遄疾言鼠之有身體如人而無禮者矣人之無禮可憎賤如鼠不如疾死之愈是故夫禮必本於天殽於地列於鬼神聖人則天之明因地之利取法度於鬼神以制禮下教令也既又禮之盡其敬也教民嚴上也鬼者精魂所歸神者引物而出謂祖廟山川五祀之屬也達於喪祭射御冠昏朝聘民知嚴上則此禮達於下故聖人以禮示之故天下國家可得而正也

又禮運曰禮者君之大柄也所以別嫌明微儐鬼神考制

度別仁義所以治政安君也疾今失禮如此爲言禮之大義也柄所操以治事

又禮運曰是故夫禮必本於太一分而爲天地轉而爲陰陽變而爲四時列而爲鬼神

又禮運曰故聖人之所以治人七情脩十義講信脩睦尚辭讓去爭奪舍禮何以治之唯禮可耳飲食男女人之大欲存焉死亡貧苦人之大惡存焉故欲惡者心之大端也人藏其心不可測度也美惡皆在其心不見其色也欲一以窮之舍禮何以哉言人情之難知明禮之重

又禮運曰故禮行於郊而百神受職焉禮行於社而百貨可極焉禮行於祖廟而孝慈服焉禮行於五祀而正法則焉言信得其禮則神物與人皆應之百神列宿也百貨金玉之屬

又禮運曰故禮義也者人之大端也所以講信脩睦而固人之肌膚之會筋骸之束也所以養生送死事鬼神之大

平五ヨ三十二　三　袁阿子

端也所以達天道順人情之大竇也竇孔穴也故唯聖人爲知禮之不可以已也故壞國喪家亡人必先去其禮言愚者之反聖人也故禮之於人也猶酒之有蘖也君子以厚小人以薄昔得以爲美味性善者醻耳

又禮器曰禮器是故大備大備盛德也禮器言禮使人成器如耒耜之爲用也人情以爲田脩禮以耕之此是也大備自耕至於食之而肥禮釋回增美質措則正施則行也釋猶去也回邪辟也質猶殊也措置其在人也如竹箭之有筠也如松栢之有心也二者居天下之大端故貫四時而不改柯易葉君子有禮則外諧而內無怨故物無不懷仁鬼神饗德先王之立禮也有本有文忠信禮之本也義理禮之文也無本不立無文不行言必外內具也

又禮器曰禮也者猶體也若人身體體不備君子謂之不成人設之不當猶不備也禮有大有小有顯有微大者不可損小者不可益顯者不可揜微者不可大也故經禮三百曲禮三千其致一也致之言至也一謂誠也經禮謂周禮也周禮六篇其官有三百六十曲猶事也事禮謂今禮也禮篇多亡本數未聞其中事儀三千未有入室而不由户者三百三千皆猶誠也

又禮器曰君子曰甘受和白受采忠信之人可以學禮苟無忠信之人則禮不虛道是以得其人之爲貴也

又樂記曰是故先王有大事必有禮以哀之有大福必有禮以樂之哀樂之分皆以禮終大事謂死喪也

又經解曰禮之於正國也猶衡之於輕重也繩墨之於曲直也規矩之於方圓也故衡誠縣不可欺以輕重繩墨誠陳不可欺以曲直規矩誠設不可欺以方圓君子審禮不可誣以姦詐衡稱也縣謂重也陳設謂彈畫也誠猶審也是故隆禮由禮謂之有方之士不隆禮不由禮謂之無方之民敬讓之道也

平五ヨ三十二　四　袁阿子

又經解曰故朝覲之禮所以明君臣之義也聘問之禮所以使諸侯相尊敬也喪祭之禮所以明臣子之恩也鄉飲酒之禮所以明長幼之序也婚姻之禮所以明男女之別也夫禮禁亂之所由生猶坊止水之所自來也故以舊坊爲無所用而壞之者必有水敗以舊禮爲無所用而去之者必有亂患春見曰朝小聘曰問昏姻謂嫁娶也壻曰昏妻曰姻自以由也故昏姻之禮廢則夫婦之道苦而淫辟之罪多矣鄉飲酒之禮廢則長幼之序失而爭鬬之獄繁矣喪祭之禮廢則臣子之恩薄而倍死忘生者衆矣聘覲之禮廢則君臣之位失諸侯之行惡而倍畔侵陵之欺起矣若謂不至不荅之屬故禮之教化也微其止邪也於未形使人日徙善遠罪而不自知也是以先王隆之

又哀公問曰哀公問於孔子曰大禮何如君子之言禮何

其尊也孔子曰丘也小人不足以知禮謙不荅曰君曰否吾子言之也孔子曰丘聞之民之所由生禮爲大非禮無以節事天地之神也非禮無以辨君臣上下長幼之位也非禮無以別男女父子兄弟之親昏姻疏數之交也君子以此之爲尊敬然言君子以此故尊禮

又曰仲尼燕居子張子貢言游侍縱言至於禮言游言偃子游也縱言汎說事子曰居女三人者吾語女禮使女以禮周流無不徧也居女三人且坐也使之坐凡與尊者言更端則起也子貢越席而對曰敢問何如對應也子曰敬而不中禮謂之野恭而不中禮謂之給勇而不中禮謂之逆言游進曰敢問禮也者領惡而全好者與子曰然領猶治也好善也然則何如子曰郊社之義所以仁鬼神也嘗禘之禮所以仁昭穆也饋奠之禮所以仁死喪也射鄉之禮所以仁鄉黨也食享之禮所以仁賓客也仁猶存也凡存此者所以全善之道郊社嘗禘饋奠存死之善者也射鄉食享存生之善者也郊有后稷社有勾龍子曰明乎郊社之義嘗禘之禮治國其如指諸掌而已乎是故以之居處有禮故長幼辨也以之閨門之內有禮故三族和也以之朝廷有禮故官爵序也以之田獵有禮故戎事閑也以之軍旅有禮故武功成也

又仲尼燕居曰子曰禮者何也即事之治也君子有其事必有其治治國而無禮譬猶瞽之無相與倀倀乎其何之譬如終夜有求於幽室之中非燭何以見若無禮則手足無所錯耳目無所加進退揖讓無所制

又坊記曰子云夫禮者所以章疑別微以爲民坊者也故貴賤有等衣服有別朝廷有位則民有所讓位朝位也

又中庸曰子曰吾說夏禮杞不足徵也吾學殷禮有宋存焉吾學周禮今用之吾從周徵猶明也吾能說夏禮顧杞之君不足與明故也吾從周

行今之道

禮含文嘉曰禮者履也

禮稽命徵曰得禮之制澤谷之中有赤烏白玉赤蛇赤龍赤木白泉生出飲酌之使壽長

禮稽命徵曰禮之動搖也與天地同氣四時合信陰陽爲符日月爲明上下和洽則物獸如其性命

太平御覽卷第五百二十二

太平御覽卷第五百二十三

禮儀部二

敘禮二

禮記外傳曰吉凶賓軍嘉即五禮之目也吉禮者祭祀郊廟宗社之事是也（起自神農氏始教民種穀禮始於飲食吹葦籥擊土鼓以迎田祖致敬鬼神祭皆用樂此伊耆氏即神農別號）凶禮者喪紀之說年穀不登大夫去國之事也（皇帝始養生送死也）賓禮者貢獻朝聘之事是也軍禮者始黃帝與蚩尤戰於涿鹿之野嘉禮者好會之事起自伏羲以儷皮為幣始制嫁娶（亨通者嘉會之事也）其後有冠（冠者代父之事者婚有繼世之道物有代謝之期悲發於衷乃非繼吉故爲喜慰之事也）鄉飲酒鄉射食耆老王撫族人之事是也（四者亦嘉會也）但前代象天其禮質而略後代法地其事煩而文唐虞之際五禮明備周公所制文物極矣

左傳文下曰齊侯侵我西鄙遂伐曹入其郛討其來朝也季文子曰齊侯其不免乎已則無禮（執王使而伐其罪）而討於有禮者曰女何故行禮禮以順天天之道也已則反天而又以討人難以免矣

又文公曰先大夫臧文仲教行父事君之禮行父奉以周旋弗敢失隊曰見有禮於其君者事之如孝子之養父母也見無禮於其君者誅之如鷹鸇之逐鳥雀也

又宣十六年晉侯使士會平王室定王享之原襄公相禮（原襄公周大夫相佐也）殽烝（烝升也升殽於俎）武子私問其故（享當體薦而殽烝故問）（之士會諡季其字）王聞之召武子曰季氏而弗聞乎王享有體薦（享則半解其體而薦之所示以共儉）宴有折俎（體解節折升之於俎物皆可食所以示慈惠也）公當享卿當宴王室之禮也（公謂諸侯）武子歸而講求典禮以脩晉國之法

又昭二年曰晉侯使韓宣子來聘（公卿位故）且告為政而來見禮也（代趙武為政雖盟主而脩好同盟故曰禮）觀書於太史氏見易象與魯春秋曰周禮盡在魯矣（易象上下經之象辭魯春秋史記之策書春秋遵周公之典以序事故曰周禮盡在魯也）吾乃今知周公之德與周之所以王也（易象春秋文王周公之制當此情儒道廢諸國多門唯魯備故宣子適魯而說之也）

又昭二日楚靈王使問禮於左師與子產左師曰小國習之大國用之敢不薦聞（言所聞謙示所未行）獻公合諸侯之禮六（禮六儀也宋爵公故獻公禮）子產曰小國共職敢不薦守獻伯子男會公之禮六（鄭伯爵故獻伯子男會公之禮）

又昭二曰公如晉自郊勞至于贈賄（往有郊勞去有贈賄）無失禮（揖讓之禮）晉侯謂女叔齊曰魯侯不亦善於禮乎對曰魯侯焉知禮公曰何為自郊勞至于贈賄禮無違者何故不知對曰是儀也不可謂禮禮所以守其國行其政令無失其民者也

又昭二日孟僖子病不能相禮（不能相儀答郊勞以此為已疾）乃講學之（講習也）苟能禮者從之及其將死也（二十四年孟僖子卒傳終言之）召其大夫曰禮人之幹也無禮無以立吾聞將有達者曰孔丘（僖子卒時孔丘年三十五）聖人之後也我若獲沒（得以壽終）必屬說與何忌於夫子使事之（說南宮敬叔何忌孟懿子皆僖子之子也）而學禮焉以定其位（知禮則位安）

又昭六日鄭子大叔見趙簡子簡子問揖讓周旋之禮焉對曰是儀也非禮也簡子曰敢問何謂禮對曰吉也聞諸先大夫子產曰夫禮天之經也（經者道之常）地之義也（義者利之宜也）民之行也（行者人所履）天地之經而民實則之簡子曰甚哉禮之大也對曰禮上下之紀天地之經緯也（經緯錯居以相成者）民之所以生也是以先王尚之

又昭六曰齊景公曰善哉吾今而後知禮之可以爲國也
對曰禮之可以爲國也久矣與天地並(有天地則禮義興)君令臣
共父慈子孝兄愛弟敬夫和妻柔姑慈婦聽禮也君令而
不違臣共而不貳父慈而教子孝而箴(箴諫也)兄愛而友弟
敬而順夫和而義妻柔而正姑慈而從(從不自專)婦聽而婉(婉順也)
禮之善物也
又定下曰公會齊侯于祝其實夾谷(夾谷即祝其地)孔丘相(相會儀也)
犂彌言於齊侯曰孔丘知禮而無勇若使萊人以兵劫魯
侯必得志焉
又定下曰邾隱公來朝(邾子益也)子貢觀焉邾子執玉高其容
仰公受玉卑其容俯(王朝者之贄)子貢曰以禮觀之二君者皆
有死亡焉夫禮死生存亡之禮也將左右周旋進退俯仰
於是乎觀之今正月相朝而皆不度(不合法度)心已亡矣

又哀上曰太宰嚭召季康子(嚭吳大夫)康子使子貢辭太宰嚭
曰國君道長大(言君長於道路)而大夫不出門此何禮也對曰豈
以爲禮畏大國也(畏大國不敢盡行)大國不以禮命於諸侯苟
不以禮豈可量也寡君既共命焉其老豈敢弃其國太伯
端委以治周禮仲雍嗣之斷髮文身臝以爲飾豈禮也哉
春秋說題辭曰禮者所以設容明天地之體也
論語曰有子曰禮之用和爲貴先王之道斯爲美小大由
之有所不行知和而和不以禮節之亦不可行也
又曰子曰導之以政齊之以刑民免而無耻導之以德齊
之以禮有耻且格
又曰子曰夏禮吾能言之杞不足徵也殷禮吾能言之宋
不足徵也(徵成也杞宋二國夏殷之後夏殷之禮吾能說之杞宋之君不足以成也)
又曰子張問十世可知也(世謂易姓之世也問其制度變易如何)子曰殷因
於夏禮所損益可知也周因於殷禮所損益可知也(所損益可
知也者據時篇目皆在可校數)其或繼周者雖百世可知也(自周之後以爲變易損益
之極極於三王亦不是過也)
又曰顏淵問仁子曰克己復禮爲仁一日克己復禮天下
歸仁焉爲仁由己而由人乎哉顏淵曰請問其目子曰非
禮勿視非禮勿聽非禮勿言非禮勿動顏淵曰回雖不敏
請事斯語矣
又曰子曰禮云禮云玉帛云乎哉(言禮非但崇此玉帛而已所貴者乃貴其安上
治民)
漢書曰漢王已并天下諸侯共尊爲皇帝於定陶叔孫通
就其儀號高帝悉去秦儀法爲簡易羣臣飲爭功醉或妄
呼拔劍擊柱上患之通知上益厭之說上曰夫儒者難與
進取可與守成臣願徵魯諸生與臣弟子共起朝儀上曰

可試爲之令易知度吾所能行爲之七年長樂宮成諸侯
群臣朝十月大行設九賓臚句傳(上傳語告下爲臚下告上爲句)
於是皇帝輦出房百官執戟傳警引諸侯王以下至吏六
百石以次奉賀自諸侯王以下莫不震恐肅敬至禮畢盡伏
置法酒(文穎曰作酒令法也蘇林曰常會須天子中起更衣然後入置酒)諸侍坐殿上皆
伏抑首(如淳曰抑屈)以尊卑次起上壽觴九行謁者言罷酒御
史執法舉不如儀者輒引去竟朝置酒無敢讙譁失禮者
於是高帝曰吾乃今日知爲皇帝之貴也拜通爲太常賜
金五百斤通出皆以五百金賜諸生諸生乃喜曰叔孫生
聖人知當世務也
又曰王者必因前王之禮而順時施宜有所損益節人之
心稍稍制作
又曰宣帝時諫議大夫王吉上疏願述舊禮明王制驅一

代之人蹟之仁壽之域
范曄後漢書曹褒傳曰詔召玄武司馬班固問改定禮制
之宜固曰京師諸儒多能説禮宜廣招集共議失得帝曰
諺言作舍道邊三年不成會禮之家名爲聚訟互生疑異
筆不得下昔堯作大章一夔足矣章和元年正月乃召褒
詣嘉德門令小黄門持班固所上叔孫通漢儀十二篇勑
褒曰此制散略多不合經今宜依禮條正使可施行於南
宫東觀盡心集作
典略曰孔子過宋與弟子集禮於大樹下宋司馬桓魋使
拔其樹去適鄭
六韜曰太公對文王曰禮者治之粉澤也
管子曰禮者因人之情緣義之理爲之節文者也
孟子曰惻隱之心仁之端也辭讓之心禮之端也
孫卿子曰禮者人主以爲群臣尺寸尋丈檢式也禮有三
本天地生之本先祖類之本君師治之本國之本在禮也
又曰人生有欲欲則求求則爭爭則亂亂則窮先王惡其亂
也故制禮義以養之禮者養也稻粱五味所以養口也椒
蘭芬馨所以養鼻也雕琢刻鏤黼黻文章所以養目也疏
房越席沐浴机筵所以養體也
莊子曰三王五帝之禮儀法度不矜於同而矜於治故譬
三王五帝之禮儀法度其猶柤棃橘柚菓瓜之屬耶其味
反而皆可於口
文子曰老子云爲禮者雕琢人性矯拂其情目雖欲之禁
以法心雖樂之節以禮趍翔周旋
屈節異儀肉凝而弗食酒敗而不飲外束其形中愁其意
汨陰陽之和而迫生命之情

慎子曰禮從俗政上國有貴賤之禮無賢不肖之禮有長
幼之禮無勇怯之禮有親疎之禮無愛惡之禮也
淮南子曰禮者體情而制文者也
又曰夫水積則生相食之蟲（言大魚食小魚）士積則生食肉之獸
禮飾則生僞慝之儒（僞詐慝姦）夫吹灰而欲無眯涉水而欲無
濡不可得也
説苑曰齊景公登酎晏子脩食禮以待公曰禮寡人饜之
矣吾欲得天下勇士與之圖國晏子對曰君子無禮是庶
人也庶人無禮是禽獸也禮而治國所以御民也轡者所
以馭馬也無禮而治國家者嬰未嘗聞也景公曰善乃飾
酎更席以爲上客
尸子曰秋爲禮西方爲秋秋肅也萬物莫不肅敬禮之至
也
韓詩外傳曰晏子聘魯下堂則趍授立則跪子貢怪之問
孔子孔子問晏子晏子對曰夫上堂之禮君行一臣行二
也今君之受幣也卑臣敢不跪乎孔子曰善禮中又有禮
董生書曰禮者天所爲也文者人所爲謂之禮禮者因人
情以爲節文以救其亂也夫隄者水之防也禮者人之防
也刑防其末禮防其本也
白虎通曰夫禮者陰陽之際也百事之會也所以尊天地
賓鬼神序上下之道也
袁淮書曰禮者緣人情而爲之節度者也嚴父愛親之情
也尊親敬長之義耳
物理論云禮者履也律也義同而名異
孫卿禮賦曰爰有大物非絲非帛文理成章非日非月爲
天下明生者以壽死者以葬城郭以固三軍以強粹而王

駮而霸無一爲而亡也

太平御覽卷第五百二十三

太平御覽卷第五百二十四

禮儀部三

祭禮上

毛詩召南曰采蘋大夫妻能循法度也能循法度則可以承先祖供祭祀也于以采蘋南澗之濱于以采藻于彼行潦（蘋大蓱也澗崖也藻聚藻也行潦流潦也）

又小雅天保曰吉蠲爲饎是用孝享（吉善蠲絜也饎酒食也享獻也箋云謂將祭祀也）禴祠烝嘗于公先王（春曰祠夏曰禴秋曰嘗冬曰烝公事也箋云公謂后稷也）君曰卜爾萬壽無疆（君先君也尸所以象神卜予也箋云君曰卜爾者尸嘏主人傳神辭也）

又小雅吉日曰吉日維戊既伯既禱（維戊順類乘壯也伯馬祖也重物愼微將用馬力必先爲之禱其祖禱獲也箋云戊剛日也故乘壯爲順類也）

又小雅大田曰來方禋祀以其騂黑與其黍稷以享以祀以介景福（騂牛也黑羊豕也箋云成王之來則又禋祀四方之神祈報焉陽祀用騂牲陰祀用黝牲）

又小雅楚茨曰濟濟蹌蹌絜爾牛羊以往烝嘗或剝或亨或肆或將（濟濟蹌蹌言有容也亨飪之也肆陳也將齊也或陳于皮或齊其肉箋云有容言威儀敬愼也冬祭曰烝秋祭曰嘗祭祀之禮各有其事有解剝其皮者有煑熟之者有肆其骨體於俎者或奉持而進之者）祝祭于祊祀事孔明（祊門內也箋云孔甚也明猶備也絜也孝子不知神之所在故使祝博求之平生門內之旁待賓客之處祀禮於是甚明）

又小雅信南山曰祭以清酒從以騂牡享于祖考（周尚赤曰騂箋云清謂玄酒也酒鬱鬯五齊三酒也祭之禮先以鬱鬯降神然後迎生享于祖考納亨時）執其鸞刀以啓其毛取其血膋（鸞刀刀有鸞者言割中節也箋云毛以告純也膋脂膏也血以告殺膋以外臭合之黍稷實之於蕭合馨香也）是烝是享苾苾芬芬祀事孔明

又生民曰生民尊祖也后稷生於姜嫄文武之功起於后稷故推以配天焉厥初生民時維姜嫄生民如何克禋克祀以拂無子（克能也弗之言祓也姜嫄之生后稷如何乎乃禋祀上帝於郊禖以祓除其無子之疾而得其福也）履帝武敏歆攸介攸止載震載夙載生載育（祀郊禖之時有大神之迹姜嫄履其拇指生子而養之長名曰弃也）

又清廟曰清廟祀文王也周公既成雒邑朝諸侯率以祀文王焉（清廟者祭有清明之德者之宮也謂祭文王）

又清廟烈文曰烈文成王即政諸侯助祭也（新王即政必以朝享之禮祭於祖考告嗣位也）烈文辟公錫茲祉福惠我無疆子孫保之（烈光也文王錫之也）

又臣工曰振鷺二王之後來助祭也（二王殷夏也其後杞也宋也）振鷺于飛于彼西雝我客戾止亦有斯容（箋云白馬於西雝之澤言所集得其處也興者喻杞宋之君有絜白之德來助祭周之廟得禮之宜）

又臣工潛曰潛季冬薦魚春獻鮪也猗與漆沮潛有多魚有鱣有鮪鰷鱨鰋鯉（猗與歎美之言漆沮岐周二水也潛槮也）以享以祀以介景福（介助也景大也）

尚書舜典曰望于山川徧于羣神孔安國傳曰謂在遠者望祭之也羣神丘陵墳衍之屬

又說命曰黷于祭祀時謂弗欽孔安國傳曰祭不欲數數則黷黷則不敬也

又洛誥曰祀于新邑咸秩無文孔安國傳曰以祀典祀于新邑皆次秩不在禮文者而禮之

又多士曰罔弗明德恤祀孔安國傳曰自帝乙以上無不顯用有德憂念齊敬奉其祭祀言能保宗廟社稷也

尚書大傳周傳曰祭之爲言察也察者至也至者人事也人事至然後祭祭者薦也薦之爲言在也在也者在其道也（禮志曰君子生則敬養死則敬饗也）

又五行傳曰簡宗廟不禱祠廢祭祀逆天時則水不潤下（君行此四者爲逆天時之政其爲水故源流竭絕是水不潤下也）

又五行傳曰六𤅢之禮散齋七日致齊三日新器絜祀用赤黍三日之朝於中庭祀四方從東方始卒於北方(禮志致齊三日周禮凡祭祀前期十日宗伯帥執事十日是為齋一旬乃祀也今此致齋即祀者欲得容三十也若蓋八日為致齋明九日朝而初祀亦一旬有一日事乃畢也)其祀禮曰格祀(篇云今亡)曰某也方祀曰播國率相行祀其祝也曰若爾神靈洪範六𤅢是合(神靈謂木精靈威仰火精赤熛怒土精含樞紐金精白招矩水精汁光紀及木帝太皞火帝炎帝土帝黃帝金帝少昊水帝顓頊木官勾芒火官祝融土官后土金官蓐收水官玄冥皆是也古者生能其事死在祀禮配其神而食合猶為也六沴是神靈所為也)無差無傾無有不正若民有不敬事則會批之于六𤅢(言民廣及天下有過者也事六事也會合也批推也言天下之有過神靈亦合推內於六𤅢天子以下為任者也)六事之機以縣示我我民人無敢不敬事上下王祀

周禮天官冢宰曰以八則治都鄙一曰祭祀以馭其神(祭祀其先君社稷五祀)以九式均節財用一曰祭祀之式(式謂財用之節度)

又天官上內饔曰凡宗廟之祭祀掌割亨之事凡燕飲食亦如之

又天官上獸人曰凡祭祀喪紀賓客共其死獸生獸(共其完者)凡獸入于腊人(當乾之也)皮毛筋角入于王府(給作器物)

又天官上亨人曰祭祀共大羹鉶羹賓客亦如之(大羹肉湆也鄭司農云大羹不致五味也鉶羹加鹽菜也)

又地官上牧人曰牧人掌牧六牲而阜蕃其物以供祭祀之牲牷(六牲謂牛馬羊豕犬雞)凡陽祀用騂牲毛之陰祀用黝牲毛之望祀各以其方之色牲毛之(毛純也陰祀祭六郊地及社稷也鄭司農云陽祀春夏也黝讀為幽幽黑也)凡時祀必用牷物(時祀四時所常祀謂山川以下至四方百物也)凡外祭毀事用尨可也(尨謂雜色不純毀謂副辜毀除殃咎之屬也)凡祭祀共其犧牲以授充人繫之(犧牲毛羽完具也授充人者當殊養之)凡牲不繫者共奉之(謂非時而祭祀者)

又地官上曰牛人掌養國之公牛以待國之政令凡祭祀

供其享牛求牛以授職人而芻之(鄭司農云享牛前祭一日之牛求牛禱於鬼神祈福之牛也玄謂獻神之牛謂所以登者)凡祭祀供其牛牲之互與其盆簝以待事(互謂福衡之屬盆簝皆器名)

又地官下閭師曰凡庶民不畜者祭無牲不耕者祭無盛矣

又春官上太宗伯曰太宗伯之職掌建邦之天神人鬼地祇之禮以佐王建保邦國(建立也立天神人鬼地祇之禮者謂祀之祭之享之禮吉禮是也自吉禮於上次以立安邦國者互以相成明尊鬼神重人事)以禋祀祀昊天上帝以實柴祀日月星辰以槱燎祀司中司命風師雨師(禋之言煙也周人尚臭煙氣之臭聞者槱積也詩曰芃芃棫樸薪之槱之三祀皆積柴實牲體焉或有玉帛燔燎而升煙所以報陽也)以血祭祭社稷五祀五嶽以理沈祭山林川澤以疈辜祭四方百物(不言祭地此皆地祇祭地可知也陰祀自血起貴氣臭也社稷土穀之神也有德者配食)凡祭祀大神享大鬼祭大祇帥執事而卜日宿視滌濯涖王鬯省牲鑊奉王齊詔大號治其大禮詔相王之大禮(執事諸有事於祭者也宿申戒也滌濯溉祭器也)若王不與祭祀則攝位(王有故代行其祭事)凡大祭祀王后不與則攝而薦豆籩徹(薦徹豆籩右之事)國有大故則旅上帝及四望王大封則先告后土乃頒祀于邦國都家鄉邑(頒讀為班班其所當祀及其禮也都家鄉邑謂王子弟及公卿大夫所食采地也)

又春官下太祝曰太祝掌六祝之辭太師宜于社造于祖(馬融傳曰爾雅曰起大事動大衆必先有事於社也)設軍社類上帝(社者社主也類者以事類告祀上帝)國將有事於四望(將行也四望日月星辰也)及軍歸獻于社則前祝(獻於社主)

又春官曰家宗人掌家祭祀之禮凡祭祀致福(大夫采地之所祀與都同若先王之子孫亦有祖廟)

禮記月令曰孟春之月其祀戶祭先脾(春陽氣出祀之於戶內陽也祀之先祭脾者為春陽中於藏直脾為尊也)仲春之月天子獻羔開冰先薦寢廟(獻羔)

謂獻司寒也祭司寒而出冰薦於宗廟乃後賦之上丁命樂正習舞釋菜將舞必釋菜於先師以禮之天子乃率三公九卿諸侯大夫親往視之順時達物中丁又命樂正入學習樂是月也祠不用犧牲用珪璧更皮幣又月令曰孟夏之月共祀竈祭先肺夏陽氣盛熱於外祀之於竈從熱類也之先肺者陽位在上肺亦在上肺爲尊也

又月令仲夏曰祀皇地祇於方丘夏至之日祀皇地祇於方丘以高祖神堯皇帝配坐以岳瀆等神從祀

又月令仲夏曰命有司祭先牧謂仲夏祭先牧於大澤用剛日

又月令季夏曰其祀中霤祭先心中霤猶中室也祭中霤之禮爲俎先進心是月也祀黃帝於南郊謂季夏土德王日則祀黃帝合樞紐於南郊以軒轅配坐以后土鎮星從祀也

又月令曰孟秋其祀門祭先肝秋陰氣出祀之於門外陰也祭先肝者秋爲陰中於藏值肝凡祀門爲俎先進肝也

又月令曰孟冬其祀行祭先腎冬陰氣盛寒於外祀之於行從辟除之類行謂道也祭先腎者陰位在下腎亦在下凡祀行爲俎先進腎

又月令孟冬之日祀神州地祇於北郊謂立冬日祭神州地祇於北郊以太宗文武聖皇帝配坐是月也命有司祭司寒謂孟冬祭司寒於北郊是月也命有司祭司中司命司人司祿謂立冬後亥日祀司祿等於國城西北

又月令仲冬曰命有司祈祀四海大川名源淵澤井泉順其盛德之時祭也

又曲禮上曰臨祭不惰祭服弊則焚之祭器弊則埋之

又曲禮下曰無田祿者不設祭器有田祿者先爲祭服君子雖貧不粥祭器雖寒不衣祭服去國祭器不踰境大夫寓祭器於大夫士寓祭器於士

又曲禮下曰天子祭天地祭四方祭山川祭五祀歲徧諸侯方祀祭山川祭五祀歲徧大夫祭五祀歲徧士祭其先

祭四方謂祭五官之神於四郊也勾芒在東祝融在南蓐收在西玄冥在北詩云來方禋祀者各祭其方之官而已矣五祀謂竈中霤門行厲也此蓋殷時制也祭法天子立七祀諸侯立五祀大夫立三祀士立二祀謂周也凡祭有其廢之莫敢舉也有其舉之莫敢廢也爲其瀆神也廢舉謂若殷廢農祀弃後不服廢弃祀農也非所祭而祭之名曰淫祀淫祀無福支子不祭祭必告於宗子不敢自專

凡祭宗廟之禮牛曰一元大武豕曰剛鬣豚曰肥腯羊曰柔毛雞曰翰音犬曰羹獻雉曰疏趾兔曰明視脯曰尹祭槀魚曰商祭鮮魚曰脡祭水曰清滌酒曰清酌黍曰薌合梁曰薌萁稷曰明粢稻曰嘉蔬韭曰豐本鹽曰鹹醝玉曰嘉玉幣曰量幣號牲物者異於人用也元頭也武迹也腯肥也春秋傳曰博碩肥腯充皃也尹正也商猶量也腥直也萁辭也嘉善也細蔬之爲也豐茂也大鹹曰醝今河東云幣帛也

又曲禮曰大饗不問卜祭五帝於明堂莫適卜也不饒富富之言備也備而已勿多於禮

又檀弓下曰仲遂卒于垂壬午猶繹萬入去籥仲孫魯公子先日辛祀有事太廟而仲遂卒明日而繹非也萬干舞也籥籥舞也仲尼曰非禮也卿卒不繹

又王制曰祭豐年不奢凶年不儉

又王制曰天子祭天地諸侯祭社稷大夫祭五祀五祀謂司命中霤門行厲也此祭謂大夫有地者其無地祭三耳天子祭天下名山大川五嶽視三公四瀆視諸侯視視其牲器之數諸侯祭名山大川之在其地者魯人祭泰山晉人祭河是也天子諸侯祭因國之在其地而無主後者

又禮器曰晏平仲祀其先人豚肩不掩豆澣衣濯冠以朝君子以爲陋也陋猶狹陋孔子曰臧文仲安知禮夏父弗綦逆綦音忌祀而弗正也燔柴於奧文仲魯公子彄之曾孫臧孫辰也莊文之間爲大夫於時爲貴是以非之不正禮也文二年八月丁卯有事於太廟躋僖公始逆祀於是夏父弗綦爲宗人之爲也奧當爲爨字之誤夫奧者老婦之祭也盛於盆尊於缾

又曰季氏祭逮闇而祭日不足繼之以燭雖有强力之容肅敬之心皆倦怠矣有司跛倚以臨祭其為不敬大矣他日祭子路與室事交乎户堂事交乎階質明而始行事晏朝而退孔子聞之曰誰謂由也不知禮乎

又大傳曰牧之野武王之事也既事而退柴於帝祈於社設奠於牧室（柴尊告天地及先祖也）遂率天下諸侯執豆籩駿奔走

又祭法曰燔柴於泰壇祭天也瘞埋於泰折祭地也用騂犢（壇折封土為祭處也壇之言坦也坦明貌也折炤晢也瘞埋為幽明之名尊神也地祀用騂牲與天俱用犢連言耳）埋少牢於泰昭祭時也相近於坎壇祭寒暑也王宮祭日也夜明祭月也幽宗祭星也雩宗祭水旱也四坎壇祭四方也山林川谷丘陵能出雲為風雨見怪物皆曰神有天下者祭百神諸侯在其地則祭之亡其地則不祭也（昭明亦謂壇也時四時也亦謂陰陽之神也埋之者陰陽出入於地中也凡此以下皆祭用少牢）

又祭法曰聖王之制祭祀也法施於民則祀之以死勤事則祀之以勞定國則祀之能禦大菑則祀之能捍大患則祀之是故厲山氏之有天下也其子曰農能播植百穀夏之衰也周弃繼之故祀以為稷共工氏之霸九州也其子曰后土能平九州故祀以為社帝嚳能序星辰以著衆堯能賞均刑法以義終舜勤衆事而野死鯀鄣洪水而殛死禹能脩鯀之功黄帝正名百物以明民共財顓頊能脩之契為司徒而民成冥勤其官而水死湯以寬治民而除其虐文王以文治武王以武功去民之災此皆有功烈於民者也及夫日月星辰民所瞻仰也山林川谷丘陵民所取材用也非此族也不在祀典

太平御覽卷第五百二十四

太平御覽卷第五百二十五

禮儀部四

祭禮中

又祭義曰祭不欲數數則煩煩則不敬祭不欲疏疏則怠怠則忘是故君子合諸天道春禘秋嘗霜露既降君子履之必有悽愴之心非其寒之謂也春雨露既濡君子履之必有怵惕之心如將見之

又祭義曰文王之祭也事死者如事生祭之明日明發不寐饗而致之又從而思之祭之日樂與哀半饗之必樂已至必哀

又祭義曰郊之祭大報天而主日配以月夏后氏祭其闇殷人祭其陽周人祭日以朝及闇祭日於壇祭月於坎以別幽明以制上下祭日於東祭月於西以別內外以端其位日出於東月生於西陰陽長短終始相巡以致天下之和

又祭義曰祭之日入室僾然必有見乎其位周還出戶肅然必有聞乎其容聲出戶而聽愾然必有聞乎其嘆息之聲（周還出戶謂薦設時也無戶者一闔戶若食間則有出戶而聽之）

又祭義曰孝子將祭慮事不可以不豫比時具物不可以不備虛中以治之（此時猶先時也虛中言不兼念餘事）宮室既脩牆屋既設百物既備夫婦齋戒沐浴盛服奉承而進之洞洞乎屬屬乎如弗勝如將失之其孝敬之心至也與（脩設謂掃除及黝堊）薦其薦俎序其禮樂備其百官（百官助主人進之）奉承而進之於是諭其志意以其恍惚以與神明交庶或饗之庶或饗之孝子之志也

又志統曰凡治人之道莫急於禮禮有五經莫重於祭（禮有五經謂吉禮凶禮賓禮軍禮嘉禮也莫重於祭謂以吉禮為首也）夫祭者非物自外至者也自中出生於心也心怵而奉之以禮是故唯賢者能盡祭之義（怵感念親之貌也）賢者之祭也必受其福非世所謂福也福者備也備者百順之名也無所不順者之謂備言內盡於已而外順於道也忠臣以事其君孝子以事於親其本一也

又祭統曰祭者所以追養繼孝也孝者畜也順於道不逆於倫是之謂畜（畜謂順於德教）是故孝子之事親也有三道焉生則養沒則喪喪畢則祭養則觀其順也喪則觀其哀也祭則觀其敬而時也盡此三道者孝子之行也（沒終也）

又祭統曰夫祭有十倫焉見事鬼神之道焉見君臣之義焉見父子之倫焉見貴賤之等焉見親疏之殺焉見爵賞之施焉見夫婦之別焉見政事之均焉見長幼之序焉見

天下之際焉此之謂十倫（倫猶義也）

又祭統曰凡祭有四時春祭曰礿夏祭曰禘秋祭曰嘗冬祭曰烝（謂夏殷時禮也）礿禘陽義也嘗烝陰義也禘者陽之盛也嘗者陰之盛也故曰莫重於禘嘗（夏者尊卑著而秋萬物成）

又祭統曰周公旦有勳勞於天下成王而欲尊魯故賜之以重祭外祭則郊社是也內祭則大嘗禘是也（言此者善周公功也）

又表記曰祭極敬不繼之以樂朝極辯不繼之以倦（極猶盡也辯分別政事也祭義曰祭之日樂與哀半饗之必樂已至必哀）

又表記曰子曰后稷之祀易富也其辭恭其欲儉其祿及子孫（富之言備也以傳世之謀兵倫者之祭易備也）

禮稽命徵曰天子祭天地宗廟六宗五嶽得其宜則五穀豐雷雨時至四夷貢物青白黃馬黃龍翔黃雀集（坤為地得宜則五穀豐矣土精上為軒轅主雷雨得宜故又應時至也土瀆四輔故四夷各貢方色之馬也精為馬不言赤黑義足）

通也黃龍黃雀皆土精也

周易豫象曰雷出地奮豫先王以作樂崇德殷薦之上帝以配祖考

又困九五曰利用祭祀祭祀所以受福也象曰利用祭祀受福也

又既濟曰九五東鄰殺牛不如西鄰之禴祭實受其福牛祭之盛者也禴祭之薄者也居既濟之時而處尊位物皆濟矣將何為焉其所務者祭祀而已祭祀之盛莫盛脩德故沼沚之毛蘋蘩之菜可羞於鬼神故黍稷非馨明德惟馨是以東鄰殺牛不如西鄰之禴祭實受其福也

又曰觀盥而不薦有孚顒若王道之可觀者莫盛乎宗廟宗廟之可觀者莫盛於盥也至薦簡略不足復觀

又萃曰萃亨王假有廟假至也王以聚至有廟也彖曰王假有廟致孝享也全聚乃得致孝之享也

左傳桓公曰凡祀啓蟄而郊言凡祀通下三句天地宗廟之事啓蟄夏正建寅之月祀天南郊龍見而雩龍見建巳之月蒼龍宿之體昏見東方萬物始盛待雨而大故祭天遠為百穀祈膏雨始殺而嘗建酉之月陰氣始殺嘉穀始熟故薦嘗於宗廟閉蟄而烝建亥之月昆蟲閉戶萬物皆成可薦者衆故烝祭宗廟

又僖上曰五年晉人執虞公而脩虞祀歸其職貢於王虞所命也

又僖中曰初平王東遷也辛有適伊川辛有周大夫也見被髮而祭於野者曰不及百年此其戎乎其禮先亡矣秋秦晉遷陸渾之戎于伊川

又僖下曰夏四月四卜郊不從乃免牲非禮也猶三望亦非禮也禮不卜常祀而卜其牲曰牛卜日曰牲成而卜郊上怠慢也望郊之細也不郊亦無望可也

又僖下曰衛成公夢康叔曰相奪予享相夏后啓之孫也居帝丘享祭也公命祀相甯武子曰不可鬼神非其族類不歆其祀杞鄫何事相之不享於此矣衛之罪也不可以閒成王周公之

命祀請改祀命改祀相之命也

又文下曰大事于太廟躋僖公逆祀也僖是閔公兄不得為父子嘗為臣位應在下令居閔上故曰逆祀也於是夏父弗忌為宗伯宗伯掌宗廟昭穆之禮也尊僖公見明見曰吾見新鬼大故鬼小新鬼僖公既為兄死時年又長也故鬼閔公死時年小弗忌明言其所見也先大後小順也躋聖賢明也言以僖公為聖賢也明順禮也君子以為失禮禮無不順祀國之大事也而逆之可謂禮乎子雖齊聖不先父食久矣故禹不先鯀湯不先契鯀禹父契湯十二世祖文武不先不窋不窋后稷子也宋祖帝乙鄭祖厲王猶上祖也仲尼曰臧文仲其不智者三作虛器謂居蔡山節藻梲也縱逆祀聽夏父躋僖公祀爰居三不智也海鳥曰爰居止於魯東門外文仲以為神命國人祀之

又昭二曰鄭子產聘于晉韓宣子曰寡君寢疾今夢黃熊入寢門其何厲鬼也對曰昔堯殛鯀于羽山其神化為黃熊以入于羽淵實為夏郊三代祀之晉為盟主其或未之祀乎韓宣子祀夏郊晉侯有間

又曰晉侯問於史趙曰陳其遂亡乎對曰陳顓頊之後也舜重之以明德至胡公不淫故周賜之姓使祀虞帝臣聞盛德必百世祀虞之世數未也

公羊傳僖公曰曷為或言三卜或言四卜三卜禮也四卜非禮也三卜何以禮求吉之道三禘嘗不卜郊何以卜卜郊何禮也禮天子不卜郊卜郊何以非禮魯郊非禮也以魯郊非禮故卜爾昔武王既沒成王幼小周公居攝行天子事制禮作樂致大平有王功周公薨成王以王禮葬之命魯使郊以彰周公之德非正故卜三吉則用之不吉則免牲也魯郊何以非禮天子祭天諸侯祭土土謂社天子有方望之事方望謂郊時所望祭四方羣神日月星辰風伯雨師五嶽四瀆及餘山川三十六所也無所不通諸侯山川有不在其封內者則不祭也曷為或言免牲或言免牛免牲禮也免牛非禮也免

牛何以非禮傷者曰牛三望者何望祭也然則曷祭祭泰山河海山川有能潤千百里者天子秩而祭之（此皆助天宣氣布功故祭天及之）觸石而出膚寸而合不崇朝而徧雨乎天下者唯泰山爾河海潤于千里

穀梁傳曰宮室不設不可以祭祭者薦其時也薦其敬也薦其義也非享味也

又僖公曰夏四月不郊四卜非禮也免牲者爲之緇衣纁裳有司玄端奉送至於南郊免牛亦然乃者亡乎人之辭也猶者可以已之辭也

國語楚語曰屈到嗜芰有疾召其宗老而屬之（屈到楚卿屈蕩之子也芰菱也宗老宗臣屬託也）曰祭我必以芰及祥宗老將薦芰屈建命去之（建屈到之子子木也）宗老曰夫子屬之子木曰不祭然典有之曰國君有牛享大夫有羊饋士有豚犬之奠庶人有魚炙之薦不羞珍異不陳庶侈夫子不以其私欲干國之典遂不用

又楚語曰子期祀平王祭以牛俎於王（子期楚平王之子結也牛俎致俎於王也）王問於觀射父曰祀牲何及對曰祀加于舉（舉人君朔望之盛饌也）天子舉以太牢祀以會（太牢牛羊豕也會亦太牢舉西方之貢）諸侯舉以特牛祀以太牢卿舉以少牢祀以特羊大夫舉以特牲祀以少牢（特牲豕也）士食魚炙祀以特牲庶人食菜祀以魚上下有序則民不慢王曰其小大何如對曰禘郊不過繭栗烝嘗不過握把王曰何其小也對曰天神以精明臨下民故求備物不求豐大是故先王之祀也以一純二精三牲四時五色六律七事八種九祭十日十二辰以致之（一純心一也二純精玉帛也三牲牛羊豕也四時春秋冬夏也五色五采服也六律黃鍾太蔟姑洗蕤賓夷則無射也七事天地人四時之物也八種八音異種也九祭九州之助祭也十日甲至癸也十二辰子至亥也）百姓千品萬官億醜兆民經入畡數以奉之（百姓百官受氏姓也千品姓有徽品十爲千品五物之官陪屬萬爲萬官官有十醜爲億醜天子之田九畡以養兆民王取經入以食萬官也）明德以昭之和聲以聽之以告徧至（徧至光被四表格于上下也）明無不受休天子禘郊之事必自射其牲王后必自親舂其粢諸侯宗廟之事必自射牛羊擊豕夫人必自舂其盛況其下之人其誰敢不戰兢以事百神

春秋繁露曰大雩者何旱祭也難者曰大旱乃雩祭而請雨大水鳴鼓而攻社天地之所爲陰陽之所起也或請焉或怒焉何也曰大旱者陽滅陰也陽滅陰者尊壓卑也固其義也雖大甚拜請之而已無敢有加也大水者陰滅陽也陰滅陽者卑勝尊也故鳴鼓攻之朱絲而脅之

又曰古者歲四祭因四時所生熟而祭先祖父母也春曰祠祠者以正月始食韭也夏曰禴禴者以四月賣麥餅也秋曰嘗嘗者以七月嘗黍稷也冬曰烝烝者以十月進初稻也

論語季氏曰季氏旅於泰山子謂冉有曰汝不能救與（旅祭名也諸侯祭山川在其邦內者今陪臣祭泰山非禮也）對曰不能子曰嗚呼曾謂泰山不如林放乎（孔子意去泰山之神知禮過林放之賢遠）祭如在祭神如神在子曰吾不與祭如不祭○孝經云春秋祭祀以時思之鄭玄注曰四時變易物有成熟將欲食之先薦先祖念之若生不忘親也

爾雅曰春祭曰祠（祠之言食也）夏祭曰礿（新菜可礿也）秋祭曰嘗（嘗新穀也）冬祭曰烝（進品物也）祭天曰燔柴（既祭積薪燒之）祭地曰瘞埋（既祭埋藏也）祭山曰庪縣（或庪或縣置之於山海經曰縣以吉玉是也）祭川曰浮沈（投祭水中或沈或浮也）祭星曰布（布散祭於地也）祭風曰磔（今俗當大道中磔狗云止風此其象也）是類是禡師祭也（師出征伐類於上帝禡於所征之地）既伯既禱馬祭也（伯祭馬祖也將用馬力必先祭其先祖也）禘大祭也（五年一祭也）繹又祭也（祭之明日尋繹復祭）

周曰繹（春秋經曰壬午猶繹）商曰肜（肜音融書曰高宗肜日）夏曰復胙（未見義所出也）
五經異義曰夏至天子親祀方澤侍中騎都尉賈逵說魯
無圜丘方澤之祭者周兼用六代禮樂魯下周用四代其
祭天之禮亦宜損於周故二至之日不祭天地也
又曰今易京說臣動養君其義理也必望利下弗養道厭
妖國有被髮於野祭者
又曰古尚書說非時祭天謂之類言以事類告也肆類于
上帝時䄍告攝非常祭
又曰古周禮說大宗伯凡禮大神享大鬼祭大祇率執事
而卜曰大鬼謂先王也
史記曰亳人繆忌奏祠太一方曰天神貴者太一太一佐
曰五帝古者天子以春秋祭太一東南郊曰一太牢具七
日爲壇開八通之鬼道於是天子令太祝立其祠長安城

東南郊常奉祀如忌方其後人上書言古者天子三年一
用太牢祠三一天一地一太一天子許之令太祝領祠之
於忌太一壇上如其方後人復有上書言古者天子常以
春解祠祠黃帝用一梟破鏡（孟康曰梟鳥名也食母破鏡獸名食父黃帝欲絕其類使百物祠皆用之破鏡如貙而虎眼如淳曰漢使東郡送梟五月五日作梟羹以賜百官以其惡鳥故食之）冥羊
用羊祠（服虔曰神名也）馬行用一青牡馬太一睪山山君地長用
牛武夷君用乾魚陰陽使者以一牛（孟康曰陰陽之神也）令祠官領
之而祠於忌太一壇旁
漢書曰高祖沛公祠黃帝祭蚩尤於沛庭而釁鼓旗幟皆
赤
又曰高祖微時聞魏公子賢及即位每過大梁常祀公子
高祖十二年從擊黥布還爲公子置守冢歲四時奉祀公
子矣

又張子房從高帝過濟北果得穀城山下黃石取而葆祠
之及留侯死并葬黃石冢伏臘祠黃石留侯
又郊祠志曰文帝下詔曰有異物之神見于成紀無害於
民歲以有年朕親郊祀上帝諸神禮官議無諱以朕勞有
司禮官曰古者天子夏親祠上帝於郊故曰郊於是天子
始幸雍郊見五帝以孟夏四日荅禮焉
又曰宣帝八月飲酎行祠孝昭廟先驅旄頭劍挺墮墜首
揷泥中刃向乘輿車馬驚公孫賀壻之有兵謀不吉卜還
使有司侍祠是時霍氏外孫代郡太守任宣坐謀反誅宣
子章爲公車丞亡在渭城界中夜入廟居郎間執戟立廟
門待上至欲爲逆發覺伏誅故事帝夜入廟其後待明而
入自此始也
又曰孔光父霸爲關內侯食邑霸上書求奉孔子祭祀元

帝下詔曰其令師褒成君關內侯霸以所食邑戶八百祀
孔子焉故霸遣長子福數於魯奉夫子祠
又曰初朱邑且死屬其子曰我故爲桐鄉嗇夫其吏民愛
我必葬桐鄉後世子孫奉尚我不如桐鄉民及死其子葬
之桐鄉西郭外民果共立祠歲時祠祭至今不絕

太平御覽卷第五百二十五

太平御覽卷第五百二十六

禮儀部五

祭禮下

漢書郊祀志曰洪範八政三曰祀祀者所以昭孝事祖通神明也旁及四夷莫不脩之下至禽獸豺獺有祭（應劭曰今孟春獺祭魚季秋豺祭獸）是以聖王為之典禮焉秦襄公攻戎救周列為諸侯而居西自以為主少昊之神作西畤白帝其牲用駵駒黃牛羝羊各一云其後十四年秦文公東獵汧渭之間卜居之而吉文公夢黃蛇自天下屬地其口止於鄜衍（李奇曰鄜音孚）文公問於史敦敦曰此上帝之徵君其祠之於是作鄜畤用三牲郊祭白帝焉自未作鄜畤而雍旁故有吳陽武畤（李奇曰於吳陽地）雍東有好畤皆廢無祀或曰自古以雍州積高神明之隩故立畤郊上帝諸神祠皆聚云蓋黃帝時常用事雖晚周亦郊焉其語不經見搢紳者弗道

又郊祀曰始皇東遊海上行禮祠名山大川及八神求仙人羨門之屬八神將自古而有之或曰太公以來作之齊所以為齊以天齊也（蘇林曰當天中央齊）其祀絕莫知起時

又郊祀志曰文帝始幸雍郊見五畤祠衣皆上赤趙人新垣平以望氣見上言長安東北有神氣成五采若人冠冕焉或曰東北神明之舍西方神明之墓也（張晏曰神明日也日出東北舍謂陽谷日沒於西也故曰墓）天瑞下宜立祠上帝以合符應於是作渭陽五帝廟同宇（韋昭曰宇謂上同下異禮所謂複廟重屋也）帝一殿面五門各如其帝色祠所用及儀亦如雍五畤明年夏四月文帝親拜霸渭之會以郊見渭陽五帝五帝廟臨渭其北穿蒲池溝水爟火舉而祠若光煇然屬天焉於是貴平至上大夫賜累千金而使博士諸生刪六經中作王制謀議巡狩

封禪事文帝出長門若見五人於道北遂因其直立五帝壇（孟康曰直值也值其立處以立壇）祠以五牢

東觀漢記曰建武三年上幸舂陵祠園廟大置酒與舂陵父老故人為樂

又曰桓譚字君山沛人章帝元和中行巡狩至沛令使者祠譚冢鄉里以為榮

又曰李通上大司空印綬以特進奉朝請及有司奏請封諸皇子帝感通首創大謀即日封通少子雄為邵陵侯每幸南陽常遣使者以牢祀通父冢

又曰顯宗拜馬嚴持兵長史將北軍五校士羽林兵三千人屯西河美稷衛護南單于聽置司馬從事牧守謁敬同之將軍勑嚴過武庫祭蚩尤帝親御阿閣觀其士眾時人榮之

又曰永平中詔京兆右扶風以中牢祠蕭何霍光出郡錢穀給蕭何子孫在三百里內悉令侍祠

又曰桓帝初立黃老祠北宮濯龍中以文罽為壇飾淳金釦器采色眩曜祠用三牲太官設珍饌作倡樂以求福祥

漢皇德傳云章帝詔使者奉太牢致祠唐堯於成陽雲臺

袁山松後漢書曰韓卓字子助陳留人臘日奴竊食祭其母卓義其心即日免之

漢舊儀曰宗廟八月飲酎用九太牢元年祭天二年祭地三年祭五帝於五畤三歲一辯皇帝自行他祠不出祭天紫壇幄帷高帝配天居室下西嚮紺幄席

又曰宗廟三年一大祫祭之子孫諸帝以昭穆坐於高廟神皆合食設左右坐高祖南面繡幄帳堂上西北隅曲几黃金釦器每太牢中分之右辯上帝左辯上后俎餘委

積於前殿千斤名曰堆俎子爲昭孫爲穆昭西曲屏風穆
東面皆曲几如高祖饌陳其右各配其左坐如祖妣之座
法
又曰原廟一歲十二祠有閏加皆用太牢
又曰唯八月飲酎駕夕牲牛以繡衣之皇帝暮視牲以鑑
燧取水於月以陽燧取火於日爲明水火左　祖以水及牛
右肩手執鸞刀以切牛毛血薦之而即更衣
又曰五儀元年儒術奏施行董仲舒請雨事始令丞相以
下求雨雪曝城南舞童女禱天神五帝五年始令諸官止
雨朱繩縈社擊鼓攻之
又曰祭五嶽祠用三正色牲十月涸凍二月解凍皆祭祝
乘傳車稱使者祭四瀆用三正色牲況珪有馬祭人先於
隴西西縣人先山皆有土人山下有畦埒如種菜畦畦中

各王封祭叅辰星辰於池陽谷口夾道左右爲壇營覆地
各周三十六里
又曰祭西王母於石室皆在所二千石令長奉祠漢五年
脩復周室舊祀祀后稷於東南常以八月祭一太牢舞者
七十二人冠者五六三十人童子六七四十二人爲民祈
農報功
又曰凡聖王之法追祭天地日月星辰山川萬神皆古之
人也能紀天地五行氣奉其功以成人者也故其祭祀皆
以人事之禮食之所食也非祭食天與土地金木水火石也
又祭三皇五帝九皇六十四民皆古帝王凡八十一姓
漢末英雄記曰公孫瓚上計吏郡太守劉其以事犯法檻
車徵伯珪構衣平幘御車到洛陽其當徙日南伯珪具豚
米於墓上祭先舉觴醊祝曰昔爲人子今爲人臣當詣日

南日南多瘴氣恐或不還與先人辭於此再拜慷慨而起
其時州里人在京師者送行見之及觀者莫不歔欷
魏志曰管寧恒着布襦袴布裙隨時單複出入閨庭能自
柱杖不須扶侍四時祠祭輒自力強改加衣服着絮巾故
在遼東所有白布單衣親薦饌跪拜成禮寧少喪母不識
形像常特觴如法泫然流涕
又曰濊南國常用十月祭氏晝夜飲酒歌舞名之爲舞天
又祭虎以爲神
吳志曰赤烏年有兩烏銜鵲墮東館丞相朱據燎鵲以祭
干寶晉紀曰帝配饗魏太祖廟有奏諸功臣從饗者更以
官爲次在荀郭之上
後魏書曰胡勔少孤言及父母則若孺子之號燉煌汜潜
家善釀酒每節常送一壺以給祭事也

沈約宋書曰羊玄保自少至老謹於祭奠四時珍新未得
祠薦者口不妄嘗
齊書曰張冲永明八年爲假節監青冀二州行刺史事冲
父初卒遺命曰祭我必以鄉土所產無用牲物冲在鎮西
時還吳國取果菜每至蒸嘗輒流涕薦焉
家語曰魯公索氏將祭而亡其下牲孔子聞之曰公索氏
不及二年必亡矣後一年而亡
孔叢子曰元和二年春帝東巡狩還過魯幸闕里以太牢
祠孔子及七十二子作六代之樂大會孔氏男子二十已
上者六十三人命儒者講論
尸子曰先王之祠禮也天子祭四極諸侯祭山川大夫祭
五祀士祭其親也
白虎通曰王者祭宗廟親自取禽者尊重先祖必欲自射

加功力

又曰王制曰春薦韭夏薦麥秋薦黍冬薦稻韭以卵麥以魚黍以豚稻以鴈春曰祠者物微故祠名之夏曰礿者麥孰進之秋曰嘗者新穀孰冬曰蒸蒸者爲衆冬之時物成者衆

益都耆舊傳曰蜀郡張寬字叔文漢武帝時爲侍中從祀甘泉至渭橋有女子浴於渭水乳長七尺上怪其異遣問之女曰帝後第七車知我所來時寬在第七車對曰天星主祭祀者齋戒不嚴則女人星見

汝南先賢傳曰薛苞歸先人冢側坊中種稻以祭祀芋以充飢躭詩悅禮玄虛無爲舉孝廉賢良方正皆不就

王歆之神境記曰九疑山既出林過溪望見舜廟在郡山之下而榑構水際杳若靈居矣余親負勁策致祠靈堂乃躬就齋潔奉奠其宵水月如鏡焉澗微響乃聞廟裏若有絃歌者聲調如近祭復緬邈此其五絃之音南風之響乎

解道虎齊記曰臨淄城南十五里天齊淵五泉並出有異於常故廟屋以同瓦有天齊字在齊八祠祠天於此故名云

越絕書曰越王既得平吳春祭三江秋祭五湖因以其時爲之立祠垂之來世傳之萬載鄰邦樂德皆來取之

吳越春秋曰夫差帥諸羣臣出國東祠子胥江水濱諸臣並在夫差乃言曰寡人蒙先王之遺恩爲千乘之主昔不聽相國之言乃用讒佞之辭至令相國遠沒江海自亡已來濛濛惑惑如霧蔽日莫誰與言泣下沾衿哀不自勝左右羣僚莫不悲傷

十二州記曰昔禹治洪水既畢乃乘橋車到鍾山祠上帝

於北河歸大功于九河也

襄陽記曰諸葛亮初亡所在各求爲立廟朝議以不合百姓遂因時節私祭之於道陌也

摯虞雜祀議曰故事祀皋陶於廷尉寺祭先聖於大學也

桓子新論曰昔楚靈王驕逸輕下簡賢務鬼信巫祝之道齋戒潔鮮以祀上帝禮羣神躬執羽紱起舞壇前吳人來攻其國人告急而靈王鼓舞自若顧應之曰寡人方祭上帝樂明神當蒙福祐焉不敢赴救而吳兵遂至俘獲其太子及后姬以下甚可傷

論衡曰魯文公逆祀去者三人定公順祀叛者五人貫於俗者謂則禮爲非曉禮者寡則知是者稀

又曰凡祭祀之義有二一曰報功二曰循先報功以勉力循先以崇恩也

黃帝問玄女兵法曰六甲將及夫人姓名服色曰其將皆着赤幘小冠帶白綬紱夫人足皆各象其禽獸足凡欲治致神當於帛上書諸神名如法祭蔭齊事六曰見形六十日一祭合諸神祭之祭法脯長一九廣三寸白茅爲藉編以青絲藉長二尺四寸廣六寸餅棗栗并脯置藉上杯皆黑中以丹沙九兩盛米囊九枚置北斗座上中爲九星六甲坐外四面十二座座前一杯受道者壇東北祭南向再拜祝

軍令曰金鼓幢麾隆衝皆以立秋日祠先時一日主者請祠其主者奉祠若出征有所剋獲還亦祠向敵祠血于鍾鼓秋祠及有所尅獲還但祠不血鍾鼓祝文某官使主者某敢告隆衝金鼓幢麾夫軍武之器者所以正不義爲民除害也謹以立秋之日潔牲黍稷旨酒而敬薦之

又曰常以巳丑日祠牛馬先祝文曰某月巳丑某甲敢告馬牛先馬者兵之道牛者軍農之用謹潔牲黍稷旨酒敬而薦之

又曰軍行濟河主者常先白沉璧文曰某王使者某甲敢告于河賊臣某甲作亂天子使其帥衆濟河征討醜類故以璧沉唯爾有神裁之

曹植求祭先王表曰臣雖比拜表自計違遠已來以踰旬日垂竟夏節方到臣悲感有念先王公以夏至日終是以家俗不以夏日祭至於先王自可以令辰告祠臣雖卑鄙實稟體於先王自臣雖貧窶蒙陛下厚賜足供太牢之具臣欲祭先王於廿河之上羊豬牛臣自能辨否者臣縣自有先王喜鰒臣前以表得徐州臧霸朝二鰒百枚足自供事請水瓜五枚計先王崩來未能半歲臣實欲告敬且欲復盡

哀傅士鹿優韓蓋等以爲禮公子不得禰先君公子之子不得祖諸侯謂不得立其廟而祭之也禮又曰庶子不得祭宗詔曰得月二十八日表知侯推情欲祭先王於河上覽省上下悲傷感切將欲遣禮以紓侯敬恭之意會傅士鹿優等奏禮如此故寫以下開國承家顧迫禮制惟侯存心與吾同之

殷允祭徐孺子文曰惟太元六年龍集荒洛冬十月哉生魄試守豫章太守殷君謹遣左右某甲奉清酌鄉合一簋單羞再拜奠故聘士豫章徐先生

周祗祭梁鴻文曰晉隆和四年十一月陳郡周顗文以蘊藻行潦祠梁先生

殷闡祭王東亭文曰公以少牢之奠敬薦東亭王侯之靈蓋聞飢鑒不塵精金能照伯王祭孫叔敖文曰謹以豐羞祭楚令尹孫君之靈耿耿千載悠悠舒荆理無不通事隔者形尚想清塵承風効誠

謝惠連祭古冢文曰東府掘城北壍入一丈餘得古冢上無封域不用塼瓦以木爲槨中有二棺正方兩頭無和明器之屬材瓦銅漆有數十種刻木爲人長三尺可有二十餘載開見悉識是人形以物棖撥之應手灰滅棺上有五銖錢百餘枚水中有甘蔗節及梅李核皆浮出而不甚爛壞銘志不存世代不可得而知之公命城者改埋於東崗祭以豚酒既不知其名字近遠故假爲之號曰冥寞君云爾

揚泉請辭曰古不墓祭葬於中原而廟在大門裏不敢外其親平明出葬日中反虞不敢一日使神無依也周衰禮廢立寢於廟墓漢因而不改以先帝衣冠四時上盥水進

菓實而禘祫祭祀皆於宗廟及其末因寢之在墓咸往祭焉蓋由京師三輔酋豪大姓力強財富婦女贈後車兩相追宿止墓下連日厭飫遂以成俗迄乎今日夫死者骨肉歸乎土神而有靈豈其守夫敗壤而繫乎草莽哉

唐書曰王義方初爲太子校書魏徵張亮皆厚禮之亮誅坐與交遊貶授儋州吉安丞行至南海舟人將以酒脯致祭義方曰黍稷非馨義在明德乃酌水而祭

太平御覽卷第五百二十六

太平御覽卷第五百二十七

禮儀部六

郊丘

尚書召誥曰翼日乙夘周公朝至于洛則達觀於新邑營越三日丁巳用牲于郊牛

周書作雒曰乃設兆于南郊祀以上帝配以后稷農星先王皆與食

毛詩清廟昊天有成命曰昊天有成命郊祀天地也昊天有成命二后受之成王不敢康夙夜基命宥密昊天天大號也有成命者言周自后稷之生而已有王命也文王武王受其業施行道德成此王功

周禮春官上大宗伯曰以禋祀祀昊天上帝禋之言煙者周人尚臭煙氣之臭聞也昊天上帝冬至祀于圓丘天皇大帝也以實柴祀日月星辰五星緯也辰日月所會十二次以槱燎祀司中司命風師雨師槱積也司中文昌宮中星也風師箕星也雨師畢星也鄭云司中司命文昌第四第五星也

又春官上大宗伯曰蒼璧禮天禮天以冬至謂天皇大帝在北極者禮神必以其類璧圓象天黄琮禮地禮地以夏至謂神在崑崙方象地也

又春官上典瑞曰四珪有邸以祀天旅上帝鄭衆云於中央為璧珪著其四面一玉俱成故曰四邸珪末四出或說四珪有邸有四角也上帝玄天也鄭玄曰祀天夏正郊上天也上帝五帝所郊亦猶五帝殊言天者尊異兩珪有邸以祀地旅四望兩珪者象地數二也謂所祀於北郊神州之神

又春官下大司樂曰大司樂乃奏黄鍾歌大吕舞雲門以祀天神天神謂五帝及日月星辰也王者各以夏正月祀其受命之帝於南郊尊也奏太蔟歌應鍾舞咸池以祭地祇地祇祭於北郊謂神州之神及社稷也靁鼓靁鼗孤竹之管雲和之琴瑟雲門之舞冬至日於地上之圓丘奏之若樂六變則天神皆降可得禮矣此禘大祭也天神主北辰靈鼓靈鼗孤竹之管空桑之琴瑟咸池之舞夏至日于澤中之方丘奏之若樂八變則地祇皆出可得而禮矣地祇主崑崙

禮記禮運曰孔子曰魯之郊禘非禮也周公其衰矣杞之郊也禹也宋之郊也契也是天子之事守也先祖法度子孫所當守故天子祭天地諸侯祭社稷祝嘏莫敢易其常古是謂大嘏嘏亦大也不敢改其常古之法度是謂之大也

又禮運曰祭帝於郊所以定天位也祀社於國所以列地利也

又郊特牲曰郊之祭也迎長日之至大報天而主日也兆於南郊就陽位也掃地而祭於其質也器用陶匏以象天地之性也於郊故謂之郊牲用騂尚赤也用犢貴誠也尚赤者周也郊之用辛也自周之始郊日以至言日以至周郊天之月而日至陽氣新用事順之而用辛日三王之郊一用夏正魯以無冬至祭天圓丘之是事以建子月郊天是先有事也用辛日者凡爲人君當齋戒自新耳卜郊受命于祖廟作龜於禰宮尊祖親考之義也郊所以明天道也萬物本乎天人本乎祖此所以配上帝郊之祭也大報本反始也

又明堂位曰成王封周公於魯命魯公世世祀周公以天子之禮樂是以魯君孟春乘大輅載弧韣旂十有二旒日月之章祀帝于郊配以后稷天子之禮也

又大傳曰禮不王不禘王者禘其祖之所自出以其祖配之凡大祭曰禘自由也大祭其先祖所由生謂郊祭天王者之先祖皆感太微五帝之精蒼則靈威仰赤則赤熛怒黄則含樞紐白則白招拒黑則汁光紀皆正歲之正郊祭之蓋特尊焉孝經曰郊祀后稷以配天配靈威仰也宗祀文王於明堂以配上帝汎配五帝也

又祭法曰有虞氏禘黄帝而郊嚳祖顓頊而宗堯夏后氏亦禘黄帝而郊鯀祖顓頊而宗禹殷人禘嚳而郊冥祖契而宗湯周人亦禘嚳而郊稷祖文王而宗武王禘郊祖宗謂祭祀以

配食也此禘謂祭昊天於圓丘
又祭義曰郊之祭大報天而主日配以月夏后氏祭其闇殷人祭其陽周人祭日以朝及闇祭日於壇祭月於坎以別幽明以制上下祭日於東祭月於西以別內外以端其位日出於東月生於西陰陽長短終始相巡以致天下之和天下之禮致反始也致鬼神也致和用也致義也致讓也
禮含文嘉曰五祀南郊北郊西郊東郊中郊兆正謀東郊去都城八里南郊九里北郊六里中郊西南去城五里兆者作封畔兆域也謀者方欲迎氣齋戒自端正謀慮其事也五者天子公侯伯子男卿大夫士所以承天也
禮記外傳曰王者冬至之日祭昊天上帝於圓丘冬至一陽生非人力所為謂之丘自然高大也天體圓諸侯不祭天魯無圓丘之祭及二王之後各祭其感生帝於南郊王肅云天雄一帝鄭玄以天有六帝據周禮祀昊天又祀五帝是六星

辰之位列于壇下正祭之時天尸在壇上也掃地而祭以下為貴燔牲王於壇上
又曰夏至日祭皇地祇於方澤配以后土地禮方也謂祭崑崙山之神地也之立冬之日祭神州地祇於北郊配以后稷此周正祭歲有二此一祭也制也神州即王者所居在崑崙東南五千里封域之內土地之神神州此即吉土可以享帝於郊也
左傳襄上曰三卜郊不從乃免牲孟獻子曰吾乃今而後知有卜筮夫郊祀后稷以祈農事郊祀后稷以配天后稷周始祖能播植是故啓蟄而郊郊而後耕今既耕而後卜郊宜其不從也
穀梁傳宣公曰郊牛之口傷之口緩辭也鼷鼠齧郊牛角不言之危辭也角者兵之象故給養不謹敬鬼神不享故緩也傷自牛作也改卜牛死乃不郊
春秋繁露曰王者歲一祭天於郊天者百神之君王者所最尊也
又曰春秋之義國有大喪者止宗廟之祭而不止郊祭不止郊祭者不敢以父母之喪廢事天之禮也

孝經曰昔者周公郊礼后稷以配天宗祀文王於明堂以配上帝也
五經異義曰春秋公羊說禮郊及日皆不卜常以正月上丁也魯與天子並事變禮今成王命魯使卜從乃郊不從即已下天子也魯以上辛郊不敢與天子同也
又曰今尚書夏侯歐陽說類祭天名也以事類祭之奈何天位在南方就南郊祭之是也
五經通義曰王者所以祭天地何王者父事天母事地故以子道事之也祭日以丁與辛何丁者反覆自丁寧辛者當自剋辛也
爾雅曰祭天曰燔柴祭地曰瘞埋
廣雅曰圓丘太壇祭天也方澤太折祭地也
漢書曰高祖入關問故秦時上帝祀何帝對曰四帝有白

黃青赤之祀高祖曰吾聞天有五帝而四何也莫知其說於是高祖曰吾知之矣待我而具五也乃立黑帝之祠名曰黑畤
又郊祀志曰遂郊雍至隴西登崆峒幸甘泉令祠官寬舒等具太一祠壇祠壇放亳忌太一壇壇三垓五帝壇環居其下各如其方黃帝西南除八通鬼道太一所用如雍五畤物而加醴棗脯之屬殺一狸牛以為俎豆牢具
又郊祀志曰三年一郊秦以十月為歲首故常以十月上宿郊見通權火張晏曰權火烽火也狀若井絜皋矣其法類稱故謂之權欲令光明遠照通於祀所也漢祀五畤於雍五里一烽火如淳曰權舉也拜於咸陽之旁而衣上白其用如經祠云服虔曰經常
又郊祀志曰武帝立后土祠於汾陰立太一祠於甘泉祭日以牛祝宰衣赤祭月以羊祝宰衣白宣帝於聖成山祠

日於芥山祭月
又郊祀志曰成帝初即位丞相衡御史大夫譚奏言祭天於南郊就陽之義也瘞地於北郊即陰之象也因其所都而各饗焉昔者周文武郊於豐鎬成王郊于雒邑由此觀之天隨王者所居而饗之可見也甘泉泰畤河東后土之祠宜可徙置長安
續漢書祭祀志曰建武元年光武帝即位于鄗爲壇營于鄗之陽祭告天地採用元始中郊祭事二年正月初制郊兆於雒陽城南七里依鄗採元始中故事爲圓壇八陛中又爲皇壇天地位其上皆南鄉
又祭祀志曰北郊在雒陽城北四里爲方壇四陛二年初別祠地祇位南面西上高皇后配西面北上皆在壇上地理羣神從食皆在壇下

平五百二十七　五　田繼

東觀漢記曰上都雒陽制兆於城南七里北郊四里行夏之時時以平旦服色犧牲尚黑明火德之運常服徽幟尚赤四時隨色季夏黃色議者曰昔周公郊祀后稷以配天宗祀文王以配上帝圖讖著伊堯赤帝之子俱與后稷並受命而爲王漢劉祖今宜郊祀帝堯以配天宗祀高祖以配上帝有司奏議曰追跡先代無郊其五運之祖者故禹不郊白帝周不郊帝嚳漢雖唐之苗堯以歷數命舜高祖自感赤龍火德承運而起當以高祖配堯之後還復於漢宜脩奉濟陽成陽縣堯冢雲臺致敬祭祀禮亦宜之
又曰光武中元年起明堂辟雍靈臺及北郊
謝承後漢書曰丹陽方儲聰明善天文爲洛陽令章帝欲出南郊儲上言當有疾雨暴風乘輿不可以出上疑其妄儲飲酖而死果有大風暴雨洛中晝暝

後漢書曰光武嘗問鄭興郊祀事曰吾欲以讖斷之何如興對曰臣不爲讖帝怒曰卿之不爲讖非之邪興惶恐曰臣於書有所未學而無所非也帝意乃解
漢舊儀曰漢制天地以下羣臣所祭凡千五百四十新益爲萬五千四十漢法三歲一祭天於雲陽宮甘泉壇以冬至日祭天天神下三歲一祭地於河東汾陰后土宮以夏至日祭地地神出五帝祭於雍五畤
又曰祭天用六綵綺席六重長一丈中一幅四周緣之玉飾器凡器七千三百物備具養牛五歲至三千斤
又曰皇帝祭天居雲陽宮齋百日上甘泉通天臺高三十丈以候天神之下見如流火舞女童三百皆年八歲天神下壇所舉烽火皇帝就竹宮中不至壇所甘泉臺去長安三百里望見長安城黃帝以來所祭天之圓丘也

覽五百二十七　六　田繼

又曰祭地河東汾陰后土宮宮曲入河古之祭地澤中方丘也禮儀如祭天名曰汾葵一曰葵丘也
宋書禮志曰魏文帝黃初二年正月郊祀天地明堂是時魏都洛京而神祇兆域明堂靈臺皆因漢舊事四年帝將東巡以大軍當出使太常以一特牛告祠南郊自後以爲常
又禮志曰太和元年正月郊祀武皇帝以配天宗祀文皇帝於明堂以配上帝是時二漢郊禋之制具存魏所損益可知也
又禮志曰魏景初元年始營洛陽南委粟山爲圓丘詔曰昔漢氏之初承秦滅學之後採摭殘缺以備郊祀自甘泉后土雍宮五畤神祇兆位多不經見並以興廢無常一彼一此四百餘年廢無禘禮古代之所更立者遂有闕焉曹

氏世繫出自有虞氏今祀圓丘以始祖帝舜配地以舜妃伊氏配天郊所祭曰皇天之神以太祖武皇帝配地郊所祭曰皇地之祇以武宣皇后配宗祀皇考高祖文皇帝於明堂以配上帝

江表傳曰羣臣以孫權未郊祀奏議曰頃者嘉瑞屢臻遠國慕義宜備郊祀以承天意權曰郊祀當於中土今非其所於何施此重奏曰普天之下莫非王土王者以天下為家周文武郊酆鄗非必中土權曰武王伐紂即作鄗京而郊其所也文王未為天子立郊于酆見何經典復奏曰伏見漢書郊祀志匡衡奏徙甘泉河東郊於長安言文王郊於酆權曰文王德性謙讓處諸侯之位明未郊也經傳無明文匡衡俗儒臆說非典籍正義不可用

志林曰吳主糾駮郊祀之奏追貶匡衡謂之俗儒凡在見

者莫不慨然以為妙盡物理達於事宜至於稽之典籍乃更不通毛氏之說云堯見天因以邰而生后稷故國之於邰命使事天故詩曰后稷肇祀庶無罪悔以迄于今言自后稷以來皆得祭天猶魯人郊祀也是以棫樸之作有積燎之薪文王郊酆經有文匡衡豈俗而枉之哉文王雖未為天子然三分天下有二伐崇龕黎祖伊奔告天既棄殷乃眷西顧太伯三讓以有天下文王為王於義何疑然則匡衡之奏有所未盡案世宗立甘泉汾陽之祠皆出方士之言非據經典者也方士以甘泉汾陽黄帝祭天地之處故孝武因之遂立二時漢治長安而甘泉在北謂就乾位而衡云武帝居甘泉祭於宮南此既誤矣祭地汾陽在水之間呼為澤中而衡云東之少陽失其本意矣

晉起居注曰武帝太始元年十二月太常諸葛緒上言知士祭酒劉喜等議帝王各尊其祖所自出大晉禮天郊當以宣皇帝配地郊宣皇后配明堂以景皇帝文皇帝配博士孔晁議禮王者郊天以其祖配周公以后稷配天於南郊以文王配五精上帝於明堂經典無配地文魏以先妣配不合禮制周配祭不及武王禮制有斷今晉郊天宜以宣皇帝配明堂宜以文皇帝配有司奏大晉初建庶事未定且如魏詔郊祀大事速議為定

晉書禮志曰晉太始二年詔羣臣議五帝即天也王氣時異故殊其號雖名有五其實一神明堂南郊宜除五帝之坐五郊改五精之號皆同稱昊天上帝各設一坐而已

又禮志曰康帝建元元年正月將北郊有疑議太常顧和表北郊之月古無明文漢光武正月辛未始建北郊則與

南郊同月咸和中北郊同共正月周禮三王之郊一用夏正於是從和議是月辛未南郊辛巳北郊帝皆親奉

宋書禮志曰晉孝武帝詔曰郊祀國之大事而稽古之制闕然便可詳議祠部郎徐邈議圓丘郊祀經典無二宣皇帝嘗辨斯義而檢以聖典爰及中興備加研極以定南北二郊誠非異學所可輕改也謂仍舊為安

晉起居注曰明帝太寧三年上親祠七月又詔自中興以來雖南郊未嘗北郊五岳四瀆名山大川應望秩者廢而未舉居其官者舉其職司其事勿令一代之典闕而不備主者詳依舊處

又曰安帝元興三年十二月明年應郊乘輿未及博訪內外左丞王納之議曰議者謂應郊故承制中事納之謂大饗大祀大樂皆是承制不可得命三公行者郊天極尊唯

一而已故非天子不祀也又案武皇受禪用二月郊元年中興亦以二月今郊時未過日望鑾駕無為欲速而據皇輿旋反更不得親奉不如緩而盡美於是異同難明遂從納之議

宋書禮志曰晉太始二年十一月有司又議古者丘郊不異宜并圓丘方丘於南北郊更脩治壇兆其二至之祀合於二郊帝又從之一如宣帝所用王肅議也是月庚寅冬至帝親祀圓丘於南郊自是後圓丘方澤不別立

又曰孫權始都武昌及建業不立郊兆至末年太元元年十一月祭南郊其地今秣陵縣南十餘里郊中是也晉氏南遷立南郊於巳地非禮所謂陽位之義也宋武大明三年尚書右丞徐爰議郊祀之位遠古蔑聞禮記燔柴於太一祭天也兆於南郊就陽位也漢初甘泉河東禋埋易位

終亦徙於長安南北光武紹祚定二郊洛陽南北晉氏過江悉在北及郊兆之議紛然不一又南出道狹未議開闡遂於東南巳地創立丘壇皇宋受命因而弗改且居民之中非邑外之謂今聖圖重造舊章畢新南驛開塗陽路脩遠謂宜郊正午以定天位博士司馬興之傅郁太常丞陸澄並同爰議乃移郊兆於秣陵牛頭山西正在宮之午地也

傅玄正都賦曰建乎禋祀祈福上帝天子乃反古服襲大裘綖紐五采平冕垂旒質文斌斌帝容孔脩列大駕於郊畛外八通之靈壇執鎮珪而進蒼璧思致美乎上乾爾乃太蔟為徵圓鍾為宮吹孤竹而拊雲和脩軒轅之遺風類於圓丘六變既終則天神斯降可得而禮矣

司馬相如封禪書曰濯濯之麟遊彼靈畤孟冬十月君徂郊祀馳我君車帝以享祉

郭璞上跡曰臣歲首粗有所占得解之既濟案解卦繇云君子以赦過宥罪既濟云思患而預防之郊祀者以通天人之誠感因農祥而祈事上乃致敬於皇靈下以播惠於萌黎者也臣愚以為於卦之義既郊之後宜發哀矜之詔引在予之責蕩除瑕釁贊陽布惠使幽弊之民應養生以悅育否滯之氣隨谷風而舒散此亦寄時事以制用藉開塞而曲成者也

太平御覽卷第五百二十七

太平御覽卷第五百二十八

禮儀部七

迎氣　禘祫　六宗

迎氣

禮記月令曰孟春立春之日天子親率三公九卿大夫迎春於東郊蔡邕章句曰迎春者禮昊天句芒之神也於東郊就其位也邑外爲郊去邑八里內因木數也周禮建國之神位北五帝於四郊以蒼璧禮東方以赤璋禮南方以白琥禮西方以玄璜禮北方皆有牲幣各放其方之色樂奏太蔟歌青陽冕執干戚舞雲翹青命所以導收時和也孟夏迎夏於南郊章句曰迎夏者禮炎帝祝融神也於南郊七里因火數也王用赤璋牲幣各放其色樂奏中宮歌朱明其他皆如孟春也孟秋迎秋於西郊章句曰迎秋者禮少昊蓐收之神於西郊九里因金數也王用白琥牲幣各放其色樂奏夷則歌白藏其他如孟夏之禮孟冬迎冬於北郊章句曰迎冬者禮顓頊玄冥之神也於北郊六里因水數也王用玄璜牲幣各放其色樂奏應鍾歌玄英其祀皆如孟秋之禮

續漢書禮儀志曰立春之日百官皆衣青迎氣青郊郡縣皆青服幘立青幡施土牛耕人於門外以示兆民立夏之日百官皆衣赤迎氣赤郊立秋之日百官皆衣白迎氣白郊立冬之日百官皆衣皂迎氣黑郊

又祭祀志曰縣邑常以立春之日皆青幡青幘迎春於郭外令一童男帽青巾衣先在郭外迎春者至自野中出迎者拜之而還

皇覽禮天子迎四節曰天子迎春夏秋冬之樂又順天道是故距冬至日四十六日則天子迎春於東堂距邦八里堂高八尺堂階八等青稅八乘旂旄尚青田車載矛號曰助天生倡之以角舞之以羽此迎春之樂也自春分數四十六日則天子迎夏於南堂距邦七里堂高七尺堂階七等赤稅七乘旂旄尚赤田車載弓號曰助天養倡之以徵舞之鼓鞉此迎夏之樂也自夏至數四十六日則天子迎秋於西堂距邦九里堂高九尺堂階九等白稅九乘旂旄尚白田車載戟號曰助天收倡之以商舞之以干戚此迎秋之樂也自秋分數四十六日則天子迎冬於北堂距邦六里堂高六尺堂階六等黑稅六乘旂旄尚黑田車載甲鐵號曰助天誅倡之以羽舞之以籥此迎冬之樂也所以迎四時樂養九志於西堂冬養九勝於北堂養後三月而止天子行殺少順天道

宋書禮志曰漢明帝據月令有五郊迎氣服色之禮因採元始中故事兆五郊于洛陽祭其帝與神車服各順方色魏晉依之江左以來未遑脩建

禘祫

毛詩清廟雍曰雍禘太祖也禘大祭有來雍雍至止肅肅相維辟公天子穆穆

又商頌曰長發大禘大禘郊祭天也禮記曰王者禘其祖之所自出以其祖配之是謂也濬哲維商長發其祥洪水芒芒禹敷下土方外大國是疆幅隕既長箋云長猶久也隕當作圓圓謂周也深知乎維商家之德也久發見其禎祥矣乃用洪水禹敷下土正四方定諸夏廣大其竟界之時始有王天下之萌兆歷虞夏之世故爲久也

禮記曾子問曰當七廟五廟無虛主虛主唯天子崩諸侯薨與去其國與祫祭於太祖爲無主耳

禮記大傳曰禮不王不禘王者禘其祖之所自出以其祖配之凡大祭曰禘自由也大祭其先祖所由生謂郊祭天也王者之祖先皆感太微五帝之精以生皆用正月郊祭之蓋特尊焉孝經曰郊祀后稷以配天宗祀文王於明堂以配上帝凡配五帝也

周禮宗伯職曰以肆獻祼享先王以饋食享先王以祠春享先王以禴夏享先王以嘗秋享先王以烝冬享先王宗廟之祭有此六享肆獻祼饋食在四時之上則是祫也禘也

禮稽命曜曰三年一祫五年一禘以衣服想見其容色三

日齋思親志意想見所好意喜然後入廟
左傳昭四曰十五年春將禘于武公戒百官（杜預注曰戒齋也）梓
愼曰禘之日其有咎乎吾見赤黑之祲非祭祥也喪氛也（祲妖氛也）在其涖事乎
公羊傳文上曰祫者何也合祭也其合祭柰何毀廟之主
陳乎太祖未毀廟之主皆升合食於太祖爾雅曰禘大祭
也（郭璞注曰五年大祭）
白虎通曰祭宗廟所以禘祫何尊人君貴功德廣孝道位
尊德盛所及彌遠
五經異義曰今春秋公羊說祠宗廟並而不卜傳曰禘祫
不卜
又曰謹案叔孫通宗廟有月祭之禮知古而然也三歲一
祫此周禮也五歲一禘疑先王之禮也

又曰古春秋左氏說古者先王日祭於祖考月薦於曾高
時享及二祧歲禱於壇禘及郊宗石室
五經通義曰王者諸侯所以三年一祫五年一禘何三年
一閏天道小備故三年一祫祫者皆取未遷廟主合食太
祖廟中五歲再閏天道大備故五歲一禘禘者諦也取已
遷廟主合食太祖廟中
禮記外傳曰禘祫謂之殷祭（殷多盛也）祫大而禘小（祫合也合毀廟之主出而陳列之親廟之主升入大廟功臣又得配享其禮大也禘則各於宮神主不出廟也祭大何以名祫祭卑不敢降尊也）春秋之經有禘而無祫（經云大事於大廟又云有事於其廟卽是禘也此是國之大事云有事）毀廟無時祭（時祭月祭皆近廟耳玄孫之子於高祖親盡也）但五年有二
殷祭耳（祭及遠祖象年再閏也）神主入廟先爲一禘（爲將遞遷徧告之也）明年
春禘而又祫（祫後二年一禘禘後三年一祫自此爲常）
漢書曰元始五年春正月祫祭明堂諸侯王二十八人列
侯百二十人宗室子九百餘人助祭禮畢皆益戶賜爵及
金帛增秩補吏各有差
又劉歆曰春秋傳曰日祭月祀時享歲貢終王祖禰則日
祭曾高則月祀二祧則時享壇墠則歲貢（張晏曰去祧爲壇掃地祭之也）
大禘則終王（服虔曰夷蠻經王乃入助祭各以珎貢以助大祫之祭也）彌遠彌尊故禘
爲重矣
續漢書祭祀志曰建武二十六年詔問張純禘祫之禮奏
三年一祫五年一禘禘之言諦諦昭穆尊卑之義以夏四月
陽氣在上陰氣在下故正尊卑之義祫以冬十月五穀成
孰故骨肉合聚飲食
漢雜事曰元帝時匡衡貢禹以經義毀先帝親盡之廟高
帝爲太祖孝文爲太宗孝武爲世宗孝宣爲中宗祖宗廟
皆世世奉祀其餘惠景以下皆毀五年而再殷祭猶古之

禘祫
王隱晉書曰太康中太廟成遷神主於新廟上帥百官奉
迎於道左遂親禘祫
後魏書曰世宗景明二年夏六月祕書丞孫思蔚上言古
之祭法時祫並行天子先祫後時諸侯先時後祫此施當
世在今則煩且禮有升降事有節文適時之制聖人弗違
當祫之月減時祭以從要省制可十一月壬寅改築圓丘
於伊水之陽乙卯仍有事焉
宋書禮志曰凡禘祫大祭則神主悉出廟堂爲昭穆以安
坐不復停室也
又志曰博士徐道娛上議曰太廟烝嘗儀注皇帝行事畢
出便坐三公已上獻太祝送神于門然後至尊還拜百官
贊拜乃退謹尋清廟之道所以肅安神也禮曰廟者貌也

神靈所憑依也事亡如存若恒在也既不應有送神之文自陳豆薦俎車駕至止並弗奉迎夫不迎而送送而後辭闇矩之情實用未達博士江遂議在始不迎明在廟也卒事而送節孝思也若不送而辭是舍親也辭而後送是違神也故孝子不忍違其親又不忍違神是以祝史送神以成烝嘗之義

又禮志曰禘祫之禮三年一五年再公羊所謂五年再殷祭也在四時之間周禮所謂凡四時之間禮也蓋歷歲節月無定天子諸侯先後弗同禮天子祫嘗諸侯烝祫有田則祭無田則薦鄭注天子先祫後祭諸侯先時祭然後祫有田者既祭又薦新祭以首時薦以仲月然則大祭四祀其月各異天子以孟月殷仲月烝諸侯孟月嘗仲月祫也

齊書禮志曰右僕射王儉議按禮記王制天子先祫後時祭諸侯先時祭後祫春秋魯僖二年祫明年春禘自此以後五年再殷

禮緯稽命徵曰三年一祫五年一禘經記所論禘祫與時祭其言詳矣

唐書曰元和中太常上言按禮祭不欲數太廟禘祫祭禮重於時饗時饗與禘祫同月即其月但行禘祫祭不行時饗蓋不欲煩是禮先重者今時饗重於朔望薦食稽求禮情參酌輕重請每至時及臘但行饗禮其月朔望薦食請傳如告廟日與朔望薦食日同請先行告禮然後薦食

六宗

尚書舜典曰禋于六宗（鄭注曰六宗謂星辰司中司命風雨師也）

尚書大傳曰萬物非天不生非地不載非春不動非夏不長非秋不收非冬不藏故書曰禋于六宗此之謂也

五經異義曰今尚書歐陽夏侯說六宗者上不及天下不及地旁不及四方居中央恍忽無有神助陰陽變化有益於人郊天并祭之

又曰古尚書說六宗者天地屬神之尊者謂天宗三地宗三天宗日月北辰也地宗岱山河海也日月爲陰陽宗北辰爲星宗岱爲山宗河爲水宗海爲澤宗也祀天則天文從祀地則地理從也

續漢書祭祀志曰安帝以尚書歐陽家說云六宗者在天地四方之中爲上下四方之宗以元始故書謂六宗亦六子之氣日月雷風山澤者爲非三月更立六宗祠於洛陽城西北地禮比太社

東觀漢記曰光武即帝位燔燎告天禋于六宗李郃別傳曰郃侍祠南郊不見六宗祠奏曰按尚書肆類於上帝禋

于六宗漢興於甘泉汾陽祭天地亦禋六宗至孝成時匡衡奏立北郊復祠六宗至建武都洛陽制郊祀不道祭六宗由是廢不血食今宜復舊上從公議由是遂祭六宗

張純六宗表曰臣竊以十一家凡有六統而所據各異考之經禮大義不通臣謂禋于六宗祀祖考所尊者六宗則三昭三穆也

魏書曰明帝問王肅六宗竟幾對曰坎爲水離爲火震爲雷巽爲風艮爲山兌爲澤此乾坤六甲子也

太平御覽卷第五百二十八

禮儀部八

五祀　四望　高禖　禱祈

五祀

禮記祭法曰王爲羣姓立七祀曰司命曰中霤曰國門曰國行曰太厲曰戶曰竈諸侯爲國立五祀曰司命曰中霤曰國門曰國行曰公厲大夫立三祀曰族厲曰門曰行適士立二祀曰門曰行庶人立一祀或立戶或立竈鄭玄注曰五祀門戶中霤也此皆小神居人之間司察小神也

又月令曰孟春其祀戶孟夏其祀竈季夏其祀中霤孟秋其祀門孟冬其祀行餘吉吉禮門

白虎通曰何謂五祀者門戶竈井中霤也

又曰曲禮下記云天子祭天地四方山川五祀歲徧諸侯

方伯祀山川祭五祀歲徧士祭其先凡祀有廢之莫敢舉也有舉之莫敢廢也非所當祭而祭之名爲淫祀無福祭五祀所以歲徧何慎五行也

五經異義曰大戴說禮器云竈者老婦之祭許君按月令孟夏之月其祀竈五祀之神王者所祭非老婦也鄭玄曰竈神祝融是老婦

又曰王爲羣姓立七祀一曰司命主督察人命也二曰中霤王宮室居處也三曰門四曰戶主出入五曰國行主道路也六曰大厲主殺也七曰竈主飲食也

漢書議曰祠五祀謂五行金木水火土也木正曰勾芒火正曰祝融金正曰蓐收水正曰玄冥土正曰后土皆古賢能治成五行有功者也主其神祀之

魏名臣奏曰秦靜議云祭法七祀有國行今月令謂行爲井是以俗廢行而祀井武帝始定天下興復舊祀造祭祀門戶井竈中霤文帝稱詔靜按凡諸祠祀所以尊敬神靈不宜稱詔高堂隆議曰國中霤門井竈多不遍唯祀在者故曰祭五祀在於廟今每門戶輒祭之自漢以來非舊典也祭井自漢從水類不列五祀宜除井祀行世本曰微作禓五祀微者殷王八世孫也禓者強死鬼也謂時儺索室敺疫逐強死鬼也五者謂門戶及井竈中霤也

傳玄五祀議曰禮大記云室中央中霤謂四霤之中也祭於漏井蓋失之矣七祀之文皆云祀行而無井祭竈而不祭井於事則闕夫設祀者非唯報功而已亦神道設教使民慎之幽冥也臣以爲帝之都城宜祭一門正宮一門正室一戶井竈中霤亦各擇其一正者祭之

四望

尚書舜典曰正月上日受終于文祖在璿璣玉衡以齊七

政肆類于上帝禋于六宗望於山川遍于群神歲二月東巡狩至于岱宗柴望秩于山川肆覲東后孔安國曰望秩于山川者以尊卑祭之也五岳視三公四瀆視諸侯其餘小者或視卿大夫伯子男

周禮春官上曰大宗伯之職國有大故則旅上帝及四望四望五嶽四鎮四瀆也

又春官曰小宗伯之職掌兆五帝於四郊四望四類亦如之兆爲壇之營域

又春官上典瑞曰掌玉瑞玉器之藏四珪有邸以祀天旅上帝兩珪有邸以祀地旅四望

又春官下大司樂曰春奏姑洗歌南呂舞大韶以禮四望

公羊傳僖下曰夏四月卜郊不從乃免牲猶三望三望者何望祭也則曷爲祭祭泰山河海山川有能潤于百里者天子秩而祭之此皆助天氣成功故宗天及之

五經通義曰王者所以因郊祭日月星辰風伯雨師山川何以爲皆有功於民故祭之也皆天地之別神從官也緣天地之意亦欲及之故歲一祭之禮曰於南門外禮月四瀆於北門外禮山川丘陵西門外祭風伯雨師於東門外各即其位也以是明之其祭之禜何乎曰祭日者懸祭月者瘞祭風者明祭雨者布蹠祭山川者沉各象其貌也

三輔黃圖曰宰衡王莽奏曰冬至使有司祭天神於南郊高祖配而望羣陽夏至使有司祭地祇於北郊高后配而望羣陰

隋書志曰梁朱异議鄭衆云四望謂日月星海鄭玄云謂五岳四瀆尋二鄭之說互有不同竊以望是不即之名九厥遙祭皆有斯目豈容局於星海拘於海瀆請今天司有關水旱之義爰有四海名山大川能興雲致雨一皆備祭

高禖

禮記月令曰仲春玄鳥至之日以太牢祀于高禖天子親往后妃率九嬪御乃醴天子所御帶以弓韣授以弓矢立於高禖之前（蔡邕章句曰高禖祀名也高猶尊也禖者所以祈子孫之祀也天子所御謂后妃以下主妾御者韣弓衣也祝以高禖之命飲以醴酒帶以弓衣尚使得男者也鄭玄注曰玄鳥遺卵娀簡狄吞之生契後以爲禖官嘉祥而立祀也）

漢書曰太子據立爲皇太子初上年二十九乃得太子甚喜爲立禖（張晏曰禖求子禖神）使東方朔枚皐作禖祝

續漢書曰仲春之月立高禖祀於城南禮以特牲

五經異義曰王者一歲七祭天地仲春后妃郊禖禖亦祭天也

五經要義曰契母簡狄以玄鳥至之日祀於高禖而生契高禖者蓋先王所以祈子孫之祀也玄鳥感陽而至集人棟宇有孳乳之祥故重其至日因以用事

五經異義曰鄭記曰玄鳥至之日以太牢祀于高禖注曰高辛氏世娀簡狄吞鷰子而生契後王以爲禖官嘉祥其祀焉王權問曰以注言之先商之時未有高禖生民詩曰克禋克祀以祓無子傳以爲古者必以郊禖焉姜嫄禋祀上帝而生稷是則郊禖之祀非以生契之後立也譙喬荅曰先商之時自必有禖氏祓除之祀位在南郊蓋亦以玄鳥至之日然其所禋乃於上帝娀簡狄吞乙子之後王以爲禖官嘉祥祀之以配帝謂之高禖

晉東皙高禖壇石議曰元康六年高禖壇上石破爲二段詔書問置此石來幾時出何經典今應復不博士議禮無高禖置石之文未知造設所由既已毀破無可改造設高辛氏有簡狄吞卵之祥今此石有吞卵之象蓋俗說所爲

而史籍無記可但收聚復於舊處而已太常以爲吞卵之言蓋是逸俗之失義因今毀破便宜廢除下四府博士議賊曹屬束皙議夫未詳其置之故而欲必其可除之理理不可然按郊祀志秦漢不祀高禖漢武帝五子傳武帝晚得太子始爲立禖其事未之能審

許慎五經異說云山陽民祭皆以石爲主然則石之爲主由來尚矣其此象矣而祭禮龜策祭器弊則埋之而改置新石今破則宜埋而更造不宜遂廢收集破石積之故處於禮無依於事不肅思所未安也時公卿從太常所處此議不用其後得高堂隆故事魏青龍中造立此禮詔書更鐫石令如舊置高禖壇上埋破石入地一丈

隋書禮志曰梁太廟北門内道西有石文如竹葉小屋覆之宋元嘉中脩廟所得陸澄以爲孝武時郊禖之石然則

江左亦有此禮矣後齊高禖爲壇於南郊傍廣輪二十六
尺高九尺四陛三壝

禱祈

周書曰四月孟夏王初祈禱于宗乃嘗麥于廟
毛詩甫田曰琴瑟擊鼓以御田祖以祈甘雨以戒我稷黍
以穀我士女
又生民行葦曰曾孫唯主酒醴維醹酌以大斗以祈黃耇
又臣工噫嘻曰春夏祈穀於上帝也祈猶禱求
周禮春官上小宗伯曰小宗伯掌大烖乃執事禱祠于上
下神祇
又春官下太祝掌六祝之辭以事鬼神祈福祥求永貞
馬融傳曰神天神鬼人鬼祇地祇也
禮記月令曰孟春是月也天子乃以元日祈穀于上帝

左傳襄上曰郊祀后稷以祈農事也
又定上曰魯昭公出故季平子禱于煬公九月立煬宮平子
逐君懼而請禱於煬公昭公死於外自以爲獲福故立其宮
又哀上曰衛太子禱曰曾子蒯聵敢昭告皇祖文王瑚文皇大
也烈祖康叔文祖襄公鄭勝亂從勝鄭聲公名助臣爲從於亂釋君晉午
在難午晉定公名不能治亂使鞅討之鞅趙簡子名
論語八佾曰王孫賈問曰與其媚於奧寧媚於竈何謂也
王孫賈自周出仕於衛也宗廟及五祀之神皆祭於奧室西南隅謂之奧子曰不然獲罪於天
無所禱也明當媚其尊者夫竈者老婦之祭
又述而曰子疾病子路請禱禱謝過於鬼神子曰有諸觀子路曉禮否
子路對曰有之誄曰禱爾于上下神祇誄天神之辭也子曰丘之
禱久矣孔子自知無過謝
五經異義曰禮祭法云天子有祧遠廟曰祧將祧而去之

故曰祧去祧曰壇去壇曰墠皆藏於祖廟有事則禱無事
則止
說文曰告事求福爲禱
漢書曰文帝曰昔先王遠施不求其報望祀不祈其福今
吾聞祠官祝釐如淳曰釐福皆於朕躬不爲百姓夫以朕之不
德而專饗獨美其福百姓不與是重吾不德也其令祠官
致祀無有所祈
東觀漢記曰鄧太后嘗體不安左右憂惶至今禱祠願以
人爲代太后聞之即譴怒勑掖庭令以下何故乃有此不
祥之言左右咸流涕歎太后臨大病不自顧而念兆民後
病瘳豈非天地之應與
晉中興書曰大旱經久太興四年四月始雨有奏應報賽
宗廟山川中宗詔曰祈廟云報賽非奉尊上辭也吾意有

疑以爲舊山川有許報故雨賽非大事不應告廟臣子無
要君之道贖祭稱賽於禮有違
唐書曰憲宗謂宰臣曰禳災祈福之說其事信否李藩對
曰臣竊觀自古聖達皆不禱祠故楚昭王有疾卜者謂河
爲祟昭王以河不在楚非所獲罪孔子以爲知天道仲
尼疾病門人子路請禱仲尼以爲神道助順繫於所行已
既全德無愧屋漏故答子路云丘之禱久矣書云惠迪吉
從逆凶言順道則吉從逆則凶詩云自求多福則禍福之來
感應行事若苟爲非道則何福可求是以漢文帝每有祭
祀使有司敬而不祈其見超然可謂盛德若使神明無知
則安能降福必其有知則私已求媚之事君子尚不可悅
也況於明神乎由此言之則履信思順自天祐之苟異於
此實難致福故堯舜之務唯在脩已以安百姓管仲云義

於人者和於神蓋以人爲神主故但務安人而已虢公求
神以致危亡王莽妄祈以速漢兵古今明誡書傳所紀望
陛下每以漢文孔子之意爲準則百福具臻矣上深嘉美
之
又曰文宗開成中以久旱分命郡官徧祠祈禱於紫宸殿
對宰臣憂形於色宰臣以星官所奏天時當爾乞不過勞
聖慮上懔然改容曰朕爲天下主無德及人致此災旱今
又譴見于上若三日不雨當退歸南位更選賢明以主天下
宰臣嗚咽流涕各請罪乞免相位是夜澍雨大洽
又曰孔戣爲廣州刺史先是准詔禱南海神多令從事代
戣必自越風波而往韓愈爲潮州作詩美之
華陽國志曰梁輔爲郡五官時天大旱請雨不降輔出禱
乃積薪祝神曰二日不雨則欲自焚謝罪百姓言終而雨

長沙郡耆舊傳曰祝良爲洛陽令時亢旱天子祈不得良
乃曝身階庭告誠引罪自晨至中紫雲沓起甘雨登降民
爲之歌曰天久不雨烝民失所天王自出祝令特苦精符
感應滂沲而下
列仙傳曰歷陽有彭祖仙室前世云禱請風雨莫不輒應
常有兩虎在祠左右今日祠訖即有虎迹
異苑曰晉簡文既廢世子道生次子郁又早卒而未有息
嗣濮陽令在弟前禱至三更欻有黃氣自西南來逆室
前爾夜幸李太后而生孝武皇帝
韓子曰衞人有夫妻禱者而祝曰使我無故得百束布其
夫曰何少也對曰益是子將以買妾
呂氏春秋曰昔殷湯克夏而天下大旱五年不收湯乃以
身禱於桑林曰余一人有罪無及萬方萬方有罪在予一人

無以一人之不敏使上帝鬼神傷民之命於是剪其髮䴡
其手自以爲牲用祈福於上帝民悅雨乃大至
淮南子曰聖人者不恥身賤而媿道之不行不憂命之短
而憂百姓之窮也是故禹爲水以身解於陽盱之河湯爲
旱以身禱於桑林之下聖人之憂民如此其明也

太平御覽卷第五百二十九

禮儀部九

齋戒　儺

齋戒

易上繫曰明於天之道而察於民之欲故興神物以前民用聖人以此齋戒（洗心曰齋防患曰戒也）

周禮天官冢宰曰祀五帝則掌百官之誓戒與其具脩（祀五帝謂四郊及明堂誓戒要之以刑重失禮也明堂位所謂各揚其職百官廢職服大刑是其辭之略也具所當共修掃除糞洒）前期十日帥執事而卜日遂戒（前期前所諏之日也十日容散齋七日致齋三日執事宗伯大卜之屬既卜又戒百官以始齋）

禮記曲禮曰齋者不樂不吊（爲哀樂則失正散其思也）

又檀弓曰是故君子非有大故不宿於外（大故謂喪憂）非致齋也非疾也不晝居於內（內正寢之中）

又王制曰天子齋戒受諫（歲中羣臣奉歲事諫王當所改爲也）司會以歲之成質於天子（司會冢宰之屬掌計要者成計要也質猶平也平其計要）冢宰齋戒受質（贊王受之）大樂正大司寇市三官以其成從質於天子（大樂正於周宗伯之屬市司市也於周司徒之屬從從於司會也）大司徒大司馬大司空齋戒受質百官各以其成質於三官大司徒大司馬大司空以百官之成質於天子（百官此三官之屬）百官齋戒受質（受平報也）

又郊特牲曰孔子曰三日齋一日用之猶恐不敬二日伐鼓何居（居讀爲姬語之助何居怪之也伐猶擊也齋者止樂而二日擊鼓則是成一日齋也）

又郊特牲曰齋之玄也以陰幽思也故君子三日齋必見其所祭者（齋三日者思其居處思其笑語思其志意思其所樂則見之也）

又王藻曰將適公所宿齋戒居外寢

又祭義曰古者天子諸侯必有養獸之官及歲時齋戒沐浴而躬朝之犧牲祭牲必於是取之敬之至也

又祭義曰致齋於內散齋於外齋之日思其居處思其笑語思其志意思其所樂思其所嗜齋三日乃見其所爲齋者

又祭統曰及時將祭君子乃齋齋之爲言齊也齊不齊以致齊者也是故君子非有大事也非有恭敬也則不齋不齋則於物無防也嗜欲無止也及其將齋也防其邪物訖其嗜欲耳不聽樂故記曰齋者不樂言不敢散其志也心不苟慮必依於道手足不苟動必依於禮是故君子之齋也專致其精明之德也故散齋七日以定之致齋三日以齊之定之之謂齋齋者精明之至也然後可以交於神明也（定者定其志意）是故先期旬有一日宮宰宿夫人夫人亦散齋七日致齋三日（宮宰守宮官也宿讀爲肅肅猶戒也戒輕肅重也）君致齋於外夫人致齋於內然後會於太廟

又坊記曰子云七日戒三日齋承一人焉以爲尸過之者趍走以教敬也（戒謂散齋也承猶事也）

又表記曰子曰齋戒以事鬼神擇日月以見君恐民之不敬也

禮記外傳曰凡大小祭祀必先齋敬事天神人鬼也齋者敬也齋其心思其皃然後可以入廟齋必變食去其葷羶也居必遷坐易其常處也故散齋於外致齋於內（外者公寢也內者寢中小室）大祀散齋七日（祭日猶遠客意散）致齋三日（致者至也就祭日近）則十日齋矣祭前旬外之日則有司戒告內外內外百官齋謂之夙戒（夙早也）中祀七日（則散齋四日）小祀三日（月令秦書也當戰國之急）（大小祭祀唯三日散齋二日致齋一日）

春秋合誠圖曰黃帝請問太一長生之道太一曰齋戒六

丁道乃可成丁取能丁寧常戒懼也

家語曰季桓子將祭齋三日而二日鍾鼓之音不絕冉有問於孔子子曰孝子之祭也散齋七日愼思其事致齋三日而一用之精一而用之也猶恐不敬而二日伐鼓何其

論語鄉黨曰齋必有明衣布明衣親身名所以自潔清也其物以布爲之齋必變食居必遷坐

又述而曰子之所愼齋戰疾此三者人所不能愼而夫子愼之

史記曰藺相如謂秦王曰趙送璧時齋五日今大王亦宜齋遂許齋五日舍相如廣成傳舍秦王齋五日後乃設九賓於庭引相如

又曰秦二世夢白虎嚙其左驂馬殺之心不樂問占夢人曰涇水爲祟二世乃齋望夷宮閻樂殺之更立子嬰爲王○漢書曰蕭何薦韓信於漢王何曰王宜擇日齋戒設壇場具禮乃可拜爲大將軍至拜乃韓信也一軍大驚也

又曰宣帝詔曰迺者鳳凰甘露降集京師嘉瑞見脩興太一五帝后土之祠祈爲百姓蒙福鸞鳳萬舞集止于旁齋戒之暮神光顯著薦鬯之夕神光交映或降于天或登于地或從四方來集于壇上帝嘉饗海內承福

續漢書曰殤帝崩太后與兄車騎將軍鄧騭定策禁中其夜使騭持節以王青蓋車迎安帝齋于殿中

范曄後漢書曰周澤字稚都爲太常嘗臥疾齋宮其妻哀澤老病就問所苦澤大怒以妻干犯齋禁遂收送謝罪當世疑其詭激時人語曰生世不諧作太常妻一歲三百六十日三百五十九日齋一日不齋醉如泥

于寶晉紀曰劉毅爲司隸校尉常齋而疾其妻出看之表

解齋

唐書曰貞元九年冬德宗以是歲有年蠻夷朝貢思親告郊廟於祀事尤重愼及將散齋謂宰臣曰在禮散齋歸正寢攝心奉祭不可聞外事其常務勿奏乃齋於別殿及命皇太子諸王行祭者皆受誓一日

又曰貞元中德宗方有事於郊廟詔以皇太子爲亞獻親王終獻上令問柳冕當受誓戒否冕奏准開元禮並以前七日受誓戒詞云各揚其職不供其事國有常刑冕以誓皇太子更其詞云各揚其職肅奉常儀

又曰憲宗元和中南郊陰氣凝閉淡旬不開宰臣議請改日上曰郊廟事重吾齋戒有日豈可廢乎至享獻之際景物澄清人情大悅

鬼谷子曰周有豪士居鬼谷號爲鬼谷先生蘇秦張儀往見之先生曰吾將爲二子陳言至道子其齋戒擇日而學

後秦儀齋戒而往

莊子曰顏回曰吾無以進矣敢問其方仲尼曰齋吾將語若顏回曰回之家貧唯不飲酒不茹葷者數月矣若此則可以爲齋乎曰是祭祀之齋非心齋也回曰敢問心齋仲尼曰若一志無聽之以耳而聽之以心無聽之以心而聽之以氣唯道集虛虛者心齋也

又曰梓慶削木爲鐻鐻成見者驚猶鬼神魯侯曰子何巧矣何術以至此曰臣工人何術之有雖然有一焉臣爲鐻未嘗敢以耗氣也必齋以靜心器之所以凝神者其是與

又曰祝宗人玄端以臨牢筴說曰汝奚惡死吾將三月犧汝十日戒十日齊藉白茅加汝肩尻于彫俎之上

韓子曰燕王欲巧衛人請以棘刺之端爲猴成功人曰君
欲觀之半歲不入宮不飲酒食肉雨霽日出視之晏陰之
間而棘刺之母猴乃可見也燕王因養之不能觀也
搜神記曰王業和帝時爲荆州刺史每出行部沐浴齋潔
以祈于天地當啓佐愚心無使有枉百姓在州七年惠風
大行苛慝不作

儺

禮記月令季春曰命國儺九門磔攘以畢春氣洪範傳曰言之不從
則有犬禍犬屬金也故磔之於九門所以抑金扶木畢成春功東方三門不磔春位不殺其盛德所在無所攘
又月令仲秋曰天子乃儺以達秋氣此儺之陽氣恐陽暑至此不衰害亦將及
故儺以通秋氣方欲助秋故不磔犬
又月令季冬曰命有司大儺旁磔以送寒氣大儺爲歲終逐陰除疫以
送寒氣故周官命方相氏率百隸索室毆疫以逐之旁謂王城四旁十二門也磔謂磔犬於門也春磔九門冬禮大

故偏磔於十二門所以扶陽抑陰之義犬屬金冬盡春興春爲木故殺金以助木氣
又郊特牲曰鄉人裼裼強鬼也謂時儺索室毆疫逐強鬼也裼或爲獻或爲儺孔子朝
服立于阼存室神也神依人也
禮記外傳曰方相氏之官歲有三時率領群隸駈索癘疫
之氣於宮室之中亦攘送之義也天以一氣化萬物五帝
各行其德餘氣留滯則傷後時謂之不和而災疫興焉大
儺者貴賤至於邑里皆得駈疫命國儺者但於國城中行
之耳名之儺者取群隸爲儺儺之聲
周禮夏官曰方相氏掌蒙熊皮黃金四目玄衣朱裳執戈
揚盾帥百隸而時儺以索室敺疫蒙冒也冒熊皮者以驚敺疫癘之鬼如今魌頭
也時儺四時作方相氏以儺却凶惡也月令季冬命國儺索搜也
續漢書曰先臘一日大儺謂之逐疫其儀選中黃門子弟
十二已下百二十人爲侲子皆赤幘皁製執大鼗方相氏

服如周制及十二獸裳衣毛角中黃門行人冗從僕射之
以逐惡鬼于禁中設桃梗鬱壘葦茭畢執事者皆罷葦戟桃
枝以賜公卿將軍特進諸侯
禮緯曰顓頊有三子生而亡去爲疫鬼一居江水是爲虐
鬼魍魎一居人宮室區隅善驚人小兒於是常以正歲十
二月令禮官方相氏蒙熊皮黃金四目玄衣纁裳執戈揚
楯帥百隸及童子而時儺以索室而駈疫鬼以桃弧葦矢
土鼓且射之以赤丸五穀播洒之以除疫殃
後魏書曰高宗和平三年十二月因歲除大儺之禮遂耀
兵武更爲制令步兵陳於南騎士陳於北各擊鍾鼓以爲
節度其步兵所衣青赤黃黑別無部隊楯矟矛戟相次周
廻轉易以相赴就有飛龍騰蛇之變爲函箱魚鱗四門之
陣凡十餘法跽起前却莫不應節陣畢南北二軍皆鳴鼓

角衆盡大譟各令騎將交去來挑戰步兵更進退以拒擊
南敗北捷以爲盛觀自後踵以爲常
唐書曰舊駈儺侲子等金吾將軍並具欄笏引入閤門
謹按大儺者所以駈除羣厲合資威武盛其光儀欄笏之
制常參朝服舊制未稱今請各依錦繡具帑袜帶儀力部
引出入
建康實錄曰孫興公嘗着戲爲儺至桓宣武家宣武覺其
應對不凡推問之乃興公
宣城記曰吴時洪巨爲廬陵太守有清稱徵還舩輕皆載
土時歲暮除逐人就乞見土而去
莊子曰游島問雄黃曰今逐疫出魅擊鼓呼噪何也雄黃
曰黔首多疾黃帝氏立巫咸使黔首沐浴齋戒以通九竅
鳴鼓振鐸以動其心勞形趍步以發陰陽之氣飲酒茹葱

以通五藏夫擊鼓呼噪逐疫出魅鬼黔首不知以爲魅祟也

張衡東京賦曰卒歲大儺毆逐羣厲方相秉鉞巫覡操茢侲子萬童丹首玄製桃弧棘矢所發無臬飛礫雨散剛癉畢斃煌火馳而星流逐赤疫於四裔然後凌天地絕飛梁囚耕父於清冷溺女魃於神潢

康品大儺賦曰於吉日之上戊將大蜡于臘烝先兹日之酉夕宿寮靜以清澄乃班有司聚衆大儺天子坐華殿臨朱軒凭玉几席文旃率百隸之侲子羣鼓噪於宮垣

太平御覽卷第五百三十

禮儀部十

廟　宗廟　神主

易萃卦曰王假有廟假至也王以聚至有廟也

又渙卦曰風行水上渙先王以享于帝立廟

尚書逸篇曰嗚呼七世之廟可以觀德天子立七廟有德之主則為祖宗其廟不毀故可觀德

毛詩文王綿曰乃召司空乃召司徒俾立家室其繩則直縮板以載作廟翼翼

又閟宮曰新廟奕奕奚斯所作

又清廟曰清廟祀文王也周公既成洛邑朝諸侯率以祀文王焉清廟者祭有清明之德者之宮也謂祭文王也天德清明文王象焉故祭之而歌此詩也廟之言貌

也死者精神不可得而見但以生時之居立宮室象貌為之耳成洛邑居攝五年時於穆清廟肅雝顯相於歎辭也穆肅敬雝和相助也箋云顯光也見也於乎美哉周公之祭清廟也其禮儀敬且和又諸侯有光明著見之德者來助祭

周禮春官上曰小宗伯之職掌建國之神位右社稷左宗廟

禮記曲禮曰君子將營宮室宗廟為先廄庫為次居室為後

又曲禮曰問國君之年長曰能從宗廟社稷之事矣幼曰未能從宗廟社稷之事也

又王制曰天子七廟三昭三穆與太祖之廟而七諸侯五廟二昭二穆與太祖之廟而五大夫三廟一昭一穆與太祖之廟而三士一廟庶人祭於寢

又禮器曰禮有以多為貴者天子七廟諸侯五大夫三士一

又文王世子曰五廟之孫祖廟未毀雖及庶人冠娶必告死必赴不忘親也

又明堂位曰山節藻梲複廟重檐刮楹達鄉反坫出尊崇坫康圭疏屏天子廟飾也山節刻欂櫨為山也藻梲謂侏儒柱為藻文複廟重屋也檐承壁材也刮摩也鄉牖屬謂夾戶牕也每室為八牕為四達反坫反爵之坫也出尊當尊南也唯兩君為好既獻反爵其上禮君尊於兩楹之間也崇高也康讀為亢龍之亢屏謂之樹今罘罳也刻之為雲氣虫獸如今闕上為之

又雜記曰成廟則釁之其禮祝宗人宰夫雍人皆爵純衣雍人舉羊升屋中屋南面刲羊血流于前乃降門夾室皆用雞凡宗廟之器其名者成則釁之以豭豚宗廟名器謂罇彝之屬

又祭法曰天下有王分地建國置都立邑設廟祧壇墠而祭之乃為親疏多少之數是故王立七廟一壇一墠曰考廟曰王考廟曰皇考廟曰顯考廟曰祖考廟皆月祭之遠廟為祧有二祧享嘗乃止去祧為壇去壇為墠壇墠有禱

焉祭之無禱乃止去墠曰鬼諸侯立五廟一壇一墠曰考廟曰王考廟曰皇考廟皆月祭之顯考廟祖考廟享嘗乃止去祧為壇去壇為墠壇墠有禱焉祭之無禱乃止去墠為鬼大夫立三廟二壇曰考廟曰王考廟曰皇考廟享嘗乃止顯考祖考無廟有禱焉為壇祭之去壇為鬼適士二廟一壇曰考廟曰王考廟享嘗乃止顯考無廟有禱焉為壇祭之去壇為鬼官師一廟曰考廟王考無廟而祭之去王考為鬼庶士庶人無廟死曰鬼廟之言貌也宗廟者先祖之尊貌也祧之言超也超上去意也封土曰壇除地曰墠書曰三壇同墠

又中庸曰武王纘大王王季文王之緒壹戎衣而有天下身不失天下之顯名尊為天子富有四海之內宗廟饗之子孫保之

又祭法曰天下有王分地建國置都立邑設廟祧壇墠而

祭之
左傳桓公曰宋華父督巳殺孔父而殺殤公召莊公于鄭而立之以親鄭以郜大鼎賂公夏四月取郜大鼎于宋戊申納于太廟非禮也
又桓公曰清廟茅屋以茅飾屋著儉也清廟肅然清靜之稱
又僖上曰震夷伯之廟罪之也於是展氏有隱慝焉
又文公下曰太室之屋壞書不恭也
又成公三年曰甲子新宮災三日哭宣公神主新入廟故謂之新宮書三日哭善得禮宗廟親之神靈所馮居而遇災故哀而哭之
又襄二曰吳子壽夢卒臨於周廟禮也周廟文王廟也周公出文王故魯立其廟也凡諸侯之喪異姓臨於外同姓臨於廟是故魯爲諸姬臨於周廟
公羊傳文公曰世室屋壞世室者何魯公之廟也周公稱太廟魯公稱世室群公稱宮

覽五百三十一　三　王阿明

穀梁傳成公曰新宮災三日哭新宮者禰宮也禰父也成公之父宣公之宮也
孝經曰宗廟致敬不忘親也
又曰爲之宗廟以鬼享之宗者尊也廟者皃也先祖之尊皃所居中宮何以爲人死精魂歸乎天形體不藏存之即存不存則亡明先祖神死依人也
孝經援神契曰廟所以尊祖也
論語八佾曰子入太廟每事問或曰孰謂鄹人之子知禮乎入太廟每事問子聞之曰是禮也
家語曰孔子在齊景公造焉左右白曰周使至言先王廟災景公曰何王廟孔子曰此必釐王廟夫釐變文武之制而作玄黃華麗之飾故天殃其廟焉有頃左右報所災者釐王廟景公曰善哉聖人之智過人遠矣

又曰孔子曰吾於甘棠見宗廟之敬也甚矣思其人猶愛其樹尊其人必敬其道也
史記曰秦始皇巡隴西北地出雞頭山過回中應劭曰回中在安定高平孟康注曰回中在北地作信宮渭南更命信宮爲極廟象天極廟道通驪山作甘泉前殿築甬道應劭曰築垣牆如街巷
又曰高祖崩群臣皆曰高祖起細撥亂令郡諸侯各立高祖廟以歲時祠及孝惠五年思高祖之悲樂沛宮爲高祖原廟徐曰光武紀曰上幸豐相高祖於原廟騆謂原再也先旣巳立廟今又拜立故謂之原也
漢書曰惠帝爲東朝長樂宮及間往來數蹕煩民作複道方築武庫南叔孫通奏事因請間曰陛下何自築複道高帝寢衣冠月出遊高廟應劭月出高帝衣冠備法駕名遊衣冠子孫奈何乘宗廟道上行哉惠帝懼曰急壞之通曰人主無過舉今巳作百姓皆知之後願陛下爲原廟渭北衣冠月出遊之益廣宗廟大孝之本上乃詔有司立原廟惠帝嘗出遊離宮通曰古者嘗果方今櫻桃熟可獻願陛下出因取櫻桃獻宗廟上許之諸果獻由此興

覽五百三十一　四　王阿明

又曰文帝作顧城廟服虔曰廟在長安城南文帝作還顧見城故名之應劭曰文帝自爲之制度畀狹若顧望而成故曰顧城賈誼曰目頓城之廟爲天下太宗與漢無極或曰地名也如淳曰身存而爲廟若尚書顧命也高祖廟曰原廟文帝廟曰顧城廟景帝廟曰德陽武帝廟曰龍淵昭帝廟曰徘徊宣帝廟曰樂遊元帝廟曰長壽成帝廟曰成陽
又曰梅福上書諫曰武王克殷未下車存五帝之後封殷於宋紹夏於杞明著三統示不獨有也是以姬姓半天下遷廟之主出於戶所謂存人自立也
又曰宣帝即位尊孝武廟爲世宗所行巡狩郡國皆立廟告祠世宗廟有白鶴集後庭以立世宗廟告祠孝昭寑有鴈五色集殿前西河築世宗廟神光興于殿旁有鳥曰鶴

前亦後青神光又興於房中如燭狀廣川國世宗廟殿上有鍾音房戶大開夜有光殿上盡明

又曰王莽以宗廟未脩張邯説莽曰德盛者文縟宜崇其制度宣示海內且令萬世之後無以復加也莽乃博徵天下工匠諸圖畫及吏民以義入錢穀助作者駱驛道路壞徹城西苑中建章承光苞陽大臺儲元宮及平樂當路陽禄館凡十餘所取其材瓦以起九廟

帝王世紀曰漢景帝廟名德陽宣帝廟名長壽武帝廟名龍淵文帝廟名顧成昭帝廟名徘徊

東觀漢記曰中元元年十月甲申使司空馮魴告祠高祖廟呂太后不宜配食以薄太后配遷呂太后于園四時上祭

又曰永初六年皇太后入宗廟於世祖廟與皇帝交獻薦

如光烈皇后故事

又曰建初四年八月上以公卿所奏明德皇后在世祖廟坐位駮議示東平憲王蒼蒼上言文武宣元祫食高廟皆以后配先帝所制典法設張大雅曰昭哉來御從其祖武又曰不愆不忘率由舊章明德皇后宜配孝明皇帝

袁山松後漢書曰天子自雒陽遷都長安初長安遭赤眉亂宮室焚盡唯有高廟遂居之

漢雜事曰光武弃天下以再受命復漢祚更起廟稱世祖孝明臨崩遺詔遵儉無起寢廟藏主於世祖廟孝章不敢違是後遵奉藏世祖廟如孝明之禮而園陵皆自起寢孝明廟曰顯宗孝章曰肅宗是後踵前孝和爲穆宗孝安曰敬宗孝順曰恭宗孝桓曰威宗今雒陽諸陵皆晦望二十四氣伏社臘及四時上飯太官送用物園令食監典省其親陵一所宮人隨鼓漏理被枕具盥水陳嚴具天子以正月五月供畢後上原陵以次周遍公卿百官皆從四姓小侯諸家婦凡與先君有瓜葛者及諸侯王大夫郡國計吏匈奴朝者西國侍子皆會尚書官屬西除下在先帝神坐後大夫計吏皆當前下古其郡國穀價四方改異欲先帝魂神具聞之也遂於親陵各賜計吏而遣之

魏書曰辛酉有司奏造二廟立文皇帝廟與高祖合祭親盡以次毀特立武皇帝廟四時享祀爲魏太祖萬載不毀

吳録地理志曰會稽有禹廟始皇配食王朗爲太守黜之

王隱晉書曰太康十年太廟成遷神主于新廟賜王公以下至司馬督子弟官賜作廟者帛

帝王世紀曰漢景帝廟名德陽宣帝廟名長壽武帝廟名龍淵文帝廟名顧成昭帝廟名徘徊

漢晉陽秋曰武帝改營太廟南致荊山之木西採華山之石鑄銅柱十二塗以黄金鏤以百物塡以丹青綴以珠玉

晉書禮志曰武帝太始三年有司奏置七廟宜權立一廟群臣議上古清廟一宮周制七廟舜承堯禪受終文祖則虞氏不改唐廟因仍舊宮可依有虞故事

宋書禮志曰晉太始二年有司奏天子七廟宜如禮營建帝重其役設宜權立一廟於是群臣議奏上古清廟一宮尊遠神祇逮至周室制爲七廟以辯宗祧聖旨深弘遠跡上世

後魏書曰武定六年二月將營齊獻武王廟議定室數形制兼度支尚書崔昂等議按禮諸侯五廟太祖親廟四今獻武王爲始封之君便是太祖既通在親廟不容立五室且帝王親廟亦不過四今宜四室二間兩頭一頰室厦頭

徘徊鴟尾又按禮圖諸侯廟止開南門而二王後附祭儀
注云執事者列於廟東門之外既有東門明非一門獻武
禮數既隆備物殊等唯據今廟宜開四門內院南面開三
門餘及外院四面皆一門
齊書禮志曰世祖夢太祖曰宋氏諸帝嘗在太廟從我求食
可別爲吾祠上乃勑豫章王妃庾氏四時還青溪宮舊宅
處內合堂奉祠二帝二后牲牢服章用家人禮
晉起居注曰武帝太安中詔曰往者仍魏氏舊廟處立廟
既埀翳不顯材木弱小至今中間有跌橈之患今當脩
立不宜在故處太僕寺南臨甬道地形顯敞更於此營之
主者依典禮施行
晉書曰桓玄篡問衆曰朕其敗乎曹靖之對曰神怒人怨
臣實懼焉玄曰人或可怨神何爲怒對曰移晉宗廟飄泊

無所大楚之祭不及於祖此其所以怒也
白虎通曰禮聖王所以制宗廟何曰生死殊路故敬鬼神
而遠之所以有屋何所以象生之居
又曰臣侍放於郊君不絶其祿者以其祿三分之一與其
妻長子使得祭其宗廟賜之環即還之玦則去
又曰王者立宗廟何緣生以事死敬亡若事存欲立宗廟
而祭之此孝子之心所以追繼養也
釋名曰廟貌也先祖形貌所在寢寢也所寢息也
三輔故事曰光武至長安宮闕燒盡徙都洛陽取十二陵
合爲高廟作十二室太常卿一人別治長安主知齋祠事
謂之高廟
漢武故事曰宣帝立孝武廟於河東告祠日見一人騎馬
馬異於常馬持尺一札賜將作丞文曰汝績克成賜汝金

一斤因忽不見札乃變爲金一斤
蜀王本紀曰禹生於石紐禹母天珠孕禹坼副而生禹
於塗山娶妻生子名啓於今塗山有禹廟亦爲其母立
廟
三輔黃圖曰王莽於長安城南作九廟
又曰太上皇廟在長安香街南
墨子曰昔三苗大亂天命殛之兩血三朝龍生於廟
說苑曰衛孫文子問王孫賈曰吾先君之廟小欲更之可
乎對曰古之君子以儉爲禮今之君子以亡易之
桓譚新論曰王莽起九廟以銅爲柱甍帶金銀錯鏤其上
王嬰古今通論曰夏曰世室世世祭祀之也殷曰重屋重
夏爲屋四霤周曰宗廟尊其生存之貌示不死之故致之
於更

楚辭天問序曰屈原放逐彷徨山澤仰天歎息楚有先王
之廟及公卿祠堂圖畫天地山川神靈琦瑋譎詭及古賢
聖怪物行事周流罷倦休息其下仰見圖畫因書其壁呵
而問之
晉諸公讚曰王浚字彭祖爲幽州刺史尋洛陽破後承制
建行臺以宗廟焚毀設壇望祀七室及功臣配食

神主

禮記曲禮曰措之廟立之主曰帝
又檀弓下曰愛之斯錄之也敬之斯盡其道焉重主道也
殷主綴重焉（綴連也殷人作主而連其重懸諸廟也）周主撤重焉（周人作主撤重埋之）
又曰曾子問曰喪有二孤廟有二主禮也孔子曰天無二
日國無二王嘗禘郊社尊無二上未知其爲禮也昔者齊
桓公亟舉兵作僞主以行及反藏諸祖廟廟有二主自桓

公始

禮記外傳曰人君既葬之後日中虞祭即作木主以存神（未葬以前懸重於庭以代主也）廟主用木者木落歸本有始終之義（人之生也無不死木生於亥又落於亥是歸本也）天子廟主長尺二寸諸侯一尺四向孔穴午達相通（漆書謚號曰神主）葬後孝子心目無所覩故用以主其神也

公羊傳文公曰二年丁丑作僖公主虞主用桑練主用栗作僖公主不時也

左傳莊公曰先君桓公命我先人典司宗祏（桓公鄭始受封君也宗祏宗廟中藏主石室言己世為宗廟守臣）

又文公曰葬僖公緩也作主非禮也凡君薨卒哭而祔祔而作主特祀於主（尸柩已遠孝子思慕故造木主立几筵焉）烝嘗禘於廟

又昭五曰使祝史徙主祏於周廟告于先君（祏廟主石函周廟厲王廟也）

論語八佾曰哀公問社於宰我宰我對曰夏后氏以松殷人以栢周人以栗

五經異義曰謹按大夫以石為主禮無明文大夫士無昭穆不得有主今山陽民俗祀有石主

又曰春秋左氏傳曰徙主石於周廟言宗廟有郊宗石室所以藏栗主也虞主所藏無明文也

又曰今公羊說卿大夫士非有土子民之君不得禘祫序昭穆故無木主大夫束帛依神士結茅為叢

又曰論語哀公問社於宰我宰我荅夏后氏以松夏人都河東河東宜松也殷人以栢殷人都亳亳宜栢也周人以栗周人都灃鎬灃鎬宜栗也

五經要義曰木主之狀四方穿中央以達四方天子長尺二寸諸侯長尺皆刻謚於背也

又曰主者神象也凡虞主用桑桑猶喪也喪禮取其名練主用栗栗者敬也祭禮取其恭

五經通議曰諸侯會天子則以方明為主覲禮云明木也其形四方六面上玄下黃東青南赤西白北黑方明者上下四方神明之象也

謝承後漢書曰赤眉盆子去長安西入右扶風鄧禹至長安中昆明池率諸將齊戒擇吉日入城謁高帝廟修禮祠祭勞賜吏士因收十二帝神主以故高廟郎來輔守高廟令行京兆尹事桉行掃除諸園陵為置卒史奉守焉遣輔奉主詣京師

王隱晉書曰李裔字宣伯父敏為公孫度所迫浮海莫知所終裔以父母不知存亡設木主以奉之由是發名

晉起居注曰孝武太元二十年簡文皇帝宣太后正號神

主移廟戊寅詔移神主可停前後鼓吹

摯虞決疑要注曰廟主藏於戶外西墉之中有石函名曰宗祏古者帝王出征於車載遷廟之主及社主以行秦漢魏不載主也

唐書曰祔順宗于廟遷中宗神主于夾室有司以中宗為中興之君當百代不遷宰臣召史官蔣武問之武對曰中宗以弘道元年於高宗柩前即位時春秋已壯矣及毋后篡奪神器潛移其後賴張柬之等同謀國祚再復此蓋同於反正恐不得號為中興之君凡非我失之自我復之謂之中興漢光武晉元帝是也自我失之因人復之晉孝惠孝安是也今中宗與惠安二帝事同即不可為不遷主矣

白虎通曰祭所以尸主何本神無方孝子以主係心

又曰所以虞而立主何孝子既葬日中反虞念親已沒棺

柩已去悵然失望彷徨哀痛故設桑主以虞所以慰孝子之心虞安其神所以用桑者始與神相接三王俱以桑

說文曰又祏宗廟主也禮郊宗石室一曰大夫以石爲主從示從石石亦聲也

太平御覽卷第五百三十一

太平御覽卷第五百三十二

禮儀部十一

社稷　先農　靈星

社稷

尚書禹貢曰海岱及淮惟徐州厥貢惟土五色王者封五色土爲社稷建諸侯則各割其方色土與之使立社

又召誥曰越翼日戊午乃社于新邑牛羊豕各一

尚書逸篇曰太社唯松東社唯柏南社唯梓西社唯栗北社唯槐天子社廣五丈諸侯半之

尚書曰湯既勝夏欲遷其社不可作夏社言夏社不可遷之義

周書曰諸侯受命于周乃建太社于國中其壝東青土南赤土西白土北驪土中亹以黃土將建諸侯取方一面之土苴以白茅以土封之故曰列土

毛詩閟宮曰載芟曰春耕籍田而祈社稷也載芟載柞其耕澤澤

又閔予曰良耜秋冬報社稷也畟畟良耜俶載南畝

周禮地官曰大司徒之職設其社稷之壝而樹之田主各以其野之所宜木遂以名其社與其野

又地官上曰小司徒掌凡建國立其社稷

又地官上封人曰封人設王之社稷壝爲畿封而樹之

又春官上大宗伯曰以血祭祭社稷鄭玄注曰陰祀自血貴氣臭

又春官上小宗小伯曰宗伯掌建國之神位右社稷

又春官下喪祝曰喪祝掌勝國邑社稷之祝號以祭祀禱祠焉馬融曰所討國所封邑猶立其社稷士師若祭勝國之社稷則爲之尸

又冬官曰匠人營國左祖右社面朝後市五宮所居也祖宗廟面猶鄉也王宮當中經之涂也

禮記月令仲春擇元日命人社爲祀社稷也春事興故祭之祈農祥元日謂近春分前後戊日元吉仲秋擇元日命人社賽秋成也元日謂近秋分前後戊日也

又曲禮曰問國君之年長曰能從宗廟社稷之事幼曰未能從宗廟社稷之事

又檀弓曰衛獻公出奔反於衛及郊將班邑於從者而後入柳莊曰如皆守社稷則孰執羈靮而從如皆從則孰守社稷

又郊特牲曰社祭而主陰氣也君南鄉於北墉下荅陰之義也墉謂之墉北墉社內北牆日用甲用日之始也天子太社必受霜露風雨以達天地氣也是故喪國之社屋之不受天陽也薄社北牖使陰明也絕其陽通其陰而已薄社殷之社殷始都薄社所以神地之道也地載萬物天垂象取財於地取法於天是以尊天而親地也故教民美報焉家主中霤而國主社示本也中霤亦土神也

唯爲社事單出里唯爲社田國人畢作唯社丘乘共粢盛所以報本反始也

又祭法曰王爲群姓立社曰太社王自立社曰王社諸侯爲百姓立社曰國社諸侯自爲立社曰侯社大夫以下成羣立社曰置社羣衆也大夫以下至庶人也大夫不得特立社與民族居百家以上則共立一社今時里社是也

又祭義曰建國之神位右社稷而左宗廟周尚左也

禮記外傳曰社者五土之神也稷者百穀之神也稷一云是原隰之神原隰宜種百穀天子爲天下之人立社曰太社壇方五丈諸侯爲境內之民立社曰國社又有王社侯社者天子諸侯別自立社私有禱求地之勢有禮生物各隨所宜九州之人各居其土食其利者各報祭之是謂神地之道者籍田之後則告爲將耕也五穀既登又報功也國以民爲本人以食爲天故建國君民先命立社地廣

穀多不可徧祭故於國城之內立壇祭之親之也日用甲尊之也天旨十日甲爲首也周公卜洛建都戊申社于新邑自此皆用戊日王唯天子祭天地諸侯祭社稷而已

又曰社樹各以其土所宜之木河東宜松周地宜栗社主用石石土中堅者天子親征則載社主行有罪者誅之於車前

左傳僖公曰宋公使邾文公用鄫子於次睢之社欲以屬東夷此水有妖神東夷皆社祠之司馬子魚曰古者六畜不相爲用小事不用大牲而況敢用人乎祭祀以爲人也民神之主也用人其誰饗之

又曰襄四君民者豈以陵民社稷是主臣君者豈爲其口實社稷是養故君爲社稷死則死之爲社稷亡則亡之

又昭七曰魏獻子問於蔡墨曰社稷五祀誰氏之五官也對曰少皞氏有四叔賈逵注曰少皞黃帝之後金天氏也四叔四子皆叔曰重曰該曰脩曰熙實能金木水能順其成性也使重爲勾芒該爲蓐收脩及熙爲玄冥此其三祀也顓頊氏有子曰黎祝融黎水土官黎當高辛氏之世故外傳日黎爲高辛氏火正也共工氏有子曰句龍爲后土共工大皞之後炎帝之前霸九有者也其裔子佐顓頊能平水土此其二祀也后土爲社稷田政也掌田之官長后稷也有烈山氏之子曰柱爲稷烈山炎帝之世烈山氏也自夏以上祀之周棄亦爲稷周棄周祖后稷棄也爲唐虞夏后稷也自商以來祀之商殷也社之功至湯浸祀周棄以爲稷也

又定上曰且夫祝社稷之常隸也賤社稷不動祝不出境官之制也社稷動謂國遷

公羊傳隱公曰宋宣公謂繆公曰以吾愛與夷則不若愛汝以爲社稷宗廟主則與夷不若汝盍終爲君矣

又莊公曰日有蝕之鼓用牲于社求于陰之道也以朱絲縈社或曰脅之或曰爲闇恐犯故縈也

又僖公曰邾婁人執鄫子用之社蓋叩其鼻以血社稷也

又哀公曰亳社災亳社者何亡國之社亳社者先世亡國在魯境社者封也爲封土祀社也其言災何亡國之社掩其上而柴其下故火得燒之

春秋潛潭巴曰里社鳴此里有聖人生其呴百姓歸之宋均注曰鳴則教令行君湯放桀也呴鳴之聲者也

論語八佾曰哀公問社於宰我宰我對曰夏后氏以松殷人以柏周人以栗曰使民戰栗孔安國注曰凡建邦立社各以其土所宜之木宰我不本其意妄爲之說因周栗便云使民戰栗也

孝經說曰社土地之主也地廣不可盡敬故封土爲社以報功稷五穀之長也穀衆不可遍祀故立稷神祭之

五經通義曰王社籍田中爲千畝報功也文家右社稷左宗廟何文家擅地而王地道長右得事宗廟以有社稷故右之也質家左社稷右宗廟社皆有壇者飾也有木者土當生萬物莫善於木

五經異義曰今民謂社神爲公社位上公非地祇也

漢書郊祀志曰高祖時天下已定詔御史令於豐治枌榆社常春以羊彘祠之也

又郊祀志曰稷者百穀之主所以奉宗廟供粢盛人所食以生活也王者莫不尊重親祭自爲之主禮如宗廟禮記曰唯祭宗廟社稷爲越紼而行事聖漢興禮儀稍定已有官社未立官稷臣瓚按高紀除秦社稷立漢社禮所謂大社也時人立官社配以夏禹所謂王社也見漢紀今未立官稷至此始立之也遂於官社後立官稷以夏禹配食官社后稷配食官稷稷種穀樹

又曰陳平旣娶張氏女資用益饒遊道日廣里中社平爲宰分肉甚均里父老曰陳孺子能爲宰平曰使平得宰天

天下亦如此肉也
又曰欒布吴軍時以功封爲鄃侯復爲燕相齊燕之間皆
爲立社號曰欒公社
續漢書曰每月朔旦太史上其月曆有司侍郎尚書見讀
其令奉行其正朔前後各二日皆牽羊酒至於社下以祭
日變割羊以祠社用救日變執事者冠長冠衣皁單衣絳
領袖緣中衣絳絑袴以行禮如故事
又曰建武二年立太社稷於雒陽在宗廟之左社稷之右
皆方壇無屋有墻門而已二月八月及臘一歲三祠皆置社稷
太守令長侍祠牲用羊豕唯州所治有社無稷古者師行
有載社主不載稷也
晉書禮志曰前漢但置官社而無官稷王莽置官稷故漢
至魏但太社有稷故常二社一稷

後魏書曰天平四年四月七帝神主旣遷於太廟太社石
主將遷於社宮禮官云應用幣中書侍郎裴伯茂時爲祝
文伯茂據故事太和中遷社高祖用特不用幣遂以奏聞
于時議者或引大戴禮遷廟用幣今遷社宜不殊伯茂據
尚書召誥應用牲詔遂從之
宋書禮志曰晉元帝建武元年又依洛京立二社一稷其
太社之祝曰地德普施惠存無疆乃建太社保佑萬邦悠
悠四海咸賴嘉祥其社之祝曰坤德厚載王畿是保乃建
帝社以神地道明祀惟辰景福來造禮左宗廟右社稷歷
代遵之故洛京社稷在廟之右而江左又然也
又曰祠太社帝太稷常以歲二月八月二社日祠之
唐書曰天寶中外社稷五星爲大祀詔曰祭之爲典以陳
至敬名或不正是相奪倫况社稷孕祐百代蒙其福日月

照臨五星叶其紀兆庶允殖下土式瞻旣超言象之外湏
極尊嚴之禮列爲中祀頗紊大猷自今已後社稷及日月
五星並升爲大祀仍以四時致祭
六典曰仲春上戊祭太社以后土氏配焉祭太稷以后稷
氏配焉
家語曰孔子曰古之平水土及播植百穀者衆矣然唯句
龍兼食於社而弃爲稷易代奉之無敢益者明不可與等
也
莊子曰畏壘之民相與言曰庚桑之始來吾洒然異之今
吾日計之而不足歲計之而有餘庶幾其聖人乎子胡不
尸而祝之社而稷之也
又曰匠石之齊至于曲轅見櫟社樹其大蔽千牛絜絜者匝也
百圍其高山臨千仞而後有枝其可以爲舟者旁十數觀

者如市
淮南子曰夫窮鄉之社扣瓮拊缻相和而歌自以爲樂也
甞試爲之擊建鼓撞巨鍾乃知夫瓮缻之足羞也
又曰禹勞力天下死而爲社勞力謂治水功死託祀於后土之中周棄作穡
死而爲稷種曰稼斂曰穡死託祀於稷官之神子房之智陳平之無忤絳
侯勃之果霍將軍之勇終之以禮樂則可謂社稷之臣矣
太公金匱曰武王問太公曰天下精神甚衆恐後復有試
余者也何以待之師尚父曰請樹槐於王門內王路之右
起國社築垣墻祭以酒脯食以犧牲尊之曰社客有非常
先與之語客有益者入無益者距歲告以水旱與其風雨
澤流悉行除民所苦
白虎通曰王者所有社稷何爲天下求福報功人非土不立
非穀不食土地廣博不可遍敬五祀衆多不可一一而祭

故封土立社祀而社之示尊五穀之長立稷而祀之稷者得陰陽
和氣而爲用又多故爲長歲再祭之
又曰祭社稷有樂乎禮記曰金石之樂用之於宗廟社稷
又曰王者諸侯必有戒社何示存亡也明爲善者得之爲
惡者失之
春秋公羊傳曰亡國之社奄其上柴其下郊特牲記曰喪
國之社屋之示與天地絶也
蔡邕獨斷云天子太社五色土爲壇皇子封爲王者授之
太社之土以所封之方色藉以白茅歸國以立社故爲之
茅社也
陳留風俗傳曰東昏縣者衛地故陽武之户牖鄉也漢相
陳平家焉少爲社下宰今民祀其社
邴原別傳曰原避也遼東以虎爲患自原之落獨無虎患
嘗行而得遺錢拾以繫樹枝比錢不見取繫錢者逾多原
問其故荅者謂之社樹原惡其由巳而成妄祀乃辯之於
是里中遂斂其錢以爲社供里老爲之誦曰邴君行仁落
邑無虎邴君行廉路樹成社
列異傳曰大司馬河内陵蘩字聖卿少時病瘧逃社中有
人呼社郎社郎聖卿應曰諾起至户中人曰取此書去得
素書一卷譴劾百鬼法所劾輙効
搜神記曰中興初有應嫗者生四子而寡見神光照社試
探之得黄金自是諸子官學並有才名至瑒七世顯
劉禎京口記曰虎杜中村老故相傳云昔有虎於社中產
因以爲名
荊州記曰葉縣東百歩有縣故城西南四里名伍伯村有
白榆連李樹異幹合條高四丈餘士民奉以爲社

世說曰阮宣子伐樹人有止之宣子曰若樹而爲社伐樹
則社移社而爲樹伐樹則社亡矣
晉鑿齒逸民高士傳曰董威輦不知何許人忽見於洛陽
白社中
戴延之西征記曰洛陽建春門外道北有白社董威輦所
住也去門二里有牛馬市嵇公臨刑處也
博物志曰子路與子貢過社社樹有鳥子路搏鳥社神牽
子路子貢說之乃止
又曰周之正月受社牲之首以出種子帝籍蚕又受社雍
及祭以沐蚕種上辛乃射黑牲于帝郊以祈來年之豐二
月司空開冰射桃弧棘矢五發以御其災
述異記曰庾邈與女子郭凝通詣社約不二心俱不婚娉
經二年凝忽暴亡邈出見凝云前北村還遇強梁抽刀見
逼懼死從之不能守節爲社神所責心痛而絶人鬼異路
因下泣矜之也
蔡邕陳留東昏庫上里社碑曰惟斯庫上里古陽武之户
牖鄉也秦時有池子華爲丞相漢興陳平由此社宰遂相
高祖剋定天下爲右丞相孝平之世虞延爲太尉延喜中
平曾孫放爲尚書令以宰相繼踵咸出斯里雖有積德僭
身之政亦斯社所相乃樹碑頌云
魏公九錫 文曰錫君玄土苴以白茅爰契爾龜用建冢
社注言亦如天子社稷也
曹植讃社文曰余前封鄄城侯轉雍丘皆遇荒土宅宇初
造以府庫尚豐志在繕宮室務園圃而已農桑一所無營
經離十載塊然守空飢寒備嘗聖朝愍之故封此縣田則
一州之膏腴桑則天下之甲第故封此桑 以爲田社乃作

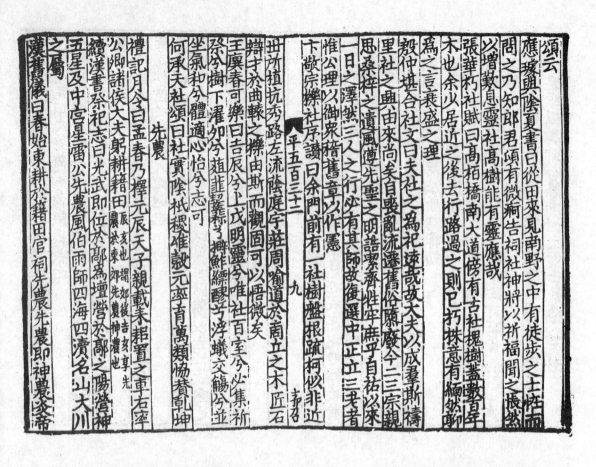

頌云
應璩與陰夏書曰從田來見南野之中有徒歩之士怗而問之乃知郎君頌有微痾告祠社神將以祈福聞之悵然以增歎息靈社高樹能有靈應哉
張華朽社賦曰高栢橋南大道傍有古社槐樹蓋數百年木也余以居近之後去行路過之則已朽株意有緬然嘅爲之言衰盛之理
殷仲堪合社文曰夫社之爲祀尊哉故大夫以成羣斯禱里社之興由來尚矣自喪亂流遷舊俗隳廢今二三宗親思桑梓之遺風遵先聖之明誥潔齋牲牢庶乎自祐以來一日之澤然三人之行必有其師故復選中正立三老者惟公理以御衆稽舊章以作憲
下敬宗櫟社序讚曰余門前有一社樹盤根踈柯似非近

世所植抗秀路左流陰庭宇莊周喻道於南丘之木匠石辯才於曲轅之櫟由斯而觀固可以悟微矣
王廙春可樂曰吉辰兮上戊明靈兮唯社百室兮必集祈祭兮樹下濯卯兮菹韭齧麥兮擗鮮縹醪兮浮蟻交觴兮並坐氣和兮體適心怡兮志可
何承天社頌曰社實陰祇稷維穀元率育萬類協贊乾坤

先農

禮記月令曰孟春乃擇元辰天子親載耒耜置之車右率公卿諸侯大夫躬耕籍田（辰亥也謂郊後吉亥享先農於東郊先農神農也）
續漢書祭祀志曰光武即位於鄗爲壇營於鄗之陽營神五星及中宮星雷公先農風伯雨師四海四瀆名山大川之屬
漢舊儀曰春始東耕於籍田官祠先農先農即神農炎帝炎祠以一牢百官皆從大賜三輔二百里孝悌力田三老布帛
漢名臣奏曰黄瓊上言先王制典籍田有日司徒咸戒司空除壇先時五日有協風至即齋宮饗燕載耒誠重之也先農之禮所宜躬親以迎春和以致時風
沈約宋書祭祀志曰元嘉二十一年帝親耕乃立先農壇於籍田高四丈爲四出陛廣五尺外加埒方十丈車駕未到司空大司農率太祝及衆執事質明以一太牢祀祭祭器用社稷器祠畢頒餘胙於奉祠者舊典先農又都列於郊祭

靈星

周書作雒曰設兆于南郊以祀上帝配以后稷農星先王皆與食

毛詩閔予曰絲衣繹賓尸也高子曰靈星之尸也（繹又祭也天子諸侯曰繹以祭之明日卿大夫曰賓尸與祭同周曰繹商曰肜也）
漢書郊祀志曰高祖時或言周興而邰立后稷之祠至今血食天子於是制詔御史其令天下立靈星祠（張晏曰龍星左角曰天田則農祥也星見而祭之）常歲時祀以牢
三輔舊事曰漢靈星祠在長安城東十里
淮南子曰君人之道其猶靈星之尸儼然嘿端而受福也
嵩高山記曰漢孝武遊登五岳尊事靈星遂移祠置岳南脚上築作殿壇周迴立瓦屋行種松栢前五百歩臨大道立兩石闕極高大

太平御覽卷第五百三十二

太平御覽卷第五百三十三

禮儀部十二

明堂

尚書帝命驗曰帝者承天立府以尊天重象（象五精之神也天有五帝集居太微降精以生聖人故帝者承天立五帝之府是爲天府）赤曰文祖（赤帝熛怒之府名文祖火精光明文章之祖故謂之文周曰明堂）黃曰神斗（黃帝含樞紐之府而名曰神斗斗主也土精澄靜四行之主故謂之神主周曰太室）白曰顯記（白帝白招矩之府曰顯記法也金精斷割万物成故記之顯記周曰總章）黑曰玄矩（黑帝汁光紀之府名曰玄矩矩法也水精玄昧能權輕重故謂玄矩周曰玄堂）蒼曰靈府（蒼帝靈威仰之府名靈府周曰青陽）

周書明堂曰明堂方百一十二尺高四尺階廣六尺三寸室居中方百尺室中方六十尺東應門南庫門西臯門北雉門東方曰青陽南方曰明堂西方曰總章北方曰玄堂中央曰太廟以左爲左个右爲右个也又程寤曰文王在翟太姒夢見商之庭產棘小子發取周庭之梓樹於闕間化爲松柏棫柞驚以告文王文曰召發于明堂拜告夢受商之大命

毛詩清廟我將曰我將祀文王於明堂也

周禮冬官下匠人曰夏后氏世室堂脩二七廣四脩一殷人重屋堂脩七尋堂崇三尺周人明堂度九尺之筵東西九筵南北七筵堂崇一筵（世室者宗廟也脩南北之深也夏度以步令堂脩十四步其廣益以四分脩之一則廣十七步半也重室者王室正堂若大寢者周則其廣九尋七丈三尺也）

大戴禮盛德曰凡人民疾六畜疾五穀災者生於天道不順天道不順生於明堂不飾故有天災則飾明堂

又盛德曰明堂者古有之凡九室一室而有四户八牖三十六户七十二牖以茅蓋屋上圓下方明堂者所以明諸侯尊卑也外水名曰辟雍列南蠻東夷北狄西戎

禮記明堂位曰昔者周公朝諸侯于明堂之位（周公攝王位以明堂之礼儀朝諸侯也不於宗廟避王也）天子負斧扆南向而立（天子周公也負言背也斧扆爲斧文屏風於戶牖間周公於前立也）三公中階之前北面東上諸侯之位阼階之東西面北上諸侯伯之國西階之西東面北上諸子之國門東北面東上諸男之國門西北面東上九夷之國東門之外西面北上八蠻之國南門之外北面東上六戎之國西門之外東面南上五狄之國北門之外南面東上九采之國應門之外北面東上四塞世告至此周公明堂之位也（朝之礼不於此周公權用之）

又明堂位曰明堂也者明諸侯之尊卑也（朝於此所以正儀辯等也）昔殷紂亂天下脯鬼侯以饗諸侯（以人肉爲薦羞惡之甚也）是以周公相武王以伐紂武王崩成王幼弱周公踐天子之位以治天下六年朝諸侯於明堂制禮作樂頒度量而天下大服

又祭義曰祀乎明堂所以教諸侯之孝也

禮記明堂陰陽錄曰明堂陰陽王者之所以應天也明堂之制周旋以水水行左旋以象天內有太室象紫宮南出明堂象太微西出總章象五潢北出玄堂象營室東出青陽象天市上帝四時各治其宮王者承天統物亦於其方以聽國事

禮含文嘉曰明堂所以通神靈感天地正四時（明堂者八窻四達窻通八卦之氣布政之宮在国之陽而三室四面十二法十二月也天子孟春上幸於南郊揔受十二月之政還藏於祖廟月取一政班於明堂也諸侯以孟春之月朝于天子受十二月之政藏於祖廟月取一政行之閏月無常處則闔門而居之）

禮記外傳曰明堂古者天子布政之宮在國南十里之內七里之外黃帝享百神於明廷是也（南方陽明之地因爲明堂路寢宮室之制同）唐虞爲五府（府者聚也合五帝之神祭之）夏謂太廟爲世室（世室不毀之義）

殷人謂路寢爲重屋周人謂五府爲明堂（刑制同故手牽）夏后氏
一堂之上爲五室（木室東北火室東南金室西南水室西北土室中央）南面三階（三面兩階則九階矣）五室者象地載五行也五行生於四時故每室四
達（達向也四戶相對）一室八牕（夾戶之牕象八節）周人有圓屋九月大享
五帝於明堂（即祖廟）心爲天子明堂（東方之宿大火謂之辰即心星也）或以
明堂獨以一室耳
孝經援神契曰明堂之制東西九筵筵長九尺也明堂東
西八十一尺南北六十三尺故謂之太室
又曰周之明堂在國之陽三里之外七里之內在辰巳者
也
春秋合誠圖曰明堂在辰巳者言在水火之際辰木也巳
火也木生數三火成數七故在三里之外七里之內
漢書郊祀志曰天子封太山太山東北阯古時有明堂處

處險不敞上欲治明堂奉高傍未曉其制度濟南人公王
帶上黃帝時明堂圖明堂中有四殿四面無壁以茅蓋通
水圜宮垣爲複道上有樓從西南入名曰崐崘天天子從
之
又曰元始五年春正月祫祭明堂諸侯王列侯宗室子九
百餘人助祭畢皆益戶賜爵及金帛增秩補吏各有差
後漢書曰永平二年春正月辛未宗祀光武於明堂帝及
公卿列侯始服冠冕衣裳玉佩絇屨以行事
續漢書祭祀志曰明帝即位郊祀五帝於明堂光武帝配
五帝坐位堂上各處其方黃帝在未皆如南郊祀之位光
武帝位在青帝之南少退西面牲犢各一奏樂如南郊
又禮儀志曰明堂五郊宗廟太社稷六宗夕牲皆以晝漏
未盡十四刻初納夜漏未盡七刻五刻初納進熟獻送神
還有司告事畢六宗燔燎火大然有司告事畢
蔡邕禮樂志曰漢承秦滅學庶事草創明堂辟雍闕而未
舉武帝封禪始立明堂於太山猶不於京師元始中王莽
輔政庶績復古乃起明堂辟雍
宋書禮志曰晉元帝紹命中興依漢氏故事宜享宗明
堂祀之禮江左不立明堂故闕焉
齊書禮志曰案禮及孝經援神契並云明堂有五室天子
每月聽朔布教祭五帝之神配以有功德之君
大戴禮曰明堂者所以明諸侯尊卑也
許慎五經異義曰布政之宮故稱明堂明堂盛貌也
周官匠人職稱明堂有五官鄭玄云周人明堂五室帝一
室也
齊書禮志曰永明二年祠部郎蔡履議郊與明堂本宜異

日漢東京禮儀志南郊禮畢次北郊明堂高廟謂之五供
蔡邕所據亦然近世存省故郊堂共日來年郊祭宜有定
准太學博士王祐議來年正月上辛宜祭南郊次辛有事
明堂後辛饗祀北郊
隋書禮儀志曰明堂在國之陽梁初依宋齊其祀之法猶
依齊制禮有不通者武帝更與學者議之先是帝欲有改
作乃下制書而與羣臣切磋其義制曰明堂准大戴禮九
室八牖三十六戶以茅蓋屋上圓下方鄭玄據援神契亦
云上圓下方又云八窻四達明堂之義本是祭五帝神九
室之數未見其理若堂而言雖當五帝之數向南則背汁
光紀向北則背赤熛怒東向西亦如此於事殊未可安
又禮儀志曰明堂後齊採周官考工記爲五室周採漢三
輔黃圖爲九室各存其制而竟不立

又禮儀志曰隋將作大匠宇文愷依月令文造明堂木樣
重檐複廟五房四達丈尺規矩皆有准憑以獻高祖異之
命有司於郭內安業里爲規兆方欲崇建又命詳定諸儒
爭論莫之能決牛弘等又條經史正之重奏時議既多久而
不定又議罷之及大業中愷又造明堂議及樣奏之煬帝
下其議但令於霍山採木而建都興役其制遂寢終隋代
祀五方上帝於明堂恒以季秋在雩壇上而祀其用幣各
於其方
唐書曰永徽中詔曰朕聞合宮靈府創鴻規於上代太室
總章摽茂範於中葉雖復質文殊制奢儉異時然其立天
中作人極布政施教歸之一揆朕嗣膺下武丕承上烈思
所以答眷上靈事導孝養而法宮曠禮明堂寢構永言大
禮朕甚懼焉宜令所司與禮官學士等考覈故事詳議

得失於是太常博士柳宣依鄭玄義以爲明堂之制當爲五
室內直丞孔志約據大戴禮及盧植蔡邕等議以爲九室
祕書郎薛文思等各造明堂圖
又曰永徽中令禮官學士詳議明堂制度久之不定上乃
內出九室樣更令損益群儒紛競各執異議于志寧等請
爲九室太常博士唐昑等請爲五室上令所司於觀德殿
依兩議張設親與公卿觀之上曰明堂之禮自古有之議
者不同未果營建今設兩議公等以何者爲宜閻立德對
曰兩議不同俱有典故九室似闇五室似明取捨之宜斷
在聖慮上亦以五室爲便議又不定由是止
又曰垂拱二年毀乾元殿就其地創造明堂凡高二百九
十四尺東西南北各廣三百尺凡有三層下層象四時各
隨方色中層法十二辰圓蓋蓋上盤九龍捧之上層法二十

四氣亦圖蓋亭亭中有巨木十圍上下通貫刻木爲瓦
紵漆之明堂之下施鐵渠以爲辟雍之象號爲萬象神
宮
又曰證聖元年正月明堂後佛堂火延燒明堂三年又
令重造如明堂高廣如舊制上施寶鳳號爲通天宮也
又曰永昌元年正月天后親享明堂戊午布政于明堂頒
九條以訓于百官己未神皇御明堂饗羣臣賜綵練有差
自明堂成後縱神都婦人及諸州老人入觀兼賜酒食至
是日始止
又曰開元中敕雲州置魏孝文帝祠堂一所有司以時享
祭是州有魏故明堂遺跡乃置廟於其跡焉
家語觀周孔子觀乎明堂覩乎四門之墉有堯舜桀紂之
象而各有善惡之狀興廢之誡焉又有周公相成王抱之

而負斧扆南面朝諸侯之圖焉
晏子春秋曰明堂之制土事不文木事不鏤示民知節也
尸子曰黄帝合宮有虞氏曰總章殷人曰陽館周人曰明
堂此皆所以名休其善也
淮南子曰自古者明堂之制（明堂太廟正室）下之潤濕弗能及也
上之霧霜弗能入也四方之風弗能襲也
頴容春秋釋例曰周公朝諸侯於明堂太廟與明堂一體
也春秋人君將出告于宗廟反行策勳獻俘於廟
禮論曰或以爲明堂者文王廟周時德澤和洽蒿茂大以
爲宮柱名曰蒿宮
三輔黄圖曰孝武帝議立明堂於長安城南許令衷等議
曰按五經
禮傳記曰聖人之教制作之象所以法則天地比類陰陽以

之宮室本之太古以昭令德茅屋采椽土階素輿越席皮
弁蓋興於黃帝堯舜之代是以三代修之也
黃圖曰明堂者明天道之堂也
蔡邕禮樂志曰孝武帝封禪岱宗立明堂於泰山汶上也
許慎五經異義曰明堂在國之陽三里之外七里之内已
地就陽位也
釋名曰明堂猶堂堂高顯貌也
三禮圖曰明堂者布政之宮周制五室東爲木室南爲火
室西爲金室北爲水室土室在中秦爲九室十二階各有
所居
趙曄吳越春秋曰越王召范蠡問曰孤竊自志欲以今日
一登上明堂布恩致令以撫百姓
袁子正論曰明堂宗廟太學禮之大物也事義不同而論

者合以爲一失之遠矣
李尤明堂銘曰布政之宮上圓下方體則天地在國之陽
窻闥四設流水洋洋順節行化各居其房春恤幼孤夏進
賢良秋厲威武冬謹關梁
桓譚新論曰王者造明堂辟雍所以承天化也
班固東都賦明堂詩曰於昭明堂明堂孔陽聖皇宗祀穆
穆皇皇上帝宴饗五位時序誰其配之世祖光武
晉紀贍荅秀才策曰周制明堂所以宗其祖以配上帝其
正中皆太廟以順天時施令法也

太平御覽卷第五百三十四

禮儀部十三

辟雍　靈臺　學校

辟雍

毛詩大雅曰鎬京辟雍自西自東自南自北無思不服（武王作邑於鎬京箋云自由也武王於鎬京行辟雍之礼自四方來觀者皆感化其德心無不歸服）

禮記王制曰天子曰辟雍諸侯曰泮宮（尊卑學異名辟明雍和也所以明和天下也泮之言恤政教也）

禮記禮統曰所以制辟雍何教化天下也辟雍之制奈何王制曰辟雍圓如璧雍以水內如覆外如偃盤也諸侯泮宮半有水半有宮也諸侯所化者少故半有宮焉三王之制奈何夏天子曰重屋諸侯曰廣宗殷天子曰廟諸侯曰世室周天子曰辟雍諸侯曰泮宮鄉曰庠里曰序是其制也

禮記外傳曰學者覺也人生也皆稟五常之正性故聖人脩道以教之使其發覺不失其性也（小人學道則易使也不從教則凶人也）天子諸侯皆有大學小學（小學在東少陽之地公宮之左）太學在西有虞氏之學曰庠亦謂之米廩（藏躬耕之穀於米中以供祭祀虞舜尚孝）夏曰序殷曰瞽宗（瞽無目者樂正古之學者）周曰辟雍（辟明也雍和也亦為太學東膠）

漢書禮樂志曰武帝時丞相大司空奏請立辟雍會案行長安南營表未作遭帝崩群臣引以為定謚乃王莽為宰衡欲耀衆庶遂興辟雍

後漢書曰世祖中元二年春初起辟雍行大射之禮

續漢書禮儀志曰明帝永平中始率群臣躬養三老五更于辟雍行大射之禮

魏志曰明帝幸辟雍會命群臣賦詩

宋書禮志曰晉武帝太始六年帝臨辟雍行鄉飲酒之禮詔曰禮儀之廢久矣乃今復講肄舊典賜太常絹百疋丞博士及學生酒咸寧三年惠帝復行其禮

白虎通曰天子立辟雍者何所以行禮樂宣德化也辟者象璧以法天雍者何雍之以水象教化流行

五經通義曰諸侯不得觀四方故缺以東南半天子之學故曰頖宮

三輔決録曰辟雍水四周於外象四海也

桓譚新論曰王者作圓池如璧形實水其中以圜雍之故曰辟雍言其上承天地以班教令流轉王道終而復始

説苑曰辟雍天子鄉飲之處

戴延之西征記曰洛城南有平昌門道東辟雍壇去靈臺三里俱是魏武帝所立高七丈

班固東都賦辟雍詩曰乃流辟雍辟雍湯湯聖皇莅止造舟為梁皤皤國老乃父乃兄抑抑皇儀孝友光明於赫太上示我漢行洪化惟神永觀厥成

李尤辟雍賦曰卓矣煌煌永元之隆含弘該要周建大中蓄純和之優渥兮化盛溢而茲豐

李尤辟雍銘曰惟王所建方中圓外清流四匝蕩滌濁穢

傅玄帝幸辟雍鄉飲酒賦曰時皇帝枉萬乘之尊兮以幸辟雍鹵簿齊列群官正容侍衛參差階戟百重乃延鄉七乃命王公是日也定小會之常儀兮饗殊俗而見遠邦連三朝以考學兮覽先賢之異同

靈臺

毛詩文王靈臺曰靈臺民始附也文王受命而民樂其有

靈德以及鳥獸昆蟲焉(天子有靈臺所以觀祲象察氣妖祥)經始靈臺經之營之庶民攻之不日成之

詩汜曆樞曰靈臺候天意也經營靈臺天下附也

禮含文嘉曰禮天子靈臺以考觀天人之際陰陽之會也揆星度之驗徵氣朔之瑞應原神明之變化爲萬姓獲福於天

禮統曰所以制靈臺何以尊天重民備災御害豫防未然也夫王者當承順天地節禦陰陽也夏所以爲清臺何明明相承太平相續故爲清臺殷爲神臺周爲靈臺何質者據天而王天者稱神文者據地而王地者稱靈是其異也

孝經援神契曰靈臺考符居高顯垂王所以宣德察微

五經通義曰王者受命而起所以立靈臺靈臺何以爲在於野中國之南附近辟雍依仁宮也靈臺制度奈何師說

之積土崇增其高九仞上平無屋高九仞者極陽之數上平無屋望氣顯著

續漢書祭祀志曰明帝即位郊祀五帝於明堂卒事遂升靈臺以望雲物

崔鴻十六國春秋後趙錄曰建武二年置女大史靈臺仰觀災祥以考中外太史驗察虛實

唐書曰乾元元年於永寧坊張守珪宅置司天臺制曰建設邦都必稽玄象分列曹局皆應物宜靈臺三星主觀察雲物天文位在太微西南今興慶宮上帝廷也考符之所合置靈臺

三輔故事曰漢作靈臺於城東周作靈臺在灃水東常以四孟之月登臺而觀

述征記曰長安宮南有靈臺高十仞上有銅渾天儀又相風銅烏或云此烏遇千里風乃動

六韜曰文王既出羑里召周公旦築爲靈臺○新序曰周文作靈臺及池沼掘得死人骨吏以聞於文王文王曰更葬之天下聞之皆曰文王賢矣澤及朽骨而況於人乎

班固東都賦靈臺詩曰乃經靈臺靈臺既崇帝勤時登爰考休徵三光宣精五行布序習習祥風祁祁甘雨百穀蓁蓁庶草蕃廡屢惟豐年於皇樂胥

潘岳閑居賦曰靈臺傑其高峙闚天文之秘奥究人事之終始

學校

毛詩國風曰子衿刺學校廢也亂世則學校不脩焉青青子衿悠悠我心(青衿青領也學子之所服)縱我不往子寧不嗣音

尚書大傳曰耰鉏已藏歲事欲畢餘子皆入學十五始入

小學見小節踐小義十八始入大學見大節踐大義

周禮地官下師氏曰師氏以三德教國子一曰至德以爲道本二曰敏德以爲行本三曰孝德以知逆惡又教三行一曰孝行以親父母二曰友行以尊賢良三曰順行以事師長(鄭玄注曰德行外內之言在心爲德施之爲行)居虎門之左司王朝凡國之貴遊子弟學焉

禮記學記曰君子如欲化民成俗其必由學乎(所學聖人之道在方策)玉不琢不成器人不學不知道是故古之王者建國君民教學爲先

又學記曰古之教者家有塾黨有庠術有序國有學比年入學中年考校一年視離經辨志三年視敬業樂群五年視博習親師七年視論學取友謂之小成九年知類通達強立而不反謂之大成

左傳襄六曰鄭人遊于鄉校(杜預曰鄉之學校)以論執政然明謂子產曰毀鄉校如何(恐於中謗議國政也)子產曰何爲夫人朝夕退而遊焉以議政之善否其所善者吾則行之其所惡者吾則改之是吾師也若之何毀之

論語讖曰學者織也

五經通義曰三王教化之宮總名爲學夏爲校校言教也

漢書曰郡國曰學縣道邑侯國曰校校學置經師一人

續漢書禮儀志曰明帝永平中始師群臣養三老五更於辟雍郡國縣道行飲酒禮于學校

後漢書曰桓榮車駕幸太子學會諸博士論難於前榮被服儒衣溫恭有蘊藉(蘊藉猶言寬博有餘也蘊音於問反)辯明經義每以禮讓相厭不以辭長勝人儒者莫之及(厭服也)特加賞賜又詔諸生雅吹擊磬盡日乃罷(吹管奏雅頌也)

東觀漢記曰光武建武五年初起太學宮諸生吏子弟及民以義助作上自齊歸幸太學賜博士弟子有差

宋書禮志曰漢獻帝建安二十二年魏國作泮宮于鄴城南魏文帝黃初五年立太學於洛陽魏名臣奏曰蔣濟奏大學堂上官爲置鼓禮曰入學鼓篋遜其業也凡學受業皆當須十五以上公卿大夫子弟在學者以年齒長幼相次不得以父兄位也學者不恭肅慢師酗酒好訟罰飲水三升

晉諸公讚曰惠帝時裴頠爲國子祭酒奏立國子太學起講堂築門闕刻石寫經

晉令曰諸縣率千餘戶置一小學不滿千戶亦立

宋書禮志曰晉征西將軍庾亮在武昌開置學官教曰人情重交而輕財好逸而惡勞學業致苦而祿答未厚由捷徑者多故莫肯用心洙泗邈遠風雅彌替後生放狂不復憲章典謨臨官宰政者務目前之治不能閑於典誥遂令詩書荒塵頌聲寂寞仰瞻俯省能不歎慨

南史曰宋時國學頹廢未暇修復明帝大始六年置總明觀以集學士或謂之東觀置東觀祭酒一人總明訪舉郎二人儒玄文四科置學士千人其餘令史下各有差是歲以國學既立省總明觀於王儉宅開學士館以總明四部書充之

三輔舊事曰漢太學在長安門東書社門立五經博士員弟子萬餘人學中有市有獄光武東遷學乃廢

任預益州記曰文翁學堂在大城南昔經災火蜀郡太守高朕修復繕立其欒櫨椽節制猶古樸即今堂基六尺夏屋三間通皆圖畫聖賢古人之象及禮器瑞物堂西有二

石室又以爲州學(郡更於夷里橋道東起學也)

述征記曰太學在國子學東二百步學堂東有太學讚碑記曰建武三十七年立太學堂永建六年制下府繕治并立諸生房舍千餘間陽嘉元年畢刊子碑有太尉龐參司徒劉崎太常孔扶將作大匠胡廣荅記制

黃圖曰禮小學在公宮之南太學在城南就陽位也去城七里王莽爲宰衡起靈臺作長門宮南去堤三百步起國學於郭內之西南爲博士之宮寺門北出王於其中央爲射宮門西出殿堂南嚮爲牆選士肄射於此中北之外爲博士舍三十區周環之此之東爲常滿倉之北爲會市但列槐樹數百行爲隧無牆屋諸生朔望會此市各持其郡所出貨物及經書傳記笙磬樂相與買賣邕邕揖讓或論議槐下其東爲太學宮寺門南出置令丞吏詰姦究理辭

試五博士領弟子員三百六十六經三十博士弟子萬八百人主事高弟侍講各二十四人學士司舍行無遠近皆隨檐雨不塗足暑不暴首

決疑要注曰漢初置博士而無弟子後置弟子五十人又增滿五百漢末至數千人魏之務學者始入太學爲門人二歲通二經者補文學掌故滿三歲通三經者擢爲太子舍人

摯虞駮宜立學事曰河內太守魯芟使民二百家共立一學未成而司隷奏以違法尚書郎中騎都尉臣摯虞駮芟爲近畿大郡朝所委任親臨民物足識事宜累表仍上求二百家立一學是其留心學校必欲有成也

崔瑗南陽文學頌曰昔聖人制禮作樂也將以統天理物經國序民立均出度因其可利而利之俾不失性也故觀禮則體敬聽樂則心和然後知反其性而正其身也

梁元帝召學生教曰閣下昔楚王好詩沛王傳易猶且傳之不朽以爲盛美吾覩承天旨聞方欲化行南國被于西楚

太平御覽卷第五百三十四

禮儀部十四

庠序　釋奠立廟附　養老

庠序

禮記王制曰有虞氏養國老於上庠養庶老於下庠夏后氏養國老於東序養庶老於西序殷人養國老於右學養庶老於左學周人養國老於東膠養庶老於虞庠

又學記曰古之教者家有塾黨有庠術有序國有學術當爲遂萬二千五百家爲遂也

五經通義曰三王教化之宮揔名爲學夏爲學校校之言教也殷爲庠周爲序周家又兼用之故鄉爲庠里爲序家爲塾

白虎通曰鄉曰庠里曰序庠者禮義也序者序長幼也

漢書曰鄉序庠置孝經師一人

又儒林傳曰三代之道鄉里有教夏曰校殷曰庠周曰序所以勸善懲惡也

南史曰梁武帝脩建庠序別開五館其一館在袁憲宅西憲常招引諸生與之談論新義出人意表同輩咸嗟服焉

釋奠　立廟附

禮記月令仲春曰是月也命樂正習舞爲將釋奠上丁釋奠於國學釋謂置也謂置牲幣之奠於文宣王天子及公卿諸侯大夫親往視之觀其禮也命有司上戊釋奠於太公廟亦用牲幣之奠

又月令仲秋曰是月也命樂正習吹春夏尚舞秋冬尚吹習之爲將釋奠上丁釋奠於國學天子乃率公卿諸侯大夫親往視之禮儀同仲春是月也命有司上戊釋奠於太公廟禮儀同仲春

又文王世子曰凡始立學必先釋奠于先聖先師及行事必用幣天子親學大昕鼓徵所以警衆也

晉書禮志曰昔武王入殷而封先代之後蓋追思其德也孔子大聖終於陪臣未有封爵至漢元帝時孔霸以帝師號褒成侯奉孔子後魏黃初三年以議郎孔羨爲宗聖侯奉孔子祀魏齊王正始二年使太常釋奠以太牢祀孔子於辟雍以顏回配

宋書禮志曰魏齊王正始中每講經使太常釋奠先聖先師於辟雍晉惠帝明帝之爲太子及愍懷太子講經竟並親釋奠於太學太子進爵於先師中庶子進爵於顏淵成穆孝武三帝亦皆親釋奠

又禮志曰元嘉二十二年太子釋奠採晉故事官有其注祭畢太祖親臨學宴會太子以下悉預

唐六典曰仲春上丁釋奠于孔宣父以顏回配焉其七十二弟子及先儒並從祀仲秋之月亦如之仲春上戊釋奠于齊太公以留侯張良配焉仲秋之月亦如之凡州縣皆置孔宣父廟以顏回配仲春上丁州縣官行釋奠之禮仲秋上丁亦如之

唐書曰開元七年十一月以貢舉人將謁先師質問疑義敕曰皇太子及諸子雖年未志學而道在尊師宜行齒胄禮

又曰開元七年皇太子入國學行齒胄禮謁先聖皇太子初獻其亞獻終獻並以胄子常侍褚无量開講孝經及禮記文王太子篇

又曰歸崇敬議春秋釋奠文宣王祝板御署北面揖以爲其禮太重按大戴禮師尚父授周武王丹書武王東面而立今置祝板請准武王東面之禮輕重庶得其中晉博士

成洽議曰釋奠奉先師唯皇太子業終乃禮不然則廢

晉尚書大事曰尚書符太常曰按洛陽圖宮南自有太學國子辟雍不相預也捨辟雍以太學辟雍便爲無事虛誕漢魏舊事皆言釋奠祠先聖於辟雍未有言太學者又咸和中成皇帝釋奠於中堂之前臺中故事亦曰辟雍是爲漢魏之世初自兩立至釋奠便在辟雍猶存今廢辟雍而立二學中興以來相違太常王彪之荅魏帝齊王使有司釋奠於辟雍此是魏之大事非晉書舊典太始元康釋奠太學不在辟雍太始五年元康五年二行饗禮皆於辟雍不在太學是則釋奠於太學行饗於辟雍有晉已行之准也中朝有辟雍猶在太學況無辟雍唯有太學更當不在太學乎宰相從太常所荅

晉范堅書問馮懷曰漢氏以來釋奠先師唯仲尼不及公

旦何也馮荅曰若如來談亦當憲章堯舜文武豈唯周旦乎

摯虞釋奠頌曰如彼泉流不盈不運講業既終禮師釋奠外觴折俎上下惟善邕邕其來肅肅其見

立廟附

鍾離意別傳曰意爲魯相脩孔子廟孔子教授堂下牀首有懸甕意召守廟孔訢問曰此何等甕訢曰夫子甕背有丹書自夫子亡後無敢發者意乃發索得書焉

宋書禮志曰晉清河人李遼表曰亡父先臣回綏集邦邑歸誠本朝以太元十年遣臣奉表路經闕里過覲孔廟庭宇傾頹軌式頹圮萬世宗匠忽焉淪廢仰瞻俯慨不覺涕流既遠京輦表求興復聖祀脩建講學至十四年奉被明詔採臣鄙議勑兗州魯郡准舊營飾

北齊書曰天保元年詔封崇聖侯邑一百戸以奉孔子之祀并下魯郡以時脩治廟宇務盡襃崇之至

唐書曰武德中制祠典釋奠於太學以周公爲先聖孔丘配饗房玄齡及朱子奢議云公旦尼父俱是聖人庠序置奠本緣夫子故晉宋至於梁陳爰及隋大業故事皆以孔丘爲先聖顏回爲先師歷代所行古今通允請停祭周公外夫子爲先聖以顏回配饗

又曰上元中制曰定禍亂者必先於武德極生靈者諒在於師貞周武創業克寧區夏惟師尚父實佐興王況德有可師義當禁暴稽諸古昔爰崇典禮太公望可追封爲武成王有司依文宣王置廟擇古今名將置亞聖及十哲享祭之典一同文宣

又曰開元十九年始於兩京置齊太公廟以張良配上元

初特加封太公爲武成王以歷代名將從其祀然有其制而未之行祠宇日荒至是宰臣盧杞京兆尹盧甚以盧者齊之裔乃鴆其裔孫若盧崔丁呂之族合錢以崇飾之請復舊典兼擇自古名將如孔門十哲皆配饗詔下史官乃定張良穰苴孫武吳起樂毅白起韓信諸葛亮李靖李勣配焉

養老

禮記祭義曰食三老五更於太學天子袒而割牲執醬而饋執爵而酳所以教諸侯之悌也

蔡邕月令章句曰五更當爲五叟叟長老之稱也其字似更書有轉誤嫂字女傍叟今皆以爲更矣

孝經援神契曰天子親臨辟雍尊事三老兄事五更三者道成於三五者訓於五品言其能以善道改已也三老五

更皆取有妻男女完具者
續漢書曰三老五更王杖長九尺端以鳩爲飾鳩者不噎
之鳥欲老人之不噎也
華嶠後漢書曰熈平中天子引袁逢爲三老賜玉杖
應劭漢書曰天子父事三老兄事五更天子親割三公設
几九卿正履
魏志高貴鄉公詔曰夫養老興教三代所以樹風化垂不
朽也必有三老五更以崇至敬乞言納誨着在惇史然後
六合承流下觀而化宜妙揀德行以充其選關内侯王祥
履仁秉義雅志淳固關内侯鄭小同温恭孝友師禮不忒
其以祥爲三老小同爲五更車駕親率群司躬行古禮焉
王隱晉書曰王祥字休徵魏帝高貴鄉公入學命祥爲三
老祥南面几杖以師道自居帝北面乞言祥於是陳明王

聖帝之軌君臣政化之要術以訓帝于時百辟卿士聞其
格言莫不砥礪
後魏書曰孝文帝以前司徒尉元爲三老前鴻臚卿游明
根爲五更皇帝再拜肅拜五更乞言畢乃賜步輓一乘詔
曰三老可給上公之祿五更可食九卿之俸
後周書曰高祖保定三年乃下詔集太保燕公爲三老
又曰武帝以太傅燕國公于謹爲三老賜延年杖太師宇
文護設几司寇豆盧寧正舄
又曰孝閔踐祚于謹以年老乞骸骨詔報不許有司宜斷
表啓遂詔謹爲三老有司具禮擇日又賜延年杖高祖幸
太學以食之三老入門皇帝迎拜門屏之間三老答拜有
司設三老席於中楹南向太師晉公護外階設几於席三
老外席南面憑几而坐以師道自居大司寇楚公寧外階

正舄皇帝外立於斧扆之前西面有司進饌皇帝跪設醬
豆親袒割三老食訖皇帝又親跪受爵以酳有司徹訖皇
帝北面立訪道三老乃起立於席後皇帝曰猥當天下重
任自惟不才不知政治之要公其誨之三老答曰木受繩
則正后從諫則聖自古明王聖主皆虚心納諫以知得失
天下乃安惟陛下念之又曰爲國之本在守忠信是以古
人去食去兵信不可失國家興廢莫不由之願陛下守
而勿失又曰治國之道必須有法法者國之綱紀綱紀不
可不正在於賞罰若有功必賞有罪必罰則爲善者日益
爲惡者日止若有功不賞有罪不罰則天下善惡不分人
無所措手足矣三老言畢皇帝再拜受之三老答拜焉禮
成而出
隋書曰後齊仲春令辰陳養老禮先一日三老五更齊於

國學皇帝進賢冠玄紗袍至辟雍入揔章堂列宮懸王公
巳下及國老名定位司徒以羽儀武賁安車迎三老五更
于國學並進賢冠玄服黑舄素帶國子生黑介幘青衿單
衣乘馬從之至皇帝釋劍執班迎於門内三老至門五更
去門十步則降車以入皇帝拜三老五更攝齊答拜皇帝
揖進三老在前五更在後升自右階就筵三老坐五更立
皇帝升堂北面公卿升自左階北面三公授几杖卿正履
國老庶老各就位皇帝拜三老羣臣皆拜不拜五更乃坐
皇帝西向肅拜五更進珍羞酒食親袒割執醬以饋執爵
以酳以次進五更又設酒醴於國老庶老皇帝升御坐三
老乃論五孝六順典訓大綱皇帝虚躬請受禮畢而還又
都下及外州人年七十巳上賜鳩杖黄帽
太平御覽卷第五百三十五

禮儀十五

封禪

河圖眞紀鉤曰：王者封太山，禪梁父，易姓奉度，繼興崇功者七十二君。

尚書中候曰：維歲二月，候在東館（鄭玄注曰：維，辭也。侯，齊桓公館舍）。嘆曰：於戲仲父！寡人聞古之霸王封太山，刻石紀號，立顯象。今寡人名爲何君？

管子曰：衛困于狄，寨兵須滅，乃存之。仁不純，名爲霸君。昔古聖王功成道洽，符出，乃封太山。今比目之魚不至，鳳凰不臻，麒麟遯，未可以封。

禮記禮器曰：是故因天事天（天高，因高者以事天也），因地事地（地下，因下者以事地），因名山升中于天（名猶大也。升，上也。中猶成也。謂巡守至於方嶽，燔柴祭天，告以諸侯之成

功也。孝經說曰：封乎泰山，考績燔燎，禪乎梁甫，刻石紀號也），升中于天而鳳皇降，龜龍假（功成而太平，陰陽氣和而致象物）。

禮記逸禮曰：三皇禪云云，盛意也。五帝禪云云，特立於身也。三王禪梁父，連延不絕，父死子繼也。

○春秋漢含孳曰：天子受符，以辛日立號，帝宰奉圖，帝人共觀。九日悉見後世之過、方來之害，以告天（受符謂應期之人當封封太山。起者之符代行其録運者也）。曰：請封禪，到岱宗，晝期過數，告諸命（禪禪梁父）。

○孝經鉤命決曰：封乎太山，考績燔燎，禪乎梁父，刻石紀號，煥炳巍巍，教化顯著。

○五經通義曰：易姓而王，太平必封太山，禪梁父，何？天命已爲王，使理羣生也。或曰：封以黃金爲泥，以銀爲繩，經無明文，以義說之，所以正封岱。太山者，五嶽之長，羣神之主，故獨封於太山，告太平於天，報羣神之功也。禪梁父者，太山之支屬，能配太山之德也。

史記封禪書曰：齊桓公既霸，會諸侯於葵丘，而欲封禪。管仲曰：古者封太山禪梁父者七十二家，而夷吾所記者十有二焉。昔無懷氏封太山禪云云；虙羲封太山禪云云；神農封太山禪云云；炎帝封太山禪云云；黃帝封太山禪亭亭；顓頊封太山禪云云；帝嚳封太山禪云云；堯封太山禪云云；舜封太山禪云云；禹封太山禪會稽；湯封太山禪云云；周成王封太山禪社首（應劭曰：山名，在博縣。晉灼曰：在鉅平南十三里也），皆受命然後得封禪。桓公曰：寡人北伐山戎，過孤竹；西伐大夏，涉流沙，東馬懸車，上卑耳之山；南伐至召陵，登熊耳山，以望江漢。兵車之會三，而乘車之會六，九合諸侯，一匡天下，諸侯莫違我。昔三代受命，亦何以異乎？於是管仲相桓公不可窮以辭，因設之以事，曰：古之封禪，鄗上之黍，北里之禾（應劭曰：鄗上，山也。鄗音臛。蘇林曰：鄗上、北里，皆地名），所以爲盛；江淮之間，一茅三脊，所以爲藉也。東海致比目之魚，西海致比翼之鳥，然後

物有不召而自至者十有五焉。今鳳皇麒麟不來，嘉穀不生，而蓬蒿藜莠茂，鴟梟數至，而欲封禪，無乃不可乎？桓公乃止。

又曰：始皇既并天下，即位三年，東巡狩郡縣，祠鄒嶧山，頌秦功業。於是徵齊魯之儒生博士七十人，至於太山下。或議曰：古者封禪爲蒲車，惡傷山之土石草木，掃地而祭，席用葅稭，言其易遵也。始皇聞此議各乖異，難施用，由此絀儒生，而遂除車道，上自太山陽至巔，立石頌秦始皇帝德，明其得封也。從陰道下，禪於梁父，其禮頗採太祝之祀雍上帝所用，而封藏皆祕之，世不得而記也。始皇之上太山中阪，遇風雨暴至，休於大樹下，因封其樹爲五大夫。

又曰：今天子即位，尤敬鬼神之祀。元年，漢興以六十餘歲矣，天下乂安，搢紳之屬皆望天子封禪改正度也，而上鄉

儒術招賢良趙綰王臧等以文學為公卿欲議古立明堂城南以朝諸侯草巡狩封禪改曆服色事未就會竇太后治黃老言不好儒術諸所興為皆廢是時李少君亦以祠竈穀道却老方　見上上尊之少君言上曰祠竈則致物致物而丹砂可化為黃金黃金成以為飲食器則益壽益壽而海中蓬萊僊者乃可見見之以封禪則不死黃帝是也上與公卿諸生議封禪封禪用希曠絕莫知其儀禮而群儒采封禪尚書周官王制之望祀射牛事上於是乃令諸儒習射牛草封禪儀數年儒既不能辯明封禪事又牽拘於詩書古文而不能騁於是上盡罷諸儒遂東幸緱氏禮登中嶽太室從官在山下聞若有言萬歲云於是以三百户封太室奉祠遂東巡海上四月還至奉高上令諸儒及方士言封禪人人殊不經難施行天子至梁父禮祠地主乙卯

令侍中儒者皮弁薦紳射牛行事封太山下東方如郊祀太一之禮封廣丈二尺高九尺其下則有玉牒書書秘禮畢天子獨與侍中奉車子侯上太山亦有封其事皆禁明日下陰道丙辰禪太山下趾東北肅然山如祭后土禮天子皆親拜見衣上黃而盡用樂焉江淮間一茅三脊為神藉五色土益雜封縱遠方奇獸蜚禽及白雉諸物頗以加禮兕牛犀象之屬不用皆至太山祭后土封禪祠其夜若有光晝有白雲起封中天子從禪還坐明堂群臣更上壽

漢書曰公孫弘議欲倣古巡狩封禪之事諸儒對者五十餘人未能有所定先是司馬相如病死有遺書頌功德言符瑞足以封太山上奇其書以問倪寬對曰陛下躬發聖德統楫群臣宗祀天地薦禮百神精誠所嚮徵兆必報天地並應符瑞帝王之盛節也宜順承天慶垂萬世之基上然之乃自制儀采儒術以文焉

又郊祀志曰初上欲治明堂奉高旁未曉其制度濟南人公玉帶上黃帝時明堂圖於是上令　奉高作明堂汶上如帶圖及是歲脩封則祠太一五帝於明堂上坐令高皇帝祠坐對之公玉帶

又曰黃帝時雖封太山然風后封鉅岐伯令黃帝封東太山（韋昭曰別有小太山在陰一名介山臣瓚按郡志朱虛界中有小太山是也汾陰子推所隱故名介山也不以介為大也）禪凡山合符然後不死天子既令設祠具至東太山太山卑小不稱其聲乃令祠官禮之而不封焉其後令帶奉祠候神物復還太山脩五年之禮如前而加禪祠石閭石閭者在太山下趾南方方士言僊人閭也故上親禪焉其後五年復至太山脩封還過祭恒山自封太山後十二歲而周遍於五嶽四瀆矣後五年復至太山脩封武帝五脩封

又曰太初元年十二月禪蒿里（服虔曰山名在太山下）太初三年春正月東巡海上夏四月還脩封太山禪石閭天漢三年受計還幸北地祠常山瘞玄玉（鄧展曰瘞埋也）

又曰太始四年春三月甲申脩封丙戌禪石閭夏四月幸不其（如淳曰其音基不其山名因以名縣）祠神人于交門宮（應劭曰神人蓬萊仙人之屬也晉灼曰琅邪縣有交門宮武帝所造）若有嚮坐拜者作交門之歌（師古曰如有神人景象嚮祠坐而拜也）

又曰司馬相如既病免家居茂陵天子曰相如病甚可往從悉取其書若不然後之矣使所忠往而相如已死家無遺書問其妻對曰長卿未嘗有書也時時著書人又取去長卿未死時為一卷書曰有使來求當奏之其遺札書言封禪事所忠奏焉天子異之

續漢書祭志曰建武中群臣上言即位三十年宜封禪太

山詔書曰即位三十年百姓怨氣滿腹吾誰欺欺天乎曾
謂太山不如林放何事太山汙七十二代之編録三月上
幸魯過太山太山守以上過故承詔祭太山及梁父時虎
賁中郎將梁松議封禪事上許松等奏乃求元封時封禪
故事議封禪所施用有司奏當用方石再累置壇中皆方
五尺一枚厚一尺用玉牒書藏方石牒厚五寸長尺三寸
廣五寸有玉牒十枚列於方石旁東西南北各三皆長三
尺廣一尺厚七寸檢中刻三處深四寸方五寸有盖檢用
金纏五周以水銀和金爲泥刻玉璽一枚方寸一分一枚方
五寸石四角有距石皆再累一枚長一丈厚一尺廣二尺
皆在壇上其下用距十八枚皆高三尺厚一尺廣二尺如
小碑環壇立之去三步距石下皆有石跗入地四尺又用
石碑高九尺廣三尺五寸厚尺二寸立壇丙地去壇三尺

以刻書上以用石功難又欲及二月封故詔松因故封石
空檢更加封而已松上疏爭之以爲登封之禮今告功皇
天垂後無窮以爲萬民也丞天之敬章圖書之瑞尤宜顯
著今因舊封竄寄故石下恐非重命之義受命中興宜當
特異以明天意遂使太山郡及魯趣石工直取完青石無
五色時以印工不能刻玉牒欲用丹漆書之會求得刻玉
者遂刻書書秘刻方石中令容玉牒二月上至奉高遣御
史與蘭臺令史將工先上山刻石碑文二十二日辛卯晨
燎祭天於太山下南方群臣皆從用樂皆如南郊諸王王
者二公孔子後褒成君皆助祭在位畢將升封或曰太山
雖已從食於柴祭今親升告功宜有禮祭於是使謁者以
一特牲於常祠太山處告祠太山如親耕貙劉先農　虞
故事至食時上御輦升山日後到山上即位於壇南北面羣

臣以次陳後西上畢帝升壇尚書令奉玉牒檢皇帝以寸
二分璽親封之訖太常命人發壇上石尚書令奉藏玉牒
已復石覆訖尚書令以五寸印封石檢事畢皇帝拜群臣
稱萬歲令人立所刻石碑乃復道下二十五日甲午禪祭
地於梁陰以高后配山川羣神從如元始中北郊故事
東觀漢記曰中元元年正月群臣復奏言登封告成爲民
報德百王所同陛下輙距絶不許臣下不敢頌功述德謹
按河雒讖書赤漢九世當巡封太山凡三十六事陛下遂
以仲月令辰巡岱嶽之正禮奉圖雒之明文以祈靈瑞以
爲兆民於是許焉至太山乃復議曰國家德薄災異仍至
圖讖盖如此耶上東巡狩至太山有司復奏河圖讖記表
章赤漢九世尤著明者後凡三十六事
司馬彪續漢書曰河圖會昌符云漢太興之道在九代之

王封乎太山刻石著紀禪于梁父退省考功
典略曰建武三十年有司奏封禪詔曰災異連仍日月薄
蝕百姓怨歎而有事於太山汙七十二代編録以羊皮雜
貂裘何彊顔耶
晉書禮志曰魏明帝黄初中護軍蔣濟表曰夫帝王大禮
巡狩爲先昭祖揚禰封禪爲首是以自古革命受符未有
不蹈梁父登太山刋無竟之名紀天人之際者也宜下公
卿廣撰其禮卜年考時昭告上帝以副天下之望帝　詔
曰聞蔣濟斯言使吾汗出流足自開闢以來封禪者七十
餘君耳故太史公曰雖有受命之君而功有不洽是以中
間其遠者千有餘年近者數百載其儀闕不可得記吾何
德之脩敢庶兹乎濟豈謂世無管仲以吾有桓公登太山
之志乎吾不敢欺天也濟之所言華則榮矣非助我者也

公卿侍中尚書侍省之而已勿有所議天子雖拒濟議而實使高堂隆草封禪之儀以天下未一不欲便行大禮會隆卒不復行之魏志曰帝聞隆沒歎曰天不欲成吾事堂生捨我亡也

又曰武帝平吳混一區宇太康元年衛瓘等上表請封禪詔曰此盛德之事所未議也

又表曰唐虞三代濟世弘功之君莫不仰承天休俯協人志登圓丘履梁父未有辭焉者蓋不可讓也今陛下勳高百王德無與二茂績宏規巍巍之業固非臣等所能究論而聖旨勞謙屢自抑損時至弗應推美不居闕皇代之上儀塞靈祇之歎望使大晉之典謨同風於三五臣等誠不敢奉詔詔曰方當共思弘道以康庶績且俟他年無所紛紜也

沈約宋書禮志曰永初三年高祖將北掃戎狄渾一天宇

會討洛陽秩禮名嶽群臣竊相謂曰須王振旅飲至龍朔無墜當議奏封禪脩外中之禮搢紳聞者咸曰宜然自漢光武登封之後斯絕矣

孫嚴宋書曰袁淑爲吏部郎太祖元嘉二十六年大舉北討淑侍座從容曰盛王令典廢壞永久今當鳴鑾中嶽席卷趙魏檢玉岱宗今其時也臣逢千載之會願上封禪書一篇使聲齊七十二代帝曰盛德之事何足以當之

隋書志曰封禪者高厚之謂也天以高爲尊地以厚爲德增太山之高以報天也厚梁甫之基以報地也昭天之所命功成事就有益於天地若天地之更高厚云漢光武中興事遵其故晉宋齊梁及陳皆未遑其議後齊有巡狩之禮并登封之儀竟不之行也開皇十四年群臣請封禪高祖不納晉王又率百官抗表固請帝命有司草儀注於是牛弘辛彥之等創定其禮奏之帝逡巡其事曰此事體大朕何德以堪之但當東狩因拜岱山耳十五年春行幸兗州遂次岱山爲壇如南郊

唐書曰貞觀中房玄齡議曰漢建武中封禪用元封故事封太山於圜臺上四面皆立石闕並高五丈有方石再累藏玉牒書石撿十枚於四邊括之東西各三南北各二外設石封高九尺上加石蓋周設石距十八枚如碑之狀去壇三步其下石跗入地數尺今按封禪者本以成功告於上帝天道崇質義取醇素故藉用藁秸罇以瓦甒近代此法不在經誥又乖淳朴之道定議除之按梁甫是謂梁陰近代設壇於山下乃乖處陰之義今定禪禮改壇位於山北

又曰貞觀六年文武百官以初平突厥盛德被於海內又

年穀累登表封太山太宗謂侍臣曰朕每見衆議以封禪爲盛事勸朕行之如朕本心但使天下太平家給人足雖闕封禪之禮亦可以比德於堯舜昔始皇爲合天心自稱皇帝登封岱宗奢侈自矜漢文竟不登封而躬行儉約刑措不用今皆稱始皇爲暴虐之主漢文爲有德之君以此而言無假封禪

又曰高宗麟德二年十月司禮太常伯劉祥道上疏請封禪丁卯將封太山發自東都三年正月戊辰朔車駕至太山親祀昊天上帝於封祀壇以高祖太宗配饗己巳帝升山行封禪之禮庚午禪於社首祭皇地祇以太穆太皇太后配饗皇后爲亞獻越國太妃燕氏爲終獻辛未御降禪壇壬申御朝覲受朝賀改元乾封

又曰麟德三年登封太山先是皇后抗表曰封禪舊儀祭

皇地祇以太后昭配而皆以公卿行事詳求至理有紊徽章望以展禮之日悤率六宮內外命婦親奉奠獻從之至時遂以皇后爲亞獻越國太妃燕氏爲終獻帝行初獻之禮畢執事者皆趨下而宦者執帷皇后率六宮以外行禮登歌帷外王公已下就位於山足帷皆用錦繡在位者瞻望或誚焉

又曰永淳二年上以風眩轉加停封中嶽上自東封之後皇后盛賛行中嶽之禮每下詔輙年飢寇至而罷於是嵩山之下營奉天宮以爲有事之漸時有童謠曰嵩高凡幾層不畏登不得但畏不得登及是禮物畢備竟以疾加而還

又曰則天后萬歲登封元年臘月甲申上登封于嵩嶽大赦天下改元大酺丁亥禪于少室山

又曰開元登封祀昊天上帝于太山以高祖神堯皇帝配享上冕衮外壇奉珪璧奠獻命有司享五帝百神于山下壇禮畢上乃飲福酒中書令張說進稱天賜皇帝太一神策周而復始永綏兆人帝拜稽首山上作圓臺四階謂之碱王中金泥碱際以天下同文之印封之然後焚柴燎發群臣稱萬歲傳呼從山頂至山下振動天地鑾輅還山下之齋宮有慶雲隨馬祥風繞輅中書令張說等賀上曰朕以薄德恭膺大寶慶雲物休祐皆是卿輔弼之力君臣相保勉副天心長如今日不敢矜怠說等又曰聖心誠懇昨夜齋則息風收雨今朝封祀則天清日暖復有祥風助樂卿雲引燎靈迹盛事千古未聞辛卯祀皇地祇于社首之太折壇睿宗皇帝配享藏玉冊於石碱如封祀壇之儀初上登山至齋宮其夕陰雲慘冽勁風四起裂幕折柱寒氣切骨上露立祈請仰天自誓曰某身有

過請即降罰萬人無福亦請某爲當罪應時風止天地清晏及外壇休氣四塞登封飄若天外及禪社首五色雲見日重輪

又曰開元十三年登封太山上因問玉牒之文前代帝王何故秘之賀知章曰玉牒本是通於神明之意前代帝王祈求各異或禱年筭或思神仙其事微密故外人莫知之上曰朕今此行皆爲蒼生祈福更無秘請宜將玉牒出示百寮其詞曰有唐天子臣某敢昭告于昊天上帝天啓李氏運興土德高祖太宗受命立極高宗外中六合殷盛中宗紹復繼體不定上帝眷祐錫臣忠武厎綏內難推戴聖父恭承大寶十有三年祗若天意四海晏然封祀岱嶽謝成于天子孫百祿蒼生受福

風俗通曰封禪必於岱宗者長萬物之始陰陽交代觸石而出膚寸而合不崇朝遍雨天下唯太山乎封禪之制石高丈二尺刻之曰事天以禮立身以義事父以孝成民以仁四夷八蠻咸貢其職也

白虎通曰封禪王者易姓而起必外封太山何教告之義也始受命之時改制應天天下太平功成封禪以告太平也所以必於太山何萬物之所交代之處也必於其上何因高告順其類也故外封者增高也下禪梁甫之基廣厚也刻石記號者著己之功迹也天以高爲尊地以厚爲德故增太山之高以放天附梁甫之基以報地明天之所命功成事就有益天地若高者加高厚者加厚矣或曰封者金泥銀繩或曰石泥金繩封以印璽故孔子曰外太山觀易姓而王可得而數者七十餘君

風俗通曰封太山禪梁父說岱宗上有金篋玉策能知人

年壽脩短武帝探得十八倒讀曰八十其後果用考長

桓譚新論曰太山之上有刻石凡千八百餘處而可識知者七十有二

袁准正論曰封禪之言唯周官有三大封之文齊桓公欲封禪聞管仲言而止焚燎祭天皆王者之事非諸侯之所爲也是以學者疑焉後秦一主漢二君脩封禪之事其制爲封土方丈餘崇於太山之上皆不見於經秦漢之事未可專管仲云禹禪會稽告天則同祭地不得異也會稽而可禪四嶽皆可封也夫洛陽者天地之所合嵩高者六合之中也今處天地之中而告於嵩高可也奚必於太山

王嬰古今通論曰太山上爲天門值户户爲明堂聖帝受天官之宫也王者即位三十年功成治定則告成於天登封太山刻石紀號

張華封禪議曰臣聞肇自生民則有后辟載祀之數莫之能紀立德濟世揚暉仁風以登封太山者七十有四家其謚號可知者十有四也

晉太康地記曰奉高者以事五嶽帝王禪代之處也故有明堂在縣西南四里漢武立太壇於東山以祭天示增高也

南史曰齊高帝幸華林宴集使各効伎藝褚彥回彈琵琶王僧虔柳世隆彈琴沈文季歌子夜來張敬兒舞王儉曰臣無所解唯知誦書因跪上前誦相如封禪文上笑曰此盛德之事吾何以堪之

太平御覽卷第五百三十六

禮儀部十六

巡狩　籍田

巡狩

易觀卦曰風行地上觀先王以省方觀民設教也

尚書舜典曰歲二月東巡狩至于岱宗柴(積柴以燎)望秩于山川(秩者如其秩次之奈也)肆覲東后協時月正日(協和)同律度量衡(同齊同也)脩五禮五玉(五等諸侯瑞圭璧也)三帛(玄纁黃)二牲(羊鴈)一死(雉也)贄如五器卒乃復(五器上五玉禮終則還之三帛以下不還)五月南巡狩至於南嶽如岱禮(南嶽衡山)八月西巡狩至于西嶽如初禮(西嶽華山)十有一月朔巡狩至于北嶽如初禮(朔北方北嶽恒山)歸格於藝祖用特(藝祢也)

尚書大傳曰元祀巡狩四嶽八伯壇四奧沉四海封十有

二山肇十有二州

毛詩清廟曰時邁巡狩告祭柴望也(巡狩告祭者天子巡行郡國至方嶽之下而封禪也)

又曰般　巡狩而祀四嶽河海也於皇時周陟其高山墮山喬嶽允猶翕河(河山四嶽翕合也箋云合者河自大陸已北數為九道祭者合為一)

周禮下官夏曰職方氏掌天下之圖王將巡狩則戒于四方

大戴禮曰十有二歲天子巡狩是故諸侯上不敢侵凌下不敢暴小民○禮記王制曰天子五年一巡狩歲二月東巡狩至于岱宗柴而望祀山川覲諸侯問百年者就見之命太師陳詩以觀民風命市納賈以觀民之所好惡志淫好辟命典禮考時月定日同律禮樂制度衣服正之山川神祇有不舉者為不敬不敬者君削以地宗廟有不順者為不孝不孝者君絀以爵變禮易樂者為不從不從者君流革制度衣服者為叛叛者君討有功德於民者加地進律

又祭義曰天子巡狩諸侯待於境天子先見百年者(問其國君以百年者所在而見)八十九十者東行西行者弗敢過欲言政者君就之可也(弗敢過者謂道經則見之)

禮記逸禮曰王者必制巡狩之禮何尊天重民也所以五年一巡狩何五歲再閏天道大備所以至四嶽者盛德之山四方之中能興雲致雨也巡狩者何巡循也狩牧也為天循行牧民也

禮記外傳曰溥天之下莫非王土封建諸侯各守天子之地故巡行之夏殷五載一巡狩(五年再閏)周制十二年一巡狩(歲星一周)皆在仲月以至嶽下(仲者中正也)燔柴告天(此因事而告至也天下廣大四方幽隱南面之君多行威福憂民之至故間之)巡狩之年四方諸侯先會嶽之

下以侯見(嶽有湯沐之邑助祭泰山先齊戒以見天子)考其制度以齊同(書同文車同軌合其章律甲子)有善惡以黜陟之

左傳莊公曰天子非展義不巡狩注云天子巡狩所以宣布德義

又僖下曰晉侯召王以諸侯見且使王狩仲尼曰以臣召君不可以訓故書曰天王狩於河陽言非其地且明德也

漢書曰人有告韓信反陳平曰古者天子巡狩偽遊雲夢也

又武紀曰朕郊見上帝巡於北邊見羣鶴留止不以羅網靡所獲獻薦於大時(如淳曰是時春也非用羅網時故無所獲)光景並見

又曰元封五年南巡狩至於盛唐(如淳曰縣名在南郡也)望虞舜於九疑(應劭曰舜葬蒼梧九疑山名今在零陵營道也)自尋陽浮江親射蛟江中獲之舳艫千里薄樅陽而出(縣名屬盧江也)作盛唐樅陽之歌

又曰宣帝尊孝武廟爲世宗行巡狩郡國皆立廟
又食貨志曰天子始出巡郡國東渡河河東守不意行巡
至不辨自殺行西踰隴隴西守以行往卒或曰踰度也卒倉卒從官
不得食隴西守自殺於是上北出蕭關從數萬騎馬獵新秦
中以勒邊兵而歸
後漢書曰光武建武十八年二月西巡狩幸長安三月祠
高廟遂有事十一陵歷馮翊界進幸蒲坂祠后土夏四月
車駕還宮
又曰章帝元和二年二月丙辰東巡狩乙丑帝耕于定陶
使使者祠唐堯於成陽靈臺辛未幸大山柴告岱宗有黃
鵠三十從西南來經祠壇上東北過于宮屋翱翔外降進
幸奉高
又曰章帝巡幸詔曰惟巡狩之制以宣聲教考同遐邇解

釋怨結
又和紀曰冬十月戊申幸章陵祠舊宅癸丑祠園廟會宗
室於宅勞賜作樂
宋書禮志曰古者天子巡狩之禮布在方策至秦漢巡幸
或以厭望氣之祥或以希神仙之應煩擾之役多非舊典
惟後漢諸帝頗有古禮焉魏文帝值三分初創方隅事多
皇輿亟動略無寧歲蓋應時之務又非舊章也明帝凡三
東巡所過存問高年恤人疾苦或賜穀帛有古巡幸之風
焉齊王正始元年巡洛陽縣賜高年力田各有差
又曰元嘉四年二月太祖東巡至丹徒告覲園陵三月幸
丹徒離宮升京城北顧饗父老舊勳于丹徒行宮加賜衣
裳各有差蠲丹徒縣其年租賦
宋書文帝行丹徒詔吾生在此城及盧循肆亂害流茲境

先帝以桑梓根本寔同休慼復以蒙弱猥頂艱難情義繾
綣夷險備經遺蹤舊物猶存心目歲月不居逝踰三紀時
人故老與運遷落耆惟既往倍深感歎
越絕書曰禹巡狩大越見耆老納詩書審銓衡平斗斛
孟子曰夏諺曰吾王不遊吾何以休吾王不預吾何以助
一遊一豫爲諸侯度也
又曰晏子對齊景公曰天子適諸侯曰巡狩春省耕而補
不足秋省斂而助不給也
孔叢子曰古者天子將巡狩必造于祖禰命告群祀及社
稷畿內名山大川七日而遍親告用牲史用幣
蔡邕獨斷曰上巡狩校獵還公卿已下陳洛陽亭前街上
乘輿到公卿以下拜天子東公卿親識顏色然後還宮
酈善長注水經曰光武之征秦豐幸舊邑置酒極歡張平

子以爲真人南巡觀舊里焉
三齊略曰堯山在廣固城西七里堯巡狩所登遂以爲名
山頂立祠祠邊有柏樹枯而復生不知幾代樹也又石上
有堯跡于今猶存
風俗通曰巡者循也狩者守也道德太平恐遠近不同故
必自親行之循功考德黜陟幽明也
白虎通曰王者所巡狩者何巡者循也狩者收也道德
太平恐遠近不同化幽隱有不得所者故必自親行之謙
敬重民之至也何以知太平乃巡狩以武王不巡狩至成
王乃巡狩也
黃帝太一密推曰師曠曰先知巡狩之年當視太一與天
目在四維之歲法爲巡狩若不出則遣使者按行風俗太
一雖在四維不出也即出知巡狩何方以主人所在處之

班固東巡頌曰事大而瑞盛誠非一小臣所任頌述不勝
狂簡之情謹上岱宗頌一篇
班固南巡頌曰是時聖上運天官之法駕馮列宿而贊元
崔駰東巡頌曰登天靈之威輅駕太一之象車躬東作之
上務始八政於南行
崔駰南巡頌曰建初九年秋穀始登猶斯嘉時舉先王之
大禮假于章陵遂南巡楚路臨江川以望衡山顧九疑嘆
虞舜之風是時庶績咸熙罔可黜陟
崔駰西巡頌曰惟永平三年八月巳丑行幸河東志曰君
舉必書是故工歌其詩史歷春秋若夫聲管不發雅頌罔
記
崔駰北巡頌曰元和三年正月上既畢郊祠之事乃東巡
出於河內經青兗之郊迴冀州遂禮北嶽聖澤流浹黎元

被德嘉瑞並集乃作頌曰
張衡巡狩頌曰初吉帝將狩於岱嶽展誼省方觀風設教
丙寅朏率群賓備法駕以祖於東門乙酉觀禮於魯而休
齊焉巳丑届于靈宮是日有鳳雙集于臺
馬融東巡頌曰敷六典經八成燮和萬殊揔領神明類乎
上帝紫乎三辰禋祠乎六宗祇燎乎羣神

籍田

毛詩閔予載芟曰載芟春籍田而祈社稷也
周禮天官上甸師曰掌帥其屬而耕耨王籍以時入之以
供粢盛
又天官下曰內宰上春詔王后帥六宮之人生穜稑之種
而獻之于王鄭玄曰古者使后宮藏種以佐王耕事共禘郊也先種後熟曰穜後種先熟曰稑
禮記月令曰是月也天子乃以元日祈穀于上帝乃擇元
辰天子親載耒耜措之于參保介之御間帥三公九卿諸
侯大夫躬耕帝籍天子三推公五推卿諸侯九推反乃執
爵于大寢三公九卿諸侯大夫皆御命曰勞酒
又祭義曰昔天子爲籍田千畝冕而朱紘躬秉耒諸侯
爲籍百畝冕而青紘躬秉耒耜以事天地山川社稷先公
醴酪粢盛於是乎取之敬之至也
又祭義曰耕籍所以教諸侯之養也
又祭統曰天子親耕於南郊以供粢盛王后蠶於北郊以
供冕服天子諸侯非莫耕也王后夫人非莫蠶也身致其
誠信而巳矣
又表記曰天子親耕粢盛秬鬯以事上帝故諸侯勤以輔
事於天子注言無事而居位食祿是不義而富且貴
禮記外傳曰籍者借也天子耕千畝但三推發耒三坺而

止借民力治之所耕之穀藏於神倉以供事天地宗廟神
祇人鬼之用也天子以身先天下所以勸下民也以建寅之月而
郊此郊即祈穀之祭郊而後耕郊用辛日擇吉日而耕用亥日享先
農而後籍田
國語曰周宣王即位不籍千畝虢文公諫曰夫民之大事
在農上帝之粢盛於是乎出民之蕃庶於是乎生是故稷
爲大官古者太史順時覛出土氣震發先時九日太史告
稷曰陽氣俱烝土膏其動稷以告王王即齋宮百官御事
王耕一墢
漢書文帝詔曰夫農天下之本也其籍田朕親率耕以給
宗廟粢盛
又曰昭帝始元元年上耕于鉤盾弄田應劭曰時帝年九歲未能親耕帝籍
鉤盾官者近署故往試耕爲戲弄也

續漢書禮儀志曰正月始耕有司請行事訖就耕位天子
諸侯百官以次耕
晉書禮志曰武帝末有司奏古諸侯耕籍百畝躬執耒耜以
奉社稷宗廟勸率農功今諸王臨國宜依之竟不施行
又江彪傳曰哀帝即位欲躬自籍田彪以禮廢日久儀注
不存中興以來所不行宜停之
宋書禮志曰親耕籍晉武帝太始四年詔曰夫民之大事
在農是以古之聖王躬耕帝籍以供郊廟之粢盛且以訓
化天下近代以來耕籍於數步中空有慕古之名曾無供
祀訓農之實而有百官車徒之費今脩千畝之制當與群
公卿士躬稼穡之艱難以帥天下
又曰元嘉二十一年太祖將親耕而其儀久廢使何承天
撰定儀注乃下詔曰國以民爲本民以食爲天古者從時

脉土以訓農功躬耕帝籍敬供粢盛仰瞻前王思遵令典
何可量處千畝考上元辰朕當親率百辟致禮郊甸庶幾
誠素獎被斯民
又曰籍田皇帝冠通天冠朱紘青介幘衣青紗衣侍中陪
乘奉車即秉轡
又曰車駕至籍田侍中跪奏　降車臨壇大司農跪奏先
農已享請皇帝親耕太史令讚曰皇帝親耕三推三反於
是群臣以次耕王公五等開國諸侯五推五反孤卿大夫
七推七反士九推九反籍田令率其屬耕竟畝灑種即耰
齊書禮志曰永明三年有司奏來年正月二十五日丁亥
可祠先農即日輿駕親耕宋元嘉大明以來並用立春後
亥日尚書令王儉以爲亥日籍田經記無文太學博士劉
蔓議禮孟春之月立春迎春又於是月以元日祈穀又擇

元辰躬耕帝籍盧植說禮通辰日曰甲至癸也辰子至亥
也郊天陽也故以日籍田陰也以辰陰禮畢後必居其末
亥辰之末故記稱元辰注曰吉亥又五行之說木生於亥
日祭先農又其義也
隋書禮志曰北齊籍於帝城東南千畝每歲正月上辛後
吉亥使公卿以一太牢祠先農神農氏於壇上無配饗祭
訖親耕
唐書曰貞觀三年春太宗親祭先農躬御耒耜籍于千畝
之甸初晉氏南遷後魏來自雲朔中原分裂又雜以獯戎
代歷周隋此禮久廢而今始行之觀者莫不駭躍於是秘
書郎岑文本獻籍田頌以美之
又曰乾元中耕籍田至于先農之壇因閱耒耜有雕刻文
飾者謂左右曰田器農人執之在於朴素豈貴文飾乎乃

命徹之
又曰儀鳳二年春上親耕籍田于東郊禮畢作籍田賦以
示群臣
又曰開元二十二年正月上親耕於洛陽東門外諸儒奏
議以爲古者耦耕以一撥爲推今用牛耕宜以一步爲一
推及親籍大常告三推禮畢上曰朕憂人知勤勞俯同九
推而止自是公卿已下皆過於古
五經要義曰天子籍田千畝以供上帝之粢盛常孟春啓
蟄即郊之後身率公卿大夫而親耕焉所以先百姓而致
孝敬
說文曰帝籍千畝者使民如借故謂之籍從耒昔聲
應劭漢官儀曰天子東耕之日率三公九卿戴青幘冠青
衣載青旂駕蒼龍住出種堂天子升壇公卿耕訖天子耕

於壇舉耒三

應劭漢官儀曰天子外壇公卿耕訖嗇夫下種凡稱籍田爲千畝亦曰帝籍亦曰耕籍亦曰東耕亦曰親耕亦曰王籍

六典曰凡籍田所收九穀納于神倉以供粢盛五齊三酒之用若有餘及穰稾供飼犧牲焉

又曰兩漢及魏晉並有其禮過江草創未暇至宋始有也

黄瓊上書曰先農之禮所宜躬親以迎春和以致時雨

論衡曰立春東耕爲土象人男女各二秉耒鉏或立土牛象人土中未必而耕也從氣應時示率下也

東京賦曰躬三推於天田脩帝籍之千畝

繆襲許昌宮賦曰太和六年春上旣躬耕帝籍發趾乎千畝以帥先萬國乃命群牧守相述職班教順陽宣化烝黎

允示訓德歌功觀事樂業是歲甘露降黄龍見海外有克捷之師方内有豐穰之慶農有餘粟女有餘布遐狄來享殊俗内附穆乎有太平之風

潘岳籍田賦曰伊晉之四年皇帝親率群臣籍於千畝之甸禮也於是乃使甸師清畿野廬掃路封人壝宮掌舍設枑青壇蔚其嶽立翠幙黕以雲布結崇基之靈趾啓四塗之廣阼

任豫籍田賦曰瞻望圭景咫尺三川緬彼帝籍百有餘年

曹植籍田論曰春耕于籍田郎中令侍寡人焉顧而謂之曰營疇萬畝厥田上上經以大陌帶以橫阡奇柳夾路名果被園牢農寔掌是謂公田此寡人之封疆也

太平御覽卷第五百三十七

禮儀部十七

朝聘

尚書周官曰：六年五服一朝，(五服侯甸男采衛，六年一朝會京師。)又六年王乃時巡，考制度于四嶽，諸侯各朝于方嶽，大明黜陟。

毛詩小雅曰：采菽，刺幽王也。侮慢諸侯，諸侯來朝，不能錫命以禮，數徵會之而無信義，君子見微而思古焉。(幽王徵會諸侯，爲合義兵征討有罪，既往而無之，是於義事不信也。君子見其此，知其後少見攻伐，將無救也。)采菽采菽，筐之筥之。(興也。菽所以芼大牢而待君子也。羊則苦，豕則薇。箋云：菽，大豆也。采之者，采其葉以爲藿。三牲牛羊豕芼以藿，王饗賓客，有牛俎乃用鉶羹，故使采之。)君子來朝，何錫予之？雖無予之，路車乘馬。(君子謂諸侯也。箋云：賜諸侯以車馬，言雖無予之，尚以爲薄也。)

周禮天官上宰夫曰：宰夫之職，掌朝覲會同賓客以牢禮之法，掌其牢禮與其陳數。

又春官上宗伯曰：春見曰朝，夏見曰宗，秋見曰覲，冬見曰遇，時見曰會，殷見曰同。(此六禮者，諸侯見王爲文也。六服之內，四方以時分來，或朝春，或宗夏，或覲秋，或遇冬，者殊禮異，更遞而徧。朝猶朝也，欲其來之早也。宗，尊也，欲其尊王也。覲之言勤也，欲其勤王之事也。遇，偶也，欲其若不期而俱至也。時見者，無常期也。諸侯有不順服者，王將以征討之事，則既朝覲，王爲壇於國外，合諸侯有而命焉。春秋傳曰：有事而會，不協而盟，是也。殷猶衆也，十二歲王如不巡狩，則六服盡朝，朝禮既畢，王亦爲壇，命諸侯以命政焉，所命之政，如王巡狩殷見四方，四時分來，終歲則徧矣。王)時聘曰問，殷覜曰視。(時聘者，亦無常期，天子有事乃聘之焉。境外之臣既非朝歲，不敢瀆爲小禮。殷覜謂一服朝之歲，以朝者少，諸侯乃使卿以大禮衆聘焉。一服朝在元年、七年、十一月終也。)

又秋官下大行人曰：大行人掌大賓之禮、大客之儀，以親諸侯。(大賓，要服以內諸侯也。大客，謂其孤卿也。)春朝諸侯而圖天下之事，秋覲以比邦國之功，夏宗以陳天下之謨，冬遇以協諸侯之慮，時會以發四方之禁，殷同以施天下之政。(此六事者，以王見諸侯爲文。)時聘以結諸侯之好，殷覜以除邦國之慝。(此二事者，亦以王見諸侯之使來者時爲文。)間問以諭諸侯之志，歸脤以交諸侯之福，賀慶以贊諸侯之喜，致禬以補諸侯之裁。(此四者，王使臣於諸侯之禮也。間問者，間歲一問諸侯，謂存省之屬也。諸侯之志者，言語諭書名其類也。交或往或來者也。贊，助也。致禬，凶禮之弔禮禬禮也。補諸侯裁者，若春秋澶淵之會謀歸宋財。)凡太國之孤，執皮帛以繼小國之君。凡諸侯之卿，其禮各下其君二等以下，及其大夫士皆如之。九州之外謂之蕃國，世壹見，各以其所貴寶爲贄。(九州之外，夷服、鎮服、蕃服也。)凡諸侯之拜交，歲相問也，殷相聘也，世相朝也。(小聘曰問。殷，中也。久無事又於殷朝者，及而相聘也。)

○儀禮覲禮曰：諸侯覲天子，爲宮方三百步，四門，壇十有二尋，深四尺，上介皆奉其君之旂置於宮，尚左，公侯伯子男皆就其旂而立。

禮記曲禮曰：天子當依而立，諸侯北面而見天子曰覲。天子當宁而立，諸公東面，諸侯西面曰朝。(諸侯春見曰朝，受摯於朝，受享於廟，生氣文也。秋見曰覲，一受之於廟，殺氣質也。朝者位於內朝而序進，覲者位於廟門外而序入，王南面立於依宁而受焉。夏宗依春，冬遇依秋。春秋時齊侯言魯昭公以遇禮相見，取易略也。覲禮今存，朝宗遇禮今亡。)

諸侯未及期相見曰遇，相見於郤地曰會，諸侯使大夫問於諸侯曰聘。

又王制曰：諸侯之於天子也，比年一小聘，三年一大聘，五年一朝。(比年，每歲也。小聘使大夫，大聘使卿，朝則君自行。)天子無事，與諸侯相見曰朝。(事謂征伐。)

又中庸曰：繼絕世，舉廢國，治亂持危，朝聘以時，厚往而薄來，所以懷諸侯也。

又經解曰：聘覲之禮廢，則君臣之位失，諸侯之行惡，而背畔侵陵之敗起矣。

又聘義曰：聘禮，上公七介，侯伯五介，子男三介，所以明貴賤也。(此皆使卿出聘之介數也。)介紹而傳命，君子於其所尊質敬之至也。故天子制諸侯比年小聘，三年大聘，相厲以禮。使者聘

而設主君弗親饗食也所以愧厲之也諸侯相厲以禮則
外不相侵內不相陵此天子之所以養諸侯兵不用而諸
侯自爲正之具也比年小聘所謂歲相問也三年大聘所謂殷相聘也
左傳隱公曰十一年滕侯薛侯來朝爭長薛侯曰我先封
滕侯曰我周之卜正薛庶姓也我不可以後之公使羽父
請於薛侯曰周之宗盟異姓爲後寡人若朝于薛不敢與
諸任齒乃長滕侯
又莊公曰虢公晉侯朝王王饗醴命之宥王之覲群后始則行饗禮先置
醴酒示不忘古飲宴則以幣物宥助也所以助歡敬之意言備設也皆賜玉五瑴馬三匹非
禮也雙玉爲瑴王命諸侯名位不同禮亦異數不以禮假人
又莊公曰夫禮所以整民也故會以訓上下之則制財用
之節朝以正班爵之義帥長幼之序
又文上曰穆伯如齊始聘焉禮也穆伯公孫敖也凡君即位卿出

並聘踐脩舊好要結外援踐猶履行好事隣國以衛社稷忠信
卑讓之道也忠德之正也信德之固也卑讓德之基也
又宣公上曰晉靈公不君賈逵曰不君無君道也趙宣子驟諫公患
之使鉏麑賊之晨往寢門闢矣盛服將朝尚早坐而假寐
麑退歎曰不忘恭敬民之主也賊民之主不忠弃君之命
不信有一於此不如死矣觸槐而死
又宣公曰孟獻子曰臣聞小國之免於大國也聘而獻物
於是乎有庭實旅百朝而獻功於是乎有容貌采章嘉淑
而有嘉貨獻其理國若征伐之功於敝伯
又襄公曰晉侯使韓宣子聘于周王使請事對曰晉士起
將歸時事於旅無他事矣王聞之曰韓氏其昌阜於晉乎
辭不失舊
又曰襄二十二年晉人徵朝于鄭召鄭使朝鄭人使少正公孫

僑對曰在晉先君悼公九年我寡君於是即位即位八月
而我先大夫子駟從寡君以朝于執事執事不禮於寡君
言朝執事謙不敢斥晉侯寡君懼因是行也我二年六月朝于楚因朝晉不
見禮生朝楚心晉是以有戲之役楚人猶一競而申禮於敝邑敝
邑欲從執事而懼爲大尤曰晉其謂我不共有禮是以不
敢攜貳於楚我四年三月先大夫子蟜又從寡君以觀釁
於楚晉於是乎有蕭魚之役謂我敝邑邇在晉國譬諸草
木吾臭味也而何敢差池以大國政令之無常國家罷病
不虞薦至無日不惕豈敢忘職大國若安定之其朝夕在
庭何辱命焉
又昭二曰康有酆宮之朝酆在始平鄠縣東有靈臺康王於是朝諸侯
又昭四曰明王之制使諸侯歲聘以志業志職也歲聘以脩其職業間
朝以講禮三年而一朝正班爵之義率長幼之序再朝而會以示威六年

而一會以訓上下之則制財用之節再會而盟以顯昭明十二年而一盟所以昭信義也凡八
聘四朝再會王一巡狩盟于方嶽之下志業於好講禮於等示威於衆昭明
於神
春秋說題辭曰朝者不占而到諸侯秉政尊卑有序各來
朝講文德明禮讓天下法制四方受度會者所以興德明
義考遺廢於天下
史記曰子貢結駟連騎東帛之幣以聘享諸侯所至國君
無不郊迎與抗禮者
漢書武紀曰元年春正月朝諸侯王於甘泉宮
又曰宣帝甘露二年呼韓邪單于款五原塞願奉國珎朝
三年春呼韓邪單于朝天子于甘泉宮漢寵以殊禮位諸
侯王上賛謁稱藩臣而不名賜以璽綬冠帶衣裳使有司
導單于先行就邸長安宿長平上自甘泉宿池陽宮上登

長平阪詔單于毋謁及諸夷蠻君長王侯迎者數萬人夾道陳上登渭橋咸稱萬歲

後漢書曰竇融將朝會於高平先遣從事問會見儀適是時軍旅代諸將與三公交錯道中或背使者交私語帝聞融先問禮儀甚善之以宣告百僚乃置酒高會引見融等待以殊禮

孟子曰諸侯朝天子曰述職一不朝則貶其爵再不朝則削其地三不朝則六師移之

白虎通曰所以制朝聘之禮何所以尊君父重孝道也夫臣之制君猶子之事父欲同臣子之恩一統尊君故必朝聘也謂之聘何聘者問也謂之朝何朝者見也因用朝時見故謂之朝

又曰言諸侯時朝於天子朝用何月皆以夏之孟四月因

留助祭朝禮奈何諸侯將至京師使人通會於天子天子遣大夫迎之百里之郊遣世子迎五十里之郊矣

又曰諸侯以月旦告朔於廟者緣生以事死故國君月朔朝宗廟存神受政

又曰諸侯來朝天子親與之合瑞信者正君臣重法度也

五經異義曰古春秋五氏說閏以正時時以作事事以厚生生民之本於是乎在不告閏朔弃時政也弃時政則不知其所行故閏月不以朝者諸侯歲遣大夫之京師受十二月之政還藏於太廟月旦朝廟存神有司因告曰今月當行某政至於閏月蓑殘餘分之月無政故不以朝經書閏月猶朝之者是也

摯虞決疑要注曰漢制正會於建始殿晉制大會於太極殿小會於東堂其會則五時朝服庭設金石虎賁旄頭文衣

繡尾

廣州記曰尉他所都處築高臺以朝漢室圓基千步直峭百丈螺道登進頂上朔望拜號爲朝臺

左思吳都賦曰昔夏后氏朝群臣於茲土而執玉帛者萬國盖先王之高會四方之軌則也

太平御覽卷第五百三十八

禮儀部十八

宴會　上壽　贄

宴會

毛詩曰鹿鳴宴羣臣嘉賓也

又曰鹿鳴曰棠棣曰宴兄弟也

又嘉魚曰湛露天子宴諸侯也

又伐木曰伐木宴朋友故舊也自天子至於庶人未有不須友以成者也親親以睦友賢不弃不遺故舊則民德歸厚矣

周禮春官上大宗伯掌饗讌之禮親四方之賓客

禮記曰諸侯宴禮之義俎豆牲體薦羞皆有等差所以明貴賤也

左傳文上曰魯文公四年衛甯武子來聘公與之宴爲賦湛露及彤弓不辭又不荅賦使行人私問對曰臣以爲肄業及之也昔諸侯朝正於王王宴之於是乎賦湛露則天子當陽諸侯用命也若諸侯敵王所愾而獻其功王於是乎賜之彤弓一彤矢百玈弓十玈矢千以覺報宴今陪臣來繼舊好君辱貺之豈敢干大禮以自取戾

又宣公曰晉侯飲趙盾酒伏甲將攻之其右提彌明知之趨登曰臣侍君宴過三爵非禮也。又成公曰衛侯饗苦成叔甯武子相苦成叔傲甯子曰苦成家其亡乎古之爲饗食也以觀威儀省禍福也今夫子傲取禍之道也

又昭二曰楚靈王享昭公于新臺好以大屈（宴好賜也大屈弓名也）既而悔之

又昭公曰穆有塗山之會（周穆王會諸侯於塗山在壽春東北）

漢書曰高祖擊英布還過沛置酒悉召故人父老發沛中兒百二十人教之歌酒酣上自擊筑曰大風起兮雲飛揚威加四內兮歸故鄉安得猛士兮守四方自起舞慷慨傷懷泣下數行謂父老曰遊子悲故鄉吾雖都關中萬歲後吾魂魄猶樂思沛也與沛父老諸母樂飲道舊故爲笑

晉書禮志曰漢建安中將正會而太史上言正旦當日蝕朝士疑會否共諮尚書令荀彧時廣平計吏劉卲在坐曰梓愼裨竈古之良史猶占水火錯失天時諸侯旅見天子入門不得終禮者五日蝕在一然則聖人垂制不爲變異豫廢朝禮或者災消異伏或推術謬誤也彧及衆人咸善而從之遂朝會如舊亦不蝕

魏書曰文帝爲魏王南征次譙大饗六軍及譙父老自娛樂伎列百戲

魏志曰黃初元年郭淮奉使賀文帝踐祚而道路疾病故計遠近爲稽留及群臣在會帝正色責之曰昔禹會諸侯塗山防風後至便行大戮今溥天同慶而最遲留何也對曰臣聞五帝先教導民以德夏后政衰始用刑辟今臣遭唐虞之世是以免於防風之誅帝悅之

晉書禮志曰漢儀有正會禮正旦夜漏未盡七刻鐘鳴受賀公侯以下執贄來庭二千石以上外殿稱萬歲然後作樂宴饗魏武帝都鄴正會文昌殿用漢儀又設百華燈晉氏受命武帝更定元會儀咸寧注是也

晉起居注曰太常張華上書按舊事拜公建始殿因以小會蓋所以崇宰輔也

宋書禮志曰正旦元會設白虎罇於殿庭罇蓋上施白虎若有能獻直言則發此罇飲酒

東宮舊事曰正會儀太子着遠遊冠絳紗袍登輿至承華門前設位拜二傅二傅交拜禮畢不復登車太傅訓道在前少傅訓順在後太子入崇賢門樂作太子登殿西向坐

世說曰孝武在西堂會伏豁預坐還下車使呼其兒語之曰天子百人高會臨坐未得他語先問伏豁何在在不此故未易爲人作父如此何如

摯虞決疑要注曰讌之與會威儀不同也會則隨五時朝服庭設金石懸虎賁着旄頭文衣鶡尾以列陛讌則服常服設絲竹之樂唯宿衛者列伏大會於太極殿小會於東堂

世說曰過江諸人每至暇日相要出新亭藉卉飲宴周侯中坐而歎曰風景不殊舉目有江河之異皆流淚唯丞相愀然作色曰當共勠力王室尅復神州何至作楚因相對而泣也

傅玄元會賦曰考夏后之遺訓綜殷周之典藝採秦漢之舊儀定元正之嘉會

潘岳閑居賦曰席長筵列孫子柳垂陰車結軌陸摘紫房水佳頳鯉或宴于林或禊於氾昆弟班白兒童稚齒稱萬壽以獻觴咸一懼而一喜壽觴舉慈顏和浮水樂飲絲竹駢羅頓足起舞祝音高歌人生安樂孰知其他

古詩曰今日良宴會懽樂難具陳彈箏奮逸響新聲妙入神

古豔詩曰今日樂上樂相從天公出美酒河伯出鯉魚青龍前鋪席白虎持榼壺南斗工鼓琴北斗吹笙竽

曹植侍太子坐詩曰白日耀青天微雨靜飛塵寒水辟炎暑涼風飄我身清醴盈金觴肴饌縱横陳齊人進奇樂歌者出西秦翩翩我公子機巧忽若神

曹植與丁廙詩曰嘉賓塡城闕豐膳出中廚吾與二三子曲宴此城隅秦箏發西氣齊瑟揚東謳肴來不虛歸觴至反無餘

陸機皇太子請宴詩序曰感聖恩之罔極退而賦此詩也

上壽

毛詩大雅江漢曰虎拜稽首天子萬年虎拜稽首對揚王休作召公考天子萬壽

左傳哀公宴於五梧武伯爲祝祝上壽酒也

漢書曰高祖與項羽鴻門會項莊入爲壽進爵於尊者獻無疆之壽也

史記曰武帝王太后在民間時所生一女者父爲金王孫王已死韓王孫嫣乗間而言曰太后有女在長陵武帝曰何不早言武帝乃自往迎取乗輿至金氏門外使騎圍其宅女亡匿内中床下扶持出詔副車載之馳還入長樂宮

太后曰帝何從來帝曰今者至長陵得臣姉與俱來帝奉酒前爲壽賜錢千萬奴婢三百人公田百頃甲第以奉姉太后謝曰爲帝費

漢書衛青傳曰時王夫人方幸於上甯乗說青曰今王夫人幸而宗族未富貴願將軍奉所賜千金爲夫人親壽青以五百金爲壽上聞問青以實對上迺拜甯乗爲東海都尉

又曰倪寬爲御史大夫從東封泰山登明堂寬奉觴再拜上千萬歲壽制曰敬舉君之觴

又曰隆慮公主子昭平君尚帝女夷安公主隆慮主病困以金千斤錢千萬爲昭平君豫贖死罪上許之隆慮主卒昭平君日驕醉殺主傅繫獄廷尉上請上良久曰法令者先帝所造也因弟故而誣先帝之法吾何面目入高廟乎

又下負萬民乃奏其可哀不能自止左右盡悲東方朔前上壽曰臣聞聖王爲政賞不避仇讎誅不擇骨肉書曰不偏不黨王道蕩蕩此二者五帝所重三王所難也陛下行之是以四海之內元元之民各得其所天下幸甚臣朔奉觴昧死再拜上萬歲壽上乃起入省中夕時召讓朔免冠頓首曰臣聞樂大甚則陽溢哀大甚則陰損陽變則心氣動心氣動則精神散而邪氣入銷憂者莫若酒臣朔以上壽者明陛下正而不阿思以止哀也

後漢書班超傳曰超區區特蒙神靈竊冀未便僵仆目見西域平定陛下舉萬年之觴薦勳祖廟布大喜於天下

東觀漢記曰吳良齊郡人爲郡議曹掾正旦史入賀太守門下掾王望前言曰齊郡敗亂遭離盜賊人民飢餓不聞雞鳴狗吠之音明府視事五年五穀豐熟家給人足今日歲首請上雅壽掾史皆稱萬歲良跪曰門下掾佞諂明府勿受其觴盜賊未盡人民困乏良曹掾尚無袴望曰議曹惰寙自無袴寧足不爲家給人足耶太守曰此生言是也遂不舉觴賜鰒魚百枚署功曹

後漢書曰竇后定策立靈帝帝以太后有援立之功率群臣朝于南朝親饋上壽也

魏書曰文帝爲魏王南征次譙大饗六軍及譙父老設伎樂百戲令曰先王去樂其所自生禮不忘其本譙霸王之邦真人本土其復譙租稅二年三老上壽日夕而罷

晉書禮志曰元正上壽謁者引王詣樽酌壽酒跪授侍中侍中跪置御座前王還王自酌置位前謁者跪奏藩王臣某等奉觴再拜上千萬歲四箱樂作百官再拜已飲又再拜

唐書曰元和十四年齊魯初平宴文武百寮裴度舉觴獻壽跪而言曰陛下德配天地明並日月神武獨斷寇逆削平錫宴羣臣當茲令節臣備位台司幸逢昌運願與四海九州之人同上千萬歲壽上執酒爲飲之

管子曰桓公管仲鮑叔牙甯戚四人飲飲酣桓公謂鮑叔牙曰盍不起爲寡人壽乎鮑叔牙奉杯而起曰使公毋忘出在莒時也使管子毋忘束縛在於魯也使甯戚毋忘其飯牛車下也桓公避席再拜曰寡人與二大夫能毋忘夫子之言則齊國之社稷不危也

燕丹子曰太子置酒請荊軻酒酣太子起爲壽

贄

尚書曰五玉三帛二牲一死贄三帛諸侯世子執纁公之孤執玄附庸之君執黃二生卿執羔大夫執鴈一死士執雉王帛生死所爲以贄以見之

儀禮曰士相見之禮摯冬用雉夏用腒下大夫相見以鴈飾之以布維之以索如執雉上大夫相見以羔飾之以布四維之結于面左頭如麛執之如士相見之禮

周禮春官上大宗伯曰以玉作六瑞以等邦國王執鎮圭公執桓圭侯執信圭伯執躬圭子執穀璧男執蒲璧鄭玄注曰鎮安也以四鎮之山爲瑑飾長一尺二寸公二王後及王之上公雙植謂之桓桓宮室之象所以安其上也信當爲身身圭躬圭蓋皆象人形爲瑑飾家長七寸穀所以養人蒲爲席所以安人二王或以穀爲飾或以蒲爲瑑飾璧皆徑五寸不執珪者未成國也以禽作六摯以等諸臣執之言致也所執以自致孤執皮帛卿執羔大夫執鴈士執雉庶人執鶩工商執雞皮帛束帛也表以皮爲之虎豹皮也帛如璧色繒也羔小羊取其羣而不失其類也鴈取其候時而行雉取其守介而死不失其鶩取其節鶩取其不飛遷雞取其守時而動

禮記曲禮下曰凡贄天子鬯諸侯圭卿羔大夫鴈士雉庶人之贄匹童子委贄而退贄之言至也天子無客禮以鬯爲贄者所以唯用告神爲至也

䕫子委贄而退不與成人為禮也說者以匹為鶩也野外軍中無贄以纓拾矢可也(非為禮之處用時物而已纓馬繁纓也拾謂射鞲)婦人之贄椇榛脯脩棗栗

春秋莊公曰哀姜至公使宗婦覿用幣非禮也御孫曰男贄大者玉帛(公侯伯子男執玉諸侯世子附庸孤執帛)小者禽鳥(卿執羔大夫執鴈士執雉)以章物也(章所執之物別貴賤)女贄不過榛栗棗脩以告虔也(榛小栗脩脯虔敬也皆取其名以示敬)

又定公下曰公會晉師于耳范獻子執羔趙簡子中行文子皆執鴈魯於是乎始尚羔(禮卿執羔大夫執鴈魯則同之今始知執羔之尊也)

穀梁傳莊公曰大夫宗婦覿用幣(宗婦同宗大夫之婦)覿見也禮大夫不見夫人不言及不正其行婦道故列數之也男子之一贄羔鴈雉腒(贄所以至者也上大夫用羔取其從羣帥而不黨也下大夫用鴈取其知時飛翔有行列也士冬用雉夏用腒取其耿介交有時別有倫也腒脯也雉必用死為其不可生服也夏用腒備腐臭也)婦人之贄棗栗腶脩(棗取其早自矜莊栗取其戰栗腶脩取斷斷自脩整)用幣非禮也用者不宜用者也大夫國體也(國體謂為君股肱)而行婦道惡之故謹而日之也

公羊傳莊公曰戊寅大夫宗婦覿用幣宗婦者何大夫之妻也覿者何見也用者何用者不宜用也(不宜用幣為贄也)見用幣非禮也(以文在覿下不使齎見知非禮也)然則曷用棗栗云乎腶脩云乎

禮記外傳曰王者朝臣諸侯之朝臣非南面之尊地不成國德不比王故不執玉孤卿執皮帛(虎豹之皮與束帛天子之孤卿少師少傅少保)卿執羔(天子六卿即諸侯之上大夫羔取其不亂羣)大夫執鴈(鴈飛有行列)士執雉雉性剛有死節夏執乾雉餘三時皆執死雉工商執鷄(鷄司而鳴)庶人執鶩(鶩家鴨不遠飛庶人不出鄉)諸侯太子非天子所命者有列會之事則執皮帛繼子男之下婦人初見舅姑執榛栗棗脩(脯棗進於姑榛栗進於舅也)執贄幣相見相敬也

白虎通曰臣見君有贄者何贄者質也質己之誠王者緣臣子心以為之制差有尊卑以副其意也公侯以玉為質王者取其燥不輕濕不重明公侯之德全也卿以羔為贄羔者取其羣而不黨卿職在盡忠率下不黨大夫以鴈為贄者取其飛成行列大夫職在奉命適四方動作當能自正以事君也士雉為贄者雉取不可誘之以食懾之以威必死不可畜士行耿介守節也

又曰公執玉取其暢達也卿執羔取其跪乳有禮也書曰五玉三帛二牲一死贄

又曰至正月朔日乃執贄而朝賀正月何歲竟氣改興新長相保重本正始也君臣贄賀其君父之

五經異義曰謹按周禮說五玉贄自孤卿以下執禽尊卑有差也禮不下庶人工商又無朝儀五經無朝義五經無說庶人工商有贄

穆天子傳曰天子賓于西王母乃執白珪玄璧以見西王母(執贄致贄)獻錦組百純

說苑曰鶩無他心故庶人以為贄也

太平御覽卷第五百三十九

太平御覽卷第五百四十

禮儀部十九

冠　婚姻上

冠

儀禮曰士冠禮筮于廟門（鄭玄注云筮者告於廟重成人之禮）主人玄冠朝服緇帶素韠即位于門東西面筮人即席坐西面卦者在左卒筮書卦執以示主人筮人還東面卒占卒進告吉前期三日筮賓如求日之儀（筮賓筮可使冠子者）乃賓宿賓許厥明夕爲期于廟門之外主人立于門東兄弟在其南擯者請期宰告曰質明行事夙興設洗陳服于房中西墉下爵弁服纁裳純衣緇帶韎韐皮弁服素積緇帶素韠玄裳黃裳雜裳緇帶爵韠緇布冠主人立于阼階下兄弟立于洗東將冠者出房南面贊者奠纚笄櫛于筵南端徹皮弁冠櫛筵入

于房筵于戶西南面冠者就筵西拜受觶冠者奠觶于薦東筵北面坐取脯降自西適東壁北面見于母（時母在闈門之內婦人入廟內闈門母拜受子拜送母又拜賓降直西序東面主人降復初位）冠者立于西階東南面賓字之冠者對賓出主人送于廟門外請醴賓就次（此醴當作禮禮賓者謝其自勤勞）冠者見於兄弟兄弟再拜冠者荅拜入見姑姊如見其母（如見母者亦北面姑姊不拜也不見妹妹卑也）乃易服服玄冠玄端爵韠奠贄見于君遂以贄見于大夫鄉先生若孤子則父兄戒宿若庶子則冠于房外南面遂醮焉加始祝曰令月吉日始加元服弃尒幼志順尒成德壽考惟祺介尒景福再加曰吉月令辰乃申尒服敬尒威儀淑慎尒德眉壽萬年永受斯福三加曰以歲之正以月之令咸加尒服兄弟具在以成厥德黃耇無疆受天之慶醴辭曰甘醴惟厚嘉薦令芳拜受祭之以定爾祥承天之休壽考不忘醮辭曰旨酒既清嘉薦既時始加元服兄弟具來孝友時格永乃保之再醮曰旨酒既湑嘉薦伊脯乃申爾服禮儀有序祭此嘉爵承天之祐三醮曰旨酒令芳籩豆有楚咸加尒服肴升折俎承天之慶受福無疆字辭曰禮儀既備令月吉日昭告尒字爰字孔嘉髦士攸宜宜之于嘏永受保之

大戴禮逸禮曰太子既冠成人免於師傅則有司過之史有虧膳之宰太子有過史必書之

禮記郊特牲曰始冠緇布之冠也大吉冠布齊則緇之嫡子冠於阼以著代也醮於客位加有成也三加弥尊喻其志也冠而字之敬其名也無大夫冠禮而有其婚禮古者十五而后爵何大夫冠禮之有諸侯之有冠禮也夏之末造（言下初以上諸侯雖有功而即位者猶以士禮冠五十而爵命）

又曰始冠緇布自諸侯下達冠而幣之可也（本古耳非時王之法服也）

又曰曾子問曰將冠子冠者至揖讓而入聞齊衰大功之喪如之何（冠者賓及贊者）孔子曰內喪則廢外喪則冠而不醴徹饌而歸即位而哭如冠者未至則廢（內喪同也不醴不醴子也其廢者喪成服因喪不冠）如將冠子而未及期日而有齊衰大功小功之喪則因喪服而冠（變告禮而因喪冠俱成人之服及至也）除喪不改冠乎孔子曰天子賜諸侯大夫冕弁服於太廟歸設奠服賜於斯乎有冠醮無冠醴（酒爲醮冠禮醴重而醮輕此服賜服酌用酒尊賜也不醴明不爲改冠改冠當醴之）父沒而冠則已冠掃地而祭於禰已祭而見伯父叔父而后饗冠者（饗謂之禮）

又冠義曰冠而后服備（服備而后）容體正顏色齊辭令順（言報未備青未可求以三始也童子之服采衣紒）故曰冠者禮之始也是故古者聖王重冠古者冠禮筮賓所以敬冠事敬冠事所以重禮重禮所以爲國本也（國以禮爲本）故冠於阼以著代也醮於客位三

加彌尊加有成也（阼謂主人之北也適子冠於阼者不醮則醮用酒於客位敬而成之也戶西爲客位庶子冠於房戶外又因醮焉不代父也冠者初加緇布冠次加皮弁次弁次加爵弁每加益尊所以益成也）

又曰冠者禮之始也嘉事之重者也是故古者重冠故行之於廟行之於廟者所以尊重事尊重事而不敢擅重事不敢擅重事所以自卑而尊先祖也（嘉事嘉禮也宗伯掌五禮有吉禮有凶禮有賓禮有軍禮有嘉禮而冠屬嘉禮周禮曰以昏冠之禮親成男女也）

左傳襄公曰晉侯以公宴于河上問公年季武子對曰會于沙隨之歲寡君以生晉侯曰十二年矣是謂一終一星終也國君十五而生子冠而生子禮也（冠成人之服故冠而生子）君可以冠矣大夫盍爲冠具武子對曰君冠必以祼享之禮行之（祼謂祼鬯酒也享祭先君）以金石之樂節之以先君之祧處之今寡君在行未可具也請及兄弟之國而假備焉晉侯曰諾公還及衛冠于成公之廟假鍾磬焉禮也

家語曰邾隱公既即位將冠使大夫因孟懿子問禮於孔子孔子曰其禮如世子之禮懿子曰天子未冠即位長亦冠乎孔子曰古者王世子雖幼而即位則尊爲人君尊爲人君治爲成人之事者也何冠之有懿子曰然然則諸侯之冠異天子與孔子曰君薨而世子主喪是亦冠也與人君無殊也懿子曰今邾君之冠非禮乎孔子曰諸侯之有冠禮也夏之末造也有自來矣今無譏焉

又曰成王年十有二而嗣立明年六月冠成王而朝于祖廟以見諸侯周公命祝雍作頌曰祝王辭達而勿多也祝雍辭曰使王近於民遠於年嗇於時惠於財親賢而任能其頌曰令月吉日王始加元服去王幼志乃心袞職欽若昊天六合是式率爾祖考永永無極

國語曰趙文子冠（謂以士禮始冠也）見韓獻子獻子曰戒之此謂成人成人在始與善始與善進不善蔑由至矣（蔑無也）始與不善進善亦蔑由至矣如草木之產也各以其物人之有冠猶宮室之有牆屋也糞除而已又何加焉（糞除喻自脩潔）

漢書曰惠帝元年冠赦天下除挾書律

又曰宣帝五鳳元年（皇太子冠太后）賜丞相以下帛赦徒作杜陵者

續漢書曰安帝靈帝加元服並大赦賜公卿金帛

東觀漢記曰馬防子鉅爲常從小侯六年正月齊宮中上欲冠鉅夜拜爲黃門郎御章臺下殿陳鼎俎自臨冠之

晉書禮志曰江左諸帝將冠金石宿設百僚陪位豫於殿上鋪大床御府令奉冕幘簪導衮服以授侍中常侍太尉加幘太保加冕太尉跪讀祝文曰令月吉日始加元服皇帝穆穆思弘衮職欽若昊天六合是式率遵祖考永永無

極眉壽惟祺介茲景福

譙周喪服圖曰男子幼娶必冠女子幼嫁必笄禮之則從成人不爲殤

禮論曰王彪之以爲禮冠自卜日不必以三元也又禮夏冠用葛屨冬冠用皮屨明無定時也

後漢應享贈四王冠詩曰永平四年外弟王景系兄弟四人並冠故貽之詩曰濟濟四令弟妙年踐二九今月惟吉日成服加元首雖無兕觥爵杯醮傳旨酒

後漢黃香天子冠頌曰以三載之孟春建寅月之上旬皇帝將加玄冕簡甲子之元辰欹日王於太皞欹時叶於百神既臻廟而成禮乃迴軫而反宮正朝服以享宴撞太蔟之庭鍾祚蕃屏而鼎輔暨夷裔之君王咸進酌于金罍獻萬年之玉觴○蕭子範冠子箴曰是月惟令敬擇良辰式遵

士典諮筮于賓嘉賓受錫醮酒方陳禮莊爾賀德成爾身

梁沈約冠子祝文曰躅茲令日元服肇加成德既學童心自化行之則至無謂道敗勤以秋實食以春華無恥下問乃致高車子孫千億廣樹厥家

婚姻上

易歸妹九四曰歸妹愆期遲歸有時夫以不正无應而適人也必須彼道窮盡无所與交然後乃可以往故愆期遲歸以待時也

又咸卦曰咸亨利貞取女吉山澤以氣通男女以禮感男女初嫁之象所以為礼彖曰咸感也柔上而剛下二氣感應以相與止而說男下女是以亨利貞取女吉也天地感而萬物化生聖人感人心而天下和平万物感陽氣而生民感聖人之化而和博政感天而生

毛詩鵲巢何彼穠矣曰何彼穠矣美王姬也雖則王姬亦下嫁於諸侯猶執婦道以成肅雍之德也

又國風曰谷風刺夫婦失道也衛人化其上淫於新婚而弃其舊室夫婦離絕國俗傷敗焉習習谷風以陰以雨黽俛同心不宜有怒德音莫違及爾同死

又曰綢繆刺晉亂也國亂則婚姻不得其時焉不得其時謂不及仲春之月

又曰東門之楊刺時也婚姻失時男女多違親迎女猶有不至者也東門之楊其葉牂牂興也牂牂然盛貌言男女失時不逮秋冬箋云楊葉牂牂三月中也興者言時晚也失仲春之月婚以為期明星煌煌期而不至也箋云親迎之禮以婚時女留他色不肯時行乃至大星煌煌也

又曰有狐刺時也衛之男女失時喪其妃耦焉古者國有凶荒則殺禮而多婚會男女之無夫家者所以育人民也育生長也

又小雅曰我行其野刺宣王也刺其不正嫁取之數而有荒政多淫婚之俗我行其野蔽芾其樗婚姻之故言就爾居樗惡木也箋云樗之蔽芾始生謂仲春之時嫁取之月婦之父婿之父相謂婚姻言我也我乃以此二父之命故我就女居我豈其無禮來乎責之也我行其野言采其蓫婚姻之故言就爾宿

又文王大明曰摯仲氏任自彼殷商來嫁于周曰嬪于京摯國任姓也摯國之中女也王季大王之子文王父也太任從殷商之畿內嫁為婦於周之京配王季共行仁義之德同志意也

大戴禮逸禮曰子孫娶妻嫁女必擇孝悌世世有行義者是則其子孫慈悌孝愛不敢淫暴黨無不善三族輔之故鳳皇生而有仁義之意虎狼生而有貪戾之心嗚呼戒之哉無養乳虎將傷天下

儀禮曰記士婚禮凡行事必用昏昕受諸禰廟辭無不腆無辱摯不用死皮帛必可制腊必用鮮魚用鮒必殽全

禮記曲禮上曰男女非有行媒不相知名見媒往來傳婚姻之言乃相知姓名非受幣不交不親故書日月以告君齋戒以告鬼神為酒食以召鄉黨寮友以厚其別也娶妻不娶同姓故買妾不知其姓則卜之

又曲禮下曰納女於天子曰備百姓於國君曰備酒漿於大夫曰備灑掃納女猶致女也

又曾子問曰孔子曰嫁女之家三夜不息燭思相離也親骨肉也娶婦之家三日不舉樂思嗣親也重世變也

又郊特牲曰夫婚禮萬世之始也娶於異姓所以附遠厚別嫌必誠辭無不腆誠信也腆猶善也告之以直信直正也二者所以教婦正直也信事人也信婦德也一與之齊終身不改故夫死不嫁男子親迎男先於女剛柔之義也天先乎地君先乎臣其義一也執摯以相見敬章別也男女別然後父子親父子親然後義生義生然後禮作然後萬物安無別無義禽獸

之道也壻親迎授綏親之也親之也者敬之也敬而親之先王之所以得天下也出乎大門而先男帥女女從男夫婦之義由此始婦人從人者也幼從父兄嫁從夫夫死從

又雜記下曰納幣一束束五兩兩五尋納幣謂婚禮納徵也十箇爲束貴成數也兩兩者合其卷是謂五兩八尺曰尋則每卷二丈也合之謂四十尺謂之疋由匹偶之云也

又祭統曰國君娶夫人之辭曰請君之玉女與寡人共有幣邑事宗廟社稷此求助之本也

又經解曰婚姻之禮廢則夫妻之道苦而淫僻之罪多矣

又哀公問曰哀公問於孔子曰敢問爲政如之何孔子對曰古之爲政愛人爲大所以治愛人禮爲大所以治禮敬爲大敬之至矣大婚爲大大婚既至冕而親迎親之也公曰冕而親迎不已重乎已猶大也怪親迎乃服祭服也對曰合二姓之好以繼先聖之後以爲天地宗廟社稷之主君何謂已重乎

天地不合萬物不生大婚萬世之嗣也君何謂已重焉

又婚禮曰婚禮者將合二姓之好上以事宗廟而下以繼後世也故君子重之是以婚禮納采問名吉納吉納徵致禮幣爲徵信也請期求請迎之吉也皆主人筵几於廟而拜迎於門外入揖讓而外聽命於廟所以敬慎重正婚禮也父親醮子而命之迎男先於女也　子丞命以迎主人筵几於廟而拜迎於門外壻執鴈而入揖讓升拜奠鴈蓋親授之於父母也

又外傳曰古者謂婚姻爲兄弟因成兄弟之義也壻曰婚以昏時往婦曰姻因壻之來則從之而去　又壻之父曰姻婦之父曰婚爾雅取其內外父黨之稱者　壻者陽也婦者陰也日往而陰氣至也昏時日往則月來陽往陰來之義

又曰夏殷五世之後則通婚姻周公制禮百世不通所以別禽獸也

左傳文公上曰逆婦姜於齊卿不行非禮也

又成下曰晉侯使呂相絶秦曰昔逮我先君獻公及穆公相好戮力同心申之以盟誓重之以婚姻天禍晉國文公如齊惠公如秦

又晉侯使呂相絶秦曰白狄及君同州君之仇讎而我之婚姻也君來賜命曰吾與汝伐狄寡君不敢顧婚姻畏君之威而受命于吏

又成下曰聲伯之母不聘不聘無媒禮　穆姜曰吾不以妾爲姒生聲伯而出之嫁於齊

又定上曰楚昭王取鍾建負季芊以逃王將嫁季芊辭曰所以爲女子遠丈夫也鍾建負我矣以妻鍾建

又哀上曰劉氏范氏世爲婚姻劉氏周卿士范氏晉大夫

太平御覽卷第五百四十

禮儀部二十

婚姻下

婚姻下　媒

論語曰子謂公冶長可妻也雖在縲絏之中非其罪也以其子妻之子謂南容邦有道不廢邦無道免於刑戮以其兄之子妻之（冶長弟子魯人也南容南宮縚也）

爾雅曰女子子之夫爲壻壻之父爲姻婦之父爲婚婦之父母壻之父母相謂爲婚姻

國語曰董叔將娶於范氏叔向曰范氏富盍已乎曰欲爲繫援焉（繫援欲自結連於大援也）他日董祈愬之於范獻子曰不吾敬也獻子執而紡之於庭之槐（紡猶懸也懸於庭之槐也）叔向過之曰子盍爲我請乎叔向曰求繫既繫矣求援既援矣欲而得之又何請焉

家語曰伯夏生叔梁紇叔梁紇娶於魯施氏生女九人無男叔梁紇曰雖有九女是無子也乃求婚於顏氏顏氏有三女小曰徵在顏父問三女曰陬大夫雖父祖爲士然先聖之裔也今其人身長九尺武力絶倫吾甚貪之雖年長性嚴不足爲疑三子孰能爲之妻二女莫對徵在進曰從父所制將何問焉父曰即尔能矣遂以妻之

又曰男子二十而冠有爲人父之端女年十五許嫁有適人之道羣生閉藏乎陰而爲化育之始聖人因時以合偶男女窮天數也霜降而婦功成嫁娶者行焉（季秋霜降嫁娶者始於此）冰泮而農桑起婚禮殺於此焉

龍魚圖曰以賣馬錢娶婦令多惡病夫妻離別

漢書曰陳平邑有富人張負有女孫五嫁夫輙死人莫敢娶平欲得之邑中有大喪平家貧待喪待先往後去罷爲

助張負既見之喪所獨視偉平平亦以故後去隨平至其家家乃負郭窮巷以席爲門然門外多長者車轍張負欲以女孫與平其子仲曰平貧奈何與之女負曰固有美如陳平長貧賤者乎卒與女平貧乃假貸幣以聘與酒肉之資以內婦

又曰張耳大梁人也少時及魏公子無忌爲客嘗亡命遊外黃外黃富人女甚美嫁庸奴亡其夫去抵父客素知張耳謂女曰必欲求賢夫從張耳女聽爲請決嫁之女家厚奉給耳耳以故致千里客及官魏外黃令陳餘亦大梁人好儒術遊趙苦陘富人公乘氏以其女妻之

又曰張放得幸成帝放取皇后弟平恩侯許嘉女上爲放供帳賜甲第充以乘輿服餘飾時號爲天子娶婦皇后嫁女

又曰王閎妻父蕭咸爲中郎將董賢父恭慕之欲以賢爲弟求婚咸恐私謂閎曰董公爲大司馬冊文云允執其中此堯禪舜之文長老見者莫不心懼此豈家子所能堪耶閎性有智略聞咸言心亦悟乃還報謙遠之意恭不悅

又曰鄭崇字子游本高密大族世與王家相嫁娶

後漢書曰袁術僭亂曹操託楊彪與術婚姻誣以欲圖廢置奏收下獄劾以大逆孔融聞之不及朝服往見操曰楊公四代清德海內所瞻周書父子兄弟罪不相及況以袁氏歸罪楊公操曰此國家之意融曰假使成王殺召公周公可得言不知邪操遂理出彪

魏志曰王褒與管彥男女各始生許爲婚彥爲西夷校尉褒女更許人彥弟馥問褒褒曰賢兄葬父於洛陽隨母還臨淄用意如此何婚之有

魏氏春秋曰司空東萊王基當世大儒豈不達禮而納司空王忱女以姓同源異故也

又曰陳矯本劉氏子出嗣舅氏而婚于本族徐宣每非之廷議其闕太祖以矯才量欲全之乃下令曰喪亂以來風教凋薄謗議之言難同褒貶自建安五年已前一切勿論其以斷前誹議者以其罪罪也

魏志曰桓楷字伯緒劉表辟爲從事祭酒欲妻以妻妹蔡氏楷自陳已結婚他處拒而不受也

又曰王粲父謙名公之胄何進爲長史欲與爲婚見二子使擇焉謙不許

魏書評曰夏侯曹氏世爲婚姻故淳淵仁洪休尚眞等並親舊肺腑貴重於時左右勳業咸有勞効

吳書曰陶謙字恭祖丹陽人縣甘公出遇之途見其容皃異而呼之住車與語甚悅之因許妻以女甘夫人怒曰聞陶家兒遊戲無度如何以女許之甘公曰彼有奇表後必大成遂與之後徐州牧

吳志曰呂範字子衡汝南細陽人少爲縣吏有容觀姿皃邑人劉氏家富女美範求之母謙欲勿與劉氏曰觀呂子衡寧爲久貧者耶遂爲婚

王隱晉書曰初后父楊駿欲以女妻鄭默子預默忌其太盛距而不婚

晉書曰王籍之爲太子文學居叔母之喪而婚丞相司直劉隗奏之帝下令去詩稱殺禮多婚以會男女之無夫家者正今日之謂也可一解禁止自今後宜爲其防

又曰阮脩字宣子居貧四十未有室王敦等斂錢爲婚皆名士也時慕之者求入錢而不得

宋書曰江湛字徽淵濟陽考城人也爲義康司徒主簿司空檀道濟爲子求湛妹婚不許義康有命又不從時人重其立志義者也

吳均齊春秋曰桓閎字叔通太祖輔政使褚淵致意爲子晃求女婚閎不敢聞命曰辭霍不婚常所嘉揖齊大非偶所以不敢承殊眷太祖雖嘉其退讓而心不能懽也

蕭子顯齊書曰王秀之字伯奮臨沂人也吏部尚書褚淵見秀之正潔欲與結婚秀之不肯以此頻爲府外兵參軍

梁書曰江蒨方雅有風格僕射徐勉權重唯蒨及王規與抗禮不爲之屈勉因蒨門客翟景爲子繇求婚於蒨蒨不荅景再言之乃杖景四十由此與勉忤

韓子曰楚王謂田鳩曰墨子者顯學也其身體可則也其言多不辯何也田鳩對曰昔者秦伯嫁女於晉公子爲之飾裝從文衣之媵七十人至晉晉人愛其妾而不愛公女此可謂善嫁妾矣未可謂善嫁女也

又曰齊桓公微服以巡民家人有年老而自養者公問其故對曰臣有子五人家貧無以妻之使傭未及反公歸以告管仲管仲曰畜積有腐棄之財而民饑餓宮中有怨女而民無妃公曰善乃論宮中婦女而嫁之因下令曰丈夫三十而室女子十五而嫁。又曰衛人嫁其子而教之曰必私積聚爲人婦而出常也其成居幸也其子因私積聚其姑以爲多私而出之其子所以返者倍其所以嫁其父不自罪於教子非也而自知其益富

淮南子曰禮三十而娶文王十五而生武王非法也歲星十二歲而周天天道一備故國君十二歲而冠冠而娶十五而生子重國嗣不從古制也

白虎通曰婚姻者何謂昏時行禮故曰婚婦人因夫而成故曰姻

又曰人道何以有嫁娶者何以爲情性之大者莫大於男女之交人倫之始莫若夫婦男三十而娶女二十而嫁何陽數奇陰數偶男長女幼者何陽道舒陰道促男三十筋骨以堅彊任爲人父女二十肌膚充盛任爲人母合爲五十應大衍之數生萬物也

又曰禮曰女子十五許嫁納采問名納吉請期親迎以鴈爲贄納徵用玄纁故不用鴈也納徵玄纁束帛離皮玄三法天纁二法地也陽奇陰偶明陽道之大也離皮者兩皮也以爲庭實庭實偶也

又曰嫁娶必以春何春天地交通萬物始生陰陽交接之時也詩曰士如歸妻迨氷未泮夏小正曰二月冠子娶婦之時也夫有惡行妻不得去地無去天之義夫雖有惡猶不可去也故郊特牲記曰壹與之醮終身不改悖逆人倫殺妻父母廢絕綱紀亂之大者也義絕乃得去耳天子諸侯一娶九女者何重國廣繼嗣也適九何地有九州承天之施無所不生一娶九女亦足承君施九而無子百亦無益也

又曰男二十五繫心女十五許嫁感陰陽也陽數八陰數一男八歲毀齒陽氣數奇三八二十四加一而繫心陰數偶故再成十四加一爲五故十五許嫁各加一者明專一繫心所以繫心者防其淫佚也

又曰婚經曰賓升北面奠鴈再拜稽首降出婦從房中降自西階壻御婦車授綏遣女於禰廟重先人之遺體不敢自專故告禰也父母親戒女何親親之至父曰戒之敬之

夙夜無違命毋施衿結帨曰勉之敬之夙夜無違宮事父誡於阼階毋誡於西階庶女及門內施鞶申以父母之命命之曰敬恭宗廟父母之言夙夜無愆視諸衿鞶去不辭誡不諾羞恥之重去也

鄭玄別傳曰故尚書左丞同縣張逸年十三爲縣小史君謂之曰尒有贊道之質玉雖美須雕琢而成器能爲書生以成尒志不對曰願之乃遂拔於其輩妻以弟女

列女傳曰邵南申女者申人之女也既許嫁於農家禮不備而欲迎之女與其人言（其人嫁氏往求命之者）以爲夫婦者人倫之始也不可不正夫家輕我違制不可以行夫家訟之女曰一物不具一禮不備守節持義必死不往

又曰魯師春姜者魯師氏之母也嫁其女三往而三逐春姜問故以輕其室人也春姜召其女而笞之曰夫婦人以順從爲務貞慤爲首故婦事夫有五平旦纚笄而朝則有君臣之嚴沃盥饋食則有父子之敬報反而行則有兄弟之道必期必誠則有朋友之信寢席之交然後有夫婦之際君子謂春姜曰知陰陽之順逆也

楚國先賢傳曰孫儁字文英與李元禮俱娶太尉桓焉女時人謂桓叔元兩女俱乘龍言得壻如龍也

世說曰王戎儉悋其從子婚與一單衣裁後便責之戎女適裴氏貸錢數萬女歸戎色不說女還錢乃懌

世說曰溫嶠從姑劉氏家值亂離唯有一女姑問嶠有求婚意荅云佳壻難得但如嶠比云何姑荅云喪破之餘乞得粗相存活便足慰吾餘年敢希汝比卻數日嶠報姑云已得婚處門地粗可壻身不減嶠因下玉鏡臺一枚姑大喜既婚交禮女以手披紗扇大笑曰固嫌是此老奴果如

所疑王鏡臺是嶠爲劉越石長史北征劉聰所得也
又曰王文度爲桓公長史桓爲兒求垣女王許桓藍田既還因言桓求己女婚藍田大怒文度還云下官家中先得婚處桓公曰吾知矣此尊府君不肯
又曰王丞相初在江左欲結吳人請婚陸太尉太尉曰培塿無松柏薰蕕不同器玩雖不才義不爲亂倫之始也
又曰諸葛恢大女適庾亮兒次女適羊忱兒亮子被蘇峻害改適江虨恢兒娶鄧攸女于時謝尚書求其小女婚恢乃云羊鄧是平婚江家我顧伊庾家伊顧我不能復與謝裒兒婚也
又曰諸葛恢女既寡誓不復再出其女性甚凶彊無有登車理恢既許江思玄婚乃移家嫁之初紿女云宜徙於是家人一時去獨留女在後比其覺已不復得出江郎暮來

女哭詈積日漸久歇江虨暝入宿但在對牀上後觀其意轉帖虨乃詐厭良久聲氣轉急女乃呼婢云喚江郎覺江於是躍來就之云自是天下男子厭何預卿事而見喚耶既尒相關不得復不與人語於是默然而慙遂爲夫妻
聖證論云嫁娶古人皆以秋冬毛詩曰東門之楊其葉牂牂毛萇傳曰男女失時不逮秋冬也○李固助展允婚教曰告文學師議曹史展允篤學負苦慈孝推讓年將知命妃匹未定聞之愴然其閔哀之夫冠娶仕進非所以己親允兄弟無意亦朋友不好事之罪也前遣師輔爲允娶去譚勵士等各欲佐助迄今未定出錢千萬率先生大夫府內掾史守助佐幹及譚掾等其欲議朋友少徵條名目允貧也禮宜從約二三萬錢足以成婚
虞翻與弟書曰長子容當爲求婦其父如此誰肯嫁之者造求小姓足使生子夭其福人不在舊族揚雄之才非出孔氏芝草無根醴泉無源家聖受禪父嚚母頑虞家世法出癡子
魏袁淮正論曰或曰同姓不相娶何也曰遠別也曰今之人外內相婚禮歟曰中外之親近於同姓同姓且猶不可而況中外之親乎古人以爲無疑故不制也今以古之不言因謂之可婚不知禮者也或曰國語云同德則同姓同姓雖遠男女不相及異德則異姓異姓雖近男女相及也斯言何故也曰司空季子有爲而言也文公將求秦以反國不敢逆秦故也
梁簡文帝資遺孔燾二女教曰夫恩人至鄉事惟悼往表閭式墓義匪孚孤至如游殷之息見撫張既橋玄之子受託魏王斯故美在今終受兼身後故無錫令孔燾經術弘

長志履貞槩遊處積年一朝長往聞其在室二女並未有行可廣訪姻家務求偶對

媒

毛詩七月曰伐柯如之何匪斧不克娶妻如之何匪媒不得
毛詩氓曰送子涉淇至于頓丘匪我愆期子無良媒
周禮地官下曰媒氏掌萬民之判凡男女自成名以上皆書年月日名焉令男三十而娶女二十而嫁
又地官曰媒氏凡男女之陰訟聽之于勝國之社（陰訟爭中冓之事以觸法者）
家語曰孔子之郯遇程子於途顧謂子路曰取束帛以贈先生子路對曰由聞士不中間不見女無媒君子不與交禮焉

白虎通曰男娶女嫁何陰卑不能自專就陽而成之故傳曰陽唱陰和男行女隨男不專娶女不專嫁必由父母須媒妁何遠恥防淫佚也

淮南子曰女因媒而嫁不因媒而親

關駰十二州志曰烏孫國嫁娶責馬娉先令媒者與婦宿

徐乃婿近

桓玄傳曰元顯取妻殆同六禮以尚書僕射爲媒人長史爲迎客

屈原離騷曰吾令豐隆乘雲兮求宓妃之所在解佩纕以結言兮吾令蹇脩以爲理蹇脩伏羲氏之臣言我既見宓妃解佩帶取玉結言契令蹇脩爲媒以通辭理也

莊子曰親父不爲其子媒親父譽之不若非其父者

太平御覽卷第五百四十一

禮儀部二十一

拜

說文曰拜首至地也

尚書舜典曰帝曰俞咨垂汝作共工垂拜稽首讓于殳斨帝曰俞咨益汝作朕虞益拜稽首讓于朱虎熊羆帝曰俞咨伯汝作秩宗伯拜稽首讓于夔龍

又大禹謨曰帝曰禹官占惟先蔽志昆命于元龜朕志先定詢謀僉同鬼神其依龜筮協從卜不習吉禹拜稽首固辭

又大禹謨曰益贊于禹曰惟德動天無遠弗屆滿招損謙受益時乃天道禹拜昌言曰俞班師振旅

又益稷曰臯陶拜手稽首颺言曰念哉

周禮春官下大祝曰大祝辨九拜一曰稽首二曰頓首三曰空首四曰振動五曰吉拜六曰凶拜七曰奇拜八曰褒拜九曰肅拜以享右祭祀稽首拜頭至地也頓首頭叩地空首拜頭至手所謂拜手也吉拜拜而後稽顙謂齊衰不杖以下者也言吉者此殷之凶拜周以其與頓首相近故謂之吉拜云凶拜稽顙而後拜謂三年服者也杜子春云奇讀爲奇偶之奇謂先屈一膝今雅拜是也或云奇讀曰倚倚拜謂持節持戟拜身倚之以拜也鄭大夫云動讀爲董書亦或爲董振董以兩手相擊也奇拜謂一拜也褒讀爲報報再拜是也鄭司農云褒拜今時持節拜也肅拜但俯下手今時揖是也介者不拜故曰爲事故敢肅使者玄謂振動戰慄變動之拜也書曰王色變一拜荅臣下也再拜禮神與尸享獻也謂朝獻饋獻也右讀爲侑侑勸尸食而拜

禮記曲禮曰侍食於長者主人親饋則拜而食主人不親饋則不拜而食以其禮於己不隆也

又曲禮曰君言至則主人出拜君言之辱使者歸則必拜送于門外

又曲禮曰介者不拜爲其拜而蓌拜蓌則失容節蓌猶詐也

又曲禮下曰士有獻於國君問之曰安取彼再拜稽首而後對

又檀弓上曰孔子曰拜而後稽顙頹乎其順也稽顙而後拜頎乎其至也頹順懇至也此俱喪拜時人行之異禮

又內則曰凡拜男尚右手女拜尚左手鄭玄注曰左陽右陰

左傳僖公曰王使宰孔賜齊侯胙胙祭肉尊之此二王後曰天子有事于文武使孔賜伯舅胙天子謂異姓諸侯曰伯舅齊侯將下拜孔曰且有後命天子使孔曰以伯舅耋老加勞賜一級無下拜七十曰耋級等也對曰天威不違顏咫尺言天監察不遠威嚴常在顏面之前八寸曰咫小白余敢貪天子之命無下拜小白齊侯名余身也恐隕越于下隕越顛墜也揚天王居上故謂恐顛墜于下以遺天子羞敢不下拜下拜登受

又僖中曰公賦河水公賦六月趙衰曰重耳拜賜公子降拜稽首公降一級而辭焉衰曰君稱所以佐天子者命重耳重耳敢不拜

又文上曰公如晉及晉侯盟晉侯饗公賦菁菁者莪菁菁者莪詩小雅取其既見君子樂且有儀莊叔以公降拜曰小國受命於大國敢不慎儀君貺之以大禮何樂如之抑小國之樂大國之惠也侯降辭登成拜公賦嘉樂嘉樂詩大雅取顯顯令德宜民宜人受祿于天

又成公九年曰季文子如宋致女復命公享之賦韓奕之五章韓奕詩大雅篇名其五章言蹶父嫁女於韓侯爲女相所居莫如韓樂文子喻魯侯有蹶父之德宋公如韓侯宋土如韓樂穆姜出于房再拜曰大夫勤辱不忘先君以及嗣君施及未亡人穆姜伯姬母聞文子言宋樂喜而出謝其行勞婦人夫死自稱未亡人先君猶有望也言先君亦望文子之若此敢拜大夫之重勤又賦綠衣之卒章而入綠衣詩邶風也取其我思古人實獲我心喻文子言得己意

又襄元曰穆叔如晉報智武子之聘也晉侯享之金奏肆夏之三不拜肆夏樂曲名工歌文王之三又不拜歌鹿鳴之三

三拜韓獻子使行人子問之對曰三夏天子所以享元侯也使臣弗敢與聞文王兩君相見之樂也使臣不敢及鹿鳴君所以嘉寡君敢不拜嘉（嘉者以叔孫爲嘉賓故歌鹿鳴之詩取其我有嘉賓也叔孫奉君命求嘉叔孫乃所以嘉魯君）四牡君所以勞使臣也敢不重拜皇皇者華君教使臣曰必諮於周（皇皇者華君遣使臣之詩也言中臣奉使能輝光君命如華之皇皇然又當諮於忠信以補己不及也）臣聞之訪問於善爲諮諮親爲詢諮禮爲度諮事爲諏諮難爲謀臣獲五善敢不重拜（五善謂諮詢度諏謀也）

又襄二曰公使厚成叔弔于衛曰寡君使瘠聞君不撫社稷而越在他境若之何不弔衛人使太叔儀對曰羣臣不佞得罪于寡君寡君不以即刑而悼棄之君不忘先君之好辱弔羣臣敢拜君命之辱重拜大貺

又昭四曰初楚恭王無冢適有寵子五人無適立焉乃大有事于羣望而祈曰請神擇於五人者使王社稷乃徧以璧見於羣望曰當璧而拜者神所立也誰敢違之既乃與巴姬密埋璧於大室之庭（巴姬恭王妾太室祖廟）使五人齊而長幼入拜（順長幼以次拜也）康王跨之靈王肘加焉子干子皙皆遠之平王弱抱而入再拜皆厭紐

孝經右契曰制作孝經道備使七十人弟子向北辰星而磬折孔子絳單衣向星而拜

論語子罕曰拜下禮也今拜乎上泰也雖違衆吾從下（臣與於君賜酢授爵當拜於堂下時臣驕泰故拜於堂上）

又鄉黨曰康子饋藥拜而受之曰丘未達不敢嘗（饋進也拜受也未知其故故不敢嘗禮也）

家語曰子貢曰孔子爲大司寇國廐焚有違火來者則拜士一大夫再曰其來者亦相弔之道吾爲有司故拜之

爾雅曰𧿒跪也（郭璞注曰小跪也）

方言曰東齊青岱北燕之郊跪謂長𩿛（郭璞注曰今東郡人亦呼長跪爲長𩿛）

釋名曰跪危也兩膝隱地體危倪他跽忌也見所敬者不敢自安也拜於丈夫爲跌跌然屈折下就地也於婦人爲扶自相扶而上下也

漢書曰武帝幸不其（如淳曰其音基不其山名因以爲縣）祠神人於交門宮（應劭曰神人蓬萊仙人之屬也東萊郡縣有交門宮武帝所造）若有鄉坐拜者作交門之歌

又曰劉章已殺呂產帝令謁者持節勞章章欲奪節謁者不肯章乃從與載因節信馳斬長樂衛尉呂更始還入北軍復報太尉勃起拜賀

又曰大將軍衛青既益尊姊爲皇后然汲黯與亢禮或說黯曰自天子欲令羣臣下大將軍大將軍尊貴誠重君不可以不拜黯曰夫以大將軍有揖客反不重耶

又曰何武從京兆大尹三歲坐舉方正所舉者召見槃辟雅拜有司以爲詭衆虛僞武坐左遷楚內

又曰朱博爲琅琊太守門下掾貢遂耆老大儒教授數百人拜起舒遲博出教告主簿貢先生不習吏禮主簿且教拜起閑習乃止

又曰張禹疾車駕自臨問之上親拜禹牀下禹小子未有官上臨候禹禹數視其小子上即拜禹之小子爲黄門郎給事中

東觀漢記曰耿恭於疏勒城穿井十五丈不得水恭乃正衣服向井再拜爲吏士禱水身自率士輓籠有飛泉湧出大得水吏士驚喜皆稱萬歲

又曰陳遵爲大司馬護軍使匈奴過辭於王丹臨訣丹謂

遵曰俱遭世反覆唯我二人爲天地所貴今子當之絕域
無以相贈贈子以不拜遂揖而別遵甚悅之
又曰司徒侯霸欲王丹者定交丹被徵霸遣子昱徃昱道
遇丹拜於車下丹荅之昱曰家公欲與君投分何爲拜子
孫耶丹曰君房有是言丹未之許
又曰魏覇爲光祿大夫覇妻死長兄伯爲覇娶妻送至官
舍覇笑曰兒子備具何空養他家姥爲即自入拜其妻手
奉案前因跪曰夫人視老夫復何中直而空失計義不敢
相屈即拜而出妻慙求去遂送還之
後漢書曰北匈奴遣使求和親顯宗遣鄭衆持節使匈奴
衆至北庭虜欲令拜衆不爲屈單于大怒圍守閉之不與
水火欲脅服衆衆拔刀自誓單于恐而止乃更發使隨衆
還京師

華嶠後漢書曰鄭衆使匈奴欲令衆拜不爲屈相議復欲
遣衆衆曰今徃匈奴必恐取勝於臣臣不忍持大漢節對
氊裘跪拜明帝收繫廷尉獄
獻帝春秋曰董卓自號太師御史中丞以下皆拜初皇甫
嵩與卓爭雄後嵩爲中丞見卓拜車下卓曰可以服未嵩
曰安知明公乃至於是卓曰鴻鵠固有遠志但鷰雀不知
耳嵩曰昔與明公俱鴻鵠獨明公今爲鳳凰卓笑曰卿早
服可得不拜也
漢雜事曰韋玄成讓侯詔書不聽引拜之也
又曰馬援與梁統友善統子虎賁中郎將松徃候援援小
疾病松拜牀下援於牀上坐視不爲禮左右曰松貴不
當禮耶曰我乃松父友雖貴奈何失禮。典略曰太子嘗請
文學酒酣坐忻命夫人甄氏出拜坐衆人皆伏而劉楨獨

平視太祖聞之收楨減死
胡沖吳曆曰孫策繫豫章先遣虞翻說華歆歆爲巾迎策
策謂歆府君德望遠近所歸策年幼稚宜脩子弟之禮便
向歆拜
魏志曰魯國孔融高才倨傲年在紀羣之間先與紀友後
與羣交更爲紀拜由是顯名
魏志曰常林年七歲有父黨造門問林曰伯先在不汝何
不拜對曰對子字父何拜之有
又曰晉宣王以常林鄉邑耆德每爲拜或謂林曰司馬公
貴重君宜止之林曰司馬公自欲敦長幼之序爲後生法
貴非吾之所畏也拜非吾之所制也言者踧踖而退
蜀志曰先主爲漢中王許靖爲太傅丞相諸葛亮皆爲之
拜

又曰伊籍隨先主入益州東使吳孫權聞其才辯欲逆折
以辭籍適入拜權曰勞事無道之君籍即對曰一拜一起
未足爲勞
吳志曰朱治領吳郡舉孫權爲孝廉後權歷位上將及爲
吳王治每見權常親迎執板交拜
又曰人誣樓玄謗訕政事華覈上疏乞玄自新孫皓疾玄
名聲復徙玄及子男據付交趾將張並使以戰自効陰別
勑並令殺之據到交趾病死一身隨並討賊持刀見並輙
拜並未忍殺會並暴疾卒玄殯斂並於器中見勑書還便
自殺耳
王隱晉書曰何曾爲司徒與高鄭二公將見文帝曾在中
央獨先拜
漢晉春秋曰晉公既進爵爲王太尉王祥司徒何曾司空

荀顗並請諳謁顗謂祥曰相王尊重何侯既已書敬今日便當相率而拜無所疑也祥曰相國位勢誠爲尊貴然要是魏之宰相吾等魏之三公公王相去一階而已班例大同安有天子三司可輒拜人者損魏朝之望虧晉王之德君子愛人以禮吾不爲也及入顗遂拜而祥獨長揖帝曰今日方知君見顧之重矣

晉書曰潘岳性輕躁趨世利與石崇諂事賈謐每候其出與崇輙望塵而拜

晉中興書曰王猛少貧賤鬻畚爲事嘗至洛陽貨畚有一人於市買其畚云家近在此也隨我去取直猛隨去忽至深山中此人語且住樹下當先啓導須臾猛進見一公踞胡牀鬢悉白侍從十許人有一人引猛云大司馬公猛因拜老公公曰王公何緣拜即十倍酬畚直遣人送猛出山旣出顧視乃嵩高山

晉中興書曰顯宗嘗使太常丞張放歸胙於王導詔無下拜導不敢當辭以疾初顯宗幼冲見導恒拜

晉諸公讚曰司馬駿鎮西戎旣薨每見其碑讀者無不拜之

後魏書曰沈文秀爲慕容白曜攻之長圍數匝自夏至秋始尅文秀取所持節衣冠儼然坐齋内亂兵入文秀厲聲數四身見執而裸送于白曜曜左右令拜文秀曰各二國大臣無相拜之禮

曹瞞別傳曰沛國桓邵亦輕太祖邵避難交州得出首拜謝於庭中太祖曰跪可解死耶遂殺之

郭太別傳曰鄉人見太皆於床下拜

鄭玄別傳曰建安元年自徐州還高密道遇黄巾賊數萬人見玄皆再拜

樊英別傳曰英嘗病卧便室中英妻遣婢拜問疾英下牀荅拜陳寔問英何荅婢拜英曰妻齊也共奉祭祀禮無往而不反

荀氏家傳曰魏文帝在東宮武帝謂曰荀公爲人之師表也汝當盡禮敬之荀曾病世子問疾拜牀下

三輔決録曰孟他字伯郎靈帝時中常侍張讓專朝讓監奴典任家計他殫家財賂監奴共結親厚積年衆奴心慙問他所欲他曰欲得汝曹拜奴等皆許諾時賓客求見讓者門車常數百乘或累日不得過他最後往衆奴以其至皆迎而拜之將他車騎入衆人大驚謂他與讓善爭以珍物遺他他得盡以賂讓讓大喜後以蒲陶酒遺讓即拜涼州刺史

燕書曰皇甫眞字楚季鄴城失守奉秦主初入臨前殿羣臣數百人皆集東掖門見侍中王猛來眞等望馬首拜之明日更見眞乃卿猛猛曰昨拜朝卿何恭慢之相違眞荅曰卿昨爲賊朝是國士吾冝拜賊而卿國士亦何所怪也猛嘉之

韓子曰禮者所以貌情也中心懷而不諭故疾趍卑拜以明之

燕丹子曰田先生見太子太子側階而迎迎而再拜

賈誼書曰受計之禮主所親拜者二聞生民之數則拜之聞登穀則拜之

郭子曰陶公自上流來（陶侃字士衡也）赴蘇峻之難含怒於庾公庾公謂必戮已進退無計温公乃勸諸陶公卿但徑拜必無他我爲卿保之庾殊未了而不得不往乃從温言詣陶

至便拜庾風姿雅潤陶見拜不覺自起止之曰庾元規何
緣拜陶士衡
江統作謁拜議曰以爲諸郡吏都無太守伯叔兄敬者近
臣君服斯服然則朝幹佐以下左右者可從君而拜君所
拜統士古者見賓主皆拜今自非君臣上下則不拜君之
新親者唯幹佐小吏則可君拜斯拜矣君之諸父無道謂
之事申辰儀臣見諸王直恭敬而已無鞭板拜揖雖於皇
帝爲諸祖諸父其義皆同又河南河内諸郡吏前後亦爲
太守伯叔兄謁拜者其比甚衆矣
尚書逸令曰卞壼等奏三代以來記籍禮經無拜臣之制
唯漢成帝拜張禹庸主凡臣不足爲軌先帝拜司徒導以
元皇興自蕃國布衣之交拜在人臣之故師而不改以君
拜臣大教有違事應改正太后又詔曰帝幼少宜一遵先
帝壼等又固争去臣期不奉詔又反覆乃從外奏成帝
拜王公時議曹疑於儀注博士杜瑗及陳舒議禮無以君
拜臣下也小會崇謙非臣下所知無在儀注之制張闓受
侯不拜國太妃表太昔爲晉陵内史在東海國封内時世
孫幼小太妃秉政前内史遷授除拜日及當之官皆上疏
拜閤執純臣之禮闓自以雖爵有五等然執珪受瑞俱爲
列國無相臣之體又晉制拜列侯爲相内史於天朝不曰
陪於蕃國不稱臣臣以從古則懼有行簡之譏隨俗又恐
失君臣之訓經國垂範宜有定準乞出臣表下八座恭詳
答報
唐書曰田承嗣方跋扈很傲無禮郭子儀嘗遣使至魏州
承嗣輒望拜之指其膝謂使者曰兹膝不屈於人今爲公
拜

禮儀部二十二

揖　鐕　賀

揖

周禮夏官曰司士擯(王出揖公卿大夫以下朝者)孤卿特揖大夫以其等旅揖士旁三揖王還揖門左揖門右(特揖一一揖之旅衆也大夫爵同者衆揖之公及孤卿大夫始入門右皆北面東上王揖之乃就位三揖者士有上中下王揖之皆逡巡起復位)

又秋官曰司儀掌九儀之賓客擯相之禮以詔儀容辭令揖讓之節(出接賓曰擯入贊禮曰相以詔者以禮告王)

又秋官曰司議詔王儀南鄉見諸侯土揖庶姓時揖異姓天揖同姓(謂王既祀方明諸侯上介皆奉其君之旂置于宮乃詔王升壇諸侯皆就其旂而立王揖之者定其位也庶姓無親者也土揖推手小下之也異姓昏姻舉之)

禮記曲禮上曰揖人必違其位(鄭玄注曰禮以變爲敬也)

又仲尼燕居曰兩君相見揖讓而入門入門而懸興揖讓而升堂升堂而樂闋

又表記曰事君難進而易退則位有序易進而難退則亂也故君子三揖而進一辭而退以遠亂也

穀梁傳昭公曰夾谷之會孔子相焉兩君就壇兩相相揖齊人鼓譟而起欲執魯君孔子歷階而上不盡一等而視歸乎齊侯

左傳襄公曰齊慶封圍高唐弗克(夙沙衛以叛故圍之)冬十一月齊侯圍之見衛在城上號之乃下(衛下與齊侯語)問守備焉以無備告揖之乃登(齊侯以衛告誠揖而禮之欲生之也衛志於戰死故不順齊侯之揖而還登誠也)

又襄公曰衛侯入書曰復歸國納之也大夫逆於竟者執其手而與之言道逆者自車揖之逆於門者頷之而已(頷搖其頭言衎驕心易生)

又昭三曰王揖而入饋不食窮不寐數日

又哀上曰衛侯遊于郊子南僕(子南靈公子郢也僕御也)公曰余無子將妾(蒯聵奔無太子)不對他日又謂之對曰郢不足以辱社稷君其改圖君夫人在堂三揖在下(三揖卿大夫士)

論語曰君子無所爭必也射乎揖讓而升下而飲其爭也君子

又述而曰陳司敗問昭公知禮乎孔子對曰知禮孔子退揖巫馬期而進之曰吾聞君子不黨君子亦黨乎君娶於吳爲同姓謂之吳孟子君而知禮孰不知禮

漢書曰沛公至高陽見酈食其入即長揖不拜曰足下必欲聚徒合兵誅無道秦不宜倨見長者

史記曰郅都遷爲中尉丞相條侯至貴倨也而都揖丞相

漢書曰田蚡爲丞相中二千石皆拜謁及黯獨揖之

又曰萬章爲京兆尹門下督從尹至殿中諸侯貴人爭欲揖章莫與尹言者

後漢書曰崔駰上四巡頌肅宗雅愛文章自見駰頌後帝嗟歎之謂侍中竇憲曰卿寧知崔駰乎對曰班固數爲臣說之然未見也帝曰公愛班固而忽崔駰此葉公之好龍也試請見之駰由此候憲憲屣履迎門笑謂駰曰亭伯吾受詔交公公何得薄我遂揖入爲上客

後漢袁紹傳曰董卓議欲廢立謂紹曰天下之主宜得賢明每念主上令憤毒(毒恨也)董侯似可今當立之紹曰今上富於春秋未有不善宣於天下若公違禮任情廢嫡立庶恐衆議未安卓案劍叱紹曰豎子敢然天下之事豈不在我我欲爲之誰敢不從紹跪對曰此國之大事請出與太傅議之卓復言劉氏種不足復遺紹勃然曰天下健者豈

惟董公橫刀長揖徑出懸節於上東門而奔冀州

漢官典職曰尚書丞郎見尚書執板對揖稱曰明公尚書郎見左右丞對揖無敬稱曰左右君

晉陽秋曰晉文帝進號爲王大尉王祥獨長揖王謂祥曰今日然後知君見顧之重也

後魏書曰宗愛之任勢也威振四海嘗召百司於都坐王公已下望庭畢拜高允獨昇階由此觀之汲長孺可卧見衛青何抗禮之有向之所謂風節者得不謂此乎

宋書禮志曰漢世朝臣見三公並拜丞郎見八座皆持板揖事在漢儀

南史曰袁憲陳武帝作相除司徒左曹初謁遂抗禮長揖中書令王勱謂憲曰御何矯來不拜錄公憲曰於理不應致拜衛尉趙知禮曰袁生舉止詳中故有陳汝之風

白虎通曰朝禮奈何君出居內門之外天子揖諸侯持揖卿大夫膝下至地天子特揖三公面揖卿略揖大夫士所以不拜何爲其屈尊者

說文曰揖讓也一曰手着胷曰揖

風土記曰越俗定交有禮皆於大樹下封壇祭以白犬呪曰卿雖乘車我戴笠後日相逢下車揖

文士傳曰趙壹郡舉計吏至京輦是時袁陽爲司徒宿聞其名時延請之壹入閤揖而不拜陽問曰嘗聞下郡計吏見漢三公不爲禮者乎壹曰昔酈食其高陽白衣也而揖高祖今壹關西男子其揖漢三公不亦可乎陽壯其言接之甚厚

列子曰范氏門徒路遇乞兒馬醫弗敢辱也必下車而揖之

尹文子曰越王勾踐謀報吳欲人之勇路逢怒鼃下車而揖之

袁淮正論曰太祖破呂布袁渙在軍中陳羣父子皃上拜唯袁渙獨高揖不爲禮上嚴敬之

鐕（音簪）

摯虞決略錄要注曰小會殿就席皆鐕頭而後坐鐕頭伏地也欲起亦先鐕頭

賀

周禮春官上宗伯曰以賀慶之禮親異姓之國（鄭玄注曰異姓王婚姻甥舅也）

禮記王藻曰有慶非君賜不賀（鄭玄注曰謂君賜爲榮）

左傳僖下曰楚子將圍宋使子文治兵於睽終朝而畢不戮一人子玉復治兵於蔿終日而畢鞭七人貫三人耳國老皆賀子文子文飲之酒蔿賈尚幼後至不賀子文問之對曰不知所賀子之傳政於子玉曰以靖國也靖諸內而敗諸外所獲幾何子玉之敗子之舉也舉以敗國將何賀焉

又昭三曰叔弓如晉賀虒祁也（賀宮也）游吉相鄭伯以如晉亦賀虒祁也史趙見子大叔曰甚哉其相蒙也（蒙欺也）可弔也而又賀之子大叔曰若何弔也其非唯我賀將天下實賀（言諸侯畏晉非獨鄭）

國語曰晉簡子問於杜馳茲曰東方之士孰爲愈（杜馳茲東方人爲晉大夫者蓋吳人也愈賢也）杜馳茲拜曰敢賀簡子曰未應吾問何賀乎對曰臣聞之國家之將興也其君自以爲不足其士也若有餘今主晉國之政而問及小人求乎賢人吾是以賀

史記曰單父人呂公善沛令避讎從之客因家沛中豪傑
吏令聞有客皆往賀蕭何爲主吏令諸吏曰不滿千錢坐
堂下高祖爲亭長素易諸吏乃往爲謁曰賀錢千萬實不
挂一錢
漢書曰田肯賀上曰甚善陛下得韓信又治秦中如淳曰時山東人謂關中爲秦中秦形勝之國也帶河阻山懸隔千里持戟百萬
秦得百二焉地勢便利其次以下兵於諸侯譬猶高屋之
上建瓴水也夫齊東有瑯琊卽墨之饒南有太山之固西
有濁河之限北有渤海之利地方二千里持戟百萬懸隔
千里之外齊得十二焉此東西秦也非親子弟莫可使王
齊者也上曰善賜金五百斤
又曰盧綰與高祖同里綰親與高祖親太上皇相愛及生
男高祖與綰同日生里中持羊酒賀兩家及高祖盧綰壯
俱學書又相愛也里中嘉兩家及家親相愛也生子同日
壯又相愛復賀兩家羊酒
後漢書曰光武謂馮異曰我昨夜夢乘赤龍上天覺悟心
中動悸異因下席再拜賀曰此天命發於精神心中動悸
大王愼重之性也異遂與諸將定議上尊號
東觀漢記曰上傳聞朱鮪破河內有項寇恂檄至上大喜
曰吾知寇子翼可任也諸將軍賀因上尊號
謝承後漢書曰鄭弘爲臨淮郡兩鹿隨車主簿拜賀曰聞
三公轓畫作鹿明府必爲宰相弘果爲太尉
漢雜事曰冬至陽氣起君道長故賀夏至陰氣生君道衰
故不賀
魏志曰王粲爲丞相掾太祖置酒漢濱粲奉觴賀曰明公
定冀州之日下車卽其甲卒收其豪傑而用之以橫行天

下及平江漢引其賢俊而置之列位使海內迴心望風願
治文武並用英雄畢力此三王之舉○吳志曰顧雍迎母於
吳旣至孫策臨賀之親拜其母於庭公卿大臣畢會後太
子又往慶焉
王隱晉書曰泰始五年龍見武庫井中車駕親幸有喜色
內外議咸太當賀劉毅獨表舊典無賀龍之禮詔報政德
未脩慶賀之事宜詳依典義
晉中興書曰武帝時甘露降公卿奏賀詔曰三代盛隆猶
自戒勿休況自頃懸象告變盜賊充斥百僚司牧不能存
職匪解使道有寄雖麟鳳至慶有餘矣此道未弘雖四靈
在郊吾猶懼然何甘露之足賀其停之
晉書禮志曰永和二年納后議賀不王彪之議太婚禮不
樂不賀禮之明文傳稱子卒如晉賀夫人旣無經文又禮
玄娶婦三日不舉樂明三日之後自當樂至於不賀無三
日之斷恐三日之後故無應賀之禮
會稽典錄曰盛憲字孝章嘗出逢一童容皃非常憲恠而
問之是魯國孔融融時年十餘歲憲下車執融手載以歸
舍與融談知其不凡便結爲兄弟因昇堂見親憲自爲壽
以賀母母曰何賀憲曰母昔有憲憲今有弟家國所賴以
是賀耳融果以英才煒艷冠世
晏子曰景公探爵鷇弱故返之晏子逡巡再拜賀曰君有
聖人之道矣君探爵鷇鷇弱故反之此聖人之道也
韓子曰晉孟獻伯拜上卿叔向往賀門有御馬不食禾向
曰子無二輿馬不食禾何也獻曰吾觀國人尚有饑色是
以不秣馬班白者多以徒行故不二輿向曰吾始賀子拜
卿今賀子之儉也

呂氏春秋曰人主得地百里則喜四境皆賀得士則不喜不知相賀不通乎輕重

新序曰魏文侯出遊見路人反裘而負芻文侯曰何爲反裘而負芻對曰臣愛其毛文侯曰若不知其裏盡而毛無所恃耶明年東陽上計錢布十倍大夫畢賀文侯曰此非所以賀我也譬無異夫路人反裘而負芻也將愛其毛不知愛其裏也無所恃也今田地不加廣士民不加衆而錢十倍必取之士大夫也吾聞之下不安者上不可居也此非所以賀我也

劉向與子歆書曰董生有云弔者在門賀者在閭言憂則恐懼敬事則有善功又曰賀者在門弔者在閭言受福則驕奢驕奢則禍至

太平御覽卷第五百四十三

太平御覽卷第五百四十四

禮儀部二十三

喪紀上

周禮天官宰夫曰大喪小喪掌小官之戒令帥執事而治之大喪王后世子也小喪夫人以下也小官士三公六卿之喪與職喪帥官有司而治之凡諸大夫之喪使其旅帥有司而治之旅冢宰下下士也

又天官宮正曰大喪則授廬舍辨其親踈貴賤之居廬倚廬也舍堊室也親者貴者倚廬踈者賤者居堊室也

又天官獸人曰凡喪紀賓客共其死獸生獸共其完者

又天官𩵋人曰凡喪共其魚之鱻薨

周禮天官腊人曰凡喪共其膴腊凡乾肉之事

又天官凌人曰大喪共夷槃冰夷之言尸也實冰於夷槃中置之尸牀之下所以寒尸

也

又天官籩人曰喪事及賓客之事共其薦籩羞籩喪事乃籩謂殷奠時

又天官醢人曰凡喪紀共其薦羞之豆實

又天官掌次曰凡喪紀王則張帟三重諸侯再重孤卿大夫不重張帟柩上承塵

又天官曰司裘大喪廞裘飾皮車皮車遣車之革路也古書廞字爲淫鄭司農太淫裘陳裘也六謂廞興也若詩人之興太謂象似而作之

又天官內小臣曰若有喪紀則儐詔后之禮

又天官閽曰喪紀之事設門燎蹕宮門廟門燎地燭也蹕止行者廟在中門之外

又天官寺人曰喪紀之事則帥女宮而致於有司有司謂宮卿世婦也

又天官世婦曰掌喪紀之事帥女宮而濯概爲粢盛概拭也爲猶差擇也

又天官女御曰大喪掌沐浴王及后之喪也后之喪持翣從世婦而弔于卿大夫之喪從之數蓋如使者之介也

又天官典絲曰喪紀共其絲纊組文之物以給線縷著盱口綦握之屬也青與赤謂之文

又天官內司服曰右之喪共其衣服凡內具之物內具紛帨線纊槃帙之屬

又地官大司徒曰大喪帥六鄉之衆庶屬其六引而治其政令衆庶所致役也鄭司農云引喪車素也六鄉主大引遂六主紼也若國有大故則致萬民于王門令無節者不行天下大故謂王崩及冠兵也節大節也有節乃得行防蔟僞也

又地官曰鄉師大喪用役則帥其民而至遂治之治謂監督其事

及葬執纛以與匠師御匶而治役匠師事官之屬其司官若鄉師之於司徒也鄉師主役匠師主衆匠共主葬引翻羽葆幢也爾雅曰纛翳也以指麾輓柩之役正其行列進退及窆執斧以涖匠師匠師主豐碑之事報執斧以涖之使戒其事

又地官閭胥曰凡喪紀之數聚衆庶既比則讀法書其敬敏任恤者喪紀大喪之喪之事也皆會聚衆民因以讀法勑戒之也

又地官遂師曰大喪使帥其屬以幄帟先道野役及窆抱磨共丘籠及蜃車之役使以幄帟先者太宰也其餘司徒也幄帟所爲葬窆之間先張神坐也道野役師以至墓也丘籠之役窆復土也其器曰龍蜃車柩路也載柳四輪迫地而行以於蜃因取名爲行至壙乃脱更復載以龍輴

又地官委人曰喪紀共其薪蒸木材

又地官土均曰禮俗喪紀祭祀皆以地媺惡爲輕重之法而行之掌其禁令君子行禮不求變俗隨其土地厚薄爲之制也

又地官圃人曰喪紀賓客共其生獸死獸之物

又地官舍人曰大喪共飯米熬穀飯所以實口不忍虛也君用粱大夫用稷士用稻皆四升實者唯盈熬穀者錯于棺旁所以惑蚍蜉

又春官大宗伯曰以凶禮哀邦國之憂朝覲會同則爲上相大喪亦如之

又春官小宗伯曰王崩大肆以秬鬯渳鄭司農云大肆大浴也渳以鬯浴尸也

又春官肆師曰大喪大渳以鬯則築鬻築香草煑以爲鬯以浴尸也香草鬱

又春官鬱人曰大喪之渳共其肆器肆器陳尸之器及葬共其裸器遂貍之遣奠之彝與瓚也貍於祖廟階閒

又春官鬯人曰大喪之渳設斗共其釁鬯斗所以沃尸也釁尸以鬯酒使之香美者也

又春官司几筵曰凡喪事設葦席右素几其柏席用萑黼純諸侯則紛純每敦一几喪事諸几奠也萑如葦而細者也鄭司農云柏席迫地之席也葦居其上或曰柏席載黍稷之席也玄謂柏椁字磨滅之餘也椁席藏中神坐之席也敦讀曰燾燾覆也棺在殯則椁敦既窆則加見皆謂覆之周禮雖合葬及同時在殯皆異几體實不同也祭於廟同几精氣合凡吉事變几凶事仍几古書仍爲乃鄭司農云變几變更其質謂無飾

又春官天府曰凡國之玉鎮大寶器藏焉若有大祭大喪則出陳之既事藏之玉鎮大寶器玉瑞玉器之美者也禘祫及大喪陳之以華國也凡吉凶之事祖廟之中沃盥執燭吉事四時祭也凶事后王喪朝於祖廟之奠也

又春官職喪曰掌諸侯之喪及卿大夫士凡有爵者之喪以國之喪禮涖其禁令序其事國之喪禮喪服士喪既夕士虞今存者也其餘則亡事謂小斂大斂葬也凡國有司以王命有事焉則詔贊主人有事謂含禭贈之屬鄭司農云凡國諸侯國也有司謂王有司以命有事職喪主詔贊主人凡公有司之所共職喪令之趣其事令令其當共物者給事之期也有司或言公或言國言國者由其君所來也居其官曰公

又春官司巫曰凡喪事掌巫降之禮降下也巫下神之禮也

又春官太史曰大喪執法以涖勸防鄭司農云勸防六引六紼也遣之日讀誄遣謂祖廟之庭大奠將行之時也人之道終於此累其行而讀之太師帥瞽廞之而謚瞽史知天道使共其事言王之誄謚成於天也凡喪事考焉爲有得失

又春官巾車曰掌王之喪車五乘木車蒲蔽犬禥尾櫜疏飾小服皆疏木車不漆者也鄭司農云蒲蔽車謂藩蘭車以蒲爲蔽也天子喪服之車漢儀亦然犬禥以犬皮爲覆笭也故書疏爲揟杜子春讀揟爲沙玄謂蔽車旁禦風塵者也犬白犬皮也既以皮爲覆笭又以其尾爲戈戟之弢麤布飾二物之側爲緣也若今[illegible]龍去也服讀爲箙藏弓弩矢箙短兵衣也此始遭喪所乘也爲君之道尚微備姦臣也書曰以虎賁百人迎子釗亦爲備焉素車棼蔽犬禥素飾小服皆素素車以白土堊車也棼讀爲薠薠麻也以麻爲蔽也其禥緣亦以素爲緣此卒哭所乘也爲君之道益著在車可以去戈戟也藻車藻蔽鹿淺禥革飾故書藻爲蕃杜子春云蕃讀爲華藻之藻直謂華藻也玄謂藻水草名蒼色也以蒼土堊車以蒼繒爲蔽鹿夏皮爲覆笭也又以所治去毛者緣之此既練所乘之車也駹車萑蔽然禥髤飾駹車邊側有漆飾也萑細葦席也以爲蔽者漆則成藩即吉也然果然也髤赤多黑少之色韋也此大祥所乘之車也漆車藩蔽豻禥雀飾漆車墨車也藩今時小車藩也漆席以爲蔽豻胡犬也雀黑多赤少之色韋也此禫所乘之車也

大喪飾遣車遂廞之行之廞謂陳駕之及葬執蓋從車持旌隨柩路持蓋與旌及墓呼啓關陳車小喪共柩路與其飾柩路載柩車飾柩飾

又春官司常曰大喪共銘旌建廞車之旌

又夏官大司馬曰大喪平士大夫鄭司農云平壹其服也玄謂平者正其職與位也喪祭奉詔馬牲王之喪以馬祭者蓋遣奠也奉猶送也送之至墓告而藏之

又夏官射人曰大喪與僕人遷尸作卿大夫掌事比其廬不敬者苛罰之僕人大僕與射人俱掌王之朝位也

又夏官司士曰大喪作士掌事作六軍之士執披披持柩者

又夏官諸子曰大喪正羣子之服位

又夏官虎賁氏曰國有大故則守王門大喪亦如之

又夏官太僕曰喪紀正王之服位詔法儀贊王牲事牲事殺奠大喪始崩戒鼓傳達于四方窆亦如之戒鼓擊鼓以警衆也杜載之辭

又夏官司兵曰大喪廞五兵廞興也興作明器之役器五兵也

又夏官圉人曰喪紀牽馬而入陳廞馬亦如之廞馬遣車之馬也

又秋官大司寇曰凡朝覲會同前王大喪亦如之大喪所前或嗣王也

又秋官士師曰諸侯爲賓則帥其屬而蹕于王宮大喪亦如之

又秋官鄉士曰大喪紀帥其屬夾道而蹕屬中士已下也

又秋官司隸曰賓客喪紀之事則役其煩辱之事煩猶劇也士喪禮下篇曰隸入涅厠

又秋官大行人曰若有大喪則詔相諸侯之禮詔相左右告教之

禮記檀弓上曰子上之毋死而不喪門人問諸子思曰昔者子之先君子喪出毋乎曰然子之不使白也喪之何也子思曰昔者吾先君子無所失道道隆則從而隆道汙則從而汙伋則安能爲伋也妻者是爲白也毋不爲伋也妻者是不爲白也毋孔氏之不喪出毋自子思始也禮記所由廢非之也

又檀弓上曰公叔朱有同毋異父昆弟死問於子游子游曰其大功乎狄儀有同毋異父之昆弟死問於子夏子夏曰我未之前聞也魯人爲人齊衰狄儀行齊衰今之齊衰狄儀之問也

又檀弓上曰子思之毋死於衛子思伯魚子伯魚死妻嫁於衛柳若謂子思曰子聖人之後也四方於子乎觀禮子蓋慎諸柳若衛人子思曰吾何慎哉吾聞之有其禮無其財君子弗行也有其財無其時君子弗行也時所止則止時所行則行吾何慎哉

禮儀部二十四

喪紀下

禮記曾子問曰君薨而世子生則如之何孔子曰卿大夫士從攝主北面於西階南（變於朝夕哭位也攝主上卿代君聽政也）大祝裨冕執束帛升自西階盡等不升堂命毋哭（將有事宜清淨）祝聲三告曰某之子生敢告升奠幣于殯東几上哭降曾子問曰如已葬而世子生如之何孔子曰太宰太宗從太祝而告于禰（告生）三月乃名于禰以名遍告社稷宗廟山川

又曰將冠子冠者至揖讓而入聞齊衰大功之喪如之何（冠者賓及贊也）孔子曰內喪則廢外喪則冠而不醴徹饌而掃即位而哭如冠者未至則廢

又曰婚禮既納幣有吉日女之父母死則如之何（吉日謂娶女之日也）孔子曰壻使人弔若壻之父母死則女之家亦使人弔父喪稱父母喪稱母（各以其正嫡自相弔問禮之宜）父母不在則稱伯父世母（弔禮不廢也）已葬壻之伯父致命女氏曰某之子有父母之喪不得嗣為兄弟（嗣繼也）使某致命女氏許諾而不敢嫁禮也壻免喪女之父母使人請壻弗娶而後嫁之禮也

又曰大夫士有私喪可以除之矣而有君服焉其除之也如之何孔子曰有君喪服於身不敢私服又何除焉於是乎有過時而弗除也君之喪服除而後殷祭禮也（謂主人也支子則否）

又曰君薨既殯而臣有父母之喪則如之何孔子曰歸居於家有殷事則之君所朝夕否曰君既啓而臣有父母之喪則如之何孔子曰歸哭而反送君曰君未殯而臣有父母之喪則如之何孔子曰歸殯反于君所有殷事則歸朝夕否

又曰君出疆以三年之戒以椑從君薨其入如之何孔子曰供殯服則子麻弁絰疏衰菲杖（柩未安不忍成服於外也布弁如爵弁而用布也杖者為已病）入自闕升自西階（闕謂毀宗也柩毀宗而入異於生）如小斂則子免而從柩入自門升自阼階君大夫士一節也

又雜記曰恤由之喪哀公使孺悲之孔子學士喪禮士喪禮於是存乎書

又曰士之子為大夫父母弗能主也使其子主之無子則為之置後凡主兄弟之喪雖疏亦虞（喪事虞祔乃畢）

又雜記下曰姑姊妹其夫死而夫黨無兄弟使夫之族人主喪妻之黨雖親不主（此謂姑姊妹無子寡死）而夫若無族矣則前後家東西家無有則里尹主之

又曰或問於曾子曰夫既遣而包其餘猶既食而裹其餘乎（言遣既奠而又包之是與食於人已而裹其餘將去何異君子寧為是乎言傷廉也）曾子曰吾子不見大饗乎夫大饗既饗卷三牲之俎歸于賓館父母而賓客之所以為哀也

又喪服小記曰大夫不主士之喪（士之喪雖無主不敢攝大夫以為主）士不攝大夫唯宗子

又喪大記曰疾病外內皆掃（為賓客將來問疾也疾困曰病也）君大夫徹縣士去琴瑟寢東首於北牖下（謂君來視之時也病者居北牖下或為北牖下）廢床徹褻衣加新衣體一人（人始生在地去牀庶其氣生反也徹褻衣則所加者朝服也）男女改服屬纊以俟絕氣唯哭先復復而後行死事君設大盤造冰焉大夫設夷盤造冰焉士併瓦盤無冰設牀襢第有枕含一牀襲一牀遷尸于堂又一牀皆有枕席君大夫士一也始死遷尸于牀幠用斂衾去死衣小臣楔齒用角柶綴足用燕几君大夫士一也管人汲授御者御者

差沐于堂上君沐梁大夫沐稷士沐梁甸人爲垼于西牆下陶人出重鬲管人受沐乃煮之甸人取所徹廟之西北厞薪用爨之管人授御者沐乃沐用瓦盤挋用巾如他日小臣爪手剪鬚濡濯棄于坎

又三年問曰三年之喪何也曰稱情而立文因以飾羣別親疏貴賤之節而弗可損益也故曰無易之道也稱其情而立文稱人之情輕重而制其禮也羣謂親之黨也無易猶不易也創鉅者其日久痛甚者其愈遲三年者稱情而立文所以爲至痛極也

又曰然則何以至期也言三年之義如此則何以有降至於期也期者謂爲人後者父在爲母也曰至親以期斷言服之正雖至親皆期而除也是何也問服斷於期之義也曰天地則已易矣四時則已變矣其在天地之中者莫不更始焉是以象之也法此變易可以期也然則何以三年也言法此變易可以期何以乃三年爲曰加隆焉爾也焉使倍之故再期也言於父母加隆其恩使倍期也下焉然田九月以下何也曰焉使弗及也言使其恩不若父母故三年以爲隆緦小功以爲殺期九月爲間上取象於天下取法於地中取則於人人之所以羣居和壹之理盡矣取象於天地謂法其變易也自三年以至緦皆歲時之數也言既象天地又足以盡人聚居純厚之恩也

左傳哀下曰越圍吳趙孟降於喪食趙孟襄子無恤時有父簡子喪楚隆曰三年之喪親暱之極也主又降之無乃有故乎楚隆襄子家臣趙孟曰黃池之役先主與吳王有質曰好惡同之今越圍吳嗣子不廢舊業而敵之嗣子襄子自謂欲敵越救吳非晉之所能及也吾是以爲降

論語陽貨曰宰我問三年之喪期已久矣君子三年不爲禮禮必壞三年不爲樂樂必崩舊穀既没新穀既升鑽燧改火期可已矣子曰食夫稻衣夫錦於女安乎曰安女安則爲之夫君子之居喪食旨不甘聞樂不樂居處不安故

不爲也今女安則爲之宰我出子曰予之不仁也子生三年然後免於父母之懷夫三年之喪天下之通喪也予也有三年之愛於其父母乎言子之於父母欲報之恩昊天罔極而予也有三年之愛乎

孝經援神契曰喪不過三年以期增倍五五二十五月義斷仁期十二月也再期二十五月也言期增倍則可矣後云二十五月者容有閏故日期而後三十五月也春秋日閏月葬齊景公看數閏也示民有終緣喪絕情再期萬物再終喪者彌遠遠追慕哀故因殺以絶

家語曰孔子在衛司徒敬子卒夫子弔焉主人不哀夫子哭不盡聲而退蘧伯玉請孔子曰衛國鄙俗不習喪禮煩吾子辱相焉孔子許之掘中霤而浴中霤室中毀竈以綴足襲屍於牀及葬毀宗躐行明不復有事於此綴足欲令不解喪也毀宗廟之門西而出行神之位在廟門之外出于大門及墓男子西面婦人東面既封而歸殷道也孔子行之子游問曰君子行禮不求變俗夫子變之矣孔子曰非此之謂也喪事則從其質而已矣

又曰孔子之喪公西赤掌殯葬焉唅以疏米三具疏米粱米也禮記曰嘉蔬襲衣十有一稱加朝服一冠章甫之冠佩象環徑五寸而綦組綬綦雜色也桐棺四寸栢棺五寸飾桐牆置翣設披周也設崇殷也綢練設旐夏也披柩行夾引棺者也崇牙旌旗飾也綢練旌旗之扛葬乘車所建也旌旗之旒緇布廣充幅長尋曰旐也兼用三王之禮所以尊師且備古也

續漢書禮儀志曰登遐皇后詔三公典喪事百官皆衣白單衣白幘冠閉城門宮門近臣中黃門持兵虎賁羽林郎中署皆嚴宿衛宮府各警北軍五校繞宮屯兵黃門令尚書御史謁者晝夜行陳三公所手足色膚如禮皇后皇太子哭踊如禮沐浴如禮守宮令兼東園匠將女執事黃綿緹繒金縷玉柙如故事飯含珠玉如禮冰槃如禮百官哭

臨殿下是日夜下竹使符到皆伏哭盡哀小斂如禮東園匠考工令東園秘器表裏洞赤文畫日月鳥龜龍虎連璧偃明如故事大斂于兩楹之間

干寶晉紀曰大鴻臚鄭默有母喪既葬有司依常使還攝職默固陳執乆乃許之於是定令聽大臣得終喪焉

宋書禮志曰鄭玄喪制二十七月而終學者多云得禮晉初用王肅議祥禫共月遂以爲制江左以來唯晉朝施用縉紳之士猶多遵玄議

齊書曰皇太子妃薨左衛將軍沈文季經爲宫臣未詳服不王儉議曰漢魏巳來宫僚先備臣隸之節具體在三存既盡敬亡豈無服昔庾翼喪妻王允滕猶府吏宜有小君之服况臣節之重宜依舊君之妻齊衰三月而除

後周書曰葬文宣后叱奴氏於永固陵帝袒跣至陵所詔曰齊斬之情經籍彜訓近代沿革遂亡斯禮伏奉遺令既葬便除攀慕几筵情實未忍三年之喪達於天子古今無易之道王者之所常行但時有未諧不得全制軍國務重庶目聽朝縗麻之節苫廬之禮率遵前典以申罔極百寮以下宜依遺令公卿上表固請俯就權制過葬即吉帝不許引古禮荅之羣臣乃止於是遂申三年之制五服之内亦令依禮

衝波傳曰宰我謂三年之喪日月既周星辰既更衣裳既造百鳥既變萬物既易黍稷既生朽者既枯於期可矣顔淵曰人知其一莫知其他俱知暴虎不知憑河鹿生三年其角乃墮子生三年而離父母之懷子雖美辯豈能破堯舜之法改禹湯之典更聖人之文除周公之禮改三年之喪不亦難哉父母者天地天崩地壞三年不亦宜乎

荀氏家傳曰荀爽對策曰臣聞火生於木故其德孝漢之謚帝稱孝其義取此也故漢制天下皆誦孝經選吏則舉孝廉蓋以孝務也夫喪親自盡孝之終也今二千石不得行三年喪非所以崇孝道而稱火德也頃者漢嗣數乏枝葉不繁其咎未必不由此往者文帝勞謙自約行過乎儉故有遺詔以日易月此所謂夷惠激俗當身而巳貫萬世爲後嗣法者也

太平御覽卷第五百四十五

禮儀部二十五

居喪　奔喪　訃告

奪情

居喪

禮記曲禮曰居喪未葬讀喪禮既葬讀祭禮喪復常讀樂章（爲礼各於其時）居喪不言樂

又曲禮曰居喪之禮頭有瘡則沐身有瘍則浴有疾則飲酒食肉疾止復初不勝喪乃比於不慈不孝（勝任也）

又檀弓上曰穆公之母卒使人問於曾子曰如之何對曰申也聞諸申之父曰哭泣之哀齊斬之情饘粥之食自天子達

又曰始死充充如有窮既殯瞿瞿如有求而弗得既葬皇皇如有望而弗至練而慨然祥而廓然子路有姉之喪可以除之矣而弗除也孔子曰何弗除也子路曰吾寡兄弟而不忍也孔子曰先王制禮行道之人皆弗忍也子路聞之遂除之子思哭嫂也爲位（礼雖無服爲位而哭夫子善之）曾子曰小功不稅（追服爲稅則是遠兄弟終無服也而可乎）曾子曰喪有疾食肉飲酒必有草木之滋焉以爲薑桂之謂（曾子曰所云草木之滋者薑桂也）

又檀弓下曰子張問曰書云高宗三年不言言乃歡有諸（時人君無行三年之喪礼者歡喜悦也言乃喜悦則民臣望其言久也）仲尼曰胡爲其不然也古者天子崩王世子聽於冢宰三年（冢宰大官）

又曰顏丁善居喪（顏丁魯人）始死皇皇焉如有求而弗得及殯望望焉如有從而弗及既葬慨焉如不及其返而息（此三者孝子哀慕之情也）

又檀弓曰孔子在衛有送葬者而夫子觀之曰善哉爲喪乎足以爲法矣小子識之子貢曰夫子何善爾也曰其往也如慕其反也如疑（慕謂小兒隨父母啼呼疑者哀親之在後如不欲還然）

又檀弓上曰孔子既祥五日彈琴而不成聲（哀未忘也）十日而成笙歌（踰月且異旬也祥者凶事用遠日五日彈琴十日笙歌除由外也彈琴以手笙歌以氣也）孔子與門人立拱而尚右二三子亦皆尚右（効孔子也）孔子曰二三子之嗜學也我則有姉之喪故也二三子皆尚左

又曰孟獻子禫縣而不樂比御而不入（可以御婦人矣尚未復寢孟獻子魯大夫仲孫蔑也）夫子曰獻子加於人一等矣（加猶踰也）

又檀弓下曰樂正子春之母死五日而食曰吾悔之（勉強過禮子春曾子弟子）自吾母死不得吾情吾惡乎用吾情（惡乎猶於何也）

又王制曰三年之喪自天子達（下通庶人父母同也天子諸侯降其也）於庶人喪從死者祭從生者

又曾子問曰父母之喪弗除可乎（以其有終身之憂也）孔子曰先王制禮過時不舉非禮也非不能勿除也患其過制也故君子過時不祭禮也

又雜記曰凡喪服未畢有弔者則爲位而哭拜踊（客始來主人不可以殺礼待之）大夫之哭大夫弁絰大夫與殯亦弁絰（弁絰者大夫錫衰相弔之服也如爵弁而素加環絰曰弁絰）大夫有私喪之葛則於其兄弟之輕喪亦弁絰

又曰有父之喪如未沒喪而母死其除父之喪也服卒事反喪服（沒猶竟也除服謂祥祭之服也卒事既祭反喪服後死者之服）雖諸父昆弟之喪如當父母之喪其除諸父昆弟之喪也皆服其除喪之服卒事反喪服（雖有親之大喪猶爲輕服者除骨肉之恩也唯君之喪不除私服言當者期大功之喪或終始皆在三年之中小功緦麻則不除殤長中乃除）

又曰子貢問喪子曰敬爲上哀次之瘠爲下顏色稱其情戚容稱其服（問喪問居父母之喪也喪常哀言敬爲上者疾謂尚不能敬也容戚儀也孝經曰容）

止可觀請問兄弟之喪子曰兄弟之喪則存乎書策矣言既者如
禮行之未有加也齊斬之喪哀容之體經不能識矣君子不奪人之喪重喪禮也亦不可
奪喪也不可以輕之於已也
孔子曰少連大連善居喪三日不怠三月不懈朞悲哀三
年憂東夷之子也言其生於夷狄而知禮也息猶也解倦也
又曰三年之喪言而不語對而不問廬堊室之中不與人
坐焉在堊室之中非時見乎母也不入門言已事也爲人說爲語在堊
室之中以時事見乎母乃後入門則居廬時不入門疏衰皆居堊室不廬廬嚴者也
言廬哀敬之處非有其實則不居
又雜記曰縣子曰三年之喪如斬朞之喪如剡言其痛之惻怛有淺
深也期之喪十一月而練十三月而祥十五月而禫曾申問
於曾子曰哭父母有常聲乎曰中路嬰兒失其母焉何常
聲之有

又間傳曰斬衰何以服苴惡貌也所以首其内而見諸外
也斬衰貌若苴齊衰貌若枲大功貌若止小功緦麻容貌
可也此哀之發於容體者也有大憂者面必黎黑止謂不
動於喜樂之事也枲或爲似斬衰之哭若往而不反齊衰
之哭若往而反大功之哭三曲而偯小功緦麻哀容可也
此哀之發於聲音者也三曲聲而二折斬衰唯而不對齊衰對而
不言大功言而不議小功緦麻議而不及樂此哀之發於
言語者也議謂陳說非時事也斬衰三日不食齊衰二日不食大功
三不食小功緦麻再不食三不食爲明旦朝也再不食謂
如死一不食始斂時一不食也故父母之喪既殯食粥朝一
溢米暮一溢米齊衰之喪疏食水飲不食菜果大功之喪不
食醯醬小功緦麻不飲醴酒此哀之發於飲食者也父母
之喪既虞卒哭疏食水飲不食菜果果期而小祥食菜果又朞而大祥有醯醬

中月而禫禫而飲酒始飲酒者先飲醴酒始　食肉者先
食乾肉父母之喪居倚廬寢苫枕塊不脫絰帶齊衰之喪
居堊室芐翦不納大功之喪寢有席小功緦麻牀可也此
哀之發於居處者也
又奔喪曰聞遠兄弟之喪既除喪而后聞喪免袒成踊拜
賓則尚左手小功緦麻不稅者也雖不服猶免袒尚左手吉拜也
又問喪曰親始死雞斯徒跣扱上衽交手哭惻怛之心痛
疾之意傷腎乾肝焦肺水漿不入口三日不舉火故鄰里
爲之糜粥以飲食之親父母也雞斯當爲笄纚之譌也親始死去冠二日乃去笄纚括髮也
今時始喪者邪巾貊頭笄纚之存象也
又喪服四制曰父母之喪衰冠繩纓菅屨三日而食粥三
月而沐期十三月而練冠三年而祥比終茲三節者仁者
可以觀其愛焉知者可以觀其理焉強者可以觀其志焉

又三年問曰三年之喪何也稱情而立文因以飾羣別親
疏貴賤之節而弗可損益也故曰無易之道稱情而立文者稱人情輕
重而制其禮也創鉅者其日久痛甚者其愈遲三年者稱情而
立文所以爲至痛極也斬衰苴杖居倚廬食粥寢苫枕
塊所以爲至痛飾也三年之喪二十五月而畢哀痛未盡
思慕未忘然而服以是斷之者豈不送死有已復生有節
也哉凡生天地之間者有血氣之屬必有知有知之屬莫
不知愛其類今是大鳥獸則失喪其羣匹越月踰時則必
返巡過其故鄉廻翔焉鳴號焉躑躅焉踟蹰焉然後乃能
去之小者至於燕雀猶有啁噍之頃焉然後乃能去之故有
血氣之屬者莫知於人於其親也至死不窮則三年之喪
二十五月而畢若駟之過隙然而遂之則是無窮也故先
王爲之立中制節壹使足以成文理則釋之矣立中制節謂服紀使

（有年月之限者也）然則何以至朞也（言三年之義如此則何以有降至於朞者父在為母服朞上）曰至親以期斷是何也曰天地則已易矣四時則已變矣其在天地之中者莫不更始焉以是象之也然則何以三年也曰加隆焉尒也焉使倍之故再朞也喪三年以為隆緦麻小功以為殺（雖情不經制以此服所以止法）期九月以為間（間在三年之下緦麻小功之上也隨情輕重處之）上取象於天下取法於地中取則於人人之所以羣居和壹之理盡矣（取象於天地所謂法其變易也自三年以至緦麻皆歲時之數）

左氏傳襄上曰晏桓子卒晏嬰麤縗斬（斬不緝也麤三升布）苴絰帶杖菅屨（苴麻之有子者菅草屨也）食粥居倚廬寢苫枕草（此禮與士禮略同此異唯枕草）其老曰非大夫之禮（時之所行士及大夫縗服各有不同晏子時為大夫行士禮其家臣不解故譏）曰唯卿為大夫

家語曰子夏問曰居君子之母與妻之喪如之何孔子曰居處言語飲食衎尒於喪所則稱其服而已敢問伯叔母如之何曰伯母叔母疏衰朞踊不絕地姑姊妹之功踊絕於地若知此者由文矣哉由文矣哉（言知禮之意也）

南史曰王秀字伯奮㓜時祖父敬弘愛其風采仕宋為太子舍人父卒廬於墓側服闋復職○梁書曰到漑遭母憂居喪盡禮所處廬開方四尺毀瘠過人服闋猶蔬食布衣者累載

又曰孔奐為儀曹侍郎遭母憂時天下喪亂皆不能終三年喪唯奐及吳國張種在寇亂中守法度並以孝聞

奔喪

禮記奔喪曰奔喪之禮始聞親喪以哭荅使者盡哀問故又哭盡哀遂行日行百里不以夜行唯父母之喪見星而行見星而舍（侵晨冒昏行者蓋欲從速）若未得行則成服而後行過國至境哭盡哀而止哭避市朝望其國境哭至於家入門左升自西階殯東西面坐哭盡哀括髮袒降堂東即位西鄉哭成踊奔母之喪西面哭盡哀括髮袒奔母之喪西面哭皆如奔父之禮（下堂東至孝子堂所位處）婦人奔喪升自東階殯東西面坐哭盡哀東髽即位與主人拾踊（拾更也主人與之更踊盡哀而哭者賓客待之也）

又曰奔喪者不及殯先之墓北面哭盡哀主人之待之也即位於墓左婦人墓右成踊盡哀括髮東即主人位絰絞帶哭成踊拜賓反位成踊

又曰若所為位家遠則成服而往齊衰望鄉而哭大功望門而哭小功至門而哭緦麻即位而哭（奔喪哭親疏之差也）

訃告

禮記雜記上曰凡訃於其君曰君之臣某死（訃或作赴赴至也臣死其子使人至君所告也）父母妻長子曰君之臣某之某死（此臣於其家喪所主者）君訃於他國之君曰寡君不祿敢告於執事夫人曰寡小君不祿太子之喪曰寡君之適子某死（君夫人不稱薨告他國君謙也）大夫訃於同國敵者曰某不祿訃於士亦曰某不祿訃於他國之君曰君之外臣寡大夫某死訃於敵者曰吾子之外私寡大夫某不祿使某實（識謂有爵者實當為至也）士訃於同國大夫曰某死訃於士亦曰某死訃於他國之君曰君之外臣某死訃於大夫曰吾子之外私某死訃於士亦曰吾子之外私某死

白虎通曰天子崩訃告諸侯者何緣臣子哀痛憤懣無能不告諸人者也諸侯欲聞之當持土地所出以供喪事故禮曰天子崩遣使者訃告諸侯

又曰諸侯薨使臣歸瑞珪於天子者何諸侯以瑞珪為信今死矣嗣子諒闇歸之者讓之義也天子聞諸侯薨哭之

何慘怛發中哀痛之至也使大夫弔之追遠重終之義
又曰臣死亦訃告君何此君哀痛於臣子也君欲聞之當
加賻賵之禮故春秋曰蔡侯考父卒卒訃而葬不告諸侯
薨訃告鄰國何緣鄰國欲有禮也

奪情

禮記曾子問曰子夏問三年之喪卒哭金革之事無避也
禮與初有司與（疑有司使之然）孔子曰夏后氏三年之喪既殯而
致事殷人既葬而致事（致事還其職位於君）記曰君子不奪人之親
亦不可奪親也此之謂乎子夏曰金革之事無避也者非
與孔子曰吾聞諸老聃曰昔魯公伯禽則有爲爲之今以
三年之喪從其利者吾不知也

東觀漢記曰桓焉爲大傅以母憂自乞聽以大夫行踰年
詔賜牛酒奪服即拜光祿大夫遷大常

後漢書曰耿恭征疏勒時母卒及還追行喪制有詔使五
官中郎將齎牛酒釋服（奪情不令追服）

又曰趙熹代虞延行太尉事遭母憂上疏乞身行喪禮顯
宗不許遣使者爲釋服賞賜恩寵甚渥

漢雜事曰崔方進爲丞相遭後母喪行服三十六日起視
事曰不敢踰國家也

吳志曰孫權詔曰夫三年之喪天下達制人情之極痛也
賢者制哀以從禮不肖勉而致之也治道已泰上下無事
君子不奪人情故三年遠孝子之間至於有事則殺禮以從
宜要經而處事故聖人制法有禮無時不行喪不奔非古
也蓋隨時之宜以義斷恩也前故設科長吏在官當須交
代而故犯之雖隨糺坐猶以廢曠方事之殷國家多難凡
在官司宜各盡節先公後私而不恭承甚非謂也中外羣
僚其更平議務令得中節度丞相顧雍奏從大辟其後吳
令孟宗喪母奔赴已而自拘於武昌以聽刑戮陸遜陳其
素行因爲之請減宗等後不得以爲比自此遂絕

風俗通曰謹案禮臣有　大喪三年不呼其門

太平御覽卷第五百四十六

太平御覽卷第五百四十七

禮儀部二十六

喪服　衰冠　絰帶

喪服

周禮春官司服曰凡凶事服弁服（服弁喪冠也其服斬縗齊縗也）凡弔事弁絰服（弁絰者如爵弁而素加環絰也論語曰羔裘玄冠不以弔絰大如緦之絰其服錫衰疑衰也諸侯及大夫亦以錫衰為弔也）凡喪為天王斬縗為王后齊縗（王后小君也諸侯為之杖朞也）王為三公六卿錫縗為諸侯緦縗為大夫士疑縗其首服皆弁絰（君為臣服也疑衰十四外疑之擬擬於吉也）

儀禮喪服曰喪服斬衰裳苴絰杖絞帶冠繩纓菅屨者為父諸侯天子君父為長子為人後者妻為夫女子子在室為父女子子嫁及在父之室為父公士大夫之衆臣為君布帶繩屨

又曰疏衰裳齊牡麻絰冠布纓削杖布帶疏屨三年者父卒則為母繼母慈母如母母為長

又曰疏衰裳齊牡麻絰冠布纓削杖布帶疏屨朞者父在為其母妻出妻之子為母卒繼母嫁從為之服報不杖麻屨者祖父母世父母叔父母

又曰疏衰裳齊牡麻絰無受者（無受者服是而除不以經服而受也）寄公為所寓丈夫婦人為宗子宗子之母妻為舊君之母妻庶人為國君大夫在外其長子為舊國

又曰大功布衰裳牡麻絰無受者子女子子之長殤中殤叔父之長殤中殤姑姊妹之長殤中殤昆弟之長殤中殤夫之昆弟之子女子子之長殤中殤嫡孫之長殤中殤大夫之庶子為嫡昆弟之長殤中殤公為嫡子之長殤中殤大夫為嫡子之長殤中殤其長殤皆九月纓絰其中殤七月不纓絰大功布衰裳牡麻絰纓布帶三月受以小功衰即葛九月者姑姊妹女子子適人者

又曰繐衰裳牡麻絰既葬除之者傳曰繐衰者何以小功之繐也諸侯之大夫為天子傳曰何以繐衰也諸侯之大夫以時接見乎天子小功布衰裳澡麻帶絰五月者叔父嫡孫昆弟之下殤

又曰小功布衰裳牡麻絰即葛五月者從祖祖父母從祖父母報從祖昆弟從父姊妹孫適人者為人後者為姊妹適人者為外祖父母

又曰緦麻三月者族曾祖父母族祖父母族父母族昆弟庶孫之婦庶孫之中殤

又曰公子為其母練冠麻麻衣縓緣為其妻縓冠葛絰帶麻衣縓皆既葬除之

又曰凡妾為私兄弟如邦人大夫弔於命婦錫衰命婦弔於大夫亦錫衰

禮記檀弓上曰喪服兄弟之子猶子也蓋引而進之嫂叔之無服蓋推而遠之姑姊妹之薄也蓋有受我而厚之者（欲其一心厚之者姑姊妹嫁大功夫為妻期）

又檀弓曰成人有兄死而不為衰者聞子皐將為成宰遂為衰成人曰蠶則績而蟹有匡范則冠而蟬有緌兄則死而子皐為之衰（蚩兄死者言其衰之不為兄死如蟹有匡蟬有緌不為蠶之績范之冠也范蜂也蟬蜩也緌謂蜩喙長在腹下）

又喪服小記曰近臣君服斯服矣其餘從而服不從而稅除喪者先重者易服者易輕者斬衰之葛齊衰之葛與大功之麻同

又曰服問曰三年之喪已練矣有朞之喪既葬矣則帶其

故葛帶絰朞之絰服其功衰有大功之喪亦如之小功無
變也無所變於大功齊斬之服不用輕累重麻之有本者變三年之葛謂有本大
功以上也小功以下澡麻斷本既練遇麻斷本者於免絰之既免去絰每
可以絰必絰既絰則去之
禮統曰天子諸侯皆　爲貴臣妾服三月適夫人爲八
妾服三月八妾爲夫人服與舅姑同
家語曰門人疑所以服夫子者子貢曰昔夫子之喪顏淵
若喪子而無服喪子路亦然請喪夫子若喪　父而無服
於是弟子皆服而加麻出有所之則猶絰
孔叢子曰秦莊子死孟武伯問於孔子曰古者同僚有服
乎曰然同僚有相友之義貴賤殊等不爲同官聞諸老聃
昔虢叔閎夭太顛散宜生南宮括五臣者同僚比德以
贊文武及虢叔死四人者爲服友之服古達禮者行之

又曰子思居衛魯穆公卒縣子使乎衛聞喪而服謂子思
曰子雖未臣魯父母之國也先君宗廟在焉奈何弗服子
思曰吾豈愛乎禮弗得也縣子曰請問之答曰臣而出國
君不掃其宗廟則不爲之服
又曰司徒文子改葬其叔父問服於子思子思曰禮父母
改葬緦既葬而除不忍無服送至親也非父母無服無服
則弔服加麻
又曰魯人有同歲上計而卒欲爲之服問於季立季立曰
思好者其緦乎昔諸侯大夫共會事于王及以君命同盟
霸主其死也則皆有哭臨之禮今之上計上覲天子有交
讌之忻同名綈素上記先君下祿子弟相敦以好相厲以
義又數相往來特有思親比之朋友不亦重乎
白虎通曰弟子爲師服者弟子有君臣父子朋友之道也

故生竭敬而親之死則哀痛之恩深義重故爲之服入則
絰出則否
習鑿齒漢晉春秋曰初文帝之崩也羊祜謂傅玄曰三年
之喪雖貴遂服自天子達而漢文除之毁禮傷義常以爲
歎今上天縱至孝有曾閔之性雖奪其服而實行喪禮喪
禮行除服何爲耶若因此革魏之薄而興先王之法以敦
厚風俗垂之百代不亦美乎玄曰漢文以來世乃淺薄不
能行國君之喪因而除之數百年一旦復古恐難行也祜
曰就不能使天下如禮且使主上遂服不猶善乎玄曰若
主上不除而下除此爲但有父子無君臣三綱之道虧矣
君子曰傅玄知無君臣之傷教而不知兼無父子之爲重
豈不蔽惑哉漢廢君臣之喪不降父子之服故四海黎庶
莫不盡於其新三綱之道二服恒用於私室而王者獨盡

廢之豈所以孝治天下乎詩云猶之未遠其傅玄之謂也
摯虞新禮議曰虞謹案古者諸侯臨君其國臣諸父兄之
諸侯未同于古未同于古則其尊未全不宜使絶朞之制
而令傍親服斬衰之重也諸侯既然則公孫之爵亦宜如
舊
又曰喪無弟子爲師服之制新禮弟子爲師衰臣虞謹案
自古無服師之禮故仲尼之喪門人疑所服子貢曰昔夫
子喪顏淵若喪子而無服請喪夫子若父而無服遂心喪
三年此則懷三年之哀而無齊衰之制也出則絰居則否
所謂弔加麻也先聖爲禮必易從而可傳師徒之義誠重
而服制之若歷代相襲不以爲疑宜定親新禮無服如舊
摯虞決疑要注曰禮故臣爲舊君齊衰三月　謂策名委質
稱臣吏者也凡察舉而不爲吏者弔服加麻

衰冠

毛詩羔裘曰素冠刺不能三年也庶見素冠兮棘人欒欒兮〔箋云時無三年之恩於父母廢其喪禮故冀幸一見素冠急於哀慼也〕

周禮春官小宗伯曰王崩懸衰冠之式于路門之外肆師之職大喪禁外內男女之衰不中法者

又夏官大僕曰大喪懸首服之法于宮〔首服之法謂免髽笄總長短之數於宮門示四方也〕

又天官內司服曰共后之衣服及九嬪世婦凡命婦共其服共喪衰亦如之

儀禮喪服曰斬衰者不緝也冠繩纓條屬冠六升外畢鍛而勿灰齊衰者緝也

又曰疏衰裳齊傳曰問者曰何冠也曰齊衰大功冠其衰也緦麻小功冠其衰也帶緣各視其冠

又曰緦者十五升抽其半有事其縷無事其布曰緦也錫衰者何也麻之有錫者也者十五升抽其半無事其縷有事其布曰錫

又曰凡衰外削幅裳內削幅幅三袧〔削殺也〕若齊裳內衰外負廣出於適寸〔負在背上適辟領也負出於辟領外旁一寸也〕適博四寸出於衰衰長六寸博四寸

禮記檀弓曰衰與其不當物也寧無衰〔惡其亂禮不當物謂精麤廣狹不應法制〕齊衰不以邊坐

又檀弓曰古者冠縮縫今也衡縫〔縮從也今禮制衡讀爲橫今冠橫縫以其辟積多〕故喪冠之反吉非古也〔解時人之惑喪冠縮縫古冠耳〕

又間傳曰斬衰三升齊衰四升五升六升大功七升八升九升小功十升十一升十二升緦麻十五升去其半有其事縷無事其布曰緦此哀之發於衣服者也

禮記外傳曰凡言斬衰者以六寸之布廣四寸爲衰帖於心前剪而不緝也〔衰者言悲摧也緝者縫緶之名〕齊之言齊也〔加針縷其裳下之縫使齊半也〕凡言有事其縷者先加灰錫治其麻縷爲布則不治也〔哀在外故〕有事其布者則不治其縷〔哀在內也爲布之後即先治也〕緦者如絲也錫衰者先緝錫白之謂也疑衰者疑其布是絲也〔疑衰錫衰二者君之弔服也〕

又曰吉冠之布倍於衣也朝服十五升則冠三十升是也今喪冠升數少〔喪禮〕斬衰三升冠六升〔升者登也轉相訓耳凡麻八十縷爲十升至六升即爲成布也凡言受以成布者既葬之後漸去麤受細〕齊衰四升冠七升又有疏衰即三升半之衰也〔疏亦麤也其布在齊斬之間〕

左傳僖上曰許僖公見楚子於武城許男面縛銜壁大夫衰絰士輿櫬〔櫬棺〕楚子問諸逢伯對曰武王克殷微子啓如是。又襄六曰魯昭公立十九年矣猶有童心比及葬三易衰衰衽如故衰〔言其嬉戲無度〕

吳録曰諸葛恪將誅有着衰衣入其閤令人詰荅曰不自知入時外內守備亦不見也

鄭玄別傳曰玄卒受業者衰絰于餘人

郭子曰劉王共在觽南酣宴謝鎮西往尚書墓還是葬後三日諸人欲要之眞長云仁祖應來便遣要之果即迴駕諸人迎之把臂便下裁得脫幘酣宴半坐乃覺未得脫衰

釋名曰衰摧也絰實也傷摧實也斬衰下緝其末翦斬而已也大功其布加麤大之功不善治之也小功精細之小功轉有飾也緦絲也錫也治其麻使滑易也繐繐如流如繐也

經帶

周禮夏官曰弁師王之弁絰弁而加環絰〔弁絰王弔所服也其弁如爵弁〕

而素所謂素冠也而加環絰環者大如緦之麻絰纏而不糾同服識曰凡弔事弁絰事

儀禮喪服曰苴絰者麻之有蕡者也苴絰大搹（搹手搹圍九寸）左本在下去五分一以爲帶齊衰之絰斬衰之帶也去五分一以爲帶絞者垂帶也（鄭玄注曰凡服上曰衰下曰裳在首在要皆曰絰絰之言實也首絰象幘布冠之幘要絰象大帶又有絞帶象革帶也）牡麻者枲麻也牡麻絰右本在上

又曰斬衰絞帶七寸三分齊衰之帶五寸六分大功之帶四寸五分小功之帶三寸七分緦麻之帶二寸九分（鄭注絞帶象革帶斬之絰五分去一以爲帶繩帶也）

禮記外傳曰絰者實也表其有喪慼之情實也喪服衰之與絰因象平裳衰之時冠帶吉凶相變也有首絰有要絰有絞帶斬衰首絰圍九寸向下皆五分去一用爲要絰則七分五分（五分去一者從斬至緦緣有五服相減其數也然則絞帶又小於要絰）齊衰首絰七寸五分之一要絰五寸八分大功首絰五寸八分要絰四寸六分小功首絰三寸七分緦首絰三寸七分要絰二寸九分

太五百四十七　十七　張吳三

左傳僖下曰晉襄公擊秦師於殽子墨衰絰（晉文公未葬故襄公稱子以凶服從戎故墨之）

又襄四曰晉侯有姻喪王駙使宣子墨縗冒絰（晉自殽之役遂常墨衰絰也）二婦人輦以如公奉公以如固宮

後漢書曰胡廣年八十三熹平元年薨故吏自公卿大夫博士議郎以下數百人皆衰絰殯位自終及葬漢興已來人臣之盛未嘗有也

宋書曰王誕爲吳國史毋憂去職武帝伐劉毅起爲輔國將軍誕固辭以墨絰從行

太平御覽卷第五百四十七

太平御覽卷第五百四十八

禮儀部二十七

杖履　幗髮　廬

重　凶門　死

杖履

儀禮喪服曰苴杖竹也削杖桐也各齊其心皆下本杖者何爵也非爵而杖者何擔主也非主而杖者何輔病童子何不杖不能病也婦人何以不杖不能病也

又曰斬齊裳菅屨者菅菲也公士大夫之衆臣爲其君繩屨者繩菲也疏衰裳齊疏屨者藨蒯之菲也

禮記喪服小記曰虞杖不入室附杖不升堂鄭玄注曰哀益衰敬多也婦人不爲主而杖者姑在爲夫杖姑不厭婦母爲長子削杖嫌服男子當杖竹也母爲長子服不可以重於子爲己也女子子在室爲父母其主喪者不杖則子一人杖女子子在室亦童子也無男昆弟使同姓爲攝主不杖則子一人杖謂長女也許嫁二十而笄笄爲成人成人正杖也

又喪服小記曰庶子不以杖即位下適子也位朝夕哭位也父不主庶子之喪則孫以杖即位可也祖不厭孫孫得伸也父在庶子爲妻以杖即位可也舅不主妾之喪子得伸也

又雜記上曰古者貴賤皆杖叔孫武叔朝見輪人以其杖關轂而輠輪者於是有爵而后杖也

又喪大紀曰大夫之喪三日之朝既殯主人主婦室老皆杖大夫有君命則去杖大夫之命則輯杖內子爲夫人之命去杖爲世婦之命授人杖大夫有君命去杖指大夫之子也而云大夫者通實大夫有父母之喪也授人杖與使人執之同也士之喪二日而殯三日之朝主人杖婦人皆杖於君命夫人之命如大夫於大夫世婦之命如大夫士二日而殯者下大夫也士之禮死與往日生與來日此二日於死者亦得三日也婦人皆杖謂主婦容妾爲君女子子在室者子皆杖不以即位謂凡庶子也不以即位與去杖同也大夫士哭殯則杖哭柩則輯杖哭殯謂既塗也哭柩謂啓後也大夫士之子於父父也尊近哭殯可以杖子哭諸侯之子於父父也君也尊遠杖不入廟門也棄杖者斷而棄之於隱者杖以喪至尊爲人得而褻之

又問喪曰或問曰杖者何也怪其義各異曰竹桐一也故爲父苴杖竹也爲母削杖削桐也言所以杖者義一也顧所用異耳或問曰杖者以何爲也怪所爲施曰孝子喪親哭泣無數服勤三年身病體羸以杖扶病也言得杖乃能起也則父在不敢杖矣尊者在故也堂上不杖辟尊之處也堂上不趨示不遽也此孝子之志也人情之實也禮義之經也非從天降也非從地出也人情而已矣父在不杖謂爲母也尊者不杖辟尊者之處不杖有事不趨皆爲其感動使之憂戚也

又喪服四制曰杖者何也爵也三日授子杖五日授大夫杖七日授士杖或曰擔主或曰輔病婦人童子不杖不能病也

白虎通曰所以杖竹桐何取其名也竹感也桐痛也父以竹母以桐竹陽也桐陰也竹斷而用之質故爲陰也

韓子曰儒執喪三年大毀扶杖世主以爲孝而禮之

幗髮

儀禮喪服曰女子子在室爲父布總箭笄髽衰三年總束髮也謂總者既束其本又總其末箭篠也髽露紒也猶男子之括髮以麻則髽上用麻也用麻者自頭交額上却繞紒如若際頭小記曰男子冠而婦人笄男子免而婦人髽但言衰不言裳者婦人不殊裳也

又曰女子子之適人者爲其父母婦人爲舅姑惡笄有首以髽卒哭子折笄首以笄布總傳曰笄有首者惡笄之有首也惡笄者櫛笄也折笄首者折吉笄之首也吉笄者象笄也

禮記檀弓上曰南宮縚之妻之姑喪孔子誨之髽曰爾無

從(從)介(介)無邑邑爾(誨教也爾汝也縱縱謂太高邑邑謂太廣爾爾語)

又檀弓上曰魯婦人之髽而弔自敗於臺鮐也(時家家有喪髽而相弔去纚而紒曰髽也)

禮記外傳曰髽者婦人有喪者髽(古人重髽男子吉時皆有纚以韜其髮然後加笄加冠也)去纚而髽曰髽(魯婦人遭升陘之戰也露髽相弔以代喪冠也)有麻髽(女子在室遭父母之喪用麻合以對兄弟括髮時也)髽有布髽(齊衰已下以布束髮也)髽者開散之名也(既去有縱髮形謂髽)

左傳襄公曰臧紇救鄶侵邾敗於狐駘國人逆喪者皆髽魯於是乎始髽(髽麻髮合結也遭喪者多故不能備凶服髽而已)

廣雅曰幗謂之幞(音諎)

魏氏春秋曰諸葛亮挑司馬宣王戰致巾幗婦人之飾以怒宣王

廬

周禮天宮宮正曰掌王宮之戒令大喪則授廬舍辯其親踈貴賤之居(鄭玄注曰廬舍堊室也親者貴者居倚廬踈者賤者居堊室)

儀禮喪服傳曰喪服斬衰居倚廬寢苦枕塊(鄭注曰倚木為廬於東墻下西向開北端也)

禮記雜記曰大夫居廬士居堊室

又喪大記曰父母之喪居倚廬不塗寢苦枕凷非喪事不言君為廬宮之大夫士襢之(宮謂圍障)既葬柱楣塗廬不於顯者君大夫士皆宮之(不於顯者不塗見面)

又曰問喪成壙而歸不敢入處室居於倚廬哀親之在外也

白虎通曰父母之喪倚廬於中門外東墻下户北

又曰婦人不居倚廬天子七日諸侯五日卿大夫三日而成服居門外東壁為廬

王肅喪服要記曰魯哀公葬父孔子問曰寧設菰廬乎哀公曰菰廬起太伯太伯出奔聞古公崩還赴喪故作菰廬以彰其尸吾父無太伯之罪何用此為

孝子傳曰王琳汝南上蔡人十歲失父母弟季年七歲兄弟二人哭泣哀聲不絕在冢側作廬不妄出入(餘見孝部)

重(凶門附)

儀禮士喪禮曰重木刊鑿之甸人置重于中庭參分庭一在南夏祝取鬻餘飯盛用二鬲于西牆下冪用疏布久之繫用軡懸于重冪用葦席北面左衽帶用軡賀之結于後祝取銘置于重(鄭玄曰重木也懸物也馬曰重木也刊斲治之也鑿之為懸簪孔士重木長三尺也)

禮記雜記曰重既虞而埋之(就所倚處埋之)

禮記外傳曰重者未葬之前以代主也猶以生事之未忍作木主(主以存神也)設重於庭懸尾鬲以養病之米淅之為沐則羹之為粥實之重用葦席蓋之(魂神依而飲食)始死之奠但用但未有黍稷故也(黍稷在下之中如生時也)殷人作主之後聯其重懸之於廟梁去高祖之廟親盡則埋之周人將葬重隨柩而朝廟之外柩而埋之於階間而後作主也

凶門

南史孔琳之議曰凶門柏裝不出禮典起自末代積習生常遂成舊俗凡人士喪儀多出閭里每有此須動十數萬損人財力而義無所取至於寒庶則人思自竭雖復室如懸磬莫不傾產殫財所謂葬之以禮其此之謂乎宜一罷

凶門之式

王肅喪服要記曰魯哀公葬父孔子問寧設襄門乎哀公曰襄門起於禹禹治水故表其門閭以紀其功吾父無功何用此馬

韋弘與蔡謨牋問凶門曰父在母喪應立凶門不又問與父别止立凶門愚意猶所疑猷於父故也今於父大門之内別立凶門便爲父一家有二門以名義言之門者父之有也今子復立門豈合聖人之典訓苟不出於禮其所不曰故以諮白蔡荅曰禮以二瓦器盛始死之祭繫木裏之葦席置於庭中近南名爲重今之凶門是其象也禮旣虞而作主今未有主故以重當主本爲喪設非以表其門恐不應以尊卑猒降也禮命士以上父子異宮今卑私之喪皆别開門亦不知今人如此者皆有凶門不荛堅荅凶門問曰簿帳似不出禮文何由行此荅曰凶門非禮禮有縣重於庭以席覆之其形似凶門後出之於門外表喪由此俗遂行之耳

禮論曰問改葬立凶門否蔡謨荅云改葬若停喪謂應有

凶門

死

周禮春官大宗伯曰以喪禮哀死亡

禮記曲禮上曰天子曰崩諸侯曰薨大夫曰卒士曰不祿庶人曰死（鄭玄注曰山巓壞曰崩薨崩之聲也卒終也不祿不終其祿也死之言澌也精神澌盡也）死寇曰兵（異於凡人當饗祿其後也）壽考曰卒短折曰不祿（老而死從大夫之稱少而死從士之稱也）

又檀弓下曰孔子過太山側有婦人哭於墓者而哀使子路問之曰子之哭也一似重有憂者而曰然昔者吾舅死於虎吾夫又死焉今吾子又死焉夫子曰何爲不去也曰無苛政夫子曰小子識之苛政猛於虎也

又喪大記曰男子不死於婦人之手婦人不死於男子之手君夫人卒於路寢大夫世婦卒於適寢內子未命死於下室士之妻死於寢

左傳定下曰齊侯伐晉敝無存之父將室之辭以與其弟曰此役也不死反必娶於高國先登求自門出死於霤下

又哀上曰簡子巡列曰畢萬匹夫也七戰皆獲有馬百乘死於牖下（畢萬晉獻公將也死於牖下言得壽中）羣子勉之死不在寇（言有命也）

又哀下曰太子聞之懼下石乞盂黶敵子路以戈擊之斷纓子路曰君子死冠不免結纓而死孔子聞衛亂曰柴也其來乎由其死矣

又哀下曰晉荀瑤帥師圍鄭人浮鄭甥壘賂之以知政閉其口而死

穀梁傳隱公曰高厚曰崩尊曰崩天子之崩以尊之也其崩之何也以在民上故崩之也

春秋說題辭曰天子曰崩崩之爲言殞也諸侯稱薨薨之

爲言奄然而亡大夫曰卒精耀終卒卒之爲言絕絕於邦也士曰不祿失其忠也不祿之言削名章也庶人曰死魂魄去心死之爲言精爽窮也（又白虎通）

爾雅曰崩薨無祿卒殂落殪死也

論語里仁曰子曰朝聞道夕死可矣（言將至死不聞世之有道）

又子罕曰子疾病子路使門人爲臣病間曰久矣哉由之行詐也且予與其死於臣之手也無寧死於二三子之手乎且予縱不得大葬予死於道路乎

又先進曰顏淵死子曰噫天喪予天喪予子哭之慟從者曰子慟矣曰有慟乎非夫人之爲慟而誰爲

又先進曰季路曰敢問死曰未知生焉知死（鬼神及死事難明語之無益故不荅）

又季氏曰齊景公有馬千駟死之日民無德而稱焉伯夷

叔齊餓于首陽之下民到于今稱之

五經通義曰崩薨從何王以來乎曰從周何以言之尚書曰放勳乃殂落舜曰陟方乃死武王既王是以知武王以前未稱崩薨也至成王太平乃制崩薨之著尚書曰翌日乙丑成王崩釋名曰漢以來謂死爲物故言其諸物皆就朽故

史記曰秦武王與孟說舉龍文鼎絕臏而死（徐廣曰臏或作脉矣）

又曰范雎說秦昭王曰夫以烏獲任鄙之力荊成孟賁（許慎曰荊成勇士也孟賁衛人）慶忌夏育之勇焉而死者人之所必不免也

後漢書曰馬援謂孟冀曰方今匈奴烏丸尚擾北邊欲自請擊之男兒要當死於邊野以馬革裹屍還葬耳何能臥牀上在兒女子手中耶冀曰諒爲烈士當如此矣

後魏書曰張頎每羨古人飡玉之法乃採訪藍田躬往攻掘得若環璧雜器形者大小百餘至而觀之皆光潤可玩頎乃椎七十枚爲屑日服食之餘多惠人後乃聞者更求玉於故處皆無所見馮翊公源懷等得其玉琢爲器珮皆鮮明可寶頎服延年云有效驗而世事寢食皆不禁節又加之好酒損志及疾篤謂妻子曰服玉若能屏居山林排棄嗜欲或當大得神力而吾酒色不絕自致於死非藥過也然吾尸體必當有異勿使速殯令後人知飡服之妙時七月中旬長安毒熱頎停尸四宿而體色不變其妻常氏以玉珠二枚唅之口閉常謂之曰君自云飡玉有神驗何故不受唅也言訖齒啓納珠因噓屬其口都無穢氣舉斂於棺堅直不傾委死猶有遺玉屑數斗囊盛納諸棺中

文子曰老子曰聖人同死生愚人亦同死生聖人之同死生知於分理也愚人同死生不知利害所在

莊子曰人之生氣也聚則爲生散則爲死

又曰夫大塊載我以形勞我以生佚我以老息我以死故善吾生者乃所以善吾死也

又曰莊子之楚見空髑髏髐然有形檄以馬捶因而問之曰夫子貪生失理而爲此乎將子有亡國之事鈇鉞之誅而爲此乎於是語卒援髑髏枕而臥夜半髑髏見夢曰子之談者似辯士諸子所言皆生人之累也死則無此矣子欲聞死之說乎莊子曰然髑髏曰死無君於上無臣於下亦無四時之事縱然以天地爲春秋雖南面王樂不能過也

說苑曰齊景公出而見殣謂晏子曰此何死對曰餧而死公曰噫寡人之無德也亦甚矣晏子曰君之德著而不彰何爲無德景公曰何謂也對曰君之德及後宮與臺榭之玩君之鴈食以菽粟君之宮內自樂延及後宮之族何爲其無德也顧臣有請於君由君之意自樂之心推與百姓同之則何殣之有

又曰子貢問孔子人死有知將無知也孔子曰吾欲言死人有知也恐孝子妨生以送死也吾欲言死人無知也恐不孝子孫棄親不葬也賜欲知人死有時將無知也死徐自知之猶未晚也

又曰魯哀公問孔子曰有智者壽乎對曰然人有三死而非命也者人自取之也夫寢處不時飲食不節勞逸過度者疾共殺之居下位而上干其君嗜酒欲物而求不止者刑共殺之少以犯衆弱以侮強忿怒不量力者兵共殺之此三死者非命也

又曰民有五死聖人能去三不能除其二飢渴死者可去

也涷寒死者可去也雖五兵死者可去也壽命死者不可去也癰疽死者不可去也三者可去二者不可去

論衡曰人之死也猶火之滅也而爓不照人死而智不慧二者不亦論者猶謂死有知惑也

又曰王莽之時省五經章句皆爲二十萬博士弟子郭路夜定舊說死於燭下精思不任脉絶氣滅也

楊泉物理論曰人含氣而生精盡而死猶澌也滅也譬如火焉薪盡而火滅則無光矣故滅火之餘無遺炎矣人死之後無遺魂矣

太平御覽卷第五百四十八

太平御覽卷第五百四十九

禮儀部二十八

屍　復魂　啥

絞紟衾冒

屍

禮記曲禮下曰在牀曰屍

左傳哀下曰陳侯使公孫貞子聘吳未至而卒將以屍入吳人使太宰嚭勞且辭上介芋尹蓋對曰寡君聞楚爲不道荐伐吳國滅厥民人寡君使蓋備使弔君之下吏無祿使人逢天之慼大命殞隊令君命逆使人曰無以屍造于門是我寡君之命委于草莽也且臣聞之事死如生禮也於是乎有朝聘而終以屍將事之禮又有朝聘而遭喪之禮若不以屍將命是遭喪而還也無乃不可乎以禮防民猶或踰之今大夫曰死而棄之是棄禮也苟我寡君之命達于君所雖殞于深淵則天命也吳人內之

禮統曰屍之言矢也陳也

家語曰史魚將卒命其子曰吾在朝不能進蘧伯玉退彌子瑕是吾爲臣不能正君生而不能正君死不可以成禮我死汝其陳屍牖下靈公弔焉怪而問之其子以父言告公公曰寡人過也命殯於客位進蘧伯玉退彌子瑕孔子曰史魚死而屍諫可謂直乎

史記曰崔杼殺莊公晏嬰立崔杼門外曰君爲社稷死死之爲社稷亡亡若爲已死非其私暱誰敢任之門開而入枕公屍而哭三踊而出人謂崔杼殺之杼曰民之望也舍之得民

又曰吳兵入郢伍子胥求昭王既不得乃掘楚平王墓出屍鞭之三百

又曰吳王取子胥屍盛以鴟夷（應劭曰取馬皮以爲鴟夷榼形也）浮之江吳人憐之爲立祠於江上因命曰胥山

魏志曰宣王討王陵乃窮治其事發陵及令狐愚冢剖棺暴屍於所近市三日

王隱晉書曰王浚在幽州謠曰幽州城門似藏戶中有伏屍王彭祖

又曰趙王倫害張華之時洛中震悚唯閻纘敢獨詣東市號哭弔屍而撫之曰早語君遜位而不肯去今果不免禍

車頻秦書曰初慕容暐在鄴居石虎宮夢虎齧其臂募人求虎殯所在女子李菟告暐在東明觀下掘得之屍僵不毀暐裸而罵之曰死胡敢夢生天子鞭撻毀辱投之漳河河流迅疾終不移轉暐後爲臣虎所執乃悟而悔焉苻堅以李菟無狀無以長惡坑之

李固別傳梁冀誅固而露屍於四衢命有敢臨者加其罪固弟子汝南郭況年始成童遊學洛陽乃左提章鉞右秉鈇鑕詣闕上書乞收固屍不許往臨哭陳辭於前遂守喪不去

白虎通曰屍者何謂也屍之爲言陳也失氣亡神形體獨陳

釋名曰死曰屍屍舒也骨節解舒不能復自勝斂

搜神記曰初鉤弋夫人有罪以譴死殯屍不臭而香及昭帝即位改葬之棺空無屍獨絲履存焉

異苑曰河內荀儒字君林乘冰省舅氏陷河死兄倫求屍積日不得設祭水側又箋與河伯投箋一宿岸側冰開屍手執箋浮出倫又箋謝

又曰尋陽周虓字孟威寧康中鎮于巴西爲苻堅所擒守節不屈堅使使者請適虓躬治逵陌謂使者云煩君語賊苻堅何至耳煩國士如此又潛圖襲堅聞之曰小人正欲覓死殺之適足成名耳乃若考楚不食而卒斂已經旬堅怒猶未歇剖棺臨視虓屍欻迴眸驤鬚張烈精矑明亮迴眄驤堅覩而嘉稱乃厚加賵賻

又曰元嘉中豫章胡家奴開昌邑王冢青州人開齊襄公冢並得金鉤而屍骸露在巖中儼然茲亦未必有憑而然也京房屍至義熙中猶完具僵屍人肉堪爲藥軍士分割之

列女傳曰齊人杞梁襲莒戰而死其妻無所歸乃就夫屍於城下而哭之七日而城崩妻遂投於淄水而死

博物志曰靈帝光和元年元遼西太守黃翻言海邊有流屍露冠絳衣屍體完令感夢曰我伯夷弟孤竹君也海水壞吾棺求見掩藏

覽五百四九　三

吳會稽分地曰重山者大夫種所葬也在西鄉郭外後潮水穴山漂去其屍俗云伍子胥乘潮水取以去今山脇有鈌處

臨邑國記曰有靈鷲鳥能知人吉凶覘人將死食屍肉盡乃去

晏子春秋曰景公操玉加於晏子屍上涕下沾衿盡哀而去

又曰景公伏晏子屍而號曰今天降禍不加寡人而加夫子社稷危矣

論衡曰孟賁之屍人不刃者氣絶也死炭百斛人不沃者光滅也

又曰淮陽都尉尹齊爲吏酷虐及死怨家欲取其屍屍亡歸

復魂

周禮天官夏采曰掌大喪以冕服復于太祖以乘車建綏復于四郊（復招魂也建綏者去其旒）

又春官司服曰大喪共復衣服（衣服今坐上魂衣也）

禮記檀弓曰復盡愛之道也有禱祠之心焉（復謂招魂且分禱五祀庶幾其精氣之反）望反諸幽求諸鬼神之道也（鬼神處幽闇望其從鬼神所來）北面求諸幽之義也（鄉其所從來也禮復者外屋北面）

又檀弓曰邾婁復之以矢也蓋自戰於外陘始也（時師雖勝死傷亦甚無衣可以招魂）

又曰曾子問曰爲君使而卒於舍禮曰公館復私館不復凡所使之國有司所授舍則公館已何謂私館子曰善乎問也自卿大夫家曰私館公館與公所爲曰公館公館復此之謂也

覽五百四九　四

又禮運曰及其死也升屋而號告曰臯某復（招之於天）

又禮運曰復諸侯以褒衣冕服爵弁服（復招魂復魄也冕服者上公五侯伯四子男三褒衣亦始命爲諸侯及朝覲見加賜之衣也褒猶進也）夫人稅衣揄狄狄稅素沙（言其招魂用稅衣上至揄狄也狄稅素沙言皆以白紗縠爲裹）復西上（北面而西上陽長左也復者多少各如其命之數）

又雜記上曰大夫士死於道則升其乘車之左轂以其綏復如於館死則其復如於其家

又喪大記曰復有林麓則虞人設階無林麓則狄人設階（復招魂復魄也階所乘以升屋者虞人主林麓之官也狄人樂吏之賤者階弟也簨虞之類）小臣復復者朝服君以卷夫人以屈狄大夫以玄赬世婦以襢衣士以爵弁士妻以稅衣皆升自東榮中屋履危北面三號捲

衣投于前司服受之降自西北榮其為賓則公館復私館不復其在野則外其乘車之左轂而復私館卿大夫之家也不於之復為主人之惡也復衣不以衣尸不以斂不以衣尸謂不襲也復者庶其生也若以其衣襲斂是用生施死於義相反喪禮云以衣衣尸浴而去之婦人復不以袡袡嫁時上服而非事鬼神之衣凡復男子稱名婦人稱字婦人不以名行唯哭先復復而後行死事氣絕則哭哭而復復而不蘇可以為死事諸侯行而死於館則其復如於其國如於道則外其乘車之左轂以其綏復館主所致舍綏旌旗

又喪服小記曰復與書銘自天子達於士其辭一也男子稱名婦人書姓與伯仲如不知姓則書氏此謂殷禮也殷質不重名復則臣得名君周之禮天子崩則同復曰皐天子復諸侯薨復曰皐某甫復其餘及書銘

禮記外傳曰人之精氣曰魂魂陽也云云而動形體謂之魄魄陰也凝然不動合陰陽二氣而生也精氣聚而為一物形勞則神逝謂死而魂遊散死則難復生也孝子之心不能忍也故外屋而招其魂鬼神云也神智無涯也鬼者復於土也人皆食土之物養成形體也氣絕而收

其魂使反復於體也

齊書曰張融建武四年病卒遺令白旐無旒不設祭令人捉麈尾登屋復魂曰吾生平所善自當陵雲一笑三千買棺無製新衾左手執孝經老子右手執小品法華經妾二人事哀畢各遣還家

含

周禮天官冢宰曰太宰之職大喪贊贈玉含玉助王為之也贈玉既窆所以送先王含玉死者實也天子以玉雜記曰含者執璧將命曰寡君使某含則諸侯含以璧小宰喪荒受其含襚幣玉之事春秋傳曰口實曰含衣服曰襚凶荒有幣玉者賓客所朙委之禮

又天官玉府曰大喪共含玉

又春官典瑞曰大喪共飯玉含玉贈玉飯玉碎玉以雜米也

禮記檀弓下曰邾婁考公之喪考公益之曾孫也考公或為定公也徐君使容居來弔含弔且含非之也曰寡君使容居坐含進侯王其使容居以含欲親含非禮也含不使賤者君行則親含耳言侯王者徐僭稱王自比天子有司曰諸侯之來辱敝邑者易則易于則于易于雜者未之有也謂易臣禮于謂君禮也容居以臣欲行君禮于徐自比天子使大夫敵諸侯有司固拒之是也容居對曰容居聞之事君不敢忘其君亦不敢遺其祖昔我先君駒王西討濟於河無所不用斯言也容居魯人也不敢忘其祖言我祖與今君於諸侯初如是不聞義則服也駒王徐先君謂僭號者容居其孫也濟渡也言西討渡於河廣大其國也魯魯鈍也言魯鈍者欲自明不妄○又檀弓下曰飯用米貝弗忍虛也不以食道用美焉爾尊之也食道米貝美也

又雜記上曰含者執璧將命曰寡君使某含相者入告出曰孤某須矣含玉為璧制其分寸之大小未聞含者入外堂致命于拜稽顙含者委于殯東南

又曰天子飯九貝諸侯七大夫五士三此蓋夏時也周禮天子飯含用玉

左傳曰叔孫豹會晉士丐于柯盟于督陽荀偃癉疽生瘍於頭癉疽惡瘡二月卒而視不可含目閉口噤宣子與撫之曰事吳敢不如事主猶視欒懷子曰其為未卒事於齊故也懷子欒盈乃復撫之曰主苟終所不嗣事于齊有如河乃瞑受含也

又曰公會吳子伐齊將戰公孫夏命其徒歌虞殯虞殯送終歌典示必死也陳子行命其徒且含玉亦示必死

春秋說題辭曰口實曰含緣生象食孝子不忍虛其欲不忍虛故欲實其口天子以珠諸侯以玉大夫以璧士以貝含之為言含也生常食故死亦有所含

說文曰含送終口中玉也

釋名曰含以米貝含其口中也

莊子曰青青之麥生於陵陂生不布施死何含珠為

呂氏春秋曰含珠鱗施今葬皆用之注云含珠口實鱗施玉匣於死者之體如魚鱗

絞紟衾冒

儀禮士喪禮曰死於適室幠用斂衾幠覆也斂衾大斂所用之衾也衾被也奉尸于室幠用夷衾夷衾覆尸柩之衾也

又曰冒緇質長與手齊䞓殺掩足冒韜尸者也制如直囊上曰質下曰殺殺韜足而上質韜首而下齊手上玄下赤象天地也

又曰厥明陳衣于房南頭西上綪絞紟橫三縮一廣終幅析其末綪屈也絞所以收束衣服爲堅急也以布爲之縮從也橫者三幅從者一幅析其末令可結之也

禮記雜記曰唯絞紟衾冒死而後製

又喪大記曰君錦冒黼殺綴旁七大夫玄冒黼殺綴旁五士緇冒䞓殺綴旁三

又喪大記曰小斂布絞縮者一橫者三大斂布絞縮者三橫者五布紟二衾君大夫士一也

禮記外傳曰絞紟衾帽死而後製絞者交束之名也紟者堅急之稱也衾者單被也帽者小斂衣故設帽以揜形也小斂用一衾大用二衾一以覆之一者將斂之時先鋪衾於紟之下用以舉尸入棺者也

釋名曰絞交也交結之也紟禁也禁繫之也

太平御覽卷第五百四十九

太平御覽卷第五百五十

禮儀部二十九

殮　柩
殯　賵
賻　禭

殮

周禮春官大宗伯曰大宗伯王崩及執事涖大斂小斂帥異族而佐（執事太祝之屬也）

又周禮春官司服曰大喪共其斂衣服

禮記檀弓上曰康子之母死陳褻衣（非上服也陳之將斂也）敬姜曰婦人不飾不敢見舅姑將有四方之賓來褻衣何爲陳於斯命撤之

又喪大記曰小斂於户内大斂於阼階君以簟席大夫以蒲席士以葦席小斂君錦衾大夫縞衾士緇衾皆一衣十有九稱大斂布紟二衾者大夫士一也（簟細葦席也三者下皆有莞衣十有九稱法天地之終數也二衾者或覆之或薦之也）

又曾子問曰下殤土周葬于園遂輿機而往途邇故也（土周聖周也周人以夏后之聖周葬下殤於園中以其未成人遠不就墓也機轝尸之牀也繩縆其中央又以繩從旁鉤之禮以機轝尸輿之以就園而斂葬焉途近故耳輿機或爲餘機）今墓遠則其葬也如之何（今人斂下殤於宮中而葬之於墓與成人同墓途乃遠其葬當輿其棺乎載之也問禮之變）孔子曰吾聞諸老聃曰昔史佚有子而死下殤也墓遠（蓋欲葬之墓如長殤從成人也長殤有送葬車者則棺載之矣史佚武王時史賢猶有所不知）召公謂之曰何以不棺斂於宮中（欲其斂於宮中如成人也斂於宮中則葬當載之也）史佚曰吾敢哉（畏知禮也）召公言於周公（爲史佚問）周公曰豈不可（言是豈於禮可不許也）史佚行之（佚失於以爲許也用召公之宮言也）遂下殤用棺衣棺自史佚始也（棺謂斂於棺也）

又問喪曰或問曰死三日而后斂者何也（其遲也）曰孝子親死悲哀志懣故匍匐而哭之若將復生然安可得奪而斂之故曰三日而后斂者以俟其生也三日而不生亦不生矣孝子之心亦益衰矣家室之計衣服之具亦可以成矣親戚之遠者亦可以至矣是故聖人爲之斷決以三日爲之禮制也

左傳僖下曰許穆公卒于師葬之以侯禮也（男而以侯禮加一等）凡諸侯薨於朝會加一等死王事加二等於是有以衮斂

又襄公曰魯季文子卒大夫入斂公在位宰庀家器爲葬備無衣帛之妾無食粟之馬無藏金玉無重器備君子是以知季文子之忠於公室也相三君矣而無私積可不謂忠乎

又定上曰季平子行東野（東野季氏邑）還未至丙申卒于房陽

虎將以璵璠斂（璵璠美玉君所佩）仲梁懷弗與（懷亦季氏家臣）曰改步改玉（昭公之出季孫行君事佩璵璠祭宗廟今定公立復臣位改君步則亦當去璵璠）陽虎欲逐之告公山不狃不狃曰彼爲君也子何怨焉

家語曰季平子卒將以君之璵璠斂孔子初爲中都宰聞之歷級而救（歷登階不聚足）曰送死人而以寶玉猶曝屍於中原示民以姦利之端

後漢書戴封年十五詣大學時同學石敬平温病卒封養視殯殮以所齎糧市小棺送喪到家更殮見敬平生時書物皆在棺中乃異之

吳志曰張昭卒遺令幅巾素棺斂以時服孫權素服臨弔

又曰諸葛瑾年六十八卒遺令素棺斂以時服事從約省

晉書曰安平王孚臨終遺令曰有魏貞士河内温司馬孚字叔達不伊不周不夷不惠立身行道終始若一當以素棺

單椁斂以時服

南史曰王奐爲雍州刺史被誅舊人無敢至者汝南許明達爲奐叅軍躬爲殯殮經理甚厚當時髙其節

梁書曰王志天監初爲丹陽尹爲政清静都下有寡婦無子姑亡舉債以斂葬既而無以還之志愍其義以俸償焉

陳書曰周弘直卒遺䟽氣絶之後便買市中見材小形者斂以時服古人通制但見先人必須備禮可着單衣裙衫故履既應侍養宜備紛帨或逢善友又須香烟棺内唯安白布手巾麄香鑪而已此外無所用

釋名曰衣尸棺曰斂藏不復也

風俗通曰禮天子斂以梓器宫者存時所居緣生事亡因以爲名凡人呼棺亦爲宫也

宋韜遺教曰吾死斂以時服不得造新白袷單衣

柩

禮記曲禮下曰在棺曰柩柩之言究

又檀弓下曰君遇柩於路必使人弔之

又曰襄公朝于荆康王卒在魯襄公二十八年康王楚子昭也荆人曰必請襲欲使襄公衣之魯人曰非禮也荆人强之巫先拂柩荆人悔之巫祝桃茢君臨臣喪之禮

記統曰柩之言也具書其謚置棺旁萬世久藏也

釋名曰柩究也送隨身之制皆究備也

漢書曰薛宣守左馮翊多仁恕池陽令舉廉吏獄掾王立於府未及有聞立受囚家錢宣責讓縣縣案驗獄掾乃其妻受繫者錢萬六千受之而掾實不知掾慙恐自殺宣聞之移書池陽曰縣所舉廉吏獄掾王立家私受財而立不知殺身以自明立誠廉士甚可閔惜其以府决曹掾書立之柩以顯其䰟

東觀漢記曰廉范字叔度京兆人也父客死蜀范乃出負喪歸至葭萌舡觸石破没范持棺柩遂俱沈溺衆傷其義鈎求得之僅免於死

晉書曰東海王越薨葬東海石勒追及於苦縣寧平城將軍錢端出兵拒勒戰死軍潰勒命焚越柩曰此人亂天下吾爲天下報之故燒其骨以告天地

蕭子顯齊書曰傅琰字季珪北地靈州人也美姿儀爲尚書左民郎遭喪居南岸隣家失火燒屋抱柩不動

殯

禮記曲禮上曰里有殯不巷歌助哀也

又檀弓上曰孔子少孤不知其墓孔子之父郰邑叔梁紇與顔氏之女徵在野合生孔子徵在恥焉而不告也殯於五父之衢欲有所就而問之孔子亦爲隱焉殯於家則知者無由怪尸欲發問端五父之衢名也蓋曼父之鄰人之見之者皆以爲葬也見柩行於路也其愼也蓋殯也愼當爲引禮家讀然聲之誤也殯引飾棺以輤葬引飾棺以蔞孔子是時以殯引不以葬引時人見者謂不知禮

又檀弓上曰天子之殯也攢塗龍輴以椁攢木以周龍輴猶如椁而塗之天子殯以輴車畫轅以龍加斧于椁上畢塗屋斧謂之黼白黑文也以刺繡於縿幕加椁以覆棺已乃屋其上盡塗之矣天子之禮也

又檀弓下曰惟殯非古也自敬姜之哭穆伯始也穆伯魯大夫季悼子之子公甫靖叔敬姜穆伯妻文伯歜之母也禮朝多哭不惟

又王制曰天子七日而殯七月而葬諸侯五日而殯五月而葬大夫士庶人三日而殯三月而葬尊者舒卑者速也春秋傳曰天子七月而葬同軌畢至諸侯五月同盟至大夫三月同位至士踰月外姻至也

又喪大記曰君殯用輴攢至于上畢塗屋大夫殯以幬攢置于西序塗不暨于棺士殯見袵塗上帷之攢猶叢也屋殯上覆如屋

也幬覆也暨及也天子之殯居棺以龍輴欑木題湊象椁上四注如屋以覆之諸侯輴不畫龍欑不題湊象椁其他亦如大夫之殯廢輴置棺墉下就欑三面塗之不及棺者欑中狹小裁取容棺然則天子諸侯差寬大矣士不欑掘地下棺見小要耳帷之者鬼神幽闇士達乎天子皆然或作椁也

又坊記曰子云賓禮每進以讓喪禮每加以遠浴於中霤飯於牖下小斂於户内大斂於阼階殯於客位祖於庭葬於墓所以示遠也遠之所以崇敬

左傳僖下曰晉文公卒庚辰將殯于曲沃殯窆棺也曲沃有舊宮焉出絳柩有聲如牛如牛呴聲卜偃使大夫拜曰君命大事將有西師過軼我擊之必大捷焉聲自柩出故曰君命大事戎事也偃聞秦密謀故因柩聲以正衆心

論語鄉黨曰朋友死無所歸曰於我殯重朋友恩也無所殯無親後也

續漢書曰和帝追封謚皇太后父梁竦爲褒親愍侯殯賜東園棺玉匣衣衾

范曄後漢書曰蔡順喪母停柩未殯東鄰失火燒順屋柩不可移乃伏柩上火乃越燒他舍餘見孝部

宋書曰竟陵王誕據廣陵爲逆事平蔡興宗奉旨慰勞廣陵別駕范義與興宗素善在城内同誅興宗至躬自收殯致喪還豫章舊墓上聞謂曰卿何敢故爾觸網興宗抗言答曰陛下自殺賊臣自葬周旋既犯嚴制正當甘於斧鉞耳

唐書曰嚴郢以舊怨與盧杞陷楊炎趙惠伯構成其罪貶炎於崖州惠伯於費州郢既報怨過當人頗不直郢後得罪至費州道左有柩殯問其主名或曰趙惠伯之殯也郢默然慙恧歲餘而卒

穆天子傳曰天子乃殯盛姬于轂兵之廟先王之廟有此者漢氏亦所在有廟也

白虎通曰天子舟車殯爲水火也故棺在車在舟中臣子更執紼晝夜千二百人紼所以牽持棺者也

釋名曰於西壁下塗之曰殯殯賓也賓遇之言稍遠子思子曰殯賓也

賵

禮記雜記曰介賵執圭將命曰寡君使某賵相者入告反命曰孤某須矣陳乘黄大路於中庭北圭將命客使自下由路西子拜稽顙坐委于殯東南隅宰舉以東輴輳也自宰也下謂馬在路之下覲礼曰路下四亞之客給者入設乘黄於大路之西客入則致命矣

左傳隱公曰天王使宰咺來歸惠公仲子之賵緩且子氏未薨故名惠公葬在春秋前故曰緩也子氏仲子也葬薨在二年賵助喪之物賵死不及尸尸未葬之通稱弔生不及哀諸侯日上既葬則衰麻除無哭位諒闇終喪豫凶事非禮也仲子在而求賵故曰豫凶事

穀梁傳隱公曰乘馬曰賵

公羊傳隱公曰車馬曰賵

春秋説題辭曰知生則賻知死則賵賻之爲言助也賵之爲言覆也輿馬曰賵貨財曰賻玩好曰贈決其意也衣被曰襚養死具也贈稱也襚遺也

賻

周禮天官曰小宰凡邦之弔事掌其戒令與其幣器財用凡所共者弔事弔諸侯臣幣所用贈也器所致明器也凡喪始無弔而舍襚葬而賵贈其間加恩厚則有賻焉

禮記曲禮下曰弔喪不能賻不問其所費

又檀弓上曰孔子之衛遇舊館人之喪入而哭之哀出使子貢説驂而賻之子貢曰於門人之喪未有所説驂説驂於舊館無乃已重乎言説驂太重比於門人恩爲偏頗也夫子曰予鄉而哭之遇於一哀而出涕遇見也舊館人恩雖輕我入哭見主人爲我盡一哀是厚恩待我也我爲之出涕恩重宜施惠之也予惡夫涕之無從也小子行之客行無他物可以易之者

使遂以牲也
又檀弓曰子柳之母死既葬子碩欲以賻布之餘具祭器古者謂錢爲泉布所以通布貨財子柳曰不可吾聞之也君子不家於喪惡因死者以爲利請班諸兄弟之貧者
又少儀曰賵馬入廟門以其主於死賻馬與其幣大白兵車不入廟門以其主於生人也兵車革車也雜爲死者來陳之於外戰伐田獵之服非盛者也周禮革路建大白以即戎也賻者既致命坐委之擯者舉之主人無親受也
公羊傳隱公曰貨財曰賻穀梁傳隱公曰錢財曰賻賻助歸生者賻
漢書曰原涉父哀帝時爲南陽太守天下殷富大郡二千石官賦斂賻葬皆千萬已上妻子適共受之以定產業時又少行三年喪者及涉父死讓還南陽賻送行喪冢墓三年由是顯名京師

又曰何竝字子廉徙潁川太守疾病召丞掾作先令書曰告子恢吾生素餐日久死雖得官賻勿受葬爲小槨但下棺恢如其言
後漢書曰魯恭字仲康父期爲武陵太守卒官恭年十二書夜號踊聲郡中賻無所受乃歸服喪禮過成人
後漢書曰羊續爲南陽太守徵爲太常未及行會病卒遺言薄斂不受賵遺舊典二千石卒官賻賵百萬府丞焦儉遵續先意一無所受詔書褒美勑太山太守以府賻錢賜續家
世說曰王戎父渾官至涼州刺史渾所歷州郡義故懷其德惠相率致賻數百萬戎悉不受
齊書曰張稷所生劉先假葬瑯琊黃山建武中改申葬禮賻助委積於時雖不拒絕事畢隨以還之

又曰江斆卒遺令不受賻詔賻錢三萬布百疋子蒨啓遵斆命不受詔嘉美之從其所請
又曰張融有孝義父暢臨終謂諸子曰昔丞相事難吾以不同將見殺緣司馬坐超人得活爾等必報其子後超人孫微冬月遭母喪居貧融弔之悉脫衣以爲贈披牛被而反

襚

儀禮士喪禮曰士喪君使人襚徹帷主人如初襚者左執領右執要入外致命襚之言遺也衣被曰襚致命曰君使某襚主人拜如初襚者入衣尸出主人拜送如初
禮記檀弓下曰衛有太史曰柳莊寢疾公曰若疾亟雖當祭必告也亟急公再拜稽首請於尸曰有臣柳莊也者非寡人之臣社稷之臣也聞之死急弔賢也不釋服而往遂以襚之

脫君祭服以襚尸親賢也
又雜記曰諸侯相襚以後路與冕服先路與褒衣不以襚不以己之正者施於人以彼不以爲正也後路貳車貳車行在後也
又少儀曰臣致襚於君則曰致衣廢於賈人敵者曰襚言廢衣不必其以斂也賈人知物善惡也親者兄弟不以襚進不執將命
左傳文公曰秦人來歸僖公成風之襚進禮也秦慕諸夏欲通敬於魯國有翟泉之盟故贈僖公并及成風本非魯方嶽同無相赴弔之制故不譏其緩而以接好爲禮諸侯相弔賀也雖不當事苟有禮焉書之可也以無忘舊好送死不及尸故曰不當事書者書於典策垂示子孫使無忘過厚之好
又襄公曰魯公朝于楚康王卒楚人使公親襚諸侯有遣使賵襚禮今楚欲依遣使之比矣公患之穆叔曰祓殯而襚則布幣也先使巫祓除殯之凶邪而行襚禮與朝而布幣無異乃使巫以桃茢先殯祓茢黍穰楚人弗禁既而悔之

又襄公曰鄭伯有死於羊肆（羊肆市列）子産襚之枕之股而哭之斂而殯諸伯有之臣在市側者既而葬諸斗城（斗城鄭地名）

春秋說題辭曰衣被曰襚襚之言遺也

穀梁傳隱公曰衣衾曰襚

說文曰襚衣死人也

太平御覽卷第五百五十

太平御覽卷第五百五十一

禮儀部三十

棺

周易繫辭曰古之葬者厚衣之以薪葬之中野不封不樹喪期無數後世聖人易之以棺槨

周禮春官喪祝曰及祖飾棺乃載遂御凡卿大夫之喪掌事而斂飾棺

禮記檀弓上曰有虞氏瓦棺始不用薪者虞氏上陶夏后氏堲周火熟曰堲燒土冶以周於棺也殷人棺槨槨大也以木爲之言槨大於棺殷人上梓周人牆置翣牆柳衣也凡此言後王之制文也周人以殷人之棺槨葬長殤以夏后氏之堲周葬中殤下殤以有虞氏之瓦棺葬無服之殤略未成人

禮記檀弓上曰有子曰夫子制於中都四寸之棺五寸之槨以斯知之不欲速朽也中都魯邑名孔子嘗爲之宰爲民作此制

禮記檀弓上曰天子之棺四重尚深邃也諸公三重諸侯再重大夫一重士不重水兕革棺被之其厚三寸以水牛兕牛之革以爲棺被革各厚三寸合六寸也此爲一重也杝棺一所謂椑棺也爾雅曰椵杝梓棺二所謂屬與大棺四者皆周周匝棺束縮二衡三衽每束一衡亦當爲横衽今小要也柏槨以端長六尺以端題湊也其方蓋一尺也

禮記檀弓下曰天子崩虞人致百祀之木可以爲棺槨者斬之掌山澤之官百祀畿內百縣之祀以爲棺槨斬伐也

禮記檀弓上后木曰喪吾聞諸縣子曰夫喪不可不深長思也后木魯者孝公子惠伯鞏之後買棺外內易我死則亦然

禮記檀弓下曰陳乾昔寢疾屬其兄弟而命其子尊巳曰如我死則必大爲我棺使吾二婢子夾我婢子妾也陳乾昔死其子曰以殉葬非禮也況又同棺乎弗果殺善尊巳不陷父於不義也

禮記喪大記曰君大棺八寸屬六寸椑四寸上大夫大棺八寸屬六寸下大夫大棺六寸屬四寸士棺六寸大棺之在表君裏棺用朱綠用雜金鐕大夫裏棺用玄綠用牛骨鐕士不綠鐕所以琢着裏也君蓋用漆三衽三束大夫蓋用漆二衽二束士蓋不用漆二衽二束用漆者塗合牝牡中也衽小要君大夫鬊爪實于綠中士埋之綠當爲角聲之設角即謂棺之內也

禮記外傳曰凡棺之重數從內數向外如席之重也兕革棺一各三寸內一重有水牛皮次兕皮二者合爲一重都厚六寸一名椑棺又名櫬椑者堅如壁櫬者親於身也杝棺二厚八寸杝曰椵木在椑棺之外屬棺三其厚四寸屬者施杝棺外大棺四厚六寸屬棺之外也屬棺大棺皆用梓也上公去水牛皮兕皮外有三重也侯伯巳下去水兕杝棺外二重卿大夫唯屬棺與大棺一重士不言重唯棺而巳

左傳宣上曰鄭人討幽公之亂斲子家之棺以四年弑君故也斲薄其棺不使從卿禮

左傳成上曰宋文公葬槨有四阿棺有翰檜杜預注曰翰旁飾檜上飾王禮

左傳襄上曰齊姜薨初穆姜使擇美檟檟梓之屬以自爲櫬與頌琴櫬棺也頌琴琴名猶言雅琴也皆欲以送終季文子取以葬君子曰非禮也禮無所逆婦養姑者也虧姑以成婦逆莫大焉穆姜成公母齊姜成公婦也

左傳襄上曰定姒薨不殯于廟無櫬不虞櫬親身棺也季孫以定姒本賤既無備器議其喪制欲殯不過廟又不反哭也匠慶謂季文子曰子爲上卿而小君之喪不成不終君也父其母是不終事君之道也君長誰受其咎初季孫爲巳樹六檟於蒲圃東門之外蒲圃場圃名匠慶請木季孫曰略匠慶用蒲圃之檟季孫不禦禦止

左傳哀上曰趙簡子與鄭戰簡子誓曰志父無罪君實圖之若其有罪絞縊以戮桐棺三寸不設屬辟屬辟棺之重數王棺四重

君再重大夫一重素車樸馬以載柩無入于兆兆葬域下卿之罰也
公羊傳曰定公曰國君薨正棺於兩楹之間然後即位
論語先進曰顏淵死顏路請子之車以爲之椁欲得賣之以爲顏淵作椁也顏路顏淵之父子曰才不才亦各言其子也鯉也死有棺而
無椁吾不徒行以爲之椁以吾從大夫之後不可徒行也鯉孔子子伯魚
家語曰孔子之喪公西赤掌殯葬爲桐棺四寸柏椁五寸
家語曰墨子葬法棺三寸足以朽骨衣三領足以朽肉掘
地之深下無漏氣發洩於上壟之以明其所止也
說文曰棺關也可以掩屍櫬附身棺也櫝匱也槥櫝也
史記曰飛廉生惡來俱以材力事紂武王伐紂并殺惡來
時飛廉爲紂使北方還無所報爲壇霍太山而報得石棺
銘曰天令處父與發亂賜汝石棺死遂葬霍太山

古史考曰舜作瓦棺湯作木棺
漢書曰高祖下令士卒從軍死者爲槥服虔曰槥音衛應劭曰小棺也今謂之櫝歸其縣縣給衣衾棺葬具致其尸於家縣官更給衣衾斂祠以少牢吏
親葬
漢書曰張湯自殺昆弟欲厚葬湯母曰湯爲大臣被惡言
死何厚葬爲載以牛車有棺無椁上聞曰非此母不生此
子
漢書曰哀帝崩有司奏董賢乃自殺死後其父恭等不悔
過乃復以緅畫棺作時之色左蒼龍右白虎上著金銀日
月玉衣珠璧至尊無以加
漢書曰王莽奏貶丁傅太后號改葬發取璽綬太后以爲
既往之事不須發葬固爭之太后詔曰因故棺爲致椁作
塚葬既開傅太后棺臭聞數里

續漢書禮儀志曰王公王貴人皆樟棺朱漆畫雲氣公特
進樟棺黑漆
續漢書曰楊震數切諫爲樊豐等所譖遣歸本郡震行至
城西几陽亭謂諸子門人曰身死之日以雜木爲棺單被
裁足蓋形勿歸冢次勿設祭祠因飲酖而卒
續漢書曰曹褒在射聲營舍有停棺椁不葬者百餘所褒
親自履行愴然爲買空地悉葬其無主者
續漢書曰周盤字伯堅年七十三歲朝集諸生講論終日
因令其二子曰吾日者夢見先師東里先生與我講於陰
堂之奧而長歎豈吾齒之盡乎命終之日桐棺足以周身
外椁足以周棺斂刑懸封濯衣幅巾編四寸簡寫堯典一
篇并刀筆各一以置棺前示不忘聖道其月望無病忽終
學者以爲知命

東觀漢記曰郭鳳字君張善說災異吉凶占應病先自知
死日豫令弟子市棺斂具至其日如言卒
東觀漢記曰耿秉薨賜朱棺玉衣
東觀漢記曰梁商薨賜東園朱壽器銀鏤玉匣
東觀漢記曰長沙有義士古初遭父喪未葬鄰人火起及
初舍棺不可移初冒火伏棺上會火滅
東觀漢記曰大司徒歐陽歙坐在汝南贓罪死獄中歙掾
陳元上書追訟之言甚切至帝乃賜棺木贈　賻三千疋
謝承後漢書曰徐珝爲長沙郡將死遺令不受贈賻一疋
私馬賣以買棺
謝承後漢書曰和帝追封太后父梁竦爲褒親愍侯改殯
賜東園畫棺玉匣衣衾而葬之
魏志曰李傕等葬董卓於郿并收所焚屍之灰合斂於棺

而葬之是日大風暴雨霆震阜墓水入藏漂其棺木
魏志曰宣王討王陵赦罪陵自知罪重試索棺釘以觀大
傅意竟給之遂自殺
曹操別傳曰操破梁孝王棺收金寶天子聞之哀泣
晉書曰夏侯湛將歿遺命小棺薄斂不脩封樹論者謂湛
雖生不砥厲名節死則儉約令終是深達存亡之理也
後魏書曰崔光韶誡子孫曰吾兄弟自幼及老衣服飲食
未曾一片不同至於兒女官婚榮利之事未嘗不先以推
弟弟頃橫禍權作松棺亦可以爲吾作松棺使吾見之
南史曰宋光禄大夫劉鎮之年三十許病篤已辦凶具旣
而疾愈因蓄棺以爲壽九十餘乃亡此器方用
宋書曰王敬則爲旣陽令初至旣陽縣陸主山下宗侶十
餘舡同發敬則舡獨不進乃令入水推之見烏漆棺敬則

呪云若是吉使舡速進吾富貴當改葬尒舡須臾進入縣
城收此棺葬之
宋書曰袁昂爲豫章內史丁所生母憂去職以喪還江路
風潮暴駭昂乃縛衣著棺誓同沉溺及風止餘舡皆沒唯
昂舡獲全咸謂精誠所致
梁書曰衡陽宣王子簡位郢州刺史卒於官喪將引柩有
聲議者欲開視王妃柳氏曰晉文已有前例不聞開棺無
益亡者之生徒增生者之痛遂止
晉公卿禮秩曰諸公及從公薨者賜東園秘器在外都督
者給秘器直錢三十萬安平王孚薨給東園溫明秘器楊
駿誅賜五木棺一具載以官路車
三十國春秋曰晉黃門郎殷仲堪遊於江濱見流棺於水
乃接焉旬日之中門前之瀨忽起爲岸是夕有人通夢於

仲堪自稱徐伯感君之惠無以報仲堪因問門岸爲何祥
乎對曰水中之岸其名爲洲君將爲州也言終而沒
唐書曰玄宗開元二十年自東都幸太原至太行坂路隘
逢椑車問左右曰車中何物左右奏曰禮天子出則載椑
車以從先王之制也上曰焉用此命焚之無椑自此始也
莊子曰古之喪禮貴賤有儀上下有等天子棺槨七重諸
侯五重大夫三重士再重墨子獨生不歌死不服桐棺三
重而無槨以爲法式
愼子曰匠人成棺而無憎於人利在人也死
呂氏春秋曰善棺槨所以備螻蟻也今世俗大亂人主踰
侈非爲死者慮亦所以相矜
淮南子曰吾生有七尺之形死有一棺之土
淮南子曰鬻棺者欲民之疾疫也蓄粟者欲歲之荒飢也

鹽鐵論曰古者瓦棺堲周足以收形骸髮齒而已及其後
桐棺不衣桑棺不留今富者繡題牆湊中者梓棺楩槨貧
者縉囊緹橐
風俗通曰葉令王喬天下一玉棺於廳事前令臣吏試入
終不搖喬曰天帝獨欲召我沐浴服飾寢其中蓋便立覆
宿昔葬於城東縣牛皆流汗
風土記曰陽羨縣令袁起生有神靈無疾暴亡殯斂已竟
風雷冥晦失起喪柩山下居民夜聞山下有數十人晨往
山上見起棺柩俄而潛藏唯有石塚石壇今在
神仙傳曰介象爲吳主所徵至武昌連求去不許象言病
帝使左右以美梨一奩賜象須臾象死帝殯而埋之以中
時死其日晡時到建業以所賜梨付守苑吏後吏以狀聞
即發象棺棺中無所有有奏符

搜神記曰令有縣孫孤城古孤竹君之國也靈帝光和元年遼水中有浮棺人破斫之棺中人語曰我伯夷之弟孤竹君也海水壞我棺槨是以漂汝斫我何爲乃不敢破因爲立祠民有發視者無疾而死

搜神記曰北有道人能令人與死人相見其同郡人婦死巳數年聞而往見之曰願令一見死婦死不恨矣道人曰可然聞鼓聲疾出俄而得見之與婦言語悲喜恩情如生良久聞鼓音悢悢不能得時出門閉戶捶𢫬𢫬乃徒出閉其衣裾戶間掣絕而去後數歲餘此人死家葬之開塚見婦棺蓋下有衣裾悢力尚反

異苑曰海陵如皐縣東城村邊海岸崩壞一古墓有方頭漆棺以朱題上云百七年墮水元嘉二十載三月墜於懸巘

巴蜀志曰獠夷死卽立埋棺不卧設

盛弘之荊州記曰冠軍縣東一里有張詹墓魏太和時人也刻碑背曰白秋之棺易朽之裝銅錢不入瓦器不藏嗟爾後人幸勿我傷自胡石之亂墳墓莫不夷毀此墓元嘉初猶儼然六年大水民飢始被發初開金銀錫銅之器爛然畢備有二朱漆棺棺前垂竹簟簾金釘釘之

永嘉郡記曰樂成縣石堂水口先時有一漆棺逆水入溪十餘里便住有靈下人云是方姥其甚有靈驗

從征記曰劉表塚在高平郡表子琮擣四方珎香數十石着棺中蘇合消救之香莫不畢備永嘉中郡人衡熈發其墓表貌如生香聞數十里熈懼不敢犯

陸機大墓賦曰覩洪櫝而為櫬櫬小棺也

太平御覽卷第五百五十一

禮儀部三十一

椁　櫝　𦵔靈　明器
明衣　祖載　翣　紼
旐旒　旐　挽歌　方相

椁

周禮地官閭師曰凡庶民不樹者不椁

禮記檀弓上曰有子曰昔者夫子居於宋見桓司馬自爲石椁三年而不成夫子曰若是其靡也死不如速朽之愈也死之欲速朽爲桓司馬言之

禮記檀弓下曰孔子之故人曰原壤其母死夫子助之沐椁沐治也原壤登木曰久矣予之不託於音也木椁材也託寄也謂叩物以作音也歌曰狸首之班然執女手之卷然說人辭也夫子爲弗聞也者而過之從者曰子未可以已乎夫子曰丘聞之親者無失其爲親也故者無失其爲故也

又喪大記曰君松椁大夫柏椁士雜木椁椁謂周棺者也天子柏椁以端長六尺夫子制於中都使庶人之椁五寸五寸謂端方也棺椁之間君容柷大夫容壺士容甒間可以藏物因以爲節

左傳定上曰魏獻子屬役於韓簡子原壽過簡子韓起孫不信也壽過周大夫也而田於大陸焚焉還卒於甯甯今脩武魏也范獻子去其柏椁以其未復命而田也范獻子代魏子爲政去其柏椁是貶

廣雅曰椁廓也

史記曰始皇葬驪山發北山石爲椁

又曰慎夫人鼓瑟上自倚瑟而歌意悽愴悲懷顧謂羣臣曰嗟乎北山石爲椁用紵絮斮紵絮以漆著其間錯一作陳漆其間豈可動哉左右曰善張釋之前曰使其中有可欲者雖錮

南山猶有郄使其中無可欲者雖無石椁又何慼焉文帝稱善

古史考曰禹作土塈以周棺湯作木椁易土塈

漢書曰始皇石椁中爲遊

又劉向上書曰棺椁之作自黃帝始也臣瓚注曰殷人作棺椁也始皇葬於驪山後牧兒亡羊羊入其藏牧者持火照求羊失火燒其藏及椁

續漢禮儀志曰侯王公主將軍特進薨使者治喪作柏椁

東觀漢記曰明帝自制石椁廣丈二尺長二丈五

魏志曰夫餘國厚葬有椁無棺東沃沮其葬作大木椁長十餘丈開一頭作戶舉家皆共椁刻木爲數

魚豢魏略曰高麗其死葬有椁無棺停喪百日也

越絕書曰闔閭葬銅椁三重

二石僞事曰佛圖澄死時衆官皆殯斂以生所服錫杖鉢絡內着棺中爲其理石作椁葬畢經年冉閔後故發椁開棺視之了不見體骨處所唯見杖鉢存焉

莊子曰衛靈公死卜葬沙丘而吉掘之數仞得石椁焉有銘曰不馮其子靈公奪而埋之

郭緣生述征記曰桓魋石椁在九里山之東北也椁有二重門閤隱起青石方淨如鏡門扇數四

博物志曰漢滕公薨公卿送至東都門四馬悲鳴掊地不行於蹄下得石椁有銘曰佳城鬱鬱三千年見白日吁嗟滕公居此室

豫章記曰艾縣有一塚鑿青石以爲椁制度非常號曰楊柳塚歷代久遠莫知其誰

櫝

禮記喪大記曰君殯用輴欑至于上畢塗屋大夫殯以幬欑置于西序塗不曁於棺士殯見衽塗上帷之鄭玄注云欑猶菆也

釋名曰塗曰欑欑木於上而塗之也

蒭靈

周禮春官冢人曰及葬言鸞車象人鸞遣車也象人以蒭草爲人言問其不如法度也

禮記檀弓曰塗車蒭靈自古有之蒭靈束茅爲人馬謂之靈者神之類明器之道也言與明器同孔子謂爲蒭靈者善謂爲俑者不仁不殆於用人乎哉偶人也有面目機發有似於生人孔子善古而非周

釋名曰束草爲人馬以神靈名之也

續漢書禮儀志曰天子崩蒭靈三十六尺

王肅喪服要記曰魯哀公葬父孔子問曰寧設桐人乎哀公曰桐人起於虞卿虞卿齊人遇惡繼母不得養父死不得葬知有過故作桐人吾父生得供養何用桐人爲

陸機士庶挽歌辭曰埏埴爲塗車束薪作蒭靈

明器

周禮春官冢人曰大喪入藏凶器凶器明器

周禮夏官司兵曰大喪廞五兵廞興作也興作明器之共

禮記檀弓上曰宋襄公葬其夫人醯醢百甕曾子曰既曰明器矣而又實之言名之爲明器與祭器皆實之是亂鬼器與人器也

又曰既殯旬而布材與明器木工宜乾暗且預成材椁材也

又曰之死而致死之不仁而不可爲也之死而致生之不知而不可爲也之性也死之生之謂無知與有知也爲猶行也是故竹不成用瓦不成沬木不成斲成猶善也竹不可善用謂邊無縢味當作沬沬靧也琴瑟張而不平竽笙備而不和無宮商之調有鍾磬而無簨簴不縣之也橫曰簨植曰簴其曰明器神明之也言神明死之也神明者非人所知故其器如此

又曰仲憲言於曾子曰夏后氏用明器示民無知也所謂致死之仲憲孔子弟子原憲殷人用祭器示民有知也所謂致生之周人兼用之示民疑也言使民疑於無知與有知曾子曰其不然乎其不然乎非其說之非也夫明器鬼器也祭器人器也夫古之人胡爲而死其親乎言仲憲之言三者皆非此或用鬼器或用人器

又檀弓下曰孔子謂明器者知喪道矣備物而不可用也哀哉死者而用生者之器不殆於用殉乎哉其曰明器神明之也神明死者異於生人也

釋名曰送死之器曰明器神明之器異於人

鹽鐵論曰古者明器有形無實示人不用也今厚資多藏器用如生人並衣綈紈

江逌表曰宣皇帝顧命終制山陵不設明器以貽後則景帝奉遵遺勑遠文明皇后崩武皇帝亦承前無所設施唯醯醢之奠瓦器而已昔康皇帝玄宮內實奩爲粥此蓋太妃因已之情實違先志累世之法今永欲以爲故事用此二物

明衣

說文曰褮鬼衣也褮讀如葛藟縈之縈

穆天子傳曰贈用文錦明衣

祖載

周禮春官喪祝曰掌大喪及朝御柩乃奠朝謂將葬朝於祖考廟及祖飾棺及載遂御之祖謂將葬祖於庭

禮記檀弓曰殯於客位祖於庭所以即遠也

儀禮既夕曰既夕哭請啓期告于殯宿興設盥于祖廟門外祖王父也下士祖祢共廟有司請祖期將行而飲食曰祖祖始也

白虎通曰祖於庭何尊孝子之恩也祖始也始載於庭也乘

車辭祖禰故爲祖載也

翣

周禮夏官曰御僕大喪持翣（翣棺飾也持之者夾蜃車）

禮記檀弓下曰周人廧置翣（鄭玄注云廧柳衣翣者車飾也）

又禮器曰天子七月而葬五重八翣諸侯五月而葬三重六翣大夫三月而葬再重四翣此以多爲貴也

又喪大記曰飾棺君黼翣二黻翣二畫翣二大夫黼翣二畫翣二士畫翣二

古史考曰周公作翣

齊書曰張緒卒日無宅以殯遺命凶事不設柳翣

莊子曰戰而死者其人之葬也不以翣資（翣者武之所資也戰而死者無武也翣將安施耳）

世本曰武王作翣

董勛荅問曰翣以屏風人持隨喪車前後左右也

紼

禮記雜記曰諸侯喪執紼五百人四紼皆銜枚（紼引車索）

釋名曰從前引曰紼紼發也發車使行

續漢書禮儀志曰禮登遐中黃門虎賁執紼

又曰公卿已下子弟凡三百人執紼白素幘委貌冠

杜預要集曰凡挽天子六紼諸侯四大夫二士一

族旒

賀循葬禮曰大夫五旒吉韋車之所建也通而已下不爲龍畫

旐

周禮春官曰司常大喪共銘旌建廞車之旌（銘旌王則太常也）

禮記檀弓上曰銘明旌也以死者爲不可別也故以其旗識之

續漢書禮儀志曰禮登遐大旂之制長三刃十有二斿曳地畫日月昇龍書旐曰天子之柩

賀循葬禮曰杠今之旐也古者以緇布爲之今以絳繒題姓字而已不爲畫飾也

禮論曰問下殤葬墓有旐否徐邈荅曰旐以題柩耳無不有旐

晉書曰魏明悼后崩議書名旌或欲去姓而書魏或欲兩書安平王子孚以爲經典正義皆不應書凡帝王皆因本國之名以爲天下之號而與往代相別耳非爲擇美名以自光也天稱皇天則帝稱皇帝地稱后土則后稱皇后此乃所以同天地之大號統無二之尊名不待稱國號以自表不俟稱氏族以自彰

挽歌

左傳哀上曰吳與齊戰齊人公孫夏將戰命其徒歌虞殯（杜預注曰虞殯送葬歌曲示必死）

纂文曰薤露今人挽歌

續漢書禮儀志曰禮登遐羽林孤兒巴俞擢歌者六十人

續漢書曰大將軍梁商三月上巳日會洛水倡樂畢極終以薤露之歌座中流涕其年八月而商薨

晉公卿禮秩曰安平王葬給挽歌六十人諸公及開府給三十人

晉書禮志曰漢魏故事大喪及大臣之喪執紼者挽歌新禮以爲挽歌出於漢武帝役人之勞歌聲哀切遂以爲送終之禮雖音曲摧愴非經典所制違禮銜枚之義方在號慕不宜以歌爲名除挽歌摯虞以爲挽歌因倡和而爲摧

傖之聲銜枚所以全哀此亦以感衆雖非經典所載是歷代故事詩稱君子作歌惟以告哀以歌爲名無所嫌宜定新禮如舊

續晉陽秋曰袁山松作行路難辭句婉麗聽者莫不流淚吳曇善倡樂桓伊能挽歌時稱爲三絶

又曰武陵王晞未敗四五年喜爲挽歌自揺鈴使左右和之

語林曰張湛好於齋前種松栢養鴝鵒袁山松出遊好令左右挽歌時人謂張屋下陳尸袁道上行殯

謝綽宋拾遺録曰太祖嘗召顔延之傳詔頻曰尋覓不值太祖曰但酒店中求之自當得也傳詔依旨訪覓果見延之在酒肆裸身挽歌了不應對他日酒醒乃往

宋書曰范曄爲吏部郎元嘉元年彭城王太妃薨將葬祖

夕僚故並集東府曄與司徒左曹屬王深及弟司徒祭酒廣夜中酣飲開北牖聽挽歌爲樂彭城王義康大怒左遷宣城太守

梁書曰謝幾卿普通六年詔西昌侯藻督衆軍北侵幾卿啓求行擢爲藻軍師長史軍至渦陽退敗幾卿坐免官居自揚石井宅中交好者載酒從之客恒滿坐時左丞庾仲容亦免歸二人意相得並肆情誕縱或乘露車歷遊郊野酔則執鐸挽歌不屑物議

莊子曰紼謳所生必於斥苦司馬彪注云紼引柩索也斥疎緩若用力也引紼所有謳者爲人用力慢緩不齊促急之也

風俗通曰京師賓婚嘉會酒酣之後續以挽歌

譙周法訓曰挽歌者高帝召田横至尸鄉自殺從者不敢哭而不勝其哀故作此歌以寄哀音焉

干寶搜神記曰挽歌者喪家之樂執紼者相和之聲也挽歌詞有薤露蒿里二章出田横門人横自殺門人傷之爲悲歌言人如薤上露易晞滅也亦謂人死精魂歸於蒿里古辭曰薤露朝露何易晞明朝更復露人死一去何時歸二章曰蒿里誰家地聚斂精魂無賢愚鬼伯一何相催促人命不得少踟蹰至李延年乃分爲二曲薤露送王公貴人蒿里送士大夫庶人使挽柩者歌之（又有長歌短歌言壽命長短不可妄求）

魏繆襲挽歌辭曰生時遊國都死沒弃中野朝發高堂上墓宿黄泉下白日入虞淵縣車息駟馬造化雖神明安能復存我形容稍歌滅齒髮行當墮自古皆有然誰能離此者

陸機挽歌辭曰魂衣何盈盈旟旐何習習父母拊棺號兄弟扶筵泣靈轜動轇轕龍首矯崔嵬挽歌挾轂唱嘈嘈一何悲浮雲中容與飄風不能迴淵魚仰失梁征鳥俯墜飛

又曰中闈且勿諠聽我薤露詩生死各異倫祖載當有時舍爵兩楹位啓殯進靈轜飲餞觴莫舉出宿歸無期

又曰重阜何崔嵬玄廬竄其間磅礴云四極穹崇效蒼天側聽陰溝涌臥觀天井懸壙宵何遼廓大暮安可晨人往有返歲我行無歸年昔居四人宅今爲萬鬼隣昔爲七尺體今成灰與塵金王昔所佩鴻毛今不振豐肌享螻蟻形體永夷泯壽堂延魑魅虚無自相賓螻蟻爾何怨魑魅我何親撫心痛荼毒永歎莫爲陳

宋陶潛挽歌辭曰荒草何茫茫白楊亦蕭蕭嚴霜九月中送我出遠郊四面無人居高墳正嶕嶢馬爲仰天鳴風日

自蒿條幽室一已閉千年不復朝千年不復朝賢達無奈何向來相送人各亦歸其家親戚或餘悲他人亦已歌死去何所道託體同山阿

又曰有生必有死早終非命促昨暮同爲人今旦在鬼録魂氣散何之枯形寄空木嬌兒索父號良友撫我哭

顔延之挽歌辭曰令龜告明兆撤奠在方昏戒徒赴幽穸祖駕出高門行行去城邑遥遥首丘園息鑣竟平壟稅駕列巖根

北齊祖孝徵挽歌辭曰驅駟馬謁帝長楊宮旌懸白雲外騎獵紅塵中今來向漳浦素蓋轉悲風榮華與歌笑萬事盡成空

隋盧思道鼓城王挽歌辭曰旭旦禁門開隱隱靈輿發纔看鳳樓迥稍視龍山沒猶陳五營騎尚聚三河卒容衛儼

未歸空山照秋月

又樂平長公主挽歌辭曰粧樓對馳道吹臺臨景舍風入上春朝月滿凉秋夜未言歌笑畢已覺先榮謝何時洛水湄芝田解龍駕

方相

周禮夏官曰方相氏掌蒙熊皮黄金四目玄衣朱裳執戈揚楯帥百隷大喪先匶及墓入壙以戈擊四隅毆方良（壙穿中也方良罔兩也）

蔡質漢官儀曰陰太后崩前有方相及鳳皇車

晉公卿禮秩曰上公薨者給方相車一乘安平王孚薨方相車駕馬

幽明録曰廣陵露白村人每夜輒見鬼怪或有異形醜惡怯弱者莫敢過村人怪如此疑必有故相率得十人一時發掘入地尺許得一朽爛方相頭訪之故老咸云嘗有人冒雨葬至此遇刧一時散走方相頭陷没泥中

風俗通曰俗說亡人魂氣浮揚故作魌頭以存之言頭體魌魌然盛大也或謂魌頭爲觸壙殊方語也

太平御覽卷第五百五十二

禮儀部三十二

葬送一

易下繫曰古之葬者厚衣之以薪葬之中野（衣之以薪而理之於中野）不封不樹喪期無數後世聖人易之以棺槨蓋取諸大過

尚書曰周公在豐（致政老在豐也）將沒欲葬成周周公薨成王葬于畢（成王不敢臣周公故歸於武王葬畢也）

禮記曲禮上曰助葬必執紼（紼引車索）

禮記檀弓上曰太公封於營丘比及五世皆反葬於周君子曰樂樂其所自生禮不忘其本古之人有言曰狐死正丘首仁也（正丘首正首丘也仁恩也）

又曰舜葬於蒼梧之野蓋三妃未之從也（古不合葬）

又曰葬於北方北首三代之達禮也之幽之故也（北方北首國北也）

又曰子柳之母死子碩請具（具喪之器用也子柳魯叔仲皮之子子碩兄）子柳曰何以哉（言無其財）子碩曰請粥庶弟之母（粥謂嫁之也妾賤取之曰買之也）子柳曰如之何其粥人之母以葬其母也不可

又曰公叔文子升於瑕丘蘧伯玉從（二子衛大夫也文子獻公之孫名拔也）文子曰樂哉斯丘也死則我欲葬焉伯玉曰吾子樂之則瑗請前（刺其欲害人良田瑗伯玉名也）

又曰成子高寢疾（成子高齊大夫國成伯高）慶遺入請曰夫子病革矣如至太病則如之何（觀其意也革急也慶遺封之族）子高曰吾聞之也生有益於人死不害於人吾縱生無益於人吾可以死害於人哉我死則擇不食之地而葬我焉（不食謂不墾耕）

又曰國子高曰葬也者藏也藏也者欲人弗得見也是故衣足以飾身棺周於衣土周於槨反壤樹之哉

又曰孔子之喪有自燕來觀者舍於子夏氏子夏曰聖人之葬人與人之葬聖人也子何觀焉昔者夫子言之曰吾見封之若堂者矣見若防者矣（防形旁殺平上而長）見若覆夏屋者矣（覆謂茨瓦也夏屋今之門廡也其形旁廣而卑）見若斧者矣從若斧者焉馬鬣封之謂也

禮記檀弓上曰季武子成寢杜氏之葬在西階之下請合葬焉許之入宮而不敢哭武子曰合葬非古也自周公以來未之有改也吾許其大而不許其細何居命之哭

又曰子游問喪具夫子曰稱家之有亡子游曰有亡惡乎齊（惡乎齊問豐省之比）夫子曰有無過禮苟亡矣歛首足形還葬懸棺而封（不設碑繂不備禮也）人豈有非之者哉

又曰宋襄公葬其夫人醯醢百甕

禮記檀弓下曰季子皋葬其妻犯人之禾申祥以告曰請庚之（申詳子張子也庚償也）

子皋曰孟氏不以是罪予朋友不以是棄予以吾為邑長於斯也買道而葬後難繼也（恃寵虐民非也）

又曰延陵季子適齊於其反也其長子死葬於嬴博之間（嬴博齊地今泰山縣是也）孔子曰延陵季子吳之習於禮者也往而觀其葬焉其坎深不至於泉（以生為死）其歛以時服既葬封廣輪揜坎其高可隱也（輪從也隱據也）既封左袒右還其封且號者三曰骨肉歸復於土命也若魂氣則無不之也無不之也（還迴）而遂行孔子曰延陵季子之於禮其合矣乎

又曰子路曰傷哉貧也生無以為養死無以為禮也孔子曰啜菽飲水盡其歡斯之謂孝歛手足形還葬而無槨稱其財斯之謂禮（還猶疾也）

禮記王制曰天子七日而殯七月而葬諸侯五日而殯五月而葬大夫士庶人三日而殯三月而葬（尊者舒卑者速春秋傳曰天子

七月而葬同軌畢至諸侯五月同盟至大夫三月同位至士踰月外姻至三年之喪自天子達
庶人縣封葬不為雨止不封不樹喪不貳事
禮記曾子問曰葬引至于堩日有食之則有變乎且不乎
堩道也變謂異禮孔子曰昔吾從老聃助葬於巷黨及堩日有食
之老聃曰丘止柩就道右止哭以聽變旣明反而后行曰
禮也巷黨黨名也反葬丘問之曰夫柩不可以反也日有食之
不知其已之遲也則豈如行哉已止也數讀為速老聃曰夫柩不
早出不暮宿侵晨夜則近齊寇也見星而行者唯罪人與奔父母之
喪者乎日有食之安知其不見星也為無日而懸祚豫止且君子行
禮不以人之親痁患痁患病也以人之父母行禮而恐懼其有患害不為也
禮記曾子問曰並有喪如之何何先何後並謂父母若親同者同月死
孔子曰葬先輕而後重其奠也先重而後輕禮也自啓及
葬不奠不奠務於當葬者行葬不哀次不哀次輕於在殯者反葬奠而后辭

平五百五十三　三

於殯遂脩葬事殯當為賓聲之誤也辭告將葬啓期也其虞也先重而後
輕禮也
禮記喪大記曰君葬用輴四綍二碑御棺用羽葆大夫葬
用輴二綍二碑御棺用茅士葬用國車二綍無碑比出宮
御棺用功布大夫廢輴此言輴非也
禮記中庸曰父為大夫子為士葬以大夫祭以士父為士
子為大夫葬以士祭以大夫
左傳隱公曰公將如棠觀魚者臧僖伯諫不從冬臧僖伯
卒公曰叔父有憾於寡人叔父有諫觀魚不聽也寡人弗敢忘葬之
加一等
又曰元年冬十月庚申改葬惠公公弗臨賈逵曰改葬改備禮也葬嗣君
之事公不臨言無恩禮曰改葬細也故不書惠公之薨也有宋師太子少葬
故有闕是以改葬言是以明禮闕故也

又曰天子七月而葬同軌畢至諸侯五月同盟至大夫三
月同位至士踰月外姻至
左傳僖上曰許穆公卒于師葬之以侯禮也男而侯禮加一等凡
諸侯薨于朝會加一等諸侯命有三等公為上等侯伯為中等子男為下等死王事
加二等於是有以衮斂死王事謂朝天子以命用師衮斂者上公九命服衮也
左傳宣上曰葬敬嬴旱無麻始用葛茀記禮變之所由茀所以引柩殯則有
之以備火葬則以下柩雨不克葬禮也禮卜葬先遠日辟不懷也懷思
也
左傳成上曰宋文公卒始厚葬用蜃炭益車馬始用殉重
器備椁有四阿棺有翰檜君子謂華元樂舉於是乎不臣
臣治煩去惑者也今二子者君生則縱其惑死又益其侈
是弃君於惡何臣之為
左傳昭二曰叔孫卒杜洩將以路葬且盡卿禮路王所賜叔孫車

平五百五十三　四　王

南遺謂季孫曰叔孫未乘路葬焉用之且冢卿無路介卿
以葬不亦左乎
左傳昭三曰鄭簡公卒將為葬除除葬道及游氏之廟游氏子太
叔族將毀焉子太叔使其除徒執用以立而無庸毀用毀廟具曰
子產過女而問何故不毀乃曰不忍廟也諾將毀矣教毀廟者
之辭既如是子產乃使辟之毀之則朝堋弗毀則曰中而堋
春秋説題辭曰葬尸下藏也人生於陰含陽充死入地歸
所與也宋均注人生謂在胞胎中陰
論語先進曰顏淵死門人欲厚葬之子曰不可門人厚葬
之子曰回也視予猶父也予不得視猶子也非我也夫二
三子也言顏路在聽門人厚葬之
白虎通曰周公以王禮葬何以為周公踐祚理政與天同
志原天之意子愛周公與文武不異故以王禮

爾雅曰葬藏謂之壙宅兆塋域地也。説文曰窆葬下棺也
史記曰項王已死楚地皆降漢獨魯不下漢乃引天下兵
欲屠之爲其守禮義爲主死節乃持項王頭示魯魯父兄
乃降始楚懷王初封項籍爲魯公及其死魯最後下故以
魯公禮葬項籍彭城
史記曰臨江閔王榮以孝景前四年爲太子四歲廢爲臨
江王四年坐侵廟壖爲宮上徵榮詣中尉府中尉郅都責
訊王王恐自殺葬藍田鷰數萬銜土置冢上百姓憐之
又曰郭解姊子負解之勢與人飲强灌之人怒拔刀刺殺
解姊子去亡解姊怒曰以翁伯之義人殺吾子賊不得弃
其尸於道不葬欲以辱解解使人微知賊處賊窘自歸具
以實告解解曰殺之固當吾兒不直遂去其罪其姊乃收
而葬之諸公聞之皆多解之義

戰國策曰秦宣太后愛魏餘病且死令曰我死必以魏子
爲殉庸芮爲之説太后曰以死者爲有知乎曰無知芮曰何
乃空以生之所愛葬無知之死人哉若死者有知先王之
積怒久矣太后救過不暇何得私魏子乎太后乃止
漢書曰韓信淮陰人家貧無行不得推擇爲吏又不能治
生爲商賈常從人寄食其母死無以葬乃行營高燥地傍
可置萬家者爲冢
又曰張良始所見下邳圯上老父與書者後十三歲從高
帝過濟北果得穀城山下黃石取而寶祠之及良死并葬
黃石毎上冢伏臘祠黃石
又曰衛青貴而平陽侯曹壽有惡疾就國長公主問列侯
賢者左右皆言大將軍主歎曰此出吾家常從我柰何左
右曰於今尊貴無比於是主諷皇后言之上迺詔青尚平

陽主合葬起冢
又曰三長史害張湯自殺昆弟欲厚葬湯母曰湯爲天子
大臣被惡言而死何厚葬爲載以牛車有棺而無椁上聞
之曰非此母不生此子迺盡誅三長史
又曰王父偃方貴幸時客以千數及死無一人視獨孔車
收葬焉上聞之以車爲長者
又曰霍光薨上及皇后太后親臨光喪太中大夫任宣與
侍御史五人持節護喪事賜金錢繒絮繡被百領衣五十
篋璧珠璣王衣（如淳曰漢儀注以王爲襦如鎧狀連綴之以黃金爲縷腰以下王爲禮長尺廣二寸半押下至足亦綴以金縷也）便房黃腸題湊各一具（蘇林曰以柏木黃心致累棺外曰黃腸木頭皆內向故曰題湊如淳曰便房冢中室也漢儀天子陵中明中高丈二尺四周二丈內梓宮次楩椁柏黃腸題湊也）東園溫明（服虔曰東園處此器象如棺闕一端漆畫之以鏡置其中以尸上大斂并蓋之矣）皆如乘輿制度載光尸柩以轀輬車黃屋左纛發材官

輕車北軍五校士軍陳至茂陵以送其葬謚曰宣成侯發
三河卒穿土起冢祠堂置園邑三百家
又曰金日磾薨賜葬其冢地送以輕車介士軍至茂陵謚
曰敬侯
又曰楊王孫者孝武時人也學黃老之術家業千金厚自
奉養生亡所不致及病且終先令其子曰吾欲倮葬以反
吾眞必亡易吾意死則爲囊盛尸入地七尺既下從足
引脫其囊以身親土其子欲默而不從重廢父命欲從之
心又不忍乃往見王孫友人祁侯祁侯與王孫書王孫報
曰蓋聞古之聖王緣人不忍其親故爲制禮今則越之吾
是以倮葬將以矯世吾聞之精神者天之有形骸者地之
有精神離形各歸其眞故謂之鬼鬼之爲言歸也屍塊
然獨處豈有知哉裹以幣帛隔以棺椁支體結束口含

王石欲化不得鬱爲枯腊千載之後棺槨朽腐迺得歸土就
其眞宅祁侯曰善遂倮葬
又曰朱雲年七十餘終於家病不呼醫藥遺言以身服斂
棺周於身土爲槨韋昭曰燒土爲槨也爲丈五墳葬平陵東郭外
又曰韋玄成爲相病且死因使者自白曰不勝父子私願
乞體骨歸葬父墓上許焉
又曰朱邑病且死囑其子曰我故爲桐鄉吏其民愛我必
葬桐鄉後世子孫奉我不如桐鄉民及死其子葬之桐鄉
西郭外民果共爲邑起冢立祠歲祠祭至今不絕
又曰孔光薨王莽白太后使九卿策贈以太師博山侯印
綬賜乘輿秘器金錢雜帛少府供帳公卿百官會弔送葬
載以乘輿及副各一乘羽林孤兒諸生合四百人輓送車
萬餘兩將作穿復土河東卒五百人起墳如大將軍王鳳
制度
又曰董賢死見廢倮診其尸因埋獄中賢所厚吏沛人朱
詡自劾去大司馬府備棺衣收賢尸葬之王莽聞之大怒
以他罪繫殺詡
又曰楚王戊女解憂妻烏孫公主上書言年老思願得歸
骸骨葬漢地天子愍而迎之公主與孫男女三人俱來後
二歲卒三孫因留守墳墓
又曰樓護字君卿結交士大夫無所不傾甚交士長者尤
見親敬毋死送葬者致車一二三千兩
後漢書曰永平十二年詔曰昔曾閔奉親竭歡致養仲尼
葬子有棺無槨喪貴致哀禮存寧儉今百姓送終之制競
爲奢靡生者無擔石而財力盡於墳土伏臘無糟糠而牲
牢兼於一奠靡破積代之業以供朝夕之費豈孝之意哉

有司其申明科禁宣下郡國
范曄後漢書曰孔僖拜臨晉令卒官遺令即葬二子長彥
並十餘歲蒲坂令許君然勸令反魯對曰今載柩而歸則
違父令舍墓而去心所不忍遂留華陰
續漢書曰張奐光和四年卒遺令曰吾前後仕進十腰銀
艾不能和光同塵爲讒邪所忌但地底冥冥長無曉期而
復纏以纊綿牢以釘密爲不喜耳今幸有前穿朝隕夕下
措屍靈牀幅巾而已奢非桓文儉非王孫推情從意庶免
咎悋諸子從之
又曰周暢字伯持性仁慈爲河南尹永初二年夏旱久禱
無應暢因收葬洛城傍客死骸骨凡萬餘人應時澍雨歲
乃豐稔位至光祿勳
東觀漢記曰光武發薊還士衆喜樂鼓聲歌詠八荒震動
過范陽命諸將收葬吏士又東平王蒼葬章帝詔有司
加賜鸞路乘馬龍旂九旒虎賁百人
又曰東海王彊薨追念彊雅性恭儉不欲令厚葬以違其
意詔中常侍杜岑東海相傳曰王恭謙好禮以德自終務
官屬遣送務行約省茅車瓦器以成王志
又曰王丹閭里有喪憂輒度其資用教之儉約因爲其制
日定葬其親喪不過留殯一月其下以輕重爲差
又曰梁鴻病困與高伯通及會稽士大夫語曰昔延陵季
子葬於嬴博之間不歸其鄉愼勿聽妻子持尸柩去終後伯
通等爲求葬處有要離冢高燥衆人曰要離古烈士今伯
鸞亦清高令相近遂葬要離冢旁子孫歸扶風
太平御覽卷第五百五十三

禮儀部三十三

葬送二

東觀漢記曰鄧弘薨有司復請加謚曰昭成君發五校輕車騎士爲陳至葬所所施皆如霍光故事皇太后皆曰門生輓送

謝承後漢書曰鄧晨尚世祖姊新野公主主爲王莽兵所害及薨詔備主官屬法駕招迎主䰟與晨合葬於北邙

謝承後漢書曰馬援卒後有人上書譖之者援妻孥惶怖不敢以喪還舊塋裁買城西數畝地　稾葬而巳賓客故人莫敢弔會援妻子草索相連詣闕請罪帝乃出譖書以示之方知所坐上書訴寃前後六上辭甚哀切然後得葬

謝承後漢書曰崔瑗爲濟北相光祿大夫杜喬爲八使徇

行郡國以贓奏瑗徵詣廷尉瑗上書自訟得理出會病卒臨終顧命子寔曰人稟天地之氣以生及其終也歸精於天還骨於地何地不可藏形骸勿歸鄉里寔奉遺令遂留葬洛陽初崔寔父卒標賣田宅起冢塋立碑頌葬訖資產竭盡因窮困以推酤釀爲業時人多以此譏之寔終不改亦取足而巳不致盈餘

謝承後漢書曰陳寵爲廣漢太守先是洛縣城南每陰雨常有哭聲聞於府中積數十年寵聞而疑其故使吏按行還言衰亂時此下多死亡者而骨骸不得葬儻在於是寵愴然矜之即勑縣盡收斂葬之自是哭遂絶

華嶠後漢書曰楊震爲太尉中常侍樊豐等驕恣震常切諫由是共構譖震策罷遺歸本郡遂仰鴆薨薨日有大鳥來止樹上須臾下地安行到柩前正立位頭旁人共更撫抱終不驚駭鳥蒼色頸去地五六尺舒翅廣一丈三尺莫有能名者葬畢飛去

范曄後漢書曰范冉一名丹臨命遺勑其子曰吾生於昏闇之世值乎淫侈之俗生得在世濟時死則何忍自同於世氣絶便斂斂以時服衣足蔽形棺足周身斂畢便穿穿畢便埋其明堂之奠盂飯寒水飲食之物勿有所下墳封高下令足自隱知我心者李子堅王子炳也今皆不在制之在爾勿令鄉人宗親有所加也

范曄後漢書曰趙咨以病自乞徵拜議郎沉疾京師將終告其故吏朱祇蕭建等薄斂素棺藉以黃壤欲令速朽早歸后土不聽子孫改之朱祇蕭建送喪到家子胤不忍父體與土并合欲更改殯祇建譬以顧命於是奉行世稱明哲

後漢書曰董宣爲洛陽令卒於官詔遣使者臨視唯見布被覆屍妻子對哭有大麥數斛弊車一乘帝傷之曰董宣廉潔死乃知之以宣綬爲二千石賜艾綬葬以大夫禮

後漢書曰樊宏卒遺勑薄葬一無所用以爲棺柩一藏不宜復見如有腐敗傷孝子之心使與夫人同墳異藏帝善其令以書示百官因曰今不順壽張侯意無以彰其德且吾萬歲之後欲以爲式

後漢書曰袁安父沒毋使安訪求葬地道逢三書生問安何之安爲言其故生乃指一處云葬此地當代爲上公須臾不見安異之於是遂葬其所占之地故累代隆盛焉

後漢書桓榮每疾病帝輒遣使者存問太官太醫相望於道及篤上疏謝恩讓還爵土帝親幸其家問起居下車擁經而前撫榮垂涕賜以牀茵帷帳刀劍衣被良久乃去自

是諸侯將大夫問疾者不敢復乘車到門皆拜床下縈卒
帝親自變服臨喪送葬賜冢塋于首山之陽
後漢書曰李傕重葬董卓於郿并董氏所焚尸之灰合斂
一棺而葬之葬日大風雨霆震卓墓流水而藏漂其棺木
後漢書曰王忳字少林（忳音徒）廣漢新都人也忳嘗詣京師
於空舍中一書生疾困愍而視之書生謂忳曰我當到洛
而被病命在須臾腰下有金十斤願以相贈死後乞藏骸
骨未及問姓名而命絶忳即鬻金一斤營殯葬餘金悉置
棺下人無知者後歸數年縣署忳大度亭初到之日有馬
馳入亭中而止其日大風飄一繡被復墮忳前即言之於
縣縣以歸忳忳後乘馬到雒縣馬遂奔走牽忳入他舍主
人見之喜曰今禽盜矣問忳所由得馬忳具說其狀并及
繡被主人悵然良久乃曰被隨旋風與馬俱亡卿何陰德
而致此二物忳自念有葬書生事因說之并道書生形皃
及埋金之處主人大驚號曰是我子也姓金名彥前往京
師不知所在何意卿乃葬之大恩矣久不報以彰卿德耳
忳悉以被馬還之彥父不取又厚遺忳忳辭讓而去
後漢書曰范式字巨卿與張元伯爲友元伯窮疾篤同郡
郅君章殷子徵晨夜省疾視之元伯臨盡歎曰恨不見吾
死友尋而卒式或夢見元伯玄冕垂纓屣履而呼曰巨卿
吾以其日死當以爾時葬永歸黃泉子未我忘豈能相及
式怳然覺寤悲歎泣下具告太守請往奔喪投其葬日馳
往赴之式未及到而喪已發引既至壙將窆而柩不肯進
其母撫之曰元伯豈有望耶遂停柩移時乃見有素車白
馬號哭而來其母望之曰是必范巨卿也即至叩喪言曰
行矣元伯死生路異永從此辭會葬者千人咸爲揮涕式

因執紼而引柩於是乃前式遂留止冢次爲脩墳樹
後漢書曰繆彤汝南召陵人也太守隴西梁湛召爲決曹
史安帝初湛病卒官彤送喪還隴西始葬會西羌反叛湛
妻子悉避亂他郡彤獨留不去爲起墳冢乃潛穿井傍以
爲窟室晝則隱竄夜則負土及賊平而墳已立其妻子意
彤已死還見大驚關西咸稱傳之共給車馬衣資彤不受
而歸
後漢書曰張霸蜀郡成都人也爲會稽太守後徵四遷爲
侍中卒年七十遺詔諸子曰昔延州使齊子死嬴博因坎
路側遂以葬焉今蜀道阻遠不且歸塋可止此葬足藏齒
髮而已務遵速朽副我本心人生一代但當畏敬於人若
不善加已直爲受之諸子承命葬於河南梁縣因遂家焉
後漢書曰士孫瑞理王允等事曰興平二年秋朝廷以九
月九日引見公卿近臣欽宴離席前說故司徒王允故司
隸黃琬並有功於國可聽允恭等葬
魏略曰田豫病亡戒其妻子曰葬我必西門豹邊妻子難
之曰西門豹古之神人那可葬其所豫曰豹所履行正與
我等耳使死而有靈必與我善妻子從之
魏略曰郝昭字伯通病亡遺令戒其子凱曰吾爲將知將
不可爲也吾數發冢取其木以爲攻戰具又知厚葬無益
於死者也汝必斂以時服死復何在耶今去本墓遠東西
南北在汝而已矣
魏略曰沐德信年六十餘自慮無常豫作終制誡其子以
儉葬至嘉平中病甚臨困又勑豫掘埳誡氣絶令二人舉
尸即埳絶哭泣之聲止婦女送又誡後亡者不得入藏不
得封樹妻子皆遵之

魏志曰征東將軍王基毋卒詔祕以問迎其父豹喪合葬洛陽追賜豹北海太守

魏志曰邴原字根矩北海人太祖辟司空掾原女早亡時太祖愛子倉舒亦沒太祖欲令合葬原辭曰合葬非禮也原之所以自容明公公之所以待原者以能守訓典而不易也若聽明公之命則是凡庸也明公焉以爲哉太祖乃止

魏志曰任城王章薨賜鑾路龍旂虎賁百人如漢東平王故事

魏志曰徐邈爲光祿大夫數歲即拜司空固辭不受以大夫薨于家用公禮葬謚曰穆侯

魏志裴潛薨贈太常子秀嗣遺令葬中唯置一坐瓦器數枝其餘一無所設也

王隱晉書曰魏舒字陽元爲冀州刺史入代山濤爲侍中舒三取妻皆先亡是歲自表乞假還本郡葬妻上曰舒當左右朝政不宜遠還鄉里舒素清貧不營財產頓舉衆喪必無以自供其賜葬地一頃錢伍拾萬

王隱晉書曰皇甫謐篤終論曰氣絕之後便時服幅巾以籧篨裹尸覆卷三重麻繩約二頭置尸靈床上擇不毛之地穿坑十尺長一丈二尺廣六尺坑訖去床下尸平生之物皆無自隨唯賫孝經一卷示不忘孝道

王隱晉書曰杜預薨遺令曰吾往爲公使過密縣邢山之上有冢問耕者云是鄭大夫祭仲或子產之冢也遂師從者登而觀焉其造冢居山之嶺四望周達連山體南北之正而耶東北向新鄭城意不忘本也藏無珍寶不取於重深居子尚其儉小人無利可動歷千載無毀儉之致也吾去春入朝因自營洛陽城東首陽之南爲將來兆域而所得地中有小山上無舊冢其高顯雖未足比邢山然東奉二陵西瞻宮闕南觀伊洛北望夷叔曠然遠覽情之所安也故遂表樹開道爲一定之制取法鄭大夫欲以儉自完耳棺器小斂之事皆當稱此

王隱晉書曰馬隆字孝興東平人也少有智勇門寒無仕路兗州刺史令狐愚坐事死舉州無敢送喪者唯隆以武吏託稱家客殯送喪葬種栢三年禮畢乃還舉州皆慙

王隱晉書曰徐苗以永寧三年春亡遺令濯巾澣衣榆棺雜塼露車載柩葦席瓦器而葬矣

晉陽秋曰荀粲亡時年二十九性簡貴不能與常人交接所交者一時俊傑至葬夕赴者裁十餘人皆同時知名士也哭之感動路人

漢晉陽秋曰司馬師葬曹髦於洛陽西北三十里瀍澗之濱下車數乘不設旌旐百姓相聚而觀之曰前所殺天子也或掩面而泣

晉諸公讚賈后女宣華公主葬用羽葆鼓吹熊渠佽飛爲鹵簿

晉書曰石苞以泰始八年薨預爲終制曰延陵薄葬孔子以爲達禮華元厚葬春秋以爲不臣古之明義也自今死亡者皆斂以時服不得兼重又不設床帳明器窆後復土滿坎不得起墳種樹

王隱晉書曰庾峻遺勅子珉曰朝卒暮殯幅巾布衣葬不擇日珉奉遺命殮以時服

晉中興書曰劉驎之少有信義去家百餘里有一獨嫗病將死歎息謂人曰誰當埋我唯有劉長史耳何由令知驎

之先聞有病故往候之値其命終乃身爲治棺殯送其仁愛惻隱若此也

王隱晉書曰蘇韶安平人也爲中牟令第九子名節晝日見韶入乘馬介黃練衣曰吾欲改葬乃授節爲書曰吾性好愛京洛每往來瞻覩芒山上樂哉乎此萬代之基也背孟津洋洋之河南望天邑濟濟之盛此志雖未言銘之於心不啚奄忽所懷未果前至十月可速改葬買數畝地便自足矣

晉書曰成都王穎死其後汲桑害東嬴公騰稱爲穎報讎遂出穎棺載之於軍中每事啓靈以行軍令桑敗棄棺於故井中穎故臣收之改葬於洛陽

晉中興書曰王導薨詔給九旒轀輬車黃屋左纛前後羽葆鼓吹輓歌兩部虎賁班劒百人中興名臣莫與爲比也

晉中興書曰初温嶠葬豫章朝議以嶠首受顧命功濟社稷宜還陪陵官爲起冢太尉侃上䟽停其移葬詔從之至嶠後妻何氏卒　便載嶠喪還都詔令葬建平陵北并贈嶠二妻王氏何氏始安夫人印綬云

太平御覽卷第五百五十四

禮儀部三十四

葬送三

晉中興書曰東海王越妃裴氏痛越棺柩被焚乃招魂葬越於丹徒中宗以爲非禮下詔曰夫冢以藏形廟以安神今世招魂葬者是埋神也其禁之

後魏書曰韓延字顯宗爲虎牢鎮將初延曾往栢谷塢有魯宗之墓有終焉之志因謂子孫曰我不勞向北代葬也即可就此子孫從其言

崔鴻後燕録曰趙秋字武汲郡朝歌人也輕財好施隣人李玄度母死家貧無以葬秋謂其兄曰赴死救不足仁之本也家有二牛以一牛與之玄度得以葬他年秋夜行見一老母遺秋金一餅曰子能葬我是以相報子五十已後當富貴不可言勿忘玄度也

宋書曰謝方明父冲爲孫恩所殺伯父邈守吳興又爲孫恩黨害之方明體素羸弱而勇決過人結邈門生討其黨悉擒手刃之時亂後吉凶禮廢方明合門遇禍資產無遺而營舉之功盡力數月葬送並畢平世備禮無以加也

南史曰王思遠少無仕心宋建平王景素辟南徐州主簿深見禮景素被誅左右離散思遠親視殯葬手種松栢與盧江何昌㝢上表理之

宋書曰王微少好學弟僧謙亦有才譽爲太子舍人遇疾微躬自處療而僧謙服藥失度遂卒微深自咎恨發病不復自療哀痛僧謙不能已以書告靈僧謙卒後四旬而微終遺令薄葬不設輤旐鼓挽之屬施五尺床爲靈二宿便毀

又曰范泰卒初議贈開府殷景仁曰泰素望不重不可擬議台司竟不果及葬王弘撫棺哭曰君生平重殷鐵今以此爲報

沈約宋書曰吳逵吳興烏程人經荒饉繼以疾病父母兄弟嫂及郡羣從小功之親男女死者十三人唯逵夫妻獲全家徒四壁立冬無被袴晝則傭賃夜則伐木燒塼妻亦同逵此誠朞年中成七墓十三棺（亦出中興書王韶孝子傳）

南史曰顧憲之仕齊爲衡陽内史先是郡境連歲疾疫死者太半棺櫝尤貴悉裹以葦席弃之路傍憲之下車分告屬縣求其親黨悉令殯葬其家人絕滅者憲之出公祿使綱紀營護之又土山人有病輒云先亡爲禍皆開冢剖棺水洗枯骨名爲除祟憲之曉諭爲陳生死之別事不相由風俗遂改

又曰王儉領中書監參掌選事其年疾上親視薨年三十八詔衛軍文武及臺所給兵仗悉停待葬又詔追贈太尉加羽葆鼓吹增班劒爲六十人葬禮依太宰文簡公褚彥回故事

齊書曰初豫章王嶷葬金牛山文惠太子葬夾石竟陵王子良臨送望祖硎山悲感歎曰北瞻吾叔前望吾兄死而有知請葬兹地及薨葬焉

又曰何點哀樂過人嘗行逢葬者歎曰此哭者之懷豈可思耶於是悲慟不能禁

梁書曰到溉臨終託子孫薄葬之禮曰氣絕便斂斂以法服斂竟便葬不須擇日凶事心存約儉孫姪不得違言便屏家人請僧讀經讚唄及卒顏色如恒手屈二指即佛道所云得果也

又曰顓頊之臨終爲制敕其子曰夫出生入死理兼晝夜生即不知所從死亦安識所往延陵云精氣上歸于天骨肉下歸于地魂氣則無不知良有以也雖復茫昧難徵要若非妄百年之期逆若馳隙吾今預爲終制瞑目之後念並遵行勿違吾志也莊周澹臺達生者也王孫士安矯俗者也吾進不及達退無所矯常謂中都之制允理愜情衣周於身示不違禮棺周於衣足以蔽臭入棺之物一無所須載以輴車覆以麤布爲使人勿惡也

崔鴻三十國春秋夏録曰赫連昌發二百里内民二萬五千人斃嘉平陵七千人繕清廟於契吳初昌父勃北遊契吳昇高而歎曰美哉斯阜臨廣澤而帶清流吾行地多矣未有若斯之美昌以勃平昔之意也故立廟焉葬勃曰於城西十五里起行宮撰寫統萬宮殿飾以金銀珠璣葬訖焚之殺駿馬數千疋

唐書曰貞觀十年葬文德皇后於昭陵因山爲墳不封不樹太宗懲秦漢已來厚葬以致發掘因序平生之志刻於石以誡將來

又曰高宗以頻年飢儉召雍州長史李義琛謂曰庶人之徒商賈雜類竟爲厚葬違越禮度雍州列郡之首四方取則御爲嚴禁勿復使然也

又曰初玄宗因拜橋陵至金粟山覩崗巒有龍盤鳳翥之勢謂左右曰吾千秋後宜葬此地羣臣乃追先旨築陵此山曰泰陵

又曰蘇頲葬上遊咸宜宮將出獵聞頲喪出愴然曰蘇頲今日葬吾寧忍娛遊遂還宮

又曰初涇原節度使劉昌之領涇州也平涼盟會所亡歿將士骸骨在焉乃令聚而坎瘞之因感夢於昌有媿謝之意遂以聞由是下詔深自尅責仍遣秘書少監孔述睿及中官以御厨饌物及内造衣服數百襲令劉昌收其骸骨以歸大將三十人將士一百人皆具棺櫝斂以衣服葬於淺水原置二塚其大將曰旌義塚將士曰懷忠冢詔翰林學士撰二冢誌文及祭文其日劉昌盛陳兵於葬所具牢饌祖祭之禮昌及大將皆素服臨之焚其屍及紙錢千幅又立三堠題以冢名表於道傍師人觀之莫不感泣

穆天子傳曰甲辰天子南葬盛姬於樂池之南即玄池也天子乃命盛姬之喪視皇后之葬法河濟之間共事供給葬事七萃之事抗即車舉棺以就車御日月之旗七星之文今旗上畫日月及北斗星周禮日月爲當旗亦通名也鼓鍾以葬○山海經曰秋山帝堯葬于陽今堯冢在濟陰陽城縣也帝嚳葬于陰爰有熊文虎雕虎文王皆葬其所文王墓今在畢也案帝王冢墓有定處而山海經往往偏見之者蓋以爲聖人在於其位仁化廣及恩沾鳥獸至於殂亡四海若喪考妣無思不哀故絕域殊鑽之閒天子崩各自立廟祭起土爲冢也

又曰務隅之山帝顓頊葬于陽冢在頓丘城門外廣陽里中也九嬪葬于陰婦嬪

又曰赤水之東蒼梧之野舜與叔均之所葬也叔均商均墓今在九疑山中也其中有九疑山舜所葬在長沙零陵界中九疑山九谿其山皆相似

又曰邢天與帝爭神帝斷其首葬之常羊山及乃以乳爲目以臍爲口玄中記又載

晏子曰景公成路寢之基逢於何遭晏子再拜前曰於何之毋死兆在路寢之臺牖下願請合骨晏子入白公公作色曰自古及今子亦嘗聞請葬人主之宮者乎對曰古之人君不奪生人之居不殘死人之墓故未嘗聞請葬人主

之宮也嬰聞之生者不安命之曰畜憂死者不葬命之曰
畜哀畜憂者怨畜哀者危君不如許之公曰諾逢於何遂
葬路寢之臺牖下
墨子曰古者聖人制爲葬埋之法曰棺三寸足以朽體衣
衾二領足以覆惡者昔堯北教八狄道死卭卭之山衣衾
二領滿坎無封已葬牛馬乘之舜西教犬戎道死南紀之
市既葬而市人乘之禹東教於越葬於會稽之山桐棺三
寸皆下不及泉上無通臭三王者豈財用不足哉以爲葬
埋之法也
孟子曰滕文公卒葬有日矣天大雨雪甚至牛目羣臣請
弛期太子不許惠公諫曰昔王季葬滑山之尾欒水齧其
墓見棺前和文王曰先君欲見羣臣百姓矣乃出爲張三
日而後葬令太子亦曰先王以留而撫社稷故使雪弛其

期更爲日此文王之義也太子曰善
莊子曰莊子將死弟子欲厚葬之莊子曰吾以天地爲棺
椁日月爲連璧星辰爲珠璣萬物爲齎送吾葬具不備耶
何以加此弟子曰吾恐烏鳶之食夫子也莊子曰在上爲
烏鳶食在下爲螻蟻食奪彼與此何偏耶
又曰莊子送葬過惠子之墓顧謂從者曰郢人有漫以堊
汚其鼻端若蠅翼使匠石斲之運斤成風堊盡而鼻不傷
自夫子之死吾無質矣吾無與言之矣
韓子曰墨者之葬也冬日冬服夏日夏服桐棺三寸執喪
二日世主以爲儉而尤之儒者破家而葬債子而償執喪
三年毀而扶杖世主以爲孝而禮之也
又曰齊國好厚葬布帛盡於衣衾材木盡於棺椁桓公患
之以告管仲曰布帛盡則無以爲幣材木盡則無以爲守

備而人厚葬之不休柰何管仲對曰凡人之有爲也非名
之則利之也乃下令曰棺椁過度者僇其尸罪夫當喪者
夫僇死無名罪當喪者無利人何故爲之也
尸子曰禹之喪法死於陵者葬於陵死於澤者葬於澤桐
棺三寸制喪三日舜西教乎七戎道死葬南巴之中衣衾
三領款木之棺葛以緘之
呂氏春秋曰孝子之重其親也慈親之愛其子也痛於肌
骨性也所重所愛死而弃之溝壑人之情不忍爲故有葬
死之義葬者藏也藏淺則狐狸迫之深則及於泉故凡葬
必於高陵之上以避狐狸之患水泉之濕此則善矣
又曰審知生聖之要審知死聖之極也知生者不以害生
養生之謂也知死者不以害死此葬死之謂也二者聖人之所獨決也凡
生於天地之間其必有死所不免也

淮南子曰禹之時天下水禹身執畚插當此之時死陵者
葬陵死澤者葬澤節財薄葬焉
又曰馬免人於難者死也葬之以帷幪爲衾牛有德於人
其葬之大車之箱牛馬有功猶不可忘又況人乎
又曰禹有洪水之患陂塘之事(陂蓄水塘池也)故朝死而暮葬此
皆聖人之所以應時設教見而施宜者也
典略曰秦始皇十年華陽君卒與孝文王合葬壽陵襄王
母夏太后別葬杜東臨死時曰東望我子西望我夫後百
年旁當有萬家邑及漢有天下宣帝果起陵邑焉
西京雜記曰曹敞在吳章門下徃徃好斥人過以爲輕薄
世人皆以爲然章後見殺全無有敢收葬者敞乃稱吳章
弟子收葬其屍方知其亮直者不見容於凡輩矣平陵人文
生爲碑於吳章墓側在龍首山南暮嶺上

又曰何武葬北邙薄龍阪王嘉冢東北一里許
又曰楊貴字王孫京兆人也生時厚自奉養死卒裸葬終南山下其孫掘土鑿石深七尺而反者
又曰安定嵩真玄菟曹元禮並明筭術皆成帝時人真常以筭自克其壽七十三真曰綏和元年正月二十五日晡時死矣書其壁以誌之至二十四日晡時死妻曰真筭時見長下一筭欲以告之慮脫其旨故不告令校一日也
又曰北芒青龍隴上孤櫝之西四尺所鑿之七尺吾欲筭此地也真死依言往掘得古時空椁即以葬之
又曰漢帝及諸侯王葬皆珠襦玉匣形如鎧甲連以金縷匣上皆鏤為蛟龍鸞鳳龜麟之象時謂蛟龍玉匣
又曰杜子夏葬長安北四里臨終作文曰魏郡杜鄴立身忠款犬馬未陳奄先草木骨肉歸於土魂氣則無所不知

何必故丘然後即化封長安北郭此焉安息及死命刊石埋墓前
陳留風俗傳曰小黃縣者宋地故陽武東黃鄉也因黃水以名縣沛公起兵野戰喪皇妣於黃鄉天下平定使使者以梓宮招魂幽野於是有丹虵在水自洒濯入于梓宮其浴處有遺髮謚曰昭靈夫人
盧植別傳曰植初平三年卒臨困勑其子儉葬於山足不用棺附體單帛而已
鄭玄別傳曰玄卒遺令薄葬自郡守以下嘗受業者衰絰赴者千餘人
郭翻別傳曰翻　字道翔武昌人遺令儉葬唯以兩卷老子示存道德
杜祭酒別傳曰君年五十二當其終亡安厝先塋帛布轜車喪儀儉約執引者皆三吳令望及北人賢流
虞氏家記曰潭母大夫人薨宜都府君即世五十九載改殯修構窀穸靈柩往而莫前羣從咸以喪事有往無反不應還移潭以昔文王之葬王季既定而洪水出齧冢棺椁文王乃設張屋出柩三日羣臣臨之然後葬此則上聖之遺令載在篇籍遂奉遷神柩權停幕屋使子孫展哀晨夕宗族相臨允合張屋之儀也天子給太夫人徘徊車謁者送喪禮儀光備合葬於舊壙
衛玠別傳曰君卒丞相王公教曰衛洗馬明當改葬此君風流名士海內民望可修三牲之祭以敦舊好

太平御覽卷第五百五十五

禮儀部三十五

葬送四

吳越春秋曰吳平門外麋湖西城者麋王城也與越王遥戰越王殺麋王麋王無頭騎馬還武里乃死因留葬武里城中以午日死至今武里午日不舉火

又曰吳王闔閭有子女怨王乃自殺闔閭痛之甚葬於昌門外鑿地爲池積土爲山文石爲椁金鼎銀罇珠玉之寶皆以送女乃舞白鶴於吳市中令萬民隨觀還使男女與鶴俱入門因塞之

又曰吳謀伐齊齊景公使子女爲質於吳吳王因爲太子聘齊女齊女少思齊日夜哭泣發病闔閭乃起北門名曰齊門令女往遊其上女思不止病日益甚至且死女曰令死有知必葬海虞山之顛以望齊國闔閭傷之甚用其言葬於虞山之嶺以瞻望齊國是時太子亦病而死

說苑曰盖聞相梁并衛有罪而走齊管仲迎而問曰吾子相梁并衛之時門下使者幾何人曰門下使者三千餘人管仲曰今與幾何人來曰臣與三人俱曰是何對曰其一人父死無以葬我爲葬之一人母死無以葬亦爲葬之一人兄有獄我爲出之是以得三人來

桓子新論曰楊子雲爲郎居長安素貧比歲亡其兩男哀痛之皆持歸葬於蜀以此困乏子雲達聖道明於死生不下季札然而慕戀死子不能以義割恩自令多費而致困貧

論衡曰儒書言孔子當泗水而葬爲之却流此言孔子德使水却不湍其墓是故儒者譏論皆言孔子之後當封泗水以却流爲證殆虛言也

王符潛夫論曰文帝葬於芷陽明帝葬於洛南皆不藏珠寶不起山陵今京師貴戚郡縣豪家生不極養死乃崇喪造起大冢廣樹松柏廬舍祠堂務崇侈僭此無益於終無益於孝徒作煩擾傷害吏民今案畢鎬之郊無文武之陵南城之東無曾晳之冢周公非不忠曾子非不孝也

崔寔政論曰送終之家亦大無度至念親將終無以奉遣乃約其供養衣服豫脩已没之制竭家盡業甘之不恨窮阨既迫起爲盜賊拘執陷罪爲世大戮痛乎此俗之愚民也

錄異傳曰袁安葬其母逢三書生語其葬處遂至四世五公其後公路年十八驕豪故常食盜飯諸女以絳爲地道遊行其上此葬地所致也

謝綽宋拾遺曰桓溫葬姑孰之青山平墳不爲封域於墓傍開隧立碑故謬其處令後代不知所在

襄陽耆舊傳曰峴山南有習家魚池者習郁之所作也郁將亡勑其兒煥曰我葬必近魚池煥爲起冢於池之北去池四十步

山謙之丹陽記曰晉車騎將軍王舒令其子曰甚愛漂陽縣死則我欲葬爲故王死之後徙縣治令處而以昔解爲墓

續搜神記曰干寶字令外新蔡人其父有嬖妾母至妬寶父葬時因推着藏中經十年而母喪開墓見棺妾伏棺上衣服如生就視猶煖漸漸有氣息輿歸經日乃蘇云父常與之寢接恩情如生在家中

范晏陰德傳曰陳翼字春卿廬江舒人也行到縣郭見道

上馬傍有卧疾人呼翼異與語曰吾是長安魏公卿閭盧江
樂玉來下道病困不能復前儻可相救翼共合去家有弊廬
可俱歸乎公卿曰幸甚即扶與俱到家養視積日既困公
卿謂翼異曰馬上有金千餘餅素二十疋可賣殯餘以相謝
言絶而亡翼賣素買衣衾殯殮之葬埋高敞之地以金置
棺下不使人知乘馬去公卿兄長公見翼乘馬謂必殺公
卿陰告官收翼具以狀對長公迎喪發棺下得金如數叩
頭謝以金報其門中翼送長安還之
汝南先賢傳曰袁閎字夏甫延熹末黨事將作閎遂散
髮乃築土室四周於庭潛身十八年終于土室之中臨卒勑
其子曰勿設殯棺衣衾之備也但着禪衫踈布單衣幅巾
襯尸於板床之上五百甎爲藏
會稽典録曰趙曄字長君山陰人也少爲縣吏奉檄迎督

郵曄甚耻之由是委吏到犍爲詣傳士杜撫受韓詩撫嘉
其精力盡以其道授之積二十年不還家人爲之發喪制
服至撫卒曄經營葬之然後歸家
又曰張護字彥承上虞人也與同郷丁孝正相親葬送過
制護書難之曰吾聞班固善陽孫之省葬惡始皇之飾終
夫倮以矯世君子弗爲若乃據周公之定品依延州而成
事取中庸以建基獲美稱於當世不亦優哉
又曰謝夷吾轉下邳令預自尅死日如期果卒勑其子曰
漢末當亂有發掘露骸之禍使縣棺下葬墓不起墳
楚國先賢傳曰韓曁將終遺言曰夫俗奢示之以儉儉則
節之以禮歷見前世送終過制失之甚也若曹敬聽吾言
斂以時服葬以土藏穿畢便葬送之以瓦器愼勿有增益
襄陽耆舊記曰襄陽城南邊大道有諸葛女郎墓者是諸

葛仲茂女冢也年十三四亡茂婦憐之不能自遠故近巨
葬之日日往哭
又曰秦頡者字初起頡之南陽過宜城中一家東向大道
住車視之曰此居處可作冢後喪還至此住處車不肯
前故吏爲市此宅葬之今宜城城中大冢前有二碑是
也
又曰有佷子者家訾萬金而白少小不從父語臨亡意欲
葬山上恐兒不從到言葬我着渚下石磧上佷子曰我由
來不奉教從今當從此一語遂盡散家財作冢積土繞之
成一洲長數百步元康中始爲水所壞佷子前漢人也
譙周三巴記曰巴國有亂巴國將軍曼子請師於楚楚人
與師曼子已平巴國既而楚遣使請城曼子曰吾誠許子
之君矣持頭往謝楚王城不可得乃自刎以頭與楚子楚

子歎曰吾得臣若巴曼子何以城爲乃以上卿禮葬曼子
頭巴國葬其身亦然
華陽國志曰德陽縣有青石祠山源沃美有澤原之利士
女多貞孝車騎將軍鄧芝方之鄧林有終焉之志没遂葬
其山
博物志曰澹臺子羽渡水而子溺死人將葬之滅明曰此
命也吾豈與螻蟻爲親魚鼈爲讎於是遂以水葬之
又曰漢滕公夏侯嬰死公卿送葬至東郭門外四馬不行
掊地悲鳴即掘馬蹄下得石槨其銘曰佳城鬱鬱三千年
見白日于嗟滕公居此室乃葬所地故謂之馬冢焉
又曰河内淇園張公老而無子貲財累億求没入官死葬
園中于今供祀犧牲
永昌郡傳曰建寧郡葬夷置之積薪之上以火燔之烟氣

正上則大殺牛羊共祖勞賀作樂若過風烟氣旁耶亦乃
悲哭也
豫章記曰許子將墓在郡南四里昔子將以中國大亂遠
來渡江隨劉繇而卒藏于昌門裏于時漢興平二年也
吳天紀中太守吳興沈季白日於廳事上坐忽然如夢見
一人着黃單衣黃巾稱汝南羊與許子將求改葬因忽不
見即求其喪不知處所遂招魂葬之命文學施遐爲招魂
文
越地傳曰禹井井者法也以爲禹葬以度不煩人衆
樂資九州志曰渡之盬官有奉禪山昔始皇過此而美之
死因葬焉有廟在平地于今民祠之
述征記曰苟氏葬在彭城東岸東岸有一丘民俗謂之苟
氏葬或云斯則徐偃王葬后倉者也古徐國宮人娠而生

卵弃之水濱有犬名后倉銜而歸伏而成人遂爲徐之嗣
君紲筋無骨號曰偃王偃王躬行仁義衆國附之得朱弓
之瑞周穆王命楚滅之后倉將死生角九尾寔黃龍也
又曰魚山臨清河舊屬東阿東阿王曹植毎外此山有終
焉之志植之所遊池沼溝渠悉存既葬于山西有二石柱
猶存世地今劃并穀城
鄧德明南康記曰陽道士葬巖右室元嘉中道士過世臨
終語弟子等可送吾置彼石室市褐香鑪此外無所須也
及其亡日謹奉遺命葬經數年尸猶儼然葛巾覆之如初
弗朽後忽不復見今舟行者過其山渚尚聞香氣咸異焉
解道慮齊記曰魏黃初三年文帝弟㬚封濮陽王臨終顧
命葬近蘧瑗之墓吾常想其爲人願託賢哲之靈
扶南傳曰頓遜國人死或鳥葬或火葬鳥葬者病困便歌
儛送郭外有鳥如鵝綠色飛來萬計啄食都盡斂骨焚之
沉之於海此上行必生天鳥若不食自悲傷乃就火葬取
骨埋之是次行也
鄴中記曰石勒陵在襄國城西南三十里名高陵不築墻
不種樹立堂皇五間安積圖勒大臣像又於堂皇東立重
樓虎陵在鄴西北角既葬鄴中便亂其封域故未有名域
云尋被掘凡此二陵皆僞葬石勒虎自別於深山
風俗通曰王喬爲葉令天下一玉棺於廳事前令臣吏試
入不動擧喬曰天帝獨欲召我沐浴服飾寢其中盖便立
覆之宿昔葬於城東土自成墳其夕縣中牛皆流汗吐舌
人無知之者
皇覽曰舊漢家之葬方中百步穿築爲方城其中開道足
施六馬發三河三輔近郡卒徒十萬數復土

姚信士緯曰盖葬於寬平則恐後世都邑居之葬於陵野
則恐民人耕稼及之厚槫大棺人所爲用下一寡朴木民
人率多發掘以繕其居千墳萬壙無不毀者其唯瓦棺薄
葬歛以時服依于高丘徹于深穽庶乎不辱耳
語林曰王太保有二兒喪一兒欲還舊塋一兒欲留葬太
保乃垂涕曰不忘故鄉仁也不戀本土達也唯仁與達吾
二子有焉
又曰王武子葬孫子荊哭之甚悲賓客莫不爲垂涕哭
畢向靈曰卿常好驢鳴今爲卿作驢鳴既作體似真聲賓
客莫不大笑孫聞笑顧謂曰諸君不死令王武子死賓客
莫不皆怒須臾之間或悲或笑或怒
世說曰阮籍葬母蒸一肥豚飲酒二斗然後臨決直言窮
矣都得一號因吐血良久又鄧粲晉記曰籍母將死與人

圍棊如故局者求止籍不肯留與決既而飲酒二斗外舉聲一號吐血數升也

又曰庾文康亡何楊州臨葬云埋玉樹着土中使人情何能已文康庾亮謚也何楊州者何充也

又曰晉明帝亦解冢宅聞郭璞爲人葬後微服往看因問君何以葬龍角此法當滅族主人荅云郭景純云此是葬龍耳不出三年當致天子明帝復問云爲是出天子耶荅非能出招致天子耳相冢書曰凡葬龍耳富貴出五侯葬龍頭暴得富貴人不能見葬龍口賊子孫葬龍齒三年暴死葬龍咽死滅門葬龍腮必卒死天子葬高山諸侯葬連嵩庶人葬平地

應璩新詩曰野田何紛紛城郭何落落埋葬嫁娶家皆是商旅客喪側食不飽酒肉紛狼籍晉武帝賜劉寔葬錢詔曰故侍中劉寔以清識明鑒　有聲前代昔宣皇帝接以師友之恩寔墓爲盗賊所發甚用惻然其子阜素甚清貧今當殯葬其給轜車銘旌賜錢給作藏人功至時遣使者祭之

晉賜王沉葬錢并地詔曰故驃騎將軍王沉忠允篤誠執德弘毅外清方夏内熙袞職歷位着稱厥功茂焉不幸薨殞志業未究今當葬其賜錢三十萬葬田一項

晉賜傅蝦夫人鮑葬錢詔曰故太常傅蝦昔以令德賢才爲先帝所接登龍之際有翼贊盡忠之勳早代殞没不終功業每念其遺績常存於心今蝦夫人鮑當葬賜錢十萬給作藏人功蝦墓開祭以少牢

太平御覽卷第五百五十六

太平御覽卷第五百五十七

禮儀部三十六

冢墓

說文曰冢高墳也壟丘也墓兆域也

釋名曰冢腫也象山頂之高者腫起也墓慕孝子思慕之處也丘陵象其形也

書曰武王克商封比干之墓

周禮曰大司徒以本俗六安萬民一曰𡩠音美宮室二曰族墳墓

又曰冢人掌公墓之地辨其兆域而爲之圖先王之葬居中以昭穆爲左右公君也圖謂畫其地形及丘壟所處而藏之先王造塋者昭居左穆居右夾處東西凡諸侯居左右以前卿大夫士居後以其旋子孫各就其所出王以尊卑處其前後而亦併昭穆凡死於兵者不入兆域戰敗無勇投諸塋外以罰之凡有功者居前居王墓之前處昭穆之中央以爵等爲丘封之度與樹數別尊卑也王公曰丘諸臣曰封漢律曰列侯墳高四丈關內侯以下至庶人各有差大喪記有日請度甫竁遂爲之尸竁尺鮪切又士納切葬穿壙也又音毳及竁以度爲丘遂共喪之窆器及葬言鸞車象人鸞車巾車所飾遣車也亦設鸞旗於象人謂以芻爲人言問其不如法度者及窆執斧以涖臨下棺也遂入藏凶器正墓域守墓蹕墓域守墓禁位謂丘封所居前後之禁所爲塋限凡祭墓爲尸凡諸侯及諸臣葬於墓者授之兆爲之蹕均其禁

又曰墓大夫掌凡邦墓之域爲之圖凡邦中之墓地民所葬地令國民族葬而掌其禁令族葬各從其親凡爭墓地者聽其獄訟帥其屬而巡墓厲居其中之室以守之厲塋限遮列處

禮曰適墓不登壟爲其不敬壟冢也墓塋域助葬必執紼葬喪之大事紼引車索

又曰孔子既得合葬於防言既得者少孤不知其墓曰吾聞之古者墓而不墳墓謂兆域土之高者曰墳也今丘也東西南北之人不可以不識音志也於是封之崇四尺四尺蓋周之制也孔子先反當脩虞事門人後雨甚至後猶封也孔子問焉曰尒來何遲也曰防墓崩孔子不應三三言之以孔子弗聞孔子泫然流涕曰吾聞之也古不脩墓脩猶治也

又曰易墓非古也易謂墓治草木不易者丘陵也

又曰曾子曰朋友之墓有宿草而不哭焉宿草謂陳根也爲師心喪三年於朋友期可

○又曰子路去魯謂顏淵曰何以贈我贈送曰吾聞之也去國則哭于墓而後行反其國不哭展墓而入無君事主於孝哭言哀去也展者袒之謂子利曰何以處我處猶安也子路曰吾聞之也過墓則式過祀則下治者主於故

又曰晉趙文子與叔譽觀于九原叔譽叔向也文子曰死者如可作也吾誰與歸叔譽曰其陽處父乎文子曰行并植於晉國不沒其身其智不足稱也并猶專也謂剛而專己爲狐射姑所殺沒終也其咎犯乎文子曰見利不顧其君仁不足稱也謂與文公辟難抒至反國無安君之心及河援璧要君以利也我則隨武子乎利其君不忘其身謀其身不遺其友武子士會也晉人謂文子知人

傳曰蹇叔曰晉人禦師必於殽殽有二陵焉其南陵夏后皐之墓也

又曰鄭子展子產帥車七百乘伐陳陳侯扶其太子偃師奔墓欲逃冢間也

又曰吳將伐齊越子率其衆以朝吳將皆喜唯子胥懼曰是豢吳也夫闔閭之賜之屬鏤以死屬鏤劍名將死曰樹吾墓檟檟可材也吳其亡乎

史記曰黃帝崩葬橋山武帝巡朔方還祭黃帝冢曰吾聞黃帝不死今有冢何也左右曰黃帝已上天群臣藏其衣冠故有冢帝曰吾誠得如黃帝視去妻子如脫屣也

又曰樗里子卒葬渭南章臺之東曰後百歲當有天子之

宮夾我墓至漢興長樂宮在其東未央宮在其西武庫正
直其墓
漢書曰朱買臣獨行歌道中負薪墓間故妻與夫家俱上
冢見買臣飢寒呼飯飲之
又曰驃騎將軍霍去病卒天子悼之發屬國玄甲軍陳自
長安至茂陵為冢像祁連山
又曰嚴延年東海下邳人為河南太守母來見執因大驚
讓延年曰天道神明人不可獨殺我不自意當老見壯子
被刑戮也行矣為汝東歸埽除墓地耳遂去歸郡見昆弟
宗人復為言之後歲餘果敗東海莫不賢其母
又曰哀帝令將作為董賢起冢營義陵傍內便房剛栢
題湊外為徼道周垣數里闕罘罳甚盛罘音浮罳音思
又曰莽奏貶傅太后號為定陶恭王母丁姬葬復言恭

王母丁姬不臣妾至葬渭陵冢高與元帝山齊諸發恭王
母及丁姬冢取其璽綬消滅徙恭王母歸定陶葬恭王冢
次而葬丁姬復其故太后以為既已之事不須復發莽固
爭之后詔曰因故棺為致槨作冢祠以太牢謁者護既
發傅太后冢崩壓殺數百人開丁姬槨火出四五丈吏卒
以水沃滅迺得入燒燔槨中器物開傅后棺臭聞數里公卿
在位皆阿莽旨入錢帛遣子弟及諸生四夷凡十餘萬人操
持作具助將作掘平恭王母丁姬冢二旬間皆平莽又周
棘其處以為世戒云時有羣燕數千銜土投丁姬穿中
又曰張賀為掖庭令及宣帝即位賀已死子又早亡上追恩
賀恩封其家恩德置守冢二百家
又曰夏侯勝字公長遷太傅卒官賜冢塋葬平陵太后
為素服五日報師傅之恩儒者以為榮

又曰原涉自以先人墳墓儉約非孝也迺大治冢舍周閣
重門初武帝時京兆曹氏葬茂陵民謂其道為京兆阡涉
慕之西買地開道立署曰南陽阡人不肯從謂之原氏阡
東觀漢記曰帝感李通首創大謀每幸南陽常遣使者
以太牢祠通父冢
又曰建武三年以皇祖皇考墓為昌陵後改為章陵因以
舂陵為章陵縣二十六年春正月初作壽陵將作大匠竇
融上言園陵廣袤無慮所用帝曰古帝王之葬皆陶人瓦
器木車茅馬使後世之人不知其處太宗識終始之義景帝
能遵孝道遭天下反覆而獨完其福豈不美哉今所制地
不過二三頃無為陵地裁令流水而已
又曰郁刑字次孫早孤以至孝稱值天下亂野無烟火而
郁刑獨在家側每賊過見其尚幼而有志節奇而哀之

後漢書曰楊震字伯起改葬華陰遠近畢至先葬日有鳥
高丈餘衰前悲鳴葬畢乃去於是立石鳥象於其墓所
又曰郭伋徵太中大夫卒時年八十六帝親臨賜冢塋地
又曰种暠上音冲下音杲為遼東郡薨并涼邊民咸為發哀匈
奴聞暠卒舉國傷惜單于每入朝賀見墳墓輒哭祭
又曰帝祠章陵過湖陽祠樊重墓追爵謚為壽張敬侯立
廟於湖陽車駕每南巡常幸其墓賞賜大會
又曰韓稜遷南陽太守特聽得過家上冢鄉里以為榮
又曰蔡順母平生畏雷自亡後每有雷震順輒圜冢泣曰
順在此後太守鮑衆舉孝廉順不能遠離墳墓遂不就
又曰溫序拜謁者遷護羌校尉序行部至襄武為隗囂別
將苟宇所拘劫仗劍而死序主簿韓遵從事王忠持屍歸
殮光武聞而憐之命忠送喪到洛陽城傍為冢地賜穀千

斛縑五百疋除三子爲郎中長子壽服竟爲郊平侯相夢
序告之曰久客思鄉里壽即弃官上書乞骸骨歸葬帝許
之乃反舊塋焉
魏略曰曹操微時人莫知之唯橋玄見而異焉謂曰今天
下將亂安生民者其在君乎操感其知己及後經過玄墓
輒悽愴致祭
魏志曰管輅過毋丘儉墓下倚樹哀吟曰玄武藏頭蒼龍
無足白虎銜尸朱雀悲哭四危以備法當滅族卒如其言
又曰幽州牧劉虞署田疇爲從事奉使未至虞巳爲公孫
瓚所害及至謁祭虞墓陳章表哭泣而去
吳書曰孫堅家于富春葬於城東冢上數有光怪雲氣五
色
王隱晉書曰初太康元年汲郡民盗發魏安釐王冢得竹

書漆字
又曰交廣記吳將呂岱爲廣州遣掘尉他冢費損無獲他
雖僭侈然愼終其身乃令後不知其處鑿於收堅所殘也
又曰愍帝建興中曹嶷發景公及管仲冢尸並不朽繒帛
可服珎寳巨萬
又曰金鄉縣北鑿石爲冢去得白蛇白兎及得金故曰金
人
又曰王裒字偉元少立操尚父爲晉文王所害絕世不仕
立屋墓側以教授爲務旦夕常至墓前朝拜輒悲號斷絕
墓前一栢樹裒常所攀涕所著樹色與凡樹不同
書曰滕修南陽人也爲廣州牧修在海南積年爲邊夷所附
卒請葬京師帝嘉其意賜墓田一頃
又曰東海王越屯許路經滎陽過嵇紹墓哭之悲慟刊

石立文表贈官爵帝乃遣使策贈侍中光祿大夫加金章
印綬進爵爲侯賜墓田一頃客一戶祠以少牢
又曰盧志言於成都王穎曰黃橋戰亡者有八千餘人旣
經夏暑露骨中野可爲傷惻昔周王葬枯骨況此等致死
王事乎穎乃造棺八千餘枚以成都國秩爲衣服殮祭葬
於黃橋北樹枳籬爲之塋域又立都祭堂刊石立碑紀其
赴義之功使亡者家四時祭祀有所
晉書載記曰西胡梁國兒於平涼作壽冢每將妻妾入冢
飲讌酒酣升靈床而歌時人或譏之國兒不以爲意前後
征伐屢有功姚興以爲鎮北將軍年八十餘乃死
宋書曰宋文帝元嘉二十五年行幸江寧經司徒劉穆之
墓遣使致祭焉
後魏書曰李沖字思順高祖時爲尚書僕射卒葬覆舟山

近杜預冢高祖之意也後車駕自鄴還洛經沖墓左右以
聞高祖卧疾望墳掩淚
又曰傅永字脩常登北邙於平坦處奮矛躍馬盤旋瞻望
有終焉之志遠慕杜預近好李沖王肅欲附葬於墓遂
買左右地數畝遺勑子叔偉曰此吾之永宅也
禮系曰天子墳高三雉諸侯半之卿大夫八尺士四尺天
子樹松諸侯樹栢卿大夫樹楊士樹楡尊卑差也
楚漢春秋曰惠帝崩呂太后欲爲高墳使從未央宮坐而
見之諸將諫不許東陽侯垂泣曰日夜見惠帝冢悲哀流涕無
以死傷生也自竊哀之於是太后乃止
蕭方等三十國春秋曰晉義熙九年盗發故驃騎將軍卞
壼墓剖棺掠之壼屍面如生兩手悉拳爪生達背
戰國策曰齊宣王見顏斶曰斶前斶亦曰王前王作色曰

士貴乎觸曰士貴昔秦攻齊令曰有敢去柳下季壟五十步而樵採者罪死不赦令曰有能得齊王頭封萬户由是觀之生王之頭不如死士之壟

崔鴻前趙録曰張萬龍西人也事母至孝母喪既葬於墓側哀感幽顯歲餘而墓地自裂棺亦自破母還蘇活

方言曰冢秦晉之間謂之墳(取名於大防也)或謂之培(音部)或謂之堬(音蝓)或謂之埰(古者卿大夫有埰地葬之因名云也)或謂之埌或謂之壟(有界埒似耕壟因名云也)自關以東謂之丘小者謂之塿(培塿亦高之亣名之也)大者謂之丘凡葬而無墳謂之墓(言所不封也墓猶墓之)所以安墓謂之墲(墲謂規度墓地漢書曰初陵墲是也)

太平御覽卷第五百五十七

禮儀部三十七

冢墓二

宋書曰王玄謨從弟玄象位下邳太守好發冢地無完槨時人間垣內有小冢墳上殆平每朝日初升見一女子立冢上近視則亡或以告玄象便命發之有一棺尚全有金蠶銅人以百數剖棺見一女子可二十姿質若生卧而言曰我東海王家女應生資財相奉幸勿見害女臂有玉釧斬臂取之於是女復死

又曰大明三年孝武幸籍田經袁湛墓使致祭增守墓五戶

又曰何承天傅見古今爲一時所重張永嘗開玄武湖遇古冢冢上得一銅斗有柄文帝以訪於朝士承天曰此亡新莽時三公亡皆賜之一在冢外一在冢內時三台居江左者唯甄邯爲大司徒必邯之墓俄而又啓冢內更得一斗復有一石銘云大司徒甄邯之墓

又曰張裕曾祖澄當葬父郭璞爲占墓地葬其處年過百歲位至三司而子孫不蕃其處年幾減半裁卿校而後累世貴顯澄乃葬其劣處位至光祿年六十四而亡其子孫遂昌

又曰周山圖爲淮南太守時盜發桓溫冢大獲寶物客竊取以遺山圖山圖不受簿以還官

齊書曰柳世隆曉數術於倪塘創墓與賓客踐履十往五往常坐處及卒墓工圖墓取其坐處焉

又曰王倫之爲豫章太守下車祭徐孺子許子將墓

又曰初荀伯玉微時有善相墓者謂其父曰君墓當出暴貴者但不得久耳又出失行女子伯玉聞之曰朝聞道夕死可矣頃之伯玉姑當嫁明日應行今夕逃隨人去尋求不能得後出家爲尼伯玉卒敗亡

又曰富陽人唐寓之僑居桐廬父祖相傳圖墓爲業寓之自云其家墓有王氣山中得金轉相誑惑永明二年冬寓之聚黨遂陷富陽至錢塘

又曰始興王鑑鎮蜀於州園地得古冢無復棺但有石槨銅器十餘種並古形玉璧三枚珍寶甚多不可皆識金銀爲蠶形者數斗又以朱砂爲阜水銀爲池左右咸勸取之鑑曰皇太子昔在雍有發古冢者得玉鏡玉屏風玉匣之屬皆將還都吾意常不同乃遣功曹何佇之爲起墳諸寶物一不得犯

又曰宜都王鑑鎮姑孰于時人發桓温女冢得金巾箱織金篾爲嚴器又有金蠶銀繭等物甚多條以啓聞鬱林敕以賜之鑑曰今取往物後取今物如此循環豈可熟念使長史蔡約自往脩復纖毫不犯

又曰文惠太子鎮雍州有盜發古冢者相傳云是楚王冢大獲寶物玉屐玉屏風竹書青絲綸簡廣數分長二丈皮節如新有得十餘簡以示王僧虔云是科斗書考工記周官所闕文也

南史曰齊前將軍陳天福坐討唐寓之於錢塘掠奪百姓財物棄市先是天福將行令家人預作壽冢未至東又信催速就冢成而得罪因以葬焉

梁書曰丁貴嬪薨昭明太子遣人求得善墓地將斬草有賣地者因閹人俞三副求市若得錢三百萬與之三副密啓武帝言太子所得地不如今所得地於帝吉帝末年多忌

便命市之葬畢有道士善圖墓云地不利長子若厭伏或
可申延乃爲蠟鵝及諸物埋墓側長子位有宮監鮑邈之
魏雅者二人初並爲太子所愛邈之晚見疎於雅密啓武
帝云雅爲太子厭禱帝密遣檢點果得鵝等物大驚將窮
其事徐勉固諫得止唯誅道士
又曰蕭斅太清初爲梁州長史梁州有古墓名曰尖冢或
云張騫墳欲有發者輒聞鼓角與外相拒椎埋者懼而退
斅謂　無此理求自監督及開唯有銀鏤銅鏡方尺
唐書曰代宗時虢州刺史王奇光上言閿鄉縣女媧墓去
天寶末失所在今一夜河上側近忽聞風雷声曉見其墓
踊出上有雙柳樹下有巨石其柳各高丈餘
又曰天后西幸京師路經楊玄感墓上誦李百藥過玄感
墓詩云劔有萬人敵文爲一代英除昏志不遂潛亂道難
平歎曰百藥唯解綴文不識大義

又曰韓思復則天朝爲太常博士定南郊儀注云太妃鼓
吹排羣邪守大體國家賴之睿宗朝爲給事活嚴善思
於雷霆之下拒武三思於陷附之中玄宗御筆題碑云有
唐忠孝韓長公之墓
又曰伊慎兗州人善騎始爲果毅喪母將營合附不識其
父之墓晝夜號哭未浹日夢寐有指導焉遂發壠果得舊
記驗
又曰盧坦爲侍御史會李錡反有司請毀錡祖父廟墓坦
嘗爲錡從事乃上言曰淮安王神通有功於草昧且古之
父子兄弟罪不相及況以錡故可累五代祖乎乃不毀因
賜神通墓五戶以備洒掃
白虎通曰春秋之義王者墳高三仞樹以松諸侯半之樹
以栢大夫八尺樹以欒士四尺樹以槐庶人無墳樹以楊
柳
晏子曰梁丘據死景公召晏子告之據曰忠且愛我欲厚
葬之高大其壟晏子對曰不可公遂止
列子曰燕人長於楚老而還過晉國同行者紿之指城
曰此燕國之城其人愀然變容　指社曰此若里之社（昔猶汝也）
乃喟然而歎指舍曰此君先人之廬乃涕然而泣指壠曰
若先人之冢其哭不自禁同行者啞然大笑曰余等紿君乃
晉國耳其人慙及至燕國之城社眞見先人之廬冢悲心
更微
傅子曰太原民發冢破棺中有婦人將出與語生人也視
其冢上木三十歲不知此婦人三十歲常生地中也將一
朝欻然生偶與發冢者會也

抱朴子曰吳景帝時於江陵掘冢取板治城後發一大冢
內有重閤石扉皆樞轉開閉四周徼道通車其高可乘馬
又鑄銅爲人數十枚長五尺皆大冠衣執劔列侍靈坐皆
刻銅人背後石壁言殿中將軍或言侍郎似公王冢也破
其棺棺中有人鬚已班白鮮明面體如生人棺中有白玉
壁三十枚藉尸兵人舉出死人以倚冢壁一玉長一尺形
似冬瓜從死人懷中出墮地兩耳中及鼻中有黃金如棗
此則骨骸有假物而不朽之效也
呂氏春秋曰世之爲丘壟也其大若山其樹若林以此觀
世示富則可矣以此爲死則不可自古及今未有不亡之
國者則是無不掘之墓也是故大墓無不掘者而世争爲
之豈不悲哉堯葬於穀林通樹枝舜葬於紀市不變其肆
禹葬於會稽不變人徒是故先王以儉葬也非愛其費非

惡其勞以爲死者虛也
越絕書曰宋大夫華元冢在華原陳留小黄縣城北
吳越春秋曰虎丘者吳王闔閭墓也下池廣六十步深一丈五赤銅槨三重中池廣六尺金鴈玉鳧諸腸魚腸之劒以送焉取士臨海潮千萬人築治之以葬後金精上地爲白虎據墳故以爲虎丘
越傳曰禹到大越上茴山更名山曰會稽因死葬焉穿壙深七尺上無寫泄下無流水壇高三尺土階三等周方一畝
華陽國志曰周失綱紀蜀先稱王有名蠶藂其目縱死作石階石棺國人化之故俗以石棺槨爲縱目人冢
又曰蜀有五丁能移山舉萬鈞其王薨輒立大石長三丈重千鈞爲墓志

又曰蜀遣使朝秦秦惠王許嫁五女於蜀蜀遣五丁力士奉迎虵山崩同時壓殺五丁及秦五女蜀王痛傷命曰五婦冢今其人或名五丁冢
又曰武都有一丈夫化爲女子美而艷蓋山精也蜀王納爲妃不習水土欲去王必留之乃作東平之歌以樂之無幾歿故王哀之乃遣五丁之武都擔土爲妃作冢
三輔決録曰竇后父名猗遭秦亂隱身釣魚墜淵而卒后登尊號遣使者於父墜所築起大墳
世說曰戴公見林法師墓曰德音未遠而拱木已積冀神理綿綿不與氣運俱盡耳
又曰黄初末吳人發長沙王吳芮冢以其材於臨湘爲孫堅立廟容皃如生衣服不朽後預發者見綱曰君何類長沙王芮但微短耳綱瞿然曰是先祖也自芮之卒至冢發四百餘年綱芮之十六世孫也
又曰有人相羊祜應出受命君忌其言遂使掘斷墓後以壞之相者云墓勢相讓猶有折臂三公俄而祜墜馬折臂後至三公
又曰郭景純過江居于暨陽母亡安墓不盈百步時人以爲近水景純曰將當爲陸今沙漲去數十里皆爲人居家桑田
博物志曰漢末發范明友冢奴猶活明友是霍光女壻說記言光家事廢立之際多與漢書相應
又曰漢末有發前漢時宮人冢者宮人獨活既出平如復舊
列士傳曰羊角哀葬友人在栢桃與荆將軍冢比他日角哀夢栢桃語已曰蒙子之恩而獲原厚葬荆將軍自以豪

欲役伏吾吾不聽與連戰不勝期十五日大合戰以決勝負得子則勝不得則負矣角哀至期日陳兵詣其冢上
三輔決録曰趙嘉年三十餘有重疾七年不樂乃爲令勑兒曰丈夫生一世處無箕山之操仕無伊摯呂尚之勳天不我與復何言哉聊立一圓石樹吾墓前刻之曰漢有逸民姓趙名嘉有志無時命也柰何後病愈
楚國先賢傳曰李善字次孫南陽人也本同縣李元蒼頭建武中元家死没唯孤兒續始生善親自哺養世祖拜善及續並爲太子舍人善顯宗時辟公府以能治劇再遷日南太守從京師之官道經南陽李元冢未至一里乃脫服持鉏去草及拜墓哭泣甚悲身炊爨自執俎鼎以脩祭
楊雄家諜曰子雲天鳳五年卒葬安陵阪上所厚沛郡桓君山平陵如子禮弟子鉅鹿侯子芭共爲治喪諸公遣世

子朝郎吏行事者會送桓君山爲斂賻起祠塋侯芭負土作墳號曰玄冢

七略曰楊雄死弟子共爲起冢號曰楊冢

趙岐別傳曰岐字臺卿年九十餘建安六年卒先自爲壽藏圖季札子產晏嬰叔向四像居賓位又自像其像居主位皆爲讚頌勑其子曰我死之日墓中聚沙爲牀布簟白衣散髮其上覆以單被即日便下下訖便掩

王子年拾遺記曰舜葬蒼梧之野有鳥如丹雀自丹州而來吐五色之氣氣如雲白日憑霄雀能羣飛銜土以成墳

太平御覽卷第五百五十八

太平御覽卷第五百五十九

禮儀部三十八

冢墓三

三秦記曰昭帝母鈎弋夫人居甘泉宮三年不反遂死即葬之以千人營葬故有千人葬名曰思合墓

徐廣晉紀曰關中發漢杜霸二陵薄太后棺面如生矣

吳録曰范慎字子敬在武昌自造冢名作長室時與賔客作樂鼓吹入中宴飲

漢趙記曰上洛男子張盧死二十七日人有盜發其冢盧得穌起且問盜人姓名郡縣以雖元意姦軌盧復由之而生不能決豫州牧呼延謨以聞詔曰以其意惡功善論笞三百不齒終身

王智深宋紀曰齊宣帝墳塋在武進縣常有雲氣紛氳入天元嘉中望氣者稱此地有天子

三齊略記曰田開強公孫接古冶子三壯士冢在齊城東南三百步陽陰里中

王子年拾遺記曰南尋之國其死者葬之中野百鳥銜土為墳羣獸為之掘穴不封不樹

西京雜記曰青龍觀前有三梧樹樹下石麒麟二枚始皇葬墓中物也

又曰廣川王去疾好聚無賴少年遊獵無度國內冢藏一切發掘其奇異者魏襄王冢以文石為槨高八尺許廣狹容四十人以手捫槨滑液如新中有石床石屏風婉然周正不覺棺柩盟器蹤跡但床上玉唾壺一枚銅劍二枚金雜具皆如新玉自取服之襄王冢以鐵灌其上穿鑿三日乃開黃氣如霧觸人鼻目辣辛不可入以兵守之經一日乃歇初至一戶無扉鑰石床方四尺床上有石几左右各三石人立侍皆武冠帶劍復入一戶石扉有關鑰叩見棺槨黑光照人刀斫不入燒鋸截之乃漆雜兕革為棺槨厚數寸累積十餘重力不能開乃止復入一戶亦石扉關鑰得一石床方七尺屏風銅帳鉤或在床上或在　地下似是帳糜朽而銅鉤墮落床上石枕一枚床上塵埃朏朏甚高似是衣服床左右婦女二十悉皆立侍或有執巾櫛鏡鑷之象或有執盥捧食之形無餘異物但見鐵鏡數百所魏王子且渠冢甚淺狹無柩但有石床廣六尺長一丈石屏風下悉是雲母床上兩屍一男一女年皆二十許俱東首裸形臥無衣裳肌膚顏色鬢齒如生人畏懼不敢侵擁閉如故袁盎冢以瓦為棺器物都無唯銅鏡一枚晉靈公冢甚瑰壯四角皆以石為玃犬奉燭石人男女四十餘皆立侍棺器無復形兆尸猶不壞孔竅中皆有金玉其餘器物皆朽爛不別唯玉蟾一枚大如拳腹空容五合水光潤如新王取以成水書適幽公冢甚高壯羨門既開皆是石惡撥除深丈餘乃得雲母深尺所乃得百餘尸縱橫相枕皆不朽唯一男子餘悉女子或卧亦有立者衣服形色不異生人欒書冢棺柩明器朽爛無餘有白狐見人驚走左右逐戟之不能得傷其左腳夕王夢一丈夫鬚眉盡白來謂王曰何故傷吾左腳仍以杖叩王左腳王覺左腳腫痛生瘡至死不差

述征記曰梁孝王冢斬山從戶以石為藏行一里到藏中有數尺水有大鯉魚人皆潔而進不齊輒有獸噬其足獸似豹也

幽明錄曰漢末大亂潁川有人將避地他郡有女年七八

歲不能涉遠勢不兩全道邊有古冢穿敗以繩繫女下之經年餘還於冢尋覔欲更殯葬忽見女尚存父大驚問女得活意女云冢中有一物於晨暮際輙伸頭翕氣爲試效之果覺不復飢渴家人於冢尋索此物乃是大龜

又曰孫鍾吳郡富春人堅之祖也與毋居至孝篤信種瓜爲業忽有三年少詣乞瓜鍾爲設食臨去曰我司命也感君不知何以相報此山下善可作冢復言欲連世封侯而數代天子耶鍾跪曰數代天子故當所樂便爲定墓曰君可山下百步後顧見我去處便是墳所也下山行百步便顧見悉化成白鶴也

述異記曰南康郡鄧德明常在豫章就雷次宗學雷家世東郊之外去史豫章墓半里許元嘉十四年德明與諸生步月逍遥忽聞音樂諷誦之聲即夜白雷出聽曰此間去人尚遠必鬼神也乃相與尋之遥至史墓但聞墳下有管絃女歌講吟詠之聲咸歎異焉

酈善長注水經曰智水東逕七女冢冢夾水羅布如七星高十餘丈周迴數畝元嘉六年大水破墳崩出銅不可稱計北有七女池池東有明月池狀如偃月皆相通注謂之張良渠蓋良所開也

又曰粉水有文將軍冢前有石虎石柱甚脩麗閭丘羡爲南陽葬婦墓側將平其域夕夢文諫止之而羡不從後羡乃爲人所害

又曰淄水出太山萊蕪縣原山東過利縣東水西有桓公冢冢東有女水或云桓公女冢在其上故以名水甚有神焉化隆則水生政薄則津竭

又曰潛水縣有車騎將軍馮緄音桂陽太守李温冢二子之靈常以日還鄉潛水暴長郡縣吏莫不水上祭之

搜神記曰宋大夫韓馮取妻而美康王奪之馮怨王囚之論爲城旦妻密遺馮書謬其辭曰其雨淫淫河大水深日出當心王以問蘇賀對曰其雨淫淫言愁且思也河大水深不得往來也日出當心有死志也俄而馮自殺妻乃陰腐其衣王與之 登臺遂自臺投下左右攬之衣不中手遺書於帶曰願以骨與馮而合葬王怒弗聽使人埋之冢相望也王曰尒夫婦相愛不已能使冢合則弗禁也一宿有文梓木 生於二冢之端旬日其大合抱屈體以相就根交於下又有鴛鴦雌雄各一恒栖樹上晨夕交頸悲鳴音聲感人宋人哀之遂號其木曰相思樹

又曰漢馮貴人死將百歲盜賊發冢貴人顏色如故但微令羣盜共姦之致妬忌争鬬然後事覺

續搜神記曰王伯陽家東有一冢傳云魯肅墓伯陽婦喪乃平其墳以葬後數年伯陽白日在廳事忽見一貴人乘平肩轝將從數百人馬皆浴鐵徑來坐謂伯陽曰吾是魯子敬安冢在此二百許年君何敢壞吾冢目顧左右掌伯陽下床以刀環築之數百而去登時絶良乆乃蘇築破處皆發疽潰尋便死

又曰承儉者東莞音人病亡葬本縣界後十年忽與其縣令夢云故民承儉 今見劫明府急見救令便勑内外裝乘作百人仗便令馳馬往冢上日向已出天忽大霧對面不相見但聞冢中恼恼破棺聲有二人墳上望霧冥不見人百人同聲大叫收得冢中三人墳上二人得逸走其夜令夢云二人雖得走民已誌之一人面上有青誌如

藋葉一人斷其兩齒折明府但案此尋覔也追捕並擒
獲
異苑曰蒼梧王士燮漢末死於交趾遂葬南境而墓常蒙
霧靈異不恒屢經離亂不復發掘晉興寧中太原温放之
爲刺史躬乘騎往開之還即墜馬而卒
又曰穎川諸闔字道明墓在楊州 蔣山之西每至陰
雨冢中輙有絃管之音
又曰魏武北征蹹頓升嶺眺矚見一岡不生百草王粲曰
必是古冢此人在世服特生礜石死而石生熱蒸出外致
大木燋滅即令鑿果得大墓有礜石滿塋
志怪集曰陶侃微時遭大喪葬家貧親自營塼有班特牛
專以載致忽然失去便自尋覔道中逢一老公便舉手指
云向於岡上見一牛眠山洿中必是君牛眠處便好可作墓

安墳則致極貴小下當位極人臣世世爲方嶽侃指一山云此好
但不如下當世有刺史言訖便不復見太尉之葬如其
言侃指別山與周訪家則并世刺史矣
潘岳關中記曰秦始皇陵上驪山之北高數十丈周迴六七
里今在陰盤界此陵雖高大不足以銷六十萬人積年之功
也其用功力或 隱而不見者驪山泉本北流者
皆陂障使西流又此無大石運取於渭北諸山故其歌曰
運石甘泉口渭水爲不流千人一唱萬人相鈎
又曰漢諸陵皆高十二丈方百二十步唯茂陵高十四丈
方百四十步徙民置諸縣者凡七陵長陵茂陵各萬戶其
餘五陵皆各五千縣屬太常不領郡也守衞陵掃除凡五
千戶陵令一人食官令一人寢廟令一人園長一人園門
令史三十二人候四人元帝時三輔七十萬戶始不復從

民陪陵渭陵延陵義陵皆不立縣也
雷次宗豫章記曰郡東南二十里有一大冢號丹陽郭長
老云是郡人丹陽太守聶友冢也外形甚高大內一大冢
居中兩邊各有四小冢横首大冢外作徼道周匝皆通冢
裏高二丈餘小者半之徼道又半之此冢相通一埏似是
殉葬者不聞聶友奢僭以人從死也且今新淦音紺縣南十
里見聶友墓
荆州圖記曰酈縣北三十里有一墓甚崇偉前有石樓高
一丈五尺上作石鳳將九子相傳云是姚家墓不詳其人
又曰江陵縣東南七十里有楚昭王墓高四丈餘王粲登
樓賦所謂西接昭丘是也
盛弘之荆州記曰霄城東南有單龍村村外有單龍冢甚
高大舊傳單龍能仰觀俯察少公之儔也數稱劉氏當王

聖公應其符聖公潛嘉之固此起兵後稱号於宛而龍卒
故厚爲其葬
又曰鄭鄉即鄭城地也岡南有劉長沙墓益州牧焉之父
其南又有漢魏郡太守黄香冢
鄧德明南康記曰白水有高巖臨水頂有柴侯墓遥望松
樹卒歲不彫說者云墓處極峻及累石爲冢又別有金鐵
藏不可得開若欲上山必遇雷晦之異夜時見光色如雷之
爛音豔所謂寶貝精也
又曰平固水口下數里有螺亭昔一少女曾江畔乘小船
採螺停沙邊共宿夜聞騷騷如軍馬行須臾見羣螺張
口無數突來破舍噉此女子同侶悉走上岸至曉方還但見
骨耳收埋林際報其家經四五日間所埋處雖見古冢高
十餘丈穹隆頂可受二十人坐其旁多螺新故相傳謂之

螺亭

又曰南野山獻山大塘下流三十里有漢太傅陳蕃冢墓昔值軍亂聞墓有寶三軍爭掘忽有大虵圍繞墳前崩雷晦雨當時竟不得發

鄭緝之東陽記曰孝子許孜父墓去虎山十里在山之麓曲隧三里鹿嘗食其松栽孜心念之即日鹿自死於所犯栽之下孜埋死鹿有小墳至今猶存

又曰獨公山有古冢臨溪其塼文曰筮言吉龜言凶三百年墮水中義熙中冢猶半存自後稍以崩盡

會稽郡十城地志曰上虞縣東南有古冢二十餘墳宋元嘉之初潮水壞其大冢初壞一冢塼題文曰居在本土厥姓黃卜葬於此（此大冨強易卦吉龜卦凶四百年後墮江中當墜值王鬭縣令皮熈祖取）數塼置縣樓下逃中録之悵然而已

輿地志曰琵琶圻有古冢半在水中甓有隱起字云琵琶筮云吉龜云凶八百年墮水中謝靈運取甓至京師諸貴傳觀之

神怪志曰王果經三峽見石壁有物懸之如棺使取之乃一棺也發之骸骨存焉有銘曰三百年後水漂我至長江垂欲墮欲落不落逢王果果悽然曰數百年前巳知有我乃改葬祭之而去

蘇州冢墓記曰宋青州剌史郁泰玄性多仁恕德感禽獸初葬之日羣鸇數千銜土於冢上今冢猶高大與他墳有異村鄉歲時祭祀至今不絕

太平御覽卷第五百五十九

冢墓四

禮論曰問郡將臨墓主人先以除身無服將若不哭主人當哭否賀循荅之云凡君臣民皆須先君哭禮也此祭君宜哭則主人不敢以哭煩君耳

又曰問墓中有何面爲上荀納以爲緣生奉終宜依禮坐蔡謨難據周公明堂位東西以北爲上輿納反納又引廟位以荅王濮陽北墓向南以西爲上

上黨郡記曰令狐徵君隱城東山中令狐終卽云葬焉諸生遵師法而陪葬者三百餘家松三千樹大皆十數圍高四五十丈今俗名其山曰令狐墓漢史所稱壺關三老令狐茂者是也

伏琛齊地記曰臨淄小城北門東二百餘步有晏嬰冢

又曰齊桓公冢齊城之南東十五里在牛山桓公冢西南八里有仲父冢葬於牛山之阿

又曰朱虎城東二十里有柴阜其西南隅有魏獨行君孝管寧墓石碑猶存城東北三十里柴阜東頭有魏徵士邴原墓石碑猶存

又曰牛山西南二里有孫賓墓石碑猶存

吳地記曰昌門外女墳者吳王闔閭女墓也乃以文石爲椁藏金玉珍玩以人從死高墳深池池水成湖故名曰女墳亦與虎丘俱見發掘皆無所得也

又曰昌門南有要離墓吳王闔閭既殺王僚而代之僚子慶忌亡奔衛慶忌勇捷過人恐結諸侯還爲國難伍子胥與要離爲行人要離弱而謀於王曰殺臣妻子刑臣左手要離因亡奔衛慶忌聞吳王暴虐如此甚信之遂與俱還圖共襲吳王行及大江要離刺殺慶忌因亦自殺闔閭葬之於昌門南大城內齊門外有慶忌墓

丘淵之齊道記曰先是嬴博二縣共界漢武帝封禪合作此縣以供祀故曰奉高東南三十里有延陵兒冢李云其高可隱今乃二丈餘似是後人陪之

伍輯之從征記曰齊襄王墓在汶水西墓西有傳公墓東有四田墓傳云据榮廣布也墓皆方墓圓墳

戴延之西征記曰彭城南有亞父范曾冢冢高四十餘丈東北有隧道其城北三里有劉向墓泗水東三里漢大夫龔勝冢石碣猶存恥登王莽之朝不食而死

又曰金鄉焦氏山北數里有漢司隸校尉魯峻冢前有古石祠堂堂壁皆青石隱起自書契以來忠臣孝子貞婦孔子及弟子七十二人形像皆刻石記之

伏滔北征記曰姑孰九井山北十里有吳大將諸葛瑾墓墓墻猶存西北十八里直瀆前墓是吳將甘寧墓也相者云此墓有王氣孫皓鑿其後計里名爲直瀆

續述征記曰太公冢在堯山北五里平地爲墳高十丈曾有發之者冢深數十仞得一銅槨金玉甚多尚父五世葬周斯寔田和冢也和遷齊居於海上而別爲諸侯亦稱太公也○又曰宿預縣水南大徐城古之徐國城北徐君墓季子解劒墳樹則斯地也

又曰城陽縣城二里小城二里小城南九里有堯陽自漢迄于晉二千石及丞尉刋名堯即位至永嘉三年二千七百有二十一載記于堯碑城東南六里堯母慶都墓稱曰靈臺堯陵北二里仲山甫墓墓前祠堂石室儼然若新

皇覽冢墓記曰顓頊冢在東郡濮陽縣頓丘城外廣陽里

中王莽時使使者祠顓頊冢
又曰秦始皇冢在驪山古之驪戎國今之所豊也晉獻公伐驪戎獲二女其山陰多黃金其陽多美玉謂藍田是也故貪而葬焉并天下徒七十餘萬穿入地洞三泉而致椁宮觀奇器珎恠諸物藏之令一匠人作機弩人有近穴輙射之以水銀為百川江河大海金銀為鳧鶴機關轉相幹終而復始上具畫天文以人魚膏為燈度久不滅後宮無子者皆殉從死者甚衆恐工匠知之殺工匠於藏中因閉羨門復土樹草木以像山墳高五十餘丈周迴五里餘後項籍燒其宮觀關東賊發之後牧羊兒亡羊羊入藏中持火炤羊燔其椁後賊遂取其銅
又曰太上皇葬萬年高帝父也高帝葬長陵孝惠帝霸陵諸陵皆用瓦器不為墳王莽之亂天下無道獨無災害孝景帝葬陽陵孝武皇帝葬茂陵孝昭皇帝葬平陵孝宣皇帝葬杜陵孝元帝葬渭陵元帝下詔曰無置從民令天下無騷動之憂自是陵園不置邑孝成帝葬延陵孝哀帝葬義陵孝平帝葬康陵孝文皇帝弟淮南厲王長坐謀反後置園如諸王長好道事八公世之愚者云長仙醫巫託曰淮南好道百官皆得仙狗吠雲中雞鳴天上東平思王冢在東平松皆西靡
又曰蒼頡冢在馮翊衙縣利陽亭南道傍墳高六尺學書者皆往上姓名投刺祀之不絕
又曰蚩尤冢在東郡壽張縣闞鄉城中高七尺民常十月祀之有赤氣出如一疋絳帛民名為蚩尤旗又肩髀冢在山陽郡鉅野縣傳言蚩尤與黃帝戰於涿鹿之野黃帝克之身體異處皆葬之

又曰奚仲冢在魯國縣東去縣二十五里山上因名奚仲山下亭名奚仲亭
又曰湯冢在濟陽薄縣北郭冢四方方八十步高七丈上平
又曰吳太伯冢在會稽吳縣北去城十里
又曰周文王武王周公冢在京兆長安聚
又曰王子鼂鼂音冢在南陽鄧縣西
又曰夏育冢在濟南歷山上
又曰秦繆公冢在甘泉宮祈年觀下
又曰虢公冢在河內溫縣東濟水南大冢是也其城南有虢公臺
又曰葉公諸梁子高冢在南郡葉縣西北去城三里所近縣民皆祠之
又曰魯大夫叔梁紇冢在魯國東陽聚安泉東北八十四步名曰防冢民傳言防墳於墳地微高
又曰孔子冢在魯城北便門外南去城一里冢塋方百畝冢南北廣十步東西十步高丈二尺冢為祠壇方六尺與地方平無祠堂冢塋中樹以百數皆異種魯人世世皆無能名其樹者民云孔子弟子異國人各持其國樹來種之孔子塋中不生荊棘及刺人草伯魚墓在孔子冢東與孔子並大小相望子思冢在孔子冢南大小相望
又曰伯樂冢在濟陰定陶東南一里冢高五丈
又曰師曠冢在右扶風名曰師曠山人民不敢上其上
又曰楚武王冢在汝南郡鯛䱎陽縣葛陂鄉城東北民謂之楚王岑
又曰鄭相子產冢在河南郡新鄭城外大冢是也

又曰靖郭君冢在魯國薛城中東聚孟嘗冢在魯薛城中
又曰文信君呂不韋冢在河南洛陽城北邙山道西大冢
是也民傳言呂母冢不韋先墓故其冢名呂母不韋死葬
過於始皇矣民傳去不韋好經書皆以葬漢明帝朝公卿
大夫諸儒八十餘人論五經誤失符節令宋元上言臣聞秦
昭王與不韋好書皆以書葬王至尊不韋久貴冢皆以黃
腸題湊處地高燥未壞臣願發昭王不韋冢視未燒詩書
又曰亞夫冢在廬江居巢縣郭東居巢亭中
又曰齊桓公冢在臨淄城二十里淄水南孟嘗君與齊桓
公冢同處○唐書新語曰開元中集賢學士徐堅葬妻問
兆域之制於張說曰長安神龍之際有黃州僧泓者能通鬼
神之意而以人事參之僕嘗聞其言猶記其要墓欲深而
狹深者取其幽狹者取其固平地之下一丈二尺爲土界

又一丈二尺爲水界各有龍守之土龍六年而一暴水龍
十二年而一暴當其隧者神道不安故深二丈四尺之下
可以設窀穸墓之四維謂之折壁欲下闊而上斂其中頂
謂之中樵中樵欲俯斂而傍殺墓中未粉爲飾以代石堊
不置瓴甋甕瓦以其近於火不置黃金以其久而爲怪不
置朱丹雄黃礜石以其氣燥而烈使墳上草木枯而不潤不
置羽毛其近於屍也鑄鐵爲牛豕之像可以禦二龍土潤而
潔能和百神寘之墓內以助神道僧泓之說如此
又曰大理卿徐有功持法不濫及其葬也將穿墓筮者曰
必有異應以旌善人果獲石堂其大如倉中空外堅四門
入牖占曰此天所以祚有德也置之墓中其後終吉後優
詔褒贈寵及其子
圖墓書曰大墓天剛嚴父之門八將之首位處乾尊欲得

連堤隱軫狀如亂雲望之巃嵸絕而復連小頻大起千里
相牽壽過期頤世世登仙
又曰望之如飛雷即之如鳥驚法出勇士伏節御兵
又曰夫欲依山葬者其山連延百里不絕一高一下小頻
則大起出公卿若三重之山望之似城郭多諸支別者亦
出公卿如新月形在腹中葬冢之所若至日沒見日光者
出封侯
又曰凡相山陵之法山望如龜狀葬之出公卿封侯代代
不絕山望如龍狀有頭尾蜿蜒者葬之出二千石凡依山
作冢皆當立在山東爲利得山之形力也山如龜形又巍巍
直上如闕狀出二千石
又曰欲知貧富堤陵肥薄狀如肥馬草木茂盛色黃紫皆
富也堤陵多傷斂土色赤白地瘠草木黃赤不茂或多細
石皆貧

相冢書曰冢欲得兒郡縣城郭欲得連屬長長無極冢
青氣鬱鬱出二千石赤氣出公卿白氣出刑戮黃氣出封
侯欲得雌龍地多子孫不用雄龍堤武子堤
又曰凡葬於龍耳貴出侯青烏子稱山三重相連名傘山
葬之出二千石
張載七哀詩曰北邙何壘壘高陵有四五借問誰家冢皆
云漢世主
魏武帝遺令曰汝等時時登銅雀臺望吾西陵墓田
魏文帝爲漢帝置守冢詔曰朕承符運受終革命其敬事
山陽公如舜之宗堯有始有卒傳之無窮前羣司奏處正朔
欲使一皆從魏制意所不安其令山陽公於其國中正朔服色
祭祀禮樂自如漢又爲武昭宣明帝置守冢各三百家

宋孝武置自古帝王守冢户詔曰先代帝王因時創業君人建國禮尊南面而歷運推移年代夊遠丘壠殘毁樵牧相趍塋兆堙蕪封樹莫辨自古以來帝王陵墓可隨近十户蠲其役以供守視

宋高祖脩楚元王墓詔曰夫褒賢崇德千載弥尊㕍本敬始義隆自遠楚元王積仁基德啓藩斯境素風道業作範後昆本支之祚實隆鄙宗遺芳餘烈奮乎百代而丘封依然墳塋莫翦感遠存往慨焉永懷夫愛人懷樹甘棠且猶勿翦追甄墟墓信陵尚或不絶况瓜瓞所興開源自本者乎可蠲復近墓五家長給灑掃

太平御覽卷第五百六十

太平御覽卷第五百六十一

禮儀部四十

弔

周禮喪祝曰王弔則與巫前（鄭司農注云喪祝與巫以桃茢執戈在王前）又司巫曰男巫王弔則與祝前女巫后弔則與祝前（女巫與祝前后如王之禮）○又太僕曰太僕掌三公孤卿之弔勞（王使往也）小臣掌士大夫之弔勞

禮曰知生者弔知死者傷知生而不知死弔而不傷知死而不知生傷而不弔弔喪不能賻弗問其所費

又曰將軍文子之喪既除喪而後越人來弔主人深衣練冠待于廟垂涕洟子游觀之曰將軍文氏之子其庶幾乎亡於禮者之禮也其動也中（中禮之變也）

又曰死而不弔者三（謂輕身忘孝也）畏（人或時以非罪攻己不能有以說之死之者孔子畏於匡是也）厭（行止危險之下）溺（不乘橋舡）

又曰曾子弔於負夏（負夏衛地也）主人既祖填池（祖謂移柩車去載處為行始也填池當為奠徹聲之誤奠徹謂徹遣奠設祖奠）推柩而反之（反於載處榮曾子弔欲更始）降婦人而后行禮（禮既祖而婦人降今反柩婦人辟之復升堂矣柩無反而反之又降婦人蓋欲矜賓於此婦人皆非也）從者曰禮與（怪之）曾子曰夫祖者且也（且未定之辭）且胡為其不可以反宿也曾子襲裘而弔子游裼裘而弔曾子指子游而示人曰夫夫也為習於禮者如之何其裼裘而弔也

又曰哀公使人弔蕢尚遇諸道辟於路畫宮而受弔焉（哀公魯君也畫地為宮象）曾子曰蕢尚不如杞梁之妻知禮也齊莊公襲莒于奪杞梁死焉其妻迎其柩於路而哭之哀莊公使人弔之對曰君之臣不免於罪則將肆諸市朝而妻妾執（肆陳尸也大夫以上於朝士以下於市執拘也）君之臣免於罪則有先人之敝廬在

君無所辱命（無所辱命辭不受也春秋傳曰齊侯弔諸其室）

又曰季孫之母死哀公弔焉曾子與子貢弔焉閽人為君禮弗內也（閽人守門者）曾子與子貢入於其廄而修容焉（更飾）子貢先入閽人曰鄉者已告矣（既不敢止以言下之）曾子後入閽人辟之（見兩賢相隨彌益恭也）涉內霤卿大夫皆辟位公降一等而揖之

又曰殷既封而弔周反哭而弔（封當為窆窆下棺也）孔子曰殷已慤吾從周

又曰曾子與客立於門側其徒趨而出（徒謂客之旅）曾子曰爾將何之曰吾父死將出哭於巷（以為不可發哭於人館）曰反哭於爾次（次舍也禮館人使專之若其自有然）曾子北面而弔焉

又曰五十無車者不越疆而弔人（氣力始衰）

又曰婦人不越疆而弔人（不通於外）行弔之日不飲酒食肉焉（以全哀也）弔於葬者必執引若從柩及壙皆執紼（示助之以力車曰引棺曰紼）喪公弔之必有拜者（往謝之）雖朋友州里舍人可也（謂無主後）弔曰寡君承事（示亦為執事來）主人曰臨（君辱臨其臣之喪）君遇柩於路必使人弔之（君於民臣有恩）大夫之喪庶子不受弔（不以賤者為有爵者主）

又曰子張死曾子有母之喪齊衰而往哭之或曰齊衰不以弔（以其無服非之）曾子曰我弔也與哉（於朋友哀痛甚而往哭之非若凡弔）

又曰晉獻公之喪秦穆公使人弔公子重耳（獻公殺其子申生重耳避難出奔是時在翟就弔之）且曰寡人聞之亡國恒於斯得國恒於斯（言在喪代之際）雖吾子儼然在憂服之中喪亦不可久也時亦不可失也孺子其圖之（勸其反國意欲納之喪亡失位孺稱也）以告舅犯（舅犯是重耳之舅狐偃也字子犯）舅犯曰孺子其辭焉喪人無寶仁親以為寶（寶謂善道可守者仁親行仁義）仁親父死之謂何又因以為利（欲反國求為後是利父死）而天下其

孰能說之孺子其辭焉說猶解也

又曰羔裘玄冠夫子不以弔不以吉服弔喪也

又曰衛司徒敬子死子夏弔焉主人未小斂絰而往子游弔焉主人旣小斂出絰反哭子夏曰聞之也與曰聞諸夫子主人未改服則不絰

又曰曾子問曰三年之喪弔乎孔子曰三年之喪練不群立不旅行君子禮以飾情三年之喪而弔哭不亦虛乎爲彼哀不專於其親也爲親哀則是妄弔

又曰諸侯非問疾弔喪而入諸臣之家是謂君臣爲謔

又曰弔者卽位于門西東面其介在其東南北面西上於西門賓立門外不當門主孤西面立阼階下相者受命曰孤某使某請事客曰寡君使某如何不淑受命受主人命以出也不淑言殞者喪無腹實淑善也如何不善言君痛之甚使某弔相者入告出曰孤某須矣稱其君名若君薨稱子某使人

知通嗣也須矣不出迎也弔者入主人升堂西面弔者升自西階東面致命曰寡君聞君之喪寡君使某如何不淑子拜稽顙弔者降反位子孤子也降反位者出反門外位

又曰婦人非三年之喪不踰封而弔踰封越竟也或爲越疆

又曰諸侯弔於異國之君則其君爲主君爲之主弔臣恩爲已也子不敢當主中庭北面哭不拜諸侯弔必皮弁錫衰所弔雖已葬主人必免主人未喪服則君亦不錫衰必免者尊人君爲之變也未喪服未成服也旣殯成服

又曰邾人弔於壙周人弔於家示民不偝也旣葬哀而哭踊於是弔之

傳曰宋大水公使弔焉曰天作淫雨害於粢盛若之何不弔對曰孤實不敬天降之災又以爲君憂拜命之辱臧文仲曰宋其興乎禹湯罪已其興也勃焉桀紂罪人其亡也忽焉

又曰齊侯歸遇杞梁之妻於郊梁戰死妻行迎喪使弔之辭曰殖之有罪何辱命焉言若有罪不足弔若免於罪則有先人之敝廬在下妾不得與郊弔婦人无外事故下猶賤也齊侯弔諸其室傳善婦人有礼

又曰游吉相鄭伯以如晉亦賀虎祁也史趙見子太叔曰甚哉其相蒙也蒙欺也可弔也而又賀之子太叔曰若何弔也豈特唯我賀將天下實賀

又曰琴張聞宗魯死琴張孔子弟子字子開名牢將往弔之仲尼曰齊豹之盜而孟縶之賊女何弔焉言齊豹所以爲盜孟縶所以見賊皆由宗魯

又曰晉頃公卒秋八月葬鄭游吉弔且送葬魏獻子使士景伯詰之曰悼公之喪子西弔子蟜送葬在襄十五年今吾子無二何故

漢書曰龔勝死有老父來弔其哭甚哀旣而曰吁薰以香自燒膏以明自消龔生竟夭天年非吾徒也

又曰蔣詡自元卿遭父憂有弔者盈門後毋疾之不與席

不得止舊廬於側作小菴往如舊也

續漢書曰郭太字林宗退身隱居教授徒衆甚盛喪母友人或千里來弔之

東觀漢記曰祭遵病薨喪至河南詔遣百官皆詣喪所上車駕素服往弔望城門舉音遂哭而至哀慟復幸城門過喪車瞻望涕泣上親臨祠以太牢儀如孝宣帝臨霍將軍故事

謝承後漢書曰徐孺子不就諸公之辟及有喪者萬里赴弔常於家預炙雞一隻以一兩綿絮漬酒中暴乾以裹雞徑到所赴冢遂以水漬綿使有酒氣以雞置前祭畢便去

王隱晉書曰何劭爲司徒薨死養子岐爲嗣袁粲弔岐岐辭以疾粲獨哭而出曰今年決下岐品王詮謂之曰知死弔死何必見生岐前多罪尒時不下今何公新亡便下岐品

人謂中正畏強侮弱粲乃止也
鄧粲晉紀曰阮籍能爲青白眼禮俗之士輙以白眼對之
宗正嵇喜康之兄也聞籍喪弔焉籍以不哭見其白眼喜
不懌而退也
晉中興書曰周嵩兄顗既被害王敦便入弔嵩嵩曰亡
兄天下之罪人爲天下所殺復何弔敦甚銜之
家語曰季桓子死魯大夫朝服而弔子游問孔子曰禮乎
孔子不荅他日又問孔子曰始死則羔裘玄冠者易之而
已又何疑焉
又曰孔子有母之喪既練陽虎弔焉私於孔子曰今季氏
將大饗境內之士聞諸乎曰丘弗聞之雖在衰絰亦欲與
往陽虎曰子謂不然乎季氏饗士不及子
禮統曰弔生曰唁弔死曰弔生謂之唁何非有喪之位哭

之事但嗟歎以言故謂之嗟弔死謂之弔何弔者毒也致
有恩厚禮無服屬但致傷哀痛毒故謂之弔
白虎通曰檀弓記曰天子哭諸侯爵弁純衣
又曰遣大夫弔辭曰皇天降災子獨遭離之嗚呼哀哉
莊子曰孔子圍於陳蔡之間七日不火食太公任弔之曰
幾死乎曰然子惡乎曰然任曰直木先伐甘井先竭子其
意者飾智以驚愚修身以明汙昭昭乎若揭日月而行故
不免
又曰莊子妻死惠子弔之則方箕踞鼓盆而歌曰察其始
本無生非徒無生也本無形非徒無形也本無氣變而有
生今變而之死人且寢於巨室我噭噭隨而哭之自以爲
不通乎命故止之
又曰老聃死秦失弔之三號而出弟子曰非夫子之友耶曰
然然則弔焉若此可乎曰然始也吾以爲其人也而今非
也向吾入而弔焉有老者哭之如哭其子少者哭之如哭
其母彼其所以會之必有不蘄言而言不蘄哭而哭者是
遁天倍情忘其所受
淮南子曰北塞上之人有喜遊者其馬無故亡入胡中人
皆弔之其父曰此何知乃不爲福居數月其馬將胡駿馬而歸
人皆賀之其父曰此何知乃不爲禍家富良馬其子好
騎墮馬而折髀人皆弔之其父曰此何知乃不爲福居一
年胡夷大出丁壯者控弦而戰塞上之人死者十九此獨
以跛之故子父相保
符子曰陶之富者朱公喪其中子隣人往弔之朱公方擁
膝蹲踞捧頭而笑隣人曰聞有喪將唁子之哀朱公曰生
不致哀死而唁何隣人之不通也

說苑曰孫叔敖爲楚令尹一國吏民皆來賀有老父衣麄
衣冠白冠後來弔曰身已貴而驕人者民去之位已高擅
權者君惡之祿已尊厚而不知足者患處之叔敖再拜敬
受命願聞餘教父曰位已高意益下官益高而心益小祿
已厚而慎不敢取君謹守此三者足以治楚矣
世說曰顧彥先性好琴及喪家人常以琴置靈床上張季
鷹往哭顧不勝其慟徑上床鼓琴作數曲竟撫琴曰彥先
頗復賞此不因又慟哭不執孝子手而去
賀循喪服要記曰始弔朝玄端之服也皮弁絰素弁而加
環絰也始死而往朝服者主人未變賓未可以變也
又曰古之弔者皆因朝夕哭而入弔賓至主人出即中門
外西面北上拜賓入門即位於堂下當阼階西面賓入即
位皆哭哭止主人拜之

又曰大夫弔於大夫始死而往朝服裼裘如吉時也當斂之時而至則弁絰服皮弁之服以襲裘也主人成服而往則皮弁絰而加錫衰也大夫於士有朋友之恩乃得弁絰

謝玆喪服圖曰天王弔三公及三孤弁絰錫衰弔六卿弁絰錫衰弔大夫弁絰疑衰弔士弁絰緦衰弔畿內諸侯弁絰緦衰

郭太別傳曰賈淑字子厚林亭鄉人雖世有冠冕而性險害邑里患之林宗遭母憂淑來弔之而鉅鹿孫威直亦至威直以林宗賢而受惡人弔心怪之不進而去林宗遽追而謝曰賈子厚誠凶德然洗心同善仲尼不逆互鄉故許其進也淑聞之改過自厲終成善士又林宗有母喪徐稚往弔置生芻一束於廬前而去林宗曰此必南州徐孺子也詩不云乎生芻一束其人如玉吾無德以堪之

裴楷別傳曰裴楷少知名而風情朗悟初陳留阮籍遭母喪楷弱冠往弔籍乃離喪位神志晏然至乃縱情嘯詠傍若無人楷不爲改容行止自若遂便率情獨哭哭畢而退威容舉動無異

陶侃傳曰侃丁母艱在墓下忽有二客來弔不哭而退儀服鮮異知非常人遣隨而看之但見雙鶴孤而冲天也

列女傳曰魯黔婁先生之死曾子與門人往弔焉隱門而入立於堂下其妻出衣褐袍曾子弔之上堂見先生尸在牖下枕墼席藁縕袍無表覆以布被首足不盡斂覆頭則足見覆足則頭見

皇覽逸禮曰君使大夫弔於國君禮錫衰裳弁絰有下大夫爲介亦如之士介者將命者緦衰裳弁絰異姓葛同姓麻

語林曰陳元方遭父喪形體骨立其母哀之以錦蒙其上郭林宗往弔見錦被而責之賓客絕百許日

太平御覽卷第五百六十一

禮儀部四十一

謚　諱　忌日

謚

釋名曰古者諸侯薨時天子論行以賜謚惟王者無上故於南郊稱天以謚之當春秋時周室卑微臣謚其父故諸侯之謚多不以實也

周禮曰太師凡大喪師其瞽而歐作柩謚（鄭玄注曰欽興也興言王之行陳其生時行迹爲作謚）

又曰太史掌卿大夫之喪賜謚讀誄（其讀謚誄亦以太史賜謚）

禮曰已孤暴貴不爲父作謚（鄭玄注曰子事父毋无貴賤等也）

又曰公叔文子卒其子戍請謚於其君曰日月有時將葬矣請所以易其名者（謚者行之迹也）君曰昔者衛國凶饑夫子爲粥

與國之餓者是不亦惠乎（君靈公也）昔者衛國有難夫子以其死衛寡人不亦貞乎夫子聽衛國之政修其班制以與四隣交衛國社稷不辱不亦文乎故謂夫子貞惠文子

又曰幼名冠字五十以伯仲死謚周道也

又曰死而謚今也昔者生無爵死無謚（古謂殷以前也大夫以上乃謂之爵死有謚也）

又曰子曰先王謚以尊名節以壹惠恥名之浮於行也（名爲声譽也先王論行爲謚以尊名者使声譽可得而尊言也惠猶善也言声譽雖衆節以其行一大善者爲謚也）

傳曰無駭卒（無駭始爲卿未賜族也）羽父請謚與族公問於衆仲對曰天子建德因生以賜姓祚之土而命之氏諸侯以字爲謚因以爲族官有世功則有官族

又曰鄭人討幽公之亂斷子家之棺而逐其族改葬幽公謚之曰靈

又曰楚恭王卒子囊謀謚大夫曰君有命矣子囊曰君命以爲恭若之何毀之赫赫楚國而君臨之撫有蠻夷奄征南海以屬諸夏而知其過可不得謂之恭乎請謚之恭大夫從之

又曰衛侯賜北宮喜謚曰貞子賜析朱鉏謚曰成子

論語曰子貢問曰孔文子何以謂之文也子曰敏而好學不恥下問是以謂之文也

漢書曰景帝令諸侯薨列侯初封及之國大鴻臚奏謚誄策列侯薨及諸侯太傅初除之官大行奏謚誄策

又曰賈山奏事曰聖王作謚三四十世耳雖堯舜禹湯文武累世廣德以爲子孫基業無過三四十世也

秦始皇帝曰死而以謚法是父子名號有時相襲者以一至萬則世世不相復也故死而號曰始皇帝其次曰二世皇

帝欲以一至萬也

張璠漢書曰范丹卒三府各遣令史奔弔累行論謚曰宜爲貞節先生

又曰蔡邕嘗至朱穆家爲其書及穆卒邕及門人共謚穆曰忠文（璠論曰夫謚者上之所贈非丁之所造故顏冉至德不聞有謚蔡朱二子各以衰代藏否不立故私議也）

范曄後漢書曰夏侯恭善爲文章諸儒共謚曰宣明子牙少習家業著賦頌讚九四十篇舉孝廉早卒鄉人號曰文德先生

魏書曰有司議謚以爲鍾繇昔爲廷尉辨理刑獄決嫌明疑民無怨者猶于張之在漢也詔曰太傅功高德茂位爲師傅論行賜謚當先依此兼敘廷尉于張之德耳乃榮謚曰成侯

于寶晉記曰何曾卒下禮官謚博士秦秀議曰曾資性驕
奢不脩軌則弈世以來宰臣輔相未有受詬辱之聲被有
司之劾父子塵累而蒙恩貸若曾者也謹按謚法名與實
爽曰繆怙威肆行曰醜曾宜謚爲繆醜
又曰太尉魯公賈充薨初充用韓謚爲賈氏嗣上特許之
及議謚博士秦秀曰充位冠群后惟民之望而悖禮溺情
以亂大倫案謚法昏亂紀度曰荒充宜謚曰荒上弗從賜
謚曰武
晉書曰太康八年太常上謚故太常平陽男郭弈爲景矦
有司奏云晉受命以來祖宗號謚群下未有同者故郭弈
與景皇同不可聽宜謚曰穆
晉中興書曰中宗即尊號也時賜謚多由封爵不考德行
王導上疏曰臣聞大行受大名小行受小名名則實稱不

誣而已近代以來惟爵得謚武官牙門有爵必謚卿校常
伯無爵悉不賜謚甚失制謚之本今中興肇建勳德兼被
宜深體前訓使行以謚彰豈可限以有爵中宗納焉自後公
卿無爵而謚自導始也
沈約宋書曰江智淵出爲北中郎長史初上寵姬宣貴妃
殷氏卒使群臣議謚智淵上謚曰懷上以不盡嘉號甚銜
之後車駕幸南山乘馬至殷氏墓群臣皆騎從上以馬鞭
指石柱謂智淵曰此柱上不容有懷字智淵益懼
宋書曰劉康祖出軍至壽陽數十里會魏永昌王以長安
之衆八萬騎與康祖相及於尉康祖有八千人乃結車營而
進魏軍四面來攻衆分爲三且休且戰康祖率厲士將無
不一當百魏軍死者太半流血沒踝矢中頭而死於是大
敗舉軍淪覆免者纔數十人魏人傳康祖首示彭城百姓

王贈益州刺史謚曰壯
又曰蕭眎輶素爲諸暨令到縣十餘日掛衣冠於縣門而
去獨居屛事非親戚不得至其籬門妻齊太尉王儉女
女與別居遂無子卒親故迹其事行謚曰貞文先生
又曰曇首卒文帝臨慟歎曰王詹事所疾不救國之衰也
中書舍人周赴侍側曰王家欲衰賢者先殞上曰直是我
家衰耳以預誅羨之等謀追封預寧縣侯謚曰文
又曰王晏爲吏部尚書令王儉雖貴而疎晏既領選權行
臺閣與儉頗不平儉卒禮官欲依王導謚爲文獻晏啓上
曰導乃得此謚但宋來不加素族出謂人曰平頭憲事已
行矣
後魏書曰孝文太和十六年改謚宣尼曰大聖尼父告謚
孔廟

齊書曰長沙威王晃武帝嘗幸鍾山晃從駕以馬矟刺道
邊枯蘖上令左右數人引之銀纏皆卷聚而矟不出乃令
晃復馳馬拔之應手便去每遠州獻駿馬上輒令晃於華
林中調試之高帝常曰此我家任城也武帝緣此意故謚
曰威任城即魏任城王彰也
梁書曰蕭子顯卒請謚手勑曰恃才傲物宜謚曰驕
又曰徐勉卒武帝聞而流涕即車駕臨殯皇太后亦舉哀
朝堂有司奏謚居敬行簡曰簡執心決斷曰肅因謚簡肅
公
又曰蕭機字智通位湘州刺史美姿容善吐納家既多書
傳學強記然而好弄尚力遠士子近小人爲州專意聚斂
無政績頻被案劾將葬有司請謚詔曰王好內怠政宜謚
曰煬

又曰蕭暐爲晉陵太守暐初至郡屬旱躬自祈禱果獲甘潤郡多猛獸爲害暐在政六年此暴遂息卒于郡初暐寢疾歷年官曹擁滯有司案諡法言行相違曰僭乃諡曰僭侯

陳書曰袁泌爲司徒左長史卒于官臨終戒其子芳華曰吾於朝廷素無功績瞑目之後斂手足旋葬無得受贈諡其子述泌遺意朝廷不許諡曰質

唐書曰開元中贈左丞相程行諶諡曰貞岐王府長史裴子餘諡曰孝同時列上中書令張說省之曰程裴二諡可謂諡之無愧也

又曰貞元中太常奏馬燧諡景武上改爲莊武以避太祖諡

又曰元和中賜太子賓客于頔諡曰思初有司諡曰厲至是特易之右丞張正甫封其勑請還本諡補闕高鉞上疏曰夫諡者所以懲惡勸善激濁揚清使忠臣義士知勸亂臣賊子畏罪孔子修春秋乱臣賊子懼蓋爲此也垂範如此尚不能救況又隳其典法乎

大戴禮曰周公旦爲太師相嗣王作諡法諡者行之迹也號者功之狀也服者位之章也是以大行受大名細行受小名行出於己名出於人諡憤也以人行之始終悉憤錄之以爲名也

禮記外傳曰古者生無爵死無諡（古謂夏殷之前）諡法周公所爲也堯舜禹湯皆後追議其功耳諡者行之迹也累積平生所行事善惡而定其名也有大行受大名謂之景行（景大也有大善若禹湯文武者）小善受小名（若宣若成其德狹也）文經天地其德博也武定禍亂其功大也

五經通義曰諡者死後之稱累生時之行而諡之生有善行死有善諡所以勸善戒惡也諡之言列其所行身雖死名常存故諡也

白虎通曰諡者何謂也諡之爲言引也引列行之跡也所以進勸威德使上務禮節死乃諡之詩云靡不有初鮮克有終始終不能若一故據其終後可知也今世所以臨葬而諡之何因衆會欲顯揚之也諡或一言或兩言何文者一言爲諡質者兩言爲諡故湯死後稱成湯是明二言爲諡也諡七十二品禮諡法曰翼善傳聖曰堯仁聖盛明曰舜慈惠愛民曰文剛德理直曰武天子崩大臣至郊諡之者何以爲臣子之義莫不欲襃稱其君掩惡揚美者故之郊明不得欺天也

又曰卿大夫老歸死有諡何諡者別尊卑彰有德卿大夫歸無過猶有祿位故有諡也夫人無諡者何無爵故無諡或曰夫人有諡夫人國之毋修閨門之內即下亦化之故設諡以彰其善惡春秋傳曰葬宋恭姬傳曰其稱諡何賢也傳曰哀者何莊公夫人也卿大夫妻無諡者何賤也八妾所以無諡何卑賤無所能豫猶士卑小不得有諡太子夫人無諡何本婦人隨夫太子無諡則夫人不得有諡天子太子元士也士無諡知太子亦無諡也附庸所以無諡何卑小無爵也王制曰古者之制爵祿凡五等附庸不在其中明附庸無爵也號諡何法生稱火死稱灰也

抱朴子曰上古無諡諡始於周家耳黃帝諡蓋後人追爲之諡取其治世時行迹而已非黃帝群臣之作也俗人通自不信仙寧肯追以仙諡黃帝乎

穆天子傳曰爲盛姬諡曰哀儆人

荀氏家傳曰荀爽對象策曰臣聞火生於木故其德孝漢之謚帝稱孝者其義取此故漢
制使天下皆誦孝經選吏則舉孝廉以孝爲務也
列女傳曰魯黔婁先生死曾子與門人往弔焉曰何以爲
謚其妻曰以康爲謚昔先君嘗賜之粟三十鍾先生辭而
不受是其餘富也君嘗欲授之以國相先生辭而弗爲是
其餘貴也彼先生者甘天下之淡味安天下之卑位不戚
戚於貧賤不汲汲於富貴求仁而得仁求義而得義其謚
爲康不亦宜乎
崔駰章帝謚議曰臣聞號者功之表謚者行之迹據德録
功各當其實孝經曰天地明察神明章矣
唐書數堯之德曰平章百姓言天之常德也詩曰追琢其
章金玉其相亹亹文王綱紀四方
又曰倬彼雲漢爲章于天喻文王聖德有金玉之質猶雲

漢之在天也舉表析義四方德附矣易曰先天而天弗違
後天而奉天時臣愚以宜上尊号曰章唐獨孤及謚呂諲
曰肅嚴郢駁曰國家故事宰臣之謚有二字以彰善旌德
爲夫以呂公文能無害武能禁暴貞則幹事忠則利人盛
烈宏規不可備舉傳叙八元之德曰忠肅恭懿若以美謚
擬於形容請曰忠肅及重議曰謚法在懲惡勸善不在字
多必稱其大而畧其細故言文不言武言武不言文三代
以下朴散禮壞乃有二字之謚非古也其源生於衰周漢
興蕭何張良霍去病霍光俱以文武大畧佐漢致太平其事
業不一謂一文不足以紀其善於是有　文成景桓成
之謚雖黷禮甚矣然猶褒不失人唐興參用周秦之制以
魏徵爲文貞蕭瑀爲貞褊其杜如晦封彝陳叔達溫彥博
岑文本唐休璟魏知古崔日用並當時赫赫以功名居宰相

者謚不過一字不聞子孫佐吏有以字少稱屈由此言之
二字不必爲褒一字不必爲貶若褒貶果在乎字數則是堯
舜禹湯文武成康不如周威烈慎靚也齊桓晉文不如趙
武靈魏安釐也杜如晦王珪以下或成或明或懿或憲
不如蕭瑀之貞褊也然肅者威德克就之名以謚之從政
威能閑邪德可濟衆故以肅易名而忠在其中矣亦猶隨
會甯俞之不稱文豈必因而重之然後爲美魏晉已來賈
詡之籌筭賈逵之忠莊張既之政能程普之智勇顧雍
之密重王渾之器量劉弘之鑒裁庾翼之志畧彼八君
子者方之東平宜無慙德死之日並謚曰肅當代不以爲
貶何嘗徵一字二字以爲之外降乎

諱

周禮曰小史掌邦國之志奠繫世辨昭穆若有事則詔王
之忌諱志謂記也先王死爲忌名爲諱
禮曰禮不諱嫌名二名不偏諱逮事父母則諱王父母不
逮事父母則不諱王父母逮及也謂幼孤不及識父母不至於祖名也孝子聞名心瞿諱之由心也此謂庶人也適士以上廟事祖雖不逮父母猶諱祖也大夫之所有公諱避君諱也
詩書不諱臨文不諱廟中不諱謂有事於高祖則不諱曾祖以下尊無二也大
夫之諱雖質君之前臣不諱也臣於夫人之家恩遠也質猶對也婦諱不
不出門婦親近於宮中言避之耳大功小功不諱入境而問禁入國而問
俗入門而問諱
又曰二名不偏諱夫子之母名徵在言在不稱徵言徵不
稱在稱舉也
又曰過而舉君之諱則起舉猶言也起立也失言而變自新者與君之諱同
則稱字謂諸臣之名也
又曰卒哭而諱自此而鬼神事之尊而諱其名王父母兄弟世父叔父姑

姊妹子與父母諱父爲其親諱則子不敢不從諱也諸王父母以不之親諱是謂士也天子諸侯
諱群祖毋之諱宮中諱妻之諱不舉諸其側與從祖昆弟同
名則諱之
傳曰周人以諱事神名終將諱之君父之名固非臣子所斥然禮既卒哭以大澤
徇曰舍故而諱新曰舍親盡之祖而諱新死者故言以木諱事神名終將諱之自父至高祖皆不敢斥言
蕭子顯齊書曰始安貞王道生字孝伯太祖次兄也子鳳
字景慈卒於宋明帝贈始安靖王啟華林鳳莊門爲望賢
門太極東堂畫鳳鳥題爲神鳥而鸞鳥爲神雀
南史曰王琨避諱過甚父名懌母名恭心不得犯焉時咸
謂矯枉過正
又曰王亮王攸之子爲晉陵太守在職清公有美政時有
晉陵令沈瓚之性麤疎好犯亮諱亮不堪遂啓代之瓚之
怏怏乃造坐去下官以犯諱被代未知明府諱若爲攸字
當作酉傍安犬猶爲犬傍安酉猷若有心悠無心攸乞告
示亮不及履下牀跣而走瓚之拊掌大笑而去
唐書曰賈曾除中書舍人固辭以父忠同音議者以爲中
書是曹司名又與曾父音同字異於禮無嫌曾乃就職
顏氏家訓曰近世謝舉甚有聲譽聞諱必哭爲世所譏
世說曰桓玄呼人温酒自道其父名既而曰英雄正自麤
疎
語林曰王藍田作會稽令人問諱荅曰惟祖惟考四海所知
過無復諱徐邈表不諱太子名議與太守褚爽上表稱皇
太子名尚書下之禮官以時議其可否禮官議疑無適準
正聊率所見以論之曰禮記曰夫人之諱雖質君之前臣
不諱也寀夫人國之小君君之一體太子之母也而尚不
諱則太子何嫌乎又禮君前臣名又周公告文王皆稱武王

太五百六二　九　王阿明

名可益明矣

忌日

禮曰君子有終身之喪忌日之謂也忌日不用非不祥也
言夫忌日志有所至而不敢盡私忌日親亡之日忌日者不用舉他事如有時日
之禁也祥善也志有所至至於親以此日忘其哀心如喪時
續漢書曰申徒與屠字同蟠字子龍父母卒蟠思慕不飲酒食
肉十餘年忌日哀戚輒三日不食
晉書曰穆帝納后欲用九月九日是忌月范汪問王彪之
荅云禮無忌月不敢以所不見便謂無之博士曹耽荀訥
等並謂無忌月之文不應有妨王洽曰若有忌月當復有
忌歲
唐書曰萬歲通天中建安王攸宜平契丹凱旋欲詣闕獻
俘內史王及善以爲將軍將入城例有軍樂今屬孝明高
皇帝忌月請備而不奏鸞臺侍郎王方慶奏稟禮經但有
忌日而無忌月晉穆帝納后用九月九日是康帝忌月于
疑不定下太常禮官荀納議稱禮只有忌日無忌月語若
有忌月即有忌時忌歲軍樂是軍容與常不同請振作於
事無嫌
孔叢子曰季節見於子順子順賜之酒辭問其故對曰今
家之忌日也故子順曰飲也禮雖衰麻見於君先生君及
先生與之粱肉無辭所以敬尊長而不敢遂其私也忌日
方於有服輕矣
蕭廣濟孝子傳王脩字叔治北海人年十歲喪母母以社
日亡來年社日脩哀感悲號隣人爲之罷社
世說曰前輩人忌日唯不飲酒作樂王世將以忌日送客
至新亭主人須臾欲作音聲王便去持華往衞洗馬墓下

太五百六十二　十　明

彈馬

語林曰桓玄不立忌日政有忌時每至日絃觴無廢

太平御覽卷第五百六十二

太平御覽卷第五百六十三

樂部一

雅樂上

易曰雷出地奮豫先王以作樂崇德殷薦之上帝以配祖考

書曰夔命汝典樂教胄子（胄子國子也古者司樂以教國子）詩言志歌永言聲依永律和声八音克諧無相奪倫神人以和

周禮曰大合樂以致鬼神以和邦國以諧萬民以安賓客以悅遠人以作動物

又曰天子宮懸（四面如宮）諸侯軒懸（去南面餘三面其形如軒亦曰曲懸）大夫判懸（又去其北面）士特懸凡樂鍾磬之半爲堵全爲肆

又曰大司樂掌成均之法以治建國之學政而合國之子弟焉（鄭玄注曰均調也樂師主調其音大司樂主受此成事已調之樂）以樂德教國子中和祗庸孝友（中猶忠也和剛柔適也祗敬也庸有常也）以樂語教國子興道諷誦言語（興謂以善物諭善事也道讀曰導也者言古以諭今）以樂舞教國子雲門大卷大咸大韶大夏大護大武

又曰大司樂分樂而序之以祭以享以祀乃奏黃鍾歌大呂舞雲門以祀天神乃奏太簇歌應鍾舞咸池以祭地祇乃奏姑洗歌南呂舞大卷以祀四望乃奏蕤賓歌黃鍾舞大夏以祭山川乃奏夷則歌小呂舞大護以享先妣乃奏無射歌夾鍾舞大武以享先祖凡六樂者文之以五聲播之以八音

又曰凡六樂者一變而致羽物及川澤之祇再變而致蠃物及山林之祇三變而致鱗物及丘陵之祇四變而致毛物及墳衍之祇五變而致介物及土祇六變而致象物及天神

又曰凡樂圜鍾爲宮夾鍾爲角太簇爲徵姑洗爲羽靁鼓靁鼗孤竹之管雲和之琴瑟雲門之舞冬日至於地上之圜丘奏之若樂六變則天神皆降皆得而禮矣凡樂函鍾爲宮太簇爲角姑洗爲徵南呂爲羽靈鼓靈鼗孫竹之管空桑之琴瑟咸池之舞夏日至於澤中之方丘奏之若樂八變則地祇皆出可得而禮矣凡樂黃鍾爲宮大呂爲角大簇爲徵應鍾爲羽路鼓路鼗陰竹之管龍門之琴瑟九德之歌九磬之舞於宗廟之中奏之若樂九變則人鬼可得而禮矣

又曰凡樂事以鍾鼓奏九夏王夏肆夏昭夏納夏章夏齊夏族夏祴夏驁夏（以鍾鼓者先擊鍾次擊鼓九夏夏大也樂之大歌有九祴讀爲陔鼓之陔王出入奏王夏尸出入奏肆夏牲出入奏昭夏四方賓來奏納夏有功奏章夏夫人祭奏齊夏族人侍奏族夏客醉而出奏陔夏公出入奏驁夏）

禮曰凡音之起由人心生也人心之動物使之然也感於物而動故形於聲聲成方謂之音（方猶文章）比音而樂之及干戚羽毛謂之樂（干楯也戚斧也武舞所執也羽翟也旄牛尾也文武所執也）樂者音之所由生也其本在人心之感於物也是故其哀心感者其聲噍以殺其樂心感者其聲嘽以緩其喜心感者其聲發以散其怒心感者其聲粗以厲其敬心感者其聲直以廉其愛心感者其聲和以柔是故先王慎所以感之者宮爲君商爲臣角爲民徵爲事羽爲物五者不亂則無怗懘之音矣（凡音濁者尊清者卑惉懘弊敗不和皃也）宮亂則荒其君驕商亂則陂其君壞角亂則憂其民怨徵亂則哀其事勤羽亂則危其財匱五者皆亂迭相陵謂之慢鄭衛之音亂世之音也比於慢矣桑間濮上之音亡國之音也其政散其民流誣上行私而不可正也是故知聲而不知音者禽獸是也知音而不知樂者衆庶是也唯君子爲能知樂是故不知聲者不可與

言音不知音者不可與言樂知樂則幾於禮矣禮樂皆得謂之有德德者得也樂者爲同禮者爲異同則相親異則相敬（同謂齊好惡別謂貴賤也）樂勝則流禮勝則離（流謂合行不敬也離謂析居不和也）樂由中出（和在心也）禮自外作（敬在貌也）樂由中出故靜禮自外作故文大樂必易大禮必簡樂至則無怨禮至則不爭揖讓而天下治者禮樂之謂也大樂與天地同和大禮與天地同節和故百物不失節故祀天祭地明則有禮樂幽則有鬼神如此則四海之内合敬同愛矣故知禮樂之情者能作識禮樂之文者能述（述謂訓其義也）作者謂之聖述者謂之明樂者天地之和也禮者天地之序也和故百物皆化序故群物皆別（化猶生也別猶形體異也）王者功成作樂治定制禮其功大者其樂備其治辯者其禮具五帝殊時不相沿樂三王異世不相襲禮樂極則憂禮粗則偏矣及夫敦樂而無憂禮

備而不偏者其唯大聖乎春作夏長仁也秋斂冬藏義也仁近於樂義近於禮故聖人作樂以應天制禮以配地禮樂明備天地官矣夫禮樂之極乎天而蟠乎地行乎陰陽而通乎鬼神窮高極遠而測深厚是故志微噍殺之音作而民憂思嘽諧慢易繁文簡節之音作而民康樂粗厲猛起奮末廣賁之音作而民剛毅廉直勁正莊誠之音作而民肅敬寬裕内好順成和動之音作而民慈愛流辟邪散簡成滌濫之音作而民淫亂故樂行而倫清耳目聰明血氣和平移風易俗天下皆寧故曰樂者樂也君子樂得其道小人樂得其欲以道制欲則樂而不亂以欲忘道則惑而不樂（道謂仁義也欲謂邪淫也）是故君子反情以和其志廣樂以成其教樂行而民嚮方可以觀德矣（方猶道也）德者性之端也樂者德之華也金石絲竹樂之器也詩言其志也歌詠其聲也舞動其容也三

者本於心然後樂氣從之

又曰魏文侯問子夏曰吾端冕而聽古樂唯恐臥聽鄭衛之音則不知倦敢問古樂之如彼何也新樂之如此何也子夏對曰今夫古樂進旅退旅和正以廣絃匏笙簧會守拊鼓始奏以文復亂以武治亂以相訊疾以雅君子於是語於是道古修身及家平均天下此古樂之發也今夫新樂進俯退俯姦聲以濫溺而不止及優侏儒獶雜子女不知父子樂終不可以語不可以道古此新樂之發也文侯曰敢問溺音何從而出也子夏對曰鄭音好濫淫志宋音燕女溺志衛音趨數煩志齊音傲僻驕志四者淫於色而害於德是以祭祀弗用也詩云肅雍和鳴先祖是聽夫肅肅敬也雍雍和也夫敬以和何事不行爲人君也謹其所好惡而已矣君好之則臣爲之上行之則民從之詩云誘民

孔易此之謂也然後聖人作爲鞉鼓控楬壎篪此六者德音之音也然後鍾磬竽瑟以和之干戚旄狄以舞之此所以祭先王之廟也所以獻酬酳酢也所以官序貴賤各得其宜也所以示後世有尊卑長幼之序也鍾聲鏗鏗以立號號以立橫橫以立武君子聽鍾聲則思武臣石聲磬磬以立辨辨以致死君子聽磬聲則思死封疆之臣絲聲哀哀以立廉廉以立志君子聽琴瑟之聲則思志義之臣竹聲濫濫以立會會以聚衆君子聽竽笙簫管之聲則思畜聚之臣鼓鼙之聲讙讙以立動動以進衆君子聽鼓鼙之聲則思將帥之臣君子之聽音非聽其鏗鏘而已也彼亦有所合之也君子曰禮樂不可斯須去身致樂以治心則易直子諒之心油然生矣易直子諒之心生則樂樂則安安則久久則天天則神天則不言而信神則不怒而威致樂

以治心者也致(猶深審也子讀如不子之子油然新生好貌也善心生則寡於利欲寡於利欲則樂矣至明行成不言而見信如天也不怒而見畏如神)致禮以治躬則莊敬莊敬則嚴威心中斯須不和不樂而鄙詐之心入之矣(鄙詐入之謂利欲生)外貌斯須不莊不敬而易慢之心入之矣故樂也者動於內者也禮也者動於外者也樂極和禮極順內和而外順則民瞻其顏色而弗與爭也望其容貌而不生易慢焉(極至也)故德煇動於內而民莫不承聽理發諸外而民莫不承順故曰致禮樂之道舉而措之天下無難矣樂也者動於內者也禮也者動於外者也故禮主其減樂主其盈(減猶倦也盈猶溢也)禮減而進以進爲文樂盈而反以反爲文(樂以統情禮以理行之情溢而行倦則進之謚之則使反進則自勉往反謂自損抑也文猶美也)禮減而不進則銷樂盈而不反則放故禮有報而樂有反(放淫於聲樂不能止也報讀曰褒猶進也)禮得其報則樂樂得其反則安(得謂曉其義知其歸)禮之報樂之反其義一

也夫樂者先王之所以飾喜也軍旅鈇鉞者先王所以飾怒也故先王之喜怒皆得其儕焉○又曰孔子閒居子夏曰敢問何謂三無孔子曰無聲之樂無體之禮無服之喪子夏曰三無既得而聞之矣敢問何詩近之孔子曰夙夜基命宥密無聲之樂也威儀棣棣不可選也無體之禮也凡民有喪匍匐救之無服之喪也子夏曰言盡於此而已乎孔子曰(何爲其然也君子之服猶有五起焉無聲之樂)氣志不違無體之禮威儀遲遲無服之喪內恕孔悲無聲之樂氣志既得無體之禮威儀翼翼無服之喪施于四國無聲之樂氣志既從無體之禮上下和同無服之喪以畜萬邦無聲之樂日聞四方無體之禮日就月將無服之喪純德孔明無聲之樂氣志既定無體之禮施及四海無服之喪施于孫子

又曰入門而金作示情也升歌清廟示德也下管象武示事也是故古之君子不必親相與言也以禮樂相示而已

又曰故天子之爲樂也以賞諸侯之有德者也德盛而教尊五穀時孰然後賞之以樂也

又曰郊特牲曰賓入大門而作肆夏示易以敬(賓朝聘者易和悅也)卒爵而樂闋孔子屢嘆之(美此禮也)樂由陽來者禮由陰作者陰陽和而萬物得也

傳曰曹太子來朝享曹太子初獻樂奏而歎(酒始獻也)施父曰曹太子其有憂乎非歎所也(施父魯大夫也)

又曰晉郤至如楚聘且蒞盟楚子享之子反相爲地室而懸焉郤至將登金奏作於下(擊鐘而奏樂也)驚而走出

太平御覽卷第五百六十三

太平御覽卷第五百六十四

樂部二

雅樂中

傳曰吳季札來聘請觀於周樂使工為之歌周南召南曰美哉始基之也猶未也(猶有商紂未盡善也)然勤而無怨矣為之歌邶鄘衛曰美哉淵哉憂而不困者也吾聞衛康叔武公之德如是是其衛風乎為之歌王曰美哉思而不懼其周之東乎為之歌鄭曰美哉其細已甚民弗堪也是其先亡乎為之歌齊曰美哉泱泱乎大風也表東海者其大公乎為之歌豳曰美哉蕩蕩乎樂而不淫其周公之東乎為之歌秦曰美哉此之謂夏聲夫能夏則大大之至也其周之舊乎為之歌魏曰美哉渢渢乎大而險儉而易行以德輔此則明主也為之歌唐曰思深哉其有陶唐氏之遺民乎不然其何憂之遠也非令德之後誰能若是為之歌陳曰國無主其能久乎自鄶以下無譏焉為之歌小雅曰美哉思而不貳怨而不言其周德之衰乎猶有先王之遺民焉為之歌大雅曰廣哉熙熙乎(熙熙和樂聲也)曲而(有直體其文王之德乎為之歌頌曰至矣哉盛德之所同也見舞象箾南籥者曰美哉猶有所憾見舞殷湯大武者曰美哉周之盛也其若此乎見舞詩韶護)者(樂也)曰聖人之弘也而猶有慙德聖人之難也見舞大夏者(禹之樂也)美哉勤而不德非禹其誰能及之見舞韶箾者(舜之樂也)曰至矣哉大矣如天之無不覆也如地之無不載也雖甚盛德其蔑以加此矣若有他樂吾不敢請已

又曰宋公享晉侯於楚丘請以桑林(桑林殷天子樂名也)荀罃辭荀偃士丐曰諸侯宋魯於是觀禮(宋王者後魯以周公故皆用天子禮樂故可觀也)魯有禘樂賓祭用之(禘三年大祭則作四代之樂別祭群公則用諸樂也)宋以桑林享君不亦可乎(言俱天子樂也)舞師題以旌夏(旌夏大旌也題識也以大旌表識其行列也)晉侯懼而退入於房(旌夏非常卒見之人心偶有所畏)卜桑林見(祟見於卜兆也)荀偃士丐欲奔請禱焉(奔走還宋禱謝)荀罃不可曰我辭禮矣彼則以之猶有鬼神於彼加之(言自當加罪於宋)晉侯有閒

又曰晉與諸侯伐鄭鄭人賂晉侯以師悝師觸師蠲(皆樂師名)歌鍾二肆(肆列也懸十六為一肆三十二枚也)及其鎛磬女樂二八晉侯以樂之半賜魏絳曰子教寡人和諸戎狄以正諸華八年之中九合諸侯如樂之和無所不諧請與子樂之魏絳於是乎始有金石之樂禮也(大夫有功則賜樂也)

論語曰師摯之始關雎之亂洋洋乎盈耳哉(魯太師摯識關雎之聲而首理其亂者洋洋盈耳聽而美之)

又曰樂云樂云鍾鼓云乎哉(言樂不但崇此鍾鼓而已所貴者貴其移風易俗也)

又曰子語魯太師樂曰樂其可知也始作翕如也(始作謂金奏時聞金作人皆翕如變動之貌)從之純如也(從讀曰縱縱之謂八音皆作純如感和之貌)皦如也(皦如使清別之貌)繹如也(繹如志意條達也)以成

又曰子謂韶盡美矣又盡善也(韶舜樂也美舜自以德禪於堯又盡善謂太平也)謂武盡美矣未盡善也(謂周武王樂美武王以武功定天下未盡善致太平)

孝經曰移風易俗莫善於樂

爾雅曰宮謂之重商謂之敏角謂之經徵謂之迭羽謂之柳(郭璞注皆五音之別名其義未詳)

史記曰趙簡子疾五日不知人扁鵲曰昔秦繆公嘗如此五日不知人七日乃寤語大夫曰我之帝所甚樂與百神遊于鈞天廣樂九奏萬舞不類三代之樂其聲動人心

又曰樂所以上事宗廟下以變化黎庶

又曰凡樂者使萬民感蕩滌雅纖斟酌以飾厥性

又曰太史公曰音樂者所以動盪血脈通流精神而和正

心也
又曰九音由於人心天之與人相通如影之象形響之應聲也故爲善者天報之以福爲惡者天報之以殃其自然者也故舜作五絃之琴歌南風之詩而天下治紂爲朝歌北鄙之音身死國亡舜之道何弘也紂之行何隘也夫南風之詩生長之音也舜樂好之樂天下同意得萬國之歡心故得天下也夫朝歌者不時也北者敗也鄙者陋也紂樂好之萬國殊心諸侯不附百姓不親天下叛之故身死國亡
漢書曰聲者蕩滌人之邪意全其正性也商章也物成熟可章度也角觸也物觸地而出戴芒角也宮中也居中央暢四方唱始施生爲四聲納也徵祉也物盛大而蕃祉也羽宇也物聚藏宇覆之也協之五行則角爲木五常爲仁五事爲皃商爲金爲義爲言徵爲火爲禮爲視羽爲水爲智爲聽宮爲土爲信爲思　以君臣民事物言之則宮爲君商爲臣角爲民徵爲事羽爲物
又曰樂者四暢交於中而發作於外此先王立樂之方也
又曰樂者歌九德誦六詩是以薦之郊廟則鬼神享之也
又曰夫樂通神明安民庶故聽者無不虛已竦神悅而成流是以海內徧知上德被服其風光輝日新化上而遷善而不知所以然至於萬物不夭天地順而嘉應擧故詩曰磬管鏘鏘降福穰穰
魏志曰太祖以杜夔爲軍謀祭酒參太樂事因令創制雅樂夔善鍾律聰思過人絲竹八音靡所不能惟歌舞非所長散騎侍郎鄧靜尹商善詠雅樂歌師尹胡能歌宗廟郊祀

之曲舞師馮肅時知先代諸舞揔究研精遠考經誥近採故事教習講律備作樂器復先代之樂皆自夔始也
吳錄曰吳中呼周瑜爲周郎瑜精意音樂三爵之後其有闕誤瑜必知之而顧時吳人謡曰曲復設周郎顧
宋書臧熹傳曰武帝入京城進至建鄴桓玄走武帝使熹入宮收圖書器物封府庫有金飾樂器武帝問熹卿欲此乎熹正色曰主上幽逼播越非所將軍首建大義劬勞王室雖復不肖實無情於樂帝笑曰聊以戲耳
齊書蕭惠基傳曰自宋大明已來聲伎所尚多鄭衛而雅樂正聲鮮有好者惠基解音律尤好三祖曲及相和歌每奏輒賞悅
崔鴻十六國春秋曰後秦錄姚興傳曰濟南公邕字子和興之弟也尤喜音樂皆能度其盈虛增改曲調世咸傳之號濟南新調
後魏書曰元孚封萬年鄉男永安末樂器殘缺莊帝命孚修之上表曰昔太和中故中書監高閭太樂令公孫崇修造金石數十年間乃奏成功時大集儒生考其得失太常卿劉芳請別營造久而方就復召公卿量校合否論者沸騰莫有適從登被旨勑並見施用往歲大軍入洛戎馬交馳所有樂器亡失垂盡臣至太樂署問太樂令張乾龜等云承前已來置宮懸四箱筍簴十六架編黃鍾之磬十四雖器名黃鍾而聲實夷則考之音制不甚諧韻姑洗懸於東北太蔟編於西北蕤賓列於西南並皆器象若位調律不和又有儀鍾十四簴懸架首和不叩擊今便刪廢以從正則臣今據周禮鳧氏脩廣之規磬氏居句之法吹律求聲叩鍾求響損除繁重討論實錄依十二月爲十二呂各準辰

次當位懸設月聲既備隨用擊奏則會還相爲宮之義又得律呂相生之體今量鍾磬之數各以十二架爲定奏可于時搢紳之士咸往觀聽靡不咨嗟歎服而反大傳錄尚書長孫承業妙解聲律時復稱善

隋書曰文帝性恭儉不好聲妓嘗遣牛弘定樂帝曰非正聲雅樂清商九部四舞皆令罷之

又曰萬寶常不知何許人也父大通從梁將王琳歸于齊後復謀還江南事泄伏誅由是寶常被配爲樂戶因而妙達鍾律遍工八音造玉磬以獻於齊又嘗與人方食論及聲調時無樂器寶常因取前食器及雜物以著扣之品其高下宮商畢備諧於絲竹大爲時人所賞然歷周洎隋俱不得調開皇初沛國公鄭譯等定樂初爲黃鍾調寶常雖爲令人譯等每召與議然言多不用後譯樂成奏之上召寶

常問其可否寶常曰此亡國之音豈陛下之所宜聞上不悅寶常因極言樂聲哀怨淫放非雅正之音請以水尺爲律以調樂器上從之寶常奉詔遂造諸樂器其聲率下鄭譯調二律并撰樂譜六十四卷具論八音旋相爲宮之法改絃移柱之規爲八十四調一百四十四律變化終於一千八聲時人以周禮有旋宮之義自漢魏以來知音者皆不能通見寶常特創其事皆哂之至是試令爲之應手成曲無所疑滯見者莫不嗟異於是損益樂器不可勝紀其聲雅淡不爲時人所好太常善聲者多排毀之又太子洗馬蘇夔以鍾律自命尤忌寶常夔父威方用事凡言樂者皆附之而短寶常數詣公卿怨望蘇因誥寶常所爲何所傳受初有一沙門謂寶常曰上雅好符瑞有言徵祥者上皆悅先生當言從胡僧受學云是佛家菩薩所傳音律然則上必悅先生所爲可以行矣寶常然之遂如其言以答威威怒曰胡僧所傳仍是四夷之樂非中國所宜行也其事竟寢寶常聽太常所奏樂泫然而泣人問其故寶常曰樂聲淫厲而哀天下不久相殺盡時四海全盛聞其言者皆謂爲不然大業之末其言卒驗寶常貧無子其妻因其臥疾遂竊其貲物逃寶常飢餒無人贍竟餓而死及將死也取其所著書焚之曰何用此爲見者於火中探得數卷見行於世時論哀之開皇之世有鄭譯何妥盧賁蘇夔蕭吉並討論墳籍撰著樂書皆爲當世所用至於天然識樂不及寶常遠矣安馬駒曹妙達王長通郭金樂等能造曲爲一時之妙又習鄭聲而寶常所爲皆歸於雅此輩雖公議不附寶常然皆心服謂以爲神

又曰文帝開皇六年尚因周樂命工人齊樹提檢校樂府

改換聲律益不能通俄而沛公鄭譯奏上請更修正於是詔太常卿牛弘國子祭酒辛彥之國子博士何妥等議正樂然淪謬既久積年議不定帝怒曰我受天命七年樂府猶歌前代功德命治書侍御史李諤引弘等下將罪之奏曰武王剋殷至周公相成王始制禮樂所事體大不可速成帝意乃解

又曰開皇中士齊伎曹妙達安馬駒等以藝遊三公之家新聲變曲傾動當世天子不能禁也帝令妙達理郊廟樂咸焉傾杯行天之聲萬寶常觀於樂署部伎樂中唯百濟樂清有歌人間謳謠之曲爲耳目之娛者不可勝載

唐書曰鄭從讜在汴時以兄處誨嘗爲鎮師殁于是郡訖一政受代不於公署舉樂

又曰王涯爲太常卿文宗以樂府之音鄭衛太甚欲聞古

樂命涯詢於舊工取開元時雅樂選樂童按之名曰雲韶樂樂曲成涯與太常丞李廓少府監庾丞憲押樂工獻於梨園亭帝按之於會昌殿上悅賜涯等錦綵

又曰乾元初上謂于休烈曰古聖人作樂以應天地之和以合陰陽之序則人不夭札物不疵厲且金石絲竹之器也人比親享郊廟每聽懸樂宮商不倫或鍾声失度集樂工考磬來朕當於内自定太常集樂考試數日審知差錯然後令別鑄造磨刻及事畢上臨三殿親試考擊皆合五音群臣稱慶

又曰祖孝孫隨毛爽授律皆得爽之法一律而生五音十二律爲而六十音因而六之故有三百六十音以當一歲之日又祖述沉重依淮南本數用京房舊術求之得三百六十律各因其月律而爲一部以律數爲母以氣候爲子以一中氣所有以日爲子以母命子隨所多少分直歲以配七音起丁冬至以黃鍾爲宮太簇爲商林鍾爲徵南呂爲羽姑洗爲角其餘月建皆依運行每月各以本律宮爲旋宮之義由斯著矣武德之樂漢魁暴秦之從所作也言以武德除亂使天下樂行也四時之樂文帝之作也言以巳節儉澤施於四海天下和平也

又曰正月享西京太廟大樂令裴知古謂萬年令元行冲曰金石諧和當有吉慶之事其在唐室子孫乎其月中宗即位復國爲唐國史補曰宋沉善音律太常久亡徵調沉考鍾律得之

太平御覽卷第五百六十四

太平御覽卷第五百六十五

樂部三

雅樂下　律呂

雅樂下

國語曰夫琴瑟尚宮鍾尚羽石尚角大不踰宮細不過羽
故樂器重者從細輕者從大尾絲尚商匏竹尚徵革木一
聲呂以和樂律以平聲金石以動之絲竹以行之歌以詠
之匏以宣之土以贊之革木以節之物得其常曰樂清濁
相應曰聲聲相保曰和細大不踰曰平如是金磨之石
擊之絲木越之匏竹節之以節八風
春秋感精符曰冬至日人主與群臣左右縱樂五日天下
人衆亦家縱樂五日以迎日冬至人主備八能之士
撞黃鍾之鍾擊黃鍾之鼓公卿大夫列士乃

使八能之士擊黃鍾之鼓用馬革鼓員徑八尺一寸鼓黃
鍾之瑟瑟用槐木瑟長八尺一寸吹黃鍾之律間音以竽
補竽長四尺二寸天地以和應黃鍾之音得蕤賓之律應
則公卿大夫列士以德賀於人主因請政所行請五官之
符各受其賞聲之調者時氣和則人主以礼賜公卿列士
五日儀定天地之氣和人主公卿大夫列士之德則陰
陽之晷如度數夏日至之礼如冬日至之礼舞八樂皆以
肅敬爲戒八音者雲門五英大韺大卷大韶大夏大護大武也人主之音順則蕤賓之律應磬聲和公卿大夫列士誠信
林鍾之律應此謂冬日至成天文夏日至成地理
潁容春秋釋例曰周用六代之禮樂故有雲門咸池大韶
大夏大護大武也魯受四代之禮樂故不舞雲門咸池示
有降殺也○五經通義曰受命而王者六樂焉以太一樂天
以咸池樂地以肆夏樂人以大夏樂四時以大護樂五行
神明以大武樂六律各象其性而爲之制以樂其先祖又
曰歌舞同處耶異耶歌者象德舞者象功君子尚德下功
故歌在堂舞在庭歌以養形歌者有聲舞者有形何言歌
在堂也以燕礼曰外歌鹿鳴以是知之何以言舞在庭也
援神契曰合忻之樂舞於堂四夷之樂陳於户以是明之
韓詩外傳曰古者天子左右五鍾將出則撞黃鍾而右五
鍾應之馬鳴中規律駕者有文御者有數立則磬折拱則抱
鼓出入中規折旋中矩然後太師奏升車之樂告出也入
則撞蕤賓以治容貌容貌治則得顏色齊顏色齊則肌膚
安蕤賓有声鵠震馬鳴及倮介之虫無不延頸以聽蕤賓
在內者皆玉色在外者皆金声然後少師奏升堂即席告
入也此言物類相感声相應之義也

又曰湯作護聞其宮声使人温良而寬大聞其商声使人方
廉而好義聞其角声使人惻隱而仁愛聞其徵声使人樂
養而好施聞其羽声使人恭儉而好礼
白虎通曰樂也君子樂得其道小人樂得其欲声音何声
鳴也聞其声即知所生声音者謂宮商徵羽也音飲也剛
弱清濁和而相飲也音有八謂金石絲竹土木匏革太平
乃作樂　樂所以防滛奢民飢寒何樂之防
子思子曰繁於樂者重於憂厚於味者薄於行君子同則
有樂異則有禮
孟子曰莊暴見孟子曰暴見於王王語暴以好樂暴未有
以對也孟子曰王之好樂甚則齊國其庶幾乎他日見於
王曰王嘗語莊子以好樂有諸王變乎色曰寡人非能好先王
之樂也直好世俗之樂耳曰今之樂猶古之樂也臣請爲

王言之今王鼓樂於此百姓聞王鍾鼓之声管籥之音舉
疾首蹙頞而相告曰吾王之好鼓樂夫何使我至於此極
也父子不相見兄弟妻子離散此無他不與民同樂也今
王鼓樂於此百姓聞王鍾鼓之声管籥之音舉欣然有
喜色而相告曰吾王庶幾無疾病與何以能鼓樂也此無
他與百姓同樂也今王與百姓同樂則王矣
墨子曰程繁問於子墨子曰聖王不爲樂昔諸侯倦於聽
治息於鍾鼓之樂士大夫倦於聽治息於竽琴之樂農夫
春耕夏耘秋斂冬藏息於吟缶之樂今夫子曰聖王不爲
樂此譬之猶馬駕而不脫弓張而不弛墨子曰昔者堯舜
有茅茨者且以爲禮且以爲樂湯放桀環天下自立因先
王之樂又自作樂命曰護又脩九韶武王勝殷殺紂環天
下自立因先王之樂又自作樂命曰象周成王因先王之

樂命曰騶吾聞周成王之治天下也不若武王武王之治
天下也不若成湯成湯之治天下也不若堯舜故樂逾繁
者治逾寡自此觀之非所以治天下也
又曰齊康公有樂萬人食必粱肉衣必文繡
莊子曰北門成問黃帝張咸池之樂於洞庭之野始聞之
懼後聞之怠卒聞之而惑蕩蕩默默乃不自得帝曰汝殆
其然哉吾奏之以人徵之以天行之以礼義建之太清奏
之以陰陽之和燭之以日月之明或謂之死或謂之生行
流散徙不主常声此之謂天樂也
淮南子曰奏雅樂者始於陽阿採菱（許慎注曰楚樂之名也）邯鄲有
鼘曲者託之李奇諸人皆爭學之後知其非皆棄其曲
此未始知音也（李奇趙之善樂者也）○穆天子傳曰天子西征至于玄
池之上乃奏廣樂三日而終是曰樂池

山海經曰祝融生子長琴是處搖山始作樂
世說曰荀公曾善解音声時論謂之闇解遂調律呂正雅
樂每至正會殿庭作四指自謂宮商無不諧韻阮咸妙賞
時論謂之神解每至公會作樂荀心識阮意必謂之不調
而阮口初無言直意忌之遂出阮爲始平太守後有田父
耕於野地中得周時玉尺便是天下正尺荀試以校已所
治鍾鼓金石絲竹皆短校一米於此伏阮之妙解徵阮南
還
說苑曰孔子至齊郭門之外遇一嬰兒擊一壺相與俱行
其視精其心端孔子謂御曰趣馭之韶樂方作故樂不獨
自樂也又以樂人非獨以自正也又以正人
樂說曰聖人作樂不以爲娛樂以觀得失之節故不取備於
一人必須八能之士故八士或調陰陽或調五行或調盛

人或調律曆或調五音與天地神明合德者則七始八終
各得其宜也（七始謂四方天地人也）
又曰上元者天氣也居中調禮樂教化流行揔五行氣爲
一下元者地氣也爲萬物始質也爲萬物之容範中元者人
氣也其氣以定萬物通於四時承天心理禮樂通上下四
時之氣和合人之情以慎天地者也時元者受氣於天布
之於地以時出入萬物者也風元者禮樂之本萬物之首
物莫不以風成熟也聖王知物極盛則衰暑極則寒樂極
則哀是以日中則昃月盈則蝕天地盈虛與時消息制禮
作樂者所以改世俗致祥風和雨露爲萬姓獲福於皇天
者也聖人作樂繩以五元度以五星碌貞以道德彈形以
繩墨賢者進佞人伏（繩正也碌碌摩也貞正也彈割也）
要覽曰桓君山曰余兄弟頗好音嘗至洛聽音終日而心

足由是察之夫深其旨則欲罷不能不入其意故過已

風俗通曰案劉韶鍾律書曰春宮秋律百卉必凋秋宮春律萬物必榮夏宮冬律雨雹必降冬宮夏律雷必發声夫音樂至重所感者大故曰知禮樂之情能作知禮樂之文者能述

華譚論曰夫無声者五音之祖死形者萬物之君本其祖然後情商徵之妙理其君然後正妍朴之容推精朴以撿得失稽清濁以接在亡夫宿瘤嫫母經日而人不視者何一尺之面醜也西施毛嬙靡服而人左顧者何一尺之面好也夏姬以容美而陳亡濮水以声好而國滅夫何嬉哇之有乎是以聖王知物之感人無窮而情之好惡死節死窮則人不能防其行死節則中材不能制其欲是以爲制可行之禮立中庸之法使賢者俯就不肖者企及明樂之妙以爲教也

阮籍樂論曰聖人之作樂將以順天地之體成萬物之性也故定天地四方之音以迎陰陽八風之聲均黃鍾中和之律開群生萬物之氣奏之圜丘而天神下奏之方丘而地祇上吳楚之風好勇故其俗輕死鄭衛之風好淫故其俗輕蕩輕死故有蹈水赴火之歌輕蕩故有桑間濮上之曲懷永日之娛抱長夜之忻云終身之樂淫縱之俗故江淮以南其民好殺漳汝之間其民好奔吳有雙劍之節趙有挾琴之容氣發於中声入於耳手足飛揚不覺其駭也

桓譚新論曰楊子雲大才而不曉音余頗離雅操而更爲新弄子雲曰事淺易喜深者難識卿不好雅頌而悅鄭声宜也

周禮曰大師掌六律六同以合陰陽之声陽声黃鍾大蔟姑洗蕤賓夷則無射陰声大呂應鍾南呂函鍾小呂夾鍾皆文之以五声宮商角徵羽皆播之以八音金石土革絲木匏竹注云以合陰陽之声者声之陰陽各有合也黃鍾子之氣也十一月建焉而辰在星紀大呂丑之氣也十二月建焉而辰在玄枵大簇寅之氣也正月建焉辰在娵訾應鍾亥之氣也十月建焉辰在析木之津姑洗辰之氣也三月建焉而辰在大梁南呂酉之氣也八月建焉而辰在壽星蕤賓午之氣也五月建焉而辰在鶉首林鍾未之氣也六月建焉而辰在鶉火夷則申之氣也七月建焉而辰在鶉尾中呂巳之氣也四月建焉而辰在實沈無射戌之氣也九月建焉而辰在大火夾鍾卯之氣也二月建焉而辰在降婁辰與建交錯互處如表裏然是其合也其相生則以陰陽六體爲之黃鍾初九下生林鍾之初六也林鍾又上生太簇之九二太蔟又下生南呂之六二南呂又上生姑洗之九三姑洗又下生應鍾之六三應鍾又上生蕤賓之九四蕤賓又下生大呂之六四大呂又上生夷則之九五夷則又上生夾鍾之六五夾鍾又下生無射之上九無射又上生中呂之上六同位者象夫婦異位者象母子所謂律娶妻而呂生子者也

又曰典同掌六律六同之和以辨天地四方陰陽之声以爲樂器注云陽声屬天陰声屬地天地之声布於四方故書同或作銅鄭司農云陽律以竹爲管陰律以銅爲管竹陽也銅陰也各順其性

呂氏春秋曰黃帝詔伶倫作爲音律伶倫自大夏之西乃之崑崙之陰取竹於嶰谷以生竅厚薄均者斷兩節間其

長九寸而吹之以爲黃鍾之宮日含少次制十二管以崑崙之下聽鳳之鳴以別十二律其雄鳴爲六雌鳴亦六比黃鍾之宮適合皆可生之而律之本也故曰黃鍾徵而均鮮全而不傷其爲宮獨尊象大聖之德可以明至賢之功故奉而薦之于宗廟以歆迎功德世世不忘是故黃鍾生林鍾林鍾生大呂大呂生夷則夷則生太蔟太蔟生南呂南呂生夾鍾夾鍾生無射無射生姑洗姑洗生應鍾應鍾生蕤賓蕤賓之分所生益之一分以上生三分所生去其一分以下生黃鍾大呂太蔟夾鍾姑洗中呂蕤賓爲上林鍾夷則南呂無射應鍾爲下生大聖至理之世天地之氣合以生風日至則日行其風以生十二律故仲冬短至則生黃鍾季冬生大呂孟春生太蔟仲春生夾鍾季春生姑洗孟夏生仲呂仲夏生蕤賓季夏生林鍾孟秋生夷則仲秋生

南呂季秋生無射孟冬生應鍾天地之風正十二律也

樂書曰雅樂部器隨律定聲合德其所也黃鍾之均則用黃鍾之器合太蔟之均則用太蔟之器是故旋宮法此聲律克諧則無借器度音咸取中声協律是以三倍黃鍾而大至于雷霆謂黃鍾之律度三分九寸而倍成一尺八寸則合雷霆之濁声也九寸而減餘四寸五分則應中宮之清声也唯當九寸是謂正聲而可協和神人感通天地流而不息合同而化是故地氣上隮天氣下降陰陽相摩天地相蕩鼓之以雷霆奮之以風雨動之以四時煖之以日月而百化興焉如此則樂者天地之和也故書去声依永律和声則五音不失其常六律不差其度謂孤竹之管律應夾鍾聲與氣諧故感天神而降孤竹之管律應林鍾聲與器諧故感地祇而出陰竹之管律應黃鍾聲與器諧故感人鬼而至

樂纂去昔嘗人有銅澡盤無故自鳴問之於張茂先荅曰此器與洛陽宮鍾聲相諧宮中撞鍾故鳴也若以鑢之音殊其鳴可止後果如其言也是故樂之制器法度均聲得之毫釐失之千里故大樂之道與政通矣

古今樂錄曰北齊神武霸府田曹參軍信都芳代号知音能以管候氣觀雲色嘗與人對語即指天曰孟春之氣至矣人往驗管而飛灰已應每月所候言皆無爽又爲輪扇二十四理地中以測二十四氣每一氣感則一扇住並與管灰相應若合符契焉

又曰隋文帝遣毛爽及蔡子元于普明等以候節氣依古於三重密屋之內以木爲案十有二具每取律呂之管隨十二辰置于案上而以土埋之上平於地中實葭莩之灰以輕緹素覆律口每地氣至與律冥符則灰飛衝素散

出于外而氣應有早晚灰飛有多少或初入月其氣即應或至中下旬開氣始應者或灰飛出三五夜而盡或終一月才飛少許者帝異之問牛弘對曰灰飛半出爲和氣灰全出爲猛氣吹灰不能出爲衰氣和氣應者其政平猛氣應者其臣縱衰氣應者其君暴帝駁之曰臣縱君暴其政不和非月別暴也今十二月律於一歲內應並不同安得暴君縱臣若斯之甚也弘不得對

太平御覽卷第五百六十五

太平御覽卷第五百六十六

樂部四

歷代樂

呂氏春秋曰昔葛天氏之樂三人操牛尾投足以歌八闋投猶蹀也一曰載民二曰玄鳥三曰遂草木四曰奮五穀五曰敬天常六曰達帝功七曰依地德八曰總禽獸之極

又曰黃帝命伶倫與營援鑄十二鍾和五音以詔英韶以仲春之月乙卯之日日在奎始奏之命之曰咸池帝顓頊生自若水實處空桑空桑邑名乃登爲帝惟天之合正風乃行德與天合其音若熙熙淒淒鏘鏘帝顓頊好其音乃令飛龍作效八風之音命之曰承雲以祭上帝乃命鱓先爲樂倡倡始鱓乃偃寢以其尾鼓其腹其音英英和盛之貌帝嚳命咸黑作爲唐歌九招六列六英倕有作爲鼙鼓鍾磬吹苓展管篪鄭推衡帝嚳乃令人抃兩手相擊曰抃或鼓鼙擊鍾磬吹苓展管篪因令鳳天翟舞之帝嚳大喜乃以康帝德康樂也安也帝堯立乃命質爲樂質乃效山谷之音以歌質當爲夔乃以麋輅冒缶而鼓之乃拊石擊石以象上帝玉磬之音以舞百獸鼓搜乃拌五經之瑟拌作以爲十五絃之瑟命之曰大章以祭上帝舜立仰延乃拌瞽叟之所爲琴益之八絃以爲二十三絃之瑟帝舜乃令質脩九招六列六英以明帝德禹之勤勞天下日夜不解通大川決壅塞鑿龍門降通漻水以道河疏三江五湖注之東海以利黔首於是命皋陶作爲夏籥九成以昭其功殷湯即位夏爲無道暴害萬民侵削諸侯不用度軌天下患之湯於是率六州以誅桀之罪功名大成黔首安寧湯乃命伊尹作爲大護歌晨露脩九招六列六英以見其善周文王處岐諸侯去殷三淫

而翼文王三淫剖心斷涉剖孕散宜生曰殷可伐也文王弗許周公旦乃作詩曰文王在上於昭于天周雖舊邦其命惟新以繩文王之德武王即位以六師伐殷六師未至以銳兵克之於牧野乃薦俘馘于京大室乃令周公作爲大武成王立殷民反王命周公伐之商服象獸名爲虐于東夷周公遂以師逐于江南乃爲三象以嘉其德故樂之所由來者尚矣生於度量本於太一太一出兩儀兩儀出陰陽陰陽變化一上一下合而成章渾渾純純離而復合合而復離是謂天常天地車輪終則復始極則復反莫不盛當日月星辰或疾或徐日月不同以盡其行四時代興或寒或暑或短或長或柔或剛萬物所出造於太一化於陰陽萌牙始𤴯𤴯動凝寒以刑形體有處莫不有聲聲出於和和出適先定樂由此生天下太平萬民安寧皆化其上樂乃可成夫音亦有適太鉅則志蕩以蕩聽鉅則耳不容不容則橫塞橫塞則振大動振小則志嫌聽小則耳不充不充則不詹詹詹音也不詹則怨大清則志危以危聽清則耳谿極谿虛極病谿極則不鑒不鑒則竭鑒察大濁則志下以下聽濁則耳不收不收則不摶不摶則怒不摶入不故大鉅大小大清大濁皆非適也桀紂作爲侈樂大鼓鍾磬管簫之音以鉅爲美以衆爲觀俶詭殊瑰耳所未嘗聞目所未嘗見務以相過不用度量宋之衰也作爲千秩鍾律之名齊之衰也作爲大呂楚之衰也作爲巫音侈則侈矣自有道者觀之則失樂之情其樂不樂其民怨其生傷其生與樂也若水之於炭反以自外此生乎不知樂之情而以侈爲務故也

又曰帝顓頊好音乃令飛龍作八風之音命之曰承雲帝嚳命咸池黑作唐歌九招六列禹疏三江五湖命皋繇爲

夏籥九成湯率六州以誅桀之罪命伊尹爲大護歌晨露
武王以六師伐紂乃命周公作爲大武商人服象爲虐於
東夷周公以師逐之至於江南乃爲三象以嘉其德
樂書曰謹案禮記疏云伏羲樂曰立基言伏犧之代五運
成立甲曆始基畫八卦以定陰陽造琴瑟以諧律呂繼德
之樂故曰立基也神農樂曰下謀言神農播種百穀濟育
群生造五弦之琴演六十四卦承基立化設降神謀故樂
曰下謀以明功也黃帝樂曰雲門言黃帝之道成名百物
明民共財德如雲出其門民可有於族類故樂曰雲門
帝系譜曰女媧命娥陵氏制都良管以一天下之音又命
聖氏爲班管合日月星辰名曰充樂樂既成天下幽微无
不得理樂緯曰黃帝之樂曰咸池池者施也道施於民故曰咸池顓頊曰
六莖道有根莖故曰六莖帝嚳曰五英道有英華故曰五英堯曰大章堯時仁義大行

法度彰明故曰大章舜曰簫韶韶紹也舜紹堯之後修行其道故曰簫韶禹曰大夏禹承二帝之後道重太平故曰大夏湯曰大護湯承衰而起護先王之道故曰大護護音護周曰勺又
曰大武周承衰而起斟酌文武之道故曰勺
春秋元命包曰王者不空作樂樂者和盈於內動發於外
應其發時制禮作樂以成之是故作樂者必反天下之始
樂於已爲本舜之時民樂其紹堯業故韶者紹也舜繼堯之業
禹之時民大樂其騁三聖相繼故夏者大也騁讀曰類類猶充也湯
之時民大樂其救於患害故護者救也文王之時民樂其
興師征伐故武者伐也四者天下所同樂一也其所同樂
之端不可一也各樂其君所爲故不可合四家以爲一也
樂苑曰文王樂名巨業武王樂名象武
漢書曰樂家有能制雅樂声律世世在大樂官但能記
其鏗鎗鍾鼓而已不能言其義高祖時叔孫通因秦雅人

制高廟樂太祝迎神於廟門奏嘉至李奇曰嘉善也善神之至猶古降
神之樂也皇帝太廟奏永至以爲行步之節猶古采薺肆
夏也乾豆上奏登歌不以管絃乱人声欲在位者遍聞之
猶古清廟之歌也登歌再終下奏休成之樂服虔曰叔孫通所奏作也
美神明既饗也皇帝獻酒東廂坐定奏永安之樂美禮已
成也又有房中祠樂高祖唐山夫人所作也韋昭曰唐山姓也
周有房中樂至奏名曰壽人孝惠二年使樂府令夏侯
寬備其簫管更名曰安世樂高祖奏武德文始五行之舞孝
文廟奏昭德文始四時五行之舞武德者高祖四年作以
象天下樂已行武以除乱也文始舞者曰本韶舞也高祖
六年更名曰文始以示不相襲也五行舞者本周舞也秦
始皇二十六年更名曰五行也四時舞者孝文所作以明
宗天下之安和也蓋樂已所自作明者制也樂先王之樂

明有法也孝景采武德舞以爲昭德以尊太宗廟至孝宣
采昭德舞以爲采德以尊世宗廟世宗廟諸帝廟皆常奏
文始四時五行舞云高祖六年又作昭容樂昭容樂者猶
古之韶夏也主出武城德舞禮容樂者出文始五行舞舞入
無樂者將至至尊之前不敢以樂也出用樂者言武不失
節能以禮樂終也皆因秦舊事焉初高祖既定天下過沛
與故父老相樂醉酒作風起之詩令沛中兒童百二十人
習而歌之至武帝定郊祀之禮祠太一於甘泉就位也祭
后土於汾陰澤中方丘也乃立樂府採詩依誦有趙代秦
楚之謳以李延年爲協律都尉舉司馬相如等數十人善
爲詩賦畧論律呂以合八音之調作十九章之歌以正月
上辛用是甘泉圜丘使童男女七十人俱欲昏祠至明夜
常有神光如流星上集於祠壇天子自竹宮而望拜韋昭曰以

竹為宮天子居之
後漢書東平王蒼議以為漢制舊典宗廟各奏其樂不皆
相襲以明功德光武帝受命中興撥乱反正脩建三雍肅
祗禋祀德化巍巍比隆前代歌所以詠德舞所以象功世
祖廟樂舞名宜曰大武之舞謹採百官頌可登者歌一章
四句以為曲上從其議
魏志曰明帝時有奏武皇帝撥乱反正為魏太祖樂用武
始之舞文皇帝應天受命為魏高祖樂用咸熈之舞明帝
制作興治為魏列祖樂用章斌之舞
沈約宋書曰周存六代之樂至秦唯餘韶舞而已始周舞
曰五行漢高改韶舞曰文始以示不相襲也高祖又作昭
容樂昭容生於武德禮容生於文始五行也漢又有雲翹
育命之舞雖莫知其所從來然舊以祀天地也至明帝初
東平憲王蒼揔定公卿之議曰宗廟宜各奏樂不應相襲
所以明功德也採文始五行武德真脩為文武之舞又制
舞歌一章薦之世祖之廟皇初二年改漢巴渝舞曰昭武
舞改宗廟安之樂曰正世樂加至樂曰迎靈樂武德樂曰
武頌樂昭容樂曰昭業樂雲翹舞曰鳳翔舞育命舞曰靈
應舞武德舞曰武頌舞文始舞曰大韶舞五行舞曰大武
舞其衆歌詩多即前代之辞唯魏國初建使王粲改作登
歌安世及巴渝詩而已
又曰晉武帝太始二年改郊廟新歌其樂舞亦仍舊又改
魏昭武舞曰宣武羽籥舞曰宣文舞咸寧元年詔定祖宗之号而廟
樂同用正德大豫之舞至江左初立宗廟尚書下太常祭
祀宜周樂名太常賀循荅去舊京荒廢今既散亡音韻曲
折又無識者則於今者難以音言于時以無雅樂器及伶人

省太樂并鼓吹令是後頗得登歌食舉之樂猶有未備故
太寧末又訪阮孚等增益之咸和中乃復置太樂官鳩習
遺逸又未有金石也初荀勗既以新律造一舞次更脩正
鍾磬勗薨事猶不竟元康三年詔其子黃門郎藩脩定金
石以施郊廟尋值喪乱莫有記者
又曰魏公卿奏曰烈祖未制樂舞非所以昭德著功夫歌
以詠德舞以象事於文武為斌兼秉文武聖德所以彰明
也臣等謹制樂名曰章斌文武之舞
又曰武帝永初元年有司奏皇朝肇建廟祀應設雅樂乃
晉樂也太常鄭鮮之等各撰立新歌黃門侍郎王韶之撰
歌七首並令施用十二月又奏依舊正朝設樂改大樂諸
歌詩王韶之撰二十二章又改正德舞曰前舞文悅舞曰
後舞文帝元嘉九年大樂令鍾宗之更調金石至十四年
治書令史奚縱又改之二十二年南郊始設登歌詔顔延
之造歌詩廟舞猶闕孝武建元元年有司奏前殿中曹郎
荀萬秋議郊廟宜設備樂於是使內外博議竟陵王誕等
並同萬秋議建平王宏議以凱容為韶舞宣烈為武舞祖
宗廟樂揔以德為君章皇太后奏永樂永至等樂仍舊皇
帝祠南郊及廟迎神送神並奏肆夏皇帝入廟門奏永至
皇帝南郊初登壇及廟中諸東壁奏登歌其初獻奏凱容
宣烈之舞終獻奏永安之樂郊廟同孝武又使謝莊造郊
廟明堂諸樂歌辞二年有司又奏先郊廟舞樂皇帝親奉
初登壇及入廟詣東壁並奏登歌不及三公行事左僕射
建平王宏重議公卿行事亦宜奏登歌有司又奏元會及
二廟齋祠歌伎舊並於殿設作廟祠依新儀主登歌人
上殿絃管住下令元會登歌亦上殿絃管住下

梁書武帝思弘古樂天監元年下詔求學術通明者皆陳所見時對樂者七十八家咸言樂之宜改不言改樂之法帝素善音律遂自制四器名之爲通以定雅樂莫不和韻（初齊永明中舞入冠幘並簪武帝曰筆笏蓋以記事受言舞不受言何事簪筆豈有身服朝衣）而足綦讌履於是去筆乃定郊禋宗廟及三朝之樂以武舞爲大壯舞取易云大者壯也正大而天地之情可見也以文舞爲大觀舞取大觀在上觀天之神道而四時不忒也國樂以雅爲稱取詩序云言天下之事形四方之風謂之雅雅者正也止乎十二則天數也乃去階步之樂增撤食之雅皇帝出入宋孝建二年奏永至齊及梁初亦同至是改爲皇雅取詩皇矣上帝臨下有赫也二郊太廟同用皇太子出入奏胤雅取詩君子萬年永錫尒胤王公出入奏寅雅取尚書周官貳公弘化寅亮天地也上壽酒奏介雅取詩君

子萬年介尒景福也食舉奏需雅取易雲上於天需君子以飲食宴樂也撤饌奏雍雅取禮記大饗客以雍撤也並三朝用之牲出入宋廢帝元徽二年儀注奏引牲齊及梁初亦同至是改爲雅取禮記帝牛必在滌三月薦毛血宋元徽三年儀注奏嘉薦至是爲牲雅左氏傳牲牷肥腯北郊明堂太廟並同用降神及迎送宋元徽三年儀注奏昭夏齊及梁初亦同至是改爲誠雅取尚書至誠感神皇帝飲福酒宋元徽三年儀注奏嘉胙至齊不改梁初爲永胙至是改爲獻雅取禮記祭統尸飲五濟王爵獻卽今之福酒亦古之獻義也北郊明堂太廟同就燎位宋元徽三年儀注奏昭遂及齊不改就埋位齊永明六年儀注奏隸幽至是燎埋俱奏禋雅取周禮大宗伯以禋祀昊天上帝也衆官出入宋元徽三年儀注奏肅咸樂齊及梁初亦同至

是改爲俊雅取禮記司徒選士之秀者而升之于學曰俊士也二郊太廟明堂三朝同用焉其辭並沈約所製是時禮樂制度粲然有序鼓吹宋齊並用漢曲又充庭用十六曲武帝乃去其四留其十二合四時也更製新歌以述功德天監七年將有事太廟詔曰禮云齊日不樂今親奉始出宮振作鼓吹外可詳議八座承郎參議請輿駕始出鼓吹從而不作還宮如常儀帝從之遂爲定制初武帝之在雍鎮有童謠云襄陽白銅蹄反縛揚州兒識者言白銅蹄謂馬也白金色及義師之興實以鐵騎揚州之士皆面縛果如謠言故卽位之後更造新聲帝自爲之詞三曲又令沈約爲三曲以被管絃帝既篤敬佛法又制善哉大樂大歡天道仙道神王龍王滅過惡除愛斷水苦輪等十篇名爲正樂皆述佛法又有法樂童子伎童子倚歌梵唄

設無遮大會則爲之其後臺城淪沒侯景以簡文女溧陽公主爲妃請帝及主毋范淑妃宴于西州奏梁所常用樂景儀同索超世亦在宴遊帝潸然霑涕景曰陛下何不樂也帝強笑曰丞相亦索超世聞此以爲何聲景曰臣且不知何獨超世自此樂府修風雅咸盡及破侯景諸樂並在荆州經乱工器頗闕元帝詔有司補綴纔備荆州陷沒周人初不知採用工人有知音者並入關中隨例多沒爲奴婢

又曰陳武帝欲設樂有司議以武帝議爲非時碩學名儒朝端在位者咸希上旨唯祠部侍郎姚察乃轉引經籍獨違群議據梁樂爲是當時驚駭莫不歎伏

又曰周樂曰武曰勺武象武王能以武禁暴也勺象周公制禮斟文武之道也又有房中之歌后妃之德周備六代

之樂唯關六莖與五英至秦餘韶武房中而已始皇改武曰五行房中曰壽人衣服用五行之色

又曰漢高帝改韶樂曰文始高帝好壽人之声惠帝使太樂令夏侯寬合之絃管改名曰安世魏復文始曰大韶五行曰大武改安世曰正世晉改大韶曰宣文正世曰房中晉乱後亡文舞秉羽籥皆宣文之遺法

又曰漢樂曰武德昭容巴渝四時昭德盛德大武雲翹育命武德昭容巴渝並高祖所造也武德舞人執干戚以象天下行武除乱也四時文帝所作以象天下太平昭德景帝作之以享太宗廟盛德宣帝作之以享世祖廟諸帝之廟常奏文始四時五行之舞武帝祖加武德而去四時酎祭高祖歌海泰龜龍又有青陽朱明西皓玄冥等歌以迎四氣春夏舞雲翹秋冬舞育命李夏則歌朱明而兼舞

二舞光武平隴蜀尊郊祀高祖配享南祀兼用五郊歌舞他時常亦如之魏武改武德曰武頌昭容曰昭業巴渝曰昭武雲翹曰鳳翔育命曰靈應晉改昭武曰宣武禮晉乱唯巴渝存隋隸清樂部

又曰宋樂曰凱容宣烈並文帝所造至梁亡梁樂曰大壯大觀並武帝所造至陳亡隋樂以夏為名舞曰大武文帝所造自東晉至隋易服變名為異其實不全殊也

又曰晉樂曰正德大豫並武帝所造武帝因漢魏舊禮定會儀正旦夜漏未盡七刻設庭燎漏盡皇帝出鍾鼓作公卿奉贄幣訖太樂令跪請奏雅樂皇帝乃入謂之晨賀晝漏上 三刻皇帝又出百官上壽酒太樂令跪奏請進樂鼓吹令又奏請進伎別置女樂三十人於黃帳外奏房中之歌江左始廢此禮宋改正德為前舞大豫為後舞至齊亡

唐會要曰太宗七年正月七日製破陣樂舞左圓右方先偏後五魚麗鵝貫箕張翼舒交錯屈伸首尾迴牙以像戰陣之形起居郎呂才依圖教樂工一百二十八人被甲執戟而習之凡舞三變每變為四陣有來往疾徐擊刺之象以應歌節數日而就其後令魏徵虞世南褚亮李百藥改制歌詞更名七德之舞十五日奏之於庭觀者覩其抑揚蹈厲莫不扼腕踴躍悚然震悚武臣列將咸上壽云此舞皆陛下百戰百勝之形容於是咸稱萬歲

又曰貞觀元年正月三日殿宴群臣奏秦王破陣樂之曲太宗謂侍臣曰朕昔在藩邸屢有征伐世間遂有此歌豈意今日登於雅樂然其發揚蹈厲雖異文容功業由之致有今日所以被于樂章示不忘本也尚書右僕射封德彝進

曰陛下以聖武戡難立極安人功成化定陳樂象德實弘濟之盛烈為將來之觀文容習儀豈得為比太宗曰朕雖以武功定天下終當以文德綏海内文武之道各隨其時公謂文容不如蹈厲斯為過矣

又曰貞觀中太宗幸慶善宮宮在武功縣即高祖舊宅宴從臣於渭濱其宮即上降誕之所上乃賦詩十韻壽丘惟舊跡酆邑乃前基粵余承累聖懸弧亦在茲弱齡逢運改提劍鬱匡時指麾八荒定懷柔萬國夷梯山盛入款駕海亦來思單于陪武帳日逐衛文儀端扆朝四岳無為任百司霜節明秋景輕冰結水湄芸黃遍原隰禾穎積成坻兵樂還譙宴驩此大風詩賞賜閭里有同漢之宛沛焉於是起居郎呂才播於樂府被之管絃名曰功成慶善樂之曲令兒童八佾皆冠進德冠紫袴褶為九功之舞每冬享讌及國有大慶與七德之舞皆奏於庭先是神功破陣樂功成慶善樂二舞每奏上皆立對高宗時太常博士裴守真奏議曰竊惟二舞肇興謳吟屬贊九成之茂烈叶萬國之歡心義均韶夏用兼賓祭皆祖宗盛德而子孫享之詳覽傳記未有皇王正觀之禮並謂守真議

是也

又曰咸亨中高宗自製樂章十四首有上元二儀三才四時五行六律七政八風九宮十洲得一慶雲之曲詔有司諸大祠享並奏之

太平御覽卷第五百六十六

太平御覽卷第五百六十七

樂部五

鼓吹樂　四夷樂

鼓吹樂

樂志曰何承天云鼓吹蓋短簫鐃歌軍樂也黄帝使岐伯所作以揚德建武漢曲有朱鷺思悲翁艾如張上之回擁離戰城南巫山高上陵將進酒君馬黄芳樹有所思雉子班聖人出上耶臨高臺遠如期石留務成玄雲黄鶴釣竿魏改十二曲爲之平戰滎陽獲呂布克官渡舊邦定功平南荆平關中應帝期邕熙太和晉武改爲靈芝祥宣受命征遼東景龍飛平玉衡因時運惟庸蜀天序金靈運夏苗暎秋弥田順天道至梁周隋各述本朝功業隨而改之以自揚其勳烈

又曰横吹有雙角即胡樂以從軍也張博望入西京傳其法於西京初得摩訶兜勒一曲李延年因胡曲更造新聲二十八解晉以來有黄鵠隴頭出關入關出塞入塞折楊柳落梅花黄覃子赤枝楊望行人十曲崔豹古今注曰漢樂有黄門鼓吹天子所以宴樂群臣短簫鐃歌鼓吹之常亦以賜有功諸侯也

唐會要曰大和中太常禮院奏謹按凱樂鼓吹之歌曲也周官大司樂王師大獻捷奏凱樂注云獻功之樂也又司馬之職師有功則凱樂獻于社注云兵樂曰凱司馬法曰得意則凱樂所以示喜也左氏傳載晉文公勝楚振旅凱以入魏晉已來鼓吹曲章多述當時戰功是則歷代獻捷必有凱歌太宗平東都破宋金剛其後蘇定方執賀魯李勣平高麗皆備軍容凱歌入京都謹撿貞觀顯慶開元禮書並無儀注今參酌古今備其陳設及奏歌曲之儀如後凡命將征討有大功獻俘馘者其名曰備神策兵衛於東門外如獻俘常儀其凱樂用鐃吹二部（笛篳篥簫笳鐃鼓每色二人歌工二十四人）樂工等乘馬執樂器次第陳列如鹵簿之式鼓吹令丞前導分行於兵馬俘馘之前將入都門鼓吹振作迭奏破陣樂應聖期賀朝歡君臣同慶樂等四曲（破陣樂詞曰受律辭元首相將討叛臣咸歌破敵樂共賞太平人應聖期詞曰聖德期昌運雍熙萬方清乾坤資化育海岳共休明開土欣耕稼銷戈遂偃兵殊方歌帝澤執贄賀外平賀朝歡詞曰四海皇風被千年德永清戎衣更不著今日告功成君臣同慶樂詞曰主聖開昌曆臣忠奉大猷君看偃革後便是太平秋）俟行至太社及太廟門工人下馬陳列於門外（據周禮大司樂注云獻於祖大司馬云先凱樂獻于社謹詳禮儀則社廟之中似合奏樂伏以尊嚴之地鐃吹讙譁既無明文或乖肅敬今請並於外門陳設不奏歌曲）俟告獻禮畢復導引奏曲如儀至皇帝所御樓前兵仗旌門外二十步樂工皆下馬徐行前進兵部尚書介冑執鉞於旌門内中路前導（周禮師有功則大司馬左執律右秉鉞以先凱樂注曰律所以聽軍声鉞所以示將威吹律聽声其衛以廢請以秉鉞以存禮文）次協律郎二人公服執麾亦於門外分導鼓吹令丞引樂工等至位立定太常卿於樂工之前跪具官臣某奏事諸奏凱樂協律郎舉麾鼓吹大振作徧奏破陣樂等四曲樂闋協律郎偃麾太常卿又跪奏樂畢兵部尚書太常卿退樂工等並於門外立訖然後引俘馘入獻及稱賀如別儀

晉書曰衛瓘領太子少傅加千兵百騎鼓吹之府

又曰汝南王亮母伏太妃常有小疾祓於洛水亮兄弟三人侍從並持節鼓吹震耀洛濱武帝登凌雲臺望見曰伏妃可謂富貴矣

又曰劉毅字仲雄轉司隸校尉皇太子朝鼓吹將入東掖門毅以爲不敬止於門外奏劾保傅以下詔赦之然後得入

又曰謝尚累位江夏義陽隨三郡太守徃詣事安西將軍
庾翼於武昌翼呼共射曰君若破的當以鼓吹相賞尚應
聲中之翼即以副鼓吹給之
王隱晉書曰陶侃平蘇峻除侍中太尉加羽葆鼓吹
晉中興書曰漢武時南平百越始置交阯九眞日南合浦
南海欝林蒼梧凡七郡立交阯刺史以州邊遠山越不賔
宜加威重故刺史輙假節七郡皆加鼓吹
齊書武帝時壽昌畫殿南閤置白鷺鼓吹二部乾光殿東
西頭置鍾磬兩箱皆宴樂處也
又曰王敬則臨淮射陽人也僑居晉陵南沙縣母爲女巫
常謂人云敬則生時胞衣紫色後應得鳴鼓角人笑之曰
汝子得爲人吹角可矣
又曰張敬兒將拜三司謂其妻㛐曰我拜後應開黃閤因
口自爲鼓吹聲初得鼓吹羞便奏之
南史綦母珎之貴倖珎之母隨弟欽之作暨楊令欽之罷
縣還珎之迎母至湖孰輙將青鼈百人自隨鼓角横吹都
下當人追從者百數
又曰桓崇祖初於淮陰見高帝便自比韓白唯上獨許之
後爲豫州刺史建元二年魏攻壽春崇祖破之啓至上謂
朝臣曰崇祖恒自擬韓白今眞其人也進爲都督崇祖聞陳
顯達李安人皆增給軍儀乃啓求鼓吹上勑曰韓白何可
不與衆異給鼓吹一部
又曰張興世致位給事中興世父嘗謂興世曰我雖田舍
老公樂聞鼓角汝可送一部竹田時欲吹之興世素恭謹畏
法譬之曰此是天子鼓角非田舍公所吹
梁典曰高祖衍生秣陵三橋宅生日有異光頂有五岳

骨當還宅范雲聞鼓吹之聲雲蒙被出視乃高祖也雲乃
深自結託
梁書侯景即位乃以廣枊車載鼓吹槖駝馬負犧牲輦上
置筌蹄垂脚坐焉
又曰胡僧祐字顯果爲天水天門二郡太守性好葺綴文
詞又多鄙拙多被戲謔自矜尤甚後隨伐侯景迴拜領將
軍常以所加鼓部置齋中對之人或獻言此乃羽儀公望
隆重不當如此荅曰我愛之人莫不笑之
陳書劉仲舉字德言爲長安令政號廉平陳文帝居鄉里
嘗詣仲舉時天降雨仲舉獨坐齋內聞外有簫鼓聲俄而
帝至仲舉異之乃深自結託
北史尒朱榮少時父新興曽與榮遊池上忽聞簫鼓音謂
榮曰古老相傳聞此聲皆至公輔吾年老當爲汝耳
隋書鼓吹車上施層樓四角金龍銜流蘇羽葆凡鼓吹陸
則樓車水則樓舡在殿庭則畫筍簴爲樓上有翔鷺棲
烏或爲鵠形
又曰蔡徵拜吏部尚書啓後主借鼓吹後主謂所司曰鼓
吹軍樂有功乃授蔡徵不自量揆紊我朝章然其父景歷
既有締構之功宜且如啓
唐書平陽公主葬特給鼓吹太常議婦人無鼓吹高祖曰
徃者公主於司竹園舉兵應義親執金鼓有克定之功宜
特加之
又曰中宗時皇后上言自妃主及五品以上母妻請從婚
葬之日特進鼓吹宮官亦准此左臺御史唐紹上䟽諫曰
竊聞鼓吹之作本爲軍容昔黄帝涿鹿有功以爲警衛故缸
鼓有靈夔孔雀雕鶚争石墜崖壯士怒之類自昔功臣備

禮適得用之假如郊祀天地唯有宮懸而無案架故知軍樂之用尚不給於神祀豈容接於閨闥哉

鄧德明南康記曰雩都縣君山絶峯高崿遠望似舟舡上有王臺方廣數丈周迴盡是白石柱上自然石覆如屋形風雨之後景氣明淨頗聞山上有鼓吹之聲

吳質別傳曰質為北中郎將朝京師善遲其到詔列鹵簿作鼓吹至闕而止

江表傳曰孫策賜周瑜鼓吹為治館舍策令曰周公瑾英俊異才與孤有總角之好骨肉之分前在丹陽發衆及舡粮以濟大事論德酬功此未足報也

鄴中記曰石虎正會置三十步鼓吹三十步輒置一部十二人皆在平閣上去地丈餘又有女鼓吹摯虞新禮儀志曰漢魏故事將葬設吉凶鹵簿皆鼓吹新禮以禮吉事無

凶事無樂宜除吉鹵簿凶服鼓吹虞按禮葬有客車郎吉駕之明文也徐廣車服注曰中朝公主有鼓吹

幽明錄曰晉臨川太守謝擒夜中聞鼓吹聲兄瀿曰夜者陰間不及存將在身後及死贈長水校尉加鼓吹

世說曰三都二京五經鼓吹

俗說曰桓公作詩思不來輒作鼓吹既而得思云鳴鵠響長阜歎曰鼓吹固自來人思

語林曰陸士衡為河北督日已被間構內懷憂懣聞衆軍警角鼓吹曰我今聞此不如華亭鶴唳

魏武帝令曰孤所以能常以少兵敵衆者常念增戰士忽餘事是以往者有鼓吹而使步行為戰士愛馬也不樂多署吏為戰士愛糧也

王渾表曰吳國臨戰牙門將張秦黃辰騎督綦毋倪勇捷效武破賊制勝此三人之所致也秦辰已亡今倪獨在昔伐蜀有小戰功牙門數人便加鼓吹至於滅吳一國而有未得鼓吹者且愚昧謂聖詔賜倪鼓吹存録猛將以盡武人之力也

陸機鼓吹賦曰原鼓吹之所始蓋稟命於黃軒

四夷樂

毛詩谷風鼓鍾曰以雅以南以籥不僭 為雅為南舞四夷之樂大德德廣所及也東夷之樂曰昧北夷之樂曰禁西夷之樂曰離南夷之樂曰任以為籥舞若是和而不僭矣

周禮春官鞮鞻氏曰鞮氏掌四夷之樂與其歌聲

又曰旄人掌散樂舞夷樂夷樂四夷之樂散樂野人為之善者

又曰春官韎師曰韎師掌教韎樂祭祀則帥其屬而儛之

韎東夷之舞也

周禮春官鞮鞻氏掌四夷之樂 鄭玄注曰東方曰昧南方曰任西方曰朱離北方曰禁

禮記明堂位曰昧東夷之樂也任南蠻之樂也納蠻夷之樂於太廟言廣魯於天下也

後漢書曰永寧初年西南夷撣國王獻樂及幻人明年元會作之於庭安帝與群臣共大奇之

又曰陳禪字紀山為諫議大夫西南撣國王獻樂及幻人能吐火自支解易牛馬頭大會作之庭禪離席舉手曰帝王之庭不宜作夷狄之樂

五經通義曰東夷之樂持矛舞助時之生南夷之樂持羽舞助時之養

又舞四夷之樂明澤廣被四表也東夷之樂曰侏離南夷

之樂曰任西夷之樂曰禁北夷之樂曰昧東方所謂侏離者何陽始通萬物之屬離地而生故謂之侏離南方所以謂任者何陽氣盛用事萬物懷任故謂之任西方所以謂之禁者何西方陰氣用事禁止萬物不得長大故謂之禁北方所以謂之昧者何北方陰氣盛用萬物暗昧不見故謂之昧四夷之樂何以作之於廟陳於户

王子年拾遺記曰成王之時南垂之南有扶婁夷國或於掌中備百獸之樂婉轉屈曲於指間人形或長數分神怪歘忽樂府傳此末代猶在焉

風土記曰越俗飲讌即鼓柈以爲樂取大素圜柈以廣尺五六者抱以着腹以右手五指更彈之以爲節舞者蹀地擊掌以應柈節而舞○樂部樂志曰龜兹起自呂光滅龜兹因得其聲樂記有竪箜篌琵琶五絃笙笛簫觱篥毛圓鼓

都荅臘鼓腰鼓羯鼓雞婁鼓銅拔貝等十五種爲一部工二十人歌曲有善善摩尼解曲婆伽兒舞曲小天疎勒監天竺起自張重華據涼州重四譯來貢樂器鳳首箜篌琵琶五絃笛銅鼓毛圓都曇銅拔貝等九種爲一部工十二人歌曲有沙石彊舞曲有文曲康國起自周閔帝娉北狄爲后得其所獲西戎伎因得其聲樂器有笛正鼓銅枝等四種爲一部工七人歌曲有三殿農和去舞曲有賀蘭體鼻始末疏勒安國高麗並起後魏平馮氏通西域因得其伎繁會其聲疎勒樂器有竪箜篌琵琶五絃笛簫觱篥荅臘鼓腰鼓羯鼓雞婁鼓十種爲一部工十二人歌曲有元利死讓樂舞曲有遠解曲有鹽曲安國樂器箜篌琵琶五絃笛簫雙觱篥正鼓和銅枝等簫小觱篥桃皮觱篥腰鼓齊鼓檐鼓貝等十四種爲一部工十八人歌曲有歌芝栖舞曲有舞芝栖北狄樂皆馬上樂也鼓吹本軍旅之音馬上奏之故自漢以來北狄樂摠歸鼓吹署後魏樂府始有北歌即魏史所謂真人歌是也代都時命掖庭宫女晨夕歌之周隋代與西涼樂雜奏今存者五十三章其名因可解者六章慕容可汗吐谷渾部落稽鉅鹿公主白淨王太子企俞也其餘不可解或可汗之詞按今大角即後魏代歎邏迴是也其曲亦多可汗之詞北虜之俗皆呼主爲可汗吐谷渾又慕容别種知此歌是燕魏之際鮮卑歌　詞虜音不可曉梁有鉅鹿公主歌似是姚萇時歌詞華音與此歌不同梁樂府鼓吹又有大白淨皇太子小白淨皇太子企俞等曲隋鼓吹有白淨王太子曲與北歌校之其音皆異

唐書樂志曰樂安樂後周武帝平齊所作也行列方正象

城郭周代謂之城舞舞者八十人刻木爲面狗喙獸耳以金飾之垂線爲髮畫襖皮帽舞蹈姿制作猶羌胡狀

唐會要曰驃國樂貞元十八年正月驃國王來獻凡一十二曲以樂工三十五人來朝樂曲皆演釋氏經綸之詞驃國在雲南西南以天竺國相近故樂多演釋氏之詞每爲曲皆齊声唱各以兩手十指齊斂爲赴節之狀一低一仰未嘗不相對有類中國柘枝舞驃一作傈其西別有彌臣國樂舞亦與驃國同子習此伎以樂右制使袁滋郗士美至南詔並皆見此樂

唐會要曰南詔樂貞元十六年正月南詔異牟尋等作奉聖樂舞因西川押雲南八國使韋皐以進時御麟德殿以閱之

又曰高昌樂西魏與高昌通始有此樂至隋開皇六年來獻聖明樂曲至太宗朝伐其國盡得其樂事見十部伎門也

又曰扶南天竺二國樂隋代全用天竺列於樂部不用扶

南因煬帝平林邑國獲扶南工人及其匏琴朴陋不可用
但以天竺樂轉寫其聲
又曰龜茲樂自呂光破龜茲得其聲呂氏亡其樂分散至
後魏有中原復獲之至隋有西國龜茲之號凡三部開元
中大盛於時曹婆羅門者累代相承傳其業至孫妙達尤
爲北齊文宣愛之每彈常自擊胡鼓和之及周武帝娉突
厥女爲后西域諸國皆來媵遂荐有龜茲疎勒康國安國
之樂
又曰百濟貞觀中滅二國盡得其樂至天后時高麗樂猶
二十五曲貞元末唯能習一曲衣服亦漸變其土風矣其
百濟至中宗時工人死散開元中岐王範爲太常卿復奏
置焉
又曰疎勒樂工人皂絲布頭巾白絲布袍錦衿褾白絲布

袴舞二人白襖錦袖赤皮鞾赤皮帶樂用竪箜篌琵琶五
絃琵琶橫笛簫觱篥荅臘鼓羯鼓雞樓鼓康國樂工人皂
絲布頭巾緋布袍錦領舞二人緋襖錦袖綠綾渾襠褲
赤皮鞾白袴帑舞急轉如風俗之胡旋乞寒者本西國外蕃
之樂也神龍二年三月并州清源縣尉呂元泰上疏曰臣
謹按洪範八政曰謀時寒若能謀事則時寒順之何必裸露
形體澆灌衢路鼓舞跳躍而索寒也禮曰立秋之月行夏
令寒暑不節陰陽不調政令之失也休咎之應君臣之感
也理均影響可不戒哉至景雲二年左拾遺朝曰宗諫傳
曰辛有適伊川見被髮於野祭者曰不及百年其戎乎其
禮先亡矣後秦晉遷陸渾之戎於伊川以其中國之人習戎
狄之事一言以貫百代可知今之乞寒濫觴胡俗伏願三
思籌其所至先天二年十月中書令張說諫曰韓宣適魯
見周禮而歎孔子會齊數倡優之罪列國如此況天朝乎
今外國請和選使朝謁所望接以禮樂示以兵威雖曰戎
狄不可輕易焉知無駒支之辯由余之賢哉且乞寒潑胡
未聞典故裸體跳足盛德何觀揮水投泥失容斯甚法殊
魯禮褻比齊優恐非干羽柔遠之義罇俎折衝之道願擇
芻言特罷此戲至開元元年十二月勅臘月乞寒外蕃所
出漸浸成俗因循已久自今已後無問蕃漢即宜禁斷
樂府雜録曰舞有骨鹿舞胡旋舞俱於一小圓毬子上舞縱
橫騰擲兩足終不離於毬上其妙若皆夷舞也

樂部六

宴樂　女樂

宴樂

樂志曰壽陽樂宋南平穆王爲豫州刺史所作也楊叛兒齊隆昌時有楊旻母爲師巫旻小隨母入宮及長后所幸童謠曰楊婆兒共戲來語訛爲叛兒西烏飛宋州刺史沈攸之舉兵思歸所作詞云白日落西山還去來上震樂梁武帝所作有七曲鳳臺桐柏方寸諸王龜金丹等築地樂梁孝王築睢陽城方七十里唱聲相杵以鼓聲也

又曰梁武篤敬佛法作善哉天樂大歡天道仙道神王龍王滅過惡除愛水斷苦輪十篇名爲正樂陳後主尤重樂聲遣宮女於清樂中造黃鸝留玉樹後庭花金釵兩臂垂

歌詞綺艷極於輕薄又造無愁曲音韻窈窕極於哀思隋煬帝不解音律大製艷曲令樂正白明達造新聲納刑樂萬歲樂藏鈎樂七夕相逢樂投壺樂玉女行觴神仙客鬪百草汎龍舟還舊宮長樂花等曲皆掩抑摧藏哀音斷絕後高聲獻望明樂曲煬帝令知音者於館所聽之歸而肆習及客方獻先於前奏之胡夷皆驚焉又隋開皇初定令置七部樂曲一曰國伎二曰清商伎三曰高麗伎四曰天竺伎五曰安國伎六曰龜茲伎七曰文康伎其後牛弘請存鞞鐸巾拂等四舞因稱四舞又煬帝更定清樂爲九部歌曲有楊叛兒永代樂舞曲有明君于闐佛曲有萬代豐等九樂以聲徐者爲本聲疾者爲解

唐會要曰清樂者九代之遺聲其始即清商三調是也並漢氏已來舊典樂器製度并歌章古調與魏三祖作者皆被史籍自晉氏播遷其音分散不復存於內地苻堅滅梁得之于前後二秦及宋武定關中收之入江南及隋平陳後獲之隋文聽之善其節奏曰此華夏正聲也因更損益去其哀怨考而補之乃置清署商總謂之清樂西涼等爲九部隋室喪乱日益淪缺矣后朝猶有六十三曲今其詞存者有白雲公莫巴渝明君之君鐸舞白鳩子夜吳聲四時歌前溪阿子歡聞團扇懊惱白紵玉樹後庭花春江花春江月夜長史變丁督護讀曲烏夜啼石城莫愁襄陽栖烏夜飛佑客楊叛兒雅歌龍舟等三十二曲明君雅歌各二首四時四首合三十七首又七曲有聲無詞上林鳳雛平調清調瑟調平折命嘯通前四十四篇在焉見通典當江南之中舞白紵渝等衣服各異至梁武敗省之宋以江左諸曲哇淫然而從容雅緩猶有士君子之風焉自長安

年以後朝廷不重古典工伎漸缺能合于管絃者唯明君楊叛兒驍壺春歌白雲玉堂堂春江花月夜八曲舊樂多或數百言明君尚能四十言今所傳二十六言漸訛失與吳音轉遠宜取於吳人使之傳習開元中有歌工李郎子北人也調聲已失云學於前輩生郎子亡後清樂唯歌一曲詞典而音雅自周隋已來多用西涼樂鼓舞曲多用龜茲樂其曲度皆時俗所知也唯琴家獨傳楚漢舊聲及清調琴調蔡邕五弄調之九弄雅樂尚存非朝廷郊廟所用故不載自唐虞迄三代舞用國子樂用瞽師漢魏已後皆以賤隸爲之唯雅樂尚

又曰高麗百濟樂宋朝初得之至後魏太武滅北燕以得之而未具周武滅齊威振海外二國各獻其樂周人列於樂部謂之國伎隋文平陳及文康禮俱得之

又曰貞觀十四年景雲見河水清協律郎張文收採古朱鴈天馬之義制景雲河清歌名曰讌樂奏之管絃爲諸樂之首今元會第一奏者是也

又曰武德初未暇改作每讌享因隋制奏九部樂（一讌樂二清商三西涼四扶南五高麗六龜玆七安国八踈勒九康国）貞觀十六年十一月宴百僚奏十部（先是伐高昌收其樂付太常乃增九部爲十部伎今通典所載十部之樂無扶南樂祇有天竺樂事見南蠻樂）其後分爲立坐二部（立部伎有八部一安樂後用平齊所作二太平樂亦謂之五方師子舞三破陣樂四慶善樂五大定樂亦謂之八絃同軌樂太宗平遼時作也六上元樂高宗所作七聖壽樂武太后所在舞時行列成字有聖超千古道冠百王皇帝萬年宝祚弥昌八光聖樂玄宗所在自安樂已下每奏皆雷大鼓同用龜玆樂並立奏之其大定樂加以金鉦唯慶善樂獨用西京樂最爲閑雅其破陣上元慶善三舞皆易其衣冠合其鍾磬以享郊廟自天后臨朝此禮遂廢神龍三年八月勑立部伎舞人以後更不得改補入諸色役坐部伎有六部一讌樂張文收所作也又分爲四部有景雲慶善破陣承天等樂二長壽樂武太后長壽年所作三天授樂武太后天壽年所作四鳥歌方歲故爲樂以像之五龍池樂玄宗所作也帝在藩邸時居崇慶坊宅中經兩地忽爲池及即位以宅爲宮故爲樂以歌其祥六小破陣樂玄宗所在生於舞用四人被之金甲自長壽已下皆用龜玆樂人皆着靴唯龍池用雅樂而無鍾磬舞人盡躡履而行其樂章又有陣樂詞七首中和樂詞五首五方師子詞五首南詔奉聖樂詞五首聖壽倚皇恩詞四首聖壽樂詞四首大定樂詞六首上元樂詞一十五首文武順聖樂詞九首貞觀未有裴神符有妙解琵琶唯作聖雷奴大鳳頌盃樂三曲声度清美太宗深愛之高宗未貞伎遂盛於時泊天后至神龍之際大增加立坐部伎諸舞尋亦廢之而已）

又曰高宗御含元殿東翔鸞閣大酺當時京城四縣及太宗音樂分爲東西朋雍王賢爲東朋周王顯爲西朋務以角勝爲樂禮畢曲者本自晉太尉庾亮家卒其容取其謚以號之謂文康樂每奏九部樂終則陳之故以禮畢爲名其曲有散花樂等隋平陳得之入九部器有笙笛簫篪鈴盤鞞腰鼓等七種三懸爲一部工二十人今亡太平樂亦謂之五分師子舞師子摯獸出於西南夷天竺師子等國綴毛爲之象其俛仰馴狎之容二人持繩拂爲習弄之狀五師子各位其方色百四十人歌太平樂舞抃以從之服飾皆作崑崙象上元樂高宗所造舞者百八十一人起雲衣備五色以象元氣故曰上元鳥歌萬歲樂武太后所造時宮中養鳥能人言又常稱萬歲爲樂以象之舞三人緋大袖並畫鸜鵒冠作鳥象今嶺南有鳥似鸜鵒養之久則能言名吉了（音料）光聖樂玄宗所造也舞八十人鳥冠五綵畫衣兼似上元聖壽之容以歌王業所興自安樂以後皆雷大鼓雜以龜玆樂聲震百里並立奏之其大定樂加金鉦唯慶善樂獨用西涼樂最爲閑雅舊破陣上元慶善三舞皆易其衣冠合之鍾磬以享郊廟自武太后革命此禮遂廢（自安樂部謂之立部伎也）

大唐平高昌盡收其樂又造讌樂而去禮畢曲今著令者唯十部（龜玆踈勒安国康国高麗西涼高昌燕清樂伎天竺凡十部）南蠻北狄國俗皆隨髮際斷其髮今舞者咸用繩圍首反約髮抄內於繩下又有新聲自河西至者號胡音聲與龜玆樂散樂俱爲時重諸樂咸之小寢大定樂高宗所造出自破陣樂舞者四

十人被五綵文甲持槊歌和云八紘同軌樂以象平遼東而邊隅大定也

唐會要曰貞元三年四月河東節度使馬燧定難曲御麟德殿閱試之

又曰汴州節度使韓弘進聖朝萬歲樂曲譜九三百首

又曰延載元年正月二十三日製越古長年樂一曲

又曰十二年十二月昭義節度使王虔休獻繼天誕聖樂（表曰伏見開元中天長節度日四海歡娛万年獻壽竊以陛下降誕之日有惟新之曲適過之音旨譴成繼天誕聖樂一曲天抆宮爲調表五音之奉君也以上爲德知五運之居中也九二十四遍法二十四氣而成一歲之功也不聞沾灑之音以作中和之樂其曲譜同進上先太常人劉琺流落至潞州虔休因令造此曲以進今中和樂起於此中）

又曰顯慶二年上以琴中雅曲古人歌之近代已來此聲頓絕令所司修習舊典至三年十月八日太常丞呂才奏按張華博物志白雪是天帝使素女鼓五絃曲名以其調高

人和後寡自宋玉已來迄今千祀未有能歌白雪曲者臣今准敕依琴中舊曲定爲宮商然後教習並合於歌輙以御製白雪詩爲白雪歌詞又樂府奏正典之後皆有送聲君唱臣和事彰前史觀取侍中許敬宗等奉和雪詩十六首以爲送聲各十六節上善之仍付太常編於樂府

樂府雜録曰雨淋鈴者因唐明皇駕迴至駱谷聞雨淋鑾鈴因令張野狐撰爲曲名

又曰夜半樂者因唐玄宗自潞州入定內難進軍斬長樂門關時正當夜半平章庶人後乃命樂人撰此曲

又曰黃驄疊者唐太宗初定中原時所乘黃驄馬後因征遼北馬忽斃上嘆惜久之因命樂人製此曲

又曰得寶子者唐明皇初納太真妃喜甚謂諸嬪御云朕得楊氏如獲至寶也因撰此曲

又曰文溆子者唐長慶初有俗講僧文溆善吟經其念四聲觀世音菩薩其音諧暢感動時人樂工黃米飯依其念菩薩四聲乃撰成曲也

又曰楊柳枝曲者白傳典杭州時所撰尋進入教坊也

又曰還京樂者唐明皇自蜀返正樂官張野狐撰此曲

又曰道調子曲者因唐懿皇右樂工史敬約吹觱篥初吹道調懿皇右謂是曲子誤拍敬約乃隨拍便撰此曲也

又曰新傾盃樂唐宣宗善吹蘆管自撰此曲內有數拍不均上初捻管命樂工辛骨咄拍不中上瞋目視之骨咄憂懼一夕而殞

又曰望江南者因朱崖李太尉鎮浙西日爲亡姬謝秋娘所撰後進入教坊遂改名一名夢江南曲也

又曰康老子者本長安富室家子酷好聲樂落托不事生計常與國樂遊處一旦家產蕩盡因詣西鄽遇一媪持舊錦茵貨鬻次康乃酬半千獲得之尋有波斯見大驚謂康老曰何處得此至寶此是冰蠶所織若暑月陳於櫥上可致一室清涼因酬價千萬康老獲此厚價復與國樂追歡不三數年間費用又盡康老尋歿樂人嗟歎之乃撰此曲也

又曰大郎神者天后朝有一士人陷冤獄仍籍沒家族其妻配入掖庭本初善吹觱篥因撰此曲寄其哀情始名大郎神蓋取其良人行第也畏人知遂三易其名悲切子離別難終名怨迴鶻

羯鼓録曰宋開府孫沇有音律之學貞元中進樂書三卷德宗覽而嘉之知是開府之孫遂召對命坐與論音樂甚喜數曰又召至宣徽張樂使觀焉曰有舛誤乖濫悉可言沇曰容臣與樂官商推講論具狀條奏上宣教坊使與樂官參議數日二使奏樂多言沇曾不解聲調不審節拍又聵疾不可議樂上頗異之又召沇對沇曰臣老年多病耳實失聰若迫於聲律不至無業上又使作樂曲罷問其得失要務舒遲衆工多笑之忽忿然作色奏曰曲雖妙其間有不可者上驚問之即指一琵琶云此人逆而忍兼即抵法不宜在至尊前又指一笙云此人神魂已遊墟墓不可更令供奉上令主者潛伺察之旋而琵琶者爲同儕告訐稱六七年前其父自縊不得端由即令按鞫遂伏其罪笙者憂恐不食旬日而卒上益加知遇面賜章綬累累召對每令察樂樂工見之悉惴恐脅不敢正視沇懼禍辭病而退

左傳襄二曰鄭人賂晉侯以女樂晉侯以樂之半賜魏絳

史記曰孔子為政齊人懼犁鉏乃選齊國中女樂好音八十人皆衣文而舞康樂文馬三十駟遺魯君陳女樂文馬魯城南皐門外季桓子微服往觀再三將受乃語魯君往觀終日怠於政事子路曰夫子可以行矣桓子卒受齊女樂三日不聽政孔子遂行（論語曰齊人歸女樂季桓子受之三日不朝孔子遂行）

後漢書曰馬融字季長達生任性不拘儒者之節常坐高堂施絳帳前授生徒後列女樂弟子以次相傳鮮有入其室者盧植字子幹侍講數年未嘗聎融以是嘉之也

魏志曰夏侯惇從太祖征孫權還使惇都督二十六軍留居巢賜妓樂名倡令曰魏絳以和戎之功猶受金石之樂況將軍乎

又曰曹爽飲食車服擬於乘輿又私取先帝才人七八將吏師工鼓吹良家子女三十三人皆以為妓詐作詔書發才人五十七送鄴臺使先帝婕妤教習為伎擅取太樂樂器武庫禁兵作窟室綺疏四周數與何晏等會其中縱酒作樂

又曰楊阜為武都太守會馬超來寇曹洪置酒大會女倡着羅縠衣蹋鼓一座皆笑楊阜厲聲責洪曰男女有别遂奮衣出洪立罷女樂請阜還座肅然憚之

陳書章昭達每飲會必盛設女伎雜樂備羌胡之聲音律姿容並一時之妙雖臨敵弗之廢也

隋書房暉遠傳高祖嘗謂群臣曰自古天子有女樂乎楊素以莫知所出遂言無女樂暉遠進曰臣聞窈窕淑女鍾鼓樂之此即王者房中之樂著於雅頌不得言無高祖大説

又曰牛弘修皇后房内之樂文帝龍潛時頗好音樂嘗倚琵琶作歌二首名曰地厚天高託言夫妻之義因即取之為房内曲命婦人並登歌上壽並用之職在宫内女人教習之

唐書曰先天元年正月皇太子令宫臣就率更寺閱女樂太子舍之賈曾諫曰臣聞作樂崇德以感神人韶夏有容咸英有節婦人媟黷無廁其間昔魯用孔子幾致於霸齊人懼之饋以女樂魯君既受孔子遂行戎有由余兵強國富秦人反間遺之女妓戎王躭悦由余乃奔斯則大聖名賢疾之已久矣良以婦人為樂必務冶容哇咬動心蠱惑喪志上行下效淫俗將成敗國亂人實由兹起殿下監撫餘閑宴私多適後庭妓樂古或有之至於所司教習彰示群僚慢妓淫聲實虧睿化伏願並令禁斷

墨子曰秦繆公之時戎強大繆公遺之女樂二八與良宰戎王大喜以其故數飲食日夜不休左右有言秦寇之至者因扞弓而射之（扞引）秦寇果至戎王醉而卧於尊下卒生縛之未禽則不知登山而視牛若羊視羊若豚牛之性不若羊羊之性不若豚所自視之勢逆也而因怒於牛羊之性也此狂者也狂而以行賞罰此戴氏之所以絶

韓子曰晉韓公欲伐虞虢乃遺之屈產之乘垂棘之璧女樂二八以熒其心亂其政

郭子曰謝公在東山畜妓簡文曰安石必出與人同樂不與人同憂在日謝以安石也

石虎鄴中記曰虎大會禮樂既陳虎繳兩閣上窻幌宫人數千陪列看坐悉服飾金銀熠熠又於閣上作女妓數百衣皆絡珠璣鼓舞連倒琴瑟細伎畢備

漢晉陽秋曰晉文王與劉禪宴爲之作蜀伎樂傍人皆代禪感而禪語笑自若謂賈充曰人之無情乃至是乎雖使葛亮在不能輔之乂全況姜維耶充曰不如是何由併之哉

夏仲御別傳曰仲御從父家女巫章丹陳珠二女妍姿冶媚清歌妙舞狀若飛仙

又曰仲御當正會宗弟承問御曰黃帳之東西施之孫鄭袖之子膚如凝脂顏如桃李徘徊容與載進載止彈琴而鞞鼓口銜笙黃冉裙赫以四厗素耀煥以揚光赴急絃而奏清角翔風至而玄雲起若乃攜手交舞流眄頡頑足踰折倒應緩節以相佯遠望而雲近視而雪舒紅顏而微笑啓朱唇而揚聲

世說曰魏武有一伎聲最清高而酷惡性情欲殺則愛其才欲置則不堪於是選百人一時俱教少時百人中果有一人聲及之便殺向惡性者○俗說曰宋褘是石崇伎綠朱弟子有國色善吹笛後在晉明帝聞帝疾患危篤群臣進諫請出宋褘時朝賢悉見帝曰卿諸人誰欲得之者衆人無言阮遥集時爲吏部尚書對曰願以賜臣即與之

監鐵論曰貴人之家中山素女撫流徵於堂上鳴鼓巴俞交作於堂下婦人被羅紈婢妾曳絺紵賢良曰古者彈箏鼓缶而已無妙要之音今富者鳴箏調琴鄭舞趙謳

續搜神記曰袁真在豫州遣女伎紀陵阿薛阿郭阿馬三妓與桓宣武既至經時三人共出庭前觀忽有一流星直墮盆池岡然明淨薛郭二人更以瓢酌取皆不得阿馬最後取正入瓢中便飲之即覺有娠遂生桓溫

世說曰王導作女伎蔡謨在坐不悅而去導亦不止之

笑林曰某甲者爲霸府佐爲人都不解每至集會有聲樂之事已輒豫焉而耻不解妓人奏讃之已亦學人仰讃和同時人士令已作主人并使喚妓客妓客未集召妓具問曲吹一一疏着手巾箱下先有藥方客既集因問命曲先取所疏者誤得藥方便言是疏方有附子三分當歸四分己去且作附子當歸以送客舍滿座絕倒

太平御覽卷第五百六十八

太平御覽卷第五百六十九

樂部七

優倡　淫樂

優倡

春秋元命包曰翼星主南宮之羽儀文物聲明之所豐茂爲樂庫爲天倡先王以賓于四門而列天庭之衛主俳倡近太微而爲尊

家語曰魯定公與齊侯會於夾谷孔子攝相事齊奏宮中之樂優倡侏儒戲於前孔子趨進曰疋夫而熒侮諸侯者罪應誅於是斬侏儒手足異處齊侯懼有慙色

史記曰優旃者秦倡侏儒也善爲笑言然合於道秦始皇時置酒而天雨陛楯者沾寒優旃見而哀之謂之曰汝欲休乎陛楯者曰幸甚優旃曰我即呼汝汝疾應曰諾居殿上上壽呼萬歲旃大呼曰陛楯郎郎曰諾優旃曰汝雖長何益故雨中立我雖短也故休居於是乎使得半相代

史記曰秦昭王臨朝嘆息應侯進曰臣聞主憂臣辱主辱臣死今王中朝而憂臣敢請其罪王曰吾聞楚之鐵劍利而倡優拙夫鐵劍利則士勇倡優拙則思慮遠夫以遠思慮而御勇士恐楚國之圖秦也

漢書曰枚皐善爲賦不如相如又言爲賦多怪誕虛無不經有類倡者也

又曰孝惠帝葬安陵徙關東倡優樂人五千戶以爲陵邑（潘安仁關中記曰善爲啁戲故語稱安陵啁也）

又曰張禹成就弟子爲人恭儉尤著淮陽彭宣至大司空沛郡戴崇至少府宣爲人恭儉有法度而崇愷悌多智二人異行禹甞置酒設樂與弟子娛禹將崇入後堂飲食婦人相對作優管絃鏗鏘極樂昏夜乃罷而宣之來禹見之於便坐講論經義日晏賜食不過一肉巵酒相對宣未甞得至後堂

晉成帝咸康七年散騎常侍郎顧臻表曰末代之樂設禮外之觀逆行連倒四海朝覲言觀帝庭而足以蹈天道以履地紀反天地之順傷彝倫之大乃命太常悉罷之其後復高絙紫鹿又有天台山伎齊武帝遣主書董仲民按孫興公賦造作莓苔石橋道士捫翠屛之狀尋省焉

後魏書太武既平河西得西涼樂至魏周之際遂謂之國伎魏代至隋咸重之其曲項琵琶豎箜篌之徒並出自西域非華夏舊器楊澤新聲神白馬之類生於故歌非漢魏遺曲故其樂聲調悉與書史不同其歌曲有永代（國諱改爲）樂解曲有萬代豐曲有于寘佛曲工人平上幘緋褶白舞一人方舞四人白舞令闕方舞四人假髻玉支釵紫絲布褶白大口袴五彩接袖烏皮鞾後魏道武帝天興六年冬詔太樂總章鼓吹增修雜戲造五兵角抵麒麟鳳凰仙人長蛇白象武及諸畏獸魚龍辟邪鹿馬仙車高絙百尺長趫橦跳丸以備百戲大饗設之於殿前明元帝初又增修之撰合大曲更爲鍾鼓之節北齊神武平中山有魚龍爛熳俳優侏儒山車巨象拔井種瓜殺馬剝驢等奇怪異端百有餘物名爲百戲

隋書曰文帝開皇初周齊百戲並放遣之煬帝大業二年突厥染干來朝帝欲誇之總追四方散樂大集東都初於華林苑積翠池側帝帷宮女觀之有舍利繩柱等如漢故事又爲夏育扛鼎取車輪石臼大盆器等各於掌上而跳弄之并二人戴竿其上舞忽然騰之而換易千變萬化曠

古莫儔焉于大駭之自是皆於太常教習每歲正月萬國
來朝留至十五日於端門外建國門內綿亘八里列爲戲
場百官起棚夾路從昏達曙以縱觀之至晦而罷伎人皆
衣錦繡繒綵其歌者多爲婦人服鳴環珮飾以花髦者殆
三萬人初課京兆河南製此服而西京繒錦爲之中虛六
年諸夷大獻方物突厥啓人以下皆國主親來朝乃賀於
天津街盛陳百戲自海內凡有伎藝無不總萃崇侈器翫
盛飾衣服皆用珠翠金銀錦罽絺繡其營費鉅萬關西
以安德王雄總之東都以齊王暕總之金石匏革之聲聞數
十里外彈弦擫管以上萬八千人大列炬火光燭天地百
戲之盛振古無比自是每年以爲常焉大抵散樂雜戲多
幻術皆出西域始以善幻人至中國漢安帝時天竺獻伎
能自斷手足刳剔腸胃自是歷代有之

趙書曰石勒參軍周延爲館陶令斷官絹數百疋下獄以
八議宥之後每大會使俳優着介幘黃絹單衣優問汝爲
何官在我輩中曰我本爲館陶令斗數單衣曰政坐取是
故入汝輩中以爲笑
列女傳曰夏桀既棄禮義淫於婦人求四方美人積之後
宮於俳優侏儒而爲奇偉戲者取之於房造爛熳之樂
漢官典職曰正旦天子幸德陽殿作九賓樂舍利從東來
戲於庭畢入殿門激水化成比目魚跳躍嗽水作霧鄣日
畢化成黃龍高丈八出水遨戲於庭炫燿日光以二丈絲
繫兩柱中頭間相去數丈兩倡女對舞行於繩上又蹹局
屈身藏形斗中鍾聲並唱樂畢作魚龍蔓延黃門鼓吹
三通
賈誼連語曰衛侯喜鶴鶴有飾以文繡而乘軒者賦斂繁

多不顧其民貴優而輕大臣群臣或諫則面叱之及翟
伐衛寇挾域垛矣衛君泣而拜其臣民曰寇迫矣士民其
逸之士民曰亦使君之貴優將君之愛鶴以君守戰矣我
儕棄人也安能戰乃潰門而出走翟入衛君奔死遂喪其
國
梁元帝纂要曰古艷曲有北里靡靡激楚結風陽阿之曲
又有百戲起於秦漢有魚龍蔓延（假作獸以戲）高絙鳳皇安息
五案（並石季龍所作見鄴中記）都盧尋橦（今之緣竿見西京賦）九劍（九一名鈒見西京賦）戲
車山車興雲動雷（見李尤平樂觀賦）跟挂腹旋（並緣竿所作見傳玄西都賦）吞
刀（見西京賦）吐火（見西京賦）激水轉石漱霧杠鼎（並見李尤長樂觀及傳玄西都賦）
象人（見漢書韋昭曰今之假面）怪獸舍利之戲（並見西京賦）
列子曰宋有孫子者以技干宋元君以雙枝長倍其身屬
其脛並趨並馳弄七劍迭而躍之五劍常在空中元君大

驚立賜金帛又有蘭子能鷰戲者復以干元君元君大怒
曰昔以異伎干寡人伎無用遇寡人歡心彼必聞此而進
乃拘而戮之鷰戲若　絕倒投也
石虎鄴中記曰虎正會殿前作樂高絙龍魚鳳凰安息五
案之屬莫不畢備有額上緣橦至上鳥飛左回右轉又以
橦着口齒上亦如之設馬車立木橦其車上長二丈橦頭
安橦木兩伎兒各坐木一頭或鳥飛或倒掛又衣伎兒作
獼猴之形走馬上或在脇或在馬頭或在馬尾馬走如故
名爲猨騎
樂府雜錄曰弄參軍始因後漢館陶令石躭有贓犯和帝
惜其才免罪每宴樂即令衣白夾衫命優伶戲弄辱之經
年乃放後爲參軍誤也開元中有李仙鶴善此戲明皇特
授韶州同正參軍以食其祿是以陸鴻漸撰詞云韶州參

由此

大周正樂曰漢武帝通西域始以善幻人至中國安帝時天竺獻伎能自斷手足刳腸胃自是歷世有之唐高宗惡其驚俗勑西域關津不令入中國

唐書樂志曰睿宗時婆羅門樂人倒行而足舞極銛刀鋒植於地低目就刃以歷臉中又植於背下吹篳篥立其腹上終曲而無傷又伏伸其手足躡之旋身遶手百轉無已漢世有橦末伎又有盤舞晉世如之以柸盤舞詩云妍媸夌七盤言舞用盤七枚也梁謂之盤舞伎梁又有長蹻伎跳鈴伎擲倒跳劒伎吞劒伎今並存又有舞輪伎盖今之戲車輪者透三峽伎盖今之透飛梯之類高絙伎盖今之戲繩者是也梁有獼猴幢戲今有緣竿伎又獼猴緣竿未審何者爲是今又有弄椀珠伎弄丹珠伎歌舞戲有大面撥

頭踏搖娘窟礧子等戲置教坊於禁中以處之

又曰散樂非部伍之聲俳優歌舞雜奏漢天子臨軒設樂舍利獸從西方來戲於殿前激水成比目魚跳躍漱水作霧翳日此成黃龍脩八丈出水遊戲煇燿日光繩繫兩柱相去數丈二倡女對舞繩上切肩而不傾如是雜變揔名百戲江東猶有高絙紫鹿跂行鼈食齊王卷衣笮鼠夏育扛鼎巨象行乳神龜抃足背負靈嶽桂樹白雪畫地成川之伎

明皇雜録曰上御勤政樓大張聲樂羅列百伎時教坊有王大娘善戴百尺竿竿上施木山狀瀛洲方丈仍令小兒持絳節出入其間而舞不輟時劉晏爲祕書省正字年方小形狀獰劣而惠悟過人上召於樓上簾下貴妃置於膝爲施粉黛與之巾櫛上令詠王大娘戴竿晏應聲曰樓前百戲競爭新唯有長竿妙入神誰爲綺羅翻有力猶自嫌輕更着人因命牙笏及黃紋袍以賜晏時有公孫大娘者善劒舞能爲鄰里曲及裴將軍士謂之春秋設大張伎樂雖小大優劣不同而劘其華侈遐方僻郡歡縱亦然

樂府雜録曰大面出於北齊齊蘭陵王長恭才武而皃美常着假面以對敵常擊周師金墉下勇冠三軍齊人壯之爲此聲以效其指揮擊刺之容俗爲之蘭陵王入陣曲

淫樂

左傳曰煩手淫聲慆堙心耳乃忘和平謂之鄭聲（許真五經異義曰鄭國有溱洧之水男女聚會謳歌相感今鄭詩二十一篇婦人者十九故鄭聲淫也又云鄭重之音使人淫過也）

又曰惠王三年邊伯石遫蔿國出王立王頹王處于鄭三年子頽飲三大夫酒子國爲客（子國蔿國客上客）樂及徧聲（徧舞六代之樂大夫偏舞）一日諸鄭厲公見虢叔（厲公鄭莊公之子厲公突也虢叔王卿士虢公林父也）

曰吾聞之司寇行戮君爲之不舉（不舉樂也）而況敢樂禍乎今吾聞子頽歌舞不思憂憂夫出王而代其位禍孰大焉臨禍忘憂是謂樂禍禍必及之盍納王乎虢叔許諾鄭伯將王自圉門入虢叔自北門入（二門城門）王殺子頽及五大夫王乃入

禮記曰姦聲乱色不留聦明淫樂慝禮不接心術

又曰姦聲感人而逆氣應之逆氣成象而淫樂興焉

又曰作奇伎淫巧以蕩上心者殺無赦

又曰鄭音好濫淫志宋音燕女溺志衛音趍數煩志齊音傲辟驕志此四者淫於色而害於德

論語曰悪紫之奪朱悪鄭聲之乱雅樂包曰鄭聲淫聲之哀者

漢書曰王莽初獻新樂於明堂太廟群臣始冠麟韋之弁

或聞其樂聲曰厲而哀非興國之聲也
宋書曰廢帝元徽五年太樂雅鄭共千有餘人後堂雜伎不在其數
裴子野宋略曰先王作樂崇德以格神人通天下之至和節群生之流放故天子達於士庶未曾去其樂而無非僻之心及周道衰微日失其序亂俗先之以怨怒國士從之以哀思擾雜子女蕩悅淫志充庭廣奏則以魚龍靡漫爲瓌瑋會同享覲則以吳趍楚舞爲妖妍纖羅霧縠侈其衣疏金鏤玉砥其器在上班揚寵臣群下亦從風而靡王侯將相歌妓填室鴻商富賈舞女成群競相誇大互有爭奪如恐不及莫爲禁令傷物敗俗莫不在此
隋書曰裴蘊揚帝徵爲太常少卿初高祖不好聲妓遣牛弘定樂非正聲清商及孔部四舞之色皆罷遣從臣至是揣知帝意奏括天下周齊梁陳樂家子弟皆爲樂戶其六品已下至於民庶有善音樂及倡優百戲者皆直太常是後異伎淫聲咸萃樂府皆置博士弟子遞相教傳增益樂人至三萬餘

國語曰平公既作新聲（新聲師涓新聽者也）師曠曰公室其將卑乎君之萌兆衰矣樂以開山川之風以燿德於廣遠也風德以廣（風德者德各有風類也作樂各象其德韶夏護武之謂也）風山川以遠之（節樂以通山川之風類也遠其德也）風物以聽之修詩以詠之修禮以節之夫德廣遠而有節是以遠服而邇不遷（邇近）
說苑曰子路鼓瑟有北鄙之聲孔子聞之曰信矣由之不才也冉有侍孔子曰求來爾奚不謂由夫先王之制音也奏中聲爲中節彼小人則不然執末以論本務剛以爲基故其音湫厲而微末以象殺伐之氣夫殺者乃亂亡之風也冉有以告子路子路曰由之罪也後果不得其死焉
淮南子曰揚鄭衛之浩樂結激楚之遺風此齊人之所以淫泆流湎
列女傳曰夏桀既棄禮義淫於婦人求四方美人積之後宮造爛漫之樂
呂氏春秋曰音樂之所由來遠矣故唯得道之人其可與言樂乎亡國戮民非無樂也其樂不樂溺者非不笑也（溺人必笑雖笑不樂）罪人非不歌也（罪人當死強歌歌不樂也）亂世之樂有似於此夫樂有適心亦有適人之情欲壽而惡夭欲安而惡危欲榮而惡辱欲逸而惡勞四欲得四惡除則心適矣
又曰楚之衰也作爲巫音高誘注曰男曰覡女曰巫華
桓譚新論曰夫不翦之室不如阿房之宮不琢之椽不如磨礱石之桷玄酒不如蒼梧之醇控揭不如流鄭之樂

樂說曰聲放散則政荒崔氏云由君上驕逸則萬物荒散商聲欹散邪官不理政壞刑罰不法而威令不行角聲憂愁爲政虐民民怨故也民不安業猶君失政徵聲哀苦事煩民勞君淫佚崔氏云由君邪民苦於役羽聲傾危則國不安崔氏云賦徭重其民困財物匱
梁元帝纂要云古艷曲有北里靡靡激楚流風陽阿之曲皆非正聲之樂也（流風亦曰結風也）
唐會要曰調露元年太子使樂工於東宮新作寶慶之曲成命工者奏于太清觀始平縣令李嗣真謂道士劉槩輔儼曰此樂宮商不和君臣相阻之徵也角徵失位父子不協之兆也殺聲既多哀調又苦若國家無事太子受其咎矣數月太子廢
又曰咸通中伶官李可久善音律尤能轉喉爲新聲音辭

曲折聽者忘倦京師屠沽少年効之謂之拍彈時同昌公
主除喪懿宗與郭淑妃悼念不已可久爲數百年舞曲舞
人皆盛飾珠翠仍畫魚龍地衣以列之曲終樂闋珠翠覆
地詞語悽惻聞者流涕文常於安樂寺作菩薩蠻舞上益
憐之（可久常爲子娶婦帝賜酒二銀罇啓之乃金翠也時宰相曹確中尉西門季玄屢論之懿宗不納至僖宗即位宰相崔彥昭奏遂死於嶺表）
開元傳信記曰唐開元末年涼州進新曲上命諸王於便
殿觀之曲終諸王皆稱萬歲獨寧王不賀玄宗徵其故憲
曰此曲雖嘉臣有聞焉夫曲者始於宮散於商武於角徵
羽莫不根柢囊括在於宮商也臣見此曲宮離而少徵商
亂而加暴夫宮者君也商者臣也宮不勝則君勢卑商有
餘則臣事僭臣恐異日臣下有悖亂之事陛下有播越之
禍莫不兆於斯曲也洎祿山南犯玄宗西幸方明寧王審

音之妙也
大業記曰安公子是隋煬帝將幸江都宮中所撰時樂工
笛中吹此曲其父疾廢於卧內聞絃然流涕問其子何得
此曲對曰宮中新翻也謂其子曰宮者君也此曲雖在羽
調後有一宮聲往而不返大駕東巡必不迴耳可託疾勿
去其精如此

太平御覽卷第五百六十九

樂部八

歌一

釋名曰人聲曰歌歌柯也以聲吟詠有上下如草木有柯葉兗言歌聲如柯也

爾雅曰徒歌謂之謠

尚書曰帝庸作歌曰勑天之命惟時惟幾（用庶尹允諧故作歌以戒之安不忘危也勑正也奉天命以臨人惟在順時惟在慎微也）乃歌曰股肱喜哉元首起哉百工熙哉（元首君也股肱之臣喜樂盡忠君之理功乃起百王之業）乃賡載歌曰元首明哉股肱良哉庶事康哉（賡續載成也帝歌歸美股肱乃安以成其美）又歌曰元首叢脞哉股肱惰哉萬事墮哉（叢脞細碎無大畧君如此則臣懈萬事墮廢其功不成歌以申成也脞音倉果反）

又曰九功惟序九序惟歌（六府三事之功次序皆可歌樂乃德政之致也）勸之以

九歌俾勿壞（六府三事之功次壞在此三者而已）

又曰禹曰於帝念哉德惟善政政在養民水火金木土穀惟脩正德利用厚生惟和九功惟敘九敘惟歌

又曰詩言志歌永言聲依永律和聲

又五子之歌曰太康尸位以逸豫畋於有洛之表十旬不反厥弟五人御其母于洛之汭五子咸怨述大禹之戒以作歌其一曰怨豈在明不見是圖爲人上者柰何不敬其二曰內作色荒外作禽荒甘酒嗜音峻宇雕墻有一于此未或弗亡其三曰惟彼陶唐有此冀方今失厥道乱其紀綱乃底滅亡其四曰明明我祖萬邦之君有典有則貽厥子孫荒墜厥緒覆宗絶祀其五曰嗚呼曷歸予懷之悲萬姓仇予予將疇依鬱陶乎予心顏厚有忸怩弗慎厥德雖悔可追

毛詩曰情動於中而形於言言之不足故嗟歎之嗟歎之不足故永歌之永歌之不足故不知手之舞之足之蹈之也

又葛屨園有桃曰心之憂矣我歌且謠

又谷風四月曰君子作歌唯以告哀

禮記曰子貢問師乙曰賜也聞聲歌各有宜也如賜者宜何歌也師乙曰乙賤工也何足以問其所宜請誦其所聞而吾子自執焉寬而靜柔而正者宜歌頌廣大而靜疏達而信者宜歌大雅恭儉而好禮者宜歌小雅正直而靜廉而謙者宜歌風肆直而慈愛者宜歌商溫良而能斷者宜歌齊夫歌者直己而陳德也動己而天地應焉四時和焉星辰理焉萬物育焉故商者五帝之遺聲也商人識之故謂之商齊者三代之遺聲也齊人識之故謂之齊明乎商

之音者臨事而屢斷明乎齊之音者見利而能讓臨事而屢斷勇也見利而能讓義也有勇有義非歌孰能保此故歌者上如抗下如隊曲如折止如槁木倨中矩句中鈎纍纍乎端如貫珠故歌之爲言也長言之也說之故言之言之不足故長言之長言之不足故嗟歎之嗟歎之不足故不知手之舞之足之蹈之也

又檀弓曰原壤之母死登木歌曰貍首之班然執女手之卷然

又樂記曰昔者舜作五絃之琴以歌南風

又檀弓上曰孔子蚤作負手曳杖逍遥於門歌曰太山其頹乎梁木其壞乎哲人其萎乎

又曰魯人有朝祥而暮歌者子路笑之

又曰歌者在上匏竹在下貴人聲也

又曰莫酬而工升歌發德音也歌者在上匏竹在下貴人聲也

周禮春秋大師大祭祀師瞽登歌小師掌教絃歌（教謂教瞽矇出音絲謂琴瑟歌依詠詩也）

左傳哀二十一年八月公及齊侯邾子盟齊人責稽首因歌之曰魯人之皋數年不覺使我高蹈（言魯人皋緩數年不知答齊稽首故使我高蹈來爲此會）唯其儒書以爲二國憂

又曰昭十三年南蒯將適費飲鄉人酒鄉人或歌之曰我有圃生之杞乎從我者子乎去我者鄙乎倍其鄰者耻乎已乎已乎非吾黨之士乎（已乎已乎言自遂不改）

又曰哀五年秋齊景公卒冬十月公子嘉公子駒公子黔奔衛公子鉏公子陽生來奔（皆景公子在萊者）萊人歌之景公死乎不與埋三軍之事乎不與謀師乎師乎何黨之乎

又曰襄四年崔子稱疾不視事公問崔子遂從姜氏入于室公拊楹而歌（歌以命姜氏）

論語曰夫子與人歌而善必使反之而後和之

又曰楚狂接輿歌而過孔子曰鳳兮鳳兮何德之衰往者不可諫來者猶可追已而已而今之從政者殆而

又曰子於是日哭則不歌

史記曰古詩三千餘篇孔子曰其重句施於禮上採契后稷中述殷周之盛至幽厲之缺始於衽席故曰關雎以爲風之始鹿鳴爲小雅始文王爲大雅始清廟爲頌始三百五篇皆絃歌之以求合韶武雅頌之音禮樂自此可得而述

又曰漢家常以正月上辛祠太一甘泉夜到明忽有流星至於祠壇上使童男女七十人俱歌又得神馬渥洼水中爲太一歌曰太一貺兮天馬下治沾赤汗兮沫流赭今安疋兮龍爲友後伐大宛得千里馬蒲梢爲歌曰天馬來兮從西極經萬里兮歸有德承靈威兮降外國涉流沙兮四夷服

又曰箕子朝周過故殷墟感生禾黍箕子傷之欲哭則不可欲泣爲近婦人乃作麥秀之詩以歌詠之曰麥秀漸漸兮禾黍油油彼狡童兮不我好仇所狡童者紂也民爲流涕

又曰淳于髡見梁惠王王屛左右見之終無言王讓之髡曰王志在音吾是以默也王曰會有獻歌者未及言之也

又曰趙武靈王夢見處女鼓琴而歌曰美人熒熒兮顏（顏若蕣若苕）之榮命兮曾無我嬴且日王飲酒樂數言所夢想見其狀吳廣聞之內其女娃嬴孟姚也甚有寵立爲右

又曰文王克殷伯夷叔齊耻之不食周粟隱首陽山作歌

曰登彼西山兮言采其薇矣以亂易暴兮不知其非神農虞夏忽焉沒兮我適安歸

又曰項羽軍壁垓下兵食少盡軍四面皆楚歌（應邵曰楚歌者雞鳴時歌也）項王乃歌曰漢已皆得楚乎是何楚人之多項王乃悲歌忼慨曰力拔山兮氣蓋世時不利兮騅不逝騅不逝兮可奈何虞兮虞兮奈若何

漢書曰李延年善歌武帝幸之時人語曰一雌復一雄雙飛入紫宮

又曰孝惠帝所教歌兒百二十人有缺輒補

又曰田横齊王建之親族也秦滅六國田氏悉爲庶人高祖遣韓信破齊後定天下田横乃與五百人深居海島高祖即位遣使者徵之横與將士俱至尸鄉亭頓止横乃奮躍自刎而死從者不敢哭遂歌以寄之今之挽歌起於此

矣
又曰張釋之爲中郎將從行至霸陵是時愼夫人從上指
視愼夫人新豐道曰此是邯鄲道也使愼夫人鼓瑟上自
倚瑟而歌
又班固頌論功歌詩靈芝歌曰因露寢兮産靈芝象三德
兮瑞應圖延壽命兮光此都緣上帝兮象太微參日月兮
揚光輝
又曰武帝幸雍祠五時獲白麟作白麟之歌
又曰上幸行河東祠后土顧視帝京忻然中流歌曰秋風
起兮白雲飛草木黃落兮鴈南歸蘭有秀兮菊有芳懷
佳人兮不能忘汎樓舡兮濟汾河橫中流兮揚素波簫鼓
鳴兮發櫂歌歡樂極兮哀情多少壯幾時兮柰老何
又曰孝武南巡狩至于盛唐尋陽浮江親射蛟江中獲之

舳艫千里薄樅陽而出作盛唐樅陽之歌
又曰高帝崩皇大后囚令戚夫人髡鉗衣赭舂舂且歌曰
子爲王母爲虜終日舂薄暮常與死爲伍相離三千里當
使誰告汝太后聞之大怒曰乃欲倚汝子耶遂鴆殺趙王
斷戚夫人手足去眼熏耳名曰人彘
又曰漢以江都王女昭君妻烏孫悲愁自作歌曰吾家嫁
我兮天一方遠託絶國兮烏孫王穹廬爲室兮氊爲牆以
肉爲食兮酪爲漿居常悲思兮內感傷願爲黃鵠兮歸故鄉
又曰燕王旦謀反事敗王憂懣置酒万載宮會賓客群臣
妾坐飲王自歌曰歸空城兮狗不吠鷄不鳴橫術何廣兮
固知中國之無人華容夫人起舞歌曰髮紛紛兮不暇梳骨
籍籍兮枕丘墟母求子兮妻求夫俳佪兩渠間兮君子獨安
居

又廣陵王胥祝詛事發覺有司按驗有實使者反及置酒
顯陽殿召太子霸及子女董訾胡生等夜飲使所幸八子
郭昭君家人子趙左君等王自歌曰欲久生兮無終長不樂
兮安窮奉天期兮不得須臾千里馬兮駐待路黃泉下兮
幽深人生要死兮何爲苦心可用爲樂心所喜出入無悰
爲樂亟蒿里召兮郭門閱死不得取代庸身自逝
又曰元帝自度曲被歌注云聲終更授其次曰度曲度曲
未終雲起雪飛是也
謝承後漢書曰祭遵爲將取士皆用儒術對酒設樂必雅
歌投壺
東觀漢記曰朱酺明帝時爲益州刺史移書屬郡喻以聖
德白狼王等百餘國重譯來庭歌詩三章酺獻之
後魏書曰鄭道昭字僖伯兼中書侍郎從征河北高祖饗

侍臣於懸瓠於大竹堂道昭兄懿俱侍坐樂作酒酣高祖
乃歌曰白日光天兮無不曜江左一隅兮獨未照彭城王勰
續歌曰願從聖王兮登衡會萬國馳誠兮混日外鄭懿歌
曰雲雷大振兮天地關率土來賓兮一正曆邢巒歌曰舜
舞干戈兮天下歸文德遠被兮莫不思道昭歌曰皇風一
鼓兮九地匝戴日依天兮清六合高祖又歌曰遵彼汝墳
兮昔化貞未若今日兮道風明宋弁歌曰文王政教兮暉江
沼寧如大化兮光四表
吳書曰留贊初爲將臨敵必先被髮叫天因抗音而歌左
右應之乃進戰
晉書曰三月上巳日會稽夏統字仲御入洛陽市樂太尉賈
充問曰卿能土地曲乎統曰百姓懷君恩作慕歌爲孝女
曹娥作河女之章爲伍子胥作小海唱今欲之充曰善乃

以足扣舷舡引聲轉喉清激慷慨大風應至含水激天雲
雨響集克曰聽慕歌之聲便髣髴見大禹之容聞河女之
音不覺涕泣交下即謂伯姬高行在目前聆小海之唱謂
子胥屈平立吾之左右
又曰袁山松善音樂舊歌有行路難曲詞頗疎質山松乃
文其辭句婉其節制因酣歌之聞者流涕
又曰應詹督南平天門武陵三郡事時政令不一諸蠻怨
望並謀背叛詹召蠻酋破銅券與盟由是懷詹數郡無虞
其後天下大亂詹境獨全百姓歌之曰乱離既普殆爲灰
朽僥倖之運賴茲應右歲寒不彫孤境獨守拯我塗炭恵
隆丘阜潤同江海恩猶父母
又曰山簡傲誕好酒嘗止襄陽習公池日晚醉歸自歌曰
山公時一醉逕造高陽池日暮倒載歸酩酊無所知時復

能騎馬倒着白接籬舉頭問葛強何如并州兒
晉陽秋曰高祖伐公孫淵過本縣賜牛酒穀帛郡守典農
會暮次父老故舊讌飲高祖作歌曰天地開闢日月重光
今遭際會奉辭遐方將掃逋穢還過故鄉肅清萬里揔齊
八荒告成歸老待罪舞陽
鄧粲晉紀曰太子洗馬郭訥字敬言嘗入洛觀伎人歌言
佳石崇問其曲訥不知崇笑卿不識曲那得言佳訥荅譬
如見西施何必識其姓名然後知美崇無以難
崔鴻十六國春秋曰初苻堅二十五年滅慕容冲姊清河
公主年十四有姝色堅納之寵冠後庭冲時年十二亦有
龍陽之美堅又幸之姊弟專寵宮人莫進長安中歌之曰
一雌與一雄雙飛入紫宮咸懼爲亂王猛切諫乃出冲冲
卒爲堅賊

又前燕録曰慕容廆父涉歸分戶以封長庶子吐谷渾分
馬以給之及廆嗣位而二部馬闘廆怒遣使讓渾曰先公
分建有別柰何不相遠離而令馬有闘傷渾曰馬飲食水
草闘其常性何故怒及於人兄弟至親而闘起於馬當去
汝萬里於是遂西移八十里廆後悔之遣乙那樓追渾謝
之乃擁廻渾馬馬東行數百步輒悲鳴西奔衝突山谷如
是者十餘曰此非人事遂附陰山而黃河晉永嘉之亂南
遷隴右廆以孔懷之思作吐谷渾阿于歌歲暮窮思常歌
之及儁垂僭號以爲輦後大曲
孟嘉別傳桓溫問嘉曰聽伎絲不如竹竹不如肉何謂也
荅曰漸近自然一坐咨嗟
晉書曰孝武太元中琅邪王輌之家有鬼歌子夜殷允爲
章郡僑人庾僧度家亦有鬼歌子夜殷允爲章郡亦是太

元乎則子夜是此時以前人也
齊書曰蕭惠基解音律尤好魏三祖曲及相和歌每奏輒
賞悅不能已也
梁書曰羊侃有妓孫荊王能反覆拈地街得席上玉簪初
賫歌人王娥兒東宮亦賫歌者屈偶之並妙盡奇曲一時
無對
唐書曰劉禹錫貶朗州司馬蠻俗好巫每淫祠鼓舞必歌
俚辭禹錫或從事於其間乃依騷人之作爲新辭以教巫
祝故武陵谿洞間夷歌率多禹錫之辭也
又曰開元中歌工長孫元忠元忠之祖受於侯將軍貴昌并州
人也亦代習北歌貞觀中有詔令貴昌以其聲教樂府元
忠之家代相傳習如此雖譯者亦不能通知其辭蓋年歲
久遠失其真矣絲桐唯琴曲有胡笳聲 五百七十卷終

太平御覽卷第五百七十一

樂部九

歌二

家語曰孔子厄於匡謂子路曰汝歌予和汝子路彈劒孔子和之曲終匡人解甲

又曰孔子相魯齊人患其將霸欲敗其政乃選好女子八十人衣以文錦而舞容璣及文馬四十季桓子受女樂君臣淫荒三日不聽國政郊又不致膰(祭肉名也)俎於大夫孔子遂行作歌曰彼婦人之口可以出走彼婦之請可以死敗優哉游哉聊以卒歲

呂氏春秋曰管子得於魯魯束縛而檻之使役人載而送之齊皆謳歌而引管子恐魯之止而殺已也欲速至齊因謂役人曰我爲汝歌汝爲我和其和適宜走役人不倦而取道甚遠管子可謂能因矣役人得其所欲已亦得其所欲以此術也是用萬乘之國其霸猶少

又曰周申喜亡其母聞乞人歌於門下而悲之動於顏色自見而問焉何故而乞與之語乃是其母也故父母之於子也子之於父母也一躰而分得同血氣與而異息若莽草之華實樹木之有根心離處而通憂思相感也

又曰禹年三十未娶有行塗山恐時日暮吾娶必有應也乃有白狐九尾而造禹禹曰白者吾服也九尾其證也塗山人歌曰綏綏白狐九尾龐龐成家成室我都彼昌禹因娶塗山女

吳越春秋曰採葛越之婦人傷越王用心乃作若何之歌辭曰嘗膽不苦味若飴令我採葛以作絲

又曰越王入吳與諸大夫別於浙江遂登舡徑去終不反顧越王夫人乃援舡而哭復見啄江涯之蝦飛去者復來哭訖即承之以歌其辭曰兩飛鳥兮鳶作載何居食兮江湖水中虫子曰蝦去復反兮嗚呼始事君兮去家終我命兮君都中年過兮何辜離我國兮入吳妻爲婢兮夫爲奴歲昭昭兮難極寃痛悲兮心惻嗚呼哀兮不食

越絕書曰伍子胥走至吳江上見漁者曰來渡我漁者知其非恒人也欲往渡之恐衆人知之即歌而往過之曰炤炤侵已施於子期甫蘆之子胥從復歌曰心中悲曰已施子可渡河不出爲舡到即載入舡而伏

戰國策曰齊人馮煖屬孟嘗君願寄食門下孟嘗君笑而受之有頃倚柱彈其劒鋏歌曰長鋏歸來兮食無魚左右以告孟嘗君曰食之比門下之客復彈其劒鋏歌曰長鋏歸來兮出無車又彈其劒鋏歌曰長鋏歸來兮無以爲家

魏氏春秋曰阮籍少時遊蘇門山有隱者籍對之長嘯蘇門生莞尓而笑籍既降蘇門生亦嘯若鸞鳳之音籍乃假蘇門生之論以寄所懷歌曰日沒不周西月出丹淵中陽精蔽不見陰光代爲雄富貴俯仰間貧賤何必終又曰歌天地解兮六合開星辰霣兮日月頹我騰而上將何懷

帝王世記曰舜恭已無爲歌南風之詩詩曰南風之時兮可以阜吾人之財兮南風之薰兮可以解吾人之慍兮

尚書大傳曰維五紀奏鍾石論人聲(始欲改堯樂)及乃鳥獸咸變於前(百獸率舞之屬)秋養耆老而春食孤子乃浡然招樂興於大麓之野報事還歸二年譈然乃作大唐之歌(譈猶灼也大唐之歌美堯之禪也)歌者三年昭然乃知乎王世明有不世之義招爲賓客而雍爲主人(招雍皆樂章名也賓入奏招主人入奏雍也)始奏肆夏納以孝成(始謂尺入時也納謂薦賢時也肆夏孝成皆樂章名也)舜爲賓客而禹爲主人

舜既使禹攝天子之事於祭祀避之居賓客之位獻之位酒則爲亞賢也矣樂正道贊曰尚考
大室之義唐爲虞賓尚考猶言古考謂往時也太室明堂之中央室也義當爲儀儀禮也謂祭
大室禮先爲舜賓之也至今衍於四海衍猶溢也言堯之禪天下至於今其德義溢滿四海也
成禹之變垂於萬世之後帝乃唱之曰卿雲爛兮和氣之明若也
禮縵縵兮教化廣遠日月光華旦咸旦兮言明明相代八佾咸進稽
首曰明明上天爛然星陳日月光華弘予一人帝乃再歌
曰日月有常星辰有行四時從經萬姓允誠施予論樂配
天之靈遷于賢聖莫不咸聽長乎歌之軒乎僊之精華已
竭褰裳去之於時八風循通卿雲聚蘩蟠龍賁信於其藏
蛟魚躍踊於其淵龜魚咸出其穴遷虞而事夏也
孔叢子曰叔孫氏之車子鉏商樵於野而獲麟焉衆莫之
識以爲之不祥棄之五父之衢冉有告曰麇而肉角豈天
之妖乎夫子曰今何在吾將觀焉遂泣曰予之於人猶麟

仁獸出而死吾道窮矣歌曰唐虞世兮麟鳳遊今非其時
來何求麟兮麟兮我心憂
又曰哀公使以幣如衛迎夫子而卒不能官故夫子而作
丘陵之歌曰登彼丘陵山施其阪仁道在迩求之若遠迷
而不復自嬰屯蹇
又曰楚王使奉金帛聘夫子宰予冉有曰夫子之道於是
行矣遂請見問夫子曰太公勤身苦志七十而遇文王孰
與許由之賢夫子曰許由獨善身者也太公兼天下者也
然今世無文王之君雖有太公孰識之哉乃歌曰大道隱
兮禮有基賢人竄兮將待時天下如一兮欲何之
說苑曰曾子耘瓜而誤斬其根曾晳怒援大杖擊之曾子
仆地有須乃蘇蹶然而起進曰曩者參得罪於大人大人
得無疾乎退屏鼓琴而歌令曾晳聽其歌聲令和

莊子曰孔子窮於陳蔡之間七日不火食藜羹不糝顏色甚
憊歌於室不輟
又曰子桑戶孟子反琴張三人相與友有閒而子桑戶死
相和而歌子貢曰敢問臨尸而歌禮乎二子相視而笑是
惡知乎禮意也
又曰莊子妻死惠子弔之箕踞鼓盆而歌惠子曰不哭亦
足矣歌不亦甚乎莊子曰人且偃然寢乎巨室而我哭之
是不通乎命故止之
又曰曾子居衛捉衿而肘見納屨而踵決曳屨而歌商頌
聲滿天地若出金石
夏侯玄辨樂論曰昔伏羲氏因時興利教民田漁天下歸
之時則有網罟之歌神農繼之教民食穀時則豐年之詠
黃帝脩物始垂衣裳時則有龍袞之頌

古今樂錄曰周文王時鳳凰銜書而至文王乃作歌
又曰堯郊天地祭神在座上有響誨堯白水方至爲宮命
子救之堯乃作歌
又黃帝堯之世民樂無事擊壤之歡慶雲之瑞因以作歌
又曰白日落西山歌者沈攸之發荊州未敗之前思歸京
師所作歌也
又曰莫愁樂者亦因石城樂而有此歌石城西有女子名
莫愁善歌謠且石城樂和中有忘愁聲因有此歌
又曰秦始皇祠水群有黑頭公從河中出呼始皇曰來受
天寶乃與群臣作歌
又曰昔炎帝時有娥之覆以玉筐少選視之鷰遺二卵五
色北飛遂之不及二女作歌始作北音夏孔甲田於東陽
迷入民室主人方乳曰后來大吉或曰不勝之子必有殃

孔甲取其子歸曰爲余子誰敢殃之及成人幕動折斧披斬足孔甲爲作斧斤之歌始爲東音周昭王征荊辛餘靡長且多力爲王右涉漢梁敗王及祭公殞于漢中辛餘靡振王北濟又反振祭公周公俟之于西翟實爲長公殷整甲從宅西河追思故處始作西音長公繼是音以處西山此盖四方之歌也

又曰許由者古之貞固之士也堯時爲布衣徒步不與方遠交通衣食財得自足夏則巢居冬則穴處無杯杅每以手捧水而飲之人有見其飲無杯以瓢遺之許由受以操飲畢輒掛於樹枝風吹樹瓢摇動歷歷有聲許由尚以爲繁擾取而棄之以清節約聞於堯堯大其志乃遣使以符璽禪爲天子於是許由喟然歎曰匹夫結志固如盤石采山飲河所以養性非以求禄位也放髮一優游所以安已不懼非以貪天下也使者有愧還以狀報堯堯知許由不可動亦已矣夫於是許由以使者言爲不善乃臨河洗耳樊堅見由方且洗耳問之耳有垢乎由曰無垢聞惡語耳堅曰何等語者由曰堯聘吾爲天子堅曰尊位何爲惡之由曰吾志在青雲何乃劣劣當作九州伍長乎於是樊堅方且飲牛聞其言而去耻飲子之下流於是許由名布四海堯既殂落乃作箕山之歌曰登彼箕山兮瞻望天下山川麗崎萬物還普日月運照靡不記睹游放其間何所却慮嘆彼唐堯獨自愁苦勞心九州憂勤后土謂余欽明傳禪易祖我樂如何蓋不盼顧河水流兮緣高山甘瓜施兮弃綿蠻高林肅兮相錯連居此之處傲堯君其後許由死遂葬于箕山

又曰周太伯者周太王古公之長子也古公有子三人長者太伯次者虞仲少者季歷季歷之子名昌昌即文王也古公寢疾將死國當有傳心欲以傳季歷乃呼三子謂曰我不起此病繼體興者其在昌乎太伯見太王傳季歷於是太伯與虞仲俱去被髮文身以變形託爲王採藥後聞古公卒乃還犇喪哭於門外示夷狄之人不得入王庭於是季歷謂太伯長子也伯當立何不就太伯曰吾生不供養死不飯含哭不臨棺不孝之子焉得繼父乎斷髮文身刑餘之人也戎狄之民也三者除焉何可爲君矣季歷垂涕而留之終不肯止遂委而去到江海之涯吟詠優游仰覽俯觀求膏腴之處遂適于吳率以仁義化以道德荊越之人移風易俗咸集韶夏取象中國乃太伯之化也是後季歷作哀慕之歌章曰先王既徂長賓異都哀喪腹心未寫中懷追念伯仲季我如何梧桐萋萋生于道周宮館徘徊臺閣既除何爲遠去使此空虛支骨離別垂思南隅瞻望荊越涕淚交流伯兮仲兮逝肯來遊自非二人誰訴此憂

又曰拘羑里者謂紂拘文王於羑里也文王未能政候時修道德百姓親附文王有子其二子皆賢是時崇侯虎與文王列爲諸侯德不及文王常疾之乃譖文王於紂曰西伯昌聖人也長子發仲子旦皆聖三聖合謀將不利於君君宜慮之紂曰冠雖弊宜加於上屨雖新宜處於下文王雖聖安可尅我崇侯譖文王至十紂用其言乃徙文王於羑里欲殺之於是文王四臣太顛宏夭散宜生南宮适之屬往見文王文王爲曠反目者紂之好色也拊桴其腹者言欲得奇寶也蹀躞其足者使疾迅也於是乃周流海內經歷豐土得美女二人水中太寶白馬朱鬣以獻於紂陳其中庭紂見之仰天而嘆曰嘻哉此誰寶散宜生趍而進

曰是西伯之宝以贖刑罪紂曰於寡人何其厚也立出西
伯紂謂宜生諸岐侯者長皐陵耳也宜生還以狀告文王
乃知崇侯虎譖之文王在羑里時演八卦以爲六十四作
欝尼之辭據于石困於蒺蔾乃申憤以作歌章曰殷道溷
溷浸濁煩兮丹紫相合不分別兮迷乱聲色信讒言兮闇
闇之虎使我驚兮幽閉牢獄誰其言兮無辜桎梏誰所宣
兮遘我四人皆憂勤兮得此珍玩且解大患兮倉皇迄命
遺後昆兮作此象變兆在昌兮欽承祖命天不丧兮遂臨
下土在聖明兮討暴除乱誅逆王兮
又曰莊周者齊人也明篤學術多所博達進准見方來却
覩未發是時齊湣王好爲兵事習用干戈莊周儒士不合
於時自以不用行欲避乱自隱於山岳後有達莊周於湣
王遣使賫金百鎰以聘相位周不就使者曰金至室相尊

官何辭之爲周曰君不見夫郊祀之牛衣之以朱絲食之
以禾粟非不樂也及其用時鼎鑊在前刀俎列後當此之
時雖欲還就孤犢寧可得乎周所以飢不求食渴不求飲
者但欲全身遠害耳於是重謝使者不得已而去後引声
歌曰天地之道近在胷臆呼噏精神以養九德渴不求飲飢
不索食避世佚道志絜如玉卿相之位難可直當巖巖之
石幽而清凉枕塊寢處樂在其央寒凉回固可以久長
楊泉物理論曰始皇起驪山之冢使蒙恬築長城死者相
屬民歌曰生男慎勿舉生女哺用餔不見長城下尸骸相
支柱
世說曰晉武帝問孫皓聞吳人好作汝歌頗能不皓正飲
酒因舉觴勸帝而言曰昔與汝爲鄰今爲汝作臣上汝一
杯酒令汝壽萬春帝悔

琴操曰王昭君齊國王襄漢元帝時獻入後宮帝以妻單
于昭君心念鄉土乃作怨曠之歌曰秋木萋萋其葉萎黃
有鳥爰止集于包桑既得升雲遊倚惟房志念幽沉不得
頡頏我獨伊何改往變常翩翩之鷰遠集西羌高山峩峩
河水泱泱嗚呼哀哉憂心惻傷

太平御覽卷第五百七十一

太平御覽卷第五百七十二

樂部十

歌三

山海經曰夏后開上三嬪于天得九辯與九歌以下焉開始歌九招招於大穆之野上美人於天帝得天樂下也帝俊八子是始為歌帝俊即帝舜也

太元真經茅盈內紀曰秦始皇三十年九月庚子盈曾祖於華山之中乘雲駕龍白日外天是時其邑謠歌曰神仙得者茅初成駕龍上昇入泰清時下玄洲戲赤城繼世而往在我盈帝若學之臘嘉平始皇聞謠歌乃有尋仙之志因改臘曰嘉平

楚詞曰九歌者屈原之所作昔楚南郢之邑沅湘之澗其俗敬鬼神於夜必作樂鼓舞以樂諸神屈原放逐竄伏其域見俗人祭祀之禮其辭鄙陋為作九歌之曲

風俗通曰張仲春武帝時人也善雅歌與李延年並侍每奏新歌莫不稱善然不知休息終至於敗亡以諭人之進退當有節奏

又曰百里奚為秦相堂上作樂所賃澣婦自言知音呼之援琴撫絃而歌曰百里奚初娶我時五羊皮臨當別行烹乳雞今適富貴忘我為因尋問之乃其妻

世說曰王曇孫年十四五便歌諸妓向謝公稱歎王郎能歌謝公甚欲聞之而王既名家年少無由得聞諸妓又具向王說謝公意後出東府土山上作伎王時作兩丸髻著袴褶騎馬往土山下庾家墓林中作一曲歌于時秋月王因舉頭看北林卒曲便去土山上妓白謝公曰此是王郎歌也

說苑曰襄成君始封之日衣翠衣帶玉劔履縞舄立乎流水上楚大夫莊辛過而說之曰臣願把君之手其可乎襄成君忿然作色而不言莊辛遷延而稱曰君獨不聞夫鄂君方乘青翰之舟張翠蓋會鍾鼓之音越人擁楫而歌曰今夕兮搴洲中流何日兮得與王子同舟山有樹木兮木有枝心說君兮君不知於是鄂君乃舉綉被而覆之

三輔決録曰梁鴻東出關過京師作五噫之歌曰陟彼北邙兮噫顧瞻帝京兮噫宮闕崔嵬兮噫民之劬勞兮噫遼遼未央兮噫肅宗聞而悲之求鴻不得

劉向別録曰漢興已來善歌者魯人虞公發聲清哀蓋動梁塵受學者莫能及也

石崇楚妃歌辭序曰楚妃歎莫知所由楚之賢妃能立德著勳垂名於後者唯楚姬焉故為歌辭

襄陽耆舊傳曰宋玉識音而善文襄王好樂而愛賦既美其才而憎其似屈原也乃謂之曰子盍從楚之俗使楚人貴子之德乎對曰昔楚有善歌者王其聞歟始而曰下俚巴人國中唱而和之者數萬人中而曰陽阿採菱國中唱而和之者數百人既而曰陽春白雪朝日魚離含商吐角絕節赴曲國中唱而和之者不過數人蓋其曲弥高其和弥寡

穆天子傳曰宴西王母于瑤池之上西王母為天子歌曰白雲在天山陵自出道里悠遠山川間之將子無死尚能復來天子荅曰予歸東土和治諸夏萬民平均吾顧見汝比及三年將復而野

又曰天子東遊於黃澤宿于曲洛洛水之曲也使宮樂謠曰黃之池其馬歕沙音普悶反黃之澤其馬歕玉

漢武內傳曰西王母降命侍女安法嬰歌玄雲曲曰大象雖玄寥我把天地戶披雲沉靈輿倏忽適下土泰真靈中唱始知風塵若頤神三田中約精六闕下上元夫人自彈雲林之璈鳴絃駭洞清音寥朗乃奏步玄曲其辭曰黃眇眞道騰步玄登天霞負笈造天關借問太上家忽遇紫微圃真人列如麻流景清飈起雲蓋映朱葩蘭房闢林闕碧室啓瓊沙丹臺結空構曄曄生霞露華誰言終有終扶桑不爲查王母命侍女田四非答歌其辭曰晨登太霞宮挹此玉水蘭夕入玄圃闕採蘂掇琅玕濯足鈇爪河織女立津盤吐納抱景雲味之當一飡朝發漫汗府暮宿鈎陳垣莫與世人說行尸言此難

列女傳曰趙簡子南擊楚津吏醉臥不能渡召欲殺之津吏女娟持檝而前曰昔父聞君東渡不測之水恐風波之起故禱九江三淮之神不勝巫祝杯酒飲沉醉至於此矣妾願鄙軀易父之死簡子將渡用檝少一人娟願備員用檝遂與渡中流奏河激之歌歌曰昇彼河兮西觀清水揚波兮杳冥冥禱求福兮醉不醒誅將加兮妾心驚蛟龍助兮主將歸呼來櫂兮行勿疑簡子大悅立爲夫人

文士傳曰太祖雅聞阮瑀辟之不應連見逼乃逃入山中使人焚山得瑀送至召入太祖時征長安大延賓客怒瑀不與言使就伎人列瑀善解音能鼓琴撫絃而歌曰弈弈天門開大魏應期運青蓋巡九州在東西人怨士爲知己死女爲悅者玩恩義苟潛暢他人焉能亂爲曲既捷音声殊妙太祖大悅

淮南子曰歌採菱發陽阿鄙人聽之不若延露陵陽非歌拙也聽各異也

又曰甯戚欲干齊桓公困窮無以自達爲商旅將任車任載也毛詩曰我任我輦也以商於齊暮宿於郭門之外桓公郊迎客夜開門甯戚飯牛車下望見桓公而悲擊牛角而疾商歌歌曰南山粲白石爛短褐單衣長止骭生不逢堯與舜禪終日飼牛至夜半長夜漫漫何時旦桓公聞之撫其僕之手曰異哉歌者非常人也命後車載之

又曰易道良馬使人欲馳飲酒而樂使人欲歌

燕丹子曰荊軻入秦不擇日而發太子與知謀者皆素衣冠送之於易水之上荊軻起爲壽歌曰風蕭蕭兮易水寒壯士一去兮不復還高漸離擊筑宋意和之

孟子曰有孺子歌曰滄浪之水清兮可以濯我纓滄浪之水濁兮可以濯我足孔子曰小子聽之哉

韓子曰宋王築武宮謳倡行者心歡築者不倦王召賜之對曰臣師射稽之謳賢於臣召使之謳行者不止築者甚倦王惟問對曰王試度其功美四板射稽八板甚堅美五寸射稽二寸

列子曰林類年且百歲拾遺穗於故畦並歌進孔子適衛望之於野顧謂弟子曰彼可與言者試往評之子貢請行逆之壠端面而歌曰先生曾不悔乎行歌行歌拾穗林類行不留歌不輟

逸士傳曰堯時有八九十老人擊壤而歌曰日出而作日入而息鑿井而飲耕田而食帝何力於我哉

列女傳曰魯陶嬰妻者夫死守志不二作歌詩曰悲夫黃鵠之早寡七年不雙宛勁獨宿不與衆同夜半悲鳴想其故雄天命早寡獨宿何傷寡婦念此泣下數行嗚呼悲哉死者不可忘飛鳴尚然況於貞良雖有賢雄終不可重行

韋昭洞曆記曰紂無道比干知極諫必死作秣馬金闕之
歌
西京雜記曰高帝令戚夫人歌出塞望歸之曲侍婢數百
皆爲之後宮齊唱聲入雲霄
又曰賈佩蘭說在宮中時常以絃管歌舞相娛競爲妖服
以趁良時十月十五共入靈女廟吹笛擊筑歌上雲之曲
而相連臂踏地爲節歌赤鳳來也
洞冥記曰漢武帝使董謁乘浪霞之輦以昇壇候王母王
母至與宴歌奏春歸之樂謁乃聞王母歌聲而不見其形
歌聲繞梁三匝乃上旁梁草樹枝葉皆動歌之感也
張華博物志曰薛談學謳於秦青未窮青之技而辭歸青
餞於郊乃撫節悲歌聲振林木響遏行雲談乃謝求返歸
辛氏三秦記曰隴右西關其阪九迴不知高幾里欲上者

七日越高處可容百餘家下處數十萬戶上有清水四注
流下俗歌曰隴頭流水鳴聲幽噎遙望秦川心肝斷絕
黃閔武陵記曰有綠羅山側岩垂水懸蘿百里許得明月
池碧潭鏡澈百尺見底素岸若雪松如插翠流風叩阿有
絲桐之韻土人爲之歌曰仰茲山兮迢迢層石構兮峩峩
朝日麗兮陽岩落景梁兮陰阿鄣壑兮生音吟籟兮相和
敷芳兮綠林恬淡兮潤波樂茲潭兮安流緩尒櫂兮詠歌
宜都山川記曰峽中猨鳴清山谷傳其響冷冷不絕行者
歌之曰巴東三峽猨鳴悲猨鳴三聲淚沾衣
鄭緝之東陽記曰歌山在吳寧縣故老相傳云昔有乘舡
從下過見一女子汲乃登此山負水行歌甚妍而莫之所
由故名歌山
劉欣期交州記曰俗好鼓琴牧豎於野澤乘牛唱遼遼之
歌（歌曲說牛力強弱耕具輕重也）僮隷於月下撫掌發烈謡（以令美歌）
魏太山秦州記曰隴西郡隴山其上懸吐溜於中嶺泉亭
因名萬石泉泉溢漫散而下消澮皆注有人昇此而歌
紀義宣城記曰臨城縣南三十里有蓋山登百許步有舒
姑泉俗傳去有舒氏女與其父析薪於此女坐泉
處牽挽不動遽告家比還唯見清泉湛然母云女好音樂
乃作絃歌泉湧迴流雙鯉赴節
盛弘之荆州記曰臨賀馮乘縣有歌父山傳云有老人不
娶室而善歌聞者莫不灑泣年八十餘而聲逾妙及病將
困命鄉里六七人與上山穴中隣人辭歸老人歌而送之
聲振林木響遏行雲餘音傳林數日不絕

太平御覽卷第五百七十二

太平御覽卷第五百七十三

樂部十一

歌四

司馬相如琴歌曰鳳兮鳳兮歸故鄉遨遊四海求我皇時
來通遇無所將何悟今夕外斯堂有艷淑女在此房室迩
人遐毒我腸何緣交接爲鴛鴦

崔琦四皓頌曰昔南山四皓者蓋角 里先生綺里季夏
黃公東園公是也秦之博士遭世闇昧道滅德消坑黜儒
術詩書是焚於是四公退而作歌曰莫莫高山深谷濊哉
曄曄紫芝可以療飢唐虞世遠吾將何歸駟馬高蓋其憂
甚大富貴畏人兮不如貧賤之肆志

樂志曹植旹爲琴調歌曰于嗟此轉達夙夜無休閑東西
經七陌南北越七阡顚爲中林草秋隨野火燔糜滅豈不
痛願與株葉連

司馬相如美人賦曰有女獨處婉然在牀奇葩逸麗妻姿
艷光覩臣微笑而言曰上客何國之君子無乃遠乎遂設
旨酒進鳴琴玉釵挂臣冠羅袖拂臣衣撫絃而爲幽蘭之
曲女乃歌曰獨處室兮郎無依思佳人兮情傷悲彼君子
兮來何遲日將暮兮華鬢衰

魏文荅繁欽書曰守宮王孫世有女曰璅始年九歲夢與
神通寤而悲吟哀聲激切體若飛仙于今十五是日戊午
祖于北園博延衆賓迭奏名倡世女頭更而至厥狀甚美
於是振袂徐進揚蛾微眺衆倡騰遊群賓失席然後修容
飾粧改曲變度激清角揚白雪接孤聲赴危節於是商風
振條飛霧成霜可謂聲協鍾石氣應風律綱羅韶護囊括
鄭衛者也

繁欽牋與魏文帝曰都尉薛訪車子年始十四能喉囀引
聲與笳同音自上呈見果如所言即日故共觀試乃知天
壤之所誠有自然之物也潛氣內囀哀音外激大不抗越
細不幽散聲舊美曲常均

國史補曰李衮善歌於江外而名動京師崔昭入朝密載
而至乃邀致賓客請第一部樂及京師之名倡以爲盛會
紿言表弟請登末座令衮被衣而出滿座皆笑少頃命酒
昭曰請表弟歌座中又笑及喉囀一發樂人皆大驚曰是
李八郎也乃羅拜之

樂府雜録曰踏揺娘者生於隋末河內有人醜皃而好酒
常自号郎中醉歸必毆其妻妻色美善歌乃自歌爲怨苦
之詞河朔演其曲而被之管絃因寫其夫妻之容妻悲訴
每揺其身故号踏揺娘近代優人頗改其制度非舊旨也

又曰開元中有人許和子者本吉州永新縣樂家女也開
元末進入宮因以永新名之籍於宜春院既美且慧善歌
能變新聲韓娥李年延歿後千載曠其人至永新始繼其
能遇高秋朗月臺殿清虛喉囀一聲響傳九陌明皇甞獨
召李謨吹笛逐其歌曲終管裂其妙如此一日賜大酺於
勤政樓觀者數十萬衆諠譁聚語莫得聞魚龍百戲之音
上怒欲罷宴中官力士奏請命永新出樓歌一曲必可止
喧上從之永新乃撩鬢舉袂直奏曼聲至是廣場寂寂若
無一人義者聞之血湧愁者聞之腸絕泊漁陽之亂六宮
星散永新爲一士人所得韋青避地廣陵因月夜憑欄於
小河上忽聞舟中唱水調者曰此永新歌也乃登舟省
之因與永新對泣久之青始晦其事後士人卒與其母之
京師終於狹斜間

又曰古之能者即有韓娥李延年莫愁（莫愁者女子也樂府詩云莫愁在何處莫愁石城西艇子打兩槳催送莫愁來）善歌者必先調其氣氤氳自臍間發至喉乃噫其詞即分抗墜之音既得其術即可致遏雲響谷之妙也

又曰大曆初有才人張紅紅者本與父唱歌丐於衢路因過將軍韋青所居（在昭國坊南門也）青於街窻中聞其歌喉寥亮仍有美色即納為姬其父亦舍於後户優給之乃自傳其藝穎悟絶倫嘗有樂工自撰一曲即古曲長命西河女也加減其節奏頗有新聲未進聞先印可於青青潛令紅紅於屏風後聽之紅乃以小豆數合以記其節拍樂工歌罷青因入問紅何如紅曰已唱得矣青出紿云某有女弟子久曾唱非新曲也即令隔屏唱之一聲不失樂工大驚異遂請相見歎伏不已兼云此曲先有一聲不穩今已正矣尋

達上聽翌日召入宜春院寵澤隆異宮中號為記曲娘子尋為才人一日内史奏韋青卒上告紅紅乃於上前嗚呼奏云妾本風塵丐者一旦老父死有所歸致身入内皆自韋青妾不忍忘其恩因一慟而絶上嘉歎之即贈昭儀

又曰韋青本士人也嘗自為詩云三代掌綸誥一身能唱歌青官至金吾將軍

明皇雜録曰唐玄宗自巴蜀迴因夜闌登勤政樓憑欄南望烟月蒲目上因自歌曰庭前琪樹已堪攀塞外征人殊未還盖盧思道之詞也歌歇上問有舊人乎逮明為我訪來翌日力士潛求於里中因召與同至則果梨園弟子也其夜上復與乘月登樓左右唯力士及貴妃侍者紅桃在焉遂命歌涼州詞貴妃所製上親御玉笛為之倚曲曲罷相覷無不掩泣上因廣其曲今涼州傳於人間者益加怨切焉

又曰樂工李龜年特恩寓於東都大起第宅僭侈之制逾於公侯宅在東都通遠里中堂制度甲於都下（今裴晉公移於定鼎門南別墅號綠野堂）其後龜年流落江南每遇良辰勝景常為人歌數闋座客聞之莫不掩泣而罷

劉敬叔異苑曰臨川聶包死數年忽詣南豐相沈道襲共飲其歌笑甚有倫次每歌云花盈盈正聞行當歸不聞死復生

祖台志怪曰建康小吏曹著見廬山夫人夫人命女婉出與著相見婉見著欣悦命婢瓊林令取琴出婉撫琴歌曰登廬山兮鬱嵯峨晞陽風兮拂紫霞招若人兮濯靈波欣良運兮暢雲柯彈鳴琴兮樂莫過雲龍會兮樂太和歌畢婉便還去

搜神記曰淮南王安設廚宰以候賓客正月上午有八老公詣門求見王曰群娥子復來也公知不見乃更形為八童子王驚見之盛禮設樂以享八公援琴而絃歌曰明明上天照四海兮知我好之公來下兮公將與余生毛羽兮外騰青雲蹈梁甫兮觀見三光過北斗兮馳乘風雲使玉女兮今所謂淮南操是也

幽明録曰句章人至東野還暮不至門見路傍有小屋灯火因投寄宿止宿有一小女不欲與丈夫共宿呼隣家女自伴夜共彈箜篌至曉此人謝去問其姓字女不荅彈絃而歌曰連綿葛上藤一緩復一絙欲知我姓名姓陳名阿登

又曰吴縣費外為九里亭吏向暮見一女從郭中來素衣哭入埭向一新塚哭日暮不得入門便寄亭宿外作酒食

至夜外彈琵琶令歌女去有喪儀勿笑人也歌音甚媚去精氣感冥昧所降若有緣嗟我遘良契寄忻霄夢間中曲云成公從義起蘭香降張碩苟去冥分結纏綿在今夕下曲云佇我風雲會正俟今夕遊神交雖未久中心已綢繆寢處向明外去碩謂曰且至御亭女便驚怖獵人至群狗入屋於牀咬死成大狸

搜神記曰吳王夫差小女名玉悅童子韓重韓重乃學於齊魯之間臨去屬其父求婚王怒不與女玉結氣亡葬閶門之外重三年歸聞其死哀慟至玉墓所玉忽見重與言乃左顧宛頸而歌曰南山有烏北山張羅志欲從君讒言孔多悲結生疾沒命黃壚命之不造冤如之何羽族之長名爲鳳凰一日失雄三年感傷故見鄙姿逢君輝光身遠心近何嘗暫忘

又曰太康末京洛始爲折楊柳之歌有兵車辛苦之辭後楊駿被誅太后幽死折楊之應也

續搜神記曰廬江杜謙爲諸暨令縣西山下有一鬼長三丈着赭布袴布褶在草中相張又脫褶擲草上作懊惱歌百姓皆看之

古樂志曰齊歌曰謳吳歌曰歈楚歌曰艷淫歌曰哇歌又有清歌高歌安歌緩歌長歌浩歌雅歌酣歌怨歌勞歌韓詩曰飢者歌食勞者歌事振旅而歌曰凱歌堂上奏樂而歌曰登歌亦曰外歌古之善歌者有咸黑帝嚳時善歌者見呂氏春秋秦青響遏行雲聲振林木薛談秦青弟子韓娥齊人餘響遶梁三日已上三人列子王豹處於淇而河西善謳綿駒處高唐而齊右善歌鮑梁見淮南子魯人虞公見劉向別錄李延年見漢書古歌曲有陽陵白露朝日魚麗白水白雲江南陽春淮南駕辯綠水陽阿採菱下里巴人並見襄陽耆舊傳及梁元帝纂要八闋葛天氏之歌見呂氏春秋也唐歌帝嚳之歌南風舜歌卿雲並虞舜歌晨露湯歌並見呂氏春秋漢歌曲有大風高祖所作芝房白麟朱鴈交門天馬房中已上並郊廟歌見漢書也盛唐樅陽武帝歌見漢書瓠子武帝觀決河所作歌玄雲步雲西王母歌見漢武內傳

古樂府有歌行艷歌行長歌行短歌行魏武帝作朝歌行怨歌行前緩聲歌行後緩聲歌行櫂歌行鞠歌行放歌行恭歌行陳歌行

又古今樂錄晉宋已後歌曲有溪豫歌楊叛兒歌南齊有楊旻母爲師入宮童謠呼爲楊婆兒婆轉爲叛扶風歌晉劉琨作百年歌晉王道沖陸機並作白日歌宋沈攸之所作亦曰落日歌其歌曰白日落西山九曲歌宋何承天作採葛婦歌古越人作桃葉歌晉王獻之所作同聲歌漢張衡作碧玉歌晉孫綽作四時歌出於子夜子夜歌古有女名子夜造此歌上聲歌亦名提佳哀悲之古曲白紵歌起於吳孫皓時作襄陽白銅鞮歌前溪歌晉車騎將軍沈玩所作歎聞歌晉穆帝初歌畢輒呼歎聞因以爲名團扇歌晉中書令王珉與嫂婢芳姿有私愛甚篤苦捶撻之婢素善歌而珉之好捉白團扇因見珉之歌曰白團扇顦顇非昔容羞與郎相見願得隨郎手因風從方便後人因歌之丁督護歌彭城內史徐逵之爲魯軌所殺府內督護丁旿收殯斂之逵之妻晉公主呼問事每問輒歎息曰丁督護其聲哀切後人因爲曲焉懊惱歌崇安初人間訛謠之曲又云石崇爲綠珠作古有絲布澀難縫一曲而已宋太祖謂之中朝曲也

太平御覽卷第五百七十三

太平御覽卷第五百七十四

樂部十二

舞

毛詩甫田賓之初筵曰舍其坐遷屢舞僊僊側弁之俄屢舞傞傞

又宛丘東門之枌刺幽公也風化之所行男女棄其舊業歌舞於市井爾

尚書曰苗民逆命帝乃誕敷文德舞干羽于兩階干楯羽翳也皆舞者之所執也

又顧命曰胤之舞衣在西房(孔安国曰胤国所為舞者衣中法制)

尚書大傳曰惟丙午王建師及鼓譟前歌後舞

禮記曰治民勞者其舞行綴遠治民逸者其舞行綴短故觀其舞知其德(民勞則德薄酇相去遠舞人少也民逸則德盛酇相去近舞人多也)

又曰天子宮懸四面舞行八佾諸侯軒縣三面舞行六佾大夫判懸二面舞行四佾士特懸一面舞行二佾

又曰季夏六月以禘禮祀周公於太廟朱干玉戚冕而舞大武皮弁素積裼而舞大夏

又曰夫樂者象成者也(象成功而為樂者也)揔干而山立(揔持干楯山立不動也)武王之事也發揚蹈厲太公之志也(志在鷹揚)武亂皆坐周召之治也(武亂武之理也皆坐以象其人舞事)且夫武始而北出(象觀兵盟津時也)再成而滅商(成猶奏也再奏象克殷時)三成而南(誅紂已而南也)四成而南國是疆(有南国疆界也)五成而分周公左召公右(分陝東西而理)六成而復綴以崇(六奏象兵還振旅也復綴反位止也崇充也凡六奏以充武樂)天子夾振之而四伐盛威於中國也(夾振之者王將夾舞者振木鐸以為節也武舞戰也象四伐者伐四方也每奏四伐一擊一刺為一伐也)

周禮曰地官舞師掌教兵舞帥而舞山川之祭祀教帗舞(帗拂)者帥而舞社稷之祭祀教皇舞帥而舞旱暵之事(四方祭祀謂四望也旱暵之事謂雩也暵炎熱氣也)春官樂師掌教國子小舞(謂以幼少時教之舞内則曰十三舞篇成童舞象大夏也)凡舞有帗舞有皇舞有旄舞有干舞有人舞(鄭衆云帗舞者全羽舞者析羽也皇舞者以羽冒覆頭上衣飾翡翠之羽旄舞者旄牛之尾干舞者兵舞也人舞也社稷以帗宗廟以羽四方以皇辟雍以旄兵事以干星辰以人舞子持之是也皇雜五綵羽如鳳皇色持以舞也人舞所執以手袖為威儀也)凡四方之舞仕者屬焉凡祭祀賓客舞其燕樂籥師掌教國子舞羽吹籥(文舞有持羽吹籥舞者所謂籥舞文王世子曰冬亨羽籥詩曰左手執籥右手秉翟也)祭祀則鼓羽籥之舞(鼓之者恒為之節)賓饗則亦如之

又曰地官旄人掌教舞散樂舞夷樂(散樂野人為樂之善者也夷樂四夷之樂也)

左傳隱公曰舞所以節八音而行八風也

又莊公曰王子頹樂及徧舞

又昭三曰晉侯與諸侯宴于溫使大夫舞曰歌詩必類高厚之詩不類大夫盟高厚高厚逃歸

又隱公曰考仲子之宮將万焉公問羽數於衆仲對曰天子用八諸侯用六大夫四士二夫舞所以節八音而行八風也故自八已下公從之

又莊公曰楚令尹子元欲蠱(文夫人為館於宮側而振万焉夫人聞泣曰先君以是舞)也習戎備也今令尹不尋諸仇讎而於未亡人之側不亦異乎

論語八佾曰季氏八佾舞於庭是可忍也孰不可忍也

家語曰子路戎服見孔子拔劒而舞曰古之君子固以劒自衛乎孔子曰古之君子忠以為質仁以為衛

史記曰沛公(見羽鴻門項莊入曰)軍中無以為樂請以劒舞拔劒起舞項伯亦起舞以身蔽沛公

又曰長沙定王發以其母微無寵故王卑濕貧國(景帝後二年諸王來朝有詔更前稱壽歌舞定王但張袖小舉手左右笑其拙上怪問之對曰臣國小地狹不足迴旋帝以武陵桂陽屬焉)

又曰師經撫琴魏文侯舭之起舞經怒以琴撞文侯文侯大怒經曰臣撞桀紂之主不撞堯舜之君文侯悦掛琴於室爲戒

又曰孝景皇帝元年制詔御史蓋聞歌者所以發德舞者所以明德高廟始奏文始五行之舞

漢書曰李陵在匈奴置酒與蘇武别曰異域之人一别長絕陵起舞屬之

又曰高祖廟奏武德文始五行之舞武德者象天下樂已行武以除亂也文始舞者本舜韶舞也高祖更名曰文始示不相襲也

又曰孝武李夫人本以倡進兄延年知音善歌舞延年侍上起舞曰北方有佳人絕世而獨立一顧傾人城再顧傾人國寧不知傾城傾國佳人難再得上歎息曰世豈有此人乎平陽公主因言延年女弟上召見實妙麗善舞由是幸生昌邑哀王

又曰趙飛鷰體輕能掌上舞

又曰平恩侯許伯入第丞相已下皆賀酒酣樂作少府檀長卿起舞爲沐猴與狗鬬一坐皆笑蓋寬饒劾之長卿爲列卿而爲沐猴舞失禮許伯爲謝乃解

後漢書曰光武平隴蜀增廣郊祀高皇帝配食樂奏清陽朱明西皓玄冥雲翹育命舞北郊及祀明堂並奏樂如南郊迎時氣五郊春歌青陽夏歌朱明並舞雲翹之舞秋歌西皓冬歌玄冥並舞育命之舞季夏歌朱明兼舞二舞

又曰蔡邕坐上章事徙及歸將就還路五原太守智餞之酒酣智起舞屬邕邕不爲報智者中常侍王甫之弟智銜之密告邕怨於囚放謗訕朝廷邕慮卒不免禍乃亡命江海遠迹吳會

魏志曰舞師馮肅曉知先代舞名

吳書曰陵統怨甘寧殺其父操寧常避統不與相見權亦命統不得讎之嘗於呂蒙舍會酒酣乃以刀舞寧起曰寧能雙戟舞蒙曰寧雖能未若蒙上之也因操刀持楯以身蔽之後權知統意因令寧將兵徙屯中洲

又曰陸遜破曹休上與群僚大會酒酣命遜舞解所著白罽子裘賜之

又曰陶謙爲舒令郡守張磐謙耻爲之屈磐舞屬謙謙不爲起強之乃舞舞不轉磐曰不當轉耶曰轉則勝人

宋書樂志曰鞞舞之由來未詳所起漢代已於燕亭用之矣故曹植鞞歌漢靈帝時有李堅者善鞞舞遭亂播遷帝聞其舊伎召之堅旣中廢兼古曲多謬故知異代之文未必相襲也

後魏書曰嵇康生性氣麤武元乂憚之康生知之亦懼不安肅宗朝靈太后於西林園文武坐酒酣迭舞次至康生乃爲力士舞及於折旋每顧視太后舉手蹈足瞋目頷首爲殺縛之勢太后解其意而不敢言

唐書馮定爲太常少卿文宗每聽樂鄙鄭衛聲詔奉常習開元中霓裳羽衣舞以雲韶樂和之舞曲成定揔樂工閣於庭定立於其間文宗以其端凝若植問其姓氏翰林學士李玨對曰此馮定也文宗喜問曰豈非能爲古章句者耶乃召外階文宗自吟定送客西江詩吟罷益喜因賜禁

中瑞錦仍令大録所著古體詩以獻
晉中興書曰殷融弘遠爲司徒左西屬飲酒善舞終日嘯
詠未嘗以事務爲懷
齊書永明中舞人冠幘並簪筆武帝曰筆笏蓋以記事受
言舞不受言何事簪筆豈有服朝衣而足綦讌履於是去
筆
江表傳曰孫權請顧雍父子及孫譚時爲選曹尚書見任
貴重是日孫權極忻譚醉酒三起舞舞又不知止雍内怒
之明日召譚訶責之君王以含垢爲德臣下以恭謹爲節
何有舞不復知止雖爲酒後亦爲恃恩謙虛不足損吾家
者必汝也○何承天三代樂序云正德大悅舞蓋出於三容
樂歟則其聲節有古之遺音也
魏名臣奏王朗表曰九音樂以舞爲主自黄帝雲門至周

大武皆太廟舞樂所以樂君之德舞所以象君之功
淮南子曰今鼓舞者繞身若環曾撓摩以宣地扶於阿那
動容轉面（轉更也回覿更爲也）便娟擬神若秋約被風（約白芷香草也被風言其弱）騷若結旌（卷復而騁）騁馳若驚
周穆王傳曰有偃師者縛草作人以五采衣之使舞王與
美人觀之草人以手招美人王怒
國史補曰于司空因韋太尉奉聖樂亦撰順聖樂以進每
宴必使奏之其曲將半行綴皆伏而一人舞於中央幕中
韋綬笑曰何用窮兵獨舞雖詼諧必有爲也
山海經曰形夭與帝爭神帝斷其首葬之常羊之山乃以
乳爲目以臍爲口操干戚以舞
又曰帝俊八子始爲舞
五經通義曰王者之樂有先後者各尚其德也以文得之
先文樂持羽毛而舞以武得之先武樂持朱干玉戚所以
增威武也戚斧干楯也王取其仁明當尚德行仁以斷斬
也
又曰東夷之樂持矛舞助時生也南夷之樂持羽舞助時
養也西夷之樂持鉞舞助時殺也北夷之樂持干舞助時
藏也
蔡邕月令章句曰天子省風以作樂舞所以節八音而行八
風天子八佾諸侯六佾大夫四佾佾列也每佾八人每服
冕而執戚有俯仰張翕之容行綴長短佾八人之制所以
受命而歌王者之功也人之動而有節者莫若舞肆所以
因陽氣而達物也
續搜神記曰滎陽人姓何忘其名有名聞士也荆州辟爲
別駕不就隱遁養志嘗至田舍收穫在場上忽有一人長

一丈黄疎單衣角巾來詣之翩翩舉其兩手並舞而來語
何云君嘗見韶舞不此是韶舞且舞且去尋逐徑向山山
有穴裁容人即入穴何亦隨之見有良田數十頃何遂墾
作以爲世業子孫于今賴之
搜神記曰太康中天下爲晉世寧之舞其舞抑手以執杯
盤而反覆之反覆至危也杯盤酒食器也而名晉世寧者
言時人苟且酒食之間而其智不及遠如器在手也
英雄記曰建安中曹操於南皮攻袁譚斬之操作鼓吹自
稱萬歳於馬上舞十二年攻烏桓蹋頓一戰斬蹋頓首繫
馬鞍於馬上抃舞
三巴記曰閬中有渝水賨民鋭氣喜舞高祖樂其猛鋭數
觀其舞使樂人羽之故名巴渝舞
韓子曰長袖善舞多財善賈

王子年拾遺録曰燕昭王即位二年廣延國來獻善舞者二人一名旋波一名提漢並玉質凝膚體輕氣馥綽約婉妙絶曠古無倫或行無迹影或經年不飢昭王處以單綃華幄飲以瑞珉之膏飴以丹泉之粟王登崇霞之臺乃召二人在側時香風欻起二人徘徊翔轉殆不自支王以纓綏屬拂之二人皆舞容冶妖麗靡於鸞翔而歌聲輕下乃使伶人代唱其曲清響流韻雖遶梁動木未足加焉其舞曲一名縈塵言體輕與塵霧相亂也次曰集羽言婉轉若羽毛之從風也末曲游懷言支體緬曼若入懷袖也

晏子春秋曰晉與攻齊使范昭往觀景公觴之范昭請公之弃酌公曰諾告侍者酌樽進之晏子曰撤樽更之范昭起舞太師曰我不習昭曰調成周之樂吾爲之舞太師曰瞑臣不習范昭趍而出公問晏子晏子曰昭非不知禮也欲慙吾君臣公問太師太師曰成周之樂天子樂范昭人臣而舞之臣故不爲昭歸報晉平公曰齊未可伐也吾欲慙其君欲犯其禮而太師識之

呂氏春秋曰陶唐氏陽多滯伏民氣壅閼故爲舞以宣導之

樂苑曰羽調有柘枝曲商調有掘柘枝此舞因曲爲名用二女童鮮衣帽帽施金鈴抃轉有聲其來也於二蓮花中藏之花坼而後見對舞中之雅妙者也

明皇雜録曰開元二年上於梨園自教法曲必盡其妙謂之皇帝梨園弟子明皇在位嘗令教舞馬四百疋分爲左右部目爲某家寵某家驕時塞外亦以善馬來貢者上俾之教習無不曲盡其妙因命衣以文繡絡以金鈴飾其鬣間雜以珠玉其曲謂之傾盃樂者數十曲奮首鼓尾縱橫應節又施三層板床乘馬而上抃轉如飛或命壯士舉一榻馬舞於榻上樂工數十人立於左右前後皆衣以淡黃衫文玉帶必求少年而姿皃美秀者每千秋節常命舞於勤政樓下其後明皇既幸蜀舞馬亦散在人間禄山嘗覩其舞而心愛之自是因以數十疋置於范陽其後轉爲田承嗣所得而承嗣不知雜於戰馬置之外棧忽一日軍中大享士樂作馬舞不能自止廝養輩謂其爲妖擁篲以擊之馬謂其舞不中節抑揚頓挫尚存故態廄吏遂以爲怪白承嗣承嗣命箠之甚酷馬舞益整而鞭撻愈加終斃於櫪下時人亦有知其舞馬者懼曰暴逆而終不敢言

又曰至德中明皇復幸華清宮父老奉迎壺漿塞路時上春秋已高常乘步輦父老進曰前時上皇過此常馳逐從禽今何不爲上曰吾老矣豈復堪此父老士女聞之莫不悲泣新豐市有女伶曰謝阿蠻善舞凌波曲常出入宮中楊貴妃遇之甚厚亦遊於國忠及諸姨宅上至華清宮復令召焉舞罷阿蠻因出金粟裝臂環云此貴妃所與上持之悽怨出涕左右莫不嗚咽

又曰舞者樂之容也有大垂手小垂手或象驚鴻或如飛鷰婆娑舞態也蔓延舞綴也古之能者不可勝記開元中有公孫大娘善舞劒氣僧懷素見之草書遂長蓋壯其頓挫勢也

又曰開成末有樂人崇胡子能軟舞其膂支不異女郎也

古今樂録曰白紵舞案辭有巾袍之言紵本吳地所出宜是吳舞也晉徘徊歌曰交交白緒節節爲雙吳音呼緒爲紵疑白緒即白紵也

釋智匠古今樂録曰大壯之舞曰武舞大觀之舞曰文舞

通禮義纂曰漢儀拜陵食舉奏文始五行之舞唐制皇帝
親行奠獻及薦服玩禮畢再拜辭退而已拜陵奏舞漢代
禮也
又曰古者臣於其君有拜手稽首之禮自後魏已來臣受
恩皆以手舞足蹈以為歡喜之極也
唐會要韋萬石曰武舞貞觀禮及今禮但郊廟祭享奏武
舞之樂即用之凡有六變一變象龍興參野二變象尅靜
開中三變象冬夏賓伏四變象江淮寧謐五變象獫狁讋
伏六變位崇象六還振旅
又曰龍朔元年三月一日上召李勣任雅許園師張延師
蘇定方阿史那忠于闐王伏闍雄上官儀等讌于城門觀
屯營新教之舞名之一戎大定樂皆親征遼東以象用武
之勢也

又曰調露二年正月二十一日上御洛城南樓賜宴大常
奏六合還遂淳之舞
又曰上元三年十一月三日勑新造上元之舞先令太祠
享皆將陳設自今已後圓丘方澤太廟祠享然後用此舞
餘祭並停
又曰大定元年天后幸京師同州刺史蘇瓌進聖主還京
樂舞上御行宮樓觀之賜以東帛令編於樂府
沈志曰江左初有拂舞舊云拂舞吳舞檢其歌非吳辭也
皆陳於殿庭賜泓拂舞序曰自江南見曰符舞或言自亮
鳩沈曰有此來數十年察其辭旨乃是吳人患孫皓虐政
也
又曰公莫舞今布舞也相傳云項莊舞劍項伯以袖隔之
古人相呼曰公伯語莊云公莫害漢王今之用巾蓋像項
伯衣袖之遺也
曹植鞞舞歌序曰漢靈帝西園鼓吹有李堅者鞞舞遭亂
西隨段煨先帝聞其舊伎召之堅既中廢兼古曲多謬誤
異代之文未必相襲故依前曲改作新歌五篇不敢充之
黃門近以成下國之陋樂焉晉鞞舞歌亦五篇人鐸舞歌
一篇幡舞歌一篇鼓舞伎六曲兼陳於元會今幡鼓舞歌
辭猶存舞並闕鞞舞即今鞞扇舞也今謂巴渝是地名鞞
扇是器名也
曹植鞞舞序曰晉初有杯槃舞公莫舞史臣案杯槃舞今
之齊世寧也
張衡舞賦云歷七槃而縱躡
王粲七釋云七槃陳於廣庭
宋世文士顏延之云遁間關於槃扇鮑昭云七槃舞長袖
皆以七槃為舞也

太平御覽卷第五百七十四

樂部十三

鍾

釋名曰鍾空也空內受氣多故聲大

說文曰鍾秋分之音物鍾成也

易通卦驗曰人主冬至日縱八能之士擊黃鍾之宮則人主敬善公卿大夫誠信

禮記曰知悼子卒未葬平公飲酒師曠李調侍鼓鍾杜蕢自外來聞鍾聲曰安在曰在寢杜蕢入寢歷階而外酌曰曠飲斯又酌曰調飲斯又　酌堂上北面坐飲之

又樂記曰鍾聲鏗鏗以立號號以立橫橫以立武君聽鍾聲則思武臣

周禮冬官鳧氏曰鳧氏爲鍾鍾薄厚之所震動清濁之所由出侈弇之所由興有說（說由意）鍾已厚則石（大厚則聲不發）已薄則播（大薄則聲散）侈則柞（柞讀爲咋咋然之咋聲大外也）弇則鬱（聲不舒揚）長甬則震（鍾柄則聲不正）鍾小而短則聲疾而短聞（淺則躁躁則竭也）鍾小而長則其聲舒而遠聞（深則安安則息）

又曰鳧氏爲鍾兩欒謂之銑

又曰磬師掌教擊編鍾

又春官曰鍾師掌鼓金奏（擊金以爲奏節金謂鍾鎛也）

左傳襄二曰莒人伐我東鄙圍台季武子救台遂入鄆取其鍾以爲公盤

又襄六年曰吴公子札自衛如晉將宿於戚（戚孫文子之邑）聞鍾聲曰異哉吾聞之辯而不德必加於戮夫子獲罪於其君以在此也懼猶不足而又何樂夫子之在此也猶鷰之巢於幕上也君又在殯而可以樂乎（獻公卒未葬也）

又曰鄭伯有嗜酒爲窟室而夜飲酒擊鍾焉朝至而未已

又曰鄭人賂晉侯歌鍾二肆注曰肆列也懸鍾十六爲一肆二肆三十二枚

又昭五曰天王將鑄無射（周景王無射鍾名律中無射）泠州鳩曰樂天子之職夫音樂之輿也而鍾音之器也天子省風以作樂器以鍾之（鍾聚也以器聚音）輿以行之小者不窕大者不槬窕則不咸（不充滿人心也）槬則不容（心不堪容也）心是以感感實生疾今鍾槬矣王心不堪其能久乎

又曰宋左師每食擊鍾

又曰鄭伯始朝于楚楚子賜之金既而悔與之盟曰無以鑄兵故以鑄三鍾

爾雅大鍾曰鏞其中謂之剽（音瓢）其小者謂之棧（音醆郭璞醆曰編一曰鎛）

國語曰晉克潞之役　魏顆以身却退秦于輔氏親止杜回其勳銘之景鍾

又曰周景王二十三年鑄無射而爲之大林鍾成伶人告和王謂伶州鳩曰鍾果和矣對曰上作器民樂之則爲和今民莫不怨恨諫曰衆心成城衆口鑠金臣不知其和讚（曰大林無射副也）

漢書曰高祖廟有十鍾受千石撞之聲聞百里

後漢書鄭司農曰于鍾脣之上祛也鼓所擊處也舞縣謂之旋旋蟲謂之幹旋屬鍾柄所以縣之

魏志曰初漢鑄鍾銅工柴玉巧意多所造作杜夔令工鑄鍾其聲清濁多不法故毀改作玉甚厭之白太祖太祖取所鑄鍾雜錯更試然後知夔爲精而玉之妄也

晉書裴頠令荀藩終父勗之志鑄鍾鼗磬以備郊廟
宋書曰漢中城固縣漢水崖際有聲如雷俄頃崖崩有銅
鍾十二
趙書曰將軍張珎領郡縣民丁萬人徙洛陽六鍾猛虡九
龍翁仲銅駞飛廉鍾一没盟津中
蕭子顯齊書曰張瓌字祖逸吳郡吳人父永右光祿大夫
曉音律宋孝武問永以爲太極殿前鍾聲嘶永荅曰鍾其
處鑿而去之聲遂清越
十六國春秋曰石勒耕輒聞鍾鐸之音或在前後懼以問
翼伽伽曰作勞耳鳴無不祥也勒至平原常在平人師驩
家爲奴有老父謂勒曰君魚龍髮際四道已成當貴爲
人主甲戌之歲王彭祖可圖勒曰若如公言不敢忘德忽
然不見每耕又聞鼓角之聲勒又告諸奴又聞之因曰吾
初在家恒聞如是諸奴白驩驩奇而免之至是衆歸焉
莊子曰梓慶削木爲鐻見者驚猶鬼神魯侯問其術對曰
臣將爲鐻未嘗敢以耗氣齊七日忘吾四支然後入山林
觀天性區別見成鐻然後加手鐻似夾鍾也
管子曰黃帝作五聲以正五鍾一曰青鍾大音二曰赤鍾
心三曰黃鍾洫光四曰景鍾昧其明五曰黑鍾隱其帝五
聲既調然後作五行
尸子曰鄭公謂子產曰飲酒之不樂鍾鼓不鳴寡人之性
也國家之不乂朝廷之不理與諸侯交之不得志子之
任也子無入寡人之樂寡人無入子之朝自是以來子產
理鄭城門不閉國無盜賊道無餓人孔子曰若鄭公之好
樂也雖抱鍾而朝可也
戴延之西征記曰陝縣城西北二面帶河河中對城西北

角水涌起銅鍾翁仲頭髮常出水上漲減恒與水齊晉軍
當至髮不復出唯見水異嗟嗟有聲聲聞數里翁仲本在
城內大司馬門外爲賊所徙當西入關至此而没
呂氏春秋曰晉平公鑄爲鍾使工聽之皆以爲調矣師曠
曰不調請更鑄之公曰吾皆以爲調矣師曠曰後世有知
音者知鍾不調也臣竊恥之至於師涓而果知鍾之不調
也
愼子曰魯莊公鑄大鍾曹劌入見曰今國褊小而鍾大君
何不圖之
鬻子曰大禹治天下也以五聲聽之政曰教寡人以義者
擊之鍾
韓子曰叔孫相魯有子曰孟丙豎牛妬之叔孫爲丙鑄鍾
鍾成丙不敢擊使豎牛請之叔孫豎牛不爲之請又欺之
曰吾已爲尒請之矣使尒擊之叔孫聞之曰丙不請而擅
擊鍾遂怒之丙出奔齊
尸子曰鍾鼓之聲怒而擊之則武憂而擊之則悲喜而擊
之則樂其意變其聲亦變意誠感之達於金石而況人乎
晏子曰景公爲大鍾將懸之仲尼伯常騫晏子三人俱朝
曰鍾將毁之撞之果毁公見三子問之晏子對曰鍾大不以
禮故曰將毁仲尼曰鍾大懸下氣上薄故曰將毁伯常騫
曰今日庚申雷日也陰莫勝於雷故曰將毁
韓子曰智伯欲伐仇由而道難不通鑄大鍾遺之方車二
軌仇由大悅除塗將內之赤章曼支諫曰此小所以事大
也今以大事小兵必隨之仇由君不聽曼支因斷轂而馳
至齊十月仇由亡
淮南子曰闔閭伐楚破九龍之鍾許愼注曰刻簴爲九龍懸鍾也賈子云毀十龍

又曰齊景公族鑄大鍾撞之於庭下郊雉皆雊許慎注曰
族聚也鍾聲如雷震雉皆應之
又曰孟秋之日西館御好白色白絲撞白鍾故處西宮
又曰鍾之與磬也近之則鍾音亮遠之則磬音彰（磬石也音清明
遠闕鞺鞳而）物固有近不若遠遠不若近者
山海經云豐山者有鍾霜降則鳴
又曰炎帝之孫伯陵伯陵生鼓延是爲鍾
呂氏春秋曰黃帝又命伶倫鑄十二鍾和五音始奏之曰
咸池
東方朔傳曰漢武帝未央宮殿前鍾無故自鳴三日三夜
不止大怪之召待詔王朔問之朔對曰有兵氣上更問東
方朔朔對曰王知其一不知其二臣聞銅土之子以陰

陽氣類言之子母相感山恐有崩弛者故鍾先鳴易曰鳴
鶴在陰其子和之上曰應在幾日朔曰在五日內居三日
南郡太守言有山崩延袤二十餘里上大笑賜帛三十疋
郭緣生述征記曰洛陽太極殿前大鍾六枚父老云曾有
欲移此鍾者聚百數長絙挽之鍾聲震地咸懼不敢復犯
陸翽鄴中記大面廣外一丈二尺小面廣七尺或作蛟龍
或作鳥獸繞其上
何法盛晉中興書曰義熙十一年霍山崩蝦出銅鍾六枚
上有文古科斗書人莫能識
晉潘岳關中記曰漢昭帝平陵宣帝杜陵二陵鍾在長安
夏侯征西欲徙詣洛陽重不能致懸在清明門門裏道南
其西者平陵鍾東者杜陵鍾也
王子年拾遺記曰帝顓頊居位文德者則錫以鍾磬武德

者錫以干戈
戴延之西征記曰鍾大者三十二愽山頭形環紐作師子
頭鍾大者三十二愽山頭二丈厚八尺大面廣一丈二尺
小面七尺或作蛟龍或作鳥獸周繞其外
唐雜制曰九私家不設鍾磬三品已上女樂五人五品已
上不過三人也
虞喜志林曰吳時於江水中得鍾有百餘字募求讀者並
無人曉
樂什圖徵曰君子鑠金爲鍾四時九乳是以撞鍾以知君
鍾調則君道得宋均注曰九乳法九州
又曰聖王往承天定爵祿人者不過其能尊卑有位位有
物物有宜功成者賞功敗者罰故樂用鍾宋均注曰不過
能謂量能授爵也有罪鳴鍾以攻之也

白虎通曰鍾之爲言動也陰氣用事萬物動成鍾爲氣用
金聲也鍾者時之聲也節度之所生也有節度則萬物昌
無節度則萬物亡
異苑曰魏時殿前鍾忽鳴張華曰蜀銅山崩。說苑曰鼓
法天鍾法地秦始皇建千石之鍾立萬石之簴。傅玄歌辭
曰雷師鳴鍾鼓風伯吹笙簧西母出穴聽王父吟東廂
三禮圖曰凡鍾十六枚同爲一筍簴爲編鍾特懸者謂之
鎛
又曰鎛鍾之大者也形如鍾但大耳其在簴亦一枚而已
三輔黃圖曰始皇簴高三丈鍾小者千石
通禮義纂曰鍾磬半爲堵全爲肆軒懸三面歌鍾三肆判
懸兩面歌鍾二肆特懸一面唯磬而已
又曰圓鍾夾鍾也於位在卯氣生於房心爲宮天帝之明

堂故奏樂先奏圓鍾爲宮
又曰駕入撞蕤賓之鍾左右鍾皆應者案蕤賓位居午午者陽陽主動象王自外動而入方居之始故先作之而東廂應者東爲陽陽主動明以靜主動使之相應也駕出撞黃鍾右五鍾皆應黃鍾位居子子爲陽陽主動象王自內動而出方行之始故先作之而西廂應者西爲陰陰主靜明以動告靜使之相和也
廣古今五行記曰會稽人陳清於井中得小鍾長七寸二分上有古文十八字其四字可識云會稽岳命郭璞云悠懷袞覆元帝中興之應自宣帝至恭帝數十人
又曰陝州黄河有銅鍾在水水大小恒自浮出每晦朔陰雨之日輙鳴聲響悲亮行客聞之莫不愴然
又曰晉中朝有人懸銅爲盤晨夕恒鳴如人扣打以白張華華曰此盤與洛鍾宮商相諧故聲相應可錯令輕則韻乘自止
古今樂録曰高廟中四鍾皆秦時廟鍾也重十二萬斤明帝徙二鍾在南宮
張衡東京賦曰發鯨魚鏗華鍾薛綜注曰天子出則鳴蒲牢海中大魚名鯨海島中又有大獸名蒲牢畏鯨魚鯨魚一擊蒲牢輙大鳴呼凡鍾欲令大鳴故作蒲牢於上所以擊之者鯨魚有篆刻文故曰華鍾也
戴延之西征記曰洛陽太極殿前左右各三銅鍾相對鍾大者三十二圍小者二十五圍
唐書曰唐太宗召張文收於太常令與少卿祖孝孫恭定雅樂有古鍾十二近代唯用其七餘有五鍾俗号啞鍾莫能通者文收吹律調之聲皆響徹時人咸服其妙

錞于

周禮曰以金錞和鼓
宋史云廣漢什邡人段祖以錞于獻始興王鑑其器高三尺六寸六分圍二尺四寸圓如筩色黑如漆甚薄上有銅馬以繩懸馬令去地尺餘灌之以水又以器盛水於下以芒當心跪注錞于以手振芒則其聲如雷清響良久乃絶
後周書斛斯徵遷太常卿樂有錞于者近代絶無此器或有自蜀得之皆莫之識徵見之曰此錞于也衆弗之信徵遂引于寶周禮注以芒筒捋之其聲極振衆乃歡服徵乃取以合樂焉
樂書曰錞于者以銅爲之其銅象鐘頂大腹揫口弇上以伏獸爲鼻内懸子鈴銅舌凡作樂振而鳴之與鼓相和
又曰凡金爲樂器有六皆鍾之類也曰鍾曰鎛曰錞曰鐲音濁曰鐃奴交切曰鐸大各切錞如鍾而大錞于也圓如椎頭上大下小所謂金錞和鼓鐲鉦也形如小鍾軍行爲鼓節鐃鈴而無舌有柄而執之鐸如大鈴

太平御覽卷第五百七十五

太平御覽卷第五百七十六

樂部十四

磬　琴　箏

筑　準

磬

說文曰磬樂石也古者毋句氏作磬

爾雅曰大磬謂之毊徒鼓磬謂之蹇郭璞曰毊音囂以玉飾之

禮記明堂位曰垂之和鍾叔之離磬

又曰諸侯之宮懸祭以白牡擊玉磬諸侯之僭禮也

周禮春官眡瞭掌擊頌磬笙磬磬在東方曰笙笙生也在西方曰頌頌或在庸庸功也

磬師掌教擊磬

又曰㒵氏爲磬也

毛詩那頌曰既和且平依我磬聲

左傳曰晉師從齊師入自丘輿擊馬陘齊侯使賓媚人賂以紀甗玉磬

尚書曰徐州泗濱浮磬孔安國注曰泗水涯水中見石可以爲磬

論語曰擊磬襄入于海

又曰子擊磬於衛有荷蕢而過孔氏之門者曰有心哉擊磬乎子擊磬者樂也蕢草器也荷此器賢人避世也有心哉善其音有所病於世

國語曰魯饑臧文仲以玉磬如齊以糴

東觀漢記曰王阜爲重泉令鸞鳥集學宮阜擊磬鸞鳥應磬而舞焉

魏志曰武帝至漢中得杜夔說舊法始復設軒懸鍾磬今用之受之於杜夔也

陳書曰吴明徹自壽陽入朝輿駕幸其第賜鍾磬一部

三禮圖曰股廣三寸長尺三寸半十六枚同一筍簴謂之編磬在東方曰笙磬在西方曰頌磬

山海經曰鳥危之山其陽多磬

又曰小華之山其陰多磬石高山涇水出焉其中多磬

白虎通曰磬者夷則之氣萬物之成其氣磬故曰磬有貴賤焉有親疏焉有長幼焉此三者行然後王道得王道得然後萬物成天下樂之故樂用磬也

王子年拾遺記曰浮瀛即瀛洲也上有青石可爲磬長一丈而輕若鴻毛

洞冥記曰漢武帝起招仙靈閣於甘泉宮西其上懸浮金輕玉之磬也

王韶之始興記曰縣下流有石室內有懸石扣之聲若磬響十餘里

淮南子曰孟冬之月北宮御女黑衣縧擊磬石

又曰禹以五音聽政懸鍾鼓磬鐸置鞀以待四方之士爲號曰教寡人以道者擊鼓喻寡人以義者擊鍾告寡人以事者振鐸語寡人以憂者擊磬

五經要義曰磬立秋之樂也

呂氏春秋曰堯命夔拊石擊石以象上帝玉磬之音以舞百獸代卒去敉所造不知何代人又曰無句作磬古史考曰堯時人

周禮冬官考工記磬氏爲磬倨句一矩有半必先度一矩爲句一矩爲股而求其弦既而以一矩有半觸其弦則磬之倨句也磬之制有大小此假矩以定倨句非用其度也其博爲一博謂股博博廣也股爲二鼓爲三三分其股博去一以爲鼓博三分其鼓博以其一爲之厚鄭衆云股磬之上者也鼓其下小者所當擊也鄭玄謂股外面鼓內面也假令磬股廣四寸半者股長九寸股廣三寸長尺三寸半厚一寸已上則摩其旁鄭玄

玄磬声太上則摩鑢其旁也鄭玄謂太上声清也薄而廣則濁也已下則摩其端太下声濁也矩而厚則清

又曰磬師掌教擊磬教教視瞭擊亦編於鍾也教縵樂燕樂之鍾磬鄭玄云縵謂雜声之和樂者也學記曰不學操縵不能安弦燕謂房中之樂所謂陰声二樂皆教其鍾磬

通禮義纂曰晉賀循奏登歌之簴采玉造小磬宗廟殿用王郊丘用石本法堂上樂以歌爲故名歌鍾歌磬唐制設磬於壇上之西歌鍾於東近南北向至匏竹立於壇下

又曰黃帝使伶倫造磬

又曰天地尚質用石磬宗廟及殿庭尚文用玉磬必用之者聲清正者陰陽之祭主於金石也

又曰唐禮皇后享先蚕設十二磬於辰位陰陽之祭主於清濁是以用磬而不用鍾也

瑟

白虎通曰瑟者閑也所以懲忿窒欲正人之德也故曰瑟有君父之節臣子法商角則君父有節臣子有義然後四時和然後萬物生故謂之瑟大瑟謂之灑長八尺一寸廣一尺八寸二十七絃

爾雅曰徒鼓瑟謂之步

三禮圖曰雅瑟長八尺一寸廣二尺八寸二十三絃其常用者十九絃其餘四絃謂之番羸也頌瑟七尺二寸廣尺八寸二十五絃盡用也

蔡邕月令章句曰瑟前其柱則清却其柱則濁

毛詩鹿鳴篇曰呦呦鹿鳴食野之苹我有嘉賓鼓瑟吹笙

又車鄰曰既見君子並坐鼓瑟

禮記曰清廟之瑟朱絃而疏越一唱而三歎有遺音者也此雅淡之樂也言至和不在於音故不須絙絃促柱以陷人心也

論語曰由之瑟奚爲於丘之門。陽貨曰孺悲欲見孔子孔子辭之以疾將命者出户取瑟而歌使之聞之

又曰仲尼問曾皙曰點尒何如鼓瑟希鏗尒捨瑟而作曰莫春者春服既成冠者五六人童子六七人浴乎沂風乎舞雩詠而歸

周書曰師曠見太子晉師曠束躅其足曰善哉善哉王子曰太師乎何舉足驟師曠曰天寒之躅是以數舉也王子曰請入坐遂敷席注瑟師曠曰歌無射曰國誠寧矣遠人來觀脩義經矣好樂無荒乃注瑟於王子

漢書曰萬石君石奮其父趙人姊能鼓瑟高祖曰若能從我乎曰願盡力於是高祖召其姊爲美人

又楊惲報孫會宗書曰惲本秦人能爲秦聲婦趙女也雅善鼓瑟

又曰莽何羅及走趨卧内頤入行觸寶瑟僵仆金日磾得抱何羅因呼曰何羅反

呂氏春秋曰古朱襄氏之治天下多風陽氣畜積果實不成故王建作爲五絃之瑟以來陰以定群聲瞍制五絃之瑟作十五之絃舜益以八絃爲二十三絃高誘曰王建朱襄之瞽

慎子曰公輸子巧用材也不能以檀爲瑟

韓詩外傳曰趙王使人於楚鼓瑟遣之曰無失吾言使者受命伏而不起曰大王鼓瑟未嘗若今日之悲也王曰然鼓瑟者固方調也使者曰調則可記其柱王曰不可天有燥濕絃有緩急柱有推移不可記也使者曰臣請此以諭楚之去趙千有餘里亦有吉凶之變凶則弔之吉則賀之

猶柱之有推移不可記
典略曰百里奚虞大夫晉君以女爲秦穆夫人用奚爲媵奚亡走宛楚人執之秦穆公知其賢欲厚貨以求之恐楚不與乃以羖羊皮贖之號五羖大夫秦遂以霸奚相秦其妻傭浣入宮見琴者　之自言能鼓琴歌曰百里奚毋已死葬南溪墳已覆以紫春莫黎搤伏雞西入秦五羖皮今日富貴捐我爲百里奚乃識之○尸子曰夫瑟二十五絃其僕人鼓之則爲笑賢者以其義鼓之欲樂則樂欲悲則悲雖有暴君爲之立變
世本曰庖羲氏作瑟瑟絜也一使人精絜於心淳一於行也
王子年拾遺録白圓山其形圓也有木林疾風震地而林木不動以其木爲瑟故曰靜瑟也黃帝使素女鼓庖羲氏之瑟滿席悲不能已後破爲七尺二寸二十五絃

韓子曰齊宣王問匡倩曰儒者鼓瑟乎對曰不也瑟者也以小絃爲大聲以大絃爲小聲是細大以易序貴賤易位儒者爲害義故不能宣王曰善

箏

說文曰箏鼓絃筑身樂也
風俗通曰謹按樂記箏五絃筑身也今并涼州箏形如瑟不知誰作也按京房制五音唯加瑟十三絃此乃箏也今雅樂箏十二絃他樂皆十三絃如箏稍小曰雲和樂府不用
史記曰秦逐客李斯上書曰夫擊甕叩缶彈箏搏髀而歌嗚嗚使快耳者真秦之聲
晉書曰謝安壻王國寶專利無檢行安惡其人每抑之武帝末年嗜酒而會稽王道子昏醟尤甚於是國寶讒諛之計稍行於王相之間而好利險詖之徒以安功名盛極構之嫌隙遂成帝召桓伊飲讌謝安侍坐帝令伊吹笛伊神色無迕即吹爲一弄乃放笛云臣於箏分乃不及笛然自以韻合歌管請箏歌并請吹笛人帝善其調達乃勑御府對曰御府於臣必自不合臣有一奴善相便串帝彌賞其放率乃許召之奴既吹笛伊便撫箏而歌曰爲君既不易爲臣良獨難忠信事不顯乃有見疑患周旦佐文武金縢功不刊推心輔王政二叔反流言其聲慷慨俯仰可觀安泣下沾衿乃越席而就之捋其鬚曰使君於此不凡帝甚有愧色
梁書曰羊侃字祖忻身長七尺八寸雅愛文史及孫吳兵法姬妾列侍窮極奢靡有彈箏人陸大喜著鹿角爪長七

寸舞人張淨琬腰圍一尺六寸時人咸云能掌上舞
俗說曰謝仁祖爲豫州主簿在桓溫閤下聞其善彈箏便呼之既至取箏與令彈謝即理絃撫箏因歌曰秋風意殊道桓大以此知之取謝引詣府
襄沔記曰辛居士名宣仲隴西人大明末寓居襄陽縣西六里多植松竹栖遅其下靜嘿不交塵俗林中起一草廬容膝而已善彈箏與淮南胡陶京兆駱惠度同志爲友常共讌集此林陶能吹笛惠度工歌拾林下絃管道韻時人謂之三公樂宋邵陵王休若爲南雍州刺史躬往造焉宣仲正在林中彈箏了不迴顧逡巡致箏於席延邵陵與語纔述寒溫而已時邵陵客有述其旨者授箏令彈再三固請荅曰幸非王門伶人何事見逼所勝於君者正奉止自由若聞君鞠躬復與君何異占對辭雅衆不能屈齊文惠臨州吳興沈約奉教聘引並不降志

約乃共論文章宣仲輙言莊老既各言其志不能相屈建
武中遇疾卒惠度及陶並不知所終
英雄記曰呂布詣袁紹紹患之布不自安因求還洛陽紹
聽之承制使領司隷校尉遣壯士送布而陰殺之布疑其
圖己乃使人鼓箏於帳中潛自遁出夜中兵起而布已亡
紹聞懼爲患募追之皆莫敢近遂復歸
燉煌實録曰索承宗伯夷成善鼓箏悲歌能使喜者墮淚
改調易謳能使戚者起舞時人号曰雍門周
魏畧曰游楚好音樂乃畜琵琶箏每行　將以自隨
吳質別傳曰魏文帝與吳質書曰斬泗濱之梓以爲箏
傅子曰鄒素善彈箏雖伯牙妙手吳姬奇聲何以加之
傅玄箏賦序曰以爲蒙恬所造今觀其器上崇似天下圓
似地中空准六合絃柱擬十二月設之則四象在鼓之則

五音發斯乃智仁之器豈蒙恬亡國之臣所能關思哉合淸樂箏並十有二絃他樂皆十三絃軋箏以行竹濶其端而軋之彈箏以骨爪長寸餘以代指也

筑

樂書曰筑者形如頌琴施十三絃頂細肩圓品聲按柱鼓
法以左手扼之右手以竹尺擊之隨調應律唐代編入雅
樂也
釋名曰筑以竹鼓之也如箏細項案今制身長四尺二寸項長三寸圍四寸五分項七寸五分闊七寸五分下闊六寸五分
史記曰高漸離善擊筑與荊軻友見軻刺秦王不中而死
乃變姓名入秦欲爲軻報讎市中擊筑而乞人觀而美奏
之秦王聞召之於前擊之王悅猶以疑焉熏其兩目置於
帳中王躭之親近於漸離漸離望秦王歎息之聲舉筑以
擊中王膝王怒之

又曰高祖過沛大享故人父老酒酣高祖擊筑而歌曰大
風起兮雲飛揚威加海內兮歸故鄉
又曰荊軻之燕與屠狗高漸離飲於燕市酒酣高漸離擊
筑荊軻和而於市中相樂也已而相泣旁若無人

準

京房曰準竹聲不可以度調故作準以定數準之狀如瑟
長一丈而十三絃隱間九尺以應黃鍾之九寸中央一絃
下有畫分寸以爲六十律淸濁之節矣

太平御覽卷第五百七十六

太平御覽卷第五百七十七

樂部十五

琴上

說文曰琴禁也神農所作洞越練朱五絃周加二絃
毛詩關雎曰窈窕淑女琴瑟友之注曰宜以琴瑟友樂之箋云賢女乃與琴瑟之志同也
又鄘柏舟定之方中曰樹之榛栗椅桐梓漆爰伐琴瑟
又甫田車舝曰四牡騑騑六轡如琴箋云御群臣使之有禮如御四馬騑騑然使之均調緩急和也
又緇衣雞鳴曰琴瑟在御莫不靜好
禮記曲禮曰先生之書策琴瑟在前坐而遷之戒勿越也
又曲禮下曰士無故不去琴瑟
又明堂位曰拊搏玉磬揩擊大琴中琴四代之樂器也

又檀弓上曰子夏既除喪而見於孔子與之琴和之而不
和彈之而不成聲樂由人心作而曰哀未忘也子張既除喪而
見與之琴和之而和彈之而成聲作而曰先王制禮不敢
不至也
又檀弓上曰顏淵之喪饋祥肉孔子出受之入彈琴而後
食之彈琴以散哀也
又曰絲聲哀哀以立廉廉以立志君子聽琴瑟之聲則思
志義之臣
又雜記曰下大功至辟琴瑟
周禮曰雲和之琴冬至日於地上圜丘奏之空桑之琴夏
至日於澤中萬丘奏之龍門之琴於宗廟奏之
左傳曰初穆姜使擇美檟自以為櫬與頌琴
又曰晉侯觀于軍府見鍾儀問其族曰伶人也與之琴操
南音公曰君子也言稱先職不背本也樂操土風不忘舊
也
又曰初衛侯有嬖妾使師曹誨之琴師曹鞭之公怒鞭師
曹三百
爾雅云大琴曰離二十絃或傳此是伏羲所制
周書曰鄒忌以鼓琴見齊威王威王說之舍之右室須臾王自
鼓琴鄒忌推戶入曰善哉鼓琴也王悖然不悅去琴按劍
曰夫子見之未察何以知其善忌曰大絃濁以溫小絃廉
折以清推之深而釋之舒均諧以鳴大小相益回邪而
不相害是知其善忌復曰不獨語音夫治國家弭人民皆
在其中王又悖然不悅曰若語五音紀信未有如夫子者
也若治國家弭人民皆在其中又何為絲桐之間忌曰大
絃急以溫者君也小絃廉折以清者相也推之深釋之舒

者刑罰審也均諧之鳴者政令一也大小相益回邪不相
害者上下和鳴吏民相親也夫復而不亂者所以治昌連
而徑者所以存亡故曰琴音調而天下治治國家弭人民無若
乎五音者矣王曰善忌見三月而受相印淳于髡謂忌曰
髡有愚志願陳諸前忌曰謹受教髡曰得人者昌失人者
亡忌曰謹受命請無觀髡曰狶膏棘軸所以為猾然而不
能運方穿忌曰謹受命請事左右髡曰弓膠腊幹所以為
勢然而不能傳合疏遠忌曰謹受命請謹自撫附萬民髡
曰狐裘雖弊不可補以黃犬之皮忌曰謹受命謹請擇君
子無親小人髡曰大車無轂不能載常任琴瑟無軫不能
成五音忌曰謹受命請謹修法律而督姦吏髡說畢趍出
至門而聆其僕曰是人者吾語之微言其應我如響之應
聲是人封不久矣居朞年封於下邳號曰成侯

史記曰箕子諫紂不聽而被髮佯狂爲奴隱而鼓琴以自悲
又曰司馬相如素與臨卭令王吉相善臨卭富人卓王孫有女文君新寡好音相如謬與令相重而以琴心挑之相如始之臨卭車騎雍容閑雅甚都及飲卓氏弄琴文君竊從戶窺之心悅恐不得當也
又曰荊軻左把秦王右揕其胷王乞聽琴而死召姬人鼓琴聲曰羅縠單衣可裂而絕八尺屛風可超而越鹿盧之劒可負而拔王奮而去
又曰黃帝使素女鼓五十絃琴帝悲不能自禁破爲二十五絃
又曰萬石君奮年十五爲小吏侍高祖與語愛其恭敬問曰若何有對曰獨有母不幸失明有姊能鼓琴高祖乃召其姊爲美人以奮爲中涓徙其家長安中戚里
東觀漢記曰上嘗問宋弘道通之士弘薦桓譚譚善鼓琴喜鄭聲上數聽悅之弘聞坐府上遣吏召譚責問之譚叩頭良久乃遣後上令譚鼓琴譚爲之失次上問之弘言其故故不復令譚給事
後漢書曰初蔡邕在陳留鄰人有以酒食召邕者比往而酒已酣客有彈琴於屛邕至門潛聽之曰以樂召我而有殺心何也遂返將命者告主人曰蔡君至門而去邕素爲邦鄉所宗主人遂自追問其故邕具以告莫不憮然彈琴者曰我向見螳蜋方向鳴蟬蟬將去而未飛螳蜋爲之一前一却吾心聳然唯恐螳蜋之失蟬也此豈爲殺心而形於聲乎邕歎曰此足以當之矣
又曰蔡邕字伯喈陳留人性沉審志好琴道以嘉平元年

入清溪訪鬼谷先生所居山五曲曲有幽居靈跡每一曲制一弄三年曲成出呈馬融王元董卓等異之
晉書曰王敬伯會稽餘姚人洲渚中昇亭而宿是夜月華露輕敬伯鼓琴感劉惠明亡女之靈告敬伯就體如平生從婢二人敬伯撫琴而歌曰低露下深幕垂月照孤琴空絃益霄淚誰憐此夜心女乃和之曰歌宛轉情復哀願爲煙與霧氛氳同共懷
晉書曰阮瞻善彈琴人聞其能多往來聽不問貴賤長幼皆爲彈之神氣冲和不知向人所在內兄潘岳每令鼓琴終日達夜無忤色
晉中興書曰戴逵字安道少有文藝善鼓琴太宰武陵王晞聞其能琴使人召焉逵對使者破琴曰戴安道不爲王門伶人晞怒乃更引其兄述述亦能樂聞命忻然携琴而往逵不樂當世以琴書爲娛不遠千里

宋書曰蕭思話領左衛將軍嘗從太祖登鍾山北嶺中道有盤石清泉上使於石上彈琴因賜以銀鍾酒謂曰相賞有松石間意
又曰衡陽王義季鎮京口長史張邵與戴顒姻通近來止黃鵠山林澗甚美顒憩於澗義季亟從之遊顒衣野服爲義季鼓琴並新聲變曲皆與世異也
又曰衡陽王義季鎮京口戴顒爲義季鼓琴並新聲曲其三調遊絃廣陵止息之流皆與世異太祖每欲見之嘗謂黃門侍郎張敷曰當譙戴公山也以其好音長給正聲伎一部顒合何嘗白鵠二聲以爲一調号爲清曠
又曰陶潛不解音聲而畜素琴一張每有酒適輒撫弄以寄其意

蕭子顯齊書曰王仲雄善彈琴當時妙絶江左有蔡邕焦尾琴在王衣庫上勑五日一給仲雄

又曰尚書令柳世隆少立功名晚專以談義自業善彈琴世稱柳公雙璅爲士品第一常自云馬矟第一清談第二彈琴第三在朝不取世務垂簾鼓琴風韻清遠甚獲世譽

家語曰孔子學琴於師襄子襄子曰吾雖以擊磬爲官然能於琴子琴已習可以益矣孔子曰丘未得其爲志也又問曰已習其志可以益矣孔子曰丘未得其爲人也又問曰子有所繆然深思焉(繆然深思皃也)有所皇然高望而遠眺(眺見)曰丘殆得其爲人矣始近黮然黑(黮黑皃也)頎然長(頎長皃也)曠然如望羊(曠然用志曠遠也望遠也望羊視遠)奄有四方(奄同也文王時三分天下有其二後周有四方之功文王上也)非文王其孰能爲此師襄子避席擱拱而對曰(擱拱兩手薄心)君聖人也其傳曰文王操

又曰子路鼓琴孔子聞之謂冉有曰甚矣由之不才也夫先王之制音也奏中聲以爲節流入於南不歸於北夫南者生育之鄉北者殺伐之域也故君子之音溫和居中以養生育之氣憂愁之感不加乎心暴厲之動不存乎禮夫然者乃所以爲治安之風也小人之音則不然亢厲微末以象殺伐之義中和之感不載乎心溫和之動不存於躰夫然者乃所以爲乱亡之風

家語曰伯牙鼓琴鍾子期聽之方鼓而志在太山鍾子期曰善哉乎鼓琴巍巍乎若太山少選之期而志在流水鍾子期復曰善哉乎鼓琴湯湯乎若流水鍾子期死伯牙破琴絶絃終身不復鼓琴以爲世無足爲鼓琴者

莊子曰孔子窮於陳蔡七日不食絃歌鼓琴

又曰孔子遊於緇帷之林休坐杏壇之上弟子讀書孔子絃歌鼓琴奏曲未半有父者下船而來孔子推琴而起曰其聖歟

列子曰瓠巴鼓琴鳥舞魚躍鄭師文聞之從師襄三年不成無幾見師襄曰久得之矣於是當春而叩商絃以召南呂涼風忽至草木成實秋而叩角溫風徐迴草木發榮夏而叩羽霜雪交下川池暴涸冬其叩徵陽光熾烈堅冰立散將終而四景風翔慶雲浮甘露降醴泉湧

前秦録曰苻堅末年好色寵幸鮮卑有趙整者援琴歌曰昔聞盟津河千里作一曲此水本清白是誰乱使濁

又曰北園有棗樹布葉垂重陰外雖多棘刺內實有赤心

世説曰王子猷病篤而子敬先亡猷問左右曰何以都不聞消息此以喪矣語時了不悲便索轝臨殯子敬好琴故以置棺中因大慟曰所謂人琴俱亡於是乃絶

風俗通曰今琴長四尺五寸者法四時五行七絃者法七星大絃爲君小絃爲臣文王武王加二絃以合君臣之恩

劉向列仙傳曰子主者不知何許人也言寗先生雇我一百餘年不還直詣江都王陳辭先生居龍首彈琴是我隣家九代孫

琴操曰伏羲作琴長三尺六寸六分象三百六十日也廣六寸象六合也文上曰池下曰宕池水平也前廣後狹象尊卑也上圓下方法天地五絃宫也大絃君也寛和而溫小絃臣也清廉不亂文王加二絃合君臣恩也宫爲君商爲臣角爲民徵爲事羽爲物

傳玄琴賦敘曰齊桓有鳴琴曰號鍾楚莊王有琴曰繞梁司馬相如有綠綺蔡邕有焦尾皆名器也(蔡邕焦尾有直甚多相如政承)

古名目琴耳無其事也不異琴鍾

世說曰顧彥先平生好琴死後置琴床上張翰直上床彈琴不與孝子語而去

語林曰嵇中散夜燈下彈琴忽有一人面甚小斯須轉大遂長丈餘單衣革帶嵇視之既熟乃吹燈滅之曰恥與魑魅爭光

阮籍樂論曰漢桓帝聞楚琴悽愴傷心倚戶而悲慷慨長息曰善哉為琴若此而足矣

說苑曰應侯與賈子坐聞鼓琴聲應侯曰今日琴一何悲也賈子曰夫張急調下故使之悲耳因張者良材也調下者官卑也取夫良材而卑之官安能無悲乎應侯曰善

楊雄琴清英曰晉王謂孫息曰子鼓琴能令寡人悲乎息曰今處高臺邃宇連屋重戶藿肉漿酒倡樂在前難可使悲者乃謂少失父母長無兄嫂當道獨坐暮無所止如此者乃可悲耳乃援琴而鼓之晉王酸心哀涕曰何子來遲也

蔡邕女訓曰舅姑若命之鼓琴必正坐操琴而奏曲若問曲名則捨琴興對曰某曲坐若近則琴聲必聞若遠左右必有贊其言者凡鼓小曲五終則止大曲三終則止無數變曲無多少尊者之聽未厭不敢早止若顧望視也則曲終而後止亦無中曲而息也琴必常調尊者之前不更調張私室若近舅姑則不敢鼓獨若絕遠聲音不聞鼓之可也鼓琴之夜有姊妹之宴則可也

通禮纂曰堯使無勾作琴五絃

江表傳曰顧雍少從蔡伯喈學鼓琴伯喈貴異之謂曰卿成必早故以名與卿雍伯喈同名由此

蔡邕月令章句曰凡絃急則清慢則濁

白虎通曰琴禁也以禁止淫邪正人心也

韓詩外傳曰孔子南遊適楚至於阿谷之隧有處女珮璜而浣孔子曰彼婦人可與言矣抽琴去其軫以授子貢曰善為之辭以觀其辭子貢曰於此有琴而無軫願借子以調其音婦人對曰吾野鄙之人也僻陋而無心五音不知安能調琴子貢致其辭孔子曰丘知之矣

山海經曰帝俊生晏龍始為琴瑟

又曰東海之外大壑少昊孺帝顓頊於此棄其琴瑟郭璞曰孺義未詳也

蔡琰別傳曰琰字文姬陳留人漢左中郎將蔡邕之女少聰惠秀異年六歲邕夜鼓琴絃絕琰曰第二絃邕故斷一絃而問之琰曰第四絃邕曰偶得之耳琰曰吳札觀化知興亡之國師曠吹律識南風之不競由此言之何不足知也

馬明生別傳曰明生隨神女入石室金床玉几時自彈琴有絃五音普奏聞於數里

幽明錄曰劉琮善琴忽得困病許遜曰近蔣家女鬼相錄在山石間專使彈琴作樂恐欲致疾也琮曰吾常夢見女子將吾宴戲恐必不免遜笑曰蔣姑相愛重恐不能相放耳以為詠之今去當無患也琮漸差

文士傳曰嵇康臨死顏色不變謂其兄曰向以琴來不兄曰已至康取調之為太平引曲成歎息曰太平引絕於今日耶

搜神記曰吳人有燒桐以爨者蔡邕聞其爆聲曰此良桐也因請之削以為琴而燒不盡因名焦尾琴有聲也

楊雄琴清英曰昔者神農造琴以定神齊婬僻去邪欲反其天眞者也舜彈五絃之琴而天下治堯加二絃以合君臣之恩也

太平御覽卷第五百七十七

太平御覽卷第五百七十八

樂部十六

琴中

樂府解題曰水僊操伯牙學琴於成連先生三年不成至於精神寂寞情之專一尚未能也成連云吾師方子春今在東海中能移人情乃與伯牙俱往至蓬萊山留宿伯牙曰子居習之吾將迎師剌舡而去旬時不返伯牙近望無人但聞海水洞滑崩澌之聲山林窅寞群鳥悲號愴然而嘆曰先生將移我情乃援琴而歌曲終成連迴剌船迎之而還伯牙遂為天下妙矣

又曰雉朝飛操者齊宣王時處士犢沐子所作也年七十無妻出薪於野見雉雌雄相隨則心悲乃仰天歎曰聖王在上恩及草木鳥獸而我獨以不獲援琴而歌以自傷

又曰思歸引衛有賢女邵王聞其賢請娉之未至王薨太子曰吾聞齊桓得衛姬覇今衛女賢者欲留之大夫曰不可若賢必不我聽聽亦不賢不足取太子不聽遂留拘深宮思歸不得歸援琴而歌曲終自縊而死

楊雄琴清英曰尹吉甫子伯奇至孝後母譖之自投江中衣苔帶藻忽夢見水仙賜其美樂唯念養親揚聲悲歌船人聞而學之吉甫聞船人之聲疑似伯奇援琴作子安之操

琴操曰高陵牧子娶妻無子父母將改娶牧子援琴鼓之痛恩愛乖離故曰別鶴操

楊雄琴清英曰雉朝飛操者衛女之作也衛侯女嫁於齊太子至中道聞太子死問傅母何如傅母曰且往當喪畢不肯歸終之以死焉傅母好琴取女自操琴於冢上鼓之忽三雉俱出墓中傅母撫雌雉曰女果為雉耶言未卒俱飛而起忽而不見傅母悲痛援琴作操故曰雉朝飛

琴操曰古琴曲有歌詩五曲一曰鹿鳴二曰伐檀三曰騶虞四曰鵲巢五曰白駒又有十二操一曰將歸操孔子所作孔子之趙聞殺鳴犢而歸作此曲也二曰倚蘭操孔子所作傷不逢時三曰龜山操孔子作季桓子受齊女樂孔子欲諫不得退而望魯龜山作曲喻季氏若龜山之蔽魯也四曰越裳操周公所作五曰拘幽操文王作文王拘於羑里作此曲六曰岐山操周人為太王所作七曰履霜操尹吉甫子伯奇無罪見逐自傷作此曲八曰雉朝飛操沐犢子所作沐犢子七十無妻見雉雙飛感之作此曲也九曰別鶴操商陵牧子所作娶妻五年無子父母欲改娶其妻聞之中夜悲牧子因之作此曲十曰殘形操曾子夢見

一狸不見其足而作曲十一曰水僊操伯牙所作十二曰壞陵操伯牙所作又有九引一曰列女引楚樊姬所作二曰伯姬引魯伯姬所作三曰貞女引魯漆室女所作四曰思歸引衛女所作五曰霹靂引楚商梁出遊九皐之澤遇風雷霹靂畏懼而歸作此引六曰走馬引樗里牧恭所作牧恭為父報寃殺人而亡藏於山林之下有天馬引之感作此引七曰箜篌引霍里子高所作即公無渡河曲八曰琴引秦時屠門高所作九曰楚引楚龍丘子高所作又有河間雜歌二十一章

琴歷曰琴曲有蔡氏五弄雙鳳離鸞歸風送遠幽蘭白雪長清短清長側清調瑟調大遊小遊明君胡笳廣陵散白魚歎楚妃歎風入松烏夜啼楚明光石上流泉臨汝侯子安之流澌洄雙燕離陽春弄恍弄連弄悅人弄連珠弄中

揮清暢志清看客清儛清婉轉清
大周正樂曰師襄子夫子琴師也方子春教成連生鼓琴能化人情者也成連先生教伯牙鼓琴者也鍾子期善聽知音者子期死伯牙終身不鼓琴者也顔淵聽夫子琴知周衰者也涓子操琴心王篇者也禽高以琴養性求仙於羅浮山中鼓琴於郢中奏陽春白雪者也雍門周以琴感孟嘗君悲者也鄒忌與齊王言琴事以方正定德者也榮啓期對夫子彈琴言三樂之事者也禽子盃臨欒户死而琴歌者也應侯鼓賈子對以取牛婦人者也子桑飢寒欲死鼓琴而歌者也師曠爲晉平公援徵感玄鶴二七下舞者也師涓寫濮上琴聲者也子夏除喪曰琴樂曰不敢不至者也閔子騫除喪曰彈琴不成聲者也宓子賤治單父不下堂彈琴而邑自理者也踞轉鼓琴春秋晉大夫張骼輔轢者也衛師曹衛獻公令師曹教公嬖妾師曹鞭之公怒之鞭師曹三百者

又曰冠先生宋人也以釣魚爲業宋景公問道不告殺之後十五年在宋城門下彈琴者也巳上自堯神人暢至始皇九十三弄好士二十七人並爲上石

又曰杞梁妻者齊邑杞梁殖妻之所作也莊公襲莒殖戰而死莊公還遇其妻於路使使者道弔之妻曰今殖有罪君何辱命焉若殖免於罪賤妾有先人之弊廬妾不敢受弔也公乃弔諸室成禮而去妻歎曰上則無父中則無夫下則無子外無所依內無所倚將何以立吾節豈能更二哉死而已矣於是乃援琴而鼓之

又曰伐檀操者魏國女之所作也傷賢者隱弊素飡在位閔傷怨曠失其嘉會夫聖主之制能治人者食於人不能治人者食於田今賢者隱退伐木小人在位食祿懸珍琦積百穀并包有土德澤不加百姓傷痛上之不知王道之不施仰天長嘆援琴而鼓之

又曰將歸操者孔子之所作也趙簡子循執玉帛以聘孔子孔子將往未至渡狄水聞趙殺其賢大夫竇鳴犢喟然而歎曰夫趙之所以治者鳴犢之力也殺鳴犢而聘余胡丘之往也夫燔林而田則麒麟不至覆巢破卵則鳳皇不翔鳥獸尚惡傷類而況君子哉於是援琴而鼓之

又曰岐山操者周大王之所作也大王居豳狄人攻之仁恩惻隱不忍流血選練珍寶犬馬皮幣束帛與之狄侵不止問其所欲欲得土地大王曰土地者所以養萬民也吾將委國而去矣二三子亦何患無君焉遂杖策而出踰乎梁而邑乎岐山自傷劣不能化夷狄爲之所侵喟然歎息援琴而鼓之

又曰三士窮操者其思革子之所作也其思革子城石文子叔愆子三人相與爲友聞楚城子賢而好士三子相與俱往見之至於礉磽嶔岩之間卒逢飄風暴雨相與俱伏空柳之下衣寒乏糧自度不得活三人相視而歎曰與其飢寒俱死也豈若併衣糧於一人哉二人俱以其思革子爲賢推衣糧與之革子曰死則共之今二子以賢愚相辭乃以死讓孰賢哉辭而不受二子曰吾自以相與猶左右手也左傷則右救之右傷則左救之子不我受俱死無名於世不亦痛乎於是思革子乃受之二子遂凍餓而死其思革子抱二子尸而埋之號天哭泣竭哀而去往見於楚王楚王知其賢者於是旨酒嘉餚設鍾鼓樂之其思革子愴然有憂悲之意楚王心動怵而不悅乃推罇罷樂引琴

而進其思華子援琴而鼓之作相與別散之意王聞曰子
琴音何苦哀也華子推琴離席長跪涕流而下對臣友三
人石丈子叔衙子竊慕大王高義欲俱來謁至於磝磽嶽
岩之間逢飄風暴雨衣寒粮乏度不能俱活二子俱不以
臣爲不肖推糧與臣二子逢凍餓死大王雖陳酒餚設樂
誠不敢酬樂也楚王曰嗟乎乃如是耶於是賜其思華子
黄金百斤命左右棺斂収二子而葬之以其思華子爲相
故曰三士窮
又曰鹿鳴操者周大臣之所作也王道衰君志傾留心聲
色内顧妃后設旨酒嘉肴不能厚養賢者盡禮極歡形見
於色大臣照然獨見必知賢士幽隱小人在位周道陵遲
自以是始故彈琴以風諫歌以感之庶幾可復歌呦呦鹿
鳴食野之苹我有嘉賓鼓瑟吹笙吹笙鼓簧承筐是將人

之好我示我周行此言禽獸得美甘之食尚知相呼傷時
在位之人不能乃援琴以刺之故曰鹿鳴也
又曰騶虞操者邵國女之所作也古有聖王在上君子在位
役不踰時不失嘉會内無怨女外無曠夫及周道衰微禮
義廢弛強陵弱衆暴寡萬民騷動百姓愁苦男怨於外女
傷於内内外無主内迫情性外迫禮義歎傷所說而不逢
時於是援琴而歌
又曰猗蘭操者孔子之所作也孔子周流天下應聘諸侯
莫能任用自衛反魯過隱之中見薌蘭之獨茂也喟然而
歎曰夫蘭當爲王者香今乃獨茂與衆草爲伍譬猶賢者
不逢時與鄙夫爲倫也凭車撫軾援琴而鼓之自傷不逢
時也
又曰龜山操者孔子之所作也齊人饋女樂季桓子受之

魯君閉門不聽朝當此之時季氏專政上僭天子下畔大
夫賢聖斥逐讒邪滿朝孔子欲諫而不聽復退而望魯魯
有龜山蔽之譬季子於龜山託勢位於斧柯季氏專政道
猶龜山之蔽魯也傷政道之不用閔百姓不得其所欲誅
季氏而力不能於是援琴而歌
又曰白駒操者失朋友之所作也其友賢俱仕乎衰乱之
世君無道不可匡輔依違徼風諒不見受國士詠而思之
援琴而長歌
又曰越裳操者周公之所作也周公輔相成王成就文王
之道天下太平萬國和會江黄納貢越裳重九譯而來獻
白雉執贄曰吾君在外國也頃無迅風暴雨意者中國有
聖人乎故遣臣來周公於是仰天而歎之援琴而歌
又曰拘幽操者文王之所作也紂爲無道上逆天文下變

地理刑無罪殺不辜斮朝涉剖孕婦百姓怨悲海内同心
苦之文王爲西伯種德修仁布其恩惠天下三分有其二
紂大怒其有仁心也召而朝之拘於羑里文王憂愁援琴
而鼓之故曰拘幽操也
又曰聶政刺韓王者聶政之所作也聶政父爲韓王治劒
過時不成韓王殺之時政未生及壯問其母曰父何在母
告之政欲殺韓王乃學塗入王宮拔劒刺韓王不得走政
踰城而出去入太山遇仙人學鼓琴㓒身爲厲吞炭變其
音七年而琴成欲入韓國道逢其妻妻對之泣下對曰夫
人何故泣妻曰聶出遊七年不歸吾常夢相思見君對妾
笑齒似政齒故我心悲而泣也政曰天下人齒盡相似耳
胡爲泣乎即別去復入山中仰天而歎曰嗟乎變容易身
欲爲父報仇而爲妻所識父讎當何時復報援石擊落其

齒留山中三年習琴持入韓國人莫知政政鼓琴闕下觀
者成行馬牛止聽以聞韓王王召政而見之使之彈琴政
即援琴而鼓之內刀在琴中政於是左手持衣右手出刀
以刺韓王殺之曰烏有使者生不見其父可得死乎政殺
國君罪當及母即自犁剝面皮斷其形體人莫能識知乃
梟磔政形躰市懸金其側有知此人者賜金千斤遂有一
婦人往而哭之曰嗟乎爲父報讎耶顧謂市人曰此所謂
聶政也爲父報仇知當及母乃自屠剝面何愛一女之身
而不揚吾子之名哉乃抱政尸而哭冤結陷塞遂絕行脉
而死故曰聶政刺韓王也
又曰曾子歸耕者曾子之所作也曾子事孔子十有餘年
惓然念二親年衰養之不備欲歸而重歎之於是援琴而
鼓之

又曰崔子渡河者閔子騫之所作也崔子早無母其後母
常以其死母名呼之不應者後母輒笞之崔子惡與其母
同名欲自殺恐揚父惡又死母名應則逆非義也則以能
遊渡河爲辭繫石於腹入水自沉而死衆人但以爲不能游
耳莫知其故自沉是以父過不揚閔子騫大其能爲父隱
傷痛之故援琴而鼓之以美其意故曰崔子渡河
又曰屈原自沉者屈原之所作也屈原楚同姓也爲懷王
佐博聞強識踈通政事入則與王議國計策以施号令出
則接遇賓客應對諸侯上官大夫與之爭寵害其器能譖
之於王曰使屈原每一出矜伐功以其非已莫能爲懷王
怒而斥之屈原自傷懷忠而見疑憂愁面目黎黑臨河而
哀思著離騷九歌九歎七諫之辭仰天而歎援琴而鼓之
又曰孔子戹者孔子之所作也孔子應聘於楚待禮於陳在

陳絕粮從者病莫能興喟然而歎曰歸邪歸邪吾黨之小
子狂簡斐然成章不知所以裁之於是援琴而鼓之以自
叙其志故曰孔子戹
又霍將軍歌者霍去病之所作也去病爲討寇校尉爲人
少言勇而有氣使擊匈奴斬首二千後六出斬首十餘萬
級益封萬五千户秩禄與大將軍等於是志得意歡乃援
琴而鼓之
又曰鳳凰來儀者周成王之所作也成王即位用周召畢
榮之屬天下大治殊方絕域莫不蒙化是以越常獻雉重
譯來貢太平之瑞同時而應麒麟游苑囿鳳凰翔舞於庭
頌聲並作僉然大同於是成王乃援琴而鼓之
又曰子安　者其門離須之作也其門離須兄弟三人長
兄從軍二年不歸離須坐事被刑天下昏乱兵革騷動宗

族離散離須當遠徃輸持其小弟徃寄所知分別相去垂
涕而决其弟歔欷謂須曰吾生不睹母長不識父遭顛沛
擾攘之世兄從軍不歸子復遠輸未知反期一旦是非使
吾無所依吾聞兄在林梨欲徃從之離須止之曰兵革交
錯道路不通子爲我無徃徃必不還令吾兄弟分別死別
不亦痛乎喟然不應啼泣而別離須屬其主人曰子欲徃
愼爲我勿遣也去數日卒夜亡不知其處離須來還分布
求之卒不得憂思不樂仰天而歎於是援琴而鼓之
又曰力抜山者項羽之所作也項王爲漢所圍於垓下諸
侯兵悉到圍數重項王夜覺聞漢軍四面楚歌驚起坐仰
天而歎曰漢得吾衆是何楚歌之多於是心悲援琴而鼓
之
又曰禹上會稽者禹之所作也堯時洪水滔天百姓巢居

不安堯乃徵禹而使治之乃決江河上會稽山顧曰嗚呼
洪水滔天下人愁悲上帝俞咨三過吾門不入父子道衰
非欲伐功也傷君莫知不欲煩下民嗟乎天非欲數煩下
嗟嗟不欲煩下民自是之後百姓降丘黎庶乂安彈琴以
自歎故曰禹上會稽
又曰箕子吟者箕子之所作也箕子紂之諸父也紂爲無
道殺比干醢梅伯斮朝涉刳孕婦奢淫驕恣不修道德箕
子不可諫乃被髮佯狂痛宗廟之丘墟喟然援琴而鼓之
又曰文王思士者文王之所作也文王思得賢士與爲治
出田迺援蓍而卜之卦得所獲非龍非麟非虎非熊迺帝
王之師也至渭之陽果遇呂尚與語大悅之曰吾先人太
公有言當有聖人適周子其是邪遂載與之俱歸立以爲
師号曰太公望文王悅喜乃援琴而鼓之自叙思士之意

故曰文王思士
又曰武王伐紂者武王之所作也武王興師伐紂伯夷叔
齊拔劍扣馬曰父死不葬而爭天下非孝也執贄而事之
舉兵而伐之非義也武王以告太公望太公曰循大行者
不顧細禮立大功者不恤後衍遂剋殺誅紂於牧野於是
天下晏然萬民懽忻武王援琴而鼓之

太平御覽卷第五百七十八

太平御覽卷第五百七十九
樂部十七
琴下
三禮圖曰琴第一絃爲宮次爲商次爲角次爲徵次爲羽
次爲少宮次爲少商
廣雅曰伏羲氏琴長七尺二寸上有五絃
孫登別傳曰孫登字公和汲郡人清靜無爲好讀易彈琴
頹然自得觀其風神若遊六合之外者當魏末居北山中
石窟爲宇編草自覆阮嗣宗見登被髮端坐岩下逍遙然
鼓琴嗣宗自下趍進冀得與言嗣宗乃長嘯與琴音諧會
登因嘯和之妙響動林壑
洞冥記曰帝悄夕望東邊有青雲俄見雙白鵠集於臺上
倏忽變爲二神女舞於樓下握鳳管之簫舞落霞之琴歌
清吴春波之曲也
劉向別録曰雅琴之意事皆出龍德諸琴雜事中趙氏者
渤海趙定人也宣帝時元康神爵間丞相奏能鼓琴者渤
海趙定梁國龍德皆召入見温室使鼓琴時閒操爲散操
多爲之涕泣者
樂府解題曰魏武帝宫人有盧女者故將軍陰叔之姨也
七歳入漢宫學鼓琴琴特鳴異善爲新聲
阮籍樂論曰漢帝聞楚琴倚哀而悲慷慨長息曰善哉爲
聲若此而足矣昔季流向風而鼓琴聽之者涙下
列仙傳曰稷丘公華山道士漢武帝封禪公乃冠章甫擁
琴來迎
靈異志曰嵇中散神情高邁任心遊憩嘗行西南出去洛
數十里有亭名華陽投宿夜了無人獨在亭中此亭由來

殺人宿者多凶至一更中操琴先作諸弄而聞空中稱善
聲中散撫琴而呼之曰君何以不來此人便 去身是古
人幽没於此數千年矣聞君彈琴音曲清和故來聽耳而
就終殘毀不宜以接侍君子向夜髣髴漸見以手持其頭
遂與中散共論聲音其辭清辯謂中散君試過琴於是中
散以琴授之既彈悉作衆曲亦不出常唯廣陵散絶倫中
散纔從受之半夕悉得與中散誓不得教他人又不得言
其姓也
琴書曰昔者至人伏羲氏王天下也仰觀象於天俯察法
於地遠取諸物近取諸身始畫八卦削桐爲琴
又曰自堯相傳善琴者八十餘人有八十餘様雖少有差
大體相似皆長三尺六寸法朞之數也上圓而斂象天也
下方相平法地十三徽配十二律餘一象閏也本五絃宫
商角徵羽也加二絃文武也至後漢蔡邕又加二絃象九
星在人法九竅其様有異傳於代四所象鳳首翅足尾南
方朱雀爲樂之主也五分其身以三爲上以二爲下三天
兩地之義也上廣下狹尊卑之象也中翅八寸象八風腰
廣四寸象四時軫圓象陽轉而不窮也臨樂承露用棗脣
用梓未達先賢深意也
又曰琴高以琴養性初學於羅浮山後遊四海或傳禽高
非也
又曰舜彈五絃之琴以歌南風之詩豈唯道在思親志兼
憂民養萬物故感之
又曰穎陽西北界李氏㚷女年十五六天寶八年二月遘
疾七月不食瑰飛冥冥如昇上景在雲霧中 女仙人盧
藕苗間受琴清風弄等五十曲至天寶十五載五月留守

悲逈御史中丞蔣列騶騎上聞玄宗度爲女道士賜琴三
面留内供奉琴德絃妙旁行不流所感無恒也
又曰師涓紂之樂官也善鼓琴感四馬噓天仰秣或曰師
曠傳雖二疑即是一
風俗通曰琴者樂之統也君子所常御不離於身非若鍾
鼓陳於宗廟列於簨簴也以其大小得中而聲音和大聲
不諠譁而流漫小聲不湮滅而不聞適足以和人意氣感
發善心也
琴書曰堯凢大德堯彈感天神降聽儼然言和之至也故堯
制神人暢
瑞應圖曰師曠鼓琴通於神明而白鵠翔
竹林七賢傳曰嵇康臨死顧視日影索琴彈之曰袁孝尼
嘗從吾學廣陵散吾無惜固不與廣陵散於是絶矣

司馬相如美人賦曰上客何國之公子所從來無乃遠乎
遂設旨酒進鳴琴撫絃爲幽閑之曲
張茂樞響音泉記曰余家世所寶琴書圖盈廣明之乱散失
蕩盡其中二琴一名響泉一名韻磬皆希代之寶也
宋玉賦曰臣嘗行僕飢馬疲正值主人門開主人翁出獨
有主人女在欲置臣堂上太高堂下太卑乃便爲蘭房奥
室止臣其中其中有鳴琴焉臣援琴而鼓之爲秋竹積雪之曲
吴均續齊諧記曰王彦伯會稽餘姚人也善鼓琴仕爲東
宮扶侍赴告還都行至吴郵亭維舟中渚秉燭理琴見一
女子披幃而進二女從焉先施錦席於東床乃就坐女取
琴調之似琴而聲甚哀雅有類今之登歌女子曰子識此
聲否彦伯曰所未曾聞女曰此曲所謂楚明光者也唯嵇
叔夜能爲此聲自此以外傳習數人而已彦伯欲受之女
曰此非艷俗所宜唯岩栖谷隱可以自娯耳當更爲子彈
之幸復聽之乃鼓琴且歌歌畢止於東榻遲明將别各深
怨慕女取四端錦卧具繡臂囊一贈彦伯爲别彦伯以大
籠并玉琴以荅之而去
説苑曰雍門周以琴見孟嘗君孟嘗君曰先生鼓琴亦能
令我悲乎周曰臣烏能令足下悲哉所能令悲者先貴而
後賤先富而後貧不若身才高妙適遭暴亂不若處之隱
絶不及四隣屈折擯壓無所告訴臣一爲之徽撰琴則涕
零矣今足下千乗之君廣厦邃房下羅帷來清風鬬象旗
舞鄭妾麗色淫目流聲娯耳水遊則連方舟載旗野遊則
馳弋獵平原廣囿入則撞鍾擊鼓乎深宮之中雖有善琴
者固未能使足下悲也然臣所爲足下悲者一也千秋萬
歳之後宗廟必不血食高臺既已壞曲池既已塹墳墓既

已平嬰兒竪子採樵者躑躅其足而歌其上曰夫以孟嘗
君尊賢乃若是乎於是孟嘗君泣焉垂臉周引琴而鼓之
徐動宫徵拂羽角孟嘗君涕泣增哀下而就之曰聞先生
鼓琴立若破國亡邑之人也
鄭緝之東陽記曰晉中朝時有王質者常入山伐木至石
室見童子四人彈琴而歌質因留跂斧柯而聽之童子以
一物與質狀如棗核質取而含之便不復飢遂復少留亦謂
俄頃童子曰汝來已久何不速去質承而起所坐斧柯爛
盡既歸計離家已數十年矣舊宅遷移室宇靡存遂號慟
而絶
韓子曰昔衛靈公之晉於濮水之上宿夜聞有鼓琴聲者
悅之問左右盡不聞乃召師涓而告謂之曰有鼓新聲者
子爲我聽而寫之師涓静坐撫琴寫之明日報曰臣得之

矣公遂之晉晉平觴之虎祈之臺靈公召師涓令坐師曠之傍援琴鼓之未終師曠曰此師延之作紂爲靡靡之樂及武王伐紂延東走至於濮水而自投聞此聲者必於濮水之上先聞者其國削不可遂此平公曰此何聲也曰此所謂清商也公曰清商固冝悲乎師曠曰不如清徵公曰清徵可得聞乎師曠曰不可古之聽清徵者皆有德義之君今主君德薄不足以聽之平公曰願試聽之師曠不得已援琴一奏之有玄鶴二八南方來集於郎門之邑再奏之列三奏之延頸而鳴舒翼而舞平公大悅提觴而起爲師曠壽曰音莫悲於清徵乎師曠曰不如清角平公曰清角可得聞乎師曠曰不可昔者黃帝合鬼神於西山之上駕象車六蛟龍畢方並館蚩尤居前風伯進掃雨師洒道虎狼前在虫蛇伏地鳳皇覆上大合鬼神作爲清角今主

君德薄不足以聽之平公曰願試聽之師曠不得已而鼓之一奏之有雲從西北方起再奏之大風至大雨隨之裂帷幕破俎豆墮廊瓦坐者散走平公恐懼伏於廊室晉國大旱赤地

西京雜記曰趙后有寶琴曰鳳皇皆以金玉隱起爲龍鳳螭鸞古賢列女之象亦爲歸風送遠之操

淮南子曰孟春東宮御女青色衣鼓琴瑟琴瑟木也春木王

桓譚新論曰神農氏爲琴七絃足以通萬物而考理亂也

又曰八音之中唯絲最密而琴爲之首

應劭風俗通曰琴者樂之與八音並行君臣以相御也

孔叢子曰孔子晝息於室而鼓琴閔子自外聞之以告曾子曰嚮子之音清徹而和淪入至道今也更爲幽沉之聲幽則欲上所爲發也沉則貪德之所爲施也夫子何所感一若斯乎吾從子入而問焉曾子曰諾二子入問孔子孔子曰然如是也吾有之嚮見貍方取鼠欲其得之故爲音汝二人者孰識諸曾子對以閔子夫子曰可以聽音矣

家語曰孔子遊於泰山見榮啓期行郕之野鹿裘帶索抱琴而舞孔子問曰先生爲樂何也對曰天生萬物唯人爲貴吾既爲人一樂也男尊女卑吾既爲男二樂也人生有不見日月不免襁褓吾行年九十五歲矣三樂也貧者士之常死者人之終處常得終又何憂乎孔子曰善

呂氏春秋曰伯牙鼓琴鍾子期聽之方鼓琴志在泰山鍾子期曰善哉乎鼓琴巍巍乎如泰山志在流水鍾子期曰善哉乎鼓琴洋洋乎若流水鍾子期死伯牙擗琴絶絃終身不復鼓琴以爲世無足以鼓琴也

列仙傳曰華山毛女獵即見常居岩彈琴

桓譚新論曰神農氏繼宓羲而王天下亦上觀法於天下取法於地近取諸身遠取諸物於是始削桐爲琴繩絲爲絃以通神明之德合天人之和焉

琴書曰師曠晉之樂官也上於琴能易寒暑召風雨爲晉平公鼓之感玄鶴六下舞

西京雜記曰張安世十五爲成帝侍中善鼓琴能爲雙鳳離鸞之曲

世說顧彥先平生好琴及喪家人常以琴置靈牀上張季鷹往哭顧不勝慟遂徑上牀鼓琴作數曲而去

又曰會稽賀思令善彈琴常夜在月中坐臨風鳴絃忽有一人形皃甚偉著械有慘色在中庭稱善便與共語自云是嵇中散謂賀云卿手下極快但於古法未備因授以廣陵散遂傳之於今不絶

大周正樂曰勝之逸人也常挾琴牧羊巨澤漢王知其賢將聘焉委以國政勝之曰王廢牧羊之任而委四海之務是錯乱天地顛倒人倫竟逃於陰山之中

又曰琴所以脩身理性反其天真也君子所以常御不離於身非若鍾鼓陳於宗廟列於簴懸也以其大小得中而聲音和大聲不諠譁而流漫小聲不湮滅而不聞適足以和人意氣感發善心也

又曰瓠巴六國時人也工琴好古因夏日俯於池亭鼓之感魚躍潛藻而聽焉

又曰嵇康字叔夜有邁俗之志爲中散大夫或傳晉人非也常宿王伯通館忽有八人云吾有兄弟爲樂人不勝羇旅今授君廣陵散其妙今代莫測

又曰凡琴曲和樂而作命之曰暢暢者言其道之美暢從

不敢自安也憂愁而作命之曰操操者言困阨危迫猶不失其操也

又曰清角黃帝之琴鳴廉脩況藍脅自鳴空中號鍾齊桓公琴繞梁楚莊王琴綠綺司馬相如琴焦尾蔡邕琴鳳皇趙飛鷰琴

又曰賀韜吴人也常夜彈琴感鬼神見舞數曲斯亦妙之至也

十二國史曰周師經仕魏文侯善鼓琴文侯躭之起舞經怒以琴撞文侯文侯怒使人曳下殿將殺之經曰乞申一言而死文侯曰何經曰臣撞桀紂之君不撞堯舜之主文侯曰寡人過矣乃捨之懸琴於壁以爲戒

晉紀曰孫登字公和不知何許人散髮宂地行吟樂天居白鹿蘇門二山彈一絃琴善嘯每感風雷嵇康師事之三年不言

樂纂曰趙耶利居士唐初天水人也以琴道見重於海內帝王賢貴靡不欽風舊錯謬十五餘弄皆削凡歸雅無一徽玷不合於古述執法象及胡笳五弄譜兩卷弟子達者三人並當代翹楚貞觀十年終於曹壽七十六弟子宋孝臻公孫常數百年內常傳於馬氏

國史補曰張弘靜少時會名客觀鄭宥彈琴宥調二琴至切各置一榻動宮則宮應動角則角應稍不切乃不應宥師董庭蘭尤善汎聲

又曰李汧公勉雅好琴常斲桐又取漆筩爲之多至數百張求者與之有絕代者一名響泉一名韻磬自寶於家京師又以樊氏路氏爲第一路氏有房太尉石枕損之不理蜀氏斲琴眘自品第一上者以王次者以琴瑟又次以金

徽螺蚌

唐書樂志曰趙師字耶利天水人也在隋爲知音至唐貞觀初獨步上京遂入琴苑疇之嵇氏累代居曹遂令曹郡琴者所修五弄具列於曹妙傳濮州司馬氏琴道不墜於地也師云吴聲清宛若長江廣流緜緜徐逝有國士之風蜀聲躁急若激浪奔雷亦一時俊快也

世說曰晉戴顒字仲若父逵高尚不仕顒年十六遭憂不忍傳父之琴與兄勃各造新弄勃五部顒十五部又制長弄一部並傳於世

太平御覽卷第五百七十九

太平御覽卷第五百八十

樂部十八

笛　篪　管

簫

笛

釋名曰笛滌滌然也
史記曰黃帝使伶倫伐竹於昆谿斬而作笛吹之作鳳鳴
風俗通曰笛漢武帝時工人丘仲所造也本出羌中笛滌
也所以滌邪穢納之雅正也長尺四寸七孔
樂書曰笛者滌也丘仲所作可以滌蕩邪氣出揚正聲是
故列和善吹裁十二之音應律荀勗樞問依三尺二調成
均剪雲夢之霜筠法龍吟之異韻三孔爲篇文舞執之泒
人吹也五孔爲遂諴樂用周師掌之六孔爲笛羌人吹之

七孔下調漢部用也今之七星古之長笛一定爲調合鍾
磬之均各有短長應律呂之度雅樂部內咸用之也
馬融自叙曰融性好音能皷琴吹笛爲督郵獨卧郿平陽
塢中有洛客舍逆旅吹笛相和融去京師踰年暫聞甚悲
而樂之逆慕簫琴皆有頌而笛獨無乃作笛賦
晉書曰桓伊字叔夏善音樂有蔡邕柯亭笛嘗吹之王徽
之越京泊舟青溪側伊素不相識於岸上過徽之便使人
謂之曰聞君善吹笛試爲我一奏伊時已貴顯素聞徽
之名便下車踞胡床爲作三調之弄便上車去客主不交
一言
晉書向秀作思舊賦曰鄰家有吹笛發聲寥亮追想疇昔
遊宴之好
晉中興書曰帝舅王愷嘗置酒王導王敦俱往女妓吹笛
小失聲愷意便令黃門歐殺之一坐改容敦神色自若
沈約宋書曰晉太始十年中書監荀勗中書令張華令郝
生皷琴宋同吹笛以爲新引相和
唐書曰文宗時雲朝霞以善吹笛進上爲新聲雅樂朝霞
能承意變聲頗符上旨猶是有寵
世說曰謝仁祖妾阿紀有國色善吹笛仁祖死阿紀誓死
不嫁郗曇時爲北中郎設權計遂得阿紀爲妾阿紀終身
不與曇言
幽明記曰永嘉中泰山巢氏先爲相縣令居在晉陵家婢
採薪忽有一人隨追尋隨婢還家不使人見見形者唯婢
而已每與婢飲宴輒吹笛而歌歌曰閑夜寂以清長笛亮
且鳴若欲知我者姓郭名長生
又曰代郡界有一亭常有怪不可詣止有諸生壯勇行歌

正宿鬼吹五孔笛有一手都不能得擫笛諸生不耐忽便
笑謂汝止有一手那得遍笛我爲汝吹來鬼云爲我少指
耶乃數十指出諸生知其可擊援刷斫之得一老雄雞從
者並雜鷄
文士傳曰蔡邕告吳人曰吾昔常經會稽高遷亭見屋椽
竹東間第十六可爲笛取用果有異聲
古歌辭曰長笛續短笛長願陛下保壽無極
傳子曰列和善吹笛吳姬之聲無以加也
西京雜記曰高祖初入咸陽宮周行府庫金玉珍寶不可
稱言其尤驚異者玉笛長二尺三寸六孔銘曰昭華之琯
樂纂曰唐玄宗時樂人孫處秀善吹笛好作犯聲當時皆
以爲新意流美樂人皆效之其聲變態日增因有犯調犯
調即今之所尚也

又曰太和十年中書監荀勗中書令張華出御府銅竹律二十五具令太樂郎劉秀等校試其三具與杜夔及左延年法律同其二十二具視其銘題尺寸是笛律也問協律中郎將列和辭昔魏明帝時令和承受笛聲以作此律欲使學者別居一坊歌詠講習依此律調但識其尺寸之名則竹絲歌詠皆得均合歌聲濁者用長笛長律歌聲清者用短笛短律凡絃歌調張清濁之制不依笛尺寸名之則不可知也

又曰黃鍾笛晉時三尺八寸元嘉九年太樂令鍾宗之減爲三尺七寸十四年治書令史奚縱又減五分爲三尺六寸五分劉和之東箱長笛四尺二寸

又曰蕤賓箱笛晉時二尺九寸宗之減爲二尺六寸縱又減二分爲二尺五寸八分

又曰姑洗箱笛晉時三尺五寸宗之減爲二尺九寸七分縱又減五分爲二尺九寸二分

又曰司馬法軍中之樂皷笛爲上使聞之者壯勇而樂和細絲高竹不可用也慮悲聲感人士卒思歸之故也

又曰橫笛小篪也漢靈帝好胡笛篪出於胡吹即此也梁胡歌云快馬不須鞭拗折揚柳枝下馬吹橫笛愁殺路傍兒此歌辭元出北國知橫笛是北國名今橫笛皆去義觜其有觜者謂之義觜笛

國史補曰李舟好事嘗得村舍煙竹截以爲笛堅如鐵石以遺李牟牟吹笛天下第一月夜泛江與舟吹之嘹亮逸發俄有客立於岸呼舡請載既至請笛而吹其爲精壯山石可裂牟平生未嘗見及人破呼吸盤辟應指粉碎客散不知所之舟著記疑其蛟龍也

又曰李牟秋夜吹笛於瓜州舟檝甚隘初發調群動皆息及數奏微風颯然而至俄頃舟人賈客有怨嗟悲泣之聲

篪

釋名曰篪啼也聲從孔出如嬰兒啼聲也

毛詩曰彼何人斯伯氏吹塤仲氏吹篪

周官曰笙師掌教吹篪

尒雅曰大篪謂之沂（郭璞曰篪以竹爲之長一尺四寸圍三寸一孔上出寸三分名翹橫吹之小者尺二椟爲舍人曰大篪其聲悲沂鏘然也詩云仲氏吹篪也）

廣雅曰篪以竹爲之長尺四寸有八孔前有一孔後有四孔頭有一孔

月令仲夏之月命樂師調篪

詩節南山云伯氏吹塤仲氏吹篪（土曰塤竹曰篪箋云伯仲諭兄弟也我爲汝思如兄如弟其相應和如塤篪言俱爲王臣宜相親愛之）

史記曰伍子胥至於江上無以糊其口行蒲伏肉袒吹篪乞食於吳市

東觀漢記曰明帝幸南陽舊宅召校官子弟作雅樂奏鹿鳴上御塤篪和之以娛嘉賓

齊書曰世祖於南康郡內作伎有絲無管空中聞有篪聲調節相應

世本曰蘇成公造篪吹孔有觜如酸棗蘇成公平王時諸侯也

古史考曰古有篪尚矣蘇成公善篪而記者因以爲作誤也

又曰暴新公所造舊志曰一曰管史臣案非也雖不知暴新公何代人而非舜前人明矣舜時西王母獻管則是已有器新公安得造篪

洞冥記曰建元二年帝起騰充臺以望四遠於臺上撞磬

玉鍾懸黎之磬吹霜條之篪唱來雲依日之曲

洛陽伽藍記曰後魏河間王琛有婢朝雲善吹篪能爲團扇歌隴上聲琛爲秦州刺史羌叛屢討不勝琛令朝雲假爲貧女吹篪而乞羌聞之皆流涕相謂曰何故捨墳井在山谷爲寇耶即相率而降秦民語曰快馬健兒不如老嫗吹篪

管

蔡邕章句曰管者形長一尺圍寸有孔無底其器今亡

風俗通曰管漆竹長一尺六孔十二月之音象物貫地而牙故謂之管

尒雅曰大管謂之簫其中謂之篞小者謂之篎郭璞注曰管長尺圍寸併漆之有底賈氏爲之如篪六孔犍爲舍人曰大管者聲高大故曰簫簫者高也中者聲精密故曰篞篞密也小者聲音清妙也

廣雅曰管象篪長尺圍寸有六孔無底

班固曰黃帝作律以玉爲管長尺六孔爲十二月音至舜時西王母獻白玉管漢章十二年零陵營道舜祠下得笙一白玉管則古者又以玉爲管矣班氏用銅之言外然之義未爲得也求律所生大極之數起於一在子以三乘之得三在丑以次至酉得一萬九千六百八十三爲黃鍾之母以爲法周十二辰得十七萬七千一百四十七黃鍾之子以爲實實始法而一得則九寸則諸律也

大戴禮曰舜時西王母獻白玉琯說文管如篪六孔十二月之音物開地而牙故謂之管從竹管聲琯者古者有玉管焉

樂法圖曰次主東律東律主黃鍾聖人承天樂用管宋均注曰管黃鍾九寸管也吹管者以知律管音調則律曆正

周禮春官少師曰小師掌教簫管鄭司農曰管如篪六孔鄭玄謂管如篴而小併兩而吹之

又曰孤竹之管於圜丘奏之孫竹之管於方丘奏之陰竹之管於宗廟奏之鄭玄曰孤竹竹特生者也孫竹竹枝根末生者也陰竹生山北

籥

釋名曰籥躍也氣躍出也

尒雅曰大籥謂之產中者曰仲小者曰箹郭璞曰籥如笛三孔而短犍爲舍人曰仲其聲適仲呂也小者形聲細小曰箹也

禮記曰葦籥伊祁氏之樂也籥春分之音萬物振躍而出也

周官笙師掌教吹籥籥師教國子舞羽吹籥籥章掌幽籥鄭玄曰豳地之竹也

又曰籥師掌教國子秋冬教吹籥歷代文舞之樂所執羽

籥

毛詩曰左手執籥右手秉翟

太平御覽卷第五百八十

樂部十九

簫　笳　笙　竽　簧　塤

簫

釋名曰簫肅也其聲肅肅清也

爾雅曰大簫謂之筨小者謂之筊郭璞注曰筨二十二管長尺四寸筊十六管長尺二寸簫一名籟也

博雅曰簫大者二十三管無底小者十六管有底

通禮義纂曰伏犧作簫十六管

蔡邕曰簫編竹有底大者二十三管小者十六管長則濁短則清以蜜蠟實其底而增減之則和然則邕時無洞簫者矣

易説曰夏至之樂補以簫簫長四寸

鄭玄曰簫亦管形似鳥翼鳥火禽也火數七夏時火用事二七十四簫之長由此也

三禮圖曰雅簫長尺四寸二十四彄頌簫二寸十六彄仲夏之月令樂師均管簫簫長則濁短則清以蜜蠟實其底而增減之則和管成而音定無所復調當與琴瑟相參

風俗通曰舜作簫其形參差象鳳翼十管長尺二寸

白虎通曰簫者中呂之氣也

尚書益稷曰簫韶九成鳳凰來儀

毛詩臣工有瞽曰既備乃奏簫管備舉

春秋説曰夏至作樂聞以簫笙

周禮春官小笙師曰小笙師掌吹簫

史記曰五子胥鼓腹吹簫乞食於吳市也

又曰周勃吹簫給喪事

謝承後漢書曰靈帝善鼓琴吹洞簫

丹陽記曰江寧縣南三十里有慈姥山積石臨江生簫管竹王褒洞簫賦所稱即此也其竹圓緻異於衆處自伶倫採竹嶰谷其後唯此簳見珍故歷代常給樂府而俗呼曰鼓吹

涼州記曰呂纂咸寧二年有盜發張駿墓得白玉樽玉笛紫玉簫

列仙傳曰簫史者秦繆公時人善吹簫能致孔雀白鶴繆公女弄玉好之以妻焉其後隨鳳去故秦人作鳳女祠於雍宮代有簫聲

江表傳曰孫權攻合肥不下而還休兵皆上道權與呂蒙等在後魏將張遼奄至鼓吹驚怖不能復鳴簫唱甘寧援刀欲斫之於是始作之

莊子曰南郭子綦謂顏成子遊曰汝聞人籟曰而未聞地籟汝聞天籟郭象曰天籟簫也

泰子曰一人執規十手自負一人吹簫簫長短皆應

傅子曰馬先生能使木人吹簫比妙般輸墨翟不劣古矣

笳

杜摯笳賦序曰昔伯陽避亂入戎戎越之思有懷土風遂建斯樂美其出於戎貉之俗有大韶夏之音

曹嘉之晉書曰劉疇曾避亂塢壁賈胡百數欲害之疇無懼色援笳而吹之爲出塞入塞之聲動其遊客之思於是群胡皆泣而去

蔡琰別傳曰琰字文姬先適河東衛仲道夫亡無子歸寧于家漢末大亂爲胡騎所獲在左賢王部伍中春月登胡殿感笳之音

晉先蠶儀注曰車駕住吹小菰發大菰即笳也

又曰胡笳漢舊録有其曲不記所出本末笳者胡人卷蘆葉吹之以作樂也故謂曰胡笳

夏仲御別傳曰激南楚吹胡笳風雲爲之摇動星辰爲之變度

世說曰劉越石爲胡騎所圍數重城中窘迫無計越石始乘月登樓清嘯胡賊聞之皆悽然長嘆中夜奏胡笳賊皆流涕人有懷土之切向曉又吹之賊並棄圍奔走

笙

釋名曰笙生也象物管地而生以匏爲之其中空以受簧

爾雅曰大笙謂之巢小者謂之和郭璞曰列管匏中施簧管端大者十九簧小者十三簧舍人曰大笙音聲衆而高也小者音相和也

白虎通曰笙之言施也牙也萬物始施而牙笙者太簇之氣也象萬物之生也故曰笙有七正之節焉有六合之和焉天下樂之故謂之笙古之善吹笙者有王子晉見列仙傳周靈王之太子也

毛詩鹿鳴曰我有嘉賓鼓瑟吹笙吹笙鼓簧承筐是將

尚書益稷曰笙鏞以間鳥獸蹌蹌孔安國曰間迭也吹笙擊鍾鳥獸仰德相率而舞蹌蹌然也

禮記檀弓上曰孔子既祥五日彈琴而不成聲十日而成笙歌五日彈十日笙歌除曲外也琴以手笙歌以氣也

又曰女媧之笙簧

周禮曰春官笙師掌教吹笙

鄉飲酒曰笙入奏南陔白華

邯鄲綽五經折疑曰夫笙者法萬物始生導達陰陽之氣故有長短黃鍾爲始象法鳳凰

蔡邕月令章句曰季秋之月上丁入學習吹笙所以通氣也管簫笙竽塤篪皆以吹鳴者也

穆天子傳曰西王毋吟月吹笙鼓簧簧在笙中中心翔翔民之子惟天之望

呂氏春秋曰墨子見荆王衣錦吹笙

竽

易通卦驗曰冬至吹黃鍾之律間音以竽竽長四尺二寸鄭玄曰管類也竹爲之形參差象鳥羽也

周禮曰笙師掌教吹竽竽三十六簧也

禮記月令曰仲夏之月命樂師調笙竽

風俗通曰謹案禮記竽竹簧長四尺二寸今二十三管

世本曰隨作竽

楚辭曰代奏鄭衛鳴竽張伏戲駕辯楚勞商伏羲作琴造駕辯之曲楚人自作勞商之歌皆妙曲也

通禮義纂曰漢武帝時丘仲作竽笙三十六管

樂府雜録曰將竽形類小鍾以手捋之即鳴

樂府圖曰吹竽有以知法度竽音調則度數得見

列仙傳曰商丘子胥者高邑人也好牧豕吹竽年七十不取婦而老邑人乃奇怪之從受道問其要言但食术菖蒲根飲水不飢不老如此傳世見之三百餘年貴戚富室聞之取而服之不能終歲輒止墮慢矣謂將復有匿術也

文心雕龍曰林籟結響調如竽琴

淮南子曰孟夏南方御女衣赤采吹笙竽煦也立春之氣煦生萬物也管三十六宮管在左右和十三宮管在中今之竽並以木代瓠而漆之無復八音矣荆梁之南尚仍古制

桓譚新論曰成少伯工吹竽見安昌侯張子夏鼓瑟謂曰
音不通千曲以上不足以為知音
韓子曰齊宣王使人吹竽有三百人南郭處士請為王吹
粟食與三百人等宣王死文王即位一一聽之處士走或
云韓昭侯田嚴使一一聽之乃知其濫吹也
新序曰楚王使謁者徐光迎方與盲人能吹竽者龔遂乃
止

簧

毛詩曰巧言如簧
又曰君子陽陽左執簧右招我由房（陽陽無所用其心也）
漢書內傳曰西王母命侍女許飛瓊鼓震靈之簧
世本曰女媧作簧（宋均曰女媧黄帝臣也）
三禮圖曰雅簧上下各六
神仙傳曰王遥有竹篋未嘗開後將弟子擔篋入石室室
中有二人遥自取一枚以二枚與室中人對共鼓之
潛夫論曰簧削鋭其頭有傷害之象塞蠟銮有口舌之類
皆非吉祥善應也

塤

世本曰塤暴新公所造亦不知何人周畿內有暴國豈其
時人乎本作壎（音許袁切）圍五寸半長三寸半九六孔宋均注
云暴公國平王諸侯也
樂書曰壎者喧也周平王時暴辛公燒土為之
說文云壎為樂器亦作塤也壎謂聲濁而喧喧然今雅樂
部用也
爾雅釋樂曰大壎謂之嘂即塤也鋭上平底形象稱鍾大
者如鵝子聲合黄鍾大呂也小者如鷄子聲合大簇夾鍾

也皆六孔與篪聲相諧故曰壎篪相應
風俗通曰塤燒土為也圍五寸半長一寸半有四孔其二
通凡六孔也塤一作壎字也

太平御覽卷第五百八十一

樂部二十

鼓 鼙 柷敔 筍虡

鼓

風俗通曰鼓不知誰所造鼓者郭也春分之音萬物皆郭皮甲而出故謂之鼓

爾雅曰大鼓謂之鼖小者謂之應大鼗謂之麻小者謂之料徒擊鼓謂之咢郭璞注曰詩云或歌或咢鼖長八尺應在大鼓側也

周易通卦驗曰冬至鼓用馬革圓徑八尺一寸夏至鼓用牛皮圓徑五尺七寸

尚書曰周成王崩鼖鼓在西方長八尺

尚書益稷曰下管鞀鼓

禮記曰廟堂之上罍樽在阼犧樽在西廟堂之下懸鼓在西應鼓在東

又曰懸鼓周鼓也其小者曰應先擊小鼓為大鼓導引故曰應一名鞞

又曰春官小師掌教鼓鞉播鞀眡瞭播鞀

又曰王執路侯執蕡將軍執晉鼓師帥執提旅師執鼙

又曰夏后足鼓殷人置鼓置植也亦作楹周人懸鼓

又曰籥章氏掌出土鼓杜子春曰以毛土為匡以革為面可擊者也

又曰除水蟲以炮土之鼓鼓之以焚石投之狐蜮之屬也

又曰地官鼓人掌教六鼓四金之音聲以節聲樂以和軍旅以正田役音五聲合和者也教為鼓而辯其聲用教為鼓鼓擊鼓者大小之數又別其聲所用事以雷鼓鼓神祀雷鼓八面鼓神祀天神以靈鼓鼓社祭靈鼓六面鼓社祭及地祇以路鼓鼓鬼享路鼓四面鼓鬼享享宗廟以鼖鼓鼓軍事大鼓謂之鼖長八尺鼖音扶云切以鼛鼓鼓役事鼛鼓長丈二尺鼛音古刀切以晉鼓鼓金奏晉鼓長六尺六寸者是也金奏謂樂作擊編鍾

又冬官考工記韗人為皐陶鄭司農曰皐陶鼓木鄭玄謂鞠者以皐陶名官陶從革耳韗音況萬切又音運鞠音陶長六尺有六寸左右端廣六寸中尺厚三寸板中廣頭狹為穹崇鄭衆云鼓木一判者其兩端廣六寸而中央廣尺如此乃得有腹矣穹者三之一鄭衆云穹讀為志無穹耶之穹謂鼓木腹穹崇者居鼓面三之一玄讀如穹蒼之穹穹崇者居鼓面三之一則其鼓四尺者板一尺三寸三分寸之一倍之為二尺六寸三分寸之二加鼓四尺穹之徑六尺六寸三分寸之二此鼓合二十板上三正鄭玄云謂兩頭一半中央一平鄭玄讀三當為參正言直也參直者穹上一直兩端又直名居二尺二寸不孤曲也此數兩以六鼓差之賈侍中云晉鼓大而短近晉鼓也以晉鼓鼓金奏也鼓長八尺鼓四尺中圍加三之一謂之鼖鼓中圍加三之一者加於面之圍以三分一也面四尺其圍十二尺加以三分一四又則中圍十六尺徑五尺三寸三分寸之一今鼓亦合二十板則板徵穹六寸三分寸之二爾雅云鼓謂之鼖以鼖鼓鼓軍事鄭衆云鼓四尺謂革所象者廣四尺也鼓為皐陶長尋有四尺鼓四尺倨句磬折以皐鼓鼓役事磬折中曲之不參正中圍與鼖鼓同以磬折為異也九冒鼓必以啓蟄之日啓蟄孟春之中蟄蟲始聞雷聲而動鼓所以取象為

象鼓以華者也良鼓瑕如積環革調急也鼓大而短則其聲疾而短聞音問下同小而長則其聲舒而遠聞

禮記明堂位曰土鼓蕢桴葦籥伊耆氏之樂也蕢當為凷伊耆古天子號令有耆氏也

左傳成上曰師之耳目在吾旗鼓

又僖中曰三軍以利用也金鼓以聲氣也

又昭三曰分唐叔以密須之鼓注密須國名也

毛詩曰鄁風擊鼓其鏜踊躍用兵

又采芑曰方叔率止鉦人伐鼓陳師鞫旅顯允方叔伐鼓淵淵振旅闐闐

又靈臺曰鼉鼓逢逢矇瞍奏公

又執競曰鍾鼓喤喤磬筦將將

又山有樞曰子有鍾鼓不擊不考宛其死矣他人是保

又有瞽曰有瞽有瞽在周之廷設業設虡崇牙樹羽應田
縣鼓
又那曰猗與那與置我鞉鼓奏鼓簡簡衎我烈祖
又甫田曰琴瑟擊鼓以御田祖
又有駜曰振振鷺鷺于飛鼓咽咽醉言歸
又宛丘曰坎其擊鼓宛丘之下
論語曰季氏富於周公而求也爲之聚斂而附益之子曰
非吾徒也小子鳴鼓而攻之可也
漢書曰李陵擊匈奴夜擊鼓起士鼓不鳴陵曰吾士氣少
衰而鼓不起何耶軍中豈有女子乎搜軍中得卒妻皆斬
之
又曰元帝疾不親政事留好音樂或置鼙殿下天子自軒
檻上隤銅丸以擿鼓聲中嚴鼓之節後宮及左右習知音
者莫能爲之

後漢書曰王喬爲葉令每當朝鄴門下鼓不擊自鳴聞於
京昭帝取置其都亭無復有聲
又曰祢衡字正平孔融雅愛其才數稱賞於曹操操欲見
之衡不肯往操懷忿而以其才不欲殺之聞衡善鼓召爲
鼓吏因會賓客閱試音節諸吏過者皆令脫其故衣更着
岑牟單絞之服次至衡衡方操擿蹋躍而前吏呵之曰鼓吏
何不改服而輕進衡於是先解衮衣次釋餘服裸身而立
徐取岑牟單絞而着之復操　擿顔色不怍操笑曰本欲
辱衡衡反辱孤衡對曰不敢以先王之法服爲伶倫之衣
沈約宋書曰蕭思話年十許歲好騎屋棟打細腰鼓也
南史曰孫抱爲延陵縣令國子助教高爽詣之抱了無故
人懷爽出從閤下過取筆書鼓面云徒有此大腹了自無
肝腸面皮如許厚被打未遽央
唐書曰張玄素太子承乾又嘗於宮中擊鼓聲聞於外玄
素叩閤請見極言切諫承乾乃出宮內鼓對玄素毀之
唐書鄭餘慶兼判太常卿事初德宗自山南還宮關輔有
懷光吐蕃之虞都下驚擾遂詔太常習樂去大鼓至是餘
慶始奏復用大鼓
世本曰王大將軍年少時舊有田舍之名語音亦楚武帝
喚時賢共言伎藝之事人人皆有所能唯王都無所解意
色殊惡自言解打鼓帝即令取鼓令擊之於坐振袖而起
揚槌奮擊音節諧捷傍若無人舉坐歎其雄爽
春秋孔演圖曰有人金豊擊玉鼓駕六龍（鼓謂所行清嚴人服其威勢也）
古今注曰漢有黃門鼓吹一名樓車
帝王世紀曰黃帝殺夔以其皮爲鼓聲聞五百

後秦記曰姚泓永和元年天水冀石鼓鳴聞數百里野雉
皆雊
神異經曰八方之荒有石鼓焉蒙之以皮其音如雷
韓子曰楚厲王有驚鼓與百姓爲戒飲酒過之而擊民大
驚使人止之曰吾醉戲而擊之民皆罷居數月警而擊鼓
民不起也
穆天子傳曰天子讀書于梨丘奏廣樂遺其靈鼓
虞喜志林曰建武二十四年南郡男子獻銅鼓有銘
五經要義曰鼓所以檢樂爲群音之長也
異苑曰晉武帝時吳郡臨平岸崩出一石鼓打之無聲問
張華華曰可取蜀人桐材刻作魚形扣之則鳴矣於是如
其言聲聞數十里
劉道民詩云亦有遠而合蜀桐鳴吳石

郭緣生述征記曰逢山在廣固南三十里有祠并石人石
鼓齊世將亂石人輙打鼓聞數十里
羅浮山記曰浮山東石樓下有兩石鼓扣之清越所謂神
鉦也
盛弘之荆州記曰始興郡陽山縣有豫章木本徑可二丈
名爲聖木秦時伐此木爲鼓顙顙成忽有奔逸北至桂陽
又王韶之始興記云息於臨武遂之洛陽因名聖鼓城今
在臨武
臨海記曰郡西有白鵠山山上有石鼓元嘉中居人志祭
祀山神乃推此鼓數十里聞如金石之響相傳云此云有
鵠飛入會稽郡雷門鼓中打鼓聲洛陽聞之後逆賊孫恩
斫破此鼓見一白鵠飛出去
通禮義纂曰建鼓大鼓也少昊氏作焉爲衆樂之節夏加
四足謂之節鼓商人挂而貫之謂之楹鼓周人縣而擊之
謂之懸鼓近代相承植而建之謂之建鼓本出於商制也
唐禮設於四隅
劉瓛定軍禮曰鼓吹未知其始也漢以雄朔野而有之矣
鳴笳以和簫聲非八音也騷人曰鳴篪吹竽鼓吹樓車也
昔簫史吹簫於秦秦人爲之築鳳臺故鼓吹陸則樓車
水則樓舡其在庭也則以簴爲樓或曰鷺鼓精也昔吴夫
差啓蛇門以厭越越人雷爲門以禳之擊大鼓於雷門之
下而蛇門聞焉其後移鼓建康宮之端門有雙鷺呪鼓而
飛乎雲末或曰皆非也詩曰振振鷺鷺于飛鼓咽咽醉言
歸古之君子仕於伶官悲周道之爲榛傷頌之輟音故飾
鼓以鷺欲其流風好焉今有龍頭大杭中鼓獨揭小鼓隨
品秩焉短簫鐃歌軍樂也帝岐伯所作以建武揚德風韶

勸士地
古今樂録曰鎛師掌金奏之鼓謂主擊晉鼓以奏其鍾鎛又卒長執鐃
呶交切兩司馬執鐸公司馬執鐲鼙又金鐃止鼓以金鐸通
鼓以金鐲節鼓以鍾鼓者前擊鍾次擊鼓也
大周正樂曰劉昫曰鼓動也冬至之音萬物含陽氣而動
雷鼓八面以祀天靈鼓六面以祀地路鼓四面以祀鬼神
夏后加之以足謂之足鼓殷人貫之以柱謂之柱鼓周人
懸之謂之懸鼓後世復殺制建之謂之建鼓鼓高六尺六
寸金奏則鼓之傍有小鼓謂之應鼓以和大鼓小鼓有柄
曰鞉揺以和鼓大曰鼙也䩭鼓大者瓦小者木皆廣首而
纖腹齊鼓如漆桶大一頭設齊於鼓面如麝臍故曰齊鼓
又曰馬上之鼓曰提鼓有木可提執施於朝則登聞之鼓
敢諫之鼓是也施於府寺曰朝鼓在村墅曰枹鼓枹一作
桴調擊鼓物也在邊徼曰警鼓
又曰銅鼓鑄銅爲之虛其一面覆而擊其上南蠻扶南天
竺類皆如此嶺南豪家則有之大者廣尺餘
又曰節鼓如博局中開圓孔適容其鼓擊之以節樂也
又曰毛員鼓似都曇而稍大
又曰有鼉鼓節鼓不知誰所造
又曰檐鼓如小甕先冒以革而漆之
又曰羯鼓正如漆桶兩手俱擊以其出羯中故號羯鼓亦
謂兩杖鼓
又曰正鼓和鼓一以正而一以和皆䩭鼓也
又曰都曇鼓似䩭鼓而小以小槌擊之
又曰荅臘鼓制廣於羯鼓而鼓以指揩之其聲甚震俗謂
之揩鼓

又曰鷄婁鼓正而貟首尾可擊之處平可數寸
又曰方皷大暦元年司馬滔進廣平樂兼此皷以應黃鍾一均聲
樂書曰雷鞉者周禮瞽矇掌播鞉鞉如皷而小以木貫之作柄柄各四枚爲八面也旁以結皮爲耳揺之還自擊禮書云掌之人左手播鞉右手擊皷之是也

柷敔

釋名曰柷如物始見柷柷然也敔止也所以止樂
尚書戛曰戛擊鳴球下管鼗皷合止柷敔孔安國曰戛擊柷敔也下管堂下樂也上下合心樂名有柷敔也
禮記德音之音控揭天子賜諸侯樂則以柷將之
樂記曰聖人作控揭壎篪則所起矣柷衆也立夏之音萬物衆形皆成也方面各二尺傍開貟孔內手於孔擊之以舉衆樂也

爾雅曰所以皷柷謂之止所以皷敔謂之甄郭璞注曰柷如漆桶方二尺四寸深尺八寸中有椎柄連底挏之令左右擊止者其椎名也敔如伏虎背上有二十七鉏鋙刻以木長尺甄者其也
樂汁圖曰乾主立冬陰陽終始故聖人承天以制柷刑法使死者不恨生者不怨宋均曰柷圉從中發聲人情死恨亦從中起
爾雅曰敔謂之甄甄音真注云敔如伏虎背上二十七鉏鋙刻以木長尺櫟之甄其名也

箾簴

爾雅曰木謂之簴郭璞注曰懸磬之本曰簴方言几其高者謂之簴郭璞注曰箾簴也
釋名曰所以懸鍾皷者横曰簨簨峻也在上高峻也縱曰簴簴舉也在旁舉簨者也

毛詩曰設業設簴崇牙樹羽
周禮冬官梓人爲箾簴外骨內骨却行仄行紆行連行以脰鳴以翼鳴以爲雕琢厚脣弇口出目短耳大胷燿後者以爲鍾簴鋭喙決吻小體騫腹者以爲磬簴小首而長摶身而鴻者以爲箾注曰爲鍾簴者有力而不走宜於任重也爲磬簴者其聲清揚宜遠聞也外骨龜內骨鼈却行螾仄行蟹紆行蛇連行魚脰鳴鼃黽翼鳴發皇也螾蚰蜒皆以刻畫彛器摶庶物貴野聲
禮明堂位曰夏后氏之龍簨簴殷之崇牙周之璧翣注云龍上刻畫爲重牙又畫繒爲翣戴之以璧垂五羽於其下也
賈誼貞簴賦曰櫻孌拳以蟉虯貟大鍾而欲飛楚詞曰簫皷兮瑤簴

說苑曰秦始皇逮千石之鍾立萬石之簴三輔舊事曰秦始皇歛天下銅鐵皆著咸陽鑄作銅簴高𡺳簴二枚魏明帝徙詣洛陽尚在

太平御覽卷第五百八十二

樂部二十一

琵琶　羯鼓

琵琶

釋名曰琵琶本胡中馬上所鼓推手前曰琵引手却曰琶因以爲名

晉書曰石季倫善彈琵琶

宋書曰庾仲文爲吏部尚書好貨先與劉德願殊惡德願自持琵琶甚精麗遺之便復欵然

南史曰宋范曄善彈琵琶能爲新聲上欲聞之屢諷以微旨曄僞若不肯爲上甞宴歓歡適謂曄曰我欲歌卿可彈曄乃奉旨上歌既畢曄乃罷弦

蕭子顯齊書曰太祖曲江宴群臣數人各使效伎藝褚淵彈琵琶王僧虔彈琴沈文季歌張敬兒舞王敬則拍王儉曰臣無所解唯知誦書因跪上前誦相如封禪書上笑曰此盛德之事吾何以堪之遽止使陸澄誦孝經自仲尼居而起儉曰澄所謂博而寡要臣請誦之乃誦君子之事上章上曰善張子布更覺非奇

隋後書監牛弘修皇后房内之樂文帝龍潛時頗好音樂甞倚琵琶作歌二首名曰地厚天高託言夫妻之義因即取之爲房内曲命婦人並登歌上壽並用之職在宮内之女人教習之

樂府雜録曰貞元中有王芬曹保其子善才其孫曹綱及裴興奴善彈琵琶（其曹綱善運撥聲若風雨不事但弦其裴興奴善於攏撚不撥稍軟時人云曹綱有右手裴興奴有左手）武宗朝朱崖李太尉有樂吏廉郊者師於曹綱精妙入神甞謂儕流曰教授人亦多矣未曾有此性靈弟子也甞因清夜携樂器於平泉别墅臨池彈蕤賓調芰荷間有聲意其魚躍也及彈别調即寂然因復彈蕤賓久之池中擲物跳上岸觀之乃一片方響蕤賓鐵盖以聲律諧和相應故也其妙若此

又曰貞元中有康崑崙彈琵琶第一手因長安大旱詔移兩市以祈雨及至天門街市人廣較勝負及鬭聲樂即街東有康崑崙琵琶最上必謂街西無以敵也遂請崑崙登綵樓彈一曲新翻羽調録要（即録要是也本因樂上進曲上令録出要者因以爲名自後來誤言綠要也）其街西亦建一樓東市大誚之及崑崙度曲西市樓上出一女郎抱樂器先云我亦彈此曲兼移在楓香調及下撥聲如雷其妙絶入神崑崙即驚駭乃拜請爲師女郎乃更衣而出及見即僧也盖西市内豪族厚賂莊嚴

寺僧善本（善本名俗姓段也）以定東鄽之勝也翌日德宗召入令陳本藝異常佳獎因令教授崑崙奏曰且請崑崙彈一調子乃彈之師曰本領何雜也兼帶雅聲崑崙驚曰段師神人也臣小年初學琵琶偏於隣舍女巫處授一品絃調子後仍易數師段精鑒玄妙如此段師奏曰遣崑崙不近樂器十餘年使忘其本領然後可教詔許之後盡段師之藝也

又曰開元中有賀懷智善琵琶以石爲槽鵾雞筋作絃用鐵撥彈之

又曰琵琶始自烏孫公主造馬上彈之直項曲項者曲項盖使於急關也古曲有陌上桑范曄石苞謝弈皆善此樂也

風俗通曰琵琶近代樂家所作不知所起長三尺五寸法

天地人與五行也四絃象四時也以手琵琶之因以爲名
語林曰謝鎮西着紫羅襦據胡床在大市佛圖門樓上彈琵琶作大道曲
異苑曰南平國兵在姑熟有鬼附之每占凶輙先索琵琶隨彈而言事事有驗云是老鼠所作名曰靈侯
王僧期絳幕祠儀曰琵琶出於弦鞉笙簧其基於絲竹
竹林七賢傳曰阮咸善琵琶肴鼻雅解音律自以遠不及也
文士傳曰孔輝善彈琵琶吳歸命恒使爲樂
孫放別傳曰君性好音能操琴及琵琶以自散
傅玄琵琶序曰聞之故老云漢遣烏孫公主念其行道思慕使工知音者戰琴箏筑箜篌之屬作馬上之樂觀其器盤圓柄直陰陽序也四弦法四時也以方語目之故枇

杷也取易傳於外國也杜摯以爲興秦之末蓋苦長城之役百姓弦鼗而鼓之二者各有所據以意斷之烏孫近焉石崇琵琶引曰王明君本爲昭君以觸文帝諱改匈奴請婚元帝以明君配焉昔公主嫁烏孫令琵琶馬上作樂以慰其思其送明君亦故然序之云耳
傳子曰朱生善彈琵琶雖伯牙之妙無加也
文士傳曰孔燁字正忠解音律彈琵琶
異苑曰永嘉中李謙素善琵琶元嘉初往廣州夜集坐倦悉寢唯謙獨揮彈未輟便聞窻外有唱佳聲每至契會無不擊節謙恠語曰何不進耶對曰遺生以久無宜干突始悟是鬼
幽明録曰晉司空桓豁在荆州有參軍五月五日剪鸜鵒舌教令學語遂無不鳴與人相問顧參軍善彈琵琶鸜鵒每立聽移時

録異傳曰吳赤烏三年句章氏楊度至餘姚夜行有一年少持琵琶求寄載度受之鼓琵琶作數十曲曲畢乃吐舌擘目以怖度而去復行二十里許又見一老父寄載自云姓王名戒因復載之謂曰鬼工鼓琵琶甚哀戒曰我亦能鼓即是向鬼復擘眼吐舌度怖幾死
語林曰桓宣武外甥恒在坐鼓琵琶宣武醉後指琵琶曰名士固亦操斯器
三輔決録曰游楚上表乞宿衛拜駙馬都尉楚無學問好遊遨音樂乃畜歌琵琶箏笛每行將以自隨
樂府雜録曰唐文宗朝女弟子鄭中丞善於胡琴中丞即宮人之官也內庫有兩面琵琶號大忽雷鄭常彈小忽雷因匙頭脫送於崇仁坊南趙家修理大約造樂器多在此坊中南北二趙家最妙大和中有權相舊吏梁厚本莊在渭南縣之

西北臨渭水一日因垂釣忽見一物流過長五尺許悉以錦纏其上令家僮接得就岸乃秘器也及發棺視之乃一女郎也粧色儼然以伺之口鼻間餘息未絶遂移於曲室中將養經旬漸能言詢之云是鄭中丞也昨以悞聖旨命內官縊殺投於渭河錦即諸弟子相贈耳及如故因垂涕感謝厚本即納爲妻言其琵琶今尚在南趙家值鄭注之亂莫有知者梁乃潛賂樂匠贖得之每至夜深方敢輕彈後遇良晨美景歛於花下酒酣不覺郎彈數曲洎有黃門放鷂子過其門私於牆外聽之曰此是鄭中丞琵琶聲也不日召入內乃捨厚本之罪仍加錫賜也
明皇雜録曰天寶中上命宮女子數百人爲梨園弟子皆居宜春北院上素曉音律時有馬仙期李龜年賀懷智洞知律度安禄山自范陽入覲亦獻白玉簫管數百事皆陳

於梨園自是音響殆不類人間有中官白秀貞自蜀使迴得琵琶以獻其槽以邏逤檀爲之溫潤如玉光輝可鑒有金縷紅文蹙成雙鳳貴妃每抱是琵琶奏於梨園音韻淒清飄如雲外而諸王貴主洎虢國已下競爲貴妃琵琶弟子每授曲畢皆廣有進獻其後龜年流落江南每遇良辰勝景常爲人歌數闋座客聞之莫不掩泣罷酒

羯鼓

羯鼓錄曰羯鼓出外夷以戎羯之鼓故曰羯鼓其音主太蔟一均龜茲高昌疎勒天竺諸部皆用之次在都曇荅臘鼓之下（都曇似腰鼓而小荅臘即䳛鼓也）鷄鼓之上鼘如漆桶（山桒爲之）下以小牙床承之擊用兩杖其音焦殺鳴烈尤宜急曲促破作戰杖連碎之聲又宜高樓曉影明月清風破空透遠特異衆樂杖用黃檀狗骨花楸（等木）須至乾緊絕濕氣而復柔膩乾取發越響亮膩取戰褭健舉捲用鋼鐵鐵當精鍊捲須至匀若不以鋼則應條高下紐掇不停不匀則鼓面緩急若琴徽之牝病玄宗洞曉音律由之天縱凡是管絃悉造其妙若製作曲調隨意即成如不立章度取適長短應指發聲皆中點拍至於清濁變轉律呂呼召君臣事物相制使雖古之夔曠無以過也尤愛羯鼓横笛云八音之領袖也諸樂不可爲比嘗值二月詰旦巾櫛方畢時宿雨初晴景色明麗小殿庭内柳杏將吐覩而歎曰對此景物豈可不與他判斷之左右相目將令備酒唯高力士遣取羯鼓上旋命之臨軒縱擊一曲名春光好（上自製）神思自得及顧柳杏皆已發拆指而笑曰此事不喚我作天公可乎左右皆稱萬歲又製秋風高每至秋空迥徹纖塵不起即奏之必遠風徐來庭葉隨落其妙絕入神也如此

又曰汝陽王璡寗王長子也姿容妍美秀出藩邸上特鍾愛焉自傳授之又以其聰悟敏惠妙達其旨每隨遊幸頃刻不捨璡嘗戴砑絹帽打曲上自摘槿花一朶置於帽上着處二物皆極滑久之方安遂奏舞山花一曲花不墜（本色所謂定頭項難在不動搖）上大喜笑賜金器一厨因誇花奴（璡小名也）姿質明瑩肌膚光細非人間人必神仙謫墜也寗王謙讓隨而短之上笑曰大哥不在過慮阿瞞自是相師（上於諸親自稱此號）夫帝王之相且須英特越逸之氣不然則有深沉包育之候若花奴但端秀過人悉無此大固無猜也而又舉止淹雅更得公卿間令譽耳寗王又謝之曰如此則臣乃輸之上曰若此則阿瞞亦輸大哥矣寗王又謙謝上曰阿瞞贏處亦多大哥亦用偶揖衆皆歡笑也上性俊邁酷不好琴嘗聽彈正弄未及畢叱琴者曰待詔出去謂官者曰速召花奴將羯鼓來爲我解穢黃幡綽亦知音者上嘗使人召之不時至上怒絡驛使尋捕之既至及殿側聞上理鼓固止謁者不令報俄頃上又問侍官奴來未曲罷改奏纔三數十聲綽即入上謂曰賴稍遲我向來怒意至必撻焉適方思之長入供奉已五十餘日暫一日出外不可不許他東西過往綽拜謝畢內官有偶而笑者上詰之具言綽尋至聽鼓而候其時入上問之綽語其方及解怒之際皆無差悟上奇之復厲聲謂之曰我心骨下事安有侍官奴聞鼓聲能料之耶今且謂我何如綽遂走下堦面北鞠躬大聲曰有物豎金鷄上大笑而止

又曰宋開府雖耿介不倫亦深好聲樂尤善羯鼓（南山起雲北山起雨即開府所爲）始承恩顧與上論鼓事曰不是青州石即是魯山花甌然少年琵琶掌下雖有朋肯聲據此乃漢震第二鼓

也且鼙用石花瓷固是署鼓掌下朋肯聲是以手拍非羯鼓鳴矣又謂上曰頭如青山峯手似白雨點按此即羯鼓之能事（山峯欲不動雨點取碎急）即上與開府兼善兩鼓也而羯鼓偏好以其比漢震稍雅細焉開府之家悉傳之東都留守鄭叔祖母即開府之女今尊賢里鄭氏第小樓即是夫人習鼓之所也

又曰嗣曹王皐有巧思精於器用為荊南節度使有羇客懷二棬欲求通謁先啓於賓府府中觀者訝之曰豈足尚邪客曰但啓於尚書當解耳及見皐捧而歎曰不意今日獲逢至寶因指其鋼勻之狀賓但唯唯或復非之皐曰諸公或似未信乎命取食柈自選其極平者遂重二棬於柈心以油注之盤中棬蒲而油不浸漏蓋相契無際也皐曰此必開元中供御棬也不然無以至此問其客曰某先人在黔中得於高力士衆方深伏佐替問其價宜償幾何客曰不過三百緡及皐遺之財帛器盈其直果稱焉

又曰廣德中蜀客雙流縣丞李琬者亦能之調集至長安稅居務本里夜聞羯鼓聲曲頗妙於月下步尋至一小宅門戶極卑隘叩門請謁鼓工曰君所擊者豈非耶婆色鷄（一本作耶婆娑鷄也）雖至精能然而無尾何也工大異之曰君固知音者此事無人知某太常工人也祖父傳此藝尤能此曲進因張通儒而入長安某家流散父沒西河此曲遂絕今但按舊譜數本尋之竟無結尾聲故夜夜求之琬曰曲下意盡乎工曰盡琬曰意盡則曲盡又何索乎工曰柰何聲不盡也琬曰可言矣夫曲有如此當以他曲解之方可盡其聲矣夫耶婆色鷄當用掘柘急偏解之工如其所教果得諧叶聲意皆盡（如柘枝用渾脫解甘州用絕了頭解之類是也）工泣言而謝之即言於寺卿奏為主簿累官至太常少卿為宗正卿

又曰永奏中杜鴻漸為三川副元帥兼西川節度使亦能之成都有削杖者以二枚獻於鴻漸鴻漸得之示於衆曰此尤物也常衣襟下收貯積時矣匠曰其於脊溝中養之二十年及鴻漸出蜀至利州西界望喜驛入漢川矣自西南來始至嘉陵江頗有山景致至夜月色又佳乃與從事楊崖州杜亞輩登驛樓望月行觴讌話曰今日出艱危脫猜逼外則不辱命於朝廷內則不中禍於微質皆諸賢之力也既保此安步又瞰於此殊境安得不自賀乎遂命家僮取羯鼓笛以所得杖酬奏數曲四山猿鳥悉皆飛鳴從事頗異之曰昔夔之擊拊百獸舞庭此豈遠耶漸曰若漸於此稍當致功猶未臻妙尚能及是況聖主御天賢臣考樂飛走之類又何不感因言其有別墅近花嚴閣每值風

清月朗時或登閣奏此初見群羊於川下數舉頭躑躅不已某謂以鼓然也及鼓止亦止某復鼓之亦復然遂以疾徐高下而節之無不相應旋有二犬自其家走而吠之及羊側逐漸止聲仰首若有所聽少選即復宛頸搖尾亦從而變態是知率舞固無難矣其後不敢為之近者士林間無習之者唯僕射韓皐善不甚露焉鄂州節度使時聞黃鸛一兩集而已

太平御覽卷第五百八十三

太平御覽卷第五百八十四

樂部二十二

觱篥　五絃　六絃　七絃

太一　方響　缶　鐸

鐃　鐲　角　銅鈸

壤　撫相　舂牘　拍板

觱篥

樂部曰觱篥者笳管也卷蘆爲頭截竹爲管出於胡地制法角音九孔漏聲五音咸備唐以編入鹵部名爲笳管用之雅樂以爲雅管六竅之制則爲鳳管旋宮轉器以應律管者也

通典曰篳篥本名悲篥出於胡中其聲悲（或云儒者得傳胡人吹以驚中國馬後乃以笳爲首竹爲管也）

通典曰桃皮東夷有卷桃皮以爲篳篥也二貝大蠡也容可數升並吹之以節樂亦出南蠻

樂府雜錄曰篳篥者本龜茲國樂也亦名悲篥有類於笳也德宗朝有尉遲青官至將軍大曆中有幽州王麻奴者解吹觱篥河北推爲第一手頗踞傲自負除戎師外莫有敢輕易請者時有從事姓盧不記名臺拜將入京臨歧把酒請麻奴吹一曲子相送麻奴偃蹇大以爲不可盧乃怒曰汝藝亦未足稱者殊不知上國有尉遲將軍冠絕今古麻奴大怒曰某之此藝海內豈有及者耶今即往彼定其優劣不數月到京訪尉遲所居即常樂里也乃於側近僦居日夕加意吹之尉遲每經其門過如不聞麻奴尚未分因賂其閽者方得通見即設席於地令坐乃於高般涉調中吹一曲勒部低曲終流汗浹背尉遲頷顧謂曰此曲何必於高般涉徒費許多氣力也因自出銀字管於平般涉調中吹之麻奴驚憤垂泣拜之曰某生於偏遠之方偶有寡藝實爲無人今日幸聞天樂方悟前非遂將樂器碎之而歸終身不復言觱篥

明皇雜錄曰明皇既幸蜀西南行初入斜谷屬霖雨涉旬於棧道雨中聞鈴聲與山相應上既悼念貴妃採其聲爲雨霖鈴曲以寄恨焉時梨園弟子善吹觱篥者張野狐唯此人從至蜀上因以其曲授野狐洎至德中車駕復幸華清宮從官嬪御多非舊人上於望京樓下命野狐奏雨霖鈴曲未半上四顧淒涼不覺流涕左右感動與之歔欷其曲今傳於法部

五絃

國史補云趙璧彈五弦人問其術璧曰吾之於五絃也始

則心驅之中則神遇之終則天隨之方吾浩然眼如耳耳如鼻不知五絃之爲璧璧之爲五絃也

音律圖曰五弦不知誰所造也今世有之比琵琶稍小蓋北國所出也

又曰二絃未詳所起形如琵琶二絃四隔孤柱一合散聲二隔聲八柱聲一惣一十聲隨調應律

又曰秦漢未詳所起與琵琶同以不開目爲異四絃四隔合散聲四隔聲十六惣二十聲隨調應律

六絃

又曰六絃史盛作天寶中進形如琵琶而身長六絃四隔孤柱一合散聲六隔聲二十四柱聲一惣三十一聲隔調應律

七絃

又曰七絃鄭喜子作開元中進形同阮咸而大近身旁有少鈌取其近身便也絃十三隔孤柱一合散聲七隔聲九十一柱聲一揔九十九聲隨調應律

太一

又曰太一司馬滔作開元中進十二絃六隔合散聲十二隔聲七十二絃散聲應律呂以隔聲旋相爲宮合八十四調今入雅樂宮懸内用之矣

又曰天寶樂任歷作天寶中進類石憧十四絃設柱黄鍾一均足倍七聲後柱作調應律每舞者執之

方響

三禮圖方響梁有銅磬蓋今方響也方響以鐵爲之脩九寸廣二寸圓上方下架磬而不設倚架上以代鍾磬人間使用者纔三四寸

樂府雜録曰唐咸通中有調音律官吴繽爲鼓吹署丞善打方響其妙超羣本朱崖李太尉家樂人也

缶

易曰日昃之離不鼓缶而歌則大耋之嗟凶

毛詩宛丘曰坎其擊缶宛丘之道缶者瓦器所以盛酒漿秦人鼓之以節歌也

爾雅曰盎謂之缶注云盆也

史記曰秦王與趙王會澠池藺相如從秦王曰寡人聞趙王好音請奏琴趙王鼓琴秦御史書曰某年某月秦王命趙王鼓琴相如亦奉缶秦王秦王不肯相如曰五步之内請以頸血濺大王秦王不懌爲一擊之相如亦命趙御史書曰某年某月趙王使秦王擊缶

淮南子曰夫窮鄉之社扣瓮拊瓴相和而歌自以爲樂常試爲之擊建鼓撞巨鐘乃始知夫瓮瓴之足羞也

徐幹中論曰聽黄鍾之音知擊缶之細涉庠序之教知不學之困

呂氏春秋曰堯使質以麋鞹魚缶而鼓之也

墨子曰農夫春耕夏耘秋斂冬藏息於吟缶

大周正樂曰今缶八永太初司馬滔進獻廣平樂兼此八缶具黄鍾一均聲

樂府雜録曰唐大中初有調音律官天興縣丞郭道源善擊甌用越甌邢瓶共一十二旋加減水以筯擊之其音妙於方響也

鐸

周禮曰二十五人爲兩置司馬一人因以名焉木舌金鈴曰鐸軍中執之以通鼓也

後周書曰長孫紹遠爲大常廣召工創造樂器土木絲竹

各得其宜唯黄鍾不調紹遠每以爲意嘗因退朝經韓使君佛寺過浮圖三層之上有鳴鐸焉忽聞其音雅合宫調取而配奏方始克諧紹遠乃啓世宗行取

通禮義纂曰鐸大鈴振之以通鼓也

大周正樂曰鐸如鐃以木爲舌搖之以和鼓也

樂書曰木鐸者鈴也主銅爲之以木作舌故天將以夫子爲木鐸言施政教時天將命以號令天下文舞所執而鳴之以振文教

樂書曰金鐸者形同木鐸以爲金舌號令爲度鳴而驚衆舞所執以振武教者也

鄭注司馬職云擁上振之爲攡攡者止行息氣也六軍三三而居其間相遠故振鐸以通之使軍衆知可進可止之節也

司馬法曰鼓聲不過閶鼙聲不過闒鐸聲不過其琅也
廣古今五行記曰晉愍帝建興四年晉陵人陳寵在田得銅鐸五枚皆有龍虎形
大周正樂曰唐朝承周隋離亂之後樂懸散失獨無徵音國姓所闕知者不敢聞達其事天后末御史大夫李嗣真常密求之不得一旦秋爽聞砧聲有應之者在今弩營是當時英公宅又數年無由得之其後敬業舉兵敗走后瀦其宮嗣真乃求得喪車一鐸入而振之於東南隅果有應也遂掘之得石一段裁爲四具補樂懸之散闕今享宗廟郊天掛簨簴者乃嗣真所得也

鐃

釋名曰鐃鐃也者宮懸用之飾以流蘇
禮記曰始奏以文文擊鼓以驚衆也復亂以武武擊鐃而退也

周禮曰金鐃止鼓（鐃如鈴無舌有秉執而鳴之以止鼓也）
樂書曰金鐃小者似鈴執而鳴之以止鼓也舞武工人所執謂振而退武也大者懸而擊之象鐘形薄旁有二十四銑應律音而和樂也
說文曰鉦鐃也鈴柄中上下通鉦也銑小鐃也軍法卒長執銑漢有鼓吹曲有鐃歌

鐲

周禮曰鼓人以金爲鐲節鼓形如小鍾行鳴之以爲鼓節也近代有大銅疊懸而擊之
又曰卒長執鐃兩司馬執鐲言鐲鐃之用謂鉦鐸之屬以金鐃止鼓而金鐲節鼓然是四金之數故鐲者非雅樂器也

角

通禮義纂曰長鳴角也按蚩尤師魍魎與黃帝戰於涿鹿帝命吹角爲龍鳴以禦之魏武帝征烏桓軍士思歸乃減角爲中鳴其聲尤悲以應胡笳晉宋以降沿襲用之有長鳴唐禮大駕陳一百二十具是承晉魏之制也
宋樂志曰西戎有吹金者銅角長可二尺形如牛角書記所不載或云出羌胡以驚中國馬
又曰角長五尺形如竹筒本細末稍大未詳所起今鹵部及軍中用之或以竹木或以皮爲之無定制按古軍法有吹角也此器俗名拔邏迴盖胡虜驚軍之音所以書傳無之海内亂離至侯景圍臺城方用之也

銅鈸

又曰銅鈸是西涼樂也以皮紐相擊應節令法樂用之
通典曰銅鈸亦謂之銅盤出西戎及南蠻其圓數寸隱起如浮漚貫之以韋相擊以和樂也南蠻國大者圓數尺或謂齊穆士素所造也

壤

風土記曰壤者以木作前廣後銳長尺三四寸其形如履節僮以爲戲也堯時有八九十老人擊而歌曰日出而作日入而息鑿井而飲耕田而食帝何力於我哉
風俗通曰相拊也所以輔相於樂奏樂之時先擊相
又曰雅形如漆筩有椎詩云訊疾以雅是也

撫相

大周正樂曰撫相以韋爲之實以糠撫之以節也

舂牘

周禮笙師曰云掌舂牘應雅鄭司農云狀如漆筩而弇口

大長五尺六寸以葦鞔之有兩紐虛無底舉以頓地如舂杵亦謂之頓相相助也以節樂也或謂梁孝王築睢陽城方十二里造時唱聲以小鼓爲節築者下杵和之後世謂此聲爲睢陽樂

柏板

樂府雜録曰玄宗令黃幡綽撰柏板譜幡綽乃於紙上畫一耳進之問其故對曰但有耳道則無失其節奏也韓文公因爲樂司

太平御覽卷第五百八十四